中国文物志

可移动文物编 III

石雕与文字石刻 甲骨简牍、文献文书、符节印信

中国文物志编纂委员会 编

董保华 总编纂

董琦 副总编纂

文物出版社

总 目 录

本册目录

第二节　画像石与画像石葬具

第三节 文字石刻与其他杂刻

第七章 甲骨简牍、文献文书、符节印信

第一节 刻、写文字的玉石陶瓷

第三节　简牍、帛书

第四节 符节印信

第八节　舆图、历书

第九节　买地券等

第六章

石雕与文字石刻

在中国古代文明的历史进程中，古人用刀笔赋予冰冷的石头以艺术生命，用来记录历史发展的过程，形成了石刻艺术和石刻文化。石刻是文物中数量最大的一个门类，内容丰富。关于石刻文物的定名与分类，学界多有争议。本章采纳广义石刻的定名，按照石刻内容中图像与文字的区别，分为石雕与文字石刻两大类。

中国石雕艺术历史悠久。石雕岩画（不包括绘画岩画）是早期石雕艺术之一。发现于内蒙古阴山的史前岩画大角鹿和鸵鸟图，将中国岩画的历史推至1万年前。新疆、云南、广西等多处都发现有石器时代的岩画。此外，江苏连云港将军崖岩画、甘肃黑山石刻、新疆阿尔泰山岩画也都闻名遐迩。石雕人物中的女神像，是较早出现的石雕艺术题材。公元前6000年，兴隆洼文化的白音长汗石雕女神像是中国境内发现较早的女神像。从白音长汗女神像、后台子女神像到东山嘴女神像、牛河梁女神像，前后经历了两三千年的时间。河南安阳殷墟妇好墓和四川成都金沙遗址出土的跪坐石人像，以及殷墟妇好墓出土的后辛石牛，将线刻、浮雕与圆雕手法有机结合，是商代石雕技法的代表作。商代这种综合的石雕手法，对汉魏隋唐的石雕艺术均有重大影响。汉代石雕艺术以陵墓神道石雕和题材纷繁的汉画像石为代表，完全突破之前石雕大多偏于造型较小的局限，出现众多巍然屹立的大型石雕作品。如西汉武帝茂陵陪葬墓霍去病墓前的石刻，有立马、卧马、卧虎、卧象、卧牛等。东汉时期，墓葬形制有所发展，出现了守卫墓和庙的卫士像。东汉末年，废厚葬之风，神道石雕群消失不见。北魏开始恢复陵寝制度，也恢复墓前神道石雕。北魏孝庄皇帝静陵前的石翁仲继承了东汉时的石人形制，并为唐代所沿袭。在南朝诸帝陵墓的神道石雕中，有翼神兽雄强博大不可一世的气概，反映了中国古代动物神兽类石雕上的卓越成就。唐代的陵墓石雕，有十八陵及其陪葬墓的石人石兽，被誉为"唐代露天石雕艺术馆"。献陵石犀、昭陵六骏、昭陵石狮等，都是唐代动物石雕的珍品。出土于河北曲阳五代时期王处直墓的彩绘浮雕散乐、侍奉石刻和彩绘浮雕武士石刻，是当时音乐场景、人物服饰的再现。四川成都永陵王建墓的王建石雕坐像，在雕刻手法上明显继承中晚唐石雕的传统，在写实方面则更接近于北宋风格。两宋时期的西夏王陵独具特色的石雕力士志文支座，对力量感的表现给人以耳目一新之感。

宗教造像是中国石雕艺术的一个重要组成部分。随着佛教自东汉初年的传入，造像也逐渐成为佛教传播的手段之一。道教模仿佛教造像形式，塑造道教造像，还出现佛、道混合的造像形式。历代宗教石刻造像内容丰富，形式多样，主要包括造像、造像碑、造像塔等。东汉时期，佛教造像艺术传入中原腹地，南北朝至隋唐时期达到鼎盛。陕西西安碑林博物馆藏的北魏交脚弥勒佛像、山东青州博物馆藏的东魏贴金彩绘佛菩萨三尊像、河北省正定县文物保管所藏的北齐贾兰业兄弟造双思惟菩萨坐像、四川成都博物院藏的南梁比丘晃藏造佛像、陕西西安博物院藏的北周贴金彩绘菩萨立像、山东青州博物馆藏的北齐贴金彩绘佛立像、陕西历史博物馆藏的唐菩萨立像、河南龙门石窟研究所藏的唐力士像、陕西西安碑林博物馆藏的唐老君像、故宫博物院藏的北宋修道圣僧像，都是这类造像的代表作。除佛教、道教造像外，出土于福建泉州地区的毗湿奴石雕像和湿婆神石刻像是印度教造像的代表。造像碑刊刻的历史在中国长达14个世纪，从西晋造像碑开始，不同时代、不同地域形成特色鲜明的造像碑样式。如陕西药王山博物馆藏的北魏魏文朗造像碑、甘肃省博物馆藏的西魏权氏造千佛造像碑、河南博物院藏的隋邵法敬造像碑、四川博物院藏的南朝无量寿佛造像碑等。造像塔是佛教造像的一种表现形式，圆形造像塔主要分布在新疆和甘肃的敦煌、酒泉等地，主要雕刻于北凉时期，以甘肃省博物馆藏的北凉高善穆造像塔为代表。甘肃省博物馆藏的北魏时期卜氏石塔、陕西法门寺博物馆藏的唐代彩绘阿育王塔也属此类。

墓祠墓室装饰石雕是中国古代石雕艺术的一个重要方面，尤以汉代最为突出。汉代画像石的内容可谓千姿百态，从人们日常起居、衣食住行、饮酒作乐、生产劳作、杂技百戏到历史故事、神话传说无一不备，是汉代社会经济生活的反映。宴乐图画像石、乐舞百戏图画像石、投壶图画像石等，是汉代艺术生活的再现；墓主升仙图画像石、龙车飞升图画像石等是汉代升仙思想的反映。中国石质棺椁出现于新石器时代，而石棺椁上出现画像最可能早在春秋战国，所见实物以汉代为最早，四川简阳鬼头山崖墓中发现的3号画像石棺尤为珍贵。北魏晚期，河南洛阳、安阳一带流行石棺葬具，以显示死者的富贵。南北朝至隋代时期，画像石葬具中出现一批入华粟特人的石棺椁，西安北郊相继发现的北周安伽墓、史君墓、康业墓和山西太原隋代虞弘墓等，是研究粟特美术与祆教文化的重要实证资料。隋唐时期画像石葬具已是贵族墓葬葬具的主要装饰形式，代表了阴线刻绘画像石葬具的极高水平。宋、辽、金、元各代画像石葬具，材质多用青石，贵族或皇室则用花岗岩或汉白玉。金代的皇室石棺椁，以汉白玉为材质，以龙纹、凤纹为装饰，显示身份与地位。舍利石棺和石函是画像石葬具的一种特殊形式，佛教主题明确体现在石棺或石函上，甘肃灵台舍利石棺和辽代舍利石函是其突出代表。明清时期，木棺已经彻底取代了石棺，画像石葬具也渐渐销声匿迹。

文字石刻是石质类文物的一大组成部分。其上丰富的文字资料可以考历史之翔实、证史籍之异同、正史书之谬误、补载籍之缺失、存书法之真迹。中国著名的摩崖刻石文字，除秦石鼓文等之外，还有秦始皇在峄山、泰山、芝罘、东观、琅琊、碣石、会稽等处竖立的刻石。由于历代破坏，秦代刻石文字仅存有附刻在泰山刻石后的部分秦二世刻辞（称"泰山十字"）和藏于中国国家博物馆的琅琊刻石残石等。东汉时期，摩崖刻石技术已达到了一个相当高的水平，陕西汉中石门摩崖题记是自古以来就享有盛名的汉代至宋代以后的摩崖题刻群。20世纪60年代，为了修筑水库，将这批摩崖题记全部搬移到汉中博物馆保存。

古代碑石以墓碑、功德碑、宗教碑刻等类型为主。碑的起源最早可上溯到周代，或立于宗庙、祠堂门前以为祭祀；或竖在墓穴四角用以安放棺木。汉代出现刻有墓主姓系、生平及生卒年月的墓碑，也有立在道旁或通衢中，用以记事的记事功德碑。东汉立碑之风盛行，西汉时期的碑刻多为小篆和隶书并用，至东汉则以隶书为主，篆书多用于碑额。唐代碑石的树立，前所未有的兴盛，唐代书法家及其流派都可以从碑刻中找出其代表性的作品。北宋晚期，瘦金书流行，西安碑林博物馆藏的大观圣作之碑，为宋徽宗赵佶瘦金书的代表作品之一。元代福建泉州因其特殊的海港地位，吸引许多域外人士，其中包括伊斯兰教、基督教和天主教信徒等，他们留存在泉州地区的墓碑，是当时历史的一个缩影。北京地区的耶稣会士碑是明清时期域外耶稣会士在中国活动的历史反映。

墓志是考古发现中数量较大的文字文物资料，在古代文字石刻中占有较大的比重。墓志的出现和碑有渊源关系。东汉，厚葬之风日衰，为死者刻立石碑成为风俗。近年考古发掘出土一些魏晋时期的墓中铭刻，大多做成缩小了的碑形，竖立在墓室内，如徐君夫人菅氏之墓碑、梁舒墓表即此例。魏晋时期，由于禁碑制度严酷，碑的形式不适于在墓中使用，促进小型的埋入地下的长方形及方形墓志的流行。南北朝隋唐时期，墓志极为盛行，其雕饰、书法和文体都达到艺术高峰。宋元明清时期，世家望族、文士官僚仍然在墓中埋设墓志。墓志通用历史之悠久、保存史料之繁多、形制文体之相对稳定，是其他一些考古文字材料难以相比的。墓志的文字材料，使得学界对墓志的起源、南北朝时期王室与氏族大姓的综合研究、魏晋南北朝隋唐时期的士族门阀问题、中西交通与民族材料的研究、少数民族政权与文字等的研究，都取得长足的进步。

石刻经典包括儒家经典、佛教经典和道教经典。如东汉的熹平石经、三国魏正始石经，唐、五代、宋、清各代曾多次刻经。中国古代儒家经典能完好地流传至今，在很大程度上要归功于这些石经石刻。经幢是唐代始兴的一种佛教石刻。由于有祈求福祉、消除罪业的意义，因而使用逐渐扩大，由寺院发展到墓地与墓葬中。本章节选取的石经幢涵盖唐、五代、辽、北宋和明时期，除反映了佛经内容外，也涉及对外文化交流、少数民族文字等方面的历史资料。

第一节　石雕

石雕女神像　新石器时代兴隆洼文化（前6200～前5400年）文物。1988～1991年，内蒙古自治区赤峰市林西县白音长汗遗址出土。发现于第19号房址内火塘北约50厘米的地面上，是中国境内发现最古老的女神像。此外，出土兴隆洼文化石雕像主要有兴隆洼遗址1尊、林西县西山遗址2尊。

白音长汗石雕女神像高35.5厘米。头呈上削下阔三角形，颅顶尖削，前额突出，双眼大而深陷。鼓腹凸乳，双臂抱腹，屈腿蹲踞，孕妇特征明显。除头部经雕琢外，躯体部分皆敲击而成，风格粗犷拙稚。兴隆洼遗址石雕像高约10厘米，阴刻在椭圆形花岗岩石柱上，表面光滑，头尖底平，头、眼特大，肩平于头顶，双臂抱拢，双腿箕踞前伸，为女性阴刻浮雕像。出土于西山遗址的2尊，一大一小，大

者高67厘米，小者高40厘米。两者的共性是不光滑，双眼明显，嘴向内凹，鼻隆起，双耳较小，腹部突出，乳房较大；不同之处在于大者耳部明显，双臂交于腰间，小者耳部不明显，双臂向上弯屈，佩戴装饰品。两者下端均为尖状体。

内蒙古赤峰市林西县白音长汗遗址属兴隆洼文化遗址。兴隆洼文化是内蒙古自治区西拉木伦河南岸和辽宁省辽西地区发现的一支新石器时代年代较早的考古学文化，因首次发现于内蒙古敖汉旗宝国吐乡兴隆洼村而得名。石雕像展示女性高耸的乳房和鼓起的腹部特征，而对身体其他部位较为忽略，有专家据此推测其暗示繁衍和女性旺盛的生殖能力，具有生殖崇拜意味。西山遗址、白音长汗遗址中出土石雕人像房址或其附近均出土有石雕蟾蜍或蛙形石雕。学界多认为，石雕人像是先民生殖崇拜的象征，也是石雕人像作为生殖崇拜的佐证。石雕人像底部尖状体特征，表明石雕人像是栽于地上的，便于人们作为神祇偶像供奉膜拜。也有专家认为，白音长汗遗址出土这尊石雕人像栽立于住址火塘近旁，是北方地区远古先民的家族保护神，具有火神和生育女神等多重神格，是多种神灵的综合体，世代受着子孙们的烟火祭享。这种对祖先的崇拜，为红山文化女神庙所继承。

石雕女神像藏于内蒙古自治区林西县博物馆。

石雕女神像 新石器时代赵宝沟文化文物。1983～1989年，河北省滦平县金沟屯乡后台子遗址出土，共出土石雕人像8尊，其中下层遗存7尊。

石雕女神像，高34厘米，肩宽17厘米。人像为裸体孕妇形象，端坐式，面部右侧有铲伤，两眉粗隆呈弧状，眼睛以阴刻线表示，鼻略凸呈三角形，耳外凸，嘴部略隆，闭口，胸部乳头明显，屈肘，手抚腹，腰腹宽肥，小腹隆鼓，臀部与柱形小石座相连，腿向内屈，两脚相对。出土石雕人像8尊中，除1尊为猴头形人兽合一雕像外，其余均为裸体孕妇像。其中形体稍大的3尊石雕人像下端收缩成圆锥形，形体稍小的石雕人像阴部刻出竖沟，头部残缺的石雕人像阴部张开，着意表现孕妇临产姿态。

这组石雕人像共同特点，均作凸乳鼓腹，双臂屈肘抱腹，双腿屈膝蹲踞状，这种姿势或与时俗有关。因石雕人像是被推土机挖出，原位置不详，但从其下多呈圆锥形或连有柱形基座造型，专家推论，石雕人像原应戳立在土中，或是若干

对偶家庭分别供奉的家族保护神。

石雕女神像藏于河北省滦平县博物馆。

人鸟同体石雕像 新石器时代后洼下层文化文物。1983～1984年，辽宁省东沟县后洼遗址出土。后洼遗址分上下两层或两种类型，下层类型年代为公元前4000年左右，上层类型年代为公元前3000年左右。出土人形雕塑品下层6件，石质和陶质各占一半；上层8件，其中陶人像7件。人鸟同体石雕像出土于下层。

人鸟同体石雕像，高4.3厘米，宽2.9厘米，厚1.8厘米。滑石质料，两面雕刻，正面人头像，额顶和颧骨突起。额上有一条横长弧折线，上面有两条斜线，似表示缠头或斜向披发。浅浮雕柳叶形眼，外眼角向上，眼眶内凹。张口露齿，嘴部刻成两条长平行横线，内填8条等距的竖直短线以示牙齿。背面雕刻一回首鸟的形象，鸟头凸起回首附于身上，有喙。圆洞作眼，尾部圆弧微向上翘，上面浅刻有横竖交叉的网格纹示尾羽。两腿附于身和尾部两侧。颈部刻细线羽毛。

专家认为，从民族学资料分析，原始人形偶像基本上有两种，一种是祖先神，一种是巫

术手段。后洼遗址出土雕塑人像形体都较小，一般2～3厘米，最大者也不过6厘米，小的仅1厘米，有些还有坠孔，且都发现于房址内，说明人像不是固定供在神坛上的祖先偶像。其次，从制作技术分析，后洼遗址出土人像雕塑品，都以滑石、陶土为原料，没有固定形态，随意性强，技法多一面雕或两面雕，讲究整体布局，加工粗糙，尤其善于利用钻孔、划刻等手法，如钻孔为眼，划线为五官、为羽毛、为牙齿。但作者能在很小空间里表达主题，表明雕塑人像可能是妇女或巫觋在制陶或宗教活动中制作的。至于雕像人鸟同体形象，则象征人鸟交合，富于图腾特征，如同伏羲女娲人首蛇身、炎帝牛首人身一样，都是图腾感生神话的反映。体量小，又有穿孔特征，说明是佩戴在身上的图腾灵物。

人鸟同体石雕像存于辽宁省文物考古研究所。

石雕人像 新石器时代红山文化文物。2001年，内蒙古自治区敖汉旗四家子镇草帽山积石冢出土。出土地是一处新石器时代红山文化祭祀遗址群，遗址东、西分布红山文化积石冢3处，是继辽宁牛河梁遗址后又一重大发现。2006年，考古人员在对草帽山积石冢3号

地点进行考古挖掘时，又发现3具石棺及周围陶片带。

石雕人像，高27厘米，面宽18厘米。红色凝灰岩质。头戴冠，面部方正，双目微闭，平和宁静。雕刻手法细腻，生动逼真。在祭祀遗址四周石墙外侧和祭坛旁发现4尊石雕人像残件，人像大小不一。最大者比真人还要大，最小的仅宽10厘米。最小的一件高颧骨，尖下颌，颈部有联珠式项饰。较大的两件只存面之局部，其一为睁目，眼球外突。头部保存完整的只有此尊。

遗址中出土陶器上的"米"字、"十"字等刻划符号，在红山文化中属首例。在墓葬周围发现石雕人像，在较大石棺前还发现厚厚的红烧土，证实这里曾经常有人来祭祀。这些表明这是一处5500年前典型的红山文化坛冢结合的礼仪建筑群。红山文化石雕人像当与祭祀有关，人物雕像诸多信息表明，红山先民对祭祀的高度重视，以及红山文化晚期祭祀活动的活跃。这是首次在红山文化遗址中发现石雕神像，是史前艺术宝库的珍品。

石雕人像藏于内蒙古自治区敖汉旗博物馆。

双面石雕人面像 新石器时代大溪文化文物。1975年，重庆市巫山县大溪遗址出土。

双面石雕人面像，高6厘米，宽3.6厘米，中厚1厘米。石雕的原料是一种颜色漆黑、质地细腻的火山灰石，平面呈椭圆形，顶部左右各有一个椭圆状穿孔。正背面中间位置采用阴刻手法雕凿出造型相似的人面形象，一面脸颊丰腴、圆润，另一面较为瘦削。鼻梁挺直，圆睁大眼，嘴张开呈"O"形，似因极度紧张而惊恐不已。人面轮廓线以外和凸起部位经过打磨，有光泽，也留下不少制作时的划痕。面部轮廓以内的低凹部分未经磨光，挖凿、刻镂痕迹明显。

此像性质多有争议。有专家认为，其出土于大溪文化晚期一儿童墓内，应是人面形石玩具。也有专家认为，这是一种护身符性质的形象化灵物，其大张的嘴，令人望而生畏、鬼神视之而退却，这种张嘴者又有说话、呼喊之意，具有一种神秘的辟邪作用。还有专家认为，这是一种男女两性同体形象，有些学者称其为两性同体崇拜，认为这是一种男女交合巫术。类似雕塑形象在辽宁后洼新石器时代遗址、安徽望江汪洋庙新石器时代遗址中都曾出土过，其寓意是期望人类繁衍和丰产。

双面石雕人面像藏于四川博物院。

石雕人面像 新石器时代龙山文化文物。

2015年，陕西省神木县高家堡镇石峁遗址出土。2011～2015年的考古发掘中，曾在石峁外城东门门址内发现过一些石雕头像残块。在对石峁遗址开展正式考古发掘前，调查收集到一批特征明确、造型独特的石雕或石刻人像，数量20余件，均为砂岩质地，大部分是人面像，也有半身或全身石像，其中不乏高鼻深目者，推测或与中国西北地区早期青铜时代的同类雕刻有关。

石雕人面像，高20厘米，宽13厘米。人面雕刻于砂岩质石料的一面上，轮廓为竖向椭圆形，浅浮雕，减地边缘，人面内刻眼、鼻、嘴，特别是对鼻子的雕刻尤为精细，将鼻翼两侧减地以凸出鼻梁。

石峁遗址最早修建于龙山时代中期或略晚，兴盛于龙山时代晚期，夏代毁弃，属于中国北方地区一个超大型中心聚落。城内面积400余万平方米，其规模远大于年代相近的良渚遗址（300余万平方米）、陶寺遗址（270万平方米）等已知城址，是中国发现最大的史前城址。民间收藏的石雕人面像，据传都发现于石峁遗址核心区——皇城台。2015年，在皇城台一道护坡石墙上，发现通过浮雕眼眶来表现眼睛的三块菱形石头。从布局看，两只眼睛中间只隔一块石头，构成一个"别样"的石雕人面像；第三只眼睛则因其对称部位的石墙被破坏，无法复原为一双眼睛。经考古调查与勘探，专家发现石峁城址是以皇城台为中心套合着内城和外城。

皇城台是大型宫殿及高等级建筑基址的核心分布区，8万平方米台顶分布着成组的宫殿、池苑等建筑。其周边堑山砌筑着坚固雄厚的护坡石墙，自下而上斜收趋势明显，在垂直达70米方向有层阶结构，犹如巍峨的阶梯式金字塔。石雕人面像和石峁城墙菱形眼睛装饰的大量发现，说明当时石峁城存在着一个掌握宗教权的巫觋阶层。巫觋阶层通过对城址墙体"装饰"，不仅使墙体美观，且产生一种威慑感，使其他人服从自己的信仰地位。这一发现也让人想起欧亚草原上从史前即已流行的石人文化。有专家推想，东西方的史前文明中是否存在以英雄来神化聚落的现象？石峁遗址恰好位于欧亚草原与中国黄河流域之间的文化传播中间地带。龙山时代石峁人突然崛起，很可能与其地处中国北方农牧交错地带的中心位置有关，因其可同时吸收来自北方草原和南方中原诸多文明元素（尤其是宗教）。也有专家从石峁石雕人面像的雕刻技法和时代上考察后认为，哈萨克斯坦以东地区主要是南西伯利亚的奥库涅夫文化和中国新疆的切木尔切克文化真正流行过使用石人，而这两种文化早期的石人都早于石峁遗址出现，并在欧亚草原西部有其发展源头。且石峁石人雕刻技法和人面造型确与这两种文化石人有相似之处。因此，石峁遗址出土石人可能与其西北部文化有关系。就早期中西文化交流而言，石雕人面像或是初露端倪，其研究工作还待深入。

石雕人面像存于陕西省考古研究院。

跽坐石人像　商代文物。1976年，河南安阳殷墟妇好墓出土。

跽坐石人像，高9.5厘米。石质白色，稍有风化。人像双手抚膝坐，脸形瘦长，前额突出，粗眉大眼，高颧骨，大鼻，双唇突出，双耳较大；头发向后束，贴在脑后，拧成发辫，

在头上盘一圈后，辫梢塞在辫根下；头戴一圆箍形冠帽。裸体，腹部垂一长条形物。

商代玉石雕刻十分发达，石雕已广泛应用于贵族生活各领域。在日常生活祭祀、丧葬和建筑等方面都出现一些精美石雕艺术品。其中，作为礼器的石质器皿出现，是商代石雕艺术的一个新成就。殷墟曾发现专门的玉石作坊，出土大量玉石雕刻，有人物、动物形象。虽然石雕人像不多，且大多残破，但人物各种形态特征刻画得生动传神，有的还对衣饰做详细描绘。这些石雕人像不仅是艺术品，也是研究商代发饰、衣冠、坐姿、人种特征的宝贵资料。

此尊石人跪坐于地，双手抚膝，呈晚商贵族跽坐姿态。其圆形帽箍是殷墟玉石人像比较常见的冠帽样式。人像腹前长条形物，有专家认为是蔽膝，也有专家认为就是上古时期服饰中的市。妇好墓出土玉石人像13尊，其中圆雕人像5尊。这些人物形象均前额斜缓，面部扁平，颧骨略高，鼻梁低宽，为典型的蒙古人种

东亚类型形象。

跽坐石人像存于中国社会科学院考古研究所。

跪坐石人像 商周时期文物。2001年，四川成都金沙遗址出土。

跪坐石人像，高17.4厘米、21厘米。遗址出土12尊石雕人像，形制基本相同，均为双膝着地、臀部端坐于脚跟、双手反绑的跪坐造型；人脸方正瘦削，大都颧骨高凸，鼻高额宽，眉弓突出，杏状大眼圆睁，眼珠与瞳仁刻画成向前瞪视状；双耳较大，耳垂凿有穿孔；嘴或抿或张，有的嘴唇和耳朵上还残留有涂抹的朱砂痕迹。发型也颇为奇特，头发从中向左右分开，如同翻开的书本，前额及双鬓皆不留发，脑后则采用线刻的方式表现出拖垂的长辫，长辫为四索双股并列下垂，直至后腰，长辫的下端被反缚的双手遮住。人像身上未刻纹饰，也未见有彩绘，似为全身裸体。制作者采用圆雕与线刻相结合的手法，融写实和夸张于一体，生动传神。

对石雕人像的种属，学者们大致有三种看法：一是蜀族先民氐羌形象；二是其可能是来自西南夷，是被征服的西南地区少数民族形象；三是根据人像脑后长辫断定，石雕人像应是典型的古蜀族人。对石雕人像身份，有学者根据人像头顶发式及双手反缚并呈跪姿的突出特征，确定其身份为奴隶或战俘，并进而推断石雕人像是商代以来人祭（人牲）现象的真实反映。也有学者认为，石人像应是巫师，因为石雕人像均出土于遗址祭祀区，有的与石蛇放在一起，有的置于玉璋之上，有的跪在石虎之前，有的一旁还伴出有石璧、铜器和陶器等，这些都是巫师作法的工具，与三星堆出土的青铜神坛一样，金沙石人像及其共存物表现的可能是巫师举行祭祀活动的一个场景。而且石人嘴唇与耳朵等涂抹朱砂的痕迹显然是古蜀族举行祭祀活动时所为，以起到增加灵验或厌胜的作用。

跪坐石人像藏于四川成都金沙遗址博物馆。

石雕人像 青铜时代文物。石像原置于新疆维吾尔自治区阿勒泰克木齐墓地。

石雕人像，高140厘米，宽80厘米。闪长岩质。是在一块未经加工的自然砾石上雕凿而成，以突起的圆圈表现脸庞，五官刻画具有一定起伏，圆眼，粗眉，宽鼻，弧形嘴，两边颧骨上有几个凹点。胸前刻连弧形衣饰。在石面上浮雕出短小的手臂，右手抚胸，左手持弓于腹部。

古代墓地石人广泛分布于欧亚草原。由于这些石人所反映的古代游牧民族或部族文化涉及多个国家，关于其时代、族属和功能等问

题，学者们有不同看法，有些意见逐渐被公认，有些则尚未达成共识。新疆维吾尔自治区最早的墓地石人主要分布在阿勒泰地区，最初学者们根据突厥人有在墓地竖立石人的习俗，认为新疆境内草原石人都是突厥文化遗存，因而，统称其为突厥石人。但随着实地调查和考古发掘的深入，学者们发现一些石人属于更加古老的考古学文化，可追溯到青铜时代。这些石人面部大多呈现出蒙古人种的特征，石人大多选择比较规整的自然砾石进行简单雕凿，造型古拙，其特点主要在石头上以浮雕手法刻出圆形人面，有的雕出手臂，具有显著的程式化特点。中国古代文献中"鬼方"或"鬼国"是对青铜时代亚洲北方草原游牧民族的统称。学者们把阿勒泰地区青铜时代的石人与鬼方人联系起来，认为这些石人是"鬼方"文化的遗存。更有学者认为南西伯利亚石人的某些图案有中国商文化影响痕迹。在中国中原北方出土的商周文物中也存在着草原文化影响迹象，可

以断定青铜时代北方草原文化与中原商周文化之间的交流就已出现。石人功能问题，过去曾有过不同见解，有的认为是"疑兵"或"翁仲"，并推测与唐昭陵石翁仲属同一性质。也有人认为，可能是古代突厥人墓前的杀人石。而专家在调查中发现，绝大多数青铜时代的石人和石棺都是并存的，石人竖立在紧靠石围墙的东侧，面东向，这说明石人不是疑兵设置，而是墓葬前的标志。

石雕人像藏于新疆维吾尔自治区阿勒泰地区博物馆。

石雕人像　西汉文物。1985年，河北省石家庄市小安舍村发现。两尊石像采用圆雕、浮雕和线刻结合手法，造型古朴大气，具有西汉雕刻艺术典型特征，简略造型与踞坐姿态，与原存陕西省长安县常家庄村北的石刻牵牛像和斗门镇内的石刻织女像相近，而牵牛、织女两尊石像均刻于汉武帝元狩三年（前120年）。由此推知，两尊石像时代不会晚于西汉中期。

石雕人像男像，高175厘米，胸围205厘米。女像，高163厘米，胸围190厘米。石像用整块青石雕成。人像造型呈跽坐状，头部比例较大，尖下巴，大眼睛，直鼻小口，双手交叉抚于胸前，脖颈下刻有斜领衣纹，腰间系菱格纹腰带，露乳房、肚脐，两性生殖器清晰可见。足部似穿鞋。男像头戴平巾帻，脑后有结状隆起，应当是发髻；女像帽顶下陷，中央阴线刻成方形；均表情平和，神态恭顺。

有专家据出土地理位置推测，两尊石人像有可能是南越王赵佗先人墓前遗物。赵佗，秦朝将领，奉秦始皇之命平定岭南地区的百越之地。秦亡后的公元前203年，赵佗建立以番禺为王都、占地千里的南越国，并自称南越王。汉高祖十二年（前195年），赵佗接受汉高祖赐给的南越王印绶，臣服汉朝。吕后临朝时期，与赵佗交恶，汉越矛盾激化，曾一度兵戎相见，吕后甚至派人掘毁真定赵佗先人墓。汉文帝即位之初，对南越改行怀柔政策，委派

太中大夫陆贾再度出使南越前，于汉文帝元年（前179年）下诏扩建赵佗先人墓（位于石家庄市北郊赵陵铺村东），并令真定县派人看守。《大清统一志》载："赵陵铺东大冢六，小冢二十三。"《获鹿县志》也记载："汉文帝修三十六赵佗先冢。"时至20世纪50年代初期，赵陵铺村东尚存十几座大冢。石像原所在地小安舍村，东距赵佗先人墓约3千米。因此，跽坐石人像与赵佗先人墓有关，可能是吕后派人掘毁赵佗先人墓时，被赵姓族人特意从陵庙中搬迁隐藏而保存下来；或是汉文帝派人修治赵佗先人墓时所补刻。雕刻时代不晚于汉文帝初年，比霍去病墓石刻早半个世纪，是中国遗存最古老的大型陵墓石刻。

石雕人像藏于河北省石家庄市毗卢寺博物院。

人与熊石雕 西汉元狩六年（前117年）文物。人与熊石雕原置于陕西省兴平市茂陵霍去病墓墓冢前。石雕刻画人与熊搏斗情状。

人与熊石雕，高117厘米，最宽处172厘米。花岗岩质地的人形体粗壮，腰系带，高颧深目，隆鼻大嘴，耸起双肩，以巨手用力抱住一头野熊。野熊紧咬人的下唇，双方斗得难分难解。

作者通过这一题材，是为表现当时祁连山战场险象环生、危机四伏的环境，以喻取得抗击匈奴的胜利来之不易。但也有研究者认为这件作品表现的是校猎活动中勇士搏兽的形象。西汉帝王每年冬季都要在长安郊外举行大规模校猎活动。司马相如的《上林赋》、班固的《西都赋》、张衡的《西京赋》等文学作品中，都有校猎活动中猛士搏兽情景的描述。出土的西汉铜器和画像石上也有此类形象。史载汉武帝壮年时曾有与猛兽搏斗的经历，其好搏熊，在陕西周至长杨宫建射熊观。霍去病墓是汉武帝茂陵的一个组成部分，将人与熊石雕放置墓前，与马踏匈奴石雕、跃马石雕、石人一起，共同烘托出抗击外敌、获取战功这一纪念性主题。

人与熊石雕藏于陕西茂陵博物馆。

捧盾、拥彗石人像　东汉桓帝朝文物。此两尊石人像原置于山东曲阜张曲村汉墓前。石人像曾见于元代杨奂《东游记》记载，后由清代金石学家阮元从原置处移出，并在像身后刻字纪事。

捧盾石人高254厘米，拥彗石人高220厘米。两尊像均立于方形石座上，直鼻，眉眼上挑，头戴冠，身着交领长袍，腰间佩剑。捧盾石人像胸腹间阴刻篆书"汉故乐安太守麃君亭长"，拥彗石人像胸前阴刻篆书"府门之卒"。两尊石人像造型雄浑厚重，整体感强。

曾有人认为这两尊石人像为鲁恭王庙前所置，或认为在城外鲁王墓前列立。后有学者通过对汉代乐安郡建制考辨，才将其定为乐安郡太守麃君墓前之物。据考证，捧盾石人题铭中的"麃君"即麃季公，顺帝末年为乐安国之相，质帝时继任乐安太守，故石人像雕凿年代当在质帝之后的桓帝时期。在石人像上刻字，以标注其身份的做法，在东汉较为流行。根据石人像上的题铭可知，这两尊石人一为负责警卫墓地的门"亭长"，一为守卫墓地入口的"府门士卒"。据史书记载，古代亭有两卒，其一主管开闭扫除，所以拥彗；其一主管逐捕盗贼，所以持盾。盾和彗成为塑造亭长和门卒形象的标志性器物。古人想象地下也有官僚体

制,故将现实生活中的这一情形引入到墓葬中。

有专家曾对东汉镇墓文中所涉及的阴间官吏即"地吏"进行研究,认为其中乡里小吏亭长、卒史是专司墓门或魂门吏卒。石人像"亭长""府门之卒"题铭,为认识东汉墓前列置捧盾和拥彗石人及其功能意义提供了文字资料。汉画像石(砖)表现门阙的图像中,也常会出现捧盾和拥彗者形象,和这两尊石人形象相似,但画像石(砖)上的持盾者都是把盾横置于胸前,与同时代执盾武士俑有明显区别。盾作为门亭长的标志性器物,已逐渐失去防卫功能,其横置表达的则是拜谒礼迎之意。

捧盾、拥彗石人像藏于山东曲阜汉魏碑刻陈列馆。

石雕胡人像　东汉文物。1996年,山东省淄博市临淄区人民路出土。

石雕胡人像高210厘米。石像身躯呈方柱状,头戴尖帽,脸瘦长,双目深陷,赤裸上身,胸部刻出乳头,双手相握于腹前,坐于一方台上。石人尖帽正中有花样纹饰,后部有对称的菱形穿璧纹和三角形纹饰,腹部也饰有一周菱形穿璧纹。

东汉时期,汉胡交往及胡人不断迁徙中原,直接影响东汉贵族世俗生活。东汉后期,胡化风气最盛。《后汉书·五行志》记载:"灵帝好胡服、胡帐、胡床、胡坐、胡饭、胡箜篌、胡笛、胡舞,京都贵戚皆竞为之。"大量胡人形象文物出现,是当时豪强贵族追逐生活时尚的一种反映。胡人石像大都是圆雕作品，尺寸较大，最高者达300厘米。其发现地点集中在山东地区，即汉代的青、充、徐之地，具有比较集中的地域性特征。

胡人石像的功能，学界有不同观点。有专家认为，其或为"来自西方的神明"，或为"镇水、守桥、护堰的偶像"，代表汉代人心目中来自西方、沟通仙界和人间的使者，并以其巨大体量逐渐成为被崇拜的偶像。也有专家据石人像的手势特征，推断其年代上限不早于东汉晚期，下限或在西晋时期。东汉末年中原地区战乱，京洛一带居民流寓江南及海岱地区，其中就有相当数量的胡人，此像或许就是当时流寓齐地胡人的形象写照。当时的胡人有拜佛诵经习俗，故采用类似佛教禅定印的手势来表现其族属特征。胡人石像表现的是现实生活中作为侍从者的胡人形象，而不是被祭拜的偶像或镇水之物。这尊石人像形体高大，很可能属于墓地或祭坛上的仪卫性大型石雕。

石雕胡人像藏于山东临淄齐国历史博物馆。

李冰石像　东汉建宁元年（168年）文物。1974年，四川都江堰安澜索桥附近出土。

李冰是战国时期水利工程学家，都江堰的设计者和兴建组织者。其身世乡里、生卒年代与修堰的情况都已不可详考。据现有资料可知，大约在秦昭王五十一年（前256年），李冰被任命为蜀郡守。李冰治水，历史文献记载很少，能查到的最早记录是司马迁《史记》所载："蜀守冰，凿离堆，辟沫水之害，穿二江成都之中……有余则用溉浸，百姓飨其利……"班固《汉书》中，在"冰"字前加上"李"。常璩《华阳国志》中盛赞李冰功绩，

称其修建都江堰后，使川西平原"水旱从人，不知饥馑，时无荒年，天下谓之天府也"。

李冰石像，通高290厘米，肩宽96厘米，重约4吨。灰白色砂石质。圆雕，头戴冠冕，宽额圆脸，面带笑容，身穿长衣，腰间束带。两手袖在胸前，衣袖宽大下垂，拱手而立。石像底有一方榫，残长18厘米。石像两臂及胸前皆有隶书刻字，左臂刻"建宁元年闰月戊申朔廿五日都水掾"，右臂刻"尹龙长陈壹造三神石人珍（镇）水万世焉"，胸前刻"故蜀郡李府君讳冰"。石像造型粗壮稳重，雕刻朴实洗练，线条简洁有力。隶书刻字用笔兼得方圆，别具风格。

有专家认为，李冰石像起到水则作用，或说是测量岷江水位的水则。也有专家根据石像出土位置和保存状况，否定了水则功用的观点。认为石像出土附近，还出土有几块长100

余厘米青条石，条石上除开凿有子母槽外，还有直径15厘米圆孔，这都是建筑基石和插立石像基座石，表明此处曾是纪念李冰的庙宇。东汉年间，河堤上的庙宇被特大洪水冲垮，造成庙内石像向上游方向倒伏，所以石像正面为沙石掩埋。线条清晰，出土时刻文中所填红汞朱色历经千年仍清晰可辨。

李冰石像藏于四川都江堰市文物局。

彩绘石骑马人 东汉文物。1955年，河北省望都县出土。

彩绘石骑马人，高78厘米，长77.2厘米，宽25厘米。石雕系用整块石灰石雕成，石马立于一块长方形石托板上，躯体雄健，有宽厚的前肩和浑圆的后臀，配以粗壮的四肢，一条巨尾长垂于地。马昂头竖耳，眼圆鼓，鼻凸起，鼻孔外翻向前，嘴大张，牙齿外龇。骑马人头戴黑色平巾帻，身着红地白色流云纹剪襟短衣、粉地红色流云纹大口裤，左手提酒榼，右手提两尾鱼，作欣欣然买酒归来状。

东汉时期，雕塑艺术风格较西汉有较大变化。西汉石雕一般雕出大体轮廓，力求简练，而东汉石雕则出现用线条来表现衣饰、羽毛等

新风尚。此石雕总体造型古拙雄浑，细部刻画生动传神，马与人形神俱备，相得益彰，富有浓郁的生活气息。尤其是马腹与基座间的镂空处理，标志着当时的圆雕技艺成熟，为东汉石雕艺术精品。

彩绘石骑马人藏于中国国家博物馆。

石雕俳优俑 东汉文物。1957年，四川省重庆市江北区鹅石堡山汉墓出土。

石雕俳优俑高31厘米。雕塑表现了一位以笑谑为事的侏儒艺人形象，其身材粗壮，个子矮小，头戴方形小帽，头部向后仰起，上身袒胸露乳，双腿叉开坐于石墩之上，臀部肥大。整个雕塑运用红砂岩大块开凿而成，打制时发挥了石质粗糙浑重特性，除重要细节外，未加更多雕饰，雕塑体积感和分量感得到很好表现，且通过夸张变形，加强雕塑的稳定感，突出形象的主要部分。俑的神情与动作刻画上也颇具特色。人物凸出的眼球和伸长的舌头呈现出喜剧效果，与四肢动态协调一致。整件作品夸张、有趣，体现了汉代俳优形象特征。

俳优是汉代百戏的一种，相当于单口相声，表演者一般个头较小，靠口舌之利取悦观

众。河北省满城汉墓曾出土两件俳优铜人像。人像身披金锦纹衣,袒胸露腹,一人盘腿坐,一人跪坐,举手欲拍,表情滑稽。四川省东汉墓中先后出土多件形象类似击鼓说唱俑,其诙谐神态和滑稽表情,就是活生生的俳优说唱形象,也说明当时蜀地俳优说唱颇为流行。

石雕俳优俑藏于重庆中国三峡博物馆。

男女拥抱石雕像 东汉文物。民国29年(1940年),国立中央博物院筹备处与中央研究院历史语言研究所联合成立川康古迹考察团,考古学家吴金鼎任团长,开始对川康地区进行考古调查与发掘。民国30~31年(1941~1942年),考察团在四川省彭山一带发掘崖墓77座,在发掘砦子山550号墓时,在墓门第三层门楣上发现此尊男女拥抱石雕像。

男女拥抱石雕像,高49厘米,宽43厘米。为红砂岩石质,一对半裸男女盘腿席地而坐,双臂交颈相拥,男子以右手握女子乳部,二人膝前双手紧握,作亲吻状。以弧面凸起的高浮雕技法雕成。雕刻刀法粗犷简洁,刀凿痕迹历历可见,特别是作为剔地部分,更是凿点斑

斑,洼隆不平。

此雕像的内涵为何,学界多有争议。有学者称这种男女亲密图像为秘戏图。秘戏图内容的画像石、画像砖和雕塑在四川省荥经、乐山、彭山、新都等地均有出土。有的秘戏图画像砖上有"黄妳能前后并御驾两大阴子"铭文,专家推断秘戏同黄老之术有关,与道教房中术和成仙思想有密切联系。房中术是由古老的生殖崇拜演化而来,到周代晚期已成为仙术之一派。秦汉时期,盛行一时,班固在《汉书·艺文志》方技略中就载有"房中八家",可见房中术在汉代并不仅为方技,而已作为长生不老成仙的羽化修炼方式。东汉顺帝汉安元年(142年),张道陵在四川鹤鸣山创立道教,并在巴蜀一带设立24个"治"。巴蜀是张道陵祖孙传授房中术的主要地区,因此秘戏图和秘戏俑在这一地区出现就不足为怪。也有专家认为秘戏图出现在坟墓中,有祈求多子、期望祖先保护家族生殖力旺盛的目的。也有人认为秘戏图在坟墓中起着一种压胜作用。有学者从秘戏图在崖墓中的位置,并结合佛教初入中国的历史背景,认为这种男女拥抱石刻和双羊、双鱼、玉胜、熊头、人琴等并刻在石头上,安置在门楣之上,是道教《太平经》抄袭佛教"天神献玉女于佛,欲以试佛意,观佛道"的做法,用来"试诱"道教教徒及善男信女。

此像的发现引起轰动,也使考古发掘者感到不安。按照通常惯例,雕像应被原地保存,但由于参观者众多,周围田地被严重踩踏,引起田地主人不满。同时,一些人以维护伦理道德为由,意欲毁坏这件"有伤风化"的不雅之

物。迫于无奈，吴金鼎写信给国立中央博物院筹备处主任与中央研究院历史语言研究所考古组组长李济，提出将雕像凿下保存的建议，得到肯定回复。经考古学家与石匠共同努力，此雕像被完整切割下来，移运到中央博物院筹备处库房保存，抗战胜利后运至南京博物院，后移交故宫博物院。

男女拥抱石雕像藏于故宫博物院。

石翁仲 北朝时期北魏文物。1976年，河南省洛阳市邙山北魏孝庄帝元子攸静陵出土。石像出土地点在邙山上高约15米、直径约30米的一大冢南。同时出土的还有一石人头，面目与石像相同。石像的人物形象、衣着服饰和雕刻手法，与河南邓州画像石墓券门壁画、北魏画像石棺线画上的按剑门吏、龙门北魏宾阳中洞礼佛图上的侍卫像及北魏墓葬出土的侍卫俑几乎一样。由此推断，石像的时代应为北魏中晚期（北魏迁都洛阳之后），与其出土地邻近的大冢，应为北魏孝庄帝元子攸之静陵，此对石像为冢陵前神道两侧翁仲。

石翁仲高344厘米，由整块石头雕刻而成，底部有座。笼冠，夹领，短襦，裙服，双手按剑，目视前方，身材比例适度，身上衣纹刻画亦简洁流畅，表现出早期石刻艺术雕刻手法追求概括洗练的特色，是北魏时期较大石人像。

有专家认为，翁仲来历与秦始皇时所铸十二铜人有关，《史记·秦始皇本纪》记载，秦始皇二十六年（前221年）时"收天下兵，聚之咸阳，销以为钟鐻，金人十二，重各千石，置廷宫中"。《正义》所引《三辅旧事》和《水经注·河水（四）》都认为每个铜人各重24万斤，俗称翁仲。也有专家认为翁仲历史

上确有其人，原是秦始皇时的一名大力士，名阮翁仲，相传其身高一丈三尺，英勇异于常人，秦始皇令翁仲将兵守临洮，威震匈奴。翁仲死后，秦始皇为其铸铜像，置于咸阳宫司马门外。匈奴人来咸阳，遥见该铜像，还以为是真的阮翁仲，不敢靠近。于是，后人就把立于宫阙庙堂和陵墓前的铜人或石人称为翁仲。帝王陵前石刻群中设置翁仲的做法，唐以前还很少见。汉代皇陵前石刻群中不见记载有石人，考古也未发现。魏晋时代，墓前不设石刻，就更不可能有石翁仲。北朝和南朝恢复陵寝制度，在墓前设置石刻，石刻的种类和排列

都是在继承东汉传统基础上发展而来的,但各自选择的种类有所不同,最明显的是南朝神道石刻有石碑、石柱和石兽,但没有石人。而北魏却以石人为主,石人均作直立侍卫状,头戴笼冠,身穿宽袖长袍,双手握剑挂地,双履外露,神情肃穆,姿态威严,与北魏贵族墓葬出土的侍卫俑相似。至唐代,帝王陵园里设置石翁仲成为定制。石翁仲的出土,填补了北魏时期墓前神道石刻的空白,是研究北魏神道石刻的重要资料。

石翁仲藏于河南洛阳古代艺术博物馆。

石俑 南朝时期梁国文物。江苏省南京市麒麟门灵山大墓出土。学者们根据石俑出土地,结合文献记载及出土文物,断定灵山大墓为南朝梁墓,且可能是帝王陵墓。南朝陵墓地面无石刻人像,而石刻人像在南朝墓内的出现,当始于齐,盛于梁。江苏省丹阳南齐帝陵

已发现石俑,但制作粗率,已毁。梁墓出土石俑较多,也多剥蚀,仅南京灵山大墓保存较好,该墓共出土石俑5尊,此尊是其中保存最完整者,也是南朝时期以表现现实人物为题材的石雕作品中的精品。

石俑通高64厘米。系用石灰石雕成。头戴前低后高山形冠,冠上雕"十"字纹,上衣为对襟广袖,双手拢于袖内。脸形圆胖,有长须,神态恭谨,当为侍吏。雕刻技法简练概括。

石俑藏于南京市博物馆。

阿尔卡特石人 唐代文物。1961年,新疆维吾尔自治区博尔塔拉蒙古自治州温泉县阿尔卡特墓地出土。阿尔卡特石人所处1号墓地经发掘,虽未出土具备时代特征遗物,但石人前保留有4个立石("杀人石"),且石人面东而立,这都是突厥墓葬典型特征。此石人是新疆地区保存状况较好的石人之一,反映出6世纪活跃在北疆草原上尚武好战的突厥贵族武士形象。

阿尔卡特石人高285厘米。花岗岩石质。石人身材魁梧,相貌威严,大眼阔脸,高颧骨,八字胡须,颈饰项圈,身着窄袖翻领长衣,右手托杯于胸前,左手在腰间握长刀,腰系宽带,腰间左侧佩小刀,脚蹬皮靴,呈"八"字形站立。

突厥人发源于阿尔泰地区的鄂尔浑河流域,是继匈奴、鲜卑、柔然后活动在中国北方草原又一古代游牧部族。从6世纪中叶突厥首领土门自称伊利可汗、建立突厥政权始,逐渐形成以漠北为中心的地域辽阔的突厥汗国,扩张并控制蒙古高原和天山南北等广大地区,至9世纪中叶突厥汗国灭亡,前后历时约280余

对突厥石人的意义，学术界一直争论不休，有专家认为石人就是墓主人的形象，代其接受人们的祭祀；也有专家认为石人具有通灵的作用，即人死后灵魂会依附在石人身上，只要石人不倒，灵魂就不会消失。突厥石人是突厥汗国留在草原上的历史见证。突厥退出历史舞台后，石人文化开始急速衰退。随着伊斯兰教在草原广泛传播，大约至11世纪，石人彻底消失。

阿尔卡特石人藏于新疆维吾尔自治区博物馆。

彩绘石雕男女俑 唐代文物。1993年，辽宁省朝阳市黄河路唐墓出土。唐墓中随葬石俑极为罕见，而辫发石俑更是首次发现。根据石俑面部特征、发辫形状、所持器物等特点分析，彩绘石雕男女俑是东北地区古代少数民族粟末靺鞨人形象。

年，对当时亚欧大陆政治和文化发展产生过巨大影响。6世纪中叶至9世纪，也是草原石人兴盛时期，墓前立石人作为突厥人独特葬俗一部分，反映出突厥人共有信仰和文化心理。石人分布地域广大，造型和装束具有一定共性，如腰带上都挂佩剑和短刀，右臂上屈，手握杯或罐，左手抚剑或握刀，一副凛然威武形象；所着衣服也较为讲究，长袍上明显地雕刻出双翻领或单翻领，面部雕刻也更具肖像化，大都佩戴耳环，从鼻子、眼睛、嘴的塑造来看，有较明显个体形象特征；石人所处墓葬多为以条石或片石围砌的方形石围（石棺）墓或以砾石堆积的石堆墓，石人通常立于墓葬东侧或石棺正中，面向东方或东南方，石人前方有等距线状排列的列石，即所谓"其石多少，依平生所杀人数"的"杀人石"。

彩绘石雕男女俑为绿色砂岩质。两俑下部均雕出方形台座。男俑连座高112厘米，浓眉大眼，高颧骨。头发向后梳拢，长辫下垂。身着圆领窄袖长袍，束带穿靴。左手架一鹰，将系鹰之绳缠于手指上，右手下垂并提一铁挝。女俑连座高102厘米，浓眉大眼，头发向两旁梳起，在头顶两侧梳成两髻，然后又在颅后结成发辫下垂。身着交领窄袖长袍，腰束鞢鞢带，鞢鞢带右侧佩香囊和鞶囊，左侧佩一条状物，身后别一把带鞘刀，脚穿靴。双手置于胸前，作叉手状。两俑的脸、手部均涂成粉红色，头发涂成黑色，出土时虽已剥蚀，有的地方仍可见施彩痕迹。

辽宁省朝阳地区唐朝时称营州，位于连接东北与中原的咽喉地带，是唐朝中央政府与东北各少数民族往来的枢纽，唐王朝在此设营州都督府，管理东北少数民族事务。唐朝时活跃于营州境内的少数民族主要有契丹、高丽、室韦、奚、靺鞨等，其中，只有靺鞨"俗皆辫发"。这些少数民族或移居于营州境内，或游牧于营州周边，与营州有频繁的交往。彩绘石雕男俑所持的铁挝形象仅见于唐墓和渤海墓壁画中，持挝是渤海武士的特点。男俑左手所架之鹰，个体较小，是产于靺鞨之东、辽宋以后称之为海东青的一种名贵鹰鹘。自唐以后，辽、金、元、明、清各代皇室贵族狩猎之鹰鹘，多从东北获得。架鹰图也是在陕西省西安等地的唐代皇室贵族墓葬壁画中常见题材。女俑所行的叉手礼，在宋墓石刻和宋辽壁画中颇多出现。彩绘石雕男女俑的出土，对认识和研究粟末靺鞨人种归属、习俗和其移居营州时期的历史提供了资料。石俑在朝阳唐墓出土，对研究唐代营州社会状况具有重要价值。

彩绘石雕男女俑藏于辽宁省博物馆。

描金石雕武士俑 唐开元二十八年（740年）文物。1958年，陕西省西安市杨思勖墓出土。此对石俑是墓主杨思勖的侍从雕像。杨思勖（约659～740年）事迹记载于《新唐书》《旧唐书》的《宦官列传》。他是唐玄宗时期的亲信宦官，早在玄宗做临淄王时，就追随玄宗参与诛灭中宗皇后韦氏的宫廷政变，辅佐玄宗当太子。杨思勖在玄宗登基后28年去世。在开元时期，杨思勖不断奉命统兵征战，以军功大获赏识，曾官至骠骑大将军，是玄宗成就帝业的元老功臣。史书记载，杨思勖虽英勇善战，却性情凶狠，杀人成瘾。

描金石雕武士俑高40.1厘米。大理石质。有贴金，多剥落。两俑均立于方形座上，头戴

幞头，身着圆领宽袖长衣，腰束黑带，衣前襟撩起掖于带内。下着袴，足穿靴。其中一俑双手胸前抱一套兵器，腰间左右佩戴一套兵器；另一俑亦腰间左右佩戴兵器，左手抚剑，右手于胸前执一杆形物，因上下均残，究系何物不详。两俑所佩带兵器出土时已残缺，现存状态为修补复原。其中两俑左腰所佩和一俑怀中所抱计有3件弯月形物，上端残断部分被发掘者复原为带鞘的弯刀。专家们根据唐墓中发现的仪卫图壁画，认为这种弯月形物应是韬，即装弓的弓袋，并进一步把唐代弓韬分为两种类型，一种是将弓完全藏于韬内，只在韬口处略露出弓梢；另一种是不能将弓完全收于韬内，而是在韬口外露出较长的一节弓杆。两俑腰间佩带的弓韬即属于后一种，怀中所抱弓韬因残断过甚而难以判断。

描金石雕武士俑藏于中国国家博物馆。

彩绘浮雕武士石刻　五代文物。1994年，河北省曲阳县王处直墓出土。彩绘浮雕武士石刻人物身份，有专家认为是唐五代时期武士形象。有专家根据其在墓甬道南部东西两壁壁龛位置判断，浮雕石刻表现的应是佛教护法神天王形象，有守护墓主安宁的意味。彩绘浮雕武士石刻位于王处直墓门口甬道两侧。王处直墓位于河北曲阳一处群山环绕的小盆地内，坐北朝南，由封土、墓道、墓门、甬道、墓室等部分组成，整个墓室不仅满绘奉侍、山水、花鸟、云鹤、星象等内容的精美壁画，还用18块曲阳汉白玉石创作了武士、生肖、散乐、奉侍等几组浮雕，装饰于墓室各壁。王处直（？～922年），字允明，京兆万年人，兴元节度使王宗之子，义武军节度使王处存之

弟，义武军节度使王郜的叔父，五代十国初期北平国统治者。唐光化三年（900年），王处直继任义武军节度使，成为唐朝末期北方的割据者。后梁开平三年（909年），后梁朱温封王处直为北平王，建立北平国。后梁贞明七年（921年），其养子王都发动政变，囚禁王处直。次年，王处直被王都杀死。王都夺权后，为脸面和名声，特请最好的工匠为其养父修建陵墓，进行厚葬。

彩绘浮雕武士石刻，高113.5厘米，宽58厘米，厚11.7厘米。汉白玉质。武士身材魁梧，四肢粗壮，圆瞪的双眼和倒立的双眉露出一股威严气势，身着盔甲，手拄宝剑，分别立于麋鹿和神牛之上，肩上各立一龙一凤。整个浮雕雕刻精细，无论是武士铠甲、头盔上的纹饰还是凤之羽毛和龙之鳞甲，都清晰可见。而且红色、黑色、褐色和蓝色等彩绘色彩鲜艳。并在武士头盔、护心镜等部位涂有金粉。其雕刻艺术风格上承唐代之余韵，下开宋元之先河，是五代艺术石雕珍品，具有很高艺术价值。

彩绘浮雕武士石刻，回归经历了曲折的过程。1994年5月，王处直墓遭盗掘，包括镶嵌在甬道两侧彩绘浮雕武士石刻在内的10件珍贵文物被盗走，并无音信。2000年2月，一件编号为209的彩绘浮雕武士石刻出现在美国纽约克里斯蒂（佳士得）中国文物拍卖会上，正是被盗卖的脚踏神牛、肩立凤鸟武士石刻。国家文物局闻讯，迅速与公安部合作，成立文物追索工作指挥部，就克里斯蒂在纽约拍卖中国被盗文物一事，照会美国驻华使馆，公安部也向国际刑警组织美国中心局发出通报，请求给予合作。同时，国家文物局和公安部将情况通报外交部及中国驻美国大使馆、驻纽约总领事馆，并根据联合国教科文组织规定，急令河北省公安部门和文物部门，速把失窃现场勘查报告、照片、警方立案报告、中国有关法律、曲阳县政府将王处直墓公布为保护单位的时间等13份法律文件和证据，提交美国相关部门。同年3月21日，美国地方法院停止克里斯蒂拍卖行对209号拍卖，并查扣这件中国文物。此后，美国司法部门根据联合国1970年"巴黎公约"做出判决，将文物无偿归还中国政府。2001年5月，美国海关总署在纽约世贸中心将此件石刻归还中国。在中国政府追索纽约拍卖会出现的这件武士石刻的同时，美国大收藏家安思远发现自己购买的脚踏麋鹿、肩立青龙的彩绘浮雕武士石刻与此件石刻相似，遂将藏品照片寄到中国，请求验证。经比对研究，安思远的藏品也是王处直墓被盗文物。安思远遂主动与中国国家文物局联系，将其无偿地捐献给中国历史博物馆。这两尊彩绘浮雕武士石刻终于团聚，回归中国。2004年9月，彩绘浮雕武士石刻参加由中国国家博物馆举办的"国宝回归展"，引起轰动。随后，这两尊石刻入藏中国国家博物馆，是"古代中国陈列"中的重要展品。

彩绘浮雕武士石刻藏于中国国家博物馆。

彩绘浮雕散乐、奉侍图石刻　五代文物。1995年，河北省曲阳县王处直墓出土。古代汉白玉雕刻一般都不上色，而王处直墓出土彩绘浮雕根据人物角色涂上各种颜色，其中红色最多，还有黑、褐、蓝、白等色，立体感极强。两件浮雕构图巧妙。散乐图（上）中虽乐队前后排列相互掩映，但工匠巧妙把握演奏者的关键动作，人物与演奏器乐间相互关系的处理，毫无凌乱之感，

显得疏密相间，错落有致。奉侍图（下）中，工匠把握住每个人物的不同特征，交错分布人物，通过侍女体态、表情、行为动作变化，给画面以完整统一主题，又反映出人物内心世界，显示古代雕刻工匠惊人的构图表现力。

彩绘浮雕散乐、奉侍图石刻所用石材来

自河北曲阳黄山盛产的白石。分别位于墓室东西壁。西壁为散乐图，长136厘米，高82厘米。共有女乐12人，前排5人演奏篳篥、筝、琵琶、拍板、大鼓；后排7人演奏笙、方响、答腊鼓、筚篥、横笛等。右边第一人着男装，可能是乐队指挥。乐队指挥下方有孝子2人。散乐图中女乐头梳抱面高髻、锥髻、环髻、双髻等不同发式，插白色梳或鲜花，身着窄袖襦衫，长裙曳地，脚穿红色高头履。人物丰满圆润，表情生动，具有极高的艺术感染力。散乐图中人物演奏乐器品种几乎涵盖五代时期散乐表演的所有乐器，为研究中国音乐发展史提供了形象的实物资料。

东壁为奉侍图，长136厘米，高82厘米。画面共14人，除队前1侏儒外，其余13人均为侍女形象，表现侍女服侍主人的场景，是墓主人生前生活写照。侍女们分别手持壶、托盏、障扇、方盒、拂尘等日常生活用具。发式也较为复杂，有抱面高髻、锥髻、环髻、单髻、丛髻等，头上戴花，插白色梳。身着窄袖襦衫，长裙曳地，脚穿高头履。侍女体态丰腴，表情矜持慵懒，有的静默徐行，有的回头顾盼。侍女服饰佩戴等种类多样，为研究中国服饰史提供了参考资料。

非部伍之声，俳优歌舞杂奏称之散乐，是相对于正雅之乐而言的，其无仪礼和教化的功能，纯以娱乐为主。周秦时期，散乐指民间乐舞。两汉后，散乐加入杂技、武术、幻术、歌舞戏等表演形式，又称百戏。南北朝时期，散乐进入宫廷，成为宫中各类宴会上重要的娱乐项目。隋唐时期，散乐发展更趋繁荣，以至朝廷为政治教化的目的屡发诏令禁止散乐表演。宋辽时期，散乐更是深入民间，成为最普遍、最热闹的娱乐项目，但在内容上仍以歌舞伎艺表演为主。彩绘浮雕散乐图可谓上承大唐之余韵，下启宋辽墓葬壁画散乐图像之先声。

彩绘浮雕散乐、奉侍图石刻存于河北省文物研究所。

石雕王建坐像　五代十国时期前蜀光天元年（918年）文物。民国31年（1942年），四川省成都市永陵出土。永陵墓室分前、中、后三室。前室为羡道，中室放置有须弥座石棺床，后室放置御床。王建石雕坐像就位于御床上，可以移动。王建（847～918年），五代时期前蜀开国皇帝。王建武将出身，于唐末加入忠武军，成为忠武八都的都将之一。因救护唐僖宗有功，成为神策军将领。《新五代史·前蜀世家》记载，王建相貌"隆眉广颡，状貌伟然"。石雕王建坐像衣服和面相用写实手法雕刻而成，其特征与文献记载的王建相貌大体相

符，是写实的肖像雕刻，这在中国古代人物雕塑史上尚无二例。

石雕王建坐像高86厘米。雕像为石质圆雕坐像，人物袖手端坐，身着圆领锦袍，头戴幞头，腰束玉带，足蹬乌皮靴。方面大耳，阔口高额，眉骨轩昂，神态威严。

永陵是冯汉骥民国31年（1942年）主持发掘的。参加王建墓发掘的专家和工作人员冒险抢救、发掘保护文物，并集资修建四川省博物馆，冯汉骥任馆长。出土的这批文物也随之在省博物馆珍藏。战乱时期，出土文物又转移到一家兵工厂保存，以确保安全。其中王建石雕像既重又高，转移困难，专家们将其用布包装在大箱子内，雇几名青年壮农用滑竿抬到十余千米外犀浦的兵工厂内保存。1949年中华人民共和国成立后，王建石像重新被运回永陵墓室内保存。

石雕王建坐像存于四川成都永陵墓墓室内。

石雕契丹男女侍俑 辽代文物。2000年，内蒙古自治区巴林左旗白音乌拉苏木白音罕山出土。根据出土墓志可知，石俑所在墓地是韩氏家族墓地，墓主人韩匡嗣。其父韩知古，汉族人，是辽太祖二十一名佑命功臣之一。韩匡嗣在景宗时得以重任，死于统和元年（983年），葬于统和三年（985年），其夫人萧氏葬于统和十一年（993年）。韩匡嗣九子均有建树，其中五子韩德让（耶律隆运）名声最为显赫，官拜大丞相，因其功绩卓著，统和二十二年（1004年），赐国姓耶律，使韩氏一族附籍"横帐"，韩德让列于景宗庙位，位居亲王之上。巴林左旗白音乌拉苏木白音罕山共发现墓葬40余座，先后发现于该墓地的韩匡嗣

后裔韩德威和韩元佐，其墓志上都称"附大茔"或"从先茔"，从中可知这是一处典型的聚族而葬的韩氏家族墓地。韩氏家族是辽朝望族，是辽朝仅次于皇族耶律氏、后族萧氏的大家族，是中原汉族贵族契丹化进而推动契丹社会封建化的主要力量。韩氏家族的契丹化不仅表现在其姓氏改变，也表现在墓葬随葬品上，石雕契丹男女侍俑是最好的佐证。

石雕契丹男女侍俑为青砂岩质。男俑高62厘米，立于长方形台上。髡发，额前留有整齐的刘海，两鬓各留一缕长发垂于耳前，双目低眉，耳戴圆形耳环，身穿圆领长袍，腰束长带，挽于腹部，双手相握置于胸腹间，左髋垂一刺鹅锥，足蹬尖头皮靴。女俑高63.5厘米，立于长方形台上。盘发，额前挽一花结，身着左衽长袍，腰系长带，挽于腹前，双手捧一浣巾，置于腹前，足蹬尖头皮靴。

辽制，庶人拥有财富或衙役无官职者，不能戴冠帻。这种严格的衣冠等级界限，在辽墓

壁画中反映得尤其清楚。壁画中仆役、侍卫等人物，均是髡发露顶，无一戴冠帻。契丹男侍俑髡发，低眉恭顺的神态和女侍俑手持浣巾动作，都说明男女侍俑应为贵族近侍。其造型简约概括，刀法细腻，生动地展现了辽代身份卑微的奴仆形象，是在继承唐、五代雕塑造型技法基础上又具写实创新的艺术杰作。

石雕契丹男女侍俑藏于内蒙古自治区博物院。

石雕人头像 北宋时期文物。2009年，河南省巩义县北宋皇陵出土。石雕人头像出土地周王墓是宋真宗儿子赵玄祐墓，随葬于其祖父宋太宗的永熙陵。从出土墓志铭可知，墓主人赵玄祐为宋真宗的二儿子，生前备受真宗宠爱，曾属意为太子人选，死时年仅9岁，其葬仪是按太子规格执行的，级别很高。根据宋陵形制与结构判断，该墓应有神道，石雕人头像或许是墓神道上的石刻雕像，因现场已被庄稼

覆盖，无法考证。

石雕人头像，高80厘米，肩宽50厘米，厚33厘米。石像整体以圆雕为主，仅存胸部以上部分，左耳残缺，头戴高冠，贯笄，身穿交领服。高冠采用减地浅浮雕雕刻手法，通体雕刻纹饰。冠体正中刻画一朵盛开的牡丹花，花朵饱满，花瓣曲卷翻转，充满生机，这一纹样也是北宋皇陵主要装饰纹样。冠体两侧为蔓草纹，冠底部装饰菱形叶片纹饰。头像面部五官刻画则以写实为主，能准确把握人物额丘、眉弓、颧骨、下颊、鼻梁等解剖结构点。但在表情刻画上又有所夸张，运用线条及凹刻表现瞳孔，突出人物两只眼睛，眼角下耷。石像细部处理亦是一丝不苟，眉毛、胡须及脑后发丝都雕刻得丝缕分明，细致入微。石雕人头像形神兼备，雕刻精细，堪称宋陵石雕杰作。

石雕人头像藏于河南省巩义市博物馆。

彩绘石雕导卫、从卫俑 北宋文物。1971年，河南省方城县古庄店金汤寨北宋范府君墓出土。共出土石俑13尊，其中男俑10尊，女俑3尊。同墓还出土铭文砖，分别印有隶书、篆书、楷书阳文铭文。其中隶书铭文"有宋绍圣甲戌为建安郡高平范府君之墓尚千万年界永固"24字，篆书铭文66字，末署名"男致君、致明、致虚、致祥、致厚泣血铭"。由此可知，墓主范府君，原籍建安郡（福建省建瓯市）高平人，卒于宋哲宗绍圣元年（1094年）。又据《方城县志》载，其三子范致虚知邓州（河南省邓州市），父母随寓方城而殁，葬于方城。1958年，在距金汤寨500米的盐店发现范府君夫人墓。1986年，在金汤寨还发现范致祥墓，从出土的3方墓志石中可知，范

氏兄弟5人均在朝中为官。范致虚曾在宣和时位至"尚书右丞、左丞"，是北宋徽宗朝一名重要官吏。但铭文中并未提及范府君曾出仕为官，其墓中随葬导卫俑、从卫俑等仪仗石俑，显然不合宋代礼制，可知是因其子为朝廷高官而逾礼使用的。

彩绘石雕导卫、从卫俑通高约44厘米。石灰岩质。男俑面相端庄丰腴，头戴圆角幞头或高檐巾，身着圆领长袍、齐膝衫，腰束革带，下穿长裤，蹬靴。俑双手均做持物状（有的俑所持之物已失）。其中持伞俑方座正面刻"有宋范府君之从卫"铭文，左侧面刻"尚千万岁"铭文。导卫俑方座的正侧面刻"有宋范府君之导卫"铭文。据相关历史文献记载，"导卫"是指官员出行时在前面开路的仪仗队。"从卫"则是随从仪仗队进行护卫之人，在官员出行时担任卫护、防守之职。

"导卫""从卫"在宋代才出现在仪仗队伍中，唐之前并没有这样的职位设置。这些石俑整体采用圆雕工艺，石俑冠帽服饰表面用平刀工艺，线条转角处用圆刀工艺，最后用工整简练的刀法，雕刻面部五官形态。雕刻成形后，俑体上施以彩绘，增强石俑艺术感。石俑雕琢精细入微，人物造型准确，生动刻画专注于执事、尽职的役隶形象，是不可多得的北宋石雕优秀作品。

彩绘石雕导卫、从卫俑藏于河南博物院。

彩绘石雕袖手、抱印女俑 北宋文物。1971年，河南省方城县金汤寨北宋范氏墓出土。

彩绘石雕袖手、抱印女俑为石灰岩质。袖手女俑高43.5厘米，抱印女俑高37厘米。袖手女俑头梳高髻，朱唇，身着对襟宽袖长袍，内着百褶长裙。裙下露足，着云履，双手袖于怀中，立于方座之上。抱印女俑头梳双鬟髻，扎

红带，搭于耳旁，身着敞领宽袖袍，下系百褶长裙，裙长掩足，仅露出云履头。腰系绦带，垂于腰后。手捧红布包裹的印玺于怀中，立于方座之上。两尊石俑的表面均施彩绘，除俑身残存朱色外，其他部位颜色均已脱落。

石俑采用平刀和圆刀雕刻工艺，刀法洗练，线条流畅。女俑的发髻和裙褶部分，采用线刻手法，刀法精细入微，将发丝和裙褶雕刻得丝丝入微，衣纹流畅，层次分明，富于质感。两尊石俑的整体造型、雕工都具有宋代典型特征，是宋代圆雕石刻中的精品，体现了宋代工艺匠师反映现实生活的高超艺术创造力，是研究宋代石刻的珍贵资料。

石雕女俑展现北宋女性流行服饰及发型。袖手女俑着窄袖对襟衫，外罩红色对襟宽袖长袍，在宋代这种长袍被称为"背子"。背子一般不单独穿用，而是罩在衫、襦、裙等衣服外面。行动时，里面衣服的颜色和款式会时隐时现，尽显内敛优雅。抱印女俑下穿百褶裥裙，

是宋代流行服饰，正如宋词所谓"裙儿细裥如眉皱"，为宋代青年女子常见打扮。头梳双鬟髻是宋代女子常梳的一种发式，源于双丫髻。女子成年而未嫁，梳双髻显得年轻俏丽，年轻婢女也多梳这种发式。袖手女俑头上黑发绾梳高髻，是宋代妇女较流行的一种发式。把头发盘成各种样式发髻，在发髻上再插饰各种金玉珠翠，此法沿袭五代之风，并在五代基础上又竞尚高大，

彩绘石雕袖手、抱印女俑藏于河南博物院。

持注子侍女石刻 宋代文物。2002年，四川地区征集。宋代官方政令明确禁止使用石室墓，中原地区因遵循这一葬制而极少石室墓，大幅墓室石雕更是罕见。而南方地区尤其是四川、重庆等地中石室墓则很常见，多分布在四

川盆地内。这些石室墓用石条砌，多有大幅雕刻。南宋时墓室多为双室，或并列，或前后分布。墓室雕刻内容丰富，有仿木建筑构件和壁龛，近门处多为武士，四壁有四神、"妇人启门"及各类生活场景，墓室内的主题雕刻则是墓主人夫妇"开芳宴图"，室内还装饰各类图案，如花卉、动物、器皿、伎乐、侍女等。在表现手法与雕刻风格上，与汉魏时期的神灵飞升、风云流动，唐代的雄强、豪迈、丰满、优美不同，宋代石刻风格独具特色，一般生活场景中人物及器物雕刻风格质朴写实，注重细节而不过度刻画，呈现出一种平凡而精致的意趣。四川宋墓石刻中，人物形象栩栩如生，特别是侍女形象，各不相同而皆有意趣。雕刻者除表现出侍奉梳妆洒扫、侍饮宴起居等不同职责外，更刻画出人物年龄和神态。这些侍女眉目传神，欲语欲动，充满浓郁的生活气息。

持注子侍女石刻，高149厘米，宽43厘米，厚15厘米。采用减地浮雕技法，雕刻在长方形石板上。侍女绾高髻，广颡丰颐，眉目清秀，面露微笑。长裙曳地，外着窄袖背子，双襟微敞。体态轻盈，左手托注子底，右手执注子柄，举止优雅端庄，给人质朴、洁净、自然之感。

四川宋代石刻具有极高历史价值，雕刻者对人物衣着和器物刻画细致而写实，涉及衣食住行等方面，是研究宋代社会生活的珍贵资料。此石刻包含了宋代服饰和饮酒文化的信息。石刻中侍女在衣裳外着背子装束是宋代妇女最常见的衣着风尚之一，与宋代服饰崇尚修长适体的总体风格相吻合。其所持的注子是宋

代最盛行酒具之一，出现于晚唐，五代时盛行与温碗配套使用，即饮酒前将注子置于温碗中，温碗内盛热水用以温酒。注子的使用至宋代更为流行，折肩注子是当时最常见的造型。

持注子侍女石刻藏于中国国家博物馆。

男女侍俑石刻 西夏文物。20世纪80年代，陕西省神木县太和寨出土。男女侍俑石刻发现于墓室横轴线上，东西相对，在棺木两端。

男侍石俑，高85.5厘米，宽85厘米。女侍石俑，高87厘米，宽85.5厘米。石刻近似正方形，人物背景雕成水波状。其中男侍俑头部有一块圆形头发秃去，宽额圆脸，身穿翻领对襟长袍，腰束带，屈臂袖手于腹部，袖管窄长，挟持一条长巾。足蹬圆头鞋。衣物线条简洁，神态恭谨。女侍俑宽额圆脸，大眼小口，头发拢于脑后，身穿交领对襟长袍，从衣纹和长袍

下摆动方向，可知其躯体微向左倾，仿佛要起步前行，双臂前屈托一茶杯，袖长而窄。足蹬圆头鞋，体态丰腴。

从男女侍俑动作和神态看，其身份当为侍役。石刻都为高浮雕，头面部表现尤甚，从耳际以前如圆雕般突出于画面。面部刷白，头发为黑色，袍带颜色脱落，从衣纹残存物看，原应为绿色和蓝色。

侍俑石刻发式说明男女侍俑为西夏党项族，尤其是男侍俑头部秃发形象，应是李元昊"秃发令"的反映。党项首领李元昊于北宋明道二年（1033年）下"秃发令"，明确要求"三日不从，许众杀之"。秃发很快在西夏国内获得实行，并逐渐普遍起来，甚至被远在西部瓜沙洲、北部黑水城采用。秃发也成为党项民族象征。男女侍俑石刻艺术再现了党项人的秃发、服饰与体质特征。

男女侍俑石刻藏于宁夏回族自治区博物馆。

石雕力士志文支座　西夏文物。1974年，宁夏回族自治区银川市西夏陵区6号陵出土。

自20世纪70年代始，先后在西夏陵各帝王陵碑亭遗址出土11方石雕力士志文支座，也被称为人像石座。这些力士志文支座材质、形状规格和造型风貌等都大同小异，但刻有西夏文字仅此一件，弥足珍贵，对确定此类文物的定名和用途有重要意义。

石雕力士志文支座，长68厘米，宽65厘米，高62厘米。白砂石质。圆雕，近似正方体，为一男性人像。人物面部浑圆，颧骨高突，粗眉上翘，双目圆睁且外凸，鼻梁短粗，獠牙外露，下颚置于胸前。裸体，腹有肚兜，肩与头齐，肘部后屈，双手撑膝，下肢屈跪，背部平直。座顶左上角阴刻西夏文3行15字：第1行4字汉译为"小虫旷负"；第2行4字汉译为"志文支座"；第3行7字汉译为"瞻行通雕写流行"。背部阴刻汉文1行6字，"砌垒匠高世昌"，为西夏石雕工匠姓名。雕像以夸张手法表现负重者的神态，人像面廓直径约占人像总高度的一半，面形雕刻极有凹凸感，给人一种威严和气势。其粗壮的手指和壮实的双臂，表现出支撑感和力量感，反映出西夏时期石雕艺术的独特风格。

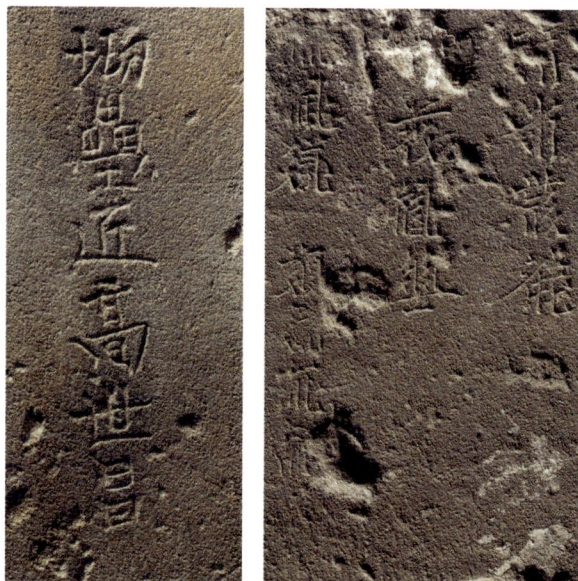

西夏陵出土的这11方力士志文支座究竟是做何用处,学术界还没有定论。有人根据其放置在碑亭中心,周围发现大量石碑残片,西夏陵区1号陵所发现的支座顶面有方形榫眼等发掘材料,认为力士志文支座是与赑屃作用相同的石碑底座。也有人根据西夏陵碑亭遗址上发现的碎砖瓦,及8号陵所出土支座顶面无榫眼等发掘材料,确定支座是立木石础。人物造型为负物力士形象与五代十国后蜀的张虔钊、孙汉韶诸墓中出土的抬棺力士像极为相似,唯后蜀石刻力士卷发披肩,有的戴幞头,有的盘坐,与西夏力士形象有差异,但力士的构图到造型、装饰等技法又均如出一辙,如眉、目、肚、腹的雕刻,手腕、足胫的装饰,浑圆粗犷的造型等,都说明西夏雕刻力士形象和后蜀有某种渊源关系。

石雕力士志文支座藏于宁夏回族自治区博物馆。

寿山石雕俑 元代文物。1995年,福建省福州市新店镇西陇村胭脂山元墓出土。

石雕俑高17厘米。寿山石质。石俑分别为按剑甲士、托靴侍者、奉馔差役、说唱艺人。人物神态毕肖。同墓还出土有石雕持物坐俑、石雕跪拜俑及石雕麒麟、天马、龙、凤鸟、虎、猪、鹿等动物。

寿山石,俗称腊石,因产于福建省福州市北郊寿山乡而得名,石质脂润,柔而易攻。寿山石雕刻历史源远流长,据考古发掘证明,福州地区迄今为止发现最早的寿山石雕是福州闽江南岸桃花山南朝墓葬出土的圆雕石卧猪,刻工简朴,形态逼真。唐代佛教兴盛,寿山大兴寺院建筑,寿山石雕也得以发展,据传当时

僧侣利用寿山石刻制作佛像、香炉、念珠等,供寺院使用,也作为礼品馈赠香客。宋代寿山石被大量开采,出现专供官府使用的作坊,据南宋淳熙年间(1174~1189年)梁克家编撰的《三山志》记载,宋时福州寿山石雕作品,精美者作为贡品发运汴梁,成为宫廷玩物,大件者为达官贵人陈列于几案欣赏,小件者则成为文人雅士手中玩赏品。从福州地区出土的宋墓寿山石俑来看,不仅数量多,且品类丰富,造型各异,刀法简练,风格严谨。寿山石俑在宋元时期广泛使用。同北方石雕相比,福建地区寿山石雕俑制作手法具有浓厚的闽文化地域特色,其雕工更加朴拙,人物俑多是在切割成菱

形石块上进行雕刻，面部五官混沌，衣服纹理处理多采用阴刻平行弧线或菱格、方格的处理方法，刀法规整，具有素朴之美。

寿山石雕俑藏于福建省博物院。

滑石猪　新石器时代后洼文化时期文物。1983～1984年，辽宁省东沟县后洼遗址出土。后洼遗址地处辽东半岛黄海沿岸北部滨海平原上，为辽东地区发现新石器时代较早的一处原始村落遗址。遗址分上下两层，上层约为公元前3000年，下层约为公元前4000年。后洼遗址出土雕塑品甚多，其中动物雕塑多位于下层房址内，大都为滑石质，其中一端有穿孔，有猪、虎头饰、鸟形饰、鹰形饰、鱼形饰、蝉形坠饰、虫形坠饰等，动物雕像随意性很强，造型注重写实，是已发现新石器时代的艺术精品。

滑石猪，长2.8厘米，宽1.8厘米，厚0.6厘米。滑石质。一面雕刻出猪耳、眼、嘴和獠牙。上颚有两个鼻孔，面部刻数道横纹。

自后洼遗址雕塑品问世以来，引起学术界的热烈讨论。有学者把雕塑品与远古时期图腾文化联系起来。但是学术界对图腾研究众说

纷纭，一种意见认为中国没有图腾文化，另一种意见把考古发现的动物形象都视为图腾文化。后者在后洼遗址雕塑品研究上，也有一定反映，认为图腾是氏族时代社会组织、意识形态和宗教信仰的象征，必然在经济、物质生活和文化艺术方面均有明显反映。氏族成员为崇拜图腾、祈求保护，经常利用雕塑手段表现自己的图腾，或雕塑其神像以供礼拜，或雕塑一定形状图腾装饰品以护身，后洼遗址动物雕塑都符合图腾崇拜的含义。也有学者认为，后洼遗址出土的动物形雕塑，虽有图腾遗迹，但多数与图腾无关。远古时期，居住地是以血缘为单位，一般来说，一个住地居住一个氏族，而一个氏族只有一个图腾。后洼遗址先后两期房址都不多，显然只是一个氏族聚居地。后洼先民信仰也只能有一个图腾，而不可能更多。所以，这些动物雕塑不可能都是图腾。但有一个现象值得注意，后洼遗址出土的动物雕塑品中，可辨明形象的有17件，其中又以鸟类形象居多，达7件。根据文献记载和神话传说，在中国沿海地区，自远古以来就对鸟类有一种特殊感情，多信仰鸟图腾。更为重要的是，后洼遗址还出土1件人鸟同体石雕像，象征人鸟交合的形象，最富图腾特征。由此推断，后洼遗址先民是以鸟为图腾，也是以鸟为氏族成员保护神的。其他鸟形坠饰中，有的也应属此类灵物，是图腾护身符。至于其他动物雕塑品属性，可能有其特殊宗教性质，如坠饰中的虎、鹰、野猪等，均为猛兽、猛禽，也是原始人普遍信仰的动物神，佩戴这些动物雕塑饰物，如同原始人佩戴兽牙、兽角一样，也是作为勇敢、有力的象征，具有避邪功能，也有一种祈

求狩猎和家禽饲养业丰收的巫术作用。

滑石猪藏于辽宁省博物馆。

后辛石牛 商代文物。1976年，河南省安阳小屯商代妇好墓出土。石牛出土时置于椁顶上层中央位置，头朝南方，与共存的青铜礼器一样，都是奉献礼神（包括墓主和祖神）的祭器。石牛下颌刻"后辛"两字，为墓主商王武丁配偶妇好的庙号。商王武丁有妻60余人，其中3人拥有王后地位，妇好位居首位。妇好具有卓越的军事才能，能征善战，还做过商王朝统帅，指挥作战，前后为商击败北土方、南夷国、南巴方及鬼方等20余个小国，为商王朝开疆拓土立下战功。妇好33岁去世，武丁予以厚葬。此石牛即厚葬品之一。

后辛石牛长25厘米，高14厘米。白色大理岩质。圆雕，做卧伏状，前肢跪地，后肢前屈，短尾下垂。头部微昂，双角后伏，细眉方目，眉间刻一菱形纹，耳后抿，张口露齿。牛身饰卷云纹，角、背脊、尾部饰节状纹。

石牛表面所饰纹样采用阴线刻画，即沿花纹直接刻入，玉雕工艺上称之为"勾"。这种技法在新石器时代红山文化、凌家滩文化、良渚文化、龙山文化及二里头文化的玉石器雕琢中大量使用，尤以良渚文化最为突出。与之相比，商代玉石雕阴线更为流畅、坚劲。这种圆雕造型中融入图案装饰手法，是商代雕塑区别于史前雕塑的显著特点。石牛造型样式，与商代晚期青铜器和玉器装饰纹样都有共通之处，如后者也常见云纹装饰。商代青铜器上往往以兽面纹为中轴，以左右对称的卧牛纹作副题装饰，构成带状装饰纹样，而卧牛纹正是对石牛圆雕剪影的概括。石牛形体刻画具象而不拘泥于酷似，整体工整规范具有图案装饰风格，浑厚细腻，刀法圆熟流畅。石牛是妇好墓出土玉石类动物雕刻中体积最大的一件，是商代动物石雕的代表作。同墓还出土了石豆、石鸱鸮、石蝉、石熊、石磬等精湛艺术品，是商代雕塑艺术宝库。

后辛石牛藏于中国国家博物馆。

俏色石鸭 商代文物。1975年，河南省安阳市小屯村10号房基出土。

俏色石鸭高5厘米。鸭头上仰，颈粗短，胸前突，双足并拢，身体两侧饰翅纹。双目、双翼、双足呈褐色，头、颈、尾呈白色。双

目、双翼等用线刻表示细节，雕琢精致。石鸮双目、双翼、双足的褐色和头、颈、尾的白色，均为石料天然色泽，是巧妙利用石料自然色泽和纹理雕琢而成的佳作，这种工艺被称为俏色工艺，表现商代石雕的精良技艺。

俏色工艺是中国一种传统玉石雕刻手法，雕刻者巧妙利用玉石天然色泽和纹理，施以合适的分色，雕琢出人物或动植物某些形体特征，使作品造型与颜色完美契合，达到浑然天成的艺术效果。一件俏色巧雕作品的形成要经原料选取、观察构思（又叫相石）、确定主题、分色创作、打样去皮、设计定型、精雕细琢、后期抛光等工序。俏色雕刻一般由两种方式完成，最常见的一种是根据原料色块和形状确定雕琢素材，另一种是根据要求和题材思路精选原料。挑选原料时注重颜色丰富、纹理清晰、形状奇特等特性。作为特殊的玉石雕艺术，俏色巧雕既要求雕刻者对玉石原料有深刻的了解，又要有高超的玉石雕技艺。俏色工艺往往被认为是玉石雕的"点睛之笔"。考古发现最早俏色巧雕制品出土于商代殷墟妇好墓，墓中共出土4件俏色玉雕，其中1件利用天然黑白相间的玉料雕琢出的玉鳖，灰黑色的鳖甲和白色的腹部四肢形成对比，是造型和玉料的完美结合。妇好墓中还出土1件俏色石虎，红褐色石料上的条带纹理恰似虎身的斑纹，处理巧妙自然。

俏色石鸮存于中国社会科学院考古研究所。

鹿石 青铜时代晚期文物。此鹿石原置于新疆维吾尔自治区阿勒泰青河县什尔巴库勒墓地。作为墓地标志物，鹿石是亚欧草原古代游

牧民族非常重要的文化遗存，分布范围东起黑龙江上游，西至德国易北河，其中以蒙古国、俄罗斯西伯利亚的贝加尔湖周边和图瓦、中国新疆阿勒泰地区青河县和富蕴县数量最多，年代跨度从青铜时代到早期铁器时代，即公元前13世纪至公元前6世纪。已发现的鹿石大约有600余件，蒙古国有约500件，中国新疆鹿石有60余件。鹿石分布最为集中的蒙古草原、南西伯利亚贝加尔湖区域和中国新疆北部地区，从青铜时代到早期铁器时代，主要居住着中国古籍中记载的鬼方人、狄人和丁令人，鹿石图案中的刀、剑、斧等器物与这些地区青铜时代同类器物

很相似。因此，早期鹿石应是鬼方文化遗存，晚期鹿石属狄人和丁令人文化遗存。

此鹿石方柱形高300厘米，每边宽23厘米。形似方柱，其中一对相背的两个面刻有图案化鹿纹：一面上端刻带有垂饰圆环，其下是连续5个鹿纹，最上面鹿纹头部朝下，其余均朝上；另一面有6个鹿纹，上面4个头朝下，下方2个头朝上。另一对相背的两个面，有一面中部仅刻有一把短剑，另一面图案模糊不清，靠上方有一个长方形、内刻平行折线的纹饰，应是盾牌，其旁边隐约可见一头朝上鹿纹。鹿石雕刻有鹿、牛、马等动物图案和圆环、连点、腰带、刀弓等纹饰的碑状石刻。

作为墓地纪念性碑刻，鹿石上面所刻图案具有明显的共同特征。对鹿石上纹饰的内涵，学界持有不同的意见。20世纪50年代苏联学者就已提出鹿石是一种拟人化石刻，是武士的化身。图案比较完整的鹿石均可分为上、中、下三段或上、下两段。连点纹以上象征头颈部，连点纹被视为颈部的项链，连点纹以上圆环和平行斜线表示面饰；连点纹以下是比较长的身躯，刻有鹿纹和剑、刀、盾牌、弓囊等兵器，表示武士身份。再往下刻有腰带，腰带上常插有弓囊或挂有刀剑。腰带以下应是下肢部分。一件图案比较完整的鹿石，俨然是一位披挂整齐的武士，与古代亚欧草原上许多游牧民族成年男性平常的装束相似。也有专家认为，鹿石基本形态是：最上部为特殊天体现象区，一条点线纹和一条直线分别代表天上的星星和天地之分；而线以下为大地上的动物和象征动物被猎杀所用各类兵器等。墓地竖立鹿石的功能，有专家认为其反映亚欧草原游牧民族信仰萨满

教宇宙观和世界观。萨满教盛行于古代亚欧草原，把鹿刻在石碑上，可能和游牧民族把鹿作为神灵崇拜物有关。在萨满仪式中，常用两只鹿作为向天神献牲，黑白双鹿灵魂是萨满的坐骑，双鹿带着萨满的灵魂去见天神。在萨满信仰中，世界是由天地人神构成的，萨满可沟通天地人神。鹿石柱状形制具有通天柱的功能，石柱上所刻鹿、马、牛等动物，可最有效地帮助亡灵升天。鹿石既是沟通生人和死人的媒介，也是沟通天地人神的媒介。

鹿石藏于新疆维吾尔自治区阿勒泰地区博物馆。

石蛇 商周文物。2001年，四川省成都市金沙遗址出土。

石蛇，长17厘米，高5.4厘米。圆雕。蛇身呈盘绕"S"形，蛇首呈三角形，头微昂，扁形嘴部大张，内涂鲜艳朱砂，圆眼向上，眼珠与眼眶间用红色朱砂和黑色颜料涂绘区分，整个五官被渲染得层次分明。雕刻线条圆润，构图简练流畅，雕塑者抓住毒蛇基本特征，表现石蛇正要喷射毒汁的瞬间，生动刻画出其阴险而恐怖的特点。

蛇的形象在中国早期神话传说《山海经》

里出现最多。中国远古传说中"神""神人"或英雄大多是"人首蛇身"。蛇的形象还与龙、龟的崇拜紧密相连。四川三星堆遗址和成都金沙遗址都出土石蛇,有的蜿蜒盘绕,有的似在缓缓蠕动,有的像在搜寻猎物,每条蛇都被赋予生命,各具神态。金沙遗址石蛇,出土时有的和石虎、跪坐石人像、石璧伴存,有的只是石蛇和跪坐石人像伴出,说明石蛇可能是古蜀国巫术活动中重要物品,在宗教祭祀活动中起着重要作用,巫师有可能因操蛇而成为人心目中的英雄或神,蛇也成为巫师的工具或神人助手。

石蛇藏于四川成都金沙遗址博物馆。

石虎 商周文物。2001年,四川省成都市金沙遗址出土。金沙遗址石虎发现于祭祀区内,已发现的10件一般都有4齿,个别石虎只存3齿或2齿,但在残缺处均发现有某种胶状物质,似乎曾对此处做过黏接处理,一方面说明当时人们对石虎的珍惜,另一方面也说明石虎可能被反复利用在过于频繁的祭祀活动中。

此石虎,长28.4厘米,宽8.94厘米,高19.8厘米。整器选用一块天然的蛇纹石化橄榄岩制作。虎呈卧姿,直颈昂首,前爪前伸,后爪向前弯曲卧于地上。虎口呈方形,四角各雕

1个硕大的三角形犬齿,上、下颌各雕四颗门齿。虎口后壁存2个大小基本相等的管钻痕。嘴角各有1个小钻孔。虎额两侧各阴刻5道胡须,其后阴刻2个"目"字形眼和三角形卷云耳,两耳间又阴刻4条平行线纹。喉部涂满朱砂,表现出老虎的狰狞与残忍。黑色石料上遍布的白色纹理表现虎身上的斑纹。石虎整体造型完美,圆雕、线刻和彩绘相结合,是商周时期圆雕艺术品杰作。

以往研究巴蜀历史的学者们常把虎与巴人联系起来,认为巴人崇虎,虎可能是巴人的图腾。但从已有考古材料看,虎的形象至迟在公元前1200年左右就出现在川西地区古蜀国统治范围内,而巴人活动范围发现的虎形文物却没有早于战国晚期的。在三星堆遗址里,不仅出土有石虎,还发现金虎和铜虎。金沙遗址祭祀区中,出现大量立体圆雕虎造型,显示出古蜀人也是崇虎部族之一。

石虎藏于四川成都金沙遗址博物馆。

"马踏匈奴"石雕像 西汉元狩六年(前117年)文物。"马踏匈奴"石雕像是霍去病墓石雕群像之一,原立于陕西省兴平县道常村西北霍去病墓冢之上,是汉武帝元狩六年(前117年)少府属官左司空官署内石刻匠师所雕造的。霍去病(前140~前117年)是西汉军事家,18岁从军抗击匈奴,在6年中曾先后6次出兵塞外,打败匈奴多次入侵,保障了西汉边境地区的安全。因其功高,被封为大司马骠骑将军冠军侯。元狩六年(前117年),霍去病病死,年仅24岁。汉武帝为表彰霍去病显赫战功,乃"发民国众甲,军阵自长安至茂陵",在自己陵寝即茂陵东侧为霍去病修筑一座巨大

墓冢，以殊礼送葬。为纪念霍去病威震祁连山的功绩，汉武帝特命令霍去病墓冢要模拟祁连山形貌，在陵墓的高大封土上，还布设多种人兽雕像。这些石雕群像均用巨石雕成，长度一般超过150厘米，最大达250厘米以上，包括马踏匈奴、卧马、跃马、卧虎、卧象、石蛙、石鱼、野人、野兽食羊、卧牛、人与熊、野猪、卧蟾等14件，另有题名刻石2件。

"马踏匈奴"石雕像，高168厘米，长190厘米。灰白红砂岩质。石马与真马大小相近，昂首站立，肌肉硬突，尾长拖地。马腹下仰卧一匈奴人像，头对马嘴，两颊有长胡须，面目狰狞，两足上屈，手持凶器，做垂死挣扎。工匠用战败者倒卧的身躯，填补马腹下空隙，增强作品的整体感及厚重感。

霍去病墓石雕群像，从形式到内容构成了一个具有内在联系的整体，是思想性与艺术性完美统一的典范。以"马踏匈奴"为主题雕像，其余则围绕这一主题，与墓冢所象征环境结合起来，艺术概括霍去病一生抗击匈奴的功绩，用质朴古拙的手法突出主体。石雕群像采用圆雕、浮雕和线刻相结合的手法，按照石材原有形状、特质，顺其自然，以关键部位细雕、其他部位略雕的浪漫主义写意方法，突出对象的神态和动感，风格粗犷古朴、气势豪迈。其中以"马踏匈奴"最为著名，其他如"跃马"的雕凿生动活泼，马后腿蜷屈而卧，弓起的前腿和高昂的头却昭示出战马蓄势待发、欲凌空腾跃的气势；"卧虎"和"卧蟾"等则运用循石造型、因石取象的艺术手法，结合石料天然纹理和看似随意的线刻，生动表现猛虎伏击和蟾蜍鼓肚瞪眼将要跃起的瞬间。石雕群像原本散置于霍去病墓冢周围，远望如山石，近看则神态十足，再现野兽出没、刀光剑影的祁连山真实意境，在中国古代雕塑史上是前无古人的纪念碑性石雕，也是中国遗存时代较早而又保存完整的成组石刻，堪称中国古代雕刻艺术珍品，是中国第一批禁止出国（境）展览文物。

"马踏匈奴"石雕像藏于陕西省茂陵博物馆。

石豹镇 西汉文物。1994～1995年，江苏省徐州市狮子山楚王墓出土。同墓还出土另外

1件造型、大小相同的石豹镇和2件造型颇为相似的铜豹镇。

石豹镇，高14.5厘米，长23.5厘米。青灰色大理石质。豹和台座连为一体，卧姿，头向侧面伸出，双目圆睁，口微张，露齿，双耳直立，鬣毛猬张，脖颈上佩戴嵌贝项圈，项圈上有用以系绳的钮。豹体肥硕，蜷屈的四肢皆置于左侧，长尾从后腿间反卷屈于背上。石豹镇采用圆雕技法，局部体毛采用阴线刻，造型厚重雄浑。

镇用于压席子四角，避免由于起身、落座时折卷席角。这种做法在战国时期已较常见。汉代流行在室内铺席子，镇的使用普遍，质地和形制丰富多彩。从发掘考古资料看，汉镇有人物、虎、豹、辟邪、羊、鹿、熊、龟、蛇等形式。汉代流行以豹、虎等较凶猛的动物为形象的席镇，应含有驱恶辟邪用意。专家根据这件石豹颈部雕饰嵌贝项圈推断，此是汉代人驯养的猎豹形象。战国与西汉时期，饰货贝的腰带被命名为"贝带"，系贝带是尚武者的装束。此豹项圈以贝装饰，表明石豹应是已被驯养，是武士进行田猎、演习军容时用于助猎的猎豹。这从一个侧面反映西汉王侯贵族狩猎风气盛行。用猎豹助猎的文物资料，至唐代时较为常见。开元年间，中亚昭武九姓诸国屡向唐廷进献猎豹。在唐懿德太子墓壁画中，出现一队驯豹师手牵猎豹行进场面。唐金乡县主墓中也出土携猎豹陶俑。可见，用猎豹助猎习尚在唐代贵族中风靡一时，且从事猎豹驯养侍仆中有不少是西域胡人。使用猎豹狩猎做法一直持续至元明时期。

石豹镇藏于江苏省徐州博物馆。

石虎　西汉文物。1957年，山西省安邑县杜村老坟地出土。

石虎，通长134.5厘米，前高70.7厘米，后高60厘米。用整块砂岩雕成，虎腹下岩石未镂空，四肢为浮雕，足未着地，虎若悬空，其姿势似随时准备向前猛扑。石虎雕刻风格接近西汉霍去病墓前石兽，技法简练浑朴，虎形象凶猛有生机，是西汉石刻艺术中的精品。

有专家认为，安邑县曾发现过一件汉代铜鼎，题铭曰"安邑共厨宫鼎"。"共厨"即供厨，指祭祀场所供应牺牲祭品的庖厨。安邑共厨宫可能是安邑所设专门供应祭牲用品的皇家厨房。汉代祭祀场所常列石兽，安邑石虎或许就是安邑供厨之物，后被移至安邑城关墓地作为镇墓兽使用。

石虎藏于山西博物院。

刘汉造石狮　东汉文物。民国年间，山东省临淄县民众教育馆收藏，原置处不详。刘汉造石狮上的题铭，在清末民初受到金石学家关注。柯昌泗《语石异同评》卷五记载："山东临淄有汉石狮子，文曰：洛阳中东门外，刘汉造作师子一双。字似熹平石经。罗师始为著录于《汉石存目》，又为摹入《汉晋石刻墨影》。"东汉时期墓前石兽遗存，与同时期其

他画像材料来说相对较少，而留下与雕凿石刻工匠相关的题铭则更为稀少。

刘汉造石狮，残高98厘米，长130厘米。共两件，可能是墓上神道石刻，腿和尾均残缺。狮口大开，做怒吼状，脑后及颌下部刻饰长长的鬃毛。其中一件石狮颈部刻有隶书题铭"洛阳中东门外刘汉所作师子一双"。石雕工匠刘汉以具象写实风格，平直简练的手法，塑造出石狮浑圆凝重的特征。

专家们认为，这些题铭的出现，表明死者家庭通过对建造者表现出的敬意来证明其虔诚孝心，也为人们了解当时石刻工匠及石雕制作技艺的初步信息提供了资料。此石狮上的"洛阳中东门外"题铭，有专家认为，在当时条件下，不可能在洛阳购买石狮再运至山东安装，但自国都洛阳聘请名匠"刘汉"赴山东为其亲人制作石狮倒是有可能。刘汉做狮子雕像时，狮子这种来自西域的动物，还只是饲养于皇家苑囿里供玩赏之物。石匠刘汉，无论身处河南还是在山东，都很难见到豢养于皇家苑囿里的真狮形象。刘汉所认识的狮子图像，应是随着佛教的传入而带来的，及石雕工匠间所用的图像粉本。狮子图像式样，经各地石刻工匠四处揽活的相互交流与活动，流传于各个地区。清人叶昌炽认为，这件石狮上的隶书题铭"字似熹平石经"。《熹平石经》系东汉灵帝时期所镌刻石碑，为蔡邕等人以八分隶书书写，为当时最被推崇的书法刻石，其流风所及，影响深远。刘汉造狮子及其题铭，说明当时各地区间石刻技艺及风格特征的相互影响，尤其反映出东汉国都洛阳地区对其他地区的文化影响。

刘汉造石狮藏于山东博物馆。

石辟邪 东汉文物。1992年，河南省孟津县老城油坊街村出土。出土地距汉光武帝原陵

约1千米，并还出土石阙构件，有专家认为应是东汉光武帝陵前石辟邪。据史书记载，原陵神道上列置有石象、石马。石辟邪不仅体量巨大，雕凿也很完美，帝王气派十足，集中体现出最高统治集团的权力、意志、礼制和升仙思想此像只有具有典范性，东汉中晚期官僚及豪强地主墓地列置带翼石兽的做法，大部分受其影响。石辟邪的发现，为认识东汉陵墓石雕增添了资料。

石辟邪，高190厘米，长297厘米，宽90厘米，重约8吨。青石质。圆雕。石辟邪身生双翼，形似狮虎，怒目竖眉，两耳斜立，张嘴伸舌，左前爪抓一个小石兽，作昂首奔走姿态。以躯颈和四肢5个"S"形组成整体造型，线条优美；颀长瘦劲的身躯富有动感；又以四肢和曳地的粗壮长尾形成5个支撑点，结构稳定；硕大的头部，增强威猛气势。雕刻技法精熟，圆雕、平雕、线刻等技法自然融汇，点、线、面、体结合天衣无缝。粗犷抽象夸张等艺术手法并用。形象浑厚凝重，神气十足，体现出神兽威赫无比、不可一世的气势。石辟邪四肢间凿空，作昂首挺胸疾走状，这也标志东汉大型石雕艺术水平达到新高度。

辟邪是一种祥瑞之兽，唐封演所著《封氏闻见记》记载帝王陵前置石麒麟、石辟邪、石象、石马等。神兽可保证墓主人不受地下妖魔干扰。也有专家对这尊石辟邪的定名及时代存有异议，认为汉代辟邪应该是"长须短舌"，而此石辟邪却恰是"长舌无须"造型，其时代可能晚于汉代。石辟邪身生双翼造型具有西方艺术色彩。带翼神兽早在公元前3000年左右就已出现在两河流域。随中西方文化交流和丝绸之路的开通，带翼神兽传到中国，并被中国工匠加以借鉴和改造。因此，石辟邪也是中西文化交流的见证。

石辟邪藏于河南洛阳博物馆。

孙仲乔作石羊　东汉永和五年（140年）文物。山东省临沂县石羊镇出土。与石羊一同入藏故宫博物院的是另一件刻有"孝子徐侯"石羊，从原存放地点、大小形制、雕刻手法看应是一对。二者联系考察确认，孙仲乔应为石匠，即石羊雕刻者，出资者为徐侯。石羊保持汉代整石开凿雕塑传统，工匠巧妙利用石头本身形状，运用圆雕、浮雕、线刻手法，形象描绘出五官、犄角、躯体、四肢和象征羊毛螺旋状纹饰。造型简洁概括，象征性手法使石雕赋予装饰意味。

石羊为一对，这是其中1件。长100厘米，高99厘米，用一整块矩形石头雕刻而成。雕刻工匠只对石羊双角、四肢及吻部作具体刻画，两侧刻出两个硕大圆圈纹，以突出其厚重的体量感。石羊胸前部刻有铭文"永和五年大□□□月九日西郭记子丁次渔孙仲乔所作羊"。

汉代盛行厚葬，坟墓前多设置成对石羊石兽。石羊一般多立于大臣墓前，是墓主身份、地位的象征。古代"祥""羊"通用。墓前设置石羊是希望墓室主人死后得到吉祥，是汉代孝道伦理观念的体现。石羊刻有确切纪年，并有营造者和雕刻工匠姓名，实属少见，对研究东汉石雕艺术具有重要价值。

孙仲乔作石羊藏于故宫博物院。

仙人驭羊石雕 东汉文物。江苏省徐州市贾汪区出土。

仙人驭羊石雕为一对，这是其中1件。高138厘米，长140厘米，宽37厘米。羊做跪卧状，昂首，大角弯曲近于圆圈形。羊背上的仙人双肩生翼，双手紧抓羊的颈部，双目前视，双腿作跨骑动作。其形象与西汉仙人驭天马、仙人驭辟邪玉雕作品有异曲同工之妙。

羊是六畜之一，多用于牺牲，商周时期采用羊的形象铸器佳作不少。在西汉晚期墓葬中，羊的形象大多是墓室门楣上的浮雕羊头。在陕北绥德出土的东汉画像石墓中，羊的形象雕刻在门扉上，背景装饰有流云，珍禽瑞兽穿插其间，代表羊有祛凶祈祥之意。陵墓前放置石羊，从汉代到明清都很流行。汉代石羊雕刻粗犷，大都呈卧姿，四肢向内屈收，头部刻画细致，而躯干较少雕琢，大都保留石坯料原形，既解决了因四肢凿空而受力不支问题，又增加了羊的整体感和稳定感。

仙人驭羊石雕藏于徐州汉画像石艺术馆。

石狮 东汉建和元年（147年）文物。石狮原分别置于山东省嘉祥县武氏墓群神道南端石阙前。武氏祠位于山东省嘉祥县城南15千米的武宅山北麓，为豪族武梁家族所建墓地祠堂。武氏墓西阙上有铭文："建和元年，太岁在丁亥，三月庚戌朔，四日癸丑，孝子武使公，弟绥宗、景兴、开明，使石工孟季、季弟卯造此阙，直钱十五万；孙宗作师子，直四万。"从阙铭可知，武氏墓石狮系由名匠孙宗于建和元年雕凿而成的。

石狮东西相对，西侧石狮，高126厘米，长158厘米；东侧石狮，高128厘米，长148厘米。石狮为站立姿势，体形粗壮，头部硕大而浑圆，吻部方阔，昂首瞪目张口，头颈处鬣毛

呈卷曲状,四肢凿空,气势威武雄浑。两件石狮都有覆斗状基座,基座上刻出1长方形凹槽,与石狮一体的子座套合于槽内。石狮雕刻粗率简朴,神似雅健,是中国遗存较早的石狮圆雕形象。

狮子是西来之物,在汉代传入中国,始见于先秦文献,当时这种猛兽不叫"师子",而被称为"狻猊"。张骞出使西域后,"殊方异物,四面而至",但司马迁在《史记》中历数西域特产时,尚无狮子。"师子"一词首见于东汉班固的《汉书·西域传》。西域狮子入贡内地当是汉武帝时期。汉武帝建造的建章宫有奇华殿,巨象、大雀、狮子等被豢养其中。东汉墓表神兽刻有工匠姓名及籍贯,如此件阙铭中还刻出雕凿神兽所花费的价钱,这种做法是死者孝子孝孙们借此扬名其孝行的表现。石狮雕凿者孙宗是著名雕刻工,刻记其时价,是值

得炫耀的高级报酬。有专家根据武氏祠石刻题铭分析,在山东东平一带有一批像孙宗这样较为知名的石雕艺人,都属同一石雕作坊或同一流派、同一地区的工匠,其活动范围以嘉祥为中心,西北至东阿、阳谷等地,东北至济阳,最东边到达莒县,几乎遍及山东。特别是嘉祥周边数百千米内的祠堂和墓葬雕塑,很多都是这一派石雕工匠的作品。

石狮存于山东省嘉祥县武氏祠文物管理所。

大夏石马 十六国夏真兴六年(424年)文物。原立于陕西长安查家寨。大夏即大夏国,是东晋十六国时期匈奴人赫连勃勃建立的国家,拥有陕西北部和内蒙古部分地区。赫连勃勃于东晋义熙三年(407年)定都陕北的统万城(陕西省靖边县北白城子),并于义熙十三年(417年)攻占长安,在长安置南台,命其长子赫连璝为大将军、雍州牧、录南台尚

书事，镇守长安。十六国时期夏国真兴七年（425年）赫连勃勃卒，子赫连昌继位，次年北魏攻取长安。大夏统治长安城8年，石马就创作于此时。大夏石马发现于长安县查家寨赫连瓒墓旁，是否属陵前仪卫，已不可知。这件有大夏纪年的文物，具有很高的艺术价值，也是极为罕见的珍贵民族文物。

大夏石马，高200厘米，长255厘米。马为立形，前肢直立，后肢微屈，昂首前视，鬃毛长披，腹下前后腿雕成两个屏障，以增加四腿的坚固。屏障底板均雕有云纹图案，象征马腾云驾雾。前腿下屏壁刻铭，残留"大夏真兴六年""大将军"等楷书字样。马的造型古拙，雕刻手法简练凝重，具有浑厚坚实的特点。

大夏石马已脱离原始石形，独立地进行圆雕，强调从结构出发，用几何形块面来表现马体各方面结构，具有更强的写实性。直线条和弧线条的运用，赋予马一种生机；马鬃、马前后肢腿根等部位阴刻线的运用，强调马的结构，增加了作品的质感和装饰性。大夏石马的雕塑风格继承西汉石刻艺术雄浑深沉、体魄巨大和生动传神的传统，但又有时代特色，具有明显从西汉向隋唐过渡的阶段特点。

大夏石马藏于陕西西安碑林博物馆。

石兽 北朝时期西魏大统十七年（551年）文物。这对石兽原置于陕西省富平县西魏文帝元宝炬（507～551年）的永陵前。结合北齐高欢陵神道设置天禄记载，可断定北朝晚期某些帝陵神道石兽种类与南朝帝陵相同，但两者在造型观念和雕刻技法上存在着巨大差别。北朝石兽造型质朴，雕饰甚少，刀法古拙，注重静态体积感，与南朝石兽那种雕饰繁丽、富

有流畅的曲线和动势，形成鲜明对比。北朝石兽朴实浑厚的造型风格，对隋唐陵墓神道石兽雕刻具有深远影响。

石兽，高212厘米，底座长200厘米。圆雕。另一件还在原地保存。石兽总体形象类虎，马蹄、四腿如柱，站立在石座之上。阔嘴略张露齿，头顶凿有长方形深槽，用来安放犄角。两肋以阴线刻出双翼。这种双翼有角神兽古人称之为天禄或麒麟，其性质与南朝帝陵的麒麟相同。

石兽藏于陕西西安碑林博物馆。

石辟邪 南朝时期梁国文物。1984年，江苏省南京市城北栖霞区燕子矶太平村太子凹出土。石辟邪出土地"太子凹"曾引起很多学者关注，结合大量史料文献，有专家认为，石辟邪是南朝梁昭明太子即《昭明文选》编选者萧统墓前的石刻。此观点并没有得到学术界普遍认同。

石辟邪，高144厘米，长154厘米，足下座

板长163厘米，宽51厘米。与南京地区常见的很多石辟邪相比，这件石辟邪明显偏矮小。其头部略有残缺，尾巴散失。腿前迈作行走状，腹部装饰双翼，浑身原应布满纹饰，但由于风化严重已无法辨认。

曹魏西晋统治者提倡薄葬，陵墓仪卫石刻设置之风也骤然消失。南北朝时期，陵墓仪卫石刻设置再度恢复，南朝帝陵神道石刻继承东汉墓葬神道石刻遗制，形成由石柱、石碑、石兽组成的列置模式。南朝陵墓地面上石刻保留已不完整，所见地面上石刻约有33处，其中帝陵12处、王侯墓20处（包括佚名墓8处）、陵区入口1处。石兽作为帝王陵墓石刻重要组成部分，有其特殊目的：其一是为显示等级礼仪壮观，其二是赋予祥瑞辟邪特定内容。石兽所反映是当时流行的"谶纬"之风。帝王们为巩固其统治地位，把自己说成是"受命于天"，因此制造出一种假象，即所谓"天人感应"学说，把自然界所出现的一些变异东西，附会成王者德行之兆。其中神兽的出现就是表示王者仁政。南朝时期这种附会渲染更甚。南朝陵墓神道石兽，或麒麟，或辟邪，或狮子，都是传

说中的形象，是意象化、理想化的，没有固定造型，这也为雕刻家在创造其形象时留有足够想象空间。大量留存在地面的南朝神兽一大艺术特色，就是"S"形线的运用，显示出流畅优美的轮廓线，充满生机和力量。身上鬣毛等纹饰具有明显的装饰意味，使神兽厚重的躯体好像披上华丽饰品，显示出南朝神兽于雄健之中透露出江南人所特有的秀美情趣。

石辟邪藏于南京博物院。

石卧羊　北朝时期北齐文物。山西省太原市大井峪出土。石卧羊应为陵前神道石兽。

石卧羊，高118厘米，长109厘米。用整块砂岩雕琢而成。头小颈粗，双角卷曲，身体肥胖，瞪目远望，前腿弯屈，后腿前伸，引颈跪卧。卧羊采用写实手法，把羊的形态刻画得栩栩如生，是北朝石雕艺术杰作。

北齐孝宣公高翻和广平公高盛墓神道存有石虎和石碑，北齐司马兴龙墓前存有2件石羊。可见，北朝晚期功勋高官墓承袭东汉传统，列置石虎和石羊等石刻，来表示与帝陵在礼仪上的差别。

石卧羊藏于山西博物院。

石蹲狮 北朝时期北周文物。1955年，陕西省西安市西北郊出土。

石蹲狮通高25.3厘米。整体呈三角形，长方形座。狮昂首挺立，大眼齐鼻，张口卷舌，项鬣及颈下为半螺形卷毛，胸腔及前胯肌肉分明，丰满突出，后腿蹲坐，前腿挺立，有正反骨筋饰纹，爪趾肥大有力，表现出雄健威猛形象，与唐代早期永康陵上蹲狮很接近。石蹲狮形体虽小，但较完整，具有雄浑气势，雕刻手法也趋于写实，尤其颈部鬣毛运用装饰性样式，使整个雕像更为精美，表现北周雕刻由南北朝向隋唐过渡中的时代特有风格。

石蹲狮藏于陕西省西安碑林博物馆。

安济桥浮雕龙纹石栏板 隋代文物。1953年，修复河北省赵县安济桥时从桥下淤泥中发掘出土，应是桥面一侧的一块栏板。安济桥位于河北省赵县，又名赵州桥、大石桥。建造于隋开皇后期至大业年间。从唐代到明代，安济桥屡见于文献记载。唐玄宗时宰相、开元十一年（723年）被贬为幽州刺史的张嘉贞作《石桥铭序》，称："赵郡洨河石桥，隋匠李春之迹也。"赞叹安济桥在工程技术上非常奇特，匠心独具。桥柱、栏板上雕刻精美的石雕群像，各式蛟龙、兽面、花饰、竹节等，尤以蛟龙最为精美。蛟龙或盘踞游戏，或蹬陆入水，变幻多端，神态栩栩如生。明代隆庆丁卯年（1567年）举人张居敬有《重修大石桥记》，记述安济桥因火灾受损后重修的经过。民国22年（1933年）冬，梁思成等在河北省进行野外考察时，当地流行童谣："沧州狮子应州塔，正定菩萨赵州桥。"循着民谣的说法，梁思成在河北赵县重新发现安济桥。并对安济桥进行详细考察，撰文绘图发表在《中国营造学社汇刊》上，安济桥由此在中外桥梁史上赢得举世瞩目的地位。1953年，从河床挖出大小桥石1200余块，但拼接较为完整、有雕刻和铭记的石头不多，包括栏板、狮子、仰天石、望柱、桥面石等，另有唐修桥记铭刻1块、明修桥记石碑2块及有题刻残石6块。有雕刻栏板20余块，分属于隋代原物、唐五代、五代宋初和金时期。其中，各式雕龙栏板计7块，安济桥浮雕龙纹石栏板是其中之一。此类栏板，石质青白，龙的形态生动有力。根据其造型风格及《石桥铭序》"其栏槛华柱，锤斫龙兽之状，蟠绕拏踞，睢盱翕歘，若飞若动"的描写，被认为是隋代安济桥原物。唐人形容安济桥"望之如初日出云，长虹饮涧"。从这块石栏板上飞扬遒劲的雕龙，可想见当年安济桥石刻之美。

此安济桥浮雕龙纹石栏板，长212厘米，高84.5厘米。两面雕龙，正面双龙周身鳞甲，身体相向似钻穿栏板，头相背，前爪互推。背面双龙相对而驰，身体绞缠，后肢撑地。龙纹雕刻形神兼顾，技法纯熟，风格豪放，堪称古代石雕刻瑰宝。出土时已被打碎。疑与宋徽宗大观年间禁龙有关。

安济桥浮雕龙纹石栏板藏于中国国家博物馆。

献陵石犀 唐代文物。石犀原置于陕西省三原县永合村献陵前。在移存前，因石犀常年侧身向右倒伏在地，身躯几乎半掩土中，身体右侧风化磨损严重，左侧整齐的鳞甲纹和不规则的圈纹则清晰可见。献陵是唐高祖李渊陵墓。身为开国之君，李渊深知荒淫骄奢之弊，故在遗诏中专门讲到自己死后陵寝"务从俭约，斟酌汉魏，以为规矩"。所以，献陵仅在陵园4个神门外各置石虎一对，南神门外立华表和犀牛各一对，东神门外设石佛龛一个。唐代帝王陵墓石刻内容相当广泛，但在唐十八陵中，仅献陵立有石犀。犀牛是一种珍贵动物，亚洲生存有苏门犀、印度犀和爪哇犀三种犀牛，前一种是双角犀，后两种为独角犀。献陵

石犀形象可能表现的是爪哇犀一类。中国古代华南、华北地区都产犀牛，史前时代浙江余姚河姆渡、河南淅川下王岗等遗址中都发现过犀骨。河南安阳殷墟遗址出土过表现犀牛的甲骨文"兕"字。战国至西汉时期出土有以犀牛为造型的灯、带钩和尊等器物。从殷周时代开始，犀角就被用来做兕觥，犀革则是铁铠兴盛以前最好的铠甲原料。到战国时期，对犀质铠甲需求大为增加，犀牛被大肆捕杀，加之其生殖率低，致使犀牛在中国北方地区迅速减少。至秦汉时，犀牛在北方已不多见，在关中一带，最迟到西汉晚期犀牛已绝迹，所以西汉平帝、东汉章帝、和帝时史籍中都有外国献生犀的记载。在唐代，犀牛已很罕见，唐人见到的犀牛多为国外贡品，《旧唐书》中就有林邑（现越南中部）国王"贞观初遣使贡驯犀"的记载，这类犀牛极可能是献陵石犀的原型。

献陵石犀，通长340厘米，身高207厘米，重约10吨。青石质，用整块石料圆雕而成。犀双目炯炯有神，嘴紧闭，鼻上有一肉瘤状隆起的犀角，脚上有三趾，四肢坚挺而有力，呈行走姿态，显得威武雄壮。石犀右前足石座侧面有3行字，由于岁月久远，磨泐较甚，仅能辨出"□祖怀□□德"字样（经专家考证研究，原文应为"高祖怀远之德"）。

献陵石犀体形高大，比例恰当，反映出雕刻家对这种动物整体造型技艺的高超。对于其上纹饰，有专家认为可能是艺术地表现犀牛全身重叠的有韧性的厚皮，并非写实的手法；也有专家认为此件石犀可能是以当时国外进贡的驯犀为原型塑造的，所以作品中线条与纹饰的处理代表的是驯犀在表演时所佩的装饰品，并

非所谓犀牛的厚皮。雕刻家在表现犀牛特点关键面上，处理手法极为高妙，如全身叠复的厚皮及颈项部下垂的厚皮，雕刻得简洁而生动；身体上的鳞甲纹和圈纹，给人在视觉上形成一种花斑的感觉，弥补雕刻不能表现色彩的缺陷。献陵石犀雕刻风格不仅继承汉魏敦厚朴实的艺术风格，也创造出精确写实的雕刻技艺和艺术造型魅力，反映初唐雕刻所具有的刀凿之功，是唐代少见的一件巨型石雕佳作。

献陵石犀藏于陕西省西安碑林博物馆。

昭陵六骏 唐贞观十年（636年）文物。"昭陵六骏"原竖立于陕西省礼泉县九嵕山唐太宗李世民昭陵北面祭坛东西两侧。

昭陵六骏每块石板高约205厘米，宽300厘米，厚30厘米，重约2.5吨。均为青石浮雕。六骏是唐太宗李世民在唐朝建立前先后骑过的战马，分别为平宋金刚时所乘的"特勒骠"、平窦建德时所乘的"青骓"、平王世充、窦建德时所乘的"什伐赤"、平王世充时所乘的"飒露紫"、平刘黑闼时所乘的"拳毛䯄"、平薛仁杲时所骑的"白蹄乌"。六骏中三匹为奔驰状，三匹为站立状，均体态壮硕，雄健有力。三花马鬃，束尾，具有唐代战马典型特征。其鞍、鞯、镫、缰绳等，都逼真再现唐代战马装饰。

据传说"昭陵六骏"石刻是依据当时绘画大师阎立本手稿雕刻而成。六骏采用高浮雕手法，以简洁线条，准确造型，生动传神地表现出战马体态、性格和战阵中身冒箭矢、驰骋疆场的情景。其中"飒露紫"表现战马受箭伤、内侍丘行恭为之拔箭一刹那的情景，马的疼痛和坚强被逼真地表现出来；"拳毛䯄"的躯体、四肢及关节肌肉的解剖比例，都刻得非常

特勒骠

青骓

什伐赤

飒露紫

拳毛騧

白蹄乌

匀称合度，生动传神。每幅画面都告诉人们一段惊心动魄的历史故事，是珍贵的古代石刻艺术精品。2010年，中国专家受邀至美国参与修复"拳毛騧""飒露紫"，使其达到可全球巡展的基本要求。

罗振玉《石交录》中记载，袁世凯之子袁克文曾命令文物商人将"昭陵六骏"运往河南安阳洹上村，文物商因石刻体重运输不方便，将"飒露紫""拳毛䯄"二石剖而运之。民国7年（1918年），二石被北京古董商卢芹斋以12.5万美元盗卖到国外，藏于美国费城宾夕法尼亚大学博物馆。同年，在再次盗卖中，其余4块被砸成几块企图装箱外运，途经西安北郊时被发现制止，存西安碑林博物馆。"昭陵六骏"是2002年国家文物局发布的《首批禁止出国（境）展览文物目录》中的重要文物之一。

昭陵石狮 唐代文物。20世纪70年代，陕西省礼泉县九嵕山西南9千米的后寨山发现。

昭陵石狮为一对，均高179厘米，长345厘米，宽185厘米。一对狮子头稍歪，左右呼应，呈前进状。其中雄狮大张口做呼吼状，头部鬣毛长披于后，身体长毛沿脊梁向两边分披；雌狮由一牵狮奴系领，牵狮奴头部残缺，衣饰刻画清晰。雌狮头部鬣毛呈旋卷状，紧咬牙齿，凶悍无比。一对石狮都以真狮造型为基础，在肢体与面部刻画上给予有意夸张和强调，雕刻技艺上注重体块、面的表现，配合线条应用，显得肌肉紧鼓，筋骨突出，力感明显。

有专家认为，从石狮大小和形制看，当为昭陵陵园或兆门门狮。昭陵是唐太宗李世民陵墓，是唐十八陵中规模最大、陪葬墓最多的一座帝陵。唐代开国伊始，一切典章制度尚未建立，帝王陵前仪卫雕像，亦无定制。就昭陵九嵕山的形势和环境看，山前一带尽为陪冢所占，很少有安置立狮的位置。且由于石狮在神态状貌和造型风格上，也不类初唐制作，因而也有专家认为其是德宗贞元年间重建昭陵下宫时制作的下宫门狮。昭陵石狮是中唐前期一对非常优秀的石狮作品，与永康陵石狮比较，已明显摆脱早期石兽古朴的风格，脱去东汉至南北朝时期神兽的神幻装饰，

呈现出雄强博大、不可一世的气势。

昭陵石狮藏于陕西省西安碑林博物馆。

兽首人身石生肖俑 唐代文物。1974年，陕西省礼泉县唐肃宗建陵内城门外发现。作为墓葬随葬品时，十二生肖俑常按固定的方位放置于墓室四周，或被置于墓室两侧的壁龛之中。此两件生肖俑出土于远离皇帝墓室陵园的内城门外，是首次发现唐代帝陵内城门外放置的生肖俑，为研究唐代陵寝制度增加新资料。

兽首人身石生肖俑以灰白色石灰岩雕凿。均身着宽袖袍服，腰系革带，足穿高头履，双手持笏于胸前，肃穆站立于方形基座上。马首人身俑通高46.1厘米。小耳，口微张，目光平视。除头部打磨光滑外，通体较粗糙，背部未经打磨，雕凿痕迹明显。猴首人身俑通高47.8厘米。双目圆睁，闭口，耳贴于头侧，目光平视。通体雕凿较精，衣饰线条简洁明快，比例准确。

以鼠、牛、虎、兔、龙、蛇、马、羊、

猴、鸡、狗、猪首和人身相结合的十二俑像，被称为十二生肖俑，或十二时神俑。东汉时期，随着阴阳五行学说盛行，逐渐用十二属相来分别代表中国古代历法上的子、丑、寅、卯、辰、巳、午、未、申、酉、戌、亥十二地支。在中国古代以干支纪年、纪日，以十二地支纪月、纪时。十二生肖俑除纪年之外，也常用来辟邪。从已有考古资料看，十二生肖俑在墓葬中作为随葬品最初出现应是南北朝时期。隋代至唐初，墓葬中随葬十二生肖俑已很普遍，其常见形象为坐姿兽首人身像。盛唐时期，生肖俑在墓葬随葬品中更为常见，除随葬品外，也有把十二生肖俑形象阴线刻在石墓志盖四刹或志石四侧面。其形象大多变成拱手站立兽首人身文官俑立像。五代十国至北宋时期，生肖俑形象又发生变化，变成以人像为主，生肖俑变成兽首兽身小像，仅点缀于人像不同身体部位，或位于文官俑头冠或幞头上，或持于胸前，或直接塑于文官俑器座之侧。南宋晚期，生肖俑形象逐渐消失，而仅在文官俑器座侧部书写"子""丑""亥"等十二地支字样来表现十二生肖俑。元、明时期墓葬中，随葬十二生肖俑现象极为少见。

兽首人身石生肖俑藏于陕西省昭陵博物馆。

石马 西夏时期文物。1977年，宁夏回族自治区银川市西夏陵区177号墓出土。

石马长130厘米，宽38厘米，高70厘米。为砂岩圆雕，四肢屈膝跪卧，马头稍垂，颈部呈弯曲状，瞠目立耳，马鬃整齐流畅地披散在脖子上，身体肥壮浑圆，比例匀称，线条简洁凝练，姿态雄健，雕刻手法细腻。

西夏陵区发掘铜牛和石马是西夏贵族、重臣墓葬主要随葬品之一，反映西夏党项族对马等家畜的珍爱，也反映西夏畜牧业经济发展。

畜牧业是西夏重要经济构成，并设有"群牧司"统管全国畜牧业，西夏境内分布广阔草原，适宜畜牧业发展，所生产畜牧产品除自己使用外，大量用于对宋、辽、金商品贸易，以换取所需粮食、布帛等生活日用品。

石马藏于宁夏回族自治区博物馆。

双凤麒麟纹石雕 元代文物。1966年，北京市西城区桦皮厂西部明城墙基址出土。双凤麒麟纹石雕应是元代大都（北京）皇宫或皇家园林的丹陛石。元至元九年（1272年），元朝政府将北京一带命名为大都，作为元朝首都，开启北京作为中国首都700余年的历史。元大都始建于至元四年（1267年），7年后宫城落成开始投入使用，至元二十年（1283年）全部建筑完工。大都有外城、内城、宫城三重，总面积约50平方千米，城中居民10万户，约50万人，是13世纪世界上最大的城市。大都兴建集合了多民族、多文化的人民的智慧，其中石工主要负责人是匠人杨琼（河北曲阳人），大都城中多数宫殿、寺观、园林、桥梁都是杨琼组

织完成的。

双凤麒麟纹石雕长120厘米，宽105厘米。画面主体以四连弧开光装饰，中以缠枝纹衬托双凤戏珠图案。双凤头如锦鸡，嘴如鹦鹉，身如鸳鸯，翅如大鹏等体征完全相同，差别在于下方一只凤头上有像灵芝一样的冠和缕束状颈毛，而上方一只没有；下方凤有五条浪草纹尾羽，而上方凤是卷草纹尾羽。这该是雄雌的区别。开光之下是追逐嬉闹的麒麟，背景是海涛纹。石雕两侧以缠枝纹为装饰。双凤麒麟纹石雕布局美观大气，手法娴熟自然，是元代石刻艺术中的精品。

双凤麒麟纹石雕藏于中国国家博物馆。

礼拜佛陀像　贵霜王朝（1～4世纪）文物。礼拜佛陀像是日本人大谷光瑞（1846～1948年）首次前往印度等地探险所得。大谷光瑞是日本京都府人，曾任日本西本愿寺的第22代法主，在光绪二十八年、三十四年和宣统二年（1902年、1908年、1910年）派遣三次中亚探险队。

礼拜佛陀像高27.3厘米，宽50.5厘米，厚

11.7厘米，原镶嵌于寺院建筑上。中间坐者为释迦牟尼佛，头梳波浪纹高发髻，双眼微闭，作沉思状，结跏趺坐于长方形台座上。左手持衣缘，右手施无畏印。身穿通肩式袈裟，衣褶刻画明显。佛陀头顶浮雕菩提树，枝叶下垂，犹如伞盖覆于佛陀头顶。台座呈长方形，上层雕刻莲瓣纹。佛陀两侧分立僧俗供养人，右侧站立身穿俗装供养人，双手交叉于胸前；左侧站立身穿袒右肩式袈裟僧人，左手持菩提果。石雕两侧是科林斯式石柱，柱头雕饰植物纹。浮雕朴实、简洁，是犍陀罗地区早期作品。

礼拜佛陀像曾收藏在满蒙物产陈列所。民国24年（1935年），伪满洲国出版《旅顺博物馆考古图录》中也收录此藏品。光绪二十八年（1902年）11月至二十九年（1903年）1月，大谷光瑞组建"大谷探险队"，以探寻佛迹为名，前往印度、阿富汗等地，考察古迹、搜集文物，收获很多古代石雕佛像、佛龛构件等文物，分别存放于日本本愿寺和京都恩赐博物馆（日本京都国立博物馆前身）。民国4年（1915年）4月，大谷光瑞到达大连，并决定后半生居留在中国旅顺。次年，大谷光瑞将保留的古印度佛教造像和发现于中国新疆、甘肃等地古丝绸之路文物运到旅顺，并保存在满蒙物产陈列所。满蒙物产陈列所是民国6年（1917年）开馆的关东都督府满蒙物产馆前身，即旅顺博物馆前身。旅顺博物馆成立后，这批古印度佛像成为该馆藏品，该馆也成为中国唯一收藏印度古代佛像的博物馆。

交脚弥勒佛像 北魏皇兴五年（471年）文物。民国期间，陕西省兴平县出土。1953年，

交脚弥勒佛像入藏陕西西安碑林博物馆。

交脚弥勒佛像高86厘米，宽55厘米，正面雕刻弥勒佛坐像，身后为舟形背光。佛陀为高肉髻，发纹呈水波状。面形圆腴，细长眉，眼似鱼，嘴唇稍厚，嘴角上翘，双耳垂肩。身穿通肩袈裟，紧贴身体，衣纹密集，呈突棱状。双手胸前结手印，交脚坐于长方形台座上。交脚弥勒佛身后两侧各有一卧狮子，狮子头部向外低垂。弥勒佛下方台座中央位置雕刻带有头光的天人半身像，两臂上伸，双手呈托佛足状。弥勒佛台座为二层叠涩座，上层雕刻4个身袒上身、着长裙、戴披帛的人像，下层残留有供养人形象。弥勒佛身后的舟形背光由背光和头光两部分组成，背光由外到内雕刻火焰纹、坐佛和忍冬纹，圆形头光由外向内分别雕刻坐佛、忍冬纹和莲瓣纹。舟形背光背面采用中国传统减地平雕法，分格雕刻出15幅佛教故

事，表现佛陀降生、九龙灌顶、树下思惟、乘象入胎、礼拜佛陀、商议出家等内容，每幅故事旁附有榜题，但文字内容已不清。

画面基本表现《弥勒下生经》内容，与正面交脚弥勒佛坐像相呼应，体现经像一致的特征。背面最下一层雕刻四身天人像，与正面四身天人半身像相对应。台座下方铭文中有"皇兴辛亥"字样，表明此像为北魏早期作品。正面弥勒佛像具有中国早期佛像特征，高鼻、大眼、宽额特点是受印度犍陀罗雕刻。艺术风格影响。像背画面与弥勒经典相结合，浅浮雕画面雕工精细，构图丰富，是较为少见的经像合一组合形式。此像是西安碑林博物馆镇馆之宝，是北魏早期佛教雕塑艺术代表作品。

交脚弥勒佛像藏于陕西西安碑林博物馆。

朱业微造佛像 北魏太平真君五年（444年）文物。1982年，河北省蔚县黄梅乡榆涧村

原石峰寺内发现，后移至蔚县博物馆。此像属早期大型佛像，历经北魏太武帝灭佛而保存下来，实属不易。

朱业微造佛像通高60.5厘米，以灰褐色砂岩雕刻而成，主尊造像双手结禅定印，结跏趺坐于长方形佛座之上，两侧各有一小型胁侍菩萨，身后是舟形背光。佛陀为高发髻，发纹呈图案化的水波纹，沿袭犍陀罗的发髻风格。面相长圆，略带笑意。长眉细眼，眉间有白毫，眼角微翘。鼻梁挺直，嘴略大，双耳垂肩。内穿袒右肩式僧祇支，外披覆右肩式袈裟，袈裟的衣纹线条稠密。胁侍菩萨头戴高冠，袒上身，斜披络腋，下着长裙。菩萨的内侧之手上举，外侧之手置于胸前。主尊背后莲瓣形背光由两圈头光和四圈身光纹饰组成，内圈头光饰莲瓣纹，外圈头光内雕跪拜状比丘像，四圈身光自内向外分别为火焰纹、跏趺坐化佛和忍冬纹。佛座为长方形，正面中央雕博山炉，左右两边分雕供养人，台座左右两侧亦雕刻供养人像。供养人像面部不清，身穿广袖交领长袍或交领窄袖短袄，双手交拱于胸前。在佛座正面与侧面间隔处，分别雕有一大耳、长鼻的象头，这种以象鼻为龛柱形式的十分少见。背屏背面中间雕刻一座佛塔，两侧各有一株枝繁叶茂的菩提树。在塔与树之间，阴刻隶书铭文十六行，但字迹已模糊不清，依稀可见"太平真君五年""朱业微"等字。

这是具有明确纪年的北魏石造像中较早的一件，是研究北魏早期造像风格的重要作品。此像制作年代在太武帝灭佛之前，也在云冈石窟开凿之前，代表北魏平城地区佛像样式。其造型风格与云冈石窟早期作品十分相似，可能

是北魏武州山地区所雕凿。

朱业微造佛像藏于河北蔚县博物馆。

王阿善造石像　北魏孝昌元年（525年）文物。南朝齐明帝萧鸾第六子萧宝寅，于齐灭亡后，出逃到北魏，任徐州刺史、尚书左仆射。由于遭北魏朝廷猜忌，萧宝寅起兵反叛，僭号隆绪，仅存两年。王阿善造石像是清代金石学家陈介祺收藏品。陈介祺（1813～1884年），山东潍县人，字寿卿，得曾伯簠，名其居为"宝簠斋"，后遂以簠斋为号。刻石是陈介祺收藏品的一大类，多达116种，其中以北朝造像为大宗。

王阿善造石像为青灰色砂岩，中间略凹，分开做两龛状。高27.8厘米，宽27.5厘米。造像正面是两位长髯道者并列而坐，头戴道冠，身着宽领大袖道袍，右手向上作理髯状。身旁两侧各有一卧狮，微残。右坐道者头部右上角刻"玉皇土"三字。道者背后有道教女官三人，分别侍立中间和两旁，头戴女道冠，身着道服，双手插袖做环拜状。造像左侧刻有"隆绪元年十一月廿五日，女官王阿善造像二躯，愿母子苌为善居"题记。右侧刻字两行，一行

为"忘（亡）夫冯阿棚"，一行为"忘（亡）息冯义显"。造像背面图画分上下两层，上层是童子牵牛车图，车后一妇人随行，童子前有"道民女官王阿善乘车上"刻字，下层右、左各有一男女骑马图，马前分别有刻字"侄冯毋妨乘马上""息冯法兴乘马上"。

道教信奉的神仙多来源于中国古代社会的鬼神崇拜，其神系比较复杂。东汉时期太平道和五斗米道可视为道教早期形式。魏晋南北朝时期是道教发展的关键时期，由于玄学和佛教日渐兴起，促使道教发展和完善教义体系，完成对老子的神化，建立以太上老君为核心的神仙理论体系。早期道教不供奉神像，魏晋南北朝时期始仿照佛教制作神像，因此在道教造像上留有佛教造像的影子，王阿善造石像道教造像就是一例。

王阿善造石像藏于中国国家博物馆。

彩绘石雕韩小华造弥勒像　北朝时期北魏永安二年（529年）文物。1996年，山东省青州市龙兴寺窖藏出土。

彩绘石雕韩小华造弥勒像高55厘米，宽51厘米。属于背屏式一佛二菩萨造像，三尊像均跣足立于覆莲台座上，头后都有浮雕莲瓣纹头光。主尊弥勒佛头部为磨光高肉髻，上施黑彩，眉目清秀，内着僧祇支，外着褒衣博带式袈裟，施无畏印、与愿印；头光外围和身光均用浅阴线刻出轮廓，再施以彩绘。二胁侍菩萨前额梳有三圆形发饰，眉目清秀，帔帛自双肩垂下至腿部后上挂至肘部再飘然下垂，富于动感，下着彩绘长裙，裙结系于腰部，裙摆略向外侈。佛和菩萨背后是统一的舟形背光，背光上部浅线刻出三尊带

圆形头光、结跏趺坐的化佛，周边阴线刻有火焰纹。舟形背光外浮雕手执日、月的二天神。造像下为长方形基座，上刻"乐丑儿供养""韩小华供养"，题名下各有一阴线刻跪姿执莲花供养人，还刻有二护法狮子和一个双手承托香炉的化生童子。造像左侧基座上题发愿文四行"永安二年二月四日清信女韩小华/敬造弥勒佛一躯为亡夫乐丑儿与/亡息祐兴回奴等后己身并息阿虎愿/使过度恶世后生生尊贵世世侍佛"。

背屏式三身造像样式，是青州地区北魏晚期至东魏时期主要造像风格。造像主尊为弥勒佛，当在未来世界下生人间成佛。该造像具有浓郁的北魏孝文帝汉化改制后风格，佛和菩萨身体显得粗短，面相清秀，佛身着北魏晚期传统褒衣博带式袈裟，菩萨着宽大披帛交叉式服饰，表现出汉族士大夫所欣赏的精神风貌。但佛和菩萨体形已开始趋于丰满。

彩绘石雕韩小华造弥勒像藏于山东省青州博物馆。

佛坐像 北朝时期北魏文物。1985年，宁夏回族自治区彭阳县红河乡出土。彭阳县在修筑彭平公路时，在红河岸边发现十余尊佛教造像，文物管理所将造像收回入藏。

佛坐像高18厘米，宽11厘米，厚4厘米，以白泥石雕刻而成，质地较软，正面浮雕一佛

二菩萨像。中间坐佛为高发髻，面形长圆，眉眼细长，两耳垂肩。内穿袒右肩式僧祇支，外披袈裟，袈裟的右衣缘下垂于腹前，宽大的下摆敷搭于台座上。左手下垂，掌心向外，施与愿印，右手上举，结跏趺坐于长方形台座上。佛陀身后舟形大背光中心是联珠纹装饰的佛陀头光和身光，头光为饰有两圈联珠纹的圆形，身光是联珠纹串联的扁长舟形。两位胁侍菩萨站立于佛陀两侧，头戴花冠，身穿长衫，下穿长裙，肩臂披帛，双手合十，跣足而立，头后是浮雕桃形头光。舟形背光呈尖叶状，尖部饰有火焰纹。坐像制作不够精致，但佛像为长颈溜肩造型与着褒衣博带式袈裟，是北魏时期造像的显著特点。由此可见，这里的佛教造像风格是受到中原地区影响。

北朝时期，宁夏固原地区是贯通中西丝绸之路东段的咽喉要道，佛教早在赫连勃勃时期已传入，兴建佛寺、开窟造像蔚然成风。固原地区须弥山石窟开凿于北魏时期，是古代固原地区佛事活动圣地，也是中国古代著名石窟之一。坐像出土地点距离须弥山石窟不远，其造像风格亦与须弥山石窟北魏造像，以及陕西延安北朝时期佛教造像有着相似之处，可见是同一时期作品。坐像为小型雕像，可能是陈设在寺院或家中供养之用。

佛坐像存于宁夏固原彭阳县文物管理所。

贴金彩绘佛菩萨三尊像 北朝时期东魏文物。1996年，山东省青州市龙兴寺窖藏出土北魏永安二年至北宋天圣四年（529～1026年）石刻佛教造像500余尊，是20世纪重大考古发现之一。

贴金彩绘佛菩萨三尊像高134厘米，是青州东魏时期典型的背屏式造像（背屏顶部残缺）。中间主尊面部和胸部贴金，头上为圆珠状螺发，肉髻如馒头状凸起。脸部较长，面相较为清瘦，眉眼细长，嘴角上翘呈微笑状。内

穿袒右肩式僧祇支，胸前系带，下穿长裙，外着双领下垂式袈裟。两手施与愿印、无畏印，跣足立于莲台上。佛陀头光以浮雕双层莲瓣纹为中心，环绕彩绘忍冬纹、联珠纹等纹饰，身光亦为彩绘舟形，其上装饰忍冬纹、联珠纹等。两位胁侍菩萨分立左右，头戴花冠，缯带垂至两耳。额前头发梳成五个莲瓣状，耳后头发垂于肩部，并用红彩帛带和贴金圆状物卡束。菩萨面相清瘦，长眉细眼，嘴角上翘呈微笑状。颈佩贴金项圈，上身着绿彩僧祇支，下穿长裙，双肩披绿彩帔帛。金穗状璎珞自双肩垂挂而下，在腹部结于圆璧后下垂至膝部。主尊和胁侍菩萨间雕刻着祥龙，龙嘴吐出水柱，水柱顶端是由莲茎、莲花和莲蕾托举莲台，两位胁侍菩萨均跣足站立在莲座上。胁侍菩萨头光是以浮雕单层莲瓣为中心，环以彩绘圆形花环。

尤为可贵的是，背屏式佛像除注重对佛与菩萨的塑造，对莲台装饰处理也极富地域特色。佛陀莲台两侧各雕刻一条飞龙，从龙嘴里分别吐出一朵带荷叶的莲花形成二位胁侍菩萨台座，使中国神话中龙演变为佛教艺术的护法形象，既具有装饰意味，又具艺术表现力。这种表现形式在其他地区造像中较为少见，是青州地区独有造像模式。石刻造像为研究北魏至隋唐之间，特别是东魏和北齐时期佛教艺术提供了珍贵资料。

贴金彩绘佛菩萨三尊立像藏于山东青州博物馆。

蝉冠菩萨像 北朝时期东魏文物。1976年，山东省博兴县一农民在挖土时无意间发现一些整齐地摆放在土坑中的佛像。文物工作者

赶到时，很多佛像已被村民当作石料使用。经几年抢救、征集和修复，最终获得造像、台座等73件残件。蝉冠菩萨像是文物工作者用三年时间，从三个村民家中找到残件，拼接而成的一尊断臂菩萨像。

蝉冠菩萨像高120.5厘米，头光直径52厘米。菩萨以石灰岩雕刻而成，身躯修长，装饰华丽，头后带有巨大圆形头光。头光内层雕刻

饱满莲瓣，外层为同心圆，正面和背面纹饰相同。头戴高冠，冠正中饰以蝉纹，故称蝉冠。脸形方圆，眉清目秀，嘴角微翘，面含笑意。上身斜披内衣，下身穿着长裙，坤带自腰间垂下。双肩覆搭披帛，帛带于胸前打结后分向两侧，下垂至小腿再向上折，最后各自绕两手肘下垂，两肘外侧下垂的帛带已残缺。颈佩双层项链，璎珞从两肩圆饼形饰垂下，在腹前宝珠处交叉后下垂至小腿，再折向身后。

蝉冠最早出现于汉代，是陪伴在皇帝左右侍从官佩戴的帽子。后代常以"蝉冠"比喻显贵、高官，"蝉冠菩萨像"也由此寓意其高贵身份。蝉冠菩萨像实属罕见，仅在山东青州地区发现此类型北朝石雕造像。

1994年7月一个雨夜，收藏在山东博兴县文物管理所的蝉冠菩萨像不翼而飞，此后几年音讯全无。1999年12月，中国社会科学院考古学者杨泓收到一封从广州寄来的日本秀美博物馆展览图录，书中印有蝉冠菩萨像，在这页中还夹着中国考古期刊复印件，其中一张白纸上写有"国宝"二字。可知，蝉冠菩萨像被盗后，流转到英国文物市场。1995年，被日本美秀博物馆花费巨资购得，成为该馆展览文物。此后，中国政府尝试用外交手段收回文物，在国际友人帮助下，日本美秀博物馆同意无偿归还文物，并提出每五年去该馆展览一次的要求，中方答应这有利于双方交往和友谊的条件。2008年1月，禅冠菩萨像回归中国。

蝉冠菩萨像藏于山东博物馆。

贴金彩绘菩萨立像　北朝时期北周文物。1996年，陕西省西安市未央区汉城乡西查村出土。此地出土三尊造型相似的白石观音菩萨立

像，风格类似，装饰手法相同，通体贴金彩绘，红、绿、黄三色鲜艳夺目，金光灿灿，雍容华贵。此三尊造像保存完好，应是有意掩埋地下，可能是在北周武帝灭佛前被僧人或信徒集中掩埋的。

贴金彩绘菩萨立像通高79厘米，菩萨高54厘米，台座高21厘米，宽30厘米，以汉白玉雕刻而成，残存少量彩绘贴金。菩萨头梳高发髻，头戴花冠，冠叶饰有莲花，前面正中冠叶莲花中立阿弥陀佛，冠两侧缯带垂至双肩。脸形圆润，眉目细长，双目微睁，鼻梁挺直，鼻翼较宽，薄唇紧闭，嘴角深陷，面带微笑，透露出含蓄和丰腴之美。双耳佩环状耳环，颈佩贴金项圈，下缀花形饰物。双臂戴莲花纹臂钏，腕戴双条形手镯。袒上身，斜系络腋。肩搭披帛，帛带在腹下横两道后上卷搭于双臂上，再垂落于莲花座两侧。下着长裙，裙腰外翻垂于腹前。身前佩繁复华丽的璎珞，一圈搭于左肩部垂至膝部，另一圈自双肩下垂至腹部，两侧在莲花形饰物处合二为一，下联一珠形串饰，再分成两部分，一侧折向身后，一侧搭于右臂。右臂弯屈，手执柳枝，左臂微屈于腹侧，手持净瓶，右手上举，跣足立于莲座上。莲座

两侧各雕一只蹲踞状护法狮子，头部略向外扭转。仰莲座莲瓣饱满，整体插在一个下面的覆莲座上，莲座下是长方形基座。贴金彩绘菩萨立像身姿比较饱满，但头部偏大，下肢偏短，佩饰稍显粗大厚重，是北周时期造像特征，也昭示着北朝造像向隋唐时期过渡的艺术风格。

贴金彩绘菩萨立像藏于陕西西安博物院。

陈思业等造释迦多宝佛像 北朝时期北齐太宁二年（562年）文物。1953年，河北省曲阳县修德寺窖藏遗址出土。原址地面上仅存北魏天禧三年（1019年）邑民集资重建砖塔。在修德寺正殿基址下，发现两座埋藏坑，出土北魏至隋代残损佛教造像2200余件，其中有10%以上带有文字题记。根据题记可知，造像多由中下层官员家庭、普通僧俗等捐资供养，时代跨越北魏、东魏、北齐、隋、唐数个朝代，内容涵盖佛、菩萨、罗汉、天王、力士等题材，反映出定州地区佛教造像的兴盛。

陈思业等造释迦多宝佛像残高35厘米。以汉白玉浮雕而成，正中为释迦、多宝二佛并坐像，虽身躯部分残缺，仍可看出二佛一手禅定印，一手施无畏印，结跏趺坐于长方形须弥座上。二佛均肉髻低平，面相丰满，身披覆右肩式袈裟。二佛身后是舟形背光，两侧有盘龙立柱和二位胁侍菩萨（部分缺失）。长方形基座正面中间为二童子托举博山炉，博山炉下面露出一兽面形象。博山炉的左侧是持骷髅的鹿头梵志，右侧为持鸟的婆薮仙，二位护法半跏趺相对而坐，上身穿窄袖袍服，足着靴。护法神外侧有蹲踞坐状狮子和站立力士。基座背面发愿文为："大齐太宁二年二月十五日，佛弟子陈思业、弟僧会、比丘法巽、弟辉宾等，为亡□并祖亲、又为亡父□□母、己身眷属，敬造白玉释迦父母像一区（躯），因沾斯得，愿令居家大小、亡过现存、七世先亡，往生西方无量寿佛国，又□兴康延，兄弟□□，共登正道，无边法界，一时成佛。"

修德寺遗址出土3件带有鹿头梵志与婆薮

仙两位护法形象石刻造像，其组合方式及形象具有一定地方特色。在云冈石窟、敦煌莫高窟及一些造像碑中，二位护法伴随释迦佛而出现，学者将其视为释迦守护神，但曲阳出土石造像上鹿头梵志与婆薮仙却是与释迦、多宝及思惟菩萨等组合在一起。可见，其护法范畴应更为广泛。其他地区婆薮仙与鹿头梵志多为头发卷曲、高鼻深目的胡人形象，而曲阳雕刻形象虽着胡服，却是汉人形象。

修德寺造像出土后，被运至北京故宫博物院整理修复，部分文物留于故宫博物院内保存，其余保存在中国国家博物馆、河北省博物馆等地。

陈思业等造释迦多宝佛像藏于故宫博物院。

菩萨立像 北朝时期北齐文物。1954年，

河北省曲阳县修德寺遗址出土。该遗址出土的佛教造像跨越北魏、东魏、北齐、隋、唐五个朝代，北魏和东魏时期佛像多以20厘米左右的小型像为主，北齐时期开始出现大型圆雕立像。

菩萨立像残高117厘米，由汉白玉圆雕而成，体形匀称，宽肩细腰。袒上身，下穿翻腰长裙，裙褶以竖直线条表示。双肩披帛，右侧帛带沿身前下垂至膝部，呈圆弧状翻至身左侧，左侧帛带沿胸部斜搭至身右侧。颈部佩戴两道项饰，上方一道由圆珠串成，下坠串穗饰物，下方一道由圆珠和花绳串联组成，中间为兽面坠饰。兽口衔长链，链下坠铃状饰物。璎珞呈"X"状，由圆珠和花绳组成，自双肩下垂至腹部花形饰物外交叉，再分成两股绕至身后。花形饰物下还垂有一条纹饰带，纹饰带内方框浅雕莲花、宝瓶、兽面、宝珠等纹饰。绕至菩萨背后的璎珞搭在从肩部垂下"U"形璎珞上，两端坠有饰物。后腰部悬垂坤带，中间穿有圆环。此像身躯修长，衣纹疏简自然，雕刻细腻且技法利落洗练，显得秀丽端庄，开唐代造像丰腴健康、生动流畅之先河。

北齐时期佛像雕刻进入一个新时期，在北魏造像艺术基础上，由强调对线条造型的重视发展为注重对物体真实结构的摹写，是对物体自然形态的立体雕刻。从菩萨立像衣褶和璎珞看，北齐时期造像极为注重局部细微雕刻。衣褶雕刻简洁流畅而富有立体感，造像神态自然，具有现实感。菩萨造像璎珞饰物也有了转折性变化，珠状璎珞造型简单不失富贵之气，为隋唐时期复杂华丽的璎珞装饰奠定基础。

菩萨立像藏于河北博物院。

透雕佛坐像 北朝时期北齐文物。1965

年，河北省临漳县习文乡太平渠出土。临漳县是东魏、北齐的都城邺所在地，此像发现于邺南城西门外。同时出土12件石刻造像，其中4件有北齐纪年。2012年，在邺南城内还发现一处佛教造像埋藏坑，发现近3000件佛教造像。

透雕佛坐像高73厘米，为汉白玉雕刻而成，保留少量红彩，采用镂空透雕技法。正面雕刻一佛二弟子二螺髻菩萨二菩萨像，圆拱形背屏是由四株缠绕的菩提树透雕而成。中央主尊头光为素面圆形，佛陀面相丰腴，双目低垂，左手施与愿印，右手残缺，结跏趺坐于圆形束腰高台莲座上。身穿袒右肩式袈裟，袈裟贴体，衣纹简洁。佛陀两侧各有三身胁侍，头后带有素面圆形头光，跣足立于长梗莲台上。内侧两身弟子身穿覆右肩式袈裟，双手于胸前合十。中间两尊头顶螺髻，姿势同弟子像。外

侧胁侍菩萨头戴宝冠，右手上举持物，左手下垂握物。长方形基座中央是两个力士捧持香炉，两侧则为双狮护法，外侧站立着力士。背屏是由四株缠绕菩提树组成，分为前后两层。背屏正中有一条飞龙，呈回首下视状。龙的下方有一异兽，口吐花鬘。异兽两侧各有四身飞翔姿态的飞天由下向上排列成弧形，飞天衣裙飞扬，双手握花鬘，各飞天间通过花鬘相连。在飞天飘舞裙衣外侧，菩提树叶形成背光外缘。造像背面中央雕刻一佛二弟子像，基本位于正面佛像圆形头光上。两侧分立两株光滑的菩提树干，树枝缠绕于佛像上面。每一枝干梢头均有一身坐于覆莲座上的结禅定印跏趺坐佛，共9躯。下面长方形基座上雕刻有8神，手中持物不同。

此像雕刻内容繁杂，布局严谨，工艺精湛，代表当时石刻佛教造像艺术较高的工艺水准。菩提树缠绕形成龙树背屏形式，是河北临漳出土的典型造像。

透雕佛坐像存于河北省文物研究所。

贾兰业兄弟造双思惟菩萨坐像 北朝时期北齐武平元年（570年）文物。1978年，河北省藁城县贾同村出土。此像与其他几尊石造像由当地村民发现挖出后交予文管所。经勘测，石佛像堆置于地表一米以下土坑内，其中完整和较完整石像8件，均有纪年铭文。

贾兰业兄弟造双思惟菩萨坐像通高66.5厘米，底座长40厘米，宽14厘米，以汉白玉雕刻而成。方形台座上中间圆雕两尊思惟菩萨半跏坐像，头后有圆形头光。菩萨面形浑圆，表情安详，躯体丰盈，服饰简洁。左侧菩萨右相坐，右侧菩萨左相坐，外侧手支颐呈思惟状，

内侧手搭于脚腕处，对称分布。菩萨两侧立柱上浮雕盘龙，龛楣处雕刻忍冬纹。立柱两侧各浮雕有一位胁侍菩萨，跣足立于莲花座上，头后是刻有莲瓣纹的头光。半跏趺坐思惟菩萨头顶是树形、双层镂空背屏，其上雕刻有跏趺坐佛与弟子像、飞天与化生童子像、双龙拱卫佛塔图等。方形台座正面中间浮雕博山炉，两侧分别为半跏趺坐人物、护法狮子和力士。台座背面雕刻铭文35字："武平元年闰二月廿日贾兰业兄弟为上父母造玉像一区，愿上考妣托生西方，缘登正法。"此像雕刻精细，构思巧妙，是北齐时期曲阳石刻造像中的精品。

此像属于典型的河北定州系白石造像，以河北曲阳地区出产的白石为材料雕刻而成，造像具有浓厚的地方风格。定州系造像自北魏晚期开始制作，从东魏至隋代发展到全盛时期。佛像造型以双身佛与双身菩萨最为流行；观音菩萨与半跏思惟菩萨数量较多；雕刻技法流行镂空背屏，背屏上有盘龙、树木、飞天等形象。背屏形式可能来源于邺城地区，将双思惟像与龙树背屏相结合，形成当地特色。

贾兰业兄弟造双思惟菩萨坐像存于河北省正定县文物保管所。

贴金彩绘佛立像　北朝时期北齐文物。1996年，山东省青州市龙兴寺窖藏出土。

贴金彩绘佛立像残高118厘米，由石灰石雕刻而成，宽肩细腰，胸腹部微凸，袈裟轻薄贴体，具有印度笈多王朝佛教艺术风格。佛像右臂微屈，右手下垂，中指和无名指捻持衣缘，跣足立于台座上。身穿圆领贴体袈裟，袈裟上有界格，界格内用红、蓝、绿、黄、黑等色描绘出各种图案。在佛像胸部正中框格内绘有佛说法图，图中佛陀身穿红色袒右肩式袈

袋，结跏趺坐于六面须弥座上，胁侍菩萨立于两侧。在胸部左右两侧框格内分别绘有礼拜佛陀图，图中佛陀倚坐于中间，两侧有胁侍菩萨、供养菩萨等形象，前后还绘有树木、棚栏等礼拜环境。佛像左右肩部分别绘有胡人形象，胡人身穿窄袖长袍，腰间束带，足蹬靴。有的髯须茂密，有的头戴尖顶皮帽。右臂肘内绘有数身飞天形象，帛带上绘有供养菩萨。佛像腹部绘有多身立姿像和飞天形象，似为六道轮回图。佛像左侧衣袖外可见武士和菩萨形象，右腿处绘有七级佛塔、人物及马匹等。画面色彩鲜艳，人物刻画生动。

卢舍那法界人中像又称法界人中像，是一种与华严思想有关的特殊造像题材，主要特征是在佛像身上以雕刻或彩绘手法，用局部图像来表现六道轮回或须弥山等内容，可视为特殊形式的卢舍那佛。卢舍那法界人中像的表现形式多见于中原北方和西域地区，但数量不多，尤以古青州地区最为集中，除龙兴寺外，诸城、博兴、临朐等地也有发现。青州地区其运用绘画形式将图案描绘在石雕作品上，表现出高超的绘画技法，这种

方式不见于其他地区。

贴金彩绘佛立像藏于山东青州博物馆。

贴金彩绘思惟菩萨坐像 北朝时期北齐文物。1996年，山东省青州市龙兴寺窖藏出土。龙兴寺窖藏出土600余尊石刻佛像，其发现具有一定偶然性。1996年10月6日清晨，青州市博物馆副馆长王华庆在博物馆南侧空地上散步，突然看到正在施工的推土机旁露出几尊残缺的佛教造像。王华庆返回馆里，将这一发现告诉副馆长夏名彩，并组织人员赶赴现场。在山东考古所钻探队协助下，现场发现一长8.2米、宽6.8米、深3.45米地窖，窖内全部是佛像。这些佛像并不是杂乱无章地扔在窖藏内，而是上下三排有序摆放，较完整的身躯放置在窖藏中部，头像存放在坑壁边沿，残缺造像上部用较大造像碑覆盖。在造像中，还零星发现

一批铜币，并有燃烧过的纸灰痕迹。造像顶部发现席纹，可能是掩盖前曾用苇席覆盖。钻探人员还发现，地下70～100厘米是原青州龙兴寺遗址，南北长200米，东西宽150米，基本没有被破坏。

贴金彩绘思惟菩萨坐像为石灰石质，高71厘米，宽28厘米，厚19厘米。菩萨头戴贴金花冠，冠前有上下两层束带，上层束带呈连续的圆弧状，下层束带佩三颗宝珠，两层束带间为朱红底色上绘联珠纹。下层束带两侧有绿色冠带，垂至肩部。前额的头发梳成莲瓣状，头后长发垂至两肩并束以圆形饰物。面相圆润，眉眼细长，高鼻，小口，上唇用墨线绘八字胡须，唇涂朱红。祖上身，颈佩贴金圆轮状项圈，下身穿红色长裙，腰间束带。菩萨上身微向前倾，半跏趺坐于筌蹄上。右腿抬起，右臂支于右腿上；左手扶右脚，左腿下垂，左脚踩于莲蕾上。筌蹄下部雕刻一飞龙，龙口吐出莲叶、莲蕾。

贴金彩绘思惟菩萨坐像是青州龙兴寺窖藏出土最精美的造像之一，造型端庄秀美，保留着鲜艳的彩绘和贴金，具有极高艺术水准。青州龙兴寺窖藏被评为20世纪百项重大考古发现之一，也被誉为"改写东方及世界艺术史的重大发现"。

贴金彩绘思惟菩萨坐像藏于山东青州博物馆。

菩萨立像 北朝时期北齐文物。1959年，山西省沁县涅水村出土。1959年的一天，山西沁县南涅水村一农民在涅河北岸取土时，发现一埋藏佛像的地穴。随后由山西省文物工作委员会考古队发掘清理，先后出土各类石刻造像

2139件。据发掘报告记载，窖藏坑上层基本是碎石、残体、泥土，其中混杂有彩色碎泥片，中层密集排列着大小不一的单体像，下面是一层层排列成行的造像石，完好无损者极少。这批佛教艺术品主要有碑刻、造像塔和单体佛像三种类型，其中造像塔是中国出土数量最多且具有完整系列的一批。造像塔由方形或梯形石块叠垒而成，四面开龛雕像，雕刻内容以佛、菩萨、弟子、佛传故事等为主。造像塔最多叠垒至11层，最高可达4米。佛像有佛、菩萨、弟子、罗汉、金刚力士等，特别是一些唐代佛、菩萨像雕刻得精致入微，具有较高艺术水平。

菩萨立像残高95厘米，宽32厘米，以褐色砂岩雕刻而成，头、臂残缺。内穿交领衣，胸前系带，下穿长裙，外披具有丝绸般质感的袈

袈，跣足而立。薄衣贴体、飘逸，凸显出婀娜体态。袈裟衣褶通过挺劲流畅的线条表现，代表这一时期纯熟简练的雕刻技法，体现雕刻工匠化顽石为温暖人体的高超技艺水平。

据石刻题记可知，这批佛教造像和石刻主要是北魏永平三年（510年）至北宋天圣九年（1031年）作品，跨越北魏、东魏、北齐、隋、唐、五代十国和宋朝，历时近6个世纪。佛像使用当地出产的砂岩雕刻，是由当地官绅富豪及中小地主集资或平民信徒烧香还愿的钱修造完成。风格受到云冈、龙门及南北响堂山石窟造像影响，但与皇家出资修造的石窟存在一定差别，以粗犷古朴风格为主，注重表现端庄矜持、温和睿智特点，具有浓郁民间特色。

山西沁县南涅水村石刻代表中国古代民间佛教造像艺术发展的高度水平，与河北曲阳、山东青州、四川成都石刻造像一起被誉为20世纪考古界四大石刻发现，在佛教雕刻艺术史上占有重要地位。

菩萨立像藏于山西省博物院。

释迦佛坐像 北朝时期北齐文物。

释迦佛坐像高164厘米，由大理石雕刻而成。佛陀螺发呈旋涡纹，肉髻圆平。脸形圆浑，两眉细长相连，双目低垂，鼻梁挺直，嘴唇微闭，嘴角下陷，略带微笑。内穿僧祇支，胸前系带，外披覆右肩式袈裟。袈裟覆腿，露出脚底。袈裟绵软，衣纹以双阴刻线雕琢，线条简洁流畅。佛像双手已失，结跏趺坐于圆形束腰高台莲座上。莲座为双层莲瓣的覆莲座，莲瓣饱满。佛陀身后是舟形大背光，其上自内向外分层满饰纹饰。内圈中心雕刻莲瓣，围以多圈弦纹。中间一圈雕刻缠枝花卉纹，纹饰舒

展流畅。最外圈雕刻火焰纹与五身莲花化生童子像，端坐于莲蕾上，双臂的披帛向后飞扬。此像体形较大，雕刻精细，可代表北齐时期佛教造像艺术最高成就。

日本松原三郎撰写的《中国佛教雕刻史论》收录了这尊造像，日本、英国和法国博物馆分别收藏有一尊相类似的造像，这4尊造像也成为中国古代佛造像中的谜团。有学者认为，这4尊造像可能出自河北省邯郸北响堂山石窟。据记载，北响堂大佛洞（北洞）有16座造像龛（左右壁各6龛、前后壁各2龛），每龛内置跏趺坐佛一尊；大佛洞（北洞）中心柱顶部亦开有16座造像龛，从残存造型来看，每龛内原雕有一菩萨立像。这是北齐时期可见的十六佛造像题材，周壁龛内为十六佛，中心柱龛内表现的是十六王子成佛前的菩萨形象。大

佛洞（北洞）周壁龛内造像早在20世纪20年代被盗，在洞外民国14年（1925年）所立《补修常乐寺北堂石佛序》碑中记载这一情况。洞内周壁所存佛像是民国时期补刻之作，刻工较为拙劣。此像风格、体量皆与大佛洞（北洞）周壁列龛内坐佛接近，似乎是当时补做之像，但做工雕刻如此精致，难以相信是民国作品。也有学者推测，此像风格接近响堂山造像，可能是响堂山附近寺庙供奉的佛像。

释迦佛坐像藏于上海博物馆。

佛立像 北朝时期北周大象二年（580年）文物。2004年5月，陕西省西安灞桥区湾子村崖边坑穴出土。该地出土5尊佛像，有序安放在靠近崖边窖穴中，其中4尊佛像呈立姿埋于土中，1尊头向下仆倒于穴底，可见佛像是出于窖藏目的而埋藏的。5尊佛像均为青石雕刻而成，形体高大，应为寺庙供奉造像。其中此件佛立像标有确切制作年代，为北周佛像断代提供了标准样式。

佛立像高195厘米，青石雕刻而成，佛陀为螺发，肉髻低平。面部丰腴，脸形方圆，弯眉细目，双眼微睁下视，鼻梁直挺，鼻头略残，双唇微合，嘴角上翘，略带笑意。身穿通肩袈裟，左手持衣缘，跣足立于莲花座上。袈裟轻薄贴体，衣纹以多重“U”纹显示，内裙垂至脚面，两边刻出对称的衣褶裙摆。仰覆莲座莲瓣肥硕饱满，部分残留着彩绘痕迹。莲座下方是四方形基座，基座正面两角上各雕一昂首伏坐狮子，左侧狮子一爪抚一小卧狮，右侧狮子瞠目外望。基座正面雕刻发愿文，共245字，有“大象二年七月廿一日建”字样。基座背面两侧各雕一大象，两象相向而立，象背上站立着穿着犊鼻裤的象奴。此像造型敦厚简练，形体健壮饱满，雕刻技法高超，面相、衣褶等形式是北周时期长安佛像特色。

20世纪七八十年代以来，西安地区多次发现佛教造像窖藏，但少有北周时期佛教造像，有明确纪年的更少。北周建国时间仅25年，但在中国佛教发展史上占有重要地位。北周建德三年（574年）武帝正式下诏毁佛，其后4年间，大量寺院被充作贵族宅邸，僧尼还俗，经像惨遭焚毁，佛教几乎陷于灭绝边缘。建德七年（578年），宣帝继位，复兴佛法，佛教逐渐走出阴影。此像雕于大象二年（580年），是佛法复行之初的雕刻作品。

佛立像藏于陕西西安碑林博物馆。

背屏式七佛像 南朝时期文物。民国26年（1937年），四川省成都市万佛寺出土。万

佛寺遗址先后四次出土石刻造像,清光绪八年(1882年)首次出土,王懿荣在《天壤阁杂记》载有此事,但此次出土造像多流失国外。民国26年(1937年),万佛寺遗址又出土佛像12躯,佛头26尊,大部分被四川大学博物馆收藏,1950年,入藏四川博物馆。民国34~35年(1945~1946年)出土的众多佛像均被毁,具体情况无法得知。1953~1954年,出土造像200余件,多被四川博物馆收藏。万佛寺出土的南朝(420~589年)佛像多有明确纪年,是研究早期佛教艺术的重要资料。石刻佛像题材丰富,布局复杂,雕刻精美,在全国石刻造像中占有重要地位。

背屏式七佛像高48厘米,宽26厘米,厚11厘米,中下部浮雕一佛二弟子二菩萨二力士组合造像,上部雕刻成莲瓣形背光。中央主尊头后有圆形头光,面带微笑,内穿系带僧祇支,外披褒衣博带式袈裟,宽大的衣摆垂于座前。右手施无畏印,左手做与愿印,结跏趺坐于须弥座上。主尊左右各立一胁侍弟子,均身着袈裟。弟子两侧是头戴宝冠的菩萨,帛带沿肩臂下垂并在腹前交叉,双手胸前捧钵或持物。菩萨外侧是身穿菩萨装的力士,左手下垂,右手抬起或举于体侧。菩萨与力士头后有圆形素面头光,跣足而立。须弥座两侧各有一只蹲踞状护法狮子,头部面向前方。座前两位供养比丘身披袈裟,相向而立。莲瓣形背光被一圈联珠纹分成内外两圈,内圈雕刻7个圆形小龛,龛内各雕一身禅定佛像,外圈雕刻12身手持乐器与贡物的飞天。背屏阴面中间雕刻有佛坐像,身后是桃形背光,两侧为供养人像。

万佛寺是四川成都知名古刹,位于成都市西门外通锦桥。据明代黄辉《重建万佛寺碑记》记述,万佛寺始创于东汉延熹间,梁武帝时称安浦寺,唐称净众寺,宋称净因寺,明沿袭宋称,俗称万佛寺或万福寺,也曾称过竹林寺等。《益州名画录》记载,该寺在唐武宗废佛之时遭破坏。因出土石像大都少头断臂或无身,且有纪年者除唐宣宗大中元年(847年)1件外,其余均在会昌五年(845年)前。因此,学者认为该寺毁于灭佛期间,并在此后佛像得到瘗埋。也有学者认为,该寺在会昌灭法时虽遭破坏,但还未到废寺程度,所以宣宗复法后得以复兴。万佛寺之俗称,也说明当时寺内存有大量造像。万佛寺最终被毁于明武宗正德年间的四川民众叛乱。

背屏式七佛像藏于四川博物院。

比丘晃藏造佛像 南朝时期梁中大通二年（530年）文物。1990年，四川省成都市西安路出土。

比丘晃藏造佛像高41厘米，宽28厘米，厚11厘米，正面浮雕一佛四菩萨四弟子二力士，身后是莲瓣形背屏，下面有长方形台座。主尊释迦牟尼佛居于中间，头光呈圆形。磨光肉髻，宽额高鼻，眉目细长，嘴角略带微笑。右手施无畏印，左手持衣缘，跣足立于莲座上。佛陀内穿系带僧祇支，外披褒衣博带式袈裟，袈裟衣褶在身前呈"U"形分布，垂下衣褶呈对称状外侈。主尊两侧各立两位胁侍菩萨，头戴花冠，肩臂披帛，下穿长裙，帛带在腹前穿璧交叉。靠近主尊两位菩萨手中持物，跣足立于莲花座上，外侧菩萨双手合十，仅露出半身，头后有圆形头光。在主尊与胁侍菩萨之间有4位弟子半身像，身穿袈裟，面向主尊站立。在外侧胁侍菩萨像前面，2位力士头后带有圆形头光，身穿着菩萨装，双手呈持物状，斜向站立于圆形台座上。在长方形台座中央，主尊佛像前面是力士托举香炉，两侧是面向前方的蹲踞状狮子。莲瓣形背光中间，一圈联珠纹组成莲瓣将背光分成内外两圈。内圈浅浮雕说法图，图中佛陀端坐于正中帐内，两侧错落分布着听法菩萨与弟子。外圈中央雕刻宝塔，两侧为对称的五身飞天，均手持乐器，天衣和飘带向外侧飞舞。佛像背面浅雕三层图案：第一层中央为跏趺坐佛，两侧为依次站立供养人像，均面向佛陀而立，远方有菩提树；第二层是站立整齐的一排弟子与供养人像，均面向中间手中持物供养人；第三层中央刻有发愿文："中大通二年七月八日，比丘晃藏奉为亡父母敬造释迦石佛一躯，藉此善因，愿七祖先灵、一切眷属皆得离苦，现在安稳。三界六道，普同斯誓。"两侧各浮雕一位在山洞中修行僧人形象。

此像是典型的四川地区南朝时期造像，表现一佛四菩萨四弟子二力士的十一尊像组合样式。构图复杂，但布局井然有序，形成前、中、后排式样，高浮雕的主尊释迦牟尼佛最为突出，其次是胁侍菩萨，再次是弟子与力士，主次分明。

比丘晃藏造佛像藏于成都博物院。

释慧影造漆金释迦牟尼佛像 南朝时期梁中大同元年（546年）文物。传清同治年间，江苏省吴县出土。1960年，顾延捐献给上海博物馆。

释慧影造漆金释迦牟尼佛像高34.2厘米，宽17.8厘米，厚9厘米，正面高浮雕一佛二菩萨

一佛二菩萨，左右两侧是听经的声闻弟子，其间雕刻有山石云气，及表示雨水洋溢的波浪纹。在南朝佛教造像中，这类佛教故事较为少见。背光后镌刻发愿文："梁中大同元年太岁丙寅十一月五日，比丘释慧影奉为亡父亡母，并及七世久远出家师僧，并及自身、广及六道田生、一切眷属，咸同斯福。"

此像是南朝典型的一佛二菩萨造型，造像由各种不同层次浮雕和线刻组成，构图严谨，是南朝梁的代表作品，亦是中国罕见的东南地区石造像。佛像面部较为丰腴，体现南朝"张家样"书画特色，呈现张僧繇"得其肉"的风格。

释慧影造漆金释迦牟尼佛像藏于上海博物馆。

贴金彩绘阿育王立像 南朝时期梁大宝二年（551年）文物。1995年，四川省成都市西

像，背后舟形背光上线刻佛传故事，下面须弥座座前雕刻博山炉和摆首举足状的双狮。主尊佛像面相饱满，额方颊丰，眉眼细长，双目微闭，神情慈祥。上身较长，内穿僧祇支，外披通肩式袈裟，下裳呈波曲状垂于座前。左手持袈裟衣缘、右手结手印，结跏趺坐于须弥座上。主尊两侧浮雕胁侍菩萨立像，头戴高冠，双眼微合，面带笑意，站立于莲花座上。左侧菩萨双手合十，右侧菩萨双手托法器。主尊与胁侍菩萨间分别线刻阿难和迦叶两位弟子立像，均双手交于体前，呈仰视主尊状。一佛二菩萨身后是舟形背光，中间是主尊桃形头光，内雕莲花纹。背光的上半部阴线刻佛传故事"释迦如来初转法轮图"，此故事表现的是，释迦成佛后，来到婆罗奈斯城，但时值盛暑，降雨频繁，不能游历四方，故而于此安居说法。中间雕刻的是

安路出土。

阿育王（约前273～前232年在位）是印度孔雀王朝的国王，在其统治下，印度建立了空前统一的大帝国。阿育王曾于公元前253年在首都华氏城，以目犍连之子帝须为上座，召集并主持佛教史上的第三次"结集"，共1000名僧人参加，完成古佛经的定型。此后，阿育王派遣僧侣前往各地传播佛教，修建佛寺和佛塔，使佛教由印度的恒河流域向外传播，发展成为世界性宗教，阿育王被佛教徒称为"法阿育王"。阿育王像是阿育王造释迦牟尼像的略称，其像东晋时期已在中国出现，南北朝至隋代盛行。考古发掘的阿育王像主要集中在四川成都地区，这里曾出土2件带有铭文的阿育王像，除贴金彩绘阿育王立像外，清光绪三年（1877年）万佛寺遗址也出土有北周保定年间（561年）阿育王立像，两者极为相似。此外，万佛寺遗址还出土7件阿育王像，其中5件残躯，2件头像，这也成为四川南朝造像的一个特色。

贴金彩绘阿育王立像，残高48厘米，宽18厘米，厚8厘米。为束发状高肉髻，弯眉细目，双眼呈俯视状，高鼻阔口，颧骨突出，有八字胡须。身穿通肩式袈裟，跣足立于仰覆莲座上。袈裟轻薄贴体，胸腹部和两腿前衣纹呈"U"形排列。袈裟不长，露出脚踝。头光残缺，仅能看到环形纹饰带和5尊贴金坐佛。莲座的仰莲饱满，花瓣上原有圆形和菱形镶嵌物，现已不存在。像背残存头光上刻有供养人像，双足后面有一长条石，其上雕刻发愿文："太清五年九月卅日，佛弟子柱僧逸为亡儿李佛施敬造育王像供养，愿存亡眷属在所生处□（值）佛闻法，早悟无生，七□因缘及六道合

令，普同斯誓，谨□。"此像带有明显的异域风格，由发愿文可知，其为阿育王像。太清为梁武帝萧衍年号，仅两年余，此沿用至五年，当别有意，待考。

阿育王像样式来源说法不一。有学者认为，是从梁都建康传来的样式。有的认为，是印度造像对四川地区的直接影响。

贴金彩绘阿育王立像藏于成都博物院。

观音菩萨立像 隋代文物。1983年，甘肃省秦安县出土。

观音菩萨立像高134.4厘米，头戴四叶花冠，前面中间冠叶饰阿弥陀佛坐像，其余三叶饰花纹。头冠两侧系有缯带，缯带沿双耳下垂过肩并沿臂下垂至腿侧。面形丰满圆润，弯眉细目，鼻梁挺直，眼睑下垂，薄唇紧闭，略带微笑，表情安详慈善。颈佩宽边项饰，中间坠

宝石。袒上身，左肩披帛自胸腹部斜搭至身后，下穿翻腰长裙，裙摆垂于脚面上。在膝盖处，垂有"U"形帛带，一端搭于左腕处。右手上举持莲蕾，左手持净瓶，跣足立于台座上。菩萨身前佩戴两圈等身长璎珞，其由穗状串珠、宝珠、花饰等相间组成。一圈璎珞自双肩下垂至腹部，交叉于花形佩饰，再分成左右两股下垂至膝盖后，分别折向两腿外侧。另一圈璎珞呈"U"形，自双肩下垂至小腿处，底端由花饰联结。此像神态自然，雕刻细腻，虽形体高大，但造型比例适度，体现隋代高超雕造技术和极强的表现力。菩萨像衣着纹饰装饰继承北朝时期简约风格，而璎珞装饰比北朝时期复杂，体现了北朝至隋代佛教造像过渡性特点。

观音菩萨是阿弥陀佛的胁侍菩萨，其头上带有阿弥陀佛装饰头冠也被称为化佛冠，是观音菩萨有别于其他菩萨的头冠形式。3世纪，观音菩萨信仰传入中国，并很快在各地发展起来。隋代后，观音菩萨头冠上带有化佛成为定式，并成为观音菩萨重要标识。从北周至隋代，单体观音造像是中国佛教雕塑的特色，该像是这一时期难得的艺术珍品。

观音菩萨立像藏于甘肃省博物馆。

玄奘题名石佛座　唐龙朔二年（662年）文物。1977年，陕西省铜川市玉华寺遗址采集。石佛座发现地玉华宫是唐代一处行宫，始建于唐武德七年（624年），原名仁智宫。贞观二十一年（647年）经扩建，更名玉华宫。永徽二年（651年）废宫为寺，改名玉华寺。显庆四年（659年），玄奘为专心翻译佛经，由长安移居玉华寺，直至麟德元年（664年）在此圆寂。石佛座是玄奘在玉华寺期间留下的遗物。

玄奘题名石佛座，高43.5厘米，座边长51厘米。由方形底座和莲花座两部分组成。莲花座中间有安置佛像的长方形凹槽，佛像已不存在。方形底座侧面一边刻有"大唐龙朔二年三藏法师玄奘敬造释迦佛像供养"共20字。

题名中的"三藏法师"是佛教中对通晓佛典，尤其是对从事译经高僧的敬称，简称"三藏"。玄奘是一位当之无愧的"三藏"高僧，幼年出家，西行求法前已游历各地，遍访名师问学，小有名气。为求佛典真知，于贞观三年（629年），冒朝廷禁止私自出塞禁令，历经千辛万苦，私赴印度求学。玄奘的学识名震印度，赢得极高声誉。贞观十九年（645年），玄奘携带657部佛典和许多佛像归国。回国后，玄奘建立自己的佛学体系，创立法相宗，开始译经事业，从贞观十九年起直至龙朔三年（663年）十月，共译经论74部，总计1335卷。出于对玄奘的景仰，从唐朝起，"三藏"这一原本并非特指的称谓，渐渐成为玄奘的代名词。然而，玄奘在与人交往时，从未自诩"三藏"，一般自称"奘"或"玄奘"，在写给皇帝的奏表中称"沙门玄奘言"。在写给印度高僧的书信中甚至自称"比丘"，而称对方为"三藏法师"。因此，有专家认为，玄奘如此谦恭，作为一位极为虔敬的佛教徒，在释迦牟尼佛祖面前，不可能自称"三藏法师"。石佛座造立的龙朔二年是（662年）玄奘逝世前二年，据《大慈恩寺三藏法师传》记载，这时玄奘精力衰竭、常感无常将至。石佛座很有可能是玉华寺僧众和随其来此译经僧代为题记供养的，以向释迦牟尼祈祷玄奘康健。

玄奘题名石佛座藏于中国国家博物馆。

释迦佛坐像 唐景龙四年（710年）文物。1982年，山西省芮城县风陵渡出土。

释迦佛坐像，高93厘米，宽45厘米。佛像为螺发，高肉髻，面相方圆，细眉高鼻，双唇紧闭，嘴角内敛，下颌丰满。内穿袒右肩式僧祇支，胸前束带打结，外披袈裟，袈裟右侧衣缘垂覆在腿上。左手下垂抚于膝上，右臂上

举，右手残缺，结跏趺坐于八角形束腰须弥座上。裙裾覆搭台座上部，座下层饰一周覆莲瓣，台座下框内刻有铭文"大唐景龙四年四月十五日弟子张敬节为七世先……"等字。佛像面容仿佛是一位华贵雍容的贵族女性，但神态却有佛的庄严，是唐代佛像理想之美的体现，有"妙相庄严"之称。佛像雕刻具有写实性，丰腴的脸形、厚实的胸部、丰润的左手等，充满生机和活力，给人以气韵生动之感，体现出唐代造像特有艺术效果。

唐代是佛教传入中国后本土化和中国化的重要时期，是将佛教造像艺术推向繁荣的时期。这一时期，佛教造像不再追求魏晋南北朝时期的虚幻形象，开始创造反映现实中的完美形象，进而达到超越自然的理想之美。为表现佛的魁梧和庄严的阳刚之美，按照成年男子身体比例结构来塑造佛头部大小、肩部宽度和厚度及胸部肌肉，但脸形、五官及表情则采用女性特征，表现出佛具有女性慈悲之心，颈部、手、脚则以小孩的特征来表现，用以表现佛的纯洁和超凡。随着唐代雕刻技法日趋完善，雕塑者将高超的写实功力与得心应手的雕刻技巧密切结合，创造出高妙的佛教造像艺术品。

释迦佛坐像藏于山西博物院。

老君像 唐开元、天宝年间（713～756年）文物。此像原系唐代华清宫老君殿内遗物。

老君像，高190厘米，以汉白玉雕刻而成。面相饱满，广额细目，美髯垂胸，身穿道袍，腰束帛带，盘坐于束腰台座上。台座形式仿照佛教须弥座，上层为长方形，略有残缺，饰以番莲纹，中层为正方形，四面雕刻莲花纹，下层基座边缘雕刻饱满的牡丹花纹。虽然

老君像双手和发髻已残，但仍给人以安谧华贵的肃穆感，台座雕饰得精美圆润，雕刻技法洗练，是唐代道教造像佳作，系国宝级文物。

道教是中国本土宗教，但早期没有造像。魏晋南北朝时期，在佛教影响下，道教徒开始雕刻道教造像，但除衣着外，造型、人物排列与佛教造像区别不大，遗存早期道教造像主要集中在陕西关中一带。隋代，由于统治者对道教造像实行保护政策，出现四川青城山天师洞张陵天师像、绵阳西山观老君像等代表作品，但仍以模仿佛教造像为主。唐代，道教造像塑造、雕琢盛极一时，陕西玉华宫的老君像、北京白云观的老君像、四川青城山的三皇像都独具特色，着重对造像外貌、神态、衣着等内容进行刻画，逐渐摆脱佛教造像影响。唐代多位皇帝推崇道教，特别是唐玄宗，从统治初期就十分崇尚道教，曾多次游幸华清宫，并在此修建老君殿、朝元阁等道教建筑。朝元阁位于骊山西绣岭的第三高峰处，老君殿则在朝元阁西南约300米处，殿内供奉着老子玉像。据说，当年安禄山为讨好唐玄宗，从范阳（河北省涿州）运来汉白玉，邀请西域雕塑家元迦儿参照杨贵妃容貌雕刻而成。也有传说，此像乃是唐代雕塑家杨惠之雕刻。"安史之乱"后，华清宫遭到焚毁，老君像被烧裂，双手断落遗失。宋代，华清宫成为一片荒野之地，老君像孤立在荒阁之中。由于年久失修，殿阁倒塌，老君像被敷上泥土而变成泥塑。后在整修道观时被重新发现。1963年，移入西安碑林博物馆。

老君像藏于西安碑林博物馆。

力士像 唐调露年间（679～680年）文

物。1955年，河南省洛阳市龙门石窟路洞前出土。出土地点是佛教造像汉化最为浓厚的龙门石窟，也是金刚力士像较为兴盛之地。

力士像，高114厘米，宽55.5厘米，厚28厘米。石灰岩质地。力士头束高髻，面庞方圆，浓眉上挑，双目圆睁，嘴唇宽厚紧闭，似咬牙关，使腮部肌肉隆起。袒上身，下穿战裙，裙褶逼真，线条简练流畅，裙摆自两腿间飘向身后。双肩搭披帛，细长帛带贴身垂下。左臂上举，右臂下垂，双手握拳，跣足而立。力士全身肌肉鼓胀，特别是肩、胸、腹部肌肉凸起，形成张力。脚部骨骼结构明显，似在彰显稳定的根基。力士像通过对肌肉的表现，来强调力士与众不同的肌体力量，强化这类造像体态强壮的特征。唐代能够雕刻出如此传神的造像，与当时雕塑家对人体肌肉骨骼的构成和对塑造对象深刻了解有关，是当时精湛的雕刻技艺表现。

金刚力士属佛教中的护法神，主要职责是侍卫佛、护卫佛法和护佑众生，源于印度古代神话夜叉和那罗延天，其中夜叉是佛教早期金刚力士的主要来源。但中国金刚力士像已完全没有印度力士像痕迹，是佛教本土化和世俗化产物。金刚力士形象孔武有力，力量和阳刚之美是其表现主题。雕刻者通过对肌肉状态的清晰刻画，凸显出金刚力士所具有的蓬勃生命力和雄健刚劲气势。雕刻技艺完全是在熟练把握人体结构前提下，对其进行合理的夸张变形，进而创造出极具代表性的经典样式。同时还注重对造像神韵的追求，这也是中国佛教雕塑艺术特有的精神韵味。

力士像存于河南龙门石窟研究所。

常阳太（天）尊石像　唐开元七年（719年）文物。此石像原存于山西省运城安邑中陈村的一座道观，建筑早已损毁，1957年运至山西太原纯阳宫。

约从北魏起，老子被尊为太上老君。唐代皇室姓李，因此追老子李耳为先祖，奉其为玄元傲帝。有唐一代，道教极其兴盛，兴建道教宫观，塑道教造像，成为一时风尚，为唐代道教造像技艺发展打下基础。从造像铭文可知，唐高宗弘道元年（683年），在虞乡（唐代中陈村属虞乡县辖区）开始建造景云观，至睿宗景云年间（710～711年）竣工。造像是景云观建成后，于开元七年（719年）雕造。造像自铭为"常阳天尊"。"常，恒也"。"阳，天之气也。"天气或天，是道教最高追求目标。

"天尊"本不是道家称谓,而是源于佛教,是道家模仿佛教而假借的尊神称号。

常阳太(天)尊石像,通高256.5厘米,由石像、底座和基座组成。石像高220厘米,下宽135厘米。石像以汉白玉雕造,底座和基座为青灰色石灰岩制成。基座为平面正方形,呈四层台阶状。第一层四周线刻莲花、忍冬和仙鹤等,其余三面皆素面。底座长方形,背面残破严重,遗存部分镌刻的都是供养人姓氏及道教信徒的线刻像,其中刻供养人姓氏共45行80余人,道教信徒线刻像3幅。天尊头戴莲花形冠,面相丰腴,颌下蓄髯,双目细长,神态安详。身着宽大道袍,盘坐。右手举扇与拂尘,左手置面前凭几上。凭几仅见外侧一条腿,为虎足形。底座正面刻天尊像铭并序,共22行,其中有"大唐开元七年"造像时间和"敬造常阳天尊像一铺"像铭。底座左右共线刻弟子道士像13幅,均头戴冠,身着大道袍,足蹬高头履,站立在莲花座上。面前身后仙气缭绕。

唐代道教造像已逐渐形成自己的独特风格。天尊像及线刻道士像面相丰满而不臃肿,服饰相似而神态各异,衣纹自然,显示出盛唐雕绘人物丰满清秀的风格和以形传神的手法。石像铭刻无论楷书、隶书,均遒劲有力,结构匀称。由于历史原因,唐代道教造像流传后世的十分少见,这尊造像是研究道教、古代雕塑及书法艺术的珍贵资料。2002年,国家文物局以其独特的历史和艺术价值,将常阳太(天)尊石像列为首批禁止出国(境)展览文物之一。

常阳太(天)尊石像藏于山西博物院。

天王造像 唐代文物。1983年,陕西省西安市碑林区公路学院校园内出土。

天王造像,高110厘米,座长42厘米,宽25厘米。以汉白玉雕刻而成,头、面及战甲上存有少量彩绘。头梳高髻,面形丰满,腮部肌肉略显丰腴。双眉紧蹙,怒目圆睁,隆鼻大耳,双唇紧闭,有短髭和胡须。身穿圆领战袍,外罩护胸甲。铠甲甲带绊在胸前,左右各有一护胸圆镜。肩覆龙首披膊,龙口吐出内层披膊。腰间束带上有护脐圆镜。腿缚护腿,脚蹬软靴。右手叉腰,左小臂上举。两腿分开,站立于方形圆角花边座上,两脚分踏恐惧状小鬼。两小鬼均上身赤裸,下着内裤,四肢捆缚绳索。左侧小鬼呈跪坐状,头部较大,突眉圆目,似在竭力支撑起天王踏在身上的脚。右侧小鬼毛发直立,双腿弯屈,双手抱天王右腿,

表现出忍辱抗拒的神情。此天王像不似描述中那般可怖，更像是一位神态威武的将领，体现出唐代造像不再追求神秘虚幻的风格，而是注重表现现实生活中的形象，是唐代佛教造像世俗化的体现。

天王像是佛的八部众之一，是佛的护卫之一。大约在隋代，天王像有了较为固定位置和形象，多出现在洞窟两侧或菩萨身旁。其形象多为头戴冠，身穿甲胄，脚踏小鬼。天王像以中国武将形象为原型，经雕刻者艺术加工后，逐渐定型为体格魁梧、戎装华冠、孔武有力的形象，通过夸张的面目表现出护法天王神威。天王脚下小鬼亦塑造得十分生动，小鬼以弱小之体支撑着天王重若山岳的身躯，虽不堪重压，却竭尽全力支撑，表现出一种难以忍受时的抗拒神态，这种生动传神的造像也是唐代造像特色。

天王造像存于陕西省西安市文物保护考古所。

菩萨立像　唐代文物。1954年，陕西省西安火车站出土。

菩萨立像，残高110厘米。由汉白玉雕刻而成，石质光泽细润。菩萨虽缺失头部和双臂，但仍保持婀娜柔美体态，身体修长，腰部略向右倾。颈部佩戴由圆珠串饰、圈形及花形三层饰物组成的精美项饰。双肩搭披帛，肩部残留垂下头发。络腋自左肩下垂绕经腹前，一端从右腹部穿出。下身穿轻薄长裙，裙腰处束一结。身体比例合适，形体趋向女性化，胸部、腰部及腹部肌肉微微隆起。从胸部到腰际形成突出而明朗的弧线，使躯体轮廓线和结构起伏转折微妙动人。肌肉和皮肤具有真实感，光洁细腻的肌体展示出充沛的生命力。络腋和

长裙衣褶顺畅流利，且具轻柔软薄的质感，代表盛唐时期雕像的较高水平。这件残缺躯体给人以无尽遐想，具有极高的艺术魅力，被誉为"东方维纳斯"。

唐代是中国佛教造像艺术高峰期，雕刻技巧成熟、手法细腻、刀法精练，展示唐代高度发展的雕刻水平。唐代审美心态和艺术情操也表现在造像塑造中，特别是菩萨造像展示完美女性特征。虽然唐代崇尚"丰腴之美"，但体现在造像上更多的是突出肌肉感，是在对生命体真实刻画之中传递出女性特有美感。唐代菩萨造像身躯比例合理，体态生动妩媚。服装搭配于身体之上具有动感，完美衬托出身体的轮廓与造型，堪称杰作。

菩萨立像藏于陕西历史博物馆。

马头明王像　唐代文物。1959年，陕西省西安市东北的安国寺遗址出土。陕西省西安

市建设局在城东北修建下水道时，发现马头明王、文殊菩萨、降三世明王等11尊密宗造像。造像被堆叠在距地面十余米深的窖穴中，大半已残。窖穴位置应为唐长安城安国寺遗址。安国寺是唐代著名密宗寺院，建于唐睿宗景云元年（710年），后在武宗灭佛时被毁，唐懿宗咸通七年（866年）重建。这批佛像可能是在唐武宗灭佛时被破坏后埋藏于此。

马头明王像，高89厘米，宽55厘米。白色大理石雕刻而成。马头明王为三面八臂，半跏趺坐于莲花座上，背后是舟形火焰纹背光。其三面均呈忿怒相，主面为束发戴冠，冠中有化佛，双目突出，双牙上翘，两侧为童子面。两只主手于胸前结印契，右侧三手分持斧、念珠、施与愿印，左侧三手分持棒、净瓶和莲蕾。袒上身，帛带绕双臂飞扬，身前饰璎珞，下穿长裙。身后舟形背光上方浮雕马头，颈部

鬃毛依稀可见。束腰台座上半部是仰莲形，下半部是岩石形，寓意着马头明王为观音所化现。马头明王是佛教密宗重要本尊，是观音菩萨忿怒化身，也被称为马头观音、马头金刚。雕刻简洁，神态生动，是唐代密宗佛教雕刻典型作品。

马头明王像藏于陕西省西安碑林博物馆。

银背光水月观音坐像　宋代大理国文物。1978年，云南省大理市崇圣寺主塔出土。在进行崇圣寺清理中，发现大批南诏、大理佛教造像、经卷、法器等。

银背光水月观音坐像，高16.2厘米。由大理石圆雕而成，具有明显的男相特征，游戏坐姿。观音菩萨高束发，头戴冠，冠两侧缯带下垂过肩，一侧由右手捏持，另一侧搭于旁侧水瓶上。颈佩项饰，胸前斜系络腋，下穿长裙。右腿支起，右臂搭于腿上，左手撑于座椅上，

呈左倾的游戏坐姿。座椅为长条状，左侧置净瓶，座椅由自然山石承托。菩萨身后是银质镂花背光，插于石座之上。由菩萨坐像坐姿和山石台座可知，此像是水月观音形象。

观音菩萨游戏坐姿造像常被称为水月观音，是宋代观音菩萨的主流造型，以木雕菩萨像表现最多。其典型坐姿是右手搭于右膝上，左手支撑在身体左后方，右腿支起，左腿下垂，身体重心略微偏斜，呈游戏坐姿。这种观音形象不见于一般经典，据说是由唐代画家周昉创作，此后日益流行，并传播到日本、新罗等地。由于水月观音造像没有经典的依据，因此为艺术创作留下很大空间。早期水月观音都有净瓶和杨枝，这是一般观音菩萨特征，优雅自在的坐姿、竹林山水等则是新增加的艺术元素，表现中国古人特有的审美情趣与精神追求。中国较早石刻水月观音造像"始见于杭州西湖石窟后汉乾祐二年的朱知家镌观音像"，五代后则较多出现在甘肃省河西地区、重庆市大足、陕西省北部等地。南诏大理国统辖云南期间（约653～1254年）佛教兴盛一时，这里特别供奉阿嵯耶观音像。观音作男相，宽肩细腰，多为晚唐到南宋时期所制作。银背光水月观音坐像面形与体态同阿嵯耶观音像十分相似，可能是当地仿照水月观音像造型而制作。

银背光水月观音坐像藏于云南省博物馆。

阿弥陀佛坐像　北宋嘉祐年间（1056～1063年）文物。1956年，浙江省金华市万佛塔塔基出土。万佛塔之名源于该塔每块砖头上都雕有佛像，其建造时间说法不一。根据地宫发掘出土石刻经文，上面有"嘉祐七年壬寅十月二十八日当院上方住持都勾当劝缘传清凉祖教

观沙门居政立"等字样，因此一般将此塔建造年代定为北宋嘉祐年间。《金华县文史资料（第二辑）》对万佛塔的描述是："该塔是楼阁式的砖木结构，八角形，初建为九层，道光二十七年大修时，增至十三层，层层棱角飞檐，高达50米。塔体内设扶梯，曲折而上，凭栏远眺，双溪似带，群山如屏。塔本名叫密印寺塔。塔身外壁上半部每块砖上，雕有长不径尺的精美如来佛像，一排排结跏趺坐在莲台上，其数万计，故俗称万佛塔。由于建造时间早，塔身层次多，规模高大，雕饰华丽，誉满东南，素有'浙江第一塔'之称。"民国28年（1939年），国民党军队借口该塔目标过大，易招日军飞机轰炸，而将塔拆毁。从此，万佛塔便在金华城中消失。1956年底，因工程需要在万佛塔原址取用石块，发现盖在塔基中心石

板上有洞，并可见洞内文物。1957年，文物部门开始发掘，出土隋唐、五代与北宋文物183件，大部分收藏在中国国家博物馆、浙江省博物馆和故宫博物院。

阿弥陀佛坐像，高38厘米。以红砂石圆雕而成，通体涂金，莲花座施以碧绿兼红彩，二者交相辉映，再现宋代造像精致绚烂。佛像头顶螺髻，额间印白毫。面形圆鼓，两颊丰润，长眉细眼，双目微闭，双手于腹前结弥陀定印，全跏趺坐于仰莲座上。内着僧祇支，外披交领袈裟，衣纹简洁、稀疏柔和，摆脱唐代烦琐的装饰性衣褶形式。莲花座莲瓣肥厚，尖端微卷，外敷粉彩，显得妩媚而有生气。阿弥陀佛肌体丰满秀丽，表情温和，体态端庄，缺少唐代造像雄健之风，增添宋代造像写实之风。阿弥陀佛坐像人格化的表情与略显瘦小的身躯是南方地区佛教造像技法的延续，特别是阿弥陀佛那近乎童子的面形是长江下游南朝以来的特点。衣纹线条和莲瓣肉质感借鉴泥塑技法，让造像多了一分柔美。

宋代佛教造像开创佛教艺术写实风格的新时尚主要体现在：佛像不再是高居神坛、不食人间烟火的理想化身，而是现实人物形象；不再借助夸张手段来表现高不可及的形象，而是通过精巧入微、细腻传神的刻画，来表现不同佛教造像。

阿弥陀佛坐像藏于浙江省博物馆。

修道圣僧像　北宋文物。修道圣僧像曾由北京古玩商倪玉书收藏。20世纪50年代，文化部文物局拨交给故宫博物院收藏。

修道圣僧像，高95厘米，宽36厘米，由白色大理石雕刻而成。面呈椭圆形，双目微睁，

略带微笑。头戴僧帽，身着袈裟，袈裟衣缘在左肩处以襻系带固定。双手结禅定印，跏趺坐于山石座上。圣僧身后背屏呈山形，顶端雕有一胡人形象罗汉，其右手置膝，坐于凸出岩石上。背光为山石形状，形式新颖，与众不同。此像雕刻得细腻传神，具有较强写实性。宋代，随禅宗流行，佛教造像艺术不再严格遵从宗教仪轨限制，没有仪轨规范的罗汉、祖师及高僧造像流行。这些造像形神兼备，抛弃宗教色彩，侧重表现现实中的人物，极具个性。宋代，佛教造像不仅雕刻技法娴熟，且能结合人物个性进行雕琢，创造出的人物栩栩如生，犹如现实生活中的高僧，可给人以亲近感，这也是宋代造像特色。

修道圣僧像原型为僧伽大师（又名泗州和尚，唐代西域人），是初唐时期一传奇式佛

教人物。据说年幼出家，起初在凉州活动，后游历于江淮一带。龙朔元年（661年）僧伽在泗州建寺传教，为人医病消灾，受到百姓崇拜，因而声名远播，唐中宗曾亲书寺额为"普光王寺"。景龙二年（708年）受诏入内，并赐号"证圣大师"，后又写貌入内供养。景龙四年（710年）圆寂于长安荐福寺，唐中宗为其敬漆肉身，送回泗州起塔供养，奉为"泗州大圣"，人们将其奉为观音菩萨化身。僧伽本是佛教历史中的一名高僧，后逐渐成为一种特殊的宗教信仰。僧伽信仰始于唐代，宋代达到新高峰，这是由于在战乱蜂起的年月，人们渴望观音菩萨解救众生，而僧伽信仰迎合了这一愿望。僧伽故事被崇拜者不断夸大，也使人们对其深信不疑，各地建造大量僧伽像和纪念佛堂。僧伽造像具有较强写实性，反映出宋代造像传神的一面。

修道圣僧像藏于故宫博物院。

彩绘释迦佛涅槃造像　辽代文物。1989年，内蒙古自治区赤峰巴林右旗庆州释迦佛舍利塔内出土，舍利塔是辽章圣皇太后特建的皇家寺院佛塔。共出土3件同样形制的涅槃造像，彩绘释迦佛涅槃造像较为完好，被确定为一级文物。

彩绘释迦佛涅槃造像，长60厘米，宽33厘米，高34.5厘米。由汉白玉雕刻而成，通施红彩和绿彩。佛陀为螺发，高肉髻，面庞长圆丰满，双目闭合，嘴唇紧闭，睡态舒展安适，似平静中带一丝发自内心的愉悦，表现出耐人寻味的表情。内穿僧祇支，胸前系带，外披覆肩式袈裟。头枕圆形莲花枕，右臂向上弯屈，右掌托于右脸颊之下，左臂平放于身体之上，侧身卧于长方形亚腰石床上。裙摆之下裸露出丰满圆润的双脚，尽显佛陀异于常人之处。石床四侧面开窗浮雕卧狮，正面和背面各雕3只，中间一只呈正卧状，两侧呈侧卧状，石床两侧各雕一只卧狮。此像颈部较短，两肩宽阔厚实，具有辽代造像风格。佛像面部表情、袈裟衣纹及护法狮子均

雕琢精细，代表辽代石刻最高水平。

涅槃佛像，又称为卧佛，或睡佛。是佛的八相之一，表现公元前485年释迦牟尼佛在古印度北方拘尸那罗城外婆罗林园与世长辞的瞬间神态。所谓涅槃，就是通过修行来断灭生死诸苦及其烦恼后获得的一种精神境界。如彩绘释迦佛涅槃造像所表现的，佛陀已摆脱烦恼，进入涅槃境界。释迦涅槃像的绘画或雕刻作品通常表现为在婆罗双树间的宝台上，释迦牟尼佛枕北右卧，做睡眠姿态，旁有诸菩萨、弟子、国王、大臣、天人等围绕。公元3～4世纪，西域地区开始雕造释迦涅槃像，现在新疆库车的克孜尔石窟内仍残存有释迦涅槃造像，大同云冈石窟、敦煌千佛洞也存有中国北方地区早期的涅槃像，雕造于宋代的大足涅槃像是中国较大涅槃像之一。

彩绘释迦佛涅槃造像藏于内蒙古赤峰巴林右旗博物馆。

毗湿奴石造像 元代文物。民国23年（1934年），福建省泉州市南门城附近蒲寿庚花园遗址出土，泉州民间俗称番佛寺，或叫番菩寺。毗湿石造像出土不久，又连续在距离不远的城垣基础内，挖掘出许多印度教石刻；清末，这里曾发现嵌在宫墙上的3方印度教龛形石刻，所谓番佛寺，可能是一座印度教寺庙。至于这座印度教寺的建筑形式及规制如何，因寺年久已毁，加上缺乏文献记载，已不得而知。但据多年来所发现与汇集的石刻及其他各类型石材分析比较，这座印度教寺与今日所常见的佛刹形制不同，而与印尼爪哇东部日惹附近所见的婆罗浮屠塔或塔婆形制相同。特别是那些砌在浮屠塔上顶层及下层大型石块和泉

州所发现的半人半兽石刻、人面狮身石刻、须弥座石刻、屋脊形石刻和龛形石刻等，极为相似，且在泉州发现的这类石刻数量极多。据此可推断，元代泉州番佛寺是一座印度教婆罗浮屠塔式建筑物，是一座奉祀婆罗门的寺庙。

毗湿奴石造像，高115厘米。用辉绿岩雕成。头戴一尖顶高冠，双目下视，高鼻梁，大耳，小口，圆颐，神情庄严而宁静。有四臂，右上手持圆盘，左上手执法螺。右下手伸出，做无畏印，左下手下垂，按一棒形物。上身袒裸，下体似有罗裙束住，立在一半月形束腰圆台上，台座底部有榫卯。

印度教是印度古代社会产物，在公元前四五世纪已弥漫于中南半岛及南洋群岛间。古代印度教是否传入中国，何时传入中国，学界有不同看法。持肯定观点学者认为，泉州临漳门外高315厘米的大独石柱，可能就是秦汉前

印度婆罗门教在泉州的遗物。中国海南岛、雷州半岛、合浦、泉州等处的石公狗雕像，泉州膜拜狗将军的习俗，都属印度教遗风。

毗湿奴石造像藏于泉州海外交通史博物馆。

湿婆神石刻　元代文物。湿婆神石刻福建省泉州市出土。泉州地区发现元代印度教寺石构件，大多集中于南校场、通淮门附近和城西北隅，表明泉州有多处印度教寺庙和祭坛。

湿婆神石刻，高60厘米，宽65厘米，作四方形。辉绿岩石雕成。主体石刻为屋宇状。屋顶有脊，屋脊两端回卷起翘，脊上左右饰云龙。屋顶中间刻一如钟形宗教标识。屋宇顶下，左右各有石柱，柱头似古希腊式，柱头下承以莲花，柱身方形，刻有云纹图案。两柱外侧各立一座塔，塔下部有两根石柱，塔身作圆形，圆形中间刻图案花纹，塔顶有相轮三层。龛内右侧刻一尊四臂神像，头发上竖，前两手合十于胸前；后两手一手持鼓，一手持兜鍪，跌坐在仰覆莲座上。龛内左侧竖立一座塔状"磨盘"，下有仰覆莲座。石刻表现的是婆罗门教三个主要神祇之一的大自在天王湿婆化身，在男性生殖器的象征物前坐禅入定的故

事。有专家认为，这种塔状物是由印度人所崇拜的性器官模型演变而来，因形状近似磨盘而被命名，印度语称"Liṅga"，即林迦石，在印度仍常可看到。

泉州出土的印度教神话故事石刻，也反映出泉州印度教有不同派别，其中有毗湿奴教派创建的毗湿奴神庙，湿婆教派创建的湿婆神庙。这些印度教石雕，其故事内容出于古代侨居泉州的印度人、锡兰人和马八儿人的授意，而雕塑艺术及风格，则受泉州石匠工艺的深刻影响。石刻上常可看到诸如双凤朝牡丹、狮子戏球、海棠形图案等典型中国风格。泉州出土这批印度教石雕，还带有古希腊艺术风格，如哥林多式柱头石、柱头下剑形垂柱、半鸟半兽门楣石等。更多是印度式柱头石，如印度式花朵形柱头石、用蛇作为图案门框建筑石构件等。泉州印度教石刻是中国与印度、希腊文化交流的物证。

湿婆神石刻藏于南京博物院。

魏文朗造像碑　北朝时期北魏始光元年（424年）文物。民国23年（1934年），陕西省耀县漆河洪水泛滥时在河畔被发现。魏文朗造像碑是中国遗存最早的佛道混合造像碑之一，在造像碑遗存中具有特殊意义。民国32年（1943年），考古学家石璋如曾专程到耀县对此碑年代进行考证。

魏文朗造像碑，高131厘米，宽72厘米，厚29.5厘米。石灰岩质，碑面高浮雕及线刻图文。碑呈长方形，四面雕像。碑阳雕刻一拱形龛，龛内雕天尊和释迦两像，跏趺坐于石床上。天尊头戴道冠，身穿双领下垂式道袍，腰间束带。释迦身穿袒右肩式袈裟，右手施无畏

印。两侧各有一菩萨，均已残损。龛楣为双龙交缠，龙爪支起龙头，口衔忍冬相交，龙尾垂于龛楣两侧，变成口衔忍冬的瑞鸟头。龛楣上线刻两飞天，飞天头梳偏髻，左侧飞天持忍冬，右侧飞天持方盘。佛床前线刻博山炉及跪拜姿势两个供养人。龛右侧分别为团花、坐有一人的庑殿式小屋和两位女供养人。龛左侧分别为团花、小鹿和夜叉托起的庑殿式小屋，屋内坐两人。碑下部为车马出行，一人牵驼骑马，华盖牛车随行，车后有侍女相随。下面为一排男女供养人，男女之间有一摩尼宝珠。碑阴上部龛内雕刻一尊思惟菩萨像，右手支颐，左手抚腿，跣足坐于方座上。座前雕双狮。龛楣雕刻回首双龙，口吐联珠，联珠在顶部变为忍冬交缠。联珠上站双瑞鸟，两侧各为一飞天。龛右侧为庑殿式小屋，内跪一供养人，其下刻有山林、瑞兽、鹿、虎等。龛下正中为一香炉，两侧各有一供养人。下部的发愿文记录造像碑时间、供养人姓名、籍贯及造像目的。

碑右侧龛内雕刻释迦像一尊，两侧各站立菩萨，下部雕刻骑马出行，骑马者着胡服，后随执华盖侍从，其下刻有手持长矛、身穿甲衣的护卫骑兵。碑左侧上下各有一龛，上龛雕刻一天尊和二侍者，下龛雕刻一佛二菩萨。龛楣雕刻忍冬纹，下刻一夜叉，呈双手托举龛状。

魏文朗造像碑体现出佛教和道教间的相互影响与平衡关系，证实佛教在发展初期依附于本土信仰的状况。此碑式样、雕刻技法及人物造型具有强烈的区域特征，也是关中造像碑的流行风格。

魏文朗造像碑藏于陕西省铜川市耀州区药王山博物馆。

姚伯多像碑（姚文迁造像碑）　北朝时期北魏太和二十年（496年）文物。民国20年（1931年），陕西省耀县文正书院出土。后为邑人雷天一所得，民国25年（1936年）移存耀县碑林，1955年迁入耀县文化馆，1971年移到耀县药王山碑林。

姚伯多像碑（姚文迁造像碑），高140厘米，宽70厘米，厚30厘米。石灰岩质，碑面浮雕及线刻图文。碑顶座均失，碑体呈扁平四面体，四面刊刻。碑阳上方有一长方形浅龛，内雕三尊造像，中间主尊为皇老君，即太上老君像，头戴道冠，身穿道袍，端坐于中间。两侧为侍者，双手合于胸前，身穿道装。主尊可见五官轮廓，但四肢与躯体雕刻简单，仅以凸起的圆条状来表示。下面为发愿文，文中有"敬造皇老君文石象一躯"，说明主尊身份为太上老君，这是已发现的最早明确道教身份的造像碑。文中还提及对道教教理的理解、造像者身份、造像缘由、造像福报对象及对造像的赞美等内容。碑阴上半部浅雕上下两龛，上龛为拱

形龛，内雕一头戴冠的道装坐像，下龛为长方形龛，龛内雕三尊造像，中间为头戴冠坐像，两侧为侍者，身穿道袍。下面为发愿文。文中叙述造像者信仰、造像处所、老君像的宗教意义及姚氏宗族情况。碑左右两侧上部，分别浅浮雕供养人像，分为上下两排，上排1人，下排5人。一侧为姚氏男像，上排一人似是姚伯多之父，下排五人应为姚伯多五兄弟。另一侧为女像，上排一人似为其母亲，下排五人为五兄弟之妻。供养人下面雕刻发愿文，叙述造像者姚氏宗族谱系，并宣扬其德行，还说明造像目的是祈福禳灾。

该碑刻是已知最早带有明确纪年和具体造像名称的道教造像碑，也是同类性质石刻中字数最多、内容最丰富的造像碑。此碑体现早期道教造像碑特色，仅有老君、侍者和供养人像，雕刻简单，仅勾勒出人物轮廓，不做细节处理。此碑在耀州区造像碑中较为著名，是《陕西金石志》中收录的三块造像碑之一。碑的书体在书法史上具有重要意义，于右任曾将此碑与《广武将军碑》《慕容恩碑》一起推崇为"秦中三绝碑"。

姚伯多像碑（姚文迁造像碑）藏于陕西耀县博物馆。

道晗造像碑　北朝时期北魏孝昌元年（525年）文物。1976年，河南省荥阳县大海寺遗址出土。

道晗造像碑，也被称作"贾思兴百八十五人等造弥勒像龛""北魏弥勒造像龛"等。高135厘米，宽98厘米，厚44厘米。石灰岩质，呈长方形，四面雕像。碑阳雕刻尖楣圆拱形龛，内雕交脚弥勒菩萨坐像和站立菩萨及弟

子。弥勒菩萨面相清秀，头戴宝冠，颈佩桃形项饰，身披双领下垂式袈裟，双肩所搭帔帛下垂后于两腿间交叉。下着长裙，裙褶垂于台座前。弥勒菩萨左右手分施与愿印、无畏印，交脚坐于长方形台座上，足踏莲台。菩萨身后背光由浅浮雕的头光与身光组成，二者相连。头光中心为莲瓣形，外刻七身跪姿状供养天人。身光内刻莲花化生图案及忍冬荷叶纹，外刻火焰纹。背光外刻"维摩诘经变"故事，右侧刻维摩诘居士，左侧刻文殊菩萨，旁有听法比丘数人。阿难、迦叶两位弟子分立于菩萨左右两侧，两人双手合十，跣足而立，头后是圆形头光。二位胁侍菩萨面向主尊，跣足立于弟子外侧。菩萨均头戴宝冠，颈佩桃形项饰，双肩披帛，下着长裙。左侧菩萨右手握莲蕾、左手提净瓶；右侧菩萨左手握莲蕾、右手持物。弥勒菩萨长方形台座左右两侧，各刻一位双手合

十比丘，左题"邑师道晗"，右题"比丘道胜"。龛楣上雕刻7尊结跏趺坐佛，尖楣两侧分立8位听法菩萨、弟子。两侧龛柱上雕刻护法力士，头戴小冠，上身袒露，肩臂披帛，下着长裙，弓腿立于莲座上。力士下方雕刻拱手站立比丘像，均有榜题。碑阴顶部雕刻交缠双龙，下面雕刻5个小龛，以中间盝顶形龛为中心，两侧各有两个长方形龛。自左向右五龛内分别雕刻佛传故事"九龙浴太子"、思惟菩萨坐像、释迦多宝二佛并坐像、佛立像和佛传故事"阿育王施土"。龛下刻有5排供养人像，第一排中间雕刻造像记。造像碑左侧面顶部雕刻帷幔，下刻两组图案。右侧为屋形龛，龛内雕刻跏趺坐佛像。左侧中间雕刻一株菩提树，树下一侧雕刻比丘在床榻上打坐修行，榻前放置净瓶和鞋，旁题"比丘惠剑诵经时"；另一侧雕刻圆形龛，龛内亦雕有比丘禅定坐榻上，榻前放置净瓶和鞋，旁题"大比丘法延坐禅时"。中间隔带内雕七身供养菩萨像，下面是5排供养人像。造像碑右侧面顶饰帷幔，下面雕刻两组图案。一侧雕刻佛传故事"释迦诞生"，另一侧雕刻一座覆钵塔，塔顶饰忍冬花纹和蕉叶纹，旁刻供养菩萨和弟了；塔身为尖楣圆拱龛，龛内雕刻一倚坐佛像。下面分别雕刻一排供养菩萨像和5排供养人像。

道晗造像碑是河南省荥阳大海寺出土的唯一一件具有纪年的北魏时期造像碑，对研究大海寺创建与发展具有重要意义。造像碑属民间造像形式，其人物造型、表现手法和雕刻内容已完全汉化，是这一时期佛造像深度本土化的重要表现。

道晗造像碑藏于河南博物院。

造像碑 北朝时期北魏建明二年（531年）文物。1981年，宁夏回族自治区固原县（彭阳县）新集乡出土。

造像碑，高48厘米，宽20.7厘米，厚3.7厘米。由紫红色石英岩雕刻而成，呈扁立方体。碑首顶部呈弧形，上面雕刻两层图像。上层为拱形佛龛，内雕两排图像，前排雕刻释迦、多宝二佛坐像，两佛均为高发髻，相对坐于长方形佛榻之上，身穿褒衣博带式袈裟，袈裟右衣缘搭于左前臂上，下摆覆腿垂地；佛榻后面雕刻四身听法弟子半身像，两两相对。下

层为长方形佛龛，中间雕刻菩萨立像，菩萨头戴花冠，面相方圆，双目低垂，颈饰项圈，双肩披帛，帛带在胸前交结后垂至腿部，下穿束腰长裙。右手上举，掌心向外，左手持物，跣足立于圆形台座上。菩萨身后是舟形火焰纹背光，背光的尖拱高出上层龛内佛榻。菩萨两侧人物分3层排列，下层是两位供养人像，面向菩萨站立，上面两层是比丘半身像，皆面向外侧。造像碑左侧至背面阴刻铭文："使持节假镇西将军镇军将军西征都督泾州□□安戎县开国子金神庆敬造石像二区，建明二年二月十七日。"造像碑雕刻人物较多，但疏密得当、层次分明，表现出雕刻者娴熟高超的雕刻技艺。菩萨两侧胁侍上下两层重叠布局形式，是宁夏地区造像碑的风格。

造像碑铭文中所提金神庆的原籍为陕西北部晋州，那里曾是北魏政权中心。金是匈奴人汉化的姓氏，说明供养人可能来自匈奴部落，且拥有显赫的军士生涯。石碑题刻是中国宣扬个人功绩和地位的传统方式，在与中原地区接触中，游牧民族接受了这种习俗。固原是丝绸之路东段北道上的重镇，是长安往返西域必经之路，佛教也曾经这里传入长安及中原地区。固原地区出土许多北魏时期石刻造像，此造像碑属早期发现作品，雕刻精美且带有年代铭文，具有很高的历史和艺术价值。

造像碑藏于宁夏固原博物馆。

弥勒佛造像碑 北朝时期北魏文物。甘肃省泾川出土。

弥勒佛造像碑，高48厘米，宽25.5厘米。碑额呈圆拱形，碑身为扁长方体，长方形基座。碑额中间雕刻圆拱形龛，龛楣饰火焰纹，

龛内中间雕刻思惟菩萨坐像和两位胁侍菩萨立像。思惟菩萨为高发髻，身穿通肩式袈裟。左手抚膝，右手托颔，头微右倾，半跏趺坐于长方形台座上。胁侍菩萨发髻与服饰同主尊相似，垂手站立于两侧。龛两侧分别雕刻一供养菩萨像，二者呈跪姿，左侧双手呈捧握状，右侧则双手合十。碑身正中雕尖楣圆拱形龛，龛楣饰莲瓣纹，两端饰龙头上卷，龛楣下垂天幕，龛柱上雕刻文字。龛内雕刻弥勒佛坐像，头戴宝冠，面貌不清，身穿通肩式袈裟，下穿长裙，双手结于胸前，交脚坐于台座上。台座两侧伏卧狮，回首相望。狮子两侧为胁侍菩萨，高发髻，身穿通肩式袈裟，双手合十于胸前，跣足而立。在弥勒佛身后，浅雕两身飞天，双手上举，呈相向飞舞状。龛柱左右两侧浅雕男女供养人像，双手搭于腹前，虔诚敬

立。龛下有一隔带，在长方形框内横雕一排忍冬纹。碑身最下方浅刻八身供养人立像，左侧是四身男供养人，穿袴褶装；右侧为四身女供养人，穿衫襦，每人旁有榜题。此碑采用高浮雕与浅浮雕相结合方式，凸显造像主题，主次分明。佛、菩萨所着袈裟纹饰呈"U"形，采用细隆线形雕刻方式，供养人服饰也具有北魏时期服饰特点。

造像碑是流行于北朝隋唐佛教石刻造像形式，将石刻造像与传统碑碣相结合，把印度佛教艺术与中国传统刊石记名融为一体。在碑面空间内，既可采用浮雕、平雕、线刻等技法，雕刻各种造像、佛经故事，还可刊刻题记及供养人姓名。此弥勒佛造像主尊交脚弥勒形象常见于北魏晚期至西魏、东魏时期，是陇东、河西地区流行造像题材，也是北朝陇东、河西地区交脚弥勒像典型作品。

弥勒佛造像碑藏于甘肃省博物馆。

田良宽造像碑 北朝时期北魏文物。原陕西省西安碑林博物馆旧藏。

田良宽造像碑，高154厘米，宽43厘米，厚33厘米。呈长方体，四面开龛造像，是佛道混合造像碑。碑阳上部开一屋形龛，龛楣上有一铺首，上有相对两鸟，龛内雕3尊道教像。中间主尊头戴道冠，身穿道袍，腰间束带。左手抚足，右手持麈尾，坐于方形台座上。双眉间有类似佛像白毫的小圆圈，下颔和唇上有线刻胡须。主尊两侧各有一立侍，头戴道冠，手持笏板，跣足立于莲花座上。龛下中间为香炉，左右两侧各立一人。右侧之人左手持铃状物，右手持锤，题名为"邑师田阳仁"；左侧之人拱手而立，题名为"田良宽"，应是主要

造像者。下面雕刻5排供养人像，间有题名，多为"道士""道民"。碑阴上部开龛，龛楣雕火焰纹，其上有两飞天和二鸟，龛内雕佛像3尊。主尊为高肉髻，身穿袈裟，双手施无畏与愿印，结跏趺坐于台座上。主尊两侧分立菩萨。龛外两侧分立一僧，旁侧题名中有"比丘"。龛下是托座力士，左右两侧各有一护法狮子。下面雕刻3排供养人，间有题刻，多为佛弟子。碑左侧上方雕圆形龛，龛楣雕龙首衔云，龛上有一铺首，上有捧奉香炉和供盘的飞天，龛内雕一尊坐像。头戴道冠，腰束带，右手上举，坐于台座上。龛右侧浅雕一人，下有道士题名。龛下有两排供养人像，间有题名，均为道士。碑右侧开圆拱形龛，龛楣饰火焰纹，龛内雕一坐佛。

从碑文可知，这是以田良宽家族为主的发愿雕刻的造像碑，家族中佛教徒、道教徒均有，道教徒以"邑师""道士"相称，佛教徒以"比丘""弟子"相称，碑面雕刻内容为道教与佛教平分。佛教造像不似北魏时期秀骨清像，且道教造像尚无胡须，或是北魏熙平年间（516～518年）前所刻，是较早的佛道混合造像碑。

田良宽造像碑藏于西安博物院。

权氏造千佛造像碑 北朝时期西魏大统十二年（546年）文物。甘肃省秦安县出土。

权氏造千佛造像碑，高74厘米，宽67.5厘米。螭首扁体碑，碑首呈圆弧状，雕四龙盘龙，龙首垂于两侧呈衔碑身状，碑身为扁长方体。碑首正面中央雕一兽面，口衔垂于两侧的龙身。兽面下开一外方内圆的浅龛，龛内雕刻一佛二弟子二菩萨像。主尊为高肉髻，双目低垂，身穿双领下垂式袈裟，结跏趺坐于须弥座上，袈裟衣摆覆盖台座。台座后面，两位弟子分立于左右，双手搭于胸前。胁侍菩萨站立于台座两侧，高发髻，肩臂披帛，下着长裙，内侧之手上举持物，跣足立于圆形台座上。龛外下侧雕方形小龛，左侧龛内有三身供养人立像，右侧则雕刻低头状和站立状两位供养人。碑首下面开7个圆拱形龛，每龛内雕一结禅定印跏趺坐佛。碑身上半部雕刻10排佛立像，每排30身，共300身。千佛下雕刻4排图像，依次为八身供养人立像、骑马图和牛车、骑马出行图及十身供养人立像。碑阴上部开圆拱形龛，龛内雕刻一佛二弟子二菩萨，龛外雕刻护法狮

子及驭狮奴，龛顶雕二身飞天。碑身雕刻千佛立像和发愿文，可见"大魏大统十二年"字样。造像碑左侧面雕刻立佛，右侧面上部为立佛，下部是供养人像。造像碑上图像以千佛为主，虽佛像面目不清，但数量很多，是北朝时期禅宗思想盛行的表现。

千佛是指在同一时期出现的一千尊佛像，有广义和狭义之分。狭义千佛有具体名号，有相对应的佛经；广义千佛是指数量多但没有具体名称的佛像群体。权氏造千佛造像碑当指广义千佛，是北朝造像碑常见的题材。

权氏造千佛造像碑藏于甘肃省博物馆。

道俗九十人造像碑 北朝时期东魏武定元年（543年）文物。相传河南省新乡市梁村出土，新乡市博物馆早年征集。

道俗九十人造像碑，高200厘米，宽80厘米，厚22厘米. 为石灰岩雕刻，螭首扁体碑，方形基座。碑首呈弧形，碑身呈扁长方体。碑首雕6条盘龙，龙首垂于两侧呈衔碑身状。碑阳一侧碑额雕"维摩诘经变"图，右侧维摩诘居士头戴高冠，身穿褒衣博带式大衣，手持麈尾，面左而坐；左侧文殊菩萨手持经卷，面右而坐，似在与维摩诘辩论佛法，两者之间有两位弟子双手合十，站立莲花座上。下面对称雕刻菩萨弟子各三人，均作揖手恭听状。碑阳的碑身正中雕刻尖楣圆拱形龛，龛楣两侧各雕一倒龙，龙口衔向上卷龛梁。龙两侧各线刻一伎乐天人，左侧持竖笛，右侧持琵琶呈飞翔状。龛内雕刻一坐佛，高肉髻，面相饱满，内穿束带僧祇支，外披双领下垂式袈裟，袈裟底摆敷搭于台座上。左右手分别结无畏印、与愿印，结跏趺坐于束腰仰覆莲座上。龛柱两侧分立胁侍弟子与菩

萨，均带有桃形头光，跣足站立于莲花座上。弟子身穿双领下垂式袈裟，双手合十于胸前。菩萨头戴花冠，肩臂披帛，下穿长裙，手中持物。主尊座下雕刻莲花化生双手托举博山炉，炉旁刻卷草、荷叶，外雕护法狮子及力士。碑阴的碑额处浅雕尖楣圆拱龛，内雕释迦、多宝二佛并坐像，带有莲瓣形火焰纹背光和圆形头光。二佛均为高肉髻，身穿双领下垂式袈裟，结跏趺坐于长方形台座上。碑身分3层雕刻3列12幅佛传故事，每幅图旁附题记，分别为"太子得道诸天送刀与太子剃""定光佛入因□□菩萨相时""如童菩萨赍银钱与王女买花""摩耶夫人生太子九龙吐水洗""相师瞻□太子得

到时""黄羊生羔羊，白马生白马驹""此婆罗门妇即生恨心要婆罗门乞好奴婢逃去时""三年少婆罗门妇时""五百夫人皆送太子向檀毒山辞去时""随太子乞马时""婆罗门乞得马时""太子值大水得渡时"。中层雕刻造像记，有"大魏武定元年岁次癸亥七月己丑朔廿七日乙卯造"的时间记载，左右两侧各有一幅礼佛图。下层雕刻九身供养人像，其中七身为手持莲花供养僧人，二身为头戴高冠，手持莲花的世俗男子形象。碑身两侧线刻供养人像，上下6列，每列3人，均有榜题。

道俗九十人造像碑是有明确纪年的东魏时期造像，为研究北魏造像向北齐造像演化过程提供了实例。该碑出土较早，《河朔金石目》卷七、顾燮光《河朔访古新录》卷十、叶昌炽《语石》卷五、清人陆耀通《金石续编》等均有著录。

道俗九十人造像碑藏于河南博物院。

比丘僧纂造释迦多宝像碑 北朝时期东魏武定二年（544年）文物。山西省新绛县樊村出土。

比丘僧纂造释迦多宝像碑，高79厘米，宽37.5厘米，厚22厘米。碑的碑阳、碑阴和碑两侧上部开龛雕像，下部雕刻发愿文及供养者姓名。碑上佛面原有贴金，已脱落。碑首呈半圆形，高浮雕交蟠六螭首及覆莲座，螭首下垂，呈衔碑体状。莲花座上有一身立佛，佛陀身后是刻有火焰纹的尖桃形背光。立佛内穿僧祇支，外披袈裟，袈裟右侧衣缘搭于左臂上，左手施与愿印，右手施无畏印，跣足站立于长方形台座上。碑阳上部为尖楣圆拱形龛，龛楣雕刻火焰纹，龛内为一佛二菩萨像。中间主尊为

高肉髻，内穿僧祇支，外着褒衣博带式袈裟，右侧衣缘搭于左臂，下摆悬垂台座上，左手施与愿印，右手施无畏印，结跏趺坐于长方形台座上。两侧胁侍菩萨头戴宝冠，披帛横搭于身前，左手上举，右手持净瓶，跣足而立。佛龛下部刻发愿文，共19行16列，可见"武定二年九月一日"的雕刻时间。碑阴的碑首处，雕刻释迦多宝二佛并坐像，二佛并坐于直柱支撑圆形台上，其背后为尖状桃形背光。中部雕尖楣圆拱形龛，龛楣两角分雕鸟首，龛楣上阴刻缠枝纹，龛内雕一佛二菩萨像。中间主尊左手结与愿印，右手施无畏印，半跏趺坐于方形台座

上。左侧胁侍的左手施无畏印，右侧胁侍的右手持净瓶，跣足立于台座上。佛龛下为5行竖列雕刻造像者姓名。碑左侧方形帷幕龛内雕一坐佛，龛下部线刻3层供养人并铭记。碑右侧长方形尖拱龛内雕一坐佛，佛龛下为一排连环五叶卷草纹带，卷草纹带下为3层减地平刻和线刻的供养人画像及铭刻。

东魏统治时间较短，其造像风格接近北魏时期。此像佛陀发髻较高，身材消瘦，继承北魏时期秀骨清像的造像风格。佛像身躯比例匀称，衣纹以平行阴刻线条来表现，体现新的造像风格。该碑装饰华丽、内容丰富、雕刻精

细，且有明确纪年，是东魏造像碑精品之一。

比丘僧纂造释迦多宝像碑藏于山西博物院。

高海亮造佛像碑　北朝时期北齐天保十年（559年）文物。1957年10月，河南省襄城县汝河西岸孙庄出土。

高海亮造佛像碑，高108厘米，宽57厘米，厚8厘米。碑额呈圆弧状，雕刻4条盘龙，龙头下垂，口衔碑沿上侧，龙身下开一佛龛。碑额阳面中间雕一帐形龛，帐顶饰宝珠和莲花，龛内雕弥勒菩萨坐像和站立的胁侍菩萨。弥勒菩萨头戴花冠，肩臂披帛，下着长裙，半跏趺坐于方形台座上。二位胁侍菩萨站于台座

后面，面相与装束与主尊相似，一手屈于胸前握莲蕾，另一手持帛带下垂。碑身阳面图案分为三部分，中间为一尖楣圆拱形龛，龛内雕一佛二辟支佛二菩萨二弟子二力士。中间主尊跏趺坐于长方形束腰须弥座上，佛陀面相丰满，身穿覆右肩式袈裟，双手分施无畏印、与愿印。须弥座后站立着二位螺髻菩萨像，螺旋式肉髻，身穿双领下垂式袈裟，呈半身。主尊两侧是二位菩萨，头戴宝冠，双肩披帛饰圆形物，下着裙，跣足立于莲花座上。两侧弟子身穿双领下垂式袈裟，跣足站立在莲花座上。两力士头戴花冠，肩披帛，下穿长裙，跣足立于莲花座上。龛顶正中雕2排半身像，前排为四位听法弟子，后排为一佛二菩萨及一位撞钟比丘。龛的左右两侧分雕维摩诘经变故事，右侧小龛雕文殊菩萨结跏趺坐于方形束腰须弥座上，右手施无畏印，左手上扬，似在说法，胁侍菩萨立于两侧；左侧小龛为头戴高冠的维摩诘居士，一手持塵尾，半坐于床榻上。龛下中间雕力士头顶博山炉，两侧为持莲供养人和蹲狮。碑额阴面雕刻佛教故事"太子逾城出家"，太子骑马飞腾，五身飞天前后簇拥。碑阴上部雕刻造像记，可见"大齐天保十年……像主高海亮……"等字样。书体方劲，有浓厚的魏碑笔韵。此碑雕刻内容丰富，是北朝晚期螭首造像碑代表作。

高海亮造佛像碑藏于河南博物院。

丁朗俊造像碑　北朝时期北齐文物。1989年，河南省新郑薛店乡南枣岗村出土。

丁朗俊造像碑，高100厘米，宽47厘米，厚15厘米。为石灰岩制，螭首扁方体碑。碑阳的碑首雕6条盘龙，龙首下垂呈衔碑状。碑面

图像分为3层。第一层图像位于碑额中央，在下垂的龙爪之间雕刻一菩萨二弟子像。中间主尊头戴花冠，袒上身，下着裙，半跏趺坐于方形台座上。双手垂放于腿上，左足踏莲台。台座下似为翻滚的海水，水中有一只海兽。第二层中间是一座位于莲花座上的宝塔，塔内雕刻四身禅定佛坐像。塔两侧各有一立佛，头后有圆形头光，身穿袒右肩式袈裟，内侧之手指向佛塔。立佛两侧分层雕刻5位听法菩萨与弟子，头后皆有圆形头光。下层中央是圆拱形龛，龛内雕刻佛、弟子、菩萨、辟支佛、力士等，表现释迦说法、弟子听法场面。主尊佛像

为高肉髻，面相方圆，内穿僧祇支，外披双领下垂式袈裟，双手分施无畏、与愿印，结跏趺坐于方形台座上。左右两侧对称雕刻弟子、菩萨、螺髻菩萨立像，由前向后逐渐变小。圆形龛楣下各立一位弟子像，双手结于胸前，头扭向外侧。龛外雕刻力士与弟子立像，力士着菩萨装，肩上的披帛在腹前交叉。主尊台座下面雕刻覆莲瓣，莲瓣饱满，排列整齐。莲瓣下是忍冬纹装饰的博山炉，两侧为护法卧狮。碑身左右两侧开龛雕像，图像分为3层。左侧上层刻二身飞天，披帛向上飞扬；中间雕刻4位比丘立像，均身穿通肩袈裟；下层是二比丘一菩萨立像。右侧上层是两个圆形龛，每龛内雕禅定坐比丘，内侧还有一站立比丘；中间雕一佛二弟子像，佛陀跏趺坐于中间，台座左右前方各有一跪姿供养人；下层圆形龛内雕两位半跏坐思惟菩萨像，龛楣雕刻菩提树。碑阴雕刻供养人姓名。

此碑雕刻人物众多，但布局严谨，主次分明，体现了高超的雕刻技法。人物造型丰满，特别是圆形龛的形式是北齐造像碑典型特征。

丁朗俊造像碑藏于河南博物院。

潘景晖等七十人造像碑 北朝时期北齐大统五年（569年）文物。民国元年（1912年），置于陕西省耀县文正书院，后移存药王山碑林。该碑是袁世凯在河南彰德（河南安阳）民间收购所得，后运至中南海收藏。后归首都博物馆。1985年，调拨给北京石刻艺术博物馆。

潘景晖等七十人造像碑，高202厘米，宽112厘米，厚30.5厘米。为螭首扁体碑，方形基座雕刻云纹。碑首呈弧形，雕6条盘龙，龙

首垂于两侧呈衔碑身状。身呈扁长方体。碑阳正中开龛，龛顶直达龛额龙身交会处，龛内雕刻一佛二菩萨立像。中间主尊头戴花冠，颈佩项饰，袒上身，下穿长裙，双肩披帛，帛带在腹前穿璧后垂至双膝，再向上折至身体两侧。左手持物，右手上举，跣足立于方形台座上。胁侍菩萨头戴花冠，其服饰与主尊相似，跣足站立于莲花座上。护法狮子呈蹲踞状，相向卧于主尊方形台座两侧。龛下雕刻造像题记，存有30行400余字。碑阴、碑左右两侧分别雕刻造像题记。碑首较宽，碑身有收分，体现出早期螭首碑形制特点。该碑体量较大，保存良好，是造像碑精品。

潘景晖等七十人造像碑藏于北京石刻艺术博物馆。

李昙信造像碑　北朝时期北周保定二年（562年）文物。民国23年（1934年），陕西省耀县阿子乡雷家崖出土。民国25年（1936年），迁于耀县碑林。1955年，移至耀县文化馆收存。1971年，迁于药王山博物馆收存。

李昙信造像碑，高121厘米，宽50厘米，厚28厘米.下部残损，碑体呈长方体，四面刊刻。碑阳上方正中为尖楣拱形龛，龛楣雕忍冬纹，两侧龛柱柱头饰宝相花，龛内雕一佛二菩萨像。中间主尊右手持物，身穿通肩袈裟，结跏趺坐于长方形台座上，台座下有覆莲瓣。两侧胁侍菩萨头戴宝冠，下穿长裙，肩臂披帛，站立主尊两侧莲花座上。龛外两侧各线刻一位弟子，身穿袈裟，站立于莲花座上，头后为圆

形头光。龛下中间雕刻置于莲花座上的博山炉，两侧为护法双狮子。下面雕刻两排供养人像，间刻题名。碑阴上方中间开龛，龛楣雕忍冬纹，龛内雕3尊像。中间主尊为太上老君，头戴道冠，面蓄胡须，身穿道袍，腰束玉带，右手持麈尾，左手抚足，坐于方形台座上，台座下为覆莲瓣。两侧道官头戴高冠，身穿道袍，手持笏板，站立于莲花座上。龛外两侧各立一人，头戴花冠，身穿道袍，足穿圆头履。龛下雕刻博山炉和双狮及两排供养人像，间刻题名。碑左侧上开小龛，龛楣雕忍冬纹，龛内雕一立佛。身穿通肩袈裟，双手分施无畏印、与愿印，跣足而立。龛下雕刻双神兽和宝珠香炉，再下面雕刻两层供养人像，每层4人，间刻题名。碑右侧上开一龛，龛内雕刻大势至菩萨，左手持环形物，跣足站立。龛下为发愿

文，文中有"佛弟子李昙信兄弟等减割家珍，敬造释迦、太上老君诸尊菩萨"及"保定二年"等字样。

此碑是陕西省药王山碑林珍藏佛道混合造像碑之一，反映出北朝时期佛道并行的局面，体现出传统文化对外来文化的包容与改造，二者在相互影响中共同发展走向融合。

李昙信造像碑藏于药王山博物馆。

王文超造像碑 北朝时期北周保定四年（564年）文物。甘肃省秦安县出土。

王文超造像碑，高96厘米，宽43厘米，厚12厘米。四面雕刻，碑首雕4条蟠龙。碑阳额刻"还缘寺"，下开一方形大龛，内雕一佛二菩萨，大龛两侧各开一小龛，龛内各雕一坐佛。碑阴上部开方形大龛，内雕一佛二弟子，佛呈跏趺坐姿，二弟子面向中央侍立。大龛两

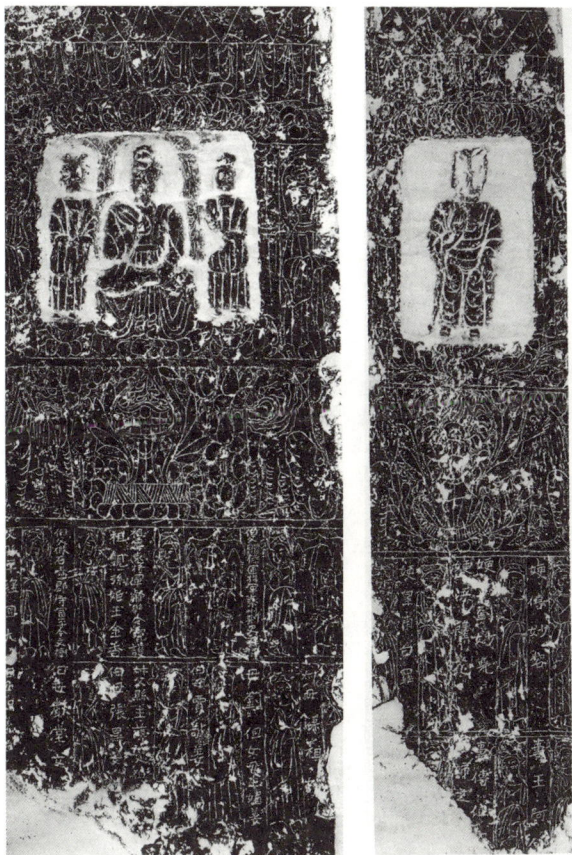

侧各开一小龛，左侧龛内雕手执麈尾的维摩诘，右侧龛内雕文殊。碑两面及左右侧刻发愿文，首起北周"保定四年二月庚寅朔十四日"，并有供养人王文超及家人20余人题名。

造像碑是流行于北朝的一种佛教石刻造像形式。北朝盛行石窟寺，虔诚的佛教徒借鉴中国传统碑刻艺术，在石碑上开龛造像。造像题材和造像风格与同期石窟寺相似。造像碑一般是小型浅浮雕作品，在碑身阳面、阴面或侧面，以浮雕、线刻形式开龛造像，用以还愿或施功德，有些在造像碑下部或侧面，还铭刻有造像缘由和出资造碑人姓名、籍贯、官职和发愿文，有的刻有供养人像。这些造像题记为研究当时历史、民族风俗提供了极为重要的依据。北周王朝大量吸收中原文化，又积极与西

域交往，受两者文化影响很深。此造像碑上佛像，就既有南朝"秀骨清像"遗风，又有西域形体健壮、面相圆润的余韵，创造出"面短而艳"的新风格，为隋唐石窟艺术风格的形成创造条件。造像题记和发愿文书法兼有汉隶、魏碑笔意，字体刚健、秀美，堪称书法珍品。

王文超造像碑藏于甘肃省博物馆。

无量寿佛造像碑 南朝时期齐永明元年（483年）文物。民国10年（1921年），四川省茂县东较场坝中村寨出土。此碑是农民耕地时被发现，后被移至较场坝江渎庙内供奉。民国18年（1929年），四川省松理茂懋汶屯殖督办署在茂汶县城内修建汶山公园，将造像碑移至公园内图书馆门前竖立。民国24年（1935年），四川军阀李家钰部参谋黄希成盗窃此碑，将碑打成数块，把其中造像较多的4块先运

至成都，准备运往上海，再转卖国外。消息传出后，舆论愤慨。后由考古学家冯汉骥出面交涉，阻止盗卖文物出境。迫于舆论压力，四川省政府将造像碑截留，送归民众教育馆保管。但仅余4块，其余部分经盗凿后丢失不见。

无量寿佛造像碑分为五段，立像高113厘米，宽48.5厘米；石条高79～95厘米，宽20～21.5厘米。造像碑四面皆有造像和题记。根据对造像碑复原，可知原碑上端雕刻一圈小龛，龛内有坐佛，小龛下雕刻有垂角纹和联珠纹帐饰。帐饰下雕刻长方形主龛，正面主龛是无量寿佛立像，背面主龛雕刻弥勒佛坐像。无量寿佛为高肉髻，宽鼻长耳，右手施无畏印，左手屈两指结与愿印，身穿褒衣博带式袈裟，跣足立于形台座上。龛右上角，雕刻有"无量寿佛"四字。背面坐佛为高肉髻，面部较宽，右手施无畏印，左手结与愿印，坐于方形台座上。内穿束带僧祇支，束带在胸前打结垂于袈裟外；褒衣博带式袈裟右侧衣缘搭于左肘上，袈裟下摆略显厚重，分三层敷搭在台座上。台座下雕刻长方形壶门，上有题记。造像碑右侧面分成两段，有4组造像和题记，自上到下分别雕刻佛龛、题记、菩萨立像和山中坐禅比丘像。题记中不仅记述造像时间、造像人和造像目的，还明确主龛二尊佛像分别为无量寿和弥勒佛。造像碑左侧残存中间部分，有4组造像和题记，从上到下依次是两龛坐佛、一龛两比丘并坐像、群山中一龛佛立像和两列偈语及一龛菩萨立像。

四川地区出土有题记的南齐造像作品较少，此像是四川有明确南朝纪年时代最早的造像碑之一，对于了解研究当时佛教信仰内容、造像风格及佛教艺术传播路线有重要价值。

无量寿佛造像碑藏于四川博物馆。

李阿昌彩绘造像碑 隋开皇元年（581年）文物。甘肃省泾川县水泉寺出土。

李阿昌彩绘造像碑，高146.5厘米，宽50厘米，厚16厘米.碑额呈圆拱形，碑身为扁长方体，基座为长方体。碑身阳面开龛雕像，分为4层，留有红、蓝色彩。第一层，中央是垂幕形方龛，龛楣雕帷帐，顶饰3个宝珠形饰物。龛内雕释迦多宝二佛并坐说法像，二佛身穿通肩式袈裟，结跏趺坐于长方形台座上。佛像头后有圆形头光，台座下分别雕刻相背而卧的两对卧鹿。台座后面，左右各立一位弟子，身穿通肩袈裟，双手结于腹前。方龛两侧各有一尖楣拱形小龛，龛内为一佛二弟子像。佛陀为高肉髻，身穿双领下垂式袈裟，半跏趺坐于

束腰方台座上，弟子立于两侧。尖楣拱形龛左右圆弧处各有一侍立弟子，仅露出头部。第二层，中间雕刻尖楣圆拱形龛，龛内雕一佛二菩萨像，略有残缺。主尊佛像为高肉髻，身穿通肩式袈裟，半跏趺坐于束腰方形台座上。胁侍菩萨为高发髻，站立于台座两侧。龛外两侧各有一株菩提树，树下残存舒坐菩萨像及弟子像。拱形龛两侧各有4位弟子像，面向主尊站立。第三层，中间是尖楣圆拱形龛，龛内雕一佛二弟子像。主尊佛身穿通肩式袈裟，右手持钵，左手抚膝，倚坐于半圆形莲座上。两弟子身穿通肩式袈裟，面向主尊站立。龛外两侧各雕上下两层图像，上层是3位跪坐状供养人像，下层为尖楣圆拱形龛，龛内雕一佛两弟子像。第四层，雕有4个长方形龛，其中有3个龛顶雕有华盖。右侧第一华盖下面有一拱手站立的弟子；第二龛与第三龛雕维摩诘与文殊菩萨对坐说法图，维摩诘手持麈尾踞坐于床榻之上，5位弟子立于床榻后，榻下有一卧狮；文殊菩萨手持如意舒坐于伞盖之下，弟子环立两侧；第四龛内雕刻二身手中持物的飞天和二位弟子立像。碑阴上部正中为屋形帷幕龛，内雕弥勒菩萨和两弟子像。菩萨头戴宝冠，下穿长裙，倚坐于束腰莲座上。弟子分立两侧，手中分别提净瓶、持荷叶。龛下雕刻13行发愿文和29位供养人姓名。碑身左右两侧各开四龛，龛内雕一佛二菩萨像。

此造像碑人物众多，但在狭小空间中，能将人物前后主次关系表现得十分清楚，体现出高超的构图、雕刻技巧。

李阿昌彩绘造像碑藏于甘肃省博物馆。

邢法敬造像碑 隋开皇三年（583年）文物。原存河南省滑县大吴村隆教寺内。宋代，隆教寺因洪水泛滥被毁。元初，将军李英的夫人在此地建弥陀院，将碑置于寺内。明清时期，思源碑重修，改名灵觉寺，该碑移至大佛殿。民国18年（1929年），有人将此碑偷运至天津出售，因分赃不均而向法院起诉。因碑为河南古物，法庭判归河南，由建设厅运至开封铁塔寺内，后移至河南古迹保护委员会（开封文庙）保管。民国20年（1931年），移到河南省

博物馆（开封）。后，归开封市博物馆保管。

邴法敬造像碑，通高215厘米，宽63厘米，厚58厘米。为庑殿顶式四方柱体碑，四面均开龛造像。碑首为九脊歇山式庑殿顶，正脊两端有鸱吻。碑身每面开三龛，龛两侧有榜题。正面上层为尖楣圆拱形龛，内雕一佛二菩萨二弟子像。龛楣中间雕覆钵式塔，塔内有释迦多宝坐佛，塔左右各有一飞龙和二身飞天。龛柱上雕刻火焰纹宝珠和飞龙，龙首向下，口衔莲花、长梗莲蓬延伸至佛座两侧。主尊佛像面相方圆，两手分施无畏印、与愿印，结跏趺坐于圆形束腰须弥座上。主尊两侧各有一菩萨与弟子，分立于龙口吐出的长梗莲座上。由旁侧题记可知，该主尊为香积佛。中间拱形龛由两株菩提树组成，龛内雕刻一佛二弟子四菩萨像，佛陀结跏趺坐于仰莲圆形台座上，弟子与菩萨分立于长梗莲座上。下层龛内雕刻维摩诘经变故事。在左下侧帷帐内，维摩诘居士手持麈尾，坐于床榻之上；在对面屋形龛内，文殊菩萨结跏趺坐于方台座上。二者之间，雕刻有门楼、护法狮子及听法弟子、菩萨、舍利佛、天女等。远处矗立两株枝繁叶茂菩提树，树间有驮着神灯奔跑的神兽、飞翔的天人、玩耍的猴子、熊，还有一尖楣圆形小龛，龛内雕禅定坐佛。背面上层为尖楣圆拱形龛，龛内雕一佛二弟子二菩萨像。龛楣中间雕跏趺坐佛，两侧各有二身飞天。龛柱呈八棱体，上饰莲瓣纹、火焰宝珠纹。龛内主尊倚坐于方形台座上，台座两侧各雕一条龙，龙口衔长梗莲蓬台座，菩萨弟子站立之上。中间龛由两株菩提树聚拢形成，中间雕一兽首。每片树叶上均有摩尼宝珠，树根处雕夜叉。龛内雕释迦多宝二佛并坐

像，二佛结禅定印跏趺坐于长方形台座上。二佛间雕刻站立佛弟子，两侧是站立于莲座上的菩萨立像。下层拱形龛的龛楣雕娑罗树和飞天，龛内雕释迦涅槃经变图。佛陀侧身睡在七宝床上，十二弟子或立或坐，二位菩萨分立于两侧长梗莲座上。床榻下方雕刻山林，中间有一拱形龛，龛内有一禅定坐佛。左侧面上龛为尖楣圆形龛，龛楣中间雕口衔华绳的腾龙，两侧各有二身飞天。龛内主尊为倚坐菩萨坐像，两侧菩萨站于长梗莲座上。佛座两侧各雕一卧狮。中间雕帷帐龛，龛楣雕帷帐，龛柱雕飞龙。龛内雕跏趺坐于白象背上的普贤菩萨，两侧分立胁侍菩萨与弟子。下层是菩提树构成的圆拱形龛，龛楣中间雕二天人捧宝珠，龛柱雕盘龙。龛内雕二佛并立像，两侧各有一胁侍菩萨与弟子站立于长梗莲座上。右侧面上层为尖楣圆拱形龛，龛楣雕四身手持乐器的飞天，龛柱雕莲花，龛内雕一佛二菩萨二弟子像。中间主尊结跏趺坐于束腰长方形台座上，菩萨与弟子分立于两侧长梗莲座上，台座前雕蹲踞状护法狮子。中层菩提树龛内雕半跏坐思惟菩萨像，两侧有胁侍菩萨与弟子。下层为尖楣圆拱形龛，龛楣中心雕一兽首，口衔龙尾，龛柱雕龙与莲瓣纹。龛内中间雕观音菩萨立像，两侧有菩萨、弟子立于莲座上，莲座由人身兽面的夜叉托举。

此碑造像内容丰富，除继承北魏以来题材外，还出现香积佛、药师佛、阿弥陀佛、普贤菩萨等新内容，表现这一时期佛教信仰的新倾向。

邴法敬造像碑藏于河南博物院。

涅槃变相碑 唐武周天授二年（691年）文物。原为山西省临猗县大云寺遗物。碑刻文

中"周"系朝代名,是武则天代唐称帝后所建立的国号。武则天名曌,唐高宗李治的皇后。李治死后,中宗李显即位。武则天以皇太后身份临朝称制,先后废中宗及睿宗李旦,继而自立,国号"周",自称"圣神皇帝",改元"天授",这一时期,史称"武周"。此碑即天授二年树立在猗氏大云寺的一尊石刻。猗氏大云寺,是当时朝廷下令东西两京(洛阳和长安)及各州所建造的一种"官寺"。寺的命名,由当时武则天所颁《大云经》而来。《大云经》,即涅槃部《大云无想经》,经中有净光天女将来以女身做转轮圣王的故事,经薛怀义等人疏释比附,把武则天说成是佛曾授记为王的净光天女。武则天颁《大云经》、建大云寺,亦是借此作为代唐称帝的掩护。猗氏大云寺也就是在此背景下于天授年间所建。

涅槃变相碑,高302厘米,宽87厘米,厚25厘米。碑为螭首龟趺,碑阳碑额雕刻须弥山,有众神将护持,碑身雕涅槃故事六图,上部四图,左侧为"纳棺""临终遗诫",右侧为"茶毗""送葬",左右侧图之间刻铭"大周大云寺奉为圣神皇帝敬造涅槃变碑像一区"。下部两层各一图,分别为"涅槃""再生说法"。碑底部刻供养人姓名。碑阴碑额为起塔,碑身有二图,上图为"八王分舍利",下图为"弥勒三尊像"。像下刻铭"大云寺弥勒重阁碑",故该碑也被称为"大云寺弥勒重阁碑"。碑左右两侧还雕刻有化生童子、天王和狮子。

佛教自汉代传入中国,涅槃变相就是佛教艺术创作中的一大主题。尤其是隋唐以来,佛教盛行,出现诸多有关佛陀涅槃的雕刻、壁画和绘画作品。此碑以涅槃故事为主,通体遍布雕饰,构图紧凑,结构清晰,情节连贯,具有极高的艺术鉴赏价值和历史研究价值。2002年,国家文物局发布《首批禁止出国(境)展览文物目录》中,此碑以独特的历史和艺术价值成为首批禁止出国(境)展览文物之一。

涅槃变相碑藏于山西博物院。

高善穆造像塔 十六国时期北凉承玄元年(428年)文物。甘肃省酒泉市石佛湾子出土。

高善穆造像塔,高44.6厘米。塔呈圆柱圆锥体,黑色砂页岩质,由宝盖、相轮、塔颈、塔肩、塔腹及塔基组成。宝盖为扁平半球状,象征天穹,阴刻北斗七星;下为七重相轮。覆钵式塔肩一圈并列8个圆拱形浅龛,龛内分别高浮雕七佛与一弥勒菩萨像。佛像面形圆润、肩

宽体健,着通肩袈裟,上身微微前倾,结跏趺坐,双手做禅定印。弥勒上身袒露,下着裙,披巾绕臂飘扬,交脚坐。塔腹为圆柱形,阴刻《增一阿含经·结禁品》中的部分经文和发愿文36行,上题"高善穆为父母报恩立此释迦文尼得道塔"。八面形塔基上每面阴刻一像,分别为4男4女,七身立式,一身端坐莲台,其中男像上身袒露,戴项圈,下着犊鼻裤,均有圆形头光;女像上着圆领对襟衫,下着曳地长裙,手捧花或珠宝。每身像左侧上方阴刻八卦符号,其排列与《说卦传》中八卦方位顺序一致。此造像塔是已发现中国模仿印度覆钵塔中最精美的一件,是北凉佛教兴盛时期代表作。

这类石塔存有14座,多发现于甘肃河西走廊和新疆吐鲁番地区,造型均以高窄基座和粗壮相轮为特征,与英国人斯坦因从若羌、焉耆劫去的小木塔非常近似,是新疆中部以东以南流行的塔式。十六国时期这些地区属北凉政权统治区域,这类石塔因此被学术界称为"北凉石塔"。北凉石塔多造于426~436年,是当地早期佛教艺术的一种表现形式。塔上所雕佛和菩萨面相浑圆、深目高鼻、身躯健壮,具有明显的犍陀罗艺术风格;八卦符号、北斗七星、发愿文中为君王、父母、师长祈福发愿内容,又都具有中国传统文化特点,是佛教初传入中国时,与中国文化相互融合、共存与发展的见证,揭示佛教东传过程中的文化融合趋势。

高善穆造像塔藏于甘肃省博物馆。

曹天护造方塔 北朝时期北魏文物。1964年,甘肃省酒泉市庄果园乡农民张积禄在村中挖土时发现曹天护造方塔,捐献给酒泉县文化馆。1979年,酒泉市博物馆成立后,收藏了此塔。

曹天护造方塔，残高38厘米，宽16厘米。为重檐塔，上有塔刹，塔身呈长方柱体，下为方形基座，塔刹、塔檐和基座略有残缺。塔身分3层，由下而上逐层收分。每层均为四面开龛，龛内每面雕刻不同造像。每层间为仿砖木结构，雕刻有仿木构瓦垄屋檐。塔身下层四面雕刻图像，第一面中央尖楣圆拱形龛内为结禅定印跏趺坐佛，龛外分为上下两层，每层雕禅定印小坐佛。第二面中央尖楣圆拱形龛内为释迦多宝二佛并坐像，龛外是胁侍菩萨立像。第三面中央是"太子诞生"佛传故事，龛外有供养人立像。第四面中央是"九龙浴佛"佛传故事（实刻六龙），龛外是供养人立像。塔身中部为一层四面中间尖楣圆拱形龛内均为结跏趺坐佛，双手所结手印不同。其中三面的龛外分

为上下两层，每层雕禅定印小坐佛，一面龛外是跪姿供养人像。塔身上层四面图案分别为，第一面中间尖楣圆拱形龛内为禅定印结跏趺坐佛，龛外是胁侍菩萨立像。第二面中间尖楣圆拱形龛内是跏趺坐佛，双手分施无畏印、与愿印，龛外为上下两层，上层是禅定印小坐佛，下层是跪姿供养人。第三面中间梯形帷幔龛内为交脚弥勒菩萨像，龛外分为上下两层，每层雕跪姿供养人像。第四面是"苦修"场面，在菩提树下有一瘦骨嶙峋的结跏趺坐者，双手结禅定印，左右站立着供养人。基座为方形，四周雕刻造塔发愿文，每面9行，每行2字，共68字，字与字之间有界格，可见"己卯岁""曹天护"字样。

北魏有两个己卯年，分别为太武帝太延二年（436年）和孝文帝太和二十年（496年）。由于在酒泉、敦煌等地出土的北凉石塔平面多为圆形，而此塔为方形塔，基座也略低，应是晚于北凉石塔造型。据此，塔的制作年代应为496年，是早期佛教方塔之一。

曹天护造方塔藏于甘肃酒泉市博物馆。

四面造像 北朝时期北魏景明二年（501年）文物。1953年，陕西省长安县查家寨出土。

四面造像，高60厘米，宽56厘米，厚50厘米。四面造像当为多级造像塔中的一级。四面龛中均有一佛二菩萨，但佛的手印、服饰均有不同。第一面龛内坐佛为水纹状螺发，高肉髻，身穿覆右肩式袈裟，袈裟衣纹细密。佛陀双手结禅定印，结跏趺坐于长方形台座上。台座中间雕刻力士，两侧为护法狮子。佛陀身后为莲瓣形背光，由外至内分别雕刻火焰纹、化佛、联珠纹和莲瓣纹。佛陀两侧站立胁侍菩

萨，头戴高冠，上身披帛，下穿长裙，双手持物搭于腹前，立于莲花座上。莲花座由力士托举，力士呈回首遥望状。龛上雕刻4组坐佛，每组3尊。龛左右各雕5个小龛，每龛内雕刻二尊跏趺坐佛。龛下雕刻铭文，两侧雕相向跪卧狮子。第二面龛内坐佛为螺发，高肉髻，袈裟左侧衣缘敷搭于右臂上。佛陀两手分施说法印、与愿印，结跏趺坐于束腰台座上。佛座两侧各雕一卧狮，呈回首相望状。佛陀身后为莲瓣状背光，由外至内分饰火焰纹、坐佛、联珠纹和莲瓣纹。胁侍菩萨分立于佛陀两侧，双肩披帛，跣足立于莲花座上。右侧菩萨一手持净

瓶，一手置于胸前。龛楣雕刻一排坐佛及仅露出头部的弟子，佛龛两侧是带有莲瓣纹的立柱，龛左右两侧自上到下雕刻着伎乐、坐佛和力士像，佛龛下方雕刻一排供养人像。第三面龛内坐佛为水波纹螺发，高肉髻，身穿通肩袈裟，两手分做说法印、与愿印，结跏趺坐于须弥座上。佛陀身后为莲瓣形背光，其上饰有火焰纹、坐佛、联珠纹和莲瓣纹，两侧胁侍菩萨双手持莲花，站立于力士托举莲花座上。龛楣及两侧雕刻坐佛，下面雕刻力士、供养人及神王。第四面龛内坐佛为水波纹螺发，高肉髻，身穿通肩袈裟，双手施说法印、与愿印，结跏趺坐于台座

上，身后背光饰有火焰纹、联珠纹、化佛及莲瓣纹，胁侍菩萨立于两侧。龛楣及两侧雕刻坐佛，下面中间为力士，左右两侧分别为雷神和风伯及呈跪拜状供养人。

根据铭文可知，此像雕刻于"景明二年"，即公元501年，恰逢孝文帝迁都洛阳后，此四面塔形式是北魏时期流行的样式。

四面造像藏于陕西西安碑林博物馆。

卜氏石塔　北朝时期北魏文物。1976年，甘肃省庄浪县宝泉寺出土。

卜氏石塔，高218厘米，宽44厘米。楼阁式层塔，由5块下大上小梯形方石叠垒成，每块方石四面雕刻不同图像，共雕刻佛、菩萨、佛传故事等20幅画面。

第一面：第五层龛内雕刻一佛二菩萨像，佛陀结跏趺坐于中央，菩萨站立两侧，龛楣上雕刻二身飞天。第四层上层龛内浮雕一佛二菩萨像，下面雕刻护法神像。第三层刻画"阿育王施土"因缘故事，画面中心是一佛二菩萨立像，佛陀右侧菩提树下有三童子，一童子跪地，两童子站于其背上互相攀扶，其中一童子高举供养品供奉给佛陀。第二层上层左侧雕刻小龛，龛内为一佛二菩萨像，右侧为两个垂直小龛，龛内各雕一坐佛。下面雕刻"树下诞生""九龙灌顶""步步生莲"和"宫中养育"佛传故事。第一层中间雕刻交脚弥勒菩萨坐像，两侧分别站立一胁侍菩萨二比丘像，菩萨背光中雕刻七身坐佛。上方雕刻六身飞天，下方雕刻五身坐佛。

第二面：第五层龛内雕刻一佛二菩萨像，龛楣上雕刻五身莲花化生像。第四层上层龛内雕刻燃灯佛与释迦佛并立像，下层为相对凤鸟

形象，表现"燃灯佛授记"本生故事场景，标志着燃灯佛宣告释迦佛的尊崇身份。第三层上层雕刻三身右手持莲菩萨立像和两身比丘立像，下层是"乘象入胎"的佛传故事，一菩萨坐于象背上，童子坐于象首，胁侍菩萨站立于两侧。第二层上层是"文殊维摩诘对坐说法"经变故事，菩萨站立在两侧，下层是三菩萨与三比丘站立像。第一层上层中央为菩萨坐像，两侧分别为二身菩萨立像和一供养人像，下面两层是骑马供养人像。

第三面：第五层雕刻佛传故事"车匿还宫"场景，下面是车匿牵着白马站立在树下，上面刻画一位妇人听闻太子出家消息后，高举双臂痛哭场景。第四层上层雕刻一佛二菩萨像，下方雕刻双狮护法。第三层龛内雕刻思惟菩萨坐像，两侧是菩萨立像，龛楣雕刻四身飞天。第二层上层是释迦涅槃和比丘举哀像，下层为伎乐舞人像。释迦仰面卧于灵床上，阿难跪在迦叶头前，伸出双臂扶着佛头；迦叶双膝跪地，双手抚摸佛足；六位佛家子弟站立在身后，双手上举，神情悲痛。第一层主龛内刻释迦多宝二佛并坐像，两侧是手持莲花菩萨立像，龛楣刻六身飞天像，龛下刻四身菩萨与三身比丘。

第四面：第五层龛内雕刻一佛二菩萨像。第四层上层中间为弥勒倚坐像，两侧是站立供养人像，代表弥勒菩萨在兜率天宫成为未来佛；下层两相对的狮子，右侧有一供养人。第三层中央为菩萨与胁侍弟子站立像，龛顶雕刻八身飞天。第二层龛内雕刻一佛二菩萨像，龛楣雕刻5尊跏趺坐像。第一层龛内雕刻佛立像和胁侍菩萨、弟子像，龛楣雕刻八身飞天像。

石塔形制完整，是石造像塔中的大型之作，集佛像、佛传故事、因缘故事、本生故事、经变故事为一体，每个故事选取最具象征性情节予以展示，表现出完整的三世佛信仰世界。佛塔在佛教中具有重要地位，不仅是佛教信徒纪念礼拜佛陀的对象，也代表释迦涅槃超越生死轮回完成佛教理想境界，象征佛教修行的终极追求。

卜氏石塔藏于甘肃省博物馆。

彩绘阿育王塔 唐代文物。1987年，陕西省扶风县法门寺唐塔地宫前室出土。塔内装有一鎏金浮屠，内装有一具鎏金迦陵频伽纹壶门座银棺，第四枚佛指舍利存于银棺内。

彩绘阿育王塔，通高78厘米，底座长48厘米，宽48厘米。为汉白玉质方形亭阁式塔，由铜质塔刹和汉白玉的宝盖、塔身和须弥座组成。塔刹为铜铸宝顶，呈宝珠状，安置于塔顶孔内。宝盖呈阶梯状逐层收进，每层出檐处雕刻如意云头二方连续图案，顶层檐边刻联珠纹

图案。塔身为方形中空，每面刻绘一扇红色大门，门上饰有泡钉和门锁，门两侧各有一尊菩萨立像。菩萨立像手持不同器物，肩臂披帛，下着红裙，跣足立于莲花座上，周围是以黑、白、绿绘制花卉图案。塔体内四壁，每壁以石绿和墨线勾绘两株菩提树。须弥座为束腰形，每层各面饰有云纹图案，每面束腰部分饰有3个圆形浅浮雕力士面首，均以红色、黑色勾绘。此塔为盛唐时期雕造，唐武宗灭佛时有残损，在咸通年间入藏佛指舍利时重新进行彩绘。彩绘阿育王塔是用来瘗埋佛舍利的葬具，属舍利塔的一种。

在印度为保存和供奉释迦牟尼舍利而修建窣堵坡（塔，也译为浮屠、佛图）等，最初建筑形式是覆钵形舍利塔，主要模仿埋葬古印度诸王半圆形坟墓样式，后在印度演变成不同佛塔形式。中国中原建筑没有塔，随着佛教的传播，塔也传入中国。东晋时在汉字中出现"塔"，东晋高僧法显所著的《佛国记》，唐代高僧玄奘在《大唐西域记》中都有关于印度塔的记载。此后，中国塔的形式除继承印度塔形式，更多融入和继承华夏传统建筑样式。阿育王（前273～前232年在位）是古印度孔雀王朝第三代国王，在位期间，将分散在8个国家的佛舍利重新收集起来分成8.4万份，并建立8.4万座塔用以供养，这些塔由阿育王主持建造，被称为阿育王塔。

彩绘阿育王塔藏于陕西法门寺博物馆。

舍利塔 宋太宗至道元年（995年）文物。1969年，河北省定州静志寺地宫出土。

舍利塔高113.6厘米，宽36.7厘米，厚39厘米。由四块白色大理石组成，自下到上分别

为基座、塔身、托盘和塔刹。基座是二层叠涩座，下层为方台，上层刻仰莲纹。塔身呈长方状，分为上下两部分，中间以八角形托盘相隔。下部塔身前后装饰长方形假门，门楣、门墩齐整。前门涂金并饰有褐色门钉，两门间浮雕一位半身和尚，右手伸出呈掩门状。后门四周用墨线绘几何纹，门上有金色门钉，门楣和门框上绘垂幔纹和飘带纹。塔身另外两侧刻楷书发愿文、雕造时间及供养人姓名，可知此塔为"佛真身舍利权隐塔"，为"至道元年岁次

乙未三月丁未朔二十日丙寅已时建"。中间托盘呈八角形，每面雕刻有垂幔纹、飘带纹和绳纹。上层塔身前后各开一尖楣形龛，龛内雕刻一佛二弟子像，左右浮雕竖窗棂。佛陀涂金，高肉髻，脸圆丰腴，身穿通肩式袈裟，呈结跏趺坐姿。两侧弟子涂金，上身穿宽袖上衣，下着裙，呈侧面站姿。上面雕刻成仿木结构瓦檐，屋檐四角翘起，瓦栊、瓦当、椽头轮廓清晰可见。塔刹下层是四角菱形仰莲座，其上承托四面佛头像。椭圆形脸，细眉、大眼、高鼻，面目和善慈祥。佛头上饰伞形盖，盖上绘牡丹纹。盖顶雕莲瓣托涂金宝珠。石塔造型秀美，雕刻精致，将北宋早期建筑形式与雕刻艺术融为一体。

舍利塔藏于定州市博物馆。

人面像岩画 商周文物。人面像岩画，采集于内蒙古自治区阿拉善左旗银根苏木查干哈达。

人面像岩画，面高54厘米，宽34厘米。凿刻制作。画面分上下排列的3人面形图案，风格近似。以圆圈表示人脸，圈内象征性地刻

眼、鼻、嘴（或牙齿）。图案很像一只从后向前透视的岩羊形状，以羊两只角表示眼睛，身体表示鼻子，四条腿表示嘴或牙齿，反映所绘图案与羊图腾有关。

有专家认为，这幅岩画表示一种类兽面纹人像面具，面具是人工模仿兽面而做成，曾在阴山地区古代牧民中广泛流行。古人认为，面具是化身为精灵的一种手段，是人接近神灵或替代神灵的一种方式，以不同材质制作出来各种神态、各种表情的面具，是各种神灵鬼怪的物质载体。认为神灵就隐藏在面具中，人只要戴上面具，就与神灵鬼怪融为一体，可改变人作为一般人类形态的存在，成为这副面具所代表的动物、神鬼或死者的化身。面具又是一种原始宗教或巫术活动用品，是人们用于祭祀崇拜或巫师实施巫术时的辅助用具。岩羊一般生活在海拔3000米左右高山上，可在高山上自由跳跃，被称为岩壁上的精灵。而且，古人相信羊或羊角具有趋吉避凶的功能，在祭祀或舞蹈时，头戴羊神面具，可达到祛除凶邪目的。

人面像岩画藏于内蒙古自治区包头博物馆。

围猎、马踏飞燕图岩画 春秋至汉代文物。围猎、马踏飞燕图岩画，采集于内蒙古自治区阿拉善左旗南部的腾格里额里斯苏木境内。

围猎、马踏飞燕图岩画刻在一块褐色长方形岩石正面和顶面。正面画面高90厘米，宽60厘米。根据岩画内容、作画风格、画面颜色及岩画与出土文物比较，可将岩画按时代顺序分为5组，第一组为双马伫立，画面呈深褐色，刻于正面画面中下方，为上下排列，两匹马头向右，昂首伫立，凝视远方，一副恬静悠闲的神态。上面那匹马尾部刻一根棍棒形物体。作

画年代为春秋至战国时期。画面造型工整准确，朴实无华，具有强烈写实风格，作画采用通体凿刻，凿痕较深。图形轮廓刻画清楚，轮廓外缘凿点很少，显示出作者娴熟的技法。第二组为围猎图，画面刻在岩画正面醒目位置，颜色呈深褐色。包括骑者、鹿猎人、猎犬、北山羊和舞蹈人。画面生动优美，淳朴自然，特别是扬起的马尾、吠叫的猎犬和身体曲线优美的北山羊。画面生机盎然，充满活力。围猎图画作精致，凿痕均匀细密，呈小圆点形，为金属锐器凿刻。图中猎人所持弓箭形状粗笨，大小比例与人体相当，表现出弓箭的原始特征。由于与上述双马伫立图存在打破关系，说明其作画年代晚于双马伫立图，大约为春秋或战国时期。第三组为猎马图，画面刻于正面左上方，颜色呈深褐色。作画年代为战国时期。作画者以线条勾勒出猎人和马的身体轮廓，线条简洁，流畅明快，造型生动活泼。第四组为羊

群与豹，刻于正面图左上角和顶面图右上角。画面以线条表现动物身肢，夸张动物的主要特征（如羊角、豹尾），画法趋于程式化。该组画面造型工整规范，夸张合理，凿刻细密。从画面颜色（画面呈深褐色，但比围猎图稍浅）和作画风格判断，可能属早期程式化作品，年代为战国晚期至西汉。第五组为马踏飞燕图，刻于顶部画面左上方，颜色呈红褐色。画面刻绘一匹奔腾骏马和一只在马蹄下面飞翔的燕子（或鹰）。作画者以线条勾勒出马的轮廓，线条优美流畅，神态飘逸洒脱，富于动感。画面凿痕较浅，凿点细密均匀。画作于汉代。

在文字出现之前，人们用刻绘岩画来记录事件、传播知识和信息，一些神灵崇拜及巫术行为操作也靠岩画来完成。如双马伫立图在马尾巴上捆绑棍棒，其意是在传授驯马技术；围猎图则是记录一次成功的围猎过程及围猎后欢庆场面；猎马图中射猎马腿，其意是传授猎取

活马经验；羊群与猎豹图则向人们展示在羊群附近常有猛兽出现；马踏飞燕图可能是描绘当时的神话传说。岩画内容丰富，图案精美，作画时间跨度长，为研究北方远古居民生产、生活、文化意识及社会经济状况提供了重要的实物资料，具有较高的艺术欣赏价值和学术研究价值。

围猎、马踏飞燕图岩画藏于内蒙古自治区包头博物馆。

马、动物蹄印岩画　战国至汉代文物。马、动物蹄印岩画，采集于内蒙古自治区包头市达尔罕茂明安联合旗推喇嘛庙。

马、动物蹄印岩画，面高82厘米，宽67厘米。凿刻制作。画面由一匹马和多个蹄印构成，以线条勾勒出马和蹄印的轮廓。从蹄印可知多为偶蹄类动物。动物蹄印是包头达茂岩画的一大特色。

动物蹄印岩画是人类历史上普遍存在的一种文化现象，是原始宗教中的重要信仰。在蒙古高原，尤其是阴山山脉和乌兰察布草原，

凡是有岩画的地方均有蹄印岩画题材，且所占比重很大，仅次于动物岩画数量。即使在没有蹄印岩画的地方，蹄印也作为一种艺术题材表现于其他遗物上，如青铜刀柄上和彩绘器皿上的纹饰。蹄印岩画种类繁多，包括各种野生动物和家畜，有的单独存在，有的与动物、人、车辆等图形在一起组成图案，有象形和抽象之分。每幅蹄印岩画数量多寡不一，在达茂旗推喇嘛庙附近一座小山的朝上盘石上面，有一幅蹄印岩画，蹄印数量就有百余个。动物蹄印岩画早在古代就引起人们注意，并将其记录下来，其中记载最多的是北魏地理学家郦道元的《水经注》，里面有马蹄、鹿蹄、狗蹄、虎蹄等岩画记录。依据蹄印图形演变过程和其他出土遗物的时代推断，动物蹄印岩画是畜牧业时代的作品，是畜牧业文明在艺术上的反映，显示"狩猎—畜牧"时期人类和动物间既对立又依赖的特殊关系。蹄印作为牲畜象征和财富符号，往往被畜牧时代人们神化。古人认为，将蹄印凿刻在岩石上，通过巫师作法操作后，就可达到六畜兴旺、牛羊成群的目的。因此，蹄印岩画是当时人们所在社会经济与思想意识的形象表现。

马、动物蹄印岩画藏于内蒙古自治区包头博物馆。

迁徙图岩画　汉代文物。迁徙图岩画，采集于内蒙古自治区阿拉善左旗银根苏木查干哈达。

迁徙图岩画，面高65厘米，宽87厘米。凿刻制作。画面有骑者和马、羊等家畜，均以线条表现，个别骑者戴头饰。骑者与动物头向一致，结伴而行，反映北方草原民族"逐水草而迁徙"的游牧习俗。

阿拉善地区属荒漠草原、戈壁和沙漠环境，生活在这里的人们为适应恶劣环境，需要不断迁徙，以达到"逐水草而居"目的。因此，这一地区有相当多岩画表现迁徙场面。

迁徙图岩画藏于内蒙古自治区包头博物馆。

人、马、羊岩画　汉代文物。人、马、羊岩画，采集于内蒙古自治区包头市达尔罕茂明安联合旗推喇嘛庙。

人、马、羊岩画，面高32厘米，宽47厘米。凿刻制作。画面位于岩石正面及顶部，有巫师、北山羊和马等动物。画面中央两位巫师并排站立，两臂平伸，至肘部向下弯屈，两腿分开，生殖器外露，脚尖朝外，呈骑马蹲裆式，是典型作法祈福的动作，是当时当地盛行

巫术活动的记录。整幅岩画以线条形式构图，作画风格有向简略化、抽象化过渡的趋势。

人、马、羊岩画藏于内蒙古自治区包头博物馆。

牦牛岩画　西夏文物。牦牛岩画采集于内蒙古自治区阿拉善右旗孟根布拉格苏木曼德拉山。

牦牛岩画，面高25厘米，宽27厘米。凿刻制作。牦牛造型生动具象，肌肉、关节、皮毛都表现得非常细腻，牛角夸张，尾巴高高扬起，极富动感。

野牦牛性极耐寒，是中国青藏高原一带特有的高寒动物，主要分布于新疆南部、青海、西藏、甘肃西北部和四川西部等地。野牦牛生活于海拔3000～6000米的高山草甸地带及人迹罕至的高山大峰、山间盆地、高寒草原、高寒荒漠草原等环境中。西藏和青海是牦牛岩画分布核心地带，是典型高原文化产物。新疆昆仑山和甘肃祁连山、黑山在地理位置上紧邻青藏高原，这些地区也发现牦牛岩画，虽数量不多，但和西藏、青海牦牛岩画在文化上具有一体性，外形表现为高耸脊背、短粗四肢、短而圆向前顶着的牛角，粗犷线条中积蕴着一种气势。内蒙古在地理位置上与青藏高原并不相邻，且不适合

牦牛生存，但这些地区也发现很多牦牛岩画。在曼德拉山岩画中，牦牛图像不多，但刻画精致、造型美观，虽与西藏牦牛形象特征不同，但多伴随有六字真言、藏塔等符号出现。牦牛岩画在内蒙古出现，是受到生态环境的影响，也可能是受到文化传播与交流影响，且后者在其形成过程中起到重要作用。在中国华北、内蒙古等地都发现有更新世时期牦牛化石。除牦牛以外，内蒙古岩画中8种动物到现代都已绝迹，主要因该区域气候变热、变干旱造成。据推测，内蒙古干旱期约在青铜时代初期，距今约3500年，牦牛在此区域存在应是在更新世至青铜时代早期，这一地区这一时期内出现的牦牛岩画，有可能是牦牛在适宜环境中生存的真实写照。阿拉善右旗在春秋时期属秦，战国至秦为月氏居地。汉时属于北地、武威、张掖三郡，东汉时曾是羌、乌桓、鲜卑、匈奴等族逐牧之地。唐末为吐蕃、党项游牧地。从五代西夏至金代，吐蕃、党项等族在此杂居。从元至清，阿拉善地区一直为蒙古部落牧地。民族战争和变迁对当地造成多种文化影响。曼德拉山牦牛岩画周围出现藏传佛教符号，暗示着这一地区牦牛岩画既可能是游牧于此地的吐蕃人所画，也可能是受到藏传佛教影响的党项、蒙古族所为，是民族文化交流的见证。

牦牛岩画藏于内蒙古自治区包头博物馆。

骑马、骑驼、动物岩画 西夏文物。骑马、骑驼、动物岩画，采集于内蒙古自治区阿

拉善右旗孟根布拉格苏木曼德拉山。

骑马、骑驼、动物岩画，面高62厘米，宽46厘米。凿刻制作。画面有骑马者、骑驼者、羊、骆驼、狐狸、松鼠等。以线条凿刻出骑驼者和骆驼形象，骑驼者一手持缰绳、一手扬鞭坐在驼背上，动感极强。骑驼者下为骑马者，以线条凿刻出马及骑者轮廓，在马轮廓内敲凿细密斑点以装饰。骑马者下方有一大一小双峰骆驼，大骆驼侧身站立，小骆驼正在大骆驼肚下吮奶。反映出草原上祥和安宁的放牧场景。

阿拉善地区属荒漠草原、戈壁和沙漠环境，骆驼能适应沙漠环境，是这一地区岩画中常见的形象。

骑马、骑驼、动物岩画藏于内蒙古自治区包头博物馆。

第二节　画像石与画像石葬具

"安汉里"画像石　西汉文物。民国26年（1937年），山东省曲阜县城东八宝山韩家铺出土。画像石出土时是零散的，专家根据7块画像石形制大小、画像内容、花纹边饰和凹槽石板等特点，发现画像石间有相互组合关系，可共同组成一座完整的双室石椁墓。

"安汉里"画像石，一组共7块石板，刻10幅（面）画像和一幅（面）文字。双室石椁墓由4块石板组成四壁，南北两端挡板嵌于东西两侧壁板凹槽内；中间一块隔板，两头又嵌于两端挡板中间凹槽内，分椁内为两室；两块盖板纵向并列覆盖于椁室上。椁室内南北长226厘米，东西宽206厘米，高84厘米，两室各宽90厘米。在石椁内外都刻有画像。椁内四壁按方位刻有青龙、白虎、朱雀、玄武等四神画像；中间隔板两面刻有宴乐人物，上侧面刻有"山鲁市东安汉里禹石也"文字铭；盖板上刻

有璧纹、怪兽等。椁外南端挡板外面（朱雀画像背面）刻有神荼、郁垒神像；北面挡板外面（玄武画像背面）刻二侍仆人物。整组画像布局规范，并表现明确方位。

这种墓室画像石艺术是给死者布置一座有神灵护佑、享有安乐生活的阴间室宅。与山东画像石中常见分层分格构图布局相比而言，这组画像石画面较简单，人物形象间组合基本是水平横列，但其雕刻技法及风格整齐一致，画像采用阴线刻，物象轮廓线以内如人物衣饰和动物身上，加饰錾凿麻点或鳞纹；画像轮廓线以外的地（余白）为铲光平面，使物象有凸出感，形象较为生动，布局整齐规范。四面壁板四神画像和盖板上异兽画像，衬以布满画面穿璧纹，花纹边饰整齐一致，使画像显出浓厚的装饰意味。石椁墓是山东地区画像石墓早期起源形式。"安汉里"画像石是在汉画像石遗存丰富的山东地区首次发现画

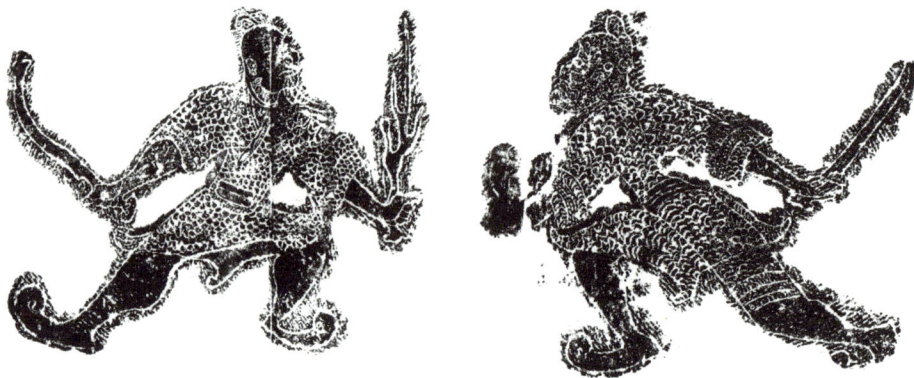

像石椁墓，材料保存完整，墓葬形制和画像内容都有一定代表性，对遗存和著录中零散画像石研究有启发作用。

"安汉里"画像石存于山东省曲阜文物局。

宋山小石祠画像 东汉桓、灵帝年间（147～189年）文物。1980年，山东省嘉祥县满硐乡宋山村北出土两批画像石，其中第一批中9块、第二批中12块，均为小祠堂建筑构件，可基本复原出4座形制、规模一样的小石祠。

宋山小石祠形制为单开间房屋式建筑，前面虚敞，面阔190厘米，进深88厘米，高165厘米。结构由铺地基石、三面墙壁石、平板盖顶石及脊石（已佚）等构成，屋顶石刻出瓦垄、檐头形式，有的还刻着日、月、交龙画像以象征天空。后壁石皆刻有象征祠主之位和燕居生活的楼阁人物画像，也是主祭对象。东西两壁上都对称刻有西王母、东王公等仙人灵物，依次向下刻有忠孝节义等内容历史故事，东壁或

刻乐舞庖厨等画像，最下部为贯连三壁车骑出行图。基座石前面刻有狩猎图与花纹。宋山小石祠规模虽小，但建筑形式简洁大方，画像内容饱满，布局规范有序。画像均采用减地平面线刻，其雕刻技法、风格、人物车马形象等，都和武氏祠画像一致。此地临近武氏祠，当为同地同时作品，其年代也属于东汉晚期桓、灵时期。宋山小祠堂人进不去，推想应是在祭祀死者时把祭品放在祠内基座石上，基座石从前面观看就像一块供案石。这种小祠堂比孝堂山郭氏祠和嘉祥武氏祠规格低，可能是一般小地主或百石、斗食小吏祠堂。

汉代墓地祠堂又名"食堂""享堂""庙祠""斋祠"等，这些名称都和古代祭祀中进行斋戒、陈献祭食等活动有关。墓地祠堂也和宗庙一样，是祖先亡灵所在地。汉代墓地立祠已非常流行，祠堂有木结构和石结构两种。木结构祠堂易损毁，至今已无存留。石结构祠堂

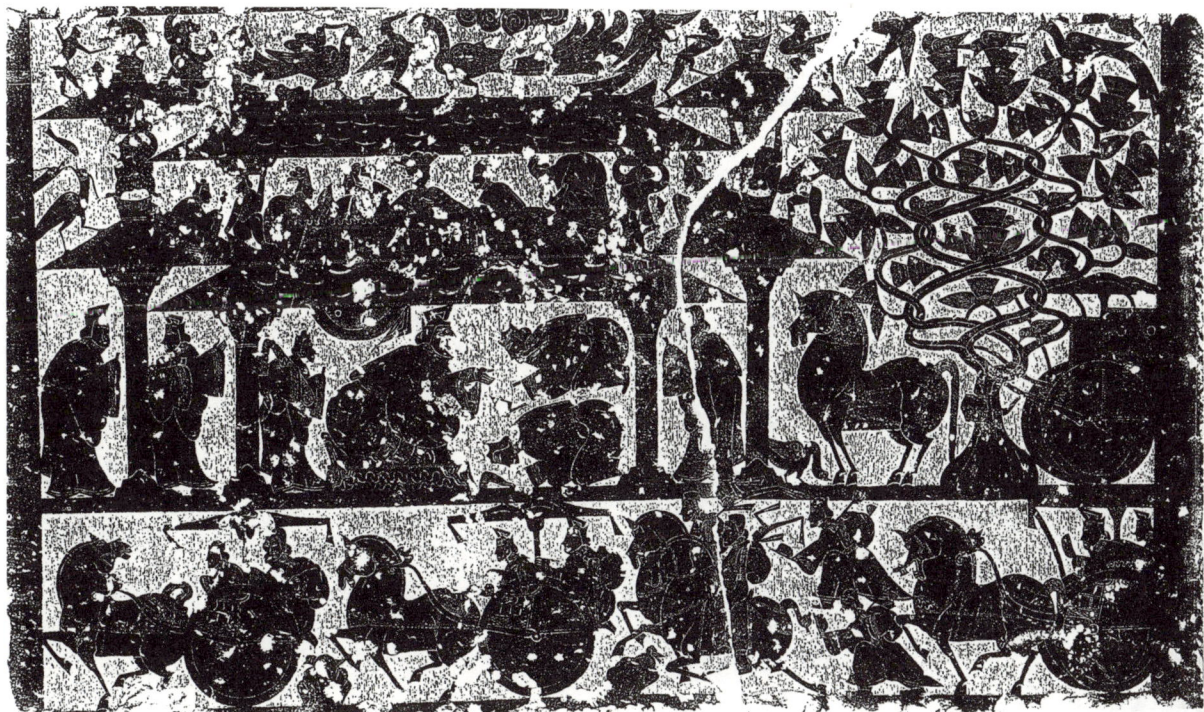

坚固而持久，所以仍有个别完整石祠和大量零散石构件保存下来。山东是发现祠堂画像石最多的地方，在零散祠堂画像石上刻有纪年铭的就有十余处，时代大多属东汉晚期，可知墓地画像石祠堂在东汉时期是越晚越普遍。汉代墓地祠堂仍保存于地面上的是山东长清孝堂山郭氏墓石祠，它是地上保存下来的中国最早的一

座房屋建筑。山东嘉祥武氏祠画像石也可配置复原起来，其建筑形制、体量大小和郭氏石祠相近似，间有不同之处。类似宋山祠堂这种小石祠，其完整形态在地面上已不存在，但其构件却遗存较多。正是由于小祠堂体量小，在地面上很容易被破坏，一遇战乱或改朝换代，后人就拆用小祠堂画像石作为造墓石材。在山东地区古墓中常可发现用汉画像石建造墓室，但画像石配置错乱，可知是用拆毁的汉代祠堂或墓葬画像石重新建造的，其中尤以这种小祠堂画像石居多。永寿三年（157年）许安国石祠画像石题铭中曾说："唯诸观者，深加哀怜，寿如金石，子孙万年。牧马牛羊诸僮，皆良家子，来入堂宅，但观耳，无得琢画，令人寿，无为贼祸，乱及孙子，明语贤仁四海士，唯省此书无忽矣。"这种叮嘱、诅咒，反映出小祠堂是很容易被拆除或挪作他用的史实。宋山祠堂这批画像石是作为三座三国或两晋时期墓葬石块构件出土的，也正是这种历史现象的反映。宋山汉代小祠堂的复原，对进一步考察汉画像石建筑和内容原貌，提供了参考作用。

宋山小石祠画像藏于山东省石刻艺术博物馆。

西王母、制车轮、胡汉交战图画像石 东汉文物。1954年，山东省嘉祥县洪山村出土。

西王母、制车轮、胡汉交战图画像石，高57厘米，长94厘米。画面分3层。上层有端坐于几前的西王母、持仙草踞坐侍者、双手握剑的立姿蟾蜍、持笏板跪坐的鸟兽人身者、捣药和调药玉兔、佩长剑蹲立九尾狐等；中层左端为制作车轮和酿酒、过滤酒场景；右端为二人面对做投壶游戏，一人观看。下层为胡汉交战

场面。

　　"一器而群工致巧""车器难就而易败"，是古书中常见描绘制车工艺的词语。在"致巧"与"难""易"间道出制车行业智巧与艰辛。贵族们拥有制车行业，普通人能成为一个制车人，也自然成为一件值得炫耀的事，把墓主家奴制车内容融入装饰墓壁画像石里，就是这种心理的反映。画像石中制车轮者半跪执斧，正凿制轮辋，面前放置将制成的车轮，上面悬挂轮辋，一人背负小孩，手持轮辋。有专家对秦俑坑出土木车统计，发现秦代车子同类零部件是标准化的通用件，像毂、牙、辐、衡及铜构件等，其几何形状、尺码、表面质量和机械性能，都是统一规格，以便相互替换。且车子舆、轮、衡等部分均可成为一些组合单元，体现秦代制业专业化和组合化，做到独立制件，分类储存，装配组合成器。有专家认为，画像石制车轮图像充满生活气息，可能是汉代制车轮家庭手工业的体现，也说明汉代随着制车业发展，木匠已有明确分工，职有专司，制轮就成了制车手工业中一个独立部门。汉代画像石中表现车骑出行、狩猎、战争内容图像中，经常见车辆有轺车、辎车、轩车、斧车、棚车和大车等。在《史记》《汉书》和《后汉书》等文献记载中，这些车辆名称也时有出现，反映出汉代制车手工业发展水平。

　　西王母、制车轮、胡汉交战图画像石藏于中国国家博物馆。

　　仙人骑鹿、人物会见、牛耕图画像石　东汉文物。1952年，江苏省睢宁县双沟镇东汉墓出土。

　　仙人骑鹿、人物会见、牛耕图画像石，长106厘米，高80厘米。画面分为三层：上层刻仙人骑鹿、鹿驾云车等。中层刻人物会见，有榜无

题。下层刻牛耕图，二牛挽拉一犁，一农夫扶犁耕地，一儿童随塙播种；右端停放一辆大车，车上似装肥料，车旁憩息一犬；左上一人举锄耘草，田间一人箪食壶浆，给农夫们送饭。

牛耕生产在汉代已经普及，汉代画像石中多有反映牛耕内容画面。汉代牛耕图存世最早的是西汉末年，多数为东汉时期。牛耕在中国历史上虽起源很早，但在秦汉前漫长历史时期内，普遍采用"木耕手耨"人力耕作方式，牛耕并未在生产中占据主导地位。汉武帝时，搜粟都尉赵过在陕甘一带大规模地推广牛耕。汉昭帝时，徙民屯田，都给予牛耕。平帝时，政府给一些贫穷农户耕牛。一些地方官吏也劝民务农桑。东汉时期，牛耕更为普及。东汉崔寔《政论》，就提到辽东牛耕情形。西北宁夏、新疆等地区都曾出土过汉代铁犁铧和犁壁，南方广东、广西等地也出土过有关牛耕陶模型明器。东汉时期，牛耕已推广到边远地区郡县。汉代牛耕通常是二牛抬杠形式。此画像石是耕犁法的形象反映，即两头牛在前抬犁衡，挽拉一长辕犁，一人在后扶犁并驱赶耕牛。汉犁已出现犁底、犁辕、犁衡、犁梢、犁箭、犁评等部件，作为畜力犁的主体构件已经具备。至东汉，随驭牛技术提高和活动式犁箭发明，在山东滕州、陕西绥德等地画像石上，出现一牛牵挽犁，甘肃武威汉墓中也出土过一牛之犁模型。有学者认为，这可能是一种短辕犁。汉代牛耕与后世犁耕已没有太大区别，中国牛耕技术在汉代已基本成熟。

仙人骑鹿、人物会见、牛耕图画像石藏于中国国家博物馆。

拜会、乐舞百戏、纺织图画像石 东汉文物。1956年，江苏省徐州市洪楼村发现，原嵌于洪楼汉墓祠堂后壁上。

拜会、乐舞百戏、纺织图画像石，高99厘米，长234厘米。画面分两层。上层刻拜会图，共20位人物。下层画面分两部分，右边为乐舞百戏，广场中间树建鼓，2人持桴击鼓，一旁有乐人吹排箫伴奏，艺人在做抛丸、案上倒立等表演，室内为观者；左边为纺织图，屋内有3女子，右边一人在调丝，中间一人在络纬，左面一人在织机上准备织布，屋檐下悬挂着缠满丝线的篗子。画面描绘出汉代纺织调丝、纺纱和织造三道工序，是研究中国古代纺织发展史的形象资料。

在山东、江苏一带出土很多反映东汉时期纺织手工业场景画像石，有与亭台楼阁相连的庄园作坊，有"妇人同巷、相从夜织"家庭劳动。图中络车、纬车和织机，构造合理，反映汉代纺织业情景。拜会、乐舞百戏、纺织图画像石上纺车是手摇纺车，一般而言，纺车生产能力比纺坠高出15～20倍，纺车还可依据织物性质来决定丝麻缕撚之高低，纺坠则难以做到。如湖南长沙马王堆出土素纱蝉衣，衣长128厘米，连袖长190厘米，仅重49克，薄如蝉翼，反映当时缫丝技术的先进水平。脚踏纺车在汉代已出现，江苏泗洪曹庄出土的东汉画像石上，刻有一幅脚踏纺车图，是较早的脚踏纺车资料。脚踏纺织机的出现，是中国纺织业划时代的进步。织工坐于这种斜织机上，整个机面操作状态一目了然，能减少布面断头，使织物更加均匀平整。更重要的是，这种织机机轮牵引力提高，且用脚踏织板，把织工右手解脱出来，双手配合纺纱和并线，提高纺织速度和质量。画像石上反映的单综双蹑斜身织机，是汉代普遍使用的素织机，只能织出平纹织物，但从出土图纹华茂的汉代丝织品推断，当时已有更为复杂的提花织机。李约瑟认为，西方提花机是从中国传出去的，使用时间比中国晚四个世纪。

拜会、乐舞百戏、纺织图画像石藏于中国国家博物馆。

西王母、鸟兽、冶铁图画像石　东汉文物。民国19年（1930年），山东省滕州市山亭区驳山头出土。

西王母、鸟兽、冶铁图画像石，高80厘米，长144厘米。画面分四层。第一、二层为西王母正中凭几而坐，两侧有执便面者，左右众多跽拜、宴饮及六博游戏人物。第三层为两凤鸟对首共衔联珠，左右有虎、龙及众兽。第四层为冶炼作坊。鼓风者、锻打者、检验锻器者，各司其职。右边有门亭、人物。

山东是汉代冶铁手工业迅速发展之地。西汉时期，全国设铁官48处，山东即占12处，传世封泥中的"齐铁官印""齐铁官长""齐铁官丞""临淄采铁"等展示出齐铁官职官分类和管理制度。山东莱芜、临淄、章丘等地冶铁遗址的发现从另一面说明当时冶铁业发展状况。此画像石上冶铁场景展示从冶炼、锻打到磨砺铁刀生产过程，犹如现代生产流水线，分工明确，繁而不乱，为了解汉代冶铁业提供了形象资料。此冶铁图上的皮囊曾引起学者关注，围绕皮囊构造和功用展开激烈讨论。20世纪50年代，王振铎对图上皮囊进行复原。皮囊可以说是冶铁用鼓风机装置，其内部装撑环，两端装挡板，前挡板上有进气口，后挡板上有排气口外连接通向炼铁炉风管，囊顶装有活动吊杆，使用时须不断推拉。在这幅画像上，除有人在囊前压囊鼓风外，还有一人卧在囊下将囊推回原位，操作起来很费劲。皮囊虽是汉代及其以前冶铁鼓风机的孤证，但当时应在冶铁业中已普遍使用。河南巩义铁生沟、郑州古荥镇、南阳瓦房庄、鹤壁鹿楼村等遗址都发现有陶鼓风管，应是装在这种皮囊上伸入炼炉鼓风

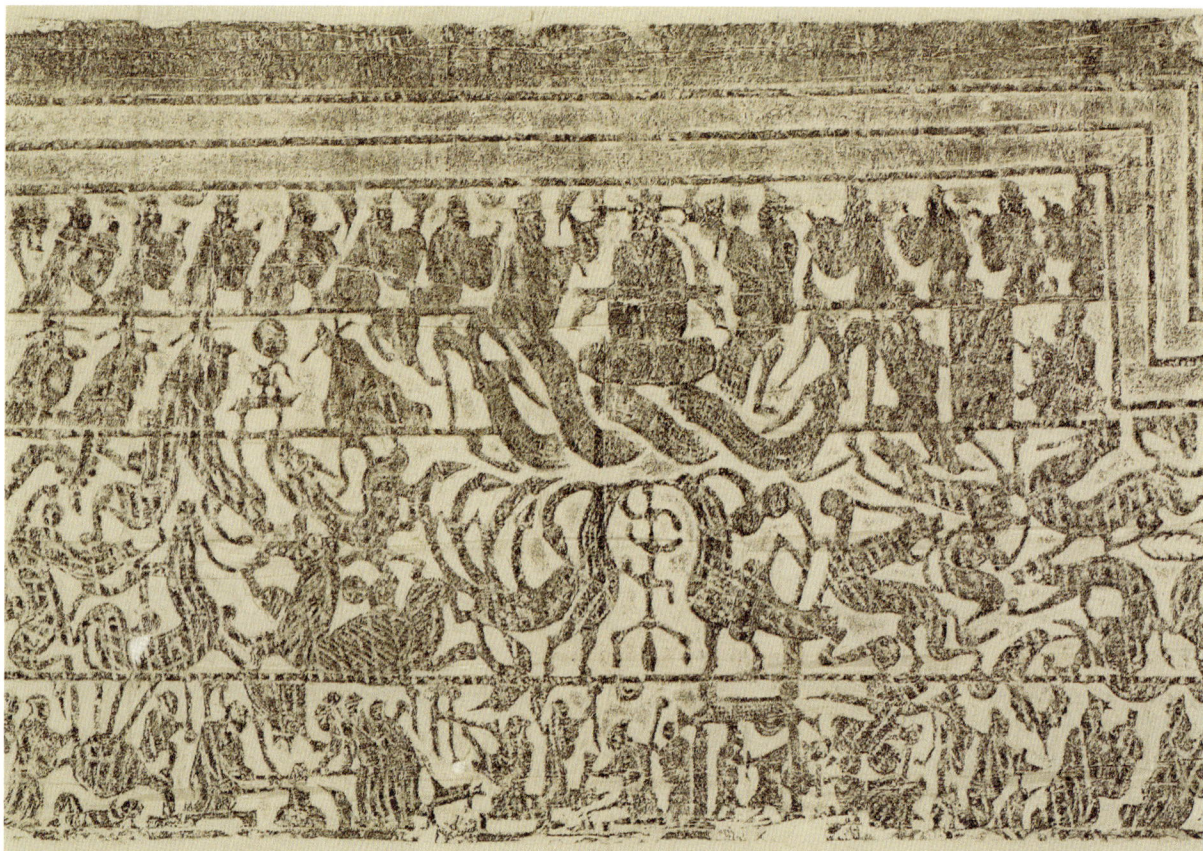

口进行鼓风的装置。汉代也通过改进鼓风设备的方法加强风压，提高炼铁炉炉温，以求炼出质量更高的铁制品。鼓风新设备水排在东汉初年已发明，水排不但节省人力、畜力，且可提高鼓风量。在欧洲，水力鼓风装置在12世纪才发明出来。由于鼓风的强化，提高铁的产量和质量，西汉时期不仅有质量较高的白口铸铁，且有灰口铸铁，含硫量较低，说明在冶炼中已能较好地进行脱硫反应。

西王母、鸟兽、冶铁图画像石藏于中国国家博物馆。

水榭、针灸图画像石 东汉文物。水榭、针灸图画像石在山东省微山县两城镇出土。

此画像石高94厘米，长92厘米。为浅浮雕。画面分两层。上层刻4仙人骑龙。下层一水榭，树下水中有鱼、鳖，有人罩鱼、抓鱼，鱼鹰在啄鱼；树亭内两人坐观，一人凭栏钓鱼；榭梯上7人登临。亭外有三层，上为3位披发人物列坐，前方一位为手持物的鸟形人；中层为六博游戏；下层一人坐。山东省曲阜孔庙里集中出土一批微山两城东汉画像石，虽并非一墓出土，且浮雕技法和风格略有差异，但浮雕内容却极为相似，主要为一端刻着一个半鸟半人神物，对面是鱼贯而来的人群，皆为披发跪坐姿势。神物一只手和来人中为首者相握，另一只手则做扬举状，或徒手无所握，或握一短棒状物。

这种画像题材，被专家命名为扁鹊针灸行医图。据《史记》记载和史料考证，扁鹊为战国时期渤海郡莫县人，姓秦，名越人。医术高明，曾用针灸救虢国太子一命，被认为是神医。时至东汉，仍被人们怀念和敬仰，把扁鹊

针灸行医之事雕刻在石头上。由于齐国和鲁国一带古时曾属以鸟为图腾的东夷诸族，因而人们把扁鹊塑造成带有神话色彩的半人半鸟形象，并当作神祇来颂扬。此画像石为研究中国古代医学，特别是针灸发展史提供珍贵资料。

针灸术是中医学的一大创造发明，由来已久。《黄帝内经》中对针刺疗法解释极为详尽，介绍9种不同的针，因用途不同，九针可分大针、长针、毫针、圆针、锋针等类型，长度约3～24厘米不等。制针因所用原料不同，针刺疗效也不同，其中金针有刺激身体功能，对某些疾病格外有效，价格也相对昂贵一些。而银针则有显著镇静作用。河北满城中山王刘胜墓出土4根金针、5根银针。其中金针以针尖形制来判断，可分为三种：三棱形的为锋针，用来放血；尖锐的为毫针，用来针灸；圆钝的为锃针，用来点刺。湖南长沙马王堆3号墓出土帛书《经脉》中，论述人体内十一经脉循行、主病和灸法的古灸经，是有关中医学理论基础经脉学的古文献。1993年，四川省绵阳市

永兴镇双包山发现西汉文帝与景帝时期木椁大墓，墓中出土一件髹黑漆小木人，木人上有红色漆线针灸经脉循行径路，但无文字及经穴位置标记，是中国乃至世界上已发现年代最早的标有经脉流注木质人体模型。针灸木人出土之地位于涪江之畔。涪江即汉代的涪水。据《后汉书》记载，这里曾产生过三代师传著名针灸家涪翁和其弟子程高及再传弟子郭玉。史书曾记载，郭玉在东汉初任太医丞，受汉和帝之命为贵人治病，一针就使贵人病除。至于涪翁，不仅针术高明，医德超群，还撰有《针经》与《诊脉法》等书。

水榭、针灸图画像石藏于山东省曲阜孔庙。

庖厨、髡笞图画像石　东汉顺帝、桓帝间（126～167年）文物。1967年，山东省诸城县前凉台村出土。

此墓共存有13块画像石，其中7块嵌于墓门上，画面为常见的朱雀、卧鹿、羽虎等；6块嵌砌于墓室甬道壁上，有庄园庭院、乐舞、百戏、庖厨、拜谒、宴饮、讲学和髡刑诸图。其中一石上有残存阴刻隶书"密都乡安持里孙琮字威石之郭藏"题铭，据称其前面还有已佚"汉故汉阳太守青州北海高"11字铭，可推知墓主为曾任汉阳太守的北海高密人孙琮，其时当在东汉顺帝、桓帝之际（126～167年）。画像石中髡刑图、讲学图当是表现墓主孙琮生前特有活动内容。东汉的汉阳郡在今陇东。汉末的西北羌人正纷纷反抗官府，战火不断。羌人以"被发覆面"为俗。髡刑图中受刑之人，皆"被发"，应是被汉阳郡官兵俘虏的羌人而被罚做刑徒。对汉末官吏而言，打败羌人，有特殊荣誉，故孙琮之墓对此特别加以表现。东汉

有不少高官是以深通经学而起任的，其中讲学图正表现孙琮曾收录大量门生弟子。庖厨图则集酿造、杀牲、烹饪活动于一石，把东汉士族豪强奢侈豪华生活生动刻画出来。

诸城画像石雕刻工艺集各种技法于一体。其中门额卧鹿使用高浮雕，气势雄伟；门扉门楣的朱雀、铺首的四兽等使用平面浮雕，形象逼真；墓室甬道石壁上则采用细线阴刻，在打磨光平石面上，以刀代笔，线条流畅，与早期线条的那种粗壮古拙风格有显著不同，更接近绘画形式。尤其庖厨图，用散点透视法刻画一庞大、复杂、忙碌的庖厨场面，恰是一幅精彩连环图式的庖厨鸟瞰图，在汉画像石中尚不多见。

庖厨、髡笞图画像石藏于山东省诸城市博物馆。

车马出行、宴乐图画像石 东汉文物。1954年，四川省成都市羊子山1号汉墓出土。

车马出行、宴乐图画像石共有8块，高45厘米，全长1130.3厘米。原嵌于墓中室左右壁。右壁画像石（上部画面）刻绘一豪华、盛大的出行场景，2伍伯导引，6骑吏导行，在数十位骑士、步卒的前呼后拥下，9辆马车声势浩大，隆重前行。值得注意的是，位于最右端第9辆马车仅刻绘出一匹驾辕之马；而墓室左壁画像石（下部画面）最左端恰好仅存半辆车

子。从右壁画面驾辕之马和左壁画面车辆大小、高低位置观察，发现正好可对接。左壁车马出行图上主人高车驷马，前后有数辆马车和数十位随从。右壁后部石刻没有刻完，车马和骑吏只刻出一个轮廓，可见造墓时的仓促。车马出行图虽分别处于不同墓壁，却能通过形象完美的呼应关系实现两个画面的完整统一，反映出刻绘者高超的艺术表现能力。左壁中、后部刻杂技、舞蹈、庖厨、宴饮图，从画面上可看出华堂内宴乐正盛，帷幔低垂，杂技、舞蹈表演者共11人，技艺精彩。左面一排5位乐师吹奏乐曲，主人款待宾客，边饮食、边看戏。另一室也有4人正在宴饮。用帷幔隔开的后室，似是庖厨室的一部分，一人坐地调度指挥，其余庖丁、侍仆们忙着分送食物。

以墓室壁画、画像石和画像砖为代表的汉代画像中，车马出行图是最常见画像题材。这种图像不仅数量大，且刻画生动，气魄恢宏，是汉代画像中的最典型、最精彩部分。此车马出行图是同类题的经典之作。从宋代起，车马出行图像就已引起金石学家注意，成为著录对象。20世纪以来，不少考古学家对这种车马出行图进行过研究，利用这些图像资料考证当时舆服制度和墓主人身份和仕宦经历。就图像学意义，这种车马出行图可划分为两类。一类以内蒙古和林格尔东汉晚期壁画墓中的车马出行

图为代表，特征是用车马出行图来表现墓主人生前的仕途经历。有的则是为表示墓主人生前曾参加过某次特殊活动，又专门增加表现这种活动的出行图，如山东长清孝堂山画像石墓有"大王车"榜题的车马出行图，则代表墓主人曾参加过的最盛大车马出行活动。另一类车马出行图不管其是否刻绘出车马出行的目的地，都表现的是墓主人灵魂从地下世界赴墓地祠堂去接受子孙祭祀的车马出行场面。这类图像在汉代墓室画像中大量出现，说明祭祀墓主的内容是当时墓室画像最重要的表现主题。

车马出行、宴乐图画像石藏于重庆中国三峡博物馆。

簿书墓门画像石　东汉时期文物。1966年，四川省郫县出土。

簿书墓门画像石上端及左右残损，残高157厘米，宽71.5厘米，厚9.5厘米。这是一座墓的墓门左扇，与右扇墓门石质不同，是利用一块刻有文字旧碑改作，上面除用粗线条雕刻一个人像外，原有隶书大部分可释读，内容以乡为单位进行调查所得每户财产数额，记载内容种类有田亩面积及评定价格，牛、房舍、奴婢名字及评定价格。由于上部分有缺损，其内容可能是户主的名字、年龄、爵位等，此应是古代被称为"资簿"的文书记录。汉代类似文书账簿在甘肃居延出土的礼忠简、徐宗简上都有反映，但石质"簿书"还是首次发现。同墓还出土一横立在墓后壁的画像石，四面刻有画像，如男女立像、朱雀、玄武、青龙、白虎、伏羲、女娲等，正面下方刻有铭文13行，文字多残损。根据铭文可知，东汉永初二年（108年）七月四日丁巳，故县功曹掾郡王孝渊卒，

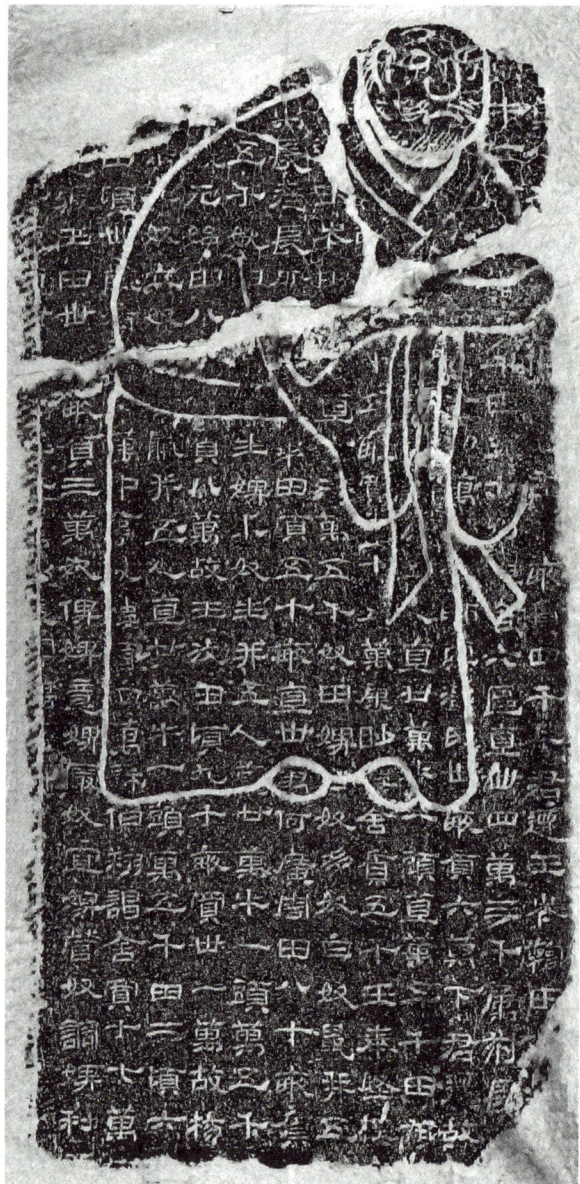

永建三年（128年）六月为纪念而造此石。专家据此定名此石为"王孝渊碑"，但根据画像内容看，似乎更似汉代画像石墓中的立柱石。此两块画像石的关系，有专家做出推断：王孝渊碑有明确年代，是东汉顺帝永建三年（128年），同墓出土的"直百五铢"是三国时期蜀汉钱币（221～263年），簿书墓门画像石年代不详，但系由旧碑改作为墓门的痕迹明显。由此专家推测一种可能，这座墓是王孝渊墓，簿书墓门画像石早于永建三年，葬王孝渊时用旧

碑改作墓门，"直百五铢"钱是由于在三国时期或稍后这座墓曾被扰乱时留下的。另一种可能，这座墓是蜀汉时期墓，"直百五铢"是随葬品，王孝渊碑和簿书墓门画像石，都是修墓时利用旧碑作为墓门或墓后护壁石。再从书法上看，王孝渊碑书法质朴，略似东汉祀三公山碑；簿书墓门画像石书法比较工整，略似东汉孔宙碑。

《通典·食货志》中记载：秦以后，阡陌既废，"隐核在乎权宜，权宜凭乎簿书"。"簿书"是汉代征收赋税的依据和凭证。史书记载，东汉时期为收敛赋税，曾于建武十五年（公元39年）、永平十六年（公元73年）和建初元年（公元76年）三次下发检查私有田产诏令，特别是在第三次检查田亩后，定下一定"条式"，把田分别登记，立"文簿"藏之乡县。这里所说"文簿"，就是之后所称的"簿书"。当时纸虽已发明，但使用还不普遍，"簿书"或书之于竹木简，或刻之于石。此簿书画像石是了解汉代赋税制度的重要资料。

簿书墓门画像石藏于四川博物院。

酿酒、马厩、兰锜图画像石　东汉文物。1975年，四川省成都市郊曾家包东汉墓出土。原嵌于墓后室壁上。高300厘米，宽175厘米。图分三大部分，上部为山林狩猎图，右一狩猎者张弓射鹿，山下池塘，鱼游水中，天空有飞鸟。中部为酿酒、织锦、马厩、兵器架图，其中兵器架（兰锜）上横列叉、矛、环柄刀、弓、弩、箭箙及盾等。兵器架左右有两部织机，左简右繁，结构不同。左上有马、卷棚车，拴马柱上有一猴。下层为酿酒图，从运粮、烧煮，直到装坛过程比较完整。其中图下

部为一人从井中汲水，一人执便面扇风烧火，其身后有犬、鸭、鸡等。此图生活气息浓厚。其中"马厩图"构图简练，形象生动。图中拴马柱上悬挂一猴，这是汉代风俗之一。《齐民要术》记载，马厩里系猴，能"令马不畏，辟恶，消百病也"。陶弘景《名医别录》、李时珍《本草纲目》引《马经》也都有类似说法。后世神话小说《西游记》中，所谓孙悟空于天庭养马，"弼马温"一职，其由来也当源于此。此画像石表现的"辟马温"形象，对研究汉代民风习俗具有重要价值。

汉代的成都是中国有名的商业、手工业中心。西汉扬雄作《蜀都赋》，东汉张衡作《二京赋》，都认为蜀都可以与中原的长安、洛阳相媲美。其中蜀锦非常有名，因之设官管理，故成都又名锦官城。画像石上织布机有繁简之分，有专家认为，繁式织机应是用来织造高档蜀锦的，简式应是普通织机。西汉时期，已出现兼有生产性质的田庄。东汉时期，豪强大族凭借手中的政治特权和经济优势，建立大量规

模可观的田庄，田庄一般以农业为主，兼营手工业和商业，具有极强的自给自足性质。田庄中除种植谷物等粮食作物外，还饲养家禽、牲畜，经营酿酒、煮盐、养蚕和纺织等手工业，自制农具和兵器，并有专人在外贩运交易。此画像石俨然一幅成都地区豪强地主庄园图。

酿酒、马厩、兰锜图画像石藏于成都博物馆。

仙人六博图画像石　东汉文物。1950年，四川省新津县老君山崖墓出土。

此画像石原为石棺侧面。残石高57厘米，长99厘米。画面上二仙人双耳高耸出巅，裸体，乳房外露，臂皆有翼。其中一仙人举手做惊喜状，其后有灵芝。中间有一博局，周围有酒樽、几案等器物。上有一飞鸟。画面表现仙人六博场面。

六博，又称"陆博""博戏"，由局、棋、箸或荚组成，主要以投掷6根箸来决定步数，在特定博局（棋局）上行棋争胜。秦汉时期博戏最为盛行，上至天子百官，下至百姓，都喜爱这种娱乐，汉代一些专以博戏为业人，被称为"博徒"。还有专门研究博术的人，出现博戏著作《博经》。当时，不仅人们自己酷爱博戏，而且认为天上神仙也和人间一样酷爱博戏。人们举行祭祀时，也要张设博具。哀帝建平四年（前3年），"京师郡国民聚会里巷阡陌，张设博具，歌舞祠西王母"。汉代六博图像十分流行，表现为在画像石（砖）和铜镜上，两组人物（或仙人）进行六博场面，其分布范围遍及山东、江苏、河南、陕西、四川和浙江等地区。一种六博图像经常作为宴饮中的娱乐活动出现，表现墓主人日常娱乐场面，是墓主人家庭生活一项重要内容。这种图像在墓葬中出现体现汉代人"事死如生"的观念，有很强的世俗性。一种六博图像中对弈双方皆大耳出巅、肩生羽翼，为汉代典型羽人形象。且这种场景往往与西王母仙境连在一起，作为西王母世界的一部分，有的图像还有"仙人六博"榜题，体现汉代人的升仙思想，这种图像以西南地区居

多。如这块画像石就具有四川地区六博图像鲜明特点，构图开阔，仙人造型夸张舒展，整体风格浪漫、洒脱。通过对人物形体的塑造，把失败一方的沮丧和无可奈何，得胜一方的狂喜和得意忘形表现得淋漓尽致，有很强的艺术观赏性。六博图像在三国时期的魏、蜀、吴领地中偶有发现，后随六博游戏衰落，六博图像也湮没无闻。

仙人六博图画像石藏于四川博物院。

许阿瞿画像石 东汉文物。1973年，河南省南阳市东郊李相公庄村出土。

许阿瞿画像石出土于一座狭小简陋的古墓中，被作为墓顶盖顶石而使用。长112厘米，高70厘米，厚11厘米。此墓中出土铜钱，有汉代五铢，1枚三国时流通货币"定平一百"铜钱。可知，该墓时代当在三国时期，这与许阿瞿画像石题记中，东汉建宁三年（170年）的确切纪年不相吻合。可见，许阿瞿画像石是被当作一般石材被后人建墓时二次利用。画像石用减地浅浮雕兼阴线刻技法雕刻而成，画像分

上下两层。上层画像中帷幔高悬，一儿童身穿长襦，端坐于榻上，榻前摆一案，案上放置耳杯等饮食器具。其面前空白处用阴线刻出"许阿瞿"三字，为儿童名字。许阿瞿身后有一仆人手执便面，站立侍奉。许阿瞿前方有3个头梳双髻、赤身着护裆儿童，在做游戏供许阿瞿观看取乐，最前面儿童右臂前伸，手玩一鸟，鸟从手中向上飞去；中间儿童左手牵引一鸟，鸟体左右有两轮，应是儿童玩具鸠车；后面儿童右手执鞭，驱赶鸠车。下层画像为舞乐、杂技表演场面，表演者5人，分别为扣盘击节、飞剑跳丸、跳盘鼓舞、鼓瑟、吹排箫。画像上有用隶书字体阴刻出6竖行136字铭文，末2行有16字漫漶不清。铭文主要记述许阿瞿死亡情况和家人对死者的悼词。画像中小主人许阿瞿自幼体弱多病，于东汉灵帝建宁三年（170年）三月十八日不幸夭折，年仅5岁，家人为其举行隆重葬礼。许阿瞿父母梦见刚死去幼子不识亲人，四处游荡，啼哭不止，以为原葬处风水不佳，只好迁坟重新厚葬，并请石匠画工把许

阿瞿生前娱乐场景及名字、去世日期、家人哀悼之辞一并雕刻在墓壁石上，祈望阿瞿灵魂能得到列祖列宗照顾，像生前一样幸福快乐。

许阿瞿画像石图像内容丰富生动，铭文字体方正匀称，秀丽中带有厚重遒劲的特点，波折和挑势不很明显，某些字颇近魏碑，与常见汉代名碑的典型隶书"八分书"有显著差异，其书体显然为民间工匠所为的通俗汉隶，由此可看出隶书向楷书演变的端倪，与庙堂书法相比尽显其潇洒不羁的韵味，具有重要研究价值。画像石题记为四言韵文，语句流畅，措辞优美。题记内容初步具备墓志性质，是魏晋后出现的标准墓志之先声。

许阿瞿画像石藏于河南省南阳汉画馆。

投壶图画像石　东汉文物。民国22年（1933年），河南省南阳县卧龙区沙岗店出土。

投壶图画像石，高40厘米，长134厘米。画面中间刻一球腹长颈小口壶，壶中有2矢。壶旁一三足酒樽，上放一勺。壶左右各一人全神贯注地执矢投壶。画面左端一人已酩酊大醉，被侍从搀扶离席。右端一人侧身踞坐着注视比赛，应为司射。汉代画像石工匠和画师在刻画人物时，似有一定规制，不同身份有不同特征。画面中，酩酊大醉者被刻画成脑袋很大、身躯肥胖的"大"人物，而侍奉者被刻画

成一战战兢兢的"小"人物，使两人在形体大小、分量上产生强烈对比，由此把主宾关系区别出来，并通过反衬手法表现出醉酒人情绪激动、头脑发胀的亢奋状态。"严重失真"的比例和极为夸张的形变，使醉酒人在画面中有了生命和灵魂，给观者以强烈视觉冲击力，体现出南阳画像石形神兼备的艺术特征。

投壶起源于西周，《礼记》中有《投壶篇》，投壶和"射礼"有直接关系。最早的投壶活动，具有与射礼相同的礼仪，如揖让、进退等礼节，"投壶之礼，主人奉矢，司射奉中，使人执壶"。主人和客人进行"三礼三让"后，各自就位，开始投壶。投壶还具有独特的礼仪教育性能，"宾主礼让，安心宁神""立德正己，君子之争，发而不中，反求诸己"，既带有娱乐性，又保持君子之礼。从史料看，投壶最晚在春秋时期上层社会中已流行。到战国时代，投壶这项贵族化活动趋向大众化，其礼仪功能减弱，很快成为民间竞相追逐的时尚。汉代，投壶更是成为人们喜闻乐见的活动，上至君主大臣、文人墨客，下至三教九流，热衷者比比皆是。汉武帝本人就是一位投壶爱好者，不仅经常参加比赛，还网罗一批投壶高手在宫中。《后汉书·祭遵传》记载："对酒设乐，必雅歌投壶。"投壶和雅歌连在

一起，已成为儒士生活一部分。投壶游戏时以中与不中定输赢，输者饮酒，是汉代饮食文化的一种形式。此画像石是研究汉代投壶的形象资料。

投壶图画像石藏于河南省南阳汉画馆。

日月合璧图画像石 东汉文物。1963年，河南省南阳市宛城区出土。

日月合璧图画像石，高108厘米，宽166厘米。画面分上下两组。下组为苍龙星座，左为毕宿，内刻玉兔。上组一侧刻阳乌，一侧为日月合璧图，图中刻一金乌，背负内有蟾蜍之月轮。日月重叠，表示日食现象。中国商周时期甲骨文中有日食、月食记录，汉代观测记录包括日食方位、亏起方向、初亏、复圆时刻等。日月合璧图是研究中国古代天文学的珍贵资料。

南阳是中国出土汉代画像石主要地区之一，而天文图像之多又为南阳画像石的一大特点，已发现天文图像80余幅，其中50余幅出土于汉画像石墓葬中。这些墓葬天文图像几乎一致刻绘在墓室顶部，蕴含丰富的精神内容和社会信息，象征另一个世界的天穹，即神鬼所处的"天国世界"。通过这些星象图占卜人间吉凶祸福，使死者在冥界享受快乐，步入仙界，并对生者庇护，使子孙平安昌盛。南阳地区丰富的天文图像符合当时实际天象，反映出汉代天文学知识的普及，为汉代天文学成就的文献记载提供文物实证。中国是世界历史上天文学最发达国家之一。早在公元前12世纪，殷末周初时已采用二十八宿划分天区，传说在周代还建立起测景台，用来测定黄赤交角。到两汉时期，天文学知识已较完备，形成体系。《史记》中，《天宫书》是一部最早详细记录天象的著作。这一时期，已采用农事二十四节气，并编造《太阳历》，载有节气、朔望、月食及五星的精确会合周期；制造测量天体的"浑天仪"；《汉书·五行志》对太阳黑子有详细记录，其中河平元年（前28年）的一次记录是世界公认最早的太阳黑子记录。这些天文学成就，都在画像石（砖）上有所体现。画像包括以神话解释、象征天体的天文物象图，如阳乌图、蟾蜍图、苍龙星座图、白虎星座图等；以神话表现汉代人对宇宙哲学理解的天文物象图，如四灵图、雷公图、风伯雨师图等；天体观测图像记录，如彗星图、日月合璧图、北斗七星图等；还有一些装饰性天象图，如繁星、缭绕云气等。这些天文图像印证了历史文献记载的天象

资料，反映出汉代天文学的主要成果。

日月合璧图画像石藏于河南省南阳汉画馆。

"二桃杀三士"图画像石 东汉文物。1957年，河南省南阳市区出土。

此画像石画面刻绘的是《晏子春秋·谏下篇》"二桃杀三士"的历史故事。春秋时期，齐景公有三个宠臣公孙接、田开疆、古冶子，都是极负盛名武士，三人意气相投，情同手足，互相标榜，藐视朝臣。大臣晏婴向齐景公献计除掉三人，让国君赐给三人两个桃子，并告诉三人"计功而食桃"。接到赏赐后，三人决定自述功绩，按功劳大小顺序取食桃子。公孙接自认功大，伸手先取一桃；田开疆也认为自己功劳不俗，接着抢到第二个桃；古冶子本以为自己功劳最大，见桃子被抢完，便拔出宝剑，一跃而起，怒斥公孙接和田开疆，二人顿觉羞愧，放下桃子拔剑自刎。面对两兄弟血淋淋的尸体，古冶子后悔自己出言太重，伤了兄弟，也自杀身亡。

"二桃杀三士"图画像石，高40厘米，宽101厘米。画面上一高足盘上置两桃，两佩剑壮士伸手取盘中桃，一人怒目圆睁，双手持剑。画面上三个人皆面对观者，身上散发出盛气凌人的霸气。中间人是公孙接，用手中的剑压着桃子，画面右边人是田开疆，伸手撩袖，情绪激动前去抢桃。画面左边是古冶子，双目圆睁，情绪激愤，双手紧握长剑似乎准备与人展开搏斗。画面横向构图、线条粗细变化及动

静强烈对比，都使人物形象更加突出，烘托主题。此画像石阐释出河南汉画像石长于构图的艺术特征。

历史故事是汉代画像石常见的题材之一。战国时期，宗庙中曾普遍图画历史故事，自西汉晚期至东汉，许多豪族祠堂、墓葬中也出现越来越多历史题材图像，其目的是"图象古昔，以当箴规""恶以诫世，善以示后"，用道德规范实例教育时人，而这种规范原则即董仲舒提倡的三纲五常思想，是儒家劝诫思想的表现。"二桃杀三士"历史画像在汉代非常流行，故事既赞美晏婴的"智"，又歌颂三勇士的"义"，反映儒家学说对当时社会的影响。

"二桃杀三士"图画像石藏于河南省南阳汉画馆。

"胡奴门"图画像石 东汉文物。民国23年（1934年），河南省方城县杨集乡余庄村出土。

"胡奴门"图画像石，高126厘米，长43厘米。原为墓门柱石。画像表现一胡奴门吏形象。蓬发，左颊黥印，深目高鼻，下颚上翘，身着长衣，右手拥彗，左手执钺负于肩际，侧身凝视，疾步向前。画面右上方刻隶书"胡奴门"三字。"胡"是中国古代对北方边地和西域民族泛称。胡奴门当是因战争或其他原因，以胡人身份沦为奴隶的守门人。胡人左面颊刺刻一种圆形印记，是汉统治者对奴隶施黥之例证。《汉书·刑法志》载："墨者使守门。"画像正可与文献记载印证。画像石用阴线技法雕刻，简要数根线条，客观、真实地表现出人物不同部位质感特征，使人物神情皆现，有白描艺术效果。

河南省方城县在汉代属南阳郡，曾出土过胡人阉牛、胡人驯象、胡人斗兽、胡人杂耍等内容画像石，可见胡人在当地数量之多。据史料可知，当时胡人进入中原大致有以下原因：将胡人战俘作为奴隶，通过买卖、进献、馈赠等形式进入中原；开放"关市"，匈奴归汉；西域使者入汉等。其中，胡人作为战俘奴隶进入中原的情景，在汉画像石上"胡汉战争图"中多有反映。两汉与北方民族的战争，主要是西汉时期与匈奴和东汉时期与西羌、东胡之战。"胡汉战争图"一般包括胡汉交战、胡王、献俘三个场景。图中作战一方胡人，高鼻风帽、弯弓骑射，出没山峦。交战场面是刀光剑影、人嘶马叫；随即是胡骑滚鞍落马，汉人押着战俘得胜回营；接下来的献俘场面颇为生动，其中身材高大冠服汉人，其面前所跪官吏，牵着用绳索捆缚的胡人。"胡奴门"画像石上的胡人，可能就是这种场景刻绘中的战俘。

"胡奴门"图画像石藏于河南省方城县博物馆。

龙车飞升图画像石 东汉文物。1990年，山西省离石县马茂庄西出土。

龙车飞升图画像石，原嵌于墓前室西壁右侧。高140厘米，长86厘米。画面分三格，左右两格为云气纹，中间为飞升图。飞升图的

上部有苍龙护卫的天柱悬圃，其上有一仙女正在扭动身体采摘仙果。悬圃周围有驾云仙人、骑马使者、戏耍或站立的羽人、三足乌、蟾蜍与白虎。下部山峰林立，羽人执禾，一乘者坐在由5条飞龙驾驶的云车上，飞驰于祥云间，左右有执节骑吏、应龙相伴，下部有乘龙、骑马之人随从，并有数只飞鸿翱翔。龙车飞升图造型上不拘小节，但求神似，艺术再现飞升成仙，以求长生的思想。

山西画像石主要分布于晋西吕梁地区三川河流域，主要集中在离石区境内，往南则到中阳县，向西可至柳林县，这一地区与陕北汉画像石产地绥德、米脂、神木、吴堡、清涧县等，都在汉代西河郡范围内，画像石风格与陕北画像石是有一定联系的。与其他地区画像石相比，陕北和晋西画像石构图上最突出的特点，是极为发达的

装饰花纹带，在门柱、门楣主体图像外侧，多饰以二方连续的蔓草状流云纹装饰带，由于有大量飞腾仙禽神兽穿插其间，使这种灵活多变的流云纹具有浓厚神秘色彩。到东汉晚期的晋西地区画像石中，这种极富装饰性的蔓草状流云纹带演变为轻灵飘逸的流云纹。除起装饰作用外，已成为升仙题材中不可分割的组成部分。如此块画像石画面几乎是各种曲线形态的大汇集，曲线聚散相依、疏密有致，充满强烈动感和缥缈感，把西王母所居昆仑山仙境的奇幻缥缈以流动的韵律显现出来。

龙车飞升图画像石存于山西省考古研究所。

东王公会西王母图画像石　　东汉文物。1955年，陕西省绥德县征集。

东王公会西王母图画像石，原嵌于墓门门楣上。长167厘米，高38厘米。全图减地平雕加阴线刻。该图刻有两层边饰，第一层为阴线刻勾连纹，第二层为菱形穿璧几何纹。画面内容为东王公拜会西王母神话故事。画面左边西王母头戴胜，拥袖端坐，其旁两人跪地侍候。中有三足乌跪奉、九尾狐行走、玉兔捣药等。另一端东王公坐在3只神鸟拉的云车上，云车上还有手持灵芝的仙人，车前有蟾蜍和一些不知名的仙兽，分别拍节、击鼓、抚琴，欢快演奏。在东王公和西王母背后，各刻一圆圈，其中用阴线分别刻金乌和蟾蜍，代表太阳和月亮。

升仙内容是汉画像石中最多出现也最富

有情趣的图像，其中尤以西王母和东王公形象居多。西王母本是出自长江流域的一种信仰，以为中国西极的昆仑山是天帝下都，百神所居，上多不死之药，登临者即为神。昆仑山由"其状如人，豹尾虎齿而善啸，蓬发戴胜"的西王母管理。最迟在战国时期，西王母的传说已传到中原。至西汉晚期的哀帝建平四年（前3年），春大旱，关东一带民众"行西王母筹"，经历26个郡国到达京师。夏季，京师郡国民众聚会里巷阡陌，设张博具，歌舞祭祀西王母。西王母也由传说中的神变成了仙人，其形象也彻底蜕去半人半兽的恐怖外形，变为昆仑山仙人世界的主人公，受到全社会景仰和崇拜。西王母信仰也迅速蔓延到全国，甚至远达朝鲜半岛。这些早期西王母图像中，戴胜的西王母周围都有九尾狐、三足乌、拥臼捣药的玉兔等仙禽神兽，少数图像还在西王母周围画出绵延的昆仑山，表明西王母图像构图格局已初步形成。东汉中期后，民间又给西王母配上东王公。于是，西王母与东王公的信仰并盛。陕北地区出土的画像石墓中，左右门柱上部几乎毫无例外地配置东王公和西王母图像。头戴胜的西王母和东王公端庄坐在昆仑山顶，两侧有陪侍仙女和高大的仙禾神树，周围仙云缭绕，无数仙禽神兽在云气间追逐嬉戏，还有灵巧的玉兔或蟾蜍在捣不死之药，似乎正准备由西王母赐给升仙到昆仑山的墓主。陕北一带画像石

墓中，门楣上一般刻画有墓主车马出行图、祭祀图或墓主升仙图。此嵌于墓门门楣的东王公会西王母图画像石，正表现出希望墓主死后升仙到昆仑山的强烈愿望。

东王公会西王母图画像石藏于西安碑林博物馆。

牛君狩猎图画像石　东汉文物。1981年，陕西省米脂县官庄征集。

牛君狩猎图画像石，原嵌于墓门楣。长149厘米，高29厘米。画面中部头戴平顶冠，端坐马上、手持弓箭者上部有刻铭"牛君"2字，应是狩猎主人牛君。牛君前后有荷旌骑吏，图中数十位骑士组成围猎队伍，有持矛刺大熊者、射中狐狸者、持戟与虎搏斗者、拉弓射箭者、撒网捕鸟者等，被围飞禽走兽，或狂奔乱跑仓皇逃命，或木然呆立不知所措，场面宏大，表现出狩猎中紧张、喧闹的情景。

狩猎题材是陕北汉画像石中富有特色，且最为广泛的内容，其特点多为弯弓策马追猎野兽。与其他地区汉画像石的狩猎内容相比，陕北汉画像石中所表现的狩猎场面更为宏大，气氛更加激烈，且动物种类繁多，其丰富的历史信息为了解和研究当时陕北地区经济生活及地理环境、植被状况提供了重要资料。学界认为，古时狩猎活动贯穿四季，因时而异。除作为一种生产方式外，还有如通过狩猎进行军事训练和推行礼制教化等社会功用。陕北地区自古为"边郡"之地，在秦汉时期作为中原与北方少数民族交接的过渡地带，生活在这里的人们受少数民族射猎为业的生活影响，盛行狩猎活动。狩猎题材画像石的大量发现，是陕北地区"迫近戎狄，休习备战，高上气力，以射猎为先"的社会生活和生产活动的真实写照。同时，也说明当时陕北地区适宜狩猎活动，其良好的植被和湿润气候条件，适宜生存种类繁多的动物。有专家统计，在陕北地区画像石中出现的动物种类达20余种，其中虎、熊、鹿等受地理环境和气候条件变化影响，在陕北几乎绝迹，也说明陕北地区古今地理环境的巨大差异。

牛君狩猎图画像石藏于陕西省米脂县博物馆。

牧场图画像石　东汉文物。1975年，陕西省绥德县出土。

牧场图画像石，原嵌于墓门门楣上。长186厘米，高33厘米。画面两端各有一马夫，身着长袍，脚穿筒靴，各自手牵全副鞍辔备乘马匹。中间两头体壮腰圆、犄角似锥的牛在相斗。两斗牛周围，又有雌雄两鸡相对而立，及引颈远望的温顺小鹿、安闲嬉戏的羊羔、翘首企盼母鸟觅食归来的3只相依小鸟。

秦汉时期，陕北属上郡和西河郡辖区，是秦汉帝国北部边陲，素为汉与匈奴等民族杂居之地。这一地区以长城为界，南面是"冠带之室"，北部是"引弓"之区。古代陕北是沟壑纵横、森林茂密、水草丰盛的地方，是发展畜牧业的良好地域。此地又是匈奴长期活动的地区，匈奴族随畜牧而转移，逐水草而迁徙，过着游牧生活，形成陕北社会经济长期以畜牧业为主的格局。秦代在边郡建立养马场，设"六牧师令"掌管畜牧。西汉时，在边郡建立"六牧师令"36所，主要集中在上郡、西河郡、陇西郡等地。"马牛放纵，蓄积布野"正是当时陕北畜牧业的写照。秦汉时期，虽多次向陕北移民和输入先进农业技术，发展起农业生产，但因陕北自然条件和民族习俗关系，农业生产并没代替畜牧业生产，在东汉时期形成"沃野千里，土宜农牧"，是"饶谷""多畜"并称的半农半牧区。同其他地区出土的汉画像石相比，放牧活动的内容是陕北地区汉画像石所独有，是最具陕北地域特色的题材。放牧图中呈现出水草丰茂、六畜兴旺的塞北风貌，是研究秦汉时期陕北地区经济发展状况的珍贵资料。

牧场图画像石藏于陕西省绥德县博物馆。

神祇图墓门立柱画像石　东汉文物。1996年，陕西省神木县大保当乡出土。

神祇图墓门立柱画像石，墓门右立柱，高116厘米，宽33.5厘米。画面分为上、下两部分。上部分刻一双层楼阁。红褐色线条勾勒出长方形基台，上有两扇粉红色门扉，门扉上分别以墨线绘相对起舞的朱雀，门右侧墙上墨色勾绘井字图案，似为窗牖。上层檐下对坐两人，一人戴红色介帻，着红衣；一人绾双髻。人物均唇涂红彩，五官以墨线勾绘。二层檐上立一对凤鸟，全身施黑彩。画面下部刻绘一人面、人身、鸟腿足的神祇，以墨线勾描五官，面施粉彩，唇点红彩，长须前飘，神色威武，头戴羽冠，上着红色宽袖短衣，下穿鸟羽裙，羽毛以红墨彩相间绘出，右手持矩，左手被胸前日轮遮盖。神像下各刻绘一龙。墓门左立柱上部残缺，残高69厘米，宽33厘米。下部画面亦为一人面、人身、鸟腿足的神祇，头梳双髻，五官以墨线勾绘，唇施红彩，面施粉彩，左耳似悬一小蛇，上着宽袖短衣，内衬右衽红衣，下穿羽毛裙，左手举一物，似龟，胸前有墨彩清绘月轮。神像身后刻一白虎，白虎唇部涂红彩，全身涂白，并以墨线勾绘斑纹。两立柱上画像题材新颖，对其代表的神祇名称没有定论。这个位置上发现的同类题材，一般为人首蛇身的伏羲、女娲形象，但这两立柱上神祇形象与文献记载中的伏羲女娲形象不符，或为《山海经》中记载的东方手捧太阳的"句芒"神和西方怀抱月轮的"蓐收"神。两个神祇出现于墓门两侧，可能表达阴阳抱合、化生复苏的文化内涵。此对立柱画面布局合理，刻绘精美，色彩运用得当，体现出独特的艺术构思和

很高的工艺水准。

神木大保当出土的这批画像石为了解汉代画像石的艺术手法，特别是这一地区汉画像石制作工艺提供了极有价值的资料。这批画像石不仅镌刻精美，图像生动，且色彩保存非常完好，所施黑、粉、红、褐等颜色浓淡相宜，宛如新绘。这些证明汉画像石原来都是施彩的，是一种融雕刻和绘画为一体的艺术形式，这正是画像石在汉代被称为"画"的原因，也是山东东阿县芗他君祠堂画像题记中把制作画像石的工匠分成"石师"和"画师"的原因所在。此两立柱还巧妙利用填白艺术效果突出表达主题，如在主题"句芒"和"蓐收"周围，填上与主题关系密切的青龙和白虎，似乎对主题做进一步说明。填白时，既注意与主题结合，又照顾到空间利用及整体艺术效果。如"蓐收"身后的白虎，就是为了和身躯本来就细长的青

龙对应，使其比例严重失调，做了很大的艺术夸张，但艺术效果却显得恰到好处。

神祇图墓门立柱画像石存于陕西省考古研究所。

乐舞、车马图墓门立柱画像石　东汉时期文物。1996年，陕西省神木县大保当乡出土。

乐舞、车马图画像石，为墓门立柱。右立柱高126厘米，宽36厘米。画面分6格，格内涂红褐色。右格刻绘卷草纹，墨线勾勒，红彩填叶，左面上3格内刻舞蹈图，人物衣服上下左右交错施朱色。舞蹈图下刻一辇车，其下3只鹳悠闲信步。最下一格刻展翅翘尾应龙。左立柱高124厘米，宽36厘米。画面布局与右立柱大体类似，但人物车马与之相对，舞蹈图中下栏人物服装颜色也和右门柱相对应。最下一格刻绘一只奔腾状白虎。

陕北地区画像石中，深剔地平面刻是其

主要的雕刻技法，先用墨和毛笔以准确有力的线条在磨光石面上勾勒出底稿，然后将物像外石面剔去一层，使物像平面凸起，物像细部不施刀刻，而用朱线或墨线加以表现，最后施色彩绘。这种雕刻技法一般剔刻较深，有的深达2～3厘米，拓片效果宛如剪影，凝重深沉，明快醒目，别有一番艺术效果。在陕北绥德、米脂等地发现的汉画像石上，常可看到物像边缘清晰保留的底稿墨线痕迹，有的墨线在石工雕刻图像时刻去一半，有的则完整保留，说明墨线是在石工雕刻图像前绘制上去的。这对墓门立柱画面及画面下清晰的墨线痕迹，也是这种制作工艺的表现。在起稿构图时，制作工匠还使用"模板"类图样。如大保当3号墓中，两门扉上左右对称的朱雀和铺首衔环，该墓门左右立柱上对称的乐舞图案、辇车及门楣上骑吏等，同类图案形状、大小毫无二致。对称图案往往是一个"模板"正反面使用的结果。使用"模板"构图，简便快捷，容易操作，可以说是陕北地区画像石制作工匠的一大发明。为克服"模板"制作时形成的呆板感，制作者还在色彩使用上匠心独运，如第二、三格内左右两组人物在服装上，上下左右采用相反颜色，使画面显得既对称又活泼。从陕北神木大保当这批画像石可知，在施彩着色上，汉画像石与同时代画像砖和墓室壁画是相同的，且因画像石图像具有凹凸立体感，当初应比画像砖和墓室壁画，具有更强烈色彩效果和视觉效果。但由于画像石质地坚硬细腻，对矿物质颜料没有吸附作用，致使其色彩极易脱落，色彩能保存下来已属罕见。所以，大保当汉墓画像石不仅具有很高的学术价值，更是研究中国美术史难得的艺术佳品。

乐舞、车马图墓门立柱画像石存于陕西省考古研究院。

永固陵墓门画像石 北朝时期北魏文物。1976年，山西省大同市梁山永固陵出土。永固陵是北魏文成帝文明皇后冯氏（冯太后）陵墓，始建于北魏孝文帝太和五年（481年），冯太后于太和十四年（490年）入葬。永固陵园区建筑中首次出现佛教寺院"思远佛寺"，将墓地和佛寺结合起来的墓葬布局，对北魏晚期陵墓形制产生影响。冯太后是中国历史上著名的女性政治家，在北魏献文帝和孝文帝在位期间，冯太后曾临朝专政20余年，是北魏政权实际统治者。冯太后为汉族人，深受汉文化传统影响，在太和元年至太和十四年（477～490年）间，主持制定三长制、均田制和新租调制，为其后北魏孝文帝推行进一步"汉化"改革奠定基础。冯太后笃信佛教，将佛寺与墓地相结合，墓门石雕中浓厚的佛教艺术特色，都很可能出自其本意。

永固陵墓门画像石墓门由拱形门楣、门柱、门槛、虎头门墩、石门组成。门无轴，不开合，嵌入门楣内。门楣（2段）总长224厘米，宽50厘米，厚19厘米；门框（仅存左框，右框为复制品）长168厘米，宽30厘米，厚22厘米；门墩（2件）高30厘米，长45厘米，宽41厘米。门楣两端各浮雕一精美捧莲蕾童子。童子雕像面部丰满，面带微笑，大耳长垂，头后有背光。门柱上部浮雕孔雀，回首振羽，口衔宝珠，立于束帛顶的柱上，束帛装饰有联珠纹。门柱与拱形门楣用榫卯吻合。门墩前部雕成虎头状，中间凿孔嵌门柱，后部嵌入壁内。

墓门拱形门楣同北魏石窟中常见龛形石窟极类似。门楣上童子雕像面相、衣饰及雕刻技法，明显受云冈石窟早期佛教造像影响。

此石雕群像风格浑厚、端庄，主题富于对称和变化，飞动的衣饰，给画面增强动感和韵律感，且具有浓厚装饰意趣，体现出佛教石窟艺术将端严与灵动完美地融为一体的独特风格。永固陵石墓门是北魏石雕中有确切年代记载的艺术杰作，对研究北魏雕刻史有重要意义。

永固陵墓门画像石藏于中国国家博物馆。

益都石室画像石 北朝时期北齐武平四年（573年）文物。1971年，在山东省益都县（青州市）五里公社傅家村兴修水利工程时发现一座石室墓。待益都县博物馆闻讯赶往现场时，大部分石板已被砌压于水库大坝基座涵洞内。博物馆征集收藏9件线刻画像石。此墓早年被盗，墓内除一方墓志外，未见其他文物。因墓志被压于大坝坝基之下，墓主人姓氏已无法查考，仅知其卒葬于北齐武平四年（573年）。

这批石刻高130～140厘米，宽80～140厘米。石灰岩质。经粗放加工磨制后，用阴线刻出图像，其中有商旅驼运图、车御图、商谈图、主仆交谈图、饮食图、象戏图、木椁图和两幅出行图。其中商谈图、商旅驼运图虽有残损，但在中国绘画史上却极为珍贵。商谈图中，主人穿直裙肥袖服，盘膝坐于筌蹄上，其前有一胡人与之对饮，一侍者托捧珊瑚。此图像借用粟特美术绘画样本，墓主坐姿也表现出对异域文化的欣赏和认同。商旅驼运图中，一仆人深目高鼻，身穿翻领衫，双手牵一单峰骆驼和一骏马。其中，骆驼背负成捆丝织品，体侧水囊也很讲究。此图以简练线条、准确形象刻画出商旅驼运情景。

由于墓室被盗，石刻画像原有配置关系不明，专家们对石刻画像用途、布局及画像内容有不同见解。主要有五种看法。一是这些画像石原来应砌在墓室四壁，是石室墓组成部分。二是这批画像石是石棺、碣风或石椁类葬具构件。三是画像内容是墓主生前生活片段，并推断墓主一生主要经历或活动均在青州与中亚一带。四是这批画像石是一套重在表示出行仪仗的画像，其中象戏图表现墓主人乘象出行，木椁图表现墓主夫人殡葬。殡马出行图的出现，把这批石刻画像与北齐粟特裔贵族联系起来。自祆教从西亚传入中亚后，受西亚丧葬习俗影响，殡马出行图遂成为信仰该宗教的粟特裔贵族独有的丧葬图像符号。五是画像中有翼神兽、系绶带吉祥鸟等，是祆教图像符号。古代粟特人生活在阿姆河和锡尔河之间，处于丝绸之路的十字路口，向南是印度，向北是游牧民族突厥、柔然、匈奴，向东到中国，向西为波斯、罗马，是汉唐间丝绸之路贸易的垄断者和担当者，当时粟特本土和中国贸易、中原农耕民族和北方游牧民族贸易，以及印度和粟特贸易、中国和印度贸易，都由粟特人承担。在《北史》中，有吐谷浑和北齐绕过北周做贸易的人，就是粟特人的记载。此线刻图像也反映了北齐时期粟特人的商贸活动。

益都石室画像石藏于山东省青州博物馆。

胡腾舞图墓门画像石　唐代文物。1985年，宁夏回族自治区盐池县苏步井乡窨子梁出土。据出土墓志铭记载，墓主人为中亚粟特何国人氏。唐贞观四年（630年），唐朝军队平定东突厥后，于内蒙古自治区鄂托克旗至宁夏回族自治区盐池、灵武一带设置鲁、丽、塞、含、依、契6州作为羁縻府州，安置10万归附突厥降户中的中亚粟特人，时称"六胡州"。"六胡州"属灵州大都督府监管，一些少数民

族贵族首领被选为州官。"六胡州"中粟特人有康、安、曹、石、米、史、何、穆等九姓，皆氏昭武，被称为"昭武九姓"。胡旋舞墓门主人即昭武九姓中何国人后裔，卒于"六胡州"中的鲁州。

单扇门高89厘米，宽43厘米，厚5.4厘米。两扇门上下有圆柱状榫，门面闭合处各有一圆孔，出土时用铁锁锁扣。门正面凿磨光滑，中间各有一减地浅浮雕男性舞伎。舞伎髭须卷发，深目高鼻，胸宽腰细，体魄健壮。发束带，头戴圆帽，身着圆领窄袖紧身长裙，脚穿长筒皮靴，立于小圆毡上。两人均手持长巾挥动，旋转对舞。四周剔地浅雕卷云纹，舞者似腾跃于云气中。胡腾舞石刻墓门与敦煌石窟胡旋舞壁画形象、舞姿基本相同，为研究唐代乐舞提供珍贵的实物资料。

胡腾舞出自石国（乌兹别克斯坦共和国撒马尔罕一带），舞者以男子居多，舞蹈动作以双腿踢蹬腾跳为主，属于唐代舞蹈中"健舞"的一种。胡腾舞者演出前"帐前跪作本音语"，即用粟特语演唱，保留鲜明的民族特色。胡腾舞具有健美奔放的艺术魅力，符合唐代欣赏趣味和审美要求，将胡腾舞形象雕刻于墓门上，说明胡腾舞已成为当时家乐表演典型组成部分。

胡腾舞图墓门画像石藏于宁夏回族自治区博物馆。

散乐、侍宴图墓门画像石 辽代文物。1989年，内蒙古自治区巴林左旗杨家营子镇石匠沟村出土。墓门出土于大契丹国夫人萧氏墓。

散乐、侍宴图墓门画像石，高115厘米，宽74厘米，厚7.5厘米。共两块。青砂岩制作。四周留有边框。一为散乐图，一为侍宴图，合起来为一完整宴饮行乐图。其中散乐图以减地浮雕手法雕刻乐工11人、门吏1人，分上、中、下3排，皆为汉人装束，头戴幞头，身着圆领窄袖长袍，腰系宽带，足蹬高靴。上左起，依次为弹曲颈琵琶、吹两翼排箫、吹

笙、击简板、击方响、吹横笛、吹筚篥、击拍板、击大鼓、击腰鼓、吹横笛者。散乐图浮雕为研究辽代散乐演出形式、乐器配置、乐工装束及乐器形态，提供珍贵资料。辽代散乐在五代后晋天福三年（938年）传入契丹国后，即为契丹王室和大贵族们所接受，且正式行用于国家典礼。辽代早期中，散乐在契丹士庶社会得到普及，至中期达到高潮，凡喜庆典礼、居家宴饮、送往迎来等场合，必用散乐助兴。侍宴图以减地浮雕手法雕刻三排12人，为契丹装束，其中男侍身着圆领窄袖长袍，腰系宽带，或髡发、光头、戴帽，或足蹬高靴、便鞋；女侍身着交领窄袖长袍，或头梳双丫髻、头盘一匝发辫、戴小圆帽，或足蹬高靴、便鞋。男女侍者或手捧唾盂，或怀抱团扇，或为墓主人备酒、温酒、献酒而忙碌。整个浮雕再现墓主人生前奢侈生活，为研究辽代物质文化生活提供形象资料。

散乐、侍宴图墓门画像石藏于内蒙古自治区巴林左旗博物馆。

王晖石棺 东汉建安十七年（212年）文物。民国31年（1942年），四川省芦山县石羊上村砖石墓出土。据铭文，石棺主人王晖死于建安十六年（211年），下葬于建安十七年（212年）六月甲戌之日。铭文中叙述王晖，字伯昭，任职上计吏。上计吏为郡国属官，管理郡国钱米、户口、人丁、文牍等，并定期向朝廷汇报，朝廷据此对官吏进行考核。以王晖官职级别，其石棺纹饰精美程度、形制均超常规，当时厚葬之风可见一斑。

王晖石棺，全长250厘米，高101厘米，宽83厘米。红砂岩质。由脊状弧形棺盖和矩形

棺身组成。棺盖及棺身四壁刻有浮雕5幅。棺盖共8条7个棱面。盖前端雕饕餮衔环纹饰。棺前挡阴刻出双门，其中左门紧闭，上阴刻隶书"故上计史王晖伯昭以建安十六岁在辛卯九月下旬卒，其十七年六月甲戌葬，呜呼哀哉"。右门微启，一仙人倚门而立，身半露，右手抚门，双髻，背上长翼，腿胫着甲（或鳞片），做迎候状。棺身左壁刻青龙，右壁刻白虎，棺后挡刻龟蛇玄武图。石棺阴刻线条与立体雕凿相互映衬，高浮雕和浅浮雕相结合，使形象具有张力和气势。四神形象常见于汉代画像石棺中。四神亦称四灵，即左青龙（东）、右白虎（西）、前朱雀（南）、后玄武（龟蛇合体，北），代表四大方位，用在墓中以镇守四方、避邪恶、调阴阳，保卫墓主灵魂安宁。王晖石棺上"四神"除朱雀外均有体现。王晖棺身前挡中仙人半启门形象，在中国墓葬艺术中亦很常见，在四川合江、芦山、荥经、南溪等地东汉画像石棺中均有表现。虽此启门图较为简单，但从相邻地区出土石棺上的完整启门图像有助于了解其含义，如四川荥经石棺启门图中，门内一侧有西王母仙境图，门外有人求见。四川南溪石棺启门图中，门内西王母和门外拜跪者集中于一个画面上。由此可知，启门

者处于现实和来世两个世界之间，启门图像反映当时人的升仙思想。石棺原来在南北向墓室中的位置是前端向外，棺上神兽的安排正好与东、西、北三个基本方位相应。有专家根据汉代石棺画像配置研究认为，石棺是一微型宇宙模式，石棺前挡部分表现的是死者灵魂进入另一世界入口。石棺对四神常规性图式做一些调整，肩上生翼、腿部刻有羽状装饰仙人启门图，表现雕刻者试图将人物与朱雀形象结合起来，满足棺头挡表示方位和另一世界入口功能。

王晖石棺是东汉后期中国西南地区石刻艺术精品，是罕见的自身镌刻有纪年和墓主铭文画像石棺，为汉代画像石棺年代学和相关丧葬习俗、制度研究提供了可靠资料。石棺自民国31年（1942年）出土后为学人所重视，就画像内容展开学术性辩论，于右任、郭沫若、沈尹默、常任侠等都曾为石棺作诗题跋，在全民抗战大背景下被传为美谈。

王晖石棺藏于四川省芦山县博物馆。

鬼头山三号石棺　东汉时期文物。1986年，四川省简阳市董家埂乡深洞村鬼头山崖墓出土。

鬼头山三号石棺，身长212厘米，高64厘米，宽63厘米。黄灰色砂岩质。棺身前挡刻凤鸟，后挡刻伏羲、女娲、玄武、鸠鸟，棺身左侧刻仙人博、仙人骑、青龙、日、月、柱铢、白雉、高利等，棺身右侧刻太仓、天门、白虎。图像旁刻有标示内容隶书榜题15处。画像丰富的内容和明确榜题，在全国实属罕见。

石棺画像内容反映汉代人的升仙思想。阙是石棺画像中常见造型。棺身右侧中部刻有单檐式素面双阙，阙顶一对凤凰昂首对立，双阙中上部榜题铭文"天门"，双阙间站立一人，头戴冠、身着宽衣长袍、双手拱迎。之前，学术界对墓室浮雕阙门性质及功用一直争论不休，此榜题的发现，道破此类阙图像内涵，即通往天上世界之门。天门一侧，刻有一干栏式建筑，榜题"大苍"，其意为"太仓"，是储

粮仓库，寓意墓主在仙境中仓廪充实、丰衣足食。石棺上六博图像，反映汉代流行的一种游戏。石棺上六博图像与神话故事组合在一起，更反映人们渴望长生不老的期盼。伏羲女娲也是汉代画像石棺上常见图像，原本有各自不同神话，直至汉代在阴阳五行观念影响下，形象才慢慢固定下来，形成对偶神。

石棺在汉代是一种作为厚葬使用的葬具，与石椁不同的是，石棺棺体不是由头足挡板、左右侧壁板和底板拼合构成，而是用一块大石料雕凿而成，棺盖用另外石板充当。汉代石棺或是汉代画像石棺，集中分布在中国西南地区，尤其是四川盆地一带。从四川新都东汉墓中出土一具石棺中有"永元八年四月廿日造此金棺"题记可知，汉代人把石棺也称为"金棺"。四川等地东汉墓中所见葬具主要为瓦棺、木棺和崖棺，石棺所占比例很小，而画像石棺更是少之又少。四川一带汉代石棺除少部分在砖室墓中发现外，大多是于崖墓中发现。有的石棺明显可看出石质与崖墓本体一样，可认为是在崖墓开凿过程中有意识就地取材（从崖墓被凿空部分取出完好石料凿为石棺，并在其表面做画像雕刻）。除石棺外，四川一带还流行崖棺，其区别在于，崖棺是直接依崖石造成，与崖石连在一起的不可移动石棺。崖棺正面和前、后挡三面有雕刻，过去有人定名为石函、石柜、石箱。宋朝洪适《隶释》一书中则认为，四川彭山崖墓中棺为"崖棺"。崖棺画像内容与风格，与崖墓内出土石棺大体相同。

鬼头山三号石棺藏于四川省简阳市文物管理所。

郫县一号石棺　东汉时期文物。1972年，四川省郫县新胜乡竹瓦铺出土。

郫县一号石棺，长237厘米，上宽72厘米，下宽77厘米，高86厘米。青石质。棺盖素面无纹饰，棺身四周均刻有浅浮雕画像，细部多采用阴线刻。棺前挡刻伏羲女娲，作人首蛇身两尾相交状。伏羲手持日轮，轮内有一金乌，女娲手持月轮，轮内有一蟾蜍。棺后挡一方刻双阙图像，中央下部刻一门，门中一人持板而立。棺壁一面刻宴客乐舞杂技图像。画面左上部为一间硬山式厨房，灶前一人正匍匐加柴烧火，另有一厨师在案上做菜。房外有一往来送食侍者。下面为一马拉卷篷车，车内坐一女子，车后有随从。中部为两座高度相同楼房建筑图像，左侧为一楼观，右侧为一重檐四阿式楼，内有宾主5人并坐，楼右为乐舞杂技画像，有顶技、叠案、抚琴、长袖踏鼓舞者等。棺壁另一面为曼衍角抵和水嬉两组图像，题材比较新颖。

石棺上画像为研究汉代杂技历史提供形象资料。汉代百戏中杂技和前代杂技比较，有继承，更有发展，丰富和增加许多新的表演项目，其精髓部分一直留存至今。画像石上顶技表演者，口含一竿，竿端有一盘形器，表现熟练掌握重心平衡的技能。叠案者在9个相叠矩形案上做倒立表演，造型矫健优美，稳重而有力。现代杂技中"椅技"是从"叠案"发展而来。汉代楚歌、楚舞风靡全国，楚舞特点是飘逸、轻柔、敏捷、激越，特色主要从腰与袖两个角度反映出来。文献中形容楚舞有像一道长虹横空而现，似一缕烟云升腾，给人飘洒美感和游龙登云的神韵。在翘袖折腰基础上，汉代

还流行一种更为复杂的盘鼓舞。表演时，先在地上排列盘和鼓，舞者舞长袖，在盘、鼓上，或盘、鼓间跳跃徘徊，既有楚舞中飘逸、高雅的舞姿，又有杂技艺人在盘、鼓上准确跳跃、掌握身体平衡的技艺。舞者须且歌且舞，并用足踏击鼓面，集歌、舞、踏鼓为节于一体。"舞无常态，鼓无定节"，是汉代盘鼓舞主要艺术特色。画像石上两舞伎正是汉代盘鼓舞生动写照。曼衍角抵是一种有复杂变化彩扎动物幻戏。扮演动物演员在《汉书·礼乐志》中被称为"象人"，画像石上"象人"戴着不尽相同的假面，有猴面、猪面等，其表演是"东海黄公"少时制服蛇虎的故事，乃是汉代角抵戏内容之一。

郫县一号石棺藏于四川省博物院。

升仙石棺 北朝时期北魏文物。1977年，河南省邙山上窑村出土。升仙石棺出土于北魏宣武帝景陵东约5千米处，属"景陵东阿"之地，为北魏皇室贵族葬区。

升仙石棺，长240厘米，高103厘米。青色石灰岩质。由棺盖、左右两壁、前后挡和棺底6块石板安榫装配而成，除棺盖为宋代补配外，棺的两壁、前后挡和棺底四侧阴刻有精美线性图像。棺前挡中部朱绘一门，有铺首衔环，门两侧阴刻按剑门吏，头戴冠帻，着长衣，矜持肃穆，是北魏侍臣的典型姿态。门上方刻由莲花托起摩尼宝珠，左右刻脚踏莲花朱雀。棺后挡刻3幅画面，左右两幅残缺不能识别，中间刻孝子画像。棺后挡不是石棺原配，应是击残石榻围屏的一部分。棺左右壁刻墓主夫妇乘龙升仙图。图像内容，前为引龙羽人，中为乘龙墓主夫妇（男墓主着褒衣博带式袍服，女墓主头饰花冠，身着长裙），后为乘龙或凤仙伎及导护仙人，前后及其他空白填饰山林景致、畏兽、流云、莲花等。棺底刻各种奇禽怪兽图。

孝子图像是北魏石棺常见内容。汉晋时期，孝子图像主要刻画在宫殿、祠堂、石阙、画像石、画像砖，或刻绘在日常用具如彩箧、漆盘上，墓室虽有发现，但不多见，且刻画位置离墓主形象较远。北魏以降，孝子图像刻画位置发生改变，集中表现于漆棺、石棺、石榻

等葬具上，数量颇多。孝子图像思想内涵和墓葬功能，经研究，形成祈求冥福、彰显孝德和攸关墓主"命运"象征性图像等主要观点。有专家根据画像内容和雕刻技法推断，升仙石棺应是"东园秘器"。汉代以来，少府下设"东园"官署，专司皇家陵寝营建与葬具制作，北魏立国后，延续此制，并时有诏赐"东园秘器"之举。民国19年（1930年），发现于洛阳城西东陡沟村、藏于美国明尼阿波利斯美术馆的元谧石棺，确定为受赐的"东园秘器"。此石棺在材质、画像内容、雕刻风格等方面都与元谧石棺相似，画像至为精美，法度严谨，笔迹工丽，技巧高超，与元谧石棺相比毫不逊色，表明棺墓主具有高贵身份，石棺应为北魏宫廷画师或"东园"良匠名手绘制并雕刻而成。

升仙石棺藏于河南省洛阳古代艺术馆。

司马金龙石床　北朝时期北魏文物。1965年，山西省大同市石家寨村北魏司马金龙墓出土。司马金龙为东晋显贵之后，降魏封琅琊王，官至"假节侍中镇西大将、朔州刺史"。北魏和平五年（464年）死后被追赠"都督梁益秦宁四州诸军事"等，并为其营造规模巨大的砖室墓。

司马金龙石床，长241厘米，宽133厘米，高51厘米。由6块浅灰色细砂岩石板组成。下部三只腿上高浮雕4位力士，中间两位力士上部雕兽面纹。力士身躯矫健，作承托石床姿态。3腿间雕有水波纹壸门，其上以盘绕忍冬纹作边和地，中央空间雕伎乐及龙、虎、凤凰、金翅鸟、人头鸟等形象。伎乐13个，中间一位是舞蹈者，两侧大体对称排列伴奏人，所持乐器有琵琶、曲颈琵琶、排箫、箫、横笛、钹、鸡娄鼓、行鼓、细腰鼓、筚篥、埙。乐伎形象表现颇为活泼可爱，是难得的古代童子乐伎艺术精品。这些童子乐伎主要特点，头形较大，面颜丰腴，弯眉高挑，大眼细长，鼻翼宽阔，嘴角微翘，双耳垂肩，额前刘海，憨态可掬。腹部突出，臂肌发达。下穿紧身短裙，上揽飘带。演奏者或正面，或侧面，或低眉，或抬首，或跪姿，或蹲姿，或耸腰扭胯，或腾空踢腿，姿态优美。石床雕刻内容丰富，线条流畅，技法纯熟。

石床位于墓后室西部，其上乐伎乐器雕刻生动逼真，反映北魏时期音乐发展状况，为了解音乐史和乐器发展史提供重要参考资料。据墓志铭可知，司马金龙墓年代为北魏延兴四年至太和八年（474～484年），正是北魏政治、经济、文化发展最为辉煌时期，并正值云冈石窟开凿高潮。因此，司马金龙石床人物形象及装饰动物、植物纹样图案等，受到云冈石窟雕刻影响，显示出强烈的佛教意味；在乐伎乐器音乐表现上，也与云冈乐伎雕刻有千丝万缕联系，旁证云冈石窟乐伎乐器雕刻内容。北魏所属地方与天竺、龟兹、西凉、疏勒、安国、高丽等地区有频繁来往，司马金龙石床上所表现的11件乐器中，有9件乐器与上述地区使用乐器相同，且是这些地区共同使用的，说明这批乐器是这些国家及地区间长期交流融合的产物。司马金龙石床上的乐器形象也反映北魏时期多元音乐文化有机融合。

司马金龙石床藏于山西省大同市博物馆。

榆社方兴石棺 北朝时期北魏神龟年间（518～520年）文物。1976年，山西省榆社县河峪乡出土。墓主人画像上方有铭文14行，记录墓主人姓名、官职和生卒年月。从石棺铭文可知，墓主人方兴曾任颍州太守、绥远将军、郡太守等，死于北魏神龟年间，享年60岁。

榆社方兴石棺，侧板两块，前挡一块。侧板长220厘米，宽80厘米。前挡高90厘米，宽66厘米，减地浅浮雕图案。一侧板刻狩猎场面和一组杂技场面。其中杂技场面中一脚穿高筒靴、身着灯笼裤大力士，头顶一竿，上有3名伎人作拔竿、倒吊、反弓等高难动作。顶竿左右还有踩高跷、打腰鼓者、跳丸者。另一侧板刻骑龙升天和墓主人出行图。前挡板上宽下窄，上呈半圆形，中央刻一建筑，内有墓主人夫妇席坐平台宴食，两侧有仆人侍候，房外左右两侧有朱雀和持刀者。下面有人跳舞、弹琵琶、抚琴、吹箫、吹笙、吹排箫等。

画像石棺用笔简练，刀法遒劲淳朴，加之有铭文榜题，图文并茂，书法、雕刻均属精美，实属罕见，为研究中国雕刻艺术和杂技舞蹈起源和发展及北魏时期北方一带民间艺术形式提供了实物资料。

榆社方兴石棺藏于山西省榆社博物馆。

沁阳石床 北朝时期北魏文物。1972年，河南省沁阳市西向粮管所出土。

沁阳石床，高51厘米，长223厘米，宽112厘米。由五条棺床腿和一床身组成。床腿及床壁上饰有人物及鸟兽花卉等图案，床前沿有16幅装饰画。石床身用4块青石板围堵而成，左右各1块，中间2块，内侧均刻有人物，每块有4个画面，共16幅。内容由左右向中间。画面上刻连续忍冬图案，下有单线勾边，画幅间有两条或4条单界线。布局类似横幅连环画。第一组画面为女主人侧坐榻上，梳高髻，上着敞领宽袖襦，下着博带长裙，前放一双云头履，手持团扇，身后为站立和行进侍女，最后刻一牛车，远处山峦重叠，小鸟飞翔。第二组画面

为男主人坐于榻上，头戴高冠，手执麈尾，身后一男侍执华盖站立，后有男侍和女侍紧随，最后为一小马。第三组画面为4仕女，或披巾飘动，或裙带飘逸，或手持莲花，或手持镜，人物前后均饰以莲花和山石，意境恬然。第四组画面为四男子着敞领宽袖大衣，或头梳高髻，或头戴笼冠、高冠，每个人物周围有花树装饰。棺床画面纯用线条勾勒表现，刀法婉转流畅，有"春云浮空，流水行地"的线描遗风。北朝早期，直硬刚劲刀法已不再明显，"秀骨清像"人物造型也有变化，这些正是北朝早期向晚期过渡阶段的特点。

此石床不仅为南北朝美术研究提供重要实物资料，也对研究当时衣冠制度、车舆、起居等研究有所帮助。石床上线刻人物"褒衣博带""大冠高履"服饰，具有鲜明时代印记，是南北朝时期"江南世家"服饰特征。这种衣冠服饰形象出现在北朝的墓葬中，反映当时当地贵族接受南朝文化影响。床上摩尼珠、忍冬、水波、鸟兽、莲花及神怪、飞仙等装饰图案，有的是石床上边饰，有的是主题内容，有的是衬景烘托气氛，彼此配用相得益彰。这些图案除根植于悠久民族传统外，也吸收外来佛教艺术影响，反映出南北朝时期佛教的兴盛。

沁阳石床藏于河南省沁阳博物馆。

康业墓围屏石床 北朝时期北周天和六年（571年）文物。2004年，陕西省西安市北郊坑底寨村北出土。据一同出土墓志铭可知，墓主人名康业，字元基，康居国王后裔，历任大天主、车骑大将军等职，死于北周天和六年（571年）。出土时，康业遗体即安置在床

上，遗体口内含罗马金币一枚。据此可知，这类石床性质确实为葬具，解决一段时间以来人们对这类石榻功能的疑问。康居国位于今泽拉夫珊河南岸的撒马尔罕，昭武九姓胡国之一，以悉万斤为都，有大城三十，小堡三百，在粟特全境处于主导地位。康居人深目高鼻，长胡须，擅经商，男子剪发，女子梳髻，信仰祆教、佛教。

康业墓石床，高138厘米，长230厘米，宽107厘米。石榻由围屏、床板和床腿构成。围屏由4块长方形石板组成，内侧有用阴线刻画图像10幅，画面局部贴金，内容主要有出行、会客、宴饮等。

与之前发现的安伽、史君、虞弘及流散海外多套西域人葬具上的画像相比，康业墓石床围屏画像具有明显特点，体现在画像中所有人物、动物、景物均以流畅细密阴线表现，而不是常见的富有立体感的浮雕，其技艺更接近于洛阳北魏晚期葬具画像，说明这类石床与洛阳北魏晚期墓葬中石棺床有一定传承关系。画像布局独具特色，景深一般分为3~4个层次，顶部为远山、流云、飞鸟等，具有写意性，以示远处；人物身后背景多为高山、树木，具有写实性，山上树木枝叶均形象生动，人物活动多在山前、树下，从发式、衣着至举止、表情，细腻传神；下部多为坡、石、溪流、花草等，为近景。自上而下，由远及近，层次井然。魏晋南北朝是中国山水画萌芽时期，尽管有关山水画著录、论述不少，但独立山水画作较少见，该墓石床围屏上线刻画作可视作中国山水画萌芽、发展过程中重要一环。

康业墓石床藏于陕西省西安博物院。

安伽墓围屏石床　北朝时期北周大象元年（579年）文物。2000年，陕西省西安市北郊未央区大明宫乡出土。据墓志可知，墓主安伽是姑藏（甘肃武威）人，曾任同州（陕西大荔）萨保。萨保本意是"商队首领"，随着商队在一些城镇建立起自己的聚落后，萨保就成为聚落首领。北朝政府为管理这些胡人聚落，把萨保纳入中国官僚体制中，萨保既是胡人部落首领，又是中央或地方政府的职官。安伽同州萨保一职，说明安伽生前是由粟特商队首领成为胡人聚落首领的。安伽墓围屏石床上所表现的生活场景，可以说是一位粟特萨保生前行事的画卷，表现粟特经商之旅和进入中国后的生活状况，展示粟特人宗教信仰，透露粟特与突厥的关系，为研究粟特音乐舞蹈、服饰发型、建筑器皿等物质文化提供了图像资料。

安伽墓围屏石床，长228厘米，宽103厘米，高117厘米，由三块石屏、一块石床和七条床腿组成，屏风与床面以榫卯结合，使屏风竖立于床上右、正中、左。石屏共12幅图像（背屏6幅，左右屏各3幅），加上床沿、床腿共56幅减地浮雕、绘彩贴金各类画像。主要图像集中在床屏12幅图像中，以正面屏风第三、四幅为中心，这也是整个围屏石床要表达的中心内容，其余图案基本是以这两幅图案间画框为轴对应。图像包括宴饮、出行、乐舞、狩猎及祆教祭祀等内容。

安伽墓采用中国墓葬形式和粟特火葬做法结合的葬式。其墓室形制具有中国传统特点，但埋葬方式却与中国传统墓葬不同，墓志和人骨放在甬道里，且被火焚烧过。安伽墓石床平面边沿打磨光滑，但床面中部全是未经打磨的糙面。发掘时，糙面上发现有残存毡毯一类织物残片，说明当时有与糙面面积大小相等的毡毯覆盖其上。

安伽墓围屏石床藏于陕西历史博物馆。

史君墓石堂 北朝时期北周大象二年（580年）文物。2003年，陕西省西安市未央区井上村东出土。据汉文题铭可知，墓主人史君为凉州萨保，与其妻康氏分别为中亚史国和康国人，合葬于北周大象二年（580年）。

史君墓石堂为仿中国传统木构房屋式建筑，歇山顶殿堂式样，坐北朝南，面阔五间，进深三间，由底座、四壁和屋顶组成。东西长250厘米，南北宽155厘米，通高158厘米。在石堂南壁门楣上有粟特文和汉文题铭，其中汉文题铭自名"石堂"。石堂内出土石榻1个。石堂内壁尚残留有朱砂分栏壁画，仅存部分树叶纹和葡萄纹。石堂内顶部用朱砂绘有建筑结构图案。石堂外壁石板上，分别浮雕有四臂守护神、祆神、狩猎、宴饮、出行、商队、祭祀和升天等题材图像。人物面部、服饰、佩饰、器物、山水树木和建筑构件等部位，施有彩绘或贴金。石刻图像内容丰富，具有鲜明的粟特文化传统，反映粟特生活习俗和丧葬习俗；也受到汉文化影响，其中可能还吸收其他宗教因素，如四臂门神，带有头光坐于莲座上的人物，可能与佛教有关，反映北朝晚期文化的复杂性。

石堂门楣上粟特文和汉文双语文字，对研究粟特文字及文化具有珍贵史料价值。内容仿汉人墓志，记载墓主人生平，是以往考古中从未发现的。凉州也称姑臧，即河西走廊的武威，是汉唐时期河西地区最大军政机构所在地，十六国时期这里还曾经是前凉、后凉、北凉首都。凉州也是河西走廊较大粟特胡人聚落所在，从魏晋南北朝至隋唐，既有来自安国的安氏家族，历代世系为萨保，统辖诸胡种落，左右凉州政局；又有西魏来自康国的康拔达担

任萨保，还有北周来自史国的史君担任萨保。由此可知，凉州胡人聚落不止一处，当时凉州地区粟特人根据其来源差别，其聚落又有不同区域划分，可能分别由北周皇帝任命萨保来管理其内部政教事务。

史君墓石堂藏于陕西省西安博物院。

北朝石椁 北朝文物。2012年，日本崛内纪良捐赠。

北朝石椁，长212厘米，宽125厘米。石灰岩浮雕与线刻。为歇山顶式殿堂建筑，面阔七间，进深两间，原由底座、四壁和屋顶组成，现底座已失。左、右、后三壁各由一块石板构成，屋顶由一块整石雕凿而成。石椁正面中间为门扉、门楣和门槛，门扉已失。门两侧各有一持武器胡人武士。石椁两侧壁嵌于前后壁凹槽中。前后壁两端各有一胡人侍卫。石椁四壁外侧分别阴线刻图像，南壁以门扉为界，左侧两开间为墓主坐于床榻宴乐场景，人物皆为胡貌胡装。右侧两开间为手执羽扇和便面的侍女；东壁两开间雕刻墓主夫人牛车出行图，并与北壁该侧最外间接续；西壁两开间雕刻墓主鞍马出行图，并与北壁该侧最外间接续；北壁

当心开间为墓主夫妇在帷帐中坐于床榻之上夜宴，后面衬以联扇屏风。墓主为胡人形象，墓主夫人为汉人形象。其墓主外侧开间人物由内而外依次为侍男跪坐、男性伎乐、胡旋对舞；另一侧为侍女跪坐、女性伎乐、歌舞及与相邻两侧壁内容接续出行图。墓主身后人物形象均为男性胡人，墓主夫人身后为着汉装侍女。与两侧壁接续鞍马出行图和牛车出行图的出行方向皆朝向当心间。石椁墓主夫妇出行方向从两侧壁由前往后至北壁当心开间，这种行进方向不见于已知同类石葬具。

从图像人物可知，这种西域风格石椁多为来华粟特人葬具，存世量少。石椁外壁以细线刻复杂图像，是存世粟特人石椁中的线刻精美者。墓室北壁正中绘墓主夫妇在帷帐中坐于床榻之上宴饮，后面衬以联扇屏风。其两侧为鞍马出行仪仗和犊牛出行仪仗。这种现实性图像布局方式，在东魏北齐邺城、并州、青州一带皇室、高官、贵族壁画墓中，已成一种流行模式。在此影响下，粟特人葬具制作中也沿袭这一模式。

北朝石椁藏于中国国家博物馆。

李静训墓石椁　隋代文物。1957年，陕西省西安市郊出土。据出土墓志可知，石椁主人李静训，字小孩，父系母系均家世显赫。其曾祖父李贤是北周骠骑大将军、河西郡公。祖父李崇，曾随周武帝宇文邕平齐，后又与隋文帝杨坚一起打天下，官至上柱国，隋文帝开皇三年（583年），在与突厥战争中以身殉国，其父李敏时年7岁，也因此受隋文帝杨坚恩宠，被养于皇宫之中。李静训外祖母杨丽华是北周宣帝宇文赟的皇后，隋文帝杨坚的长女，隋朝建立后被封为乐平公主。隋开皇十九年（599年），李静训出生，在外祖母杨丽华身边抚养。隋大业四年（608年），李静训病殁于汾源宫中（山西宁武县西南管涔山上天池边），年仅9岁，灵柩回京后安放于万善尼寺中，半年后将其厚葬

于此。李静训葬具使用密封结实石棺椁，在石椁、石棺顶部中央，均刻有"开者即死"诅咒语。下葬后还在坟上构造重阁，作为超度祈福场所，这种葬制在中国古代也是罕见的。考古发掘时，曾在墓葬地面上发现残存长50米、宽22米、残高数米的夯土台基。重阁建筑高大宏伟，虽地面上木构建筑早已毁塌，但坚固夯土台基保住了李静训石棺椁免遭盗掘。

李静训墓石椁，高122厘米，长192厘米，宽89厘米。石灰岩圆雕及线刻。石椁外形为一座歇山式顶房屋，椁盖顶正脊中央置一火珠，正脊两端设鸱尾，并浮雕筒瓦和莲花纹瓦当，在一块瓦面上刻有"开者即死"。椁身四壁由6块石板构成，四角转角处是曲尺形整石。椁壁合缝处扣有铁质"细腰"。椁西边为正面，

中心间雕板门两扇，门两旁各刻侍女一人。正面两侧开窗，窗下刻青龙、朱雀图像。椁南面刻门两扇，左右各刻男侍一人，相对而立。椁内四壁绘有侍女人物及鸟、树木等壁画。石椁石材都经反复打磨，表面十分平整，且精雕细刻，是件高水平的石刻艺术品。

这种房形石葬具在隋朝前曾出现过，但这具石椁迥别于以往房形石葬具图像内容的程式化，制作者是将石椁当作墓主冥第阴宅来精心装饰。石椁上雕刻建筑构件，人字形铺作斜边的做法，与北齐建筑相似，门上周饰卷草与北魏、北齐石窟门雕饰相同，表明石椁是仿照当时建筑实物而作，为研究隋代建筑提供了实物资料。

李静训墓石椁藏于陕西西安碑林博物馆。

李寿墓石椁　唐代文物。1973年，陕西省三原县李寿墓出土。李寿（557～630年）是唐高祖李渊堂弟，因会同李渊在反隋征战中有功，死后陪葬唐高祖献陵。

李寿墓石椁，高220厘米，长355厘米，宽185厘米。石灰岩圆雕及线刻。石椁外形似三间歇山顶式房屋建筑，由顶、身、底组成，共28块青石构件。石椁顶部圆雕筒瓦覆盖，边檐雕有莲花。椁身前正中有两扇可开合石门，外部四周以减地平雕并彩绘贴金青龙、白虎、朱雀、玄武四神及卫士、文臣、武将、驾龙骑凤仙人等形象；石椁内部四周阴线刻乐伎、舞伎、侍女等画面，顶端则线刻星相图、太阳及金蝉、玉兔。椁底四周阴刻十二生肖像。石椁不仅图像富丽，人物生动，且线刻画线条流畅，异常精美。这些雕刻图案，是研究唐代服饰、舞蹈、音乐及社会生活的珍贵资料。

与唐代其他石椁相比，李寿石椁外形独特之处在于其正面多了双开式小门，但小门的寓意尚不明确。椁身用文臣武将衣冠人物形象，取代唐墓壁画中常见多姿宫女形象，既与李寿身份相符，也是李寿生前豪奢生活的写照，有专家认为石椁象征墓主人生前寝殿。石椁内壁线刻乐舞图也引起学界广泛关注。史载，唐代

宫廷音乐制度中备受关注的坐部伎、立部伎，两者区分究竟始于何时，因古代文献记载不同，在音乐界存在很大争议。所谓"坐、立部伎"是按照表演姿势坐、立来进行划分乐舞，即所谓"堂下立奏，谓之立部伎；堂上坐奏，谓之坐部伎"。二部伎各有其表演特色，规模和具体人数也有不同规定。据有关专家研究，李寿石椁西壁北部为舞伎图6人，均梳双环髻，着拖地长裙，两两相对，翩翩起舞；石椁北壁女伎12人，踞坐演奏，所持乐器有竖箜篌、直项琵琶、曲项琵琶、筝、笙、横笛、排箫、筚篥、铜钹、答腊鼓、腰鼓、贝，当是坐部伎；石椁东壁南部12女伎均站立演奏，所持乐器有笙、排箫、竖笛、铜钹、横笛、筚篥、琴、筝、曲项琵琶、直项琵琶、竖箜篌，当是立部伎。李寿石椁线刻图发现，证明唐代坐、立部伎的出现，是在唐武德元年至贞观四年（618～630年）间。也有专家认为，无论从规格和时代上来分析，李寿石椁乐舞图都不可能表现的是坐、立部伎，而根据乐伎所持乐器和服饰特点，推断其反映的是由汉族俗乐与西域胡乐混编而成的西凉乐。也有专家认为，坐立部乐曲是颂扬隋至初唐帝王，尤其是在位皇帝文治武功的宫廷雅乐，绝非一般娱乐助兴的乐舞可比。身为臣下的李寿，是无权享受这种性质的音乐，死后更不可能把这种音乐刻绘在棺椁上，所以说李寿石椁上所刻并非坐、立部乐伎图，其所奏也并非宫廷雅乐，而是一般亲贵家中的寻常俗乐。

李寿墓石椁藏于陕西西安碑林博物馆。

大云寺舍利石函 武周延载元年（694年）文物。1964年，甘肃省泾川县大云寺遗址出

土。泾川县唐时为泾州，属关内道，为畿辅之地，是自长安北上丝绸之路的第一大站。武则天建周之前，有僧人撰《大云经疏》献上，为其以女性之身君临天下提供依据。为此，武则天登基后敕令两京和诸州建大云寺，专门供奉《大云经》。泾州大云寺原名大兴国寺，因此更名。

大云寺舍利石函，高42.5厘米，长50.5厘米，宽49.5厘米。石灰岩线刻。出土时，舍利容器一套5件，石函内依次有鎏金铜匣、银椁、金棺和装有14粒舍利玻璃舍利瓶。最外层石函为方形覆斗顶，顶上正中刻有阳文隶书"大周泾州大云寺舍利之函总一十四粒"，四周饰以缠枝西番莲图案。

函身四面镌有孟诜撰写的《泾州大云寺舍利石函铭并序》千字长篇铭文，是中国古代舍利函铭中较长的一篇。铭文书体具有明显初唐书风，且包含典型武周新创字样。除唐代骈文中常见大量颂词与夸饰骈句，铭文中详细记录了这批舍利发现、发掘、尊礼与再次瘗埋经过。从铭文可知，发现一原藏舍利石函上有"神皇圣帝，地同天合，星拱辰居，川潮海纳"铭文。"神皇圣帝"四字正与武则天尊号相合。在讲求神异祥瑞的古代，这是极大吉兆，是神授君权体

现。所以，孟诜借此歌颂武则天是神佛化身。可想见，这在巩固武氏统治政权中的重要意义。然而，正史中并没有这一征兆的记载。舍利石函题铭最后列举大量参与这次舍利瘗埋官员姓名，其中众多人物可在唐代文献中找到踪迹。石函题铭既可补史，也对了解当时士族大姓在官僚政治中的地位，提供实证。

大云寺舍利石函藏于甘肃省博物馆。

永泰公主墓石椁 唐神龙二年（706年）文物。20世纪60年代初，陕西省乾陵出土。永泰公主是唐高宗和武则天的孙女，唐中宗李显的女儿，嫁武延基（武则天内侄孙），死于大足元年（701年），时年17岁。神龙二年（706年）与

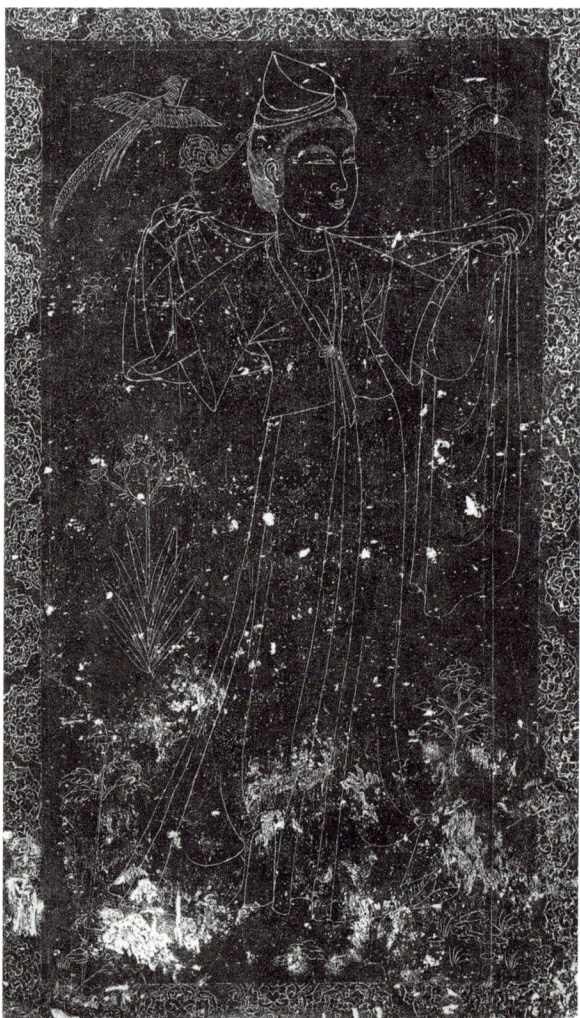

驸马都尉武延基合葬于乾陵北原陪葬。

永泰公主墓石椁由顶、底、壁组成。椁顶为庑殿式，上雕脊瓦、勾头、滴水等。椁底长390厘米，宽280厘米；椁壁长382厘米，宽275厘米。石灰岩圆雕及线刻。石椁由10块石板和10根石倚柱构成，倚柱内外均线刻回折莲花，其间还有飞鸟、鸳鸯、鹤、迦陵频迦等。椁壁南面正中间线刻一门扇，每扇刻有一宫女。其余壁板内外各间均刻有侍女形象，装扮和动态各不相同，有上着帔巾、下穿长裙；有身着男装；有身穿长褂，腰束锦带，带上缀有荷包；有脚穿如意鞋；有身着短袄长裙，或捧壶，或托盘，或弄花，或拱手，或对话等，根据身份高低，人物有大小之分。在人物背景空间，刻出飞鸟鸣禽和奇花异卉，作为衬托，生活气息浓郁，为唐代服饰制度研究提供形象资料。人物面部线刻，采用浅减地方式模拟色差效果，并用主体形象外边缘坡形渐变来模仿晕色。棺椁线刻画线条圆润流利，内容丰富，旨趣各异，展现宫廷生活情景。

隋唐时期石质葬具多出土于高等级墓葬中，尤以帝王陪葬墓占相当大比例。在这些帝王陪葬墓中，以懿德太子李重润墓、永泰公主李仙蕙墓石椁最为奢华，这与唐中宗以礼改葬有关。神龙元年（705年），中宗李显复位，推翻武周时期一系列改制行为，并以礼改葬被武后诛杀的李唐宗室，对遭遇迫害的亲生子女李重润、李仙蕙更是立刻追赠为太子与公主，特别施恩号墓为陵，诏令使用制作精良，且满饰线刻人物花鸟庑顶式石椁葬具。此石椁葬具是当时历史的反映。

永泰公主墓石椁藏于陕西乾陵博物馆。

武惠妃墓石椁 唐开元二十五年（737年）文物。2004～2005年，陕西省西安市长安区大兆乡庞留村唐敬陵出土。武惠妃是唐玄宗宠妃，开元二十五年（737年）卒于兴庆宫，死后被玄宗赠为贞顺皇后，葬于敬陵（陕西西安长安区庞留村）。

武惠妃墓石椁，长399厘米，宽258厘米，高245厘米，重26吨。青石质。石椁仿宫殿造型，面宽三间、进深两间，由盖顶、椁板、立柱、基座共31块石材构成。其中，椁顶5块巨石雕刻成屋顶状，椽头施蓝色彩绘，绘十字形瓦当。椁体由10根立柱、10件壁板间隔组合构成，椁门位于石椁东面中央，其上雕刻6排泡

钉，一个门锁，上残留金粉；两侧分置直棂窗，施绿色彩绘。石椁整体采用减地浅浮雕、线刻与彩绘等装饰技法，图案满布于立柱、壁板内外壁及基座立面上，内容主要有珍禽异兽、花草树木、仕女人物等，其中内壁满刻屏风式10幅人物画，共21位仕女，呈现出这一时期女性人物画中典型一主一仆或一主二仆构图模式；外壁板上部雕刻连续式缠枝莲花童子纹饰，下部为形象各异的胡人牵兽图；基座壶门上饰各式动感十足的珍奇异兽；立柱上刻胡人伎乐、迦陵频伽、飞廉、飞马、飞凤等纹饰。

武惠妃石椁是唐代已出土石椁中等级最高、体量最大，且彩绘保存最完好、内容最丰

富的一具。石椁侍女图中女扮男装形象占总量之半。侍女头戴幞头、身穿圆领袍，腰束带，脚穿尖底软靴，在唐代壁画及石椁线刻中均有出现，说明唐朝前期，特别是盛唐时期，女着男装成为一种社会风尚。石椁立柱上伎乐形象是当时流行胡人乐舞主题，在墓葬雕刻艺术上的再现。数量不少的神兽、狮子及胡人牵兽、骑兽等形象，具有浓郁的异域及多元文化色彩，学界有认为其为萨珊波斯艺术、希腊罗马、犍陀罗艺术等各种观点。

武惠妃石椁上繁复华丽且充满异域色彩装饰图像，集中体现走向盛唐时代多元文化色彩，图像中许多元素也是唐代其他石椁及壁画中较为少见的，此石椁是盛唐艺术的代表之作。

2004年5月至2005年6月，陕西一盗墓团伙用炸药炸开武惠妃墓，先后6次入墓盗掘，对石椁采取分解、打包方式盗出，再分批装箱偷运到广州，后在香港以100万美元价格贩卖走私到境外。2006年2月，陕西西安警方在侦破一普通文物案件时，在藏于盗墓者住处一移动硬盘里，发现盗掘庞留村古墓全过程，特别是一巨大石椁和丰富壁画照片，引起警方注意。2007年1月，警方委托陕西省文物局鉴定组对照片进行鉴定。专家依据照片，多次到被盗现场对墓葬封土规格、墓室残留壁画及周边文物进行比对，确定石椁真实性及价值，对被盗墓地进行抢救性发掘。出土文物证实该墓是唐代贞顺皇后（武惠妃）敬陵。2007年12月，警方获悉石椁被一美国古董商人购买。2009年1月15日，中美两国政府签署合作开展打击跨境文物走私犯罪谅解备忘录，为追回走私文物提供重要法律依据。经多方努力，2010年4月30

日，被盗后流失海外5年之久的武惠妃石椁被成功追索，回归西安。

修复后的武惠妃墓石椁藏于陕西历史博物馆。

韦洞夫妇、韦顼夫妇石椁 唐神龙二年（706年）、开元六年（718年）文物。韦洞墓石椁于1958年在陕西省长安县韦曲原上的南里王村出土。韦顼墓石椁清宣统庚戌年（1910年）发现，因盗卖涉及诉讼而被官府没收。后

因无人保存，以致散失民间，曾一度被作为民居台阶使用。民国32年（1943年），中国美术史论家和考古学家王子云在陕西西安发现韦泂夫妇墓石椁。韦泂、韦顼是唐中宗李显的母后韦氏兄弟。由于韦后专权，韦氏一门更是势倾朝野，韦曲原上南、北里王村，便是韦家坟园所在地。及韦后覆灭，唐睿宗、唐玄宗曾大掘韦氏之墓。

韦泂墓石椁由顶、底、壁三部分组成。椁顶由4块石板组成，上刻屋脊、筒瓦陇及瓦当。椁底由长109～140厘米，宽52～72厘米，厚27～32厘米的6块石灰石拼成。外围边缘刻划花草和虎兽图案。椁壁由高105厘米，宽50～70厘米，厚12厘米的10块青石板组成。石板表里刻画人物及窗门图案，里面是侍女形象，外面是男仆形象，男仆、侍女或捧壶、盆、包袱，或持花抚鸟。其中一侍女身着翻领胡装和长筒花裤，头梳双髻，足穿便履。男仆则是头戴软帽，腰束荷包，足穿软鞋；男仆形象在石椁石棺装饰上较少见，尤其是作为单个形象突出于装饰画面上。在雕刻技法上，韦泂墓石椁阳刻阴刻兼用，阴刻多用在人物像上，刀锋有正锋和偏锋，阳刻加阴刻多用在花草及鸟兽等题材方面，即先在周围用刀锋剔出部分，使需要的形象轮廓浮露出来，轮廓内细部则用纤细阴线刻划。

韦顼墓石椁由10余块石板组成。石椁12块壁板残件，每块高125厘米，宽58～75厘米。石椁上有阴线刻贵妇或侍女形象，其中贵妇形象长裙曳地，头戴华冠，颈饰项链；侍女有持扇、照镜、扑蝶、调鹰、戏鸟、捧物等，发髻衣饰皆不相同。其中一侍女头扎蝴蝶结，身穿翻领窄袖花短袍，花裤花鞋，体态轻盈，稚气宛然；一侍女头戴胡帽如"浑脱"，此图可证当时长安市上"汉着胡帽"的时代风尚。此侍女身穿紧身翻领长袍，腰系蹀躞带，束口裤，缀花线鞋。全身胡装打扮的侍女形象多见在唐墓壁画中，反映了胡装在当时的流行和普及，展现出唐代中土与西域交往的历史风貌。

韦泂、韦顼都是皇亲贵戚，其石椁上线刻必然出自水平较高名工之手，是唐代石刻人物线画代表作。韦泂石椁线刻显得圆劲有力，而韦顼石椁线刻则如蚕丝飘动，各有艺术特点。

韦泂夫妇、韦顼夫妇石椁分别存于陕西省考古研究院，藏于陕西西安碑林博物馆。

杨会石椁 唐代文物。1991年，陕西省靖边县红墩界乡杨家村出土。据同墓出土墓志可知，墓主杨会，"字云会，弘农人也。祖，朝议大夫、庆州白马县令行；父，朝议郎、甘州司马绪"，"以神功元年九月十四日授左羽林飞骑、上柱国"。"羽林"，即羽林军，唐代皇室禁卫军，分左右两军，置大将军、将军等。"羽林飞骑"，即羽林军士兵。"上柱国"是正二品勋职，杨会以羽林飞骑之小小实职，竟能获上柱国正二品勋职，是中晚唐时期一种特殊历史现象。唐代前弘农杨氏墓志，大多出土于陕西关中东部和河南的中部、西部。杨会墓志发现于地处西北边陲靖边县，为杨氏家族史研究提供重要资料。

杨会石椁，长250厘米，宽172厘米，高174厘米，重500公斤。石椁为宫殿形，歇山顶，由28块青石板组成，其中椁顶4块、椁廊柱10块、帮板10块、底座4块。石椁内壁彩绘供奉人像，每边3人，男女共6人，旁书其名，有"阿兰""春花""思力"等，人物均着宽袍，点朱唇，姿态各异。石椁外部则由线刻图案和彩绘画面巧妙组合，线刻部分均为单线阳刻。其中立柱、画框均刻缠枝花卉图案；底边则刻云纹猛兽图案。彩绘部分，主图为门吏等人物画，辅图为云花、飞禽图。整个画面疏密有致，造型栩栩如生，既有全局统一性，又有局部相对独立性，且两者配合十分协调、和谐，给人以美观大方、古朴典雅之感，显示鲜明的盛唐风貌。

杨会石椁藏于陕西省靖边博物馆。

石雕舍利棺 五代时期文物。1957年，甘肃省灵台县出土，出土时石棺内置漆盒一件，琉璃瓶三只，盛舍利子，可知其为瘗埋舍利的葬具。石雕舍利棺发掘地位于灵台县东北部寺咀，相传宋代前后，此处是一座规模较大寺院，并有佛塔。发现舍利石棺的地窖室处可能是佛塔基址。窖室用青砖筑成，方形，东南壁有室门和甬道，正中砖砌莲座，舍利石棺即放置其上。据此推断，此窖室即地宫。该舍利石棺地宫式瘗埋方式和棺椁式造型，是佛教艺术中国化的典型例证。

石雕舍利棺，高35.7厘米，长45.6厘米，宽19.4厘米。用质地细密的灰白砂岩雕成。剖面呈梯形，雕刻精细，敷以金、绿、白、红等色，棺盖和棺身以子母卯套合，棺盖前段浮雕朱雀，左右各雕龙、虎；棺身两侧浮雕佛传故事涅槃变与迎佛图，前后两端各有线刻双扇门和浮雕护法天王。石棺画像人体比例适当，面形圆润，服饰写实，接近现实世界人的形象，尤其是涅槃变中人物，因性格、年龄和身份不同而表情各异，神形兼备。

舍利供奉是佛教重要特征之一。舍利容器是装藏佛祖遗骨葬具。古印度用于盛装舍利的容器，除坛、盒类外，多见制作精致的印度覆钵塔形状器。佛教东来，舍利瘗埋之法和舍利容器也随之传入中国，并逐渐与中国传统丧葬制度相结合，以中国式棺椁制作舍利容器，更符合中国丧葬习俗。

石雕舍利棺藏于甘肃省博物馆。

李义山杂剧图石棺 北宋绍圣三年（1096年）文物。1978年，河南省荥阳县槐西村出土。

李义山杂剧图石棺，长193厘米，宽102厘米，前高93厘米，后高62厘米。用青石雕凿而成。棺盖正中竖刻行书"大宋绍圣三年十一月初八日朱三翁之灵男朱允建"21字。棺盖上用阴线雕刻云朵和翔鹤，棺盖前端正面浮雕与棺头正面扣合为四阿式建筑屋顶。棺头正面浮雕一高台建筑门楼，正间大门半掩，一高髻女子启门欲出。棺两侧和后挡皆用纤细阴线刻人物和动物花纹。石棺左壁人物有持香炉、打幡的女性，有击钹、吹法螺的僧人，有宅院等，表现丧葬时佛事仪式和由宅院向墓地送行的送葬场面，反映宋代出殡情况。石棺右壁有三组图像，墓主夫妇宴饮观剧图、侍宴图和庖厨图。其中墓主夫妇观剧图中，夫妇穿斜襟宽领长袍，恭手端坐椅上。桌前演剧者四人，一人头戴东坡巾，穿圆领长袍，右手举竹竿指挥，是剧中参军色（或称竹竿子），是杂剧演出指挥者，其所戴东坡巾是宋代优人演出时一种冠式；一人头饰牛角高髻，手拿拍板，即末泥色；一人头戴介帻，腰系带，肩缝一块补丁，叉手面向墓主人拱手而立，系杂剧副净。叉手是宋代礼节习俗，副净面向主人"叉手示敬"可能是角色上场后例行程序。根据人物扮相和服饰可知所演角色为李义山；一人头戴披巾，穿襦系裙，双手击掌为节拍，二目各斜画一粉道，扮相滑稽，犹如丑角，杂剧中称其为副末。这幅线刻把演员、观众、演出场所和环境雕刻在同一幅画面上，反映宋代家庭私宴上演出场面。石棺线刻纤细，飘若游丝，角色性格鲜明，表情突出，不失为宋代佳作。

杂剧是宋代最为流行戏剧形式，是与唐代参军戏一脉相承的滑稽短剧。表演主要通过双方诙谐、机智问答和嬉戏扑打，达到讽谏讽刺或娱人取乐的目的。剧中表演李义山的故事，是宋代祥符、天禧年间流行杂剧之一，主要内容是讽刺当时盗名窃誉的纨绔子弟。宋代是中国戏剧发展重要时期，勾栏瓦舍的出现与民间曲艺繁荣，使戏剧形式多样化。宋元时期戏剧砖俑、壁画时有发现，但多为南宋后或无确切年代文物。荥阳石棺有确凿纪年，戏剧人物装扮动作和场面比较完整，是研究中国戏剧史的重要资料。

李义山杂剧图石棺藏于河南博物院。

张君石棺 北宋崇宁五年（1106年）文物。1958年，河南省孟津县出土。棺盖上部正中刻墓志铭。志额篆书"洛阳张君墓志"6字，下为志文，除"崇宁五年四月二十日"数字依稀可辨外，其余志文已漫漶不清。崇宁为北宋徽宗年号，崇宁五年为1106年。

张君石棺，高130厘米，宽85厘米，长220厘米。棺盖及棺身均用整块青石雕成。棺盖两侧为连枝大朵牡丹装饰图案，间以攀枝童子和骑兽童子。雕刻技法是减地浅浮雕及线刻。棺

身前挡浮雕门窗，两侧有4个高浮雕侍卫，门扉半掩，一高浮雕女侍欲启门而出。门楣上方正中阴刻仙人导引墓主夫妇升仙图，墓主夫妇旁分别有榜题"一翁"和"二婆"。人物足下皆云气缭绕。棺左右挡板前半部阴线刻持不同器物仙女，其姿态、服饰及笔法，颇似宋代画家武宗元白描的人物《朝元仙仗图》。两挡板后半部和后挡刻孝子图，皆有榜题。右挡板是赵孝宗、郭巨、丁兰、刘明达、舜子、曹娥、孟宗、蔡顺、王祥、董永；左挡板是鲁义姑、刘殷、孙悟元觉、睒子、鲍山、曾参、姜诗、王武子妻、杨昌、田真三人；后挡板为韩伯俞、闵损、陆绩、老莱子。共24人，均为阴线刻。孝子故事盛行于汉代，河南登封汉阙、山东嘉祥武氏祠、长清郭巨祠及河南出土北魏石棺上，都雕刻有此类故事，是宋代石棺孝子图的渊源。

宋代已形成完整的"二十四孝"故事，这一石棺就是佐证。元代郭居业编辑的《二十四孝》一书，就是根据历代孝子故事而作，其中人物做部分调整。此后，"二十四孝"就约定成俗，被历代视为"人伦模范"。此石棺上孝子图，与史载传说故事情节大体相同。画面人物形象单线勾勒技法，都与宋代画家张择端《清明上河图》相似，是典型宋代世俗人物画。

张君石棺藏于河南省洛阳古代艺术馆。

修武石棺 金代文物。1973年，河南省修武城西史平陵村出土。

修武石棺，用整块青石凿成。上部凿出棺槽，砥砺平整，除后挡外，其余三面刻阴线画像。左侧一面刻贵妇梳妆场景，女子皆高髻簪花，穿襦系裙，肩披帛，贵妇坐椅上，侍女捧奁盒、执团扇、执镜。童子捧盘。右侧一面刻杂剧演出场面，共12人，左6人皆戴幞头，穿圆领长衣，腰束革带，着靴站立，其中一人双手执木槌击大鼓、一人执拍板、2人吹筚篥、2人击方响。右4人戴幞头或展脚幞头，穿圆领

长袖衣，腰束革带，着靴站立，其中前两人挎腰鼓，双手拍击，后两人吹筚篥。中间为两人舞蹈，上刻曲牌名"小石雕嘉庆乐"。此图与1973年河南焦作郊区王庄金代承安四年墓内石刻线画上的杂剧图完全一致。两墓画本可能出自共同粉本。画像场面生动逼真，是研究中国戏剧发展史重要资料。

"小石调"为古代杂剧宫调之一，其特点"旖旎妩媚"。"嘉庆乐"是小宫调曲牌。"小石调嘉庆乐"在《宋史·乐志》中有记载。据《九宫大成谱》所载，北曲有二十九支，南曲有七十四支，"嘉庆乐"应是北曲之一。在北曲研究中，有学者一直以现代戏曲中配器为依据，揣测南曲以笛箫为主，北曲以弦索为主，甚至把北曲诸宫称为"弦索调"。通过此石棺上表现的"小石调"乐队，得出这样的结论，即北曲主要乐器是大鼓、腰鼓、铁制的方响、拍板和筚篥，演奏起来非常壮烈，具有铿锵之声，杀伐之气，并没有所谓"弦索"。

修武石棺藏于河南博物院。

舍利石函　辽乾统六年（1106年）文物。1962年，北京市朝阳门内大街出土。

舍利石函呈长方形，长100厘米，宽65厘米，高41厘米，汉白玉浮雕。函盖缺失，中央凹槽供奉舍利，四侧面分别高浮雕释迦牟尼涅槃后四个重要场景，即世尊涅槃（正面）、缠裹世尊

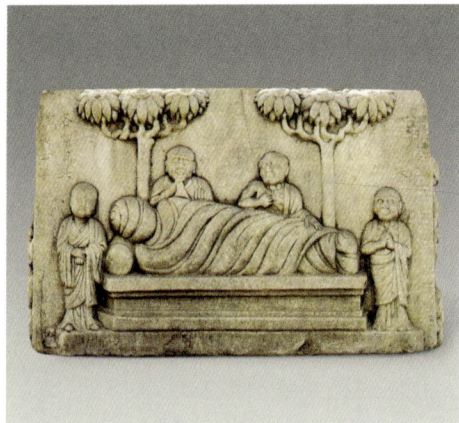

（右侧）、升棺说法（左侧）、疑为八王分舍利（背面）。每幅场景还有阴刻榜题。整个舍利函共雕有佛、菩萨、罗汉、力士和供养菩萨等佛教神祇30尊，人物众多，内容丰富，雕刻精美，形象生动，不仅体现出辽代雕刻艺术手法特点，且全面展现不同佛教题材的形象特征和造型样式，对辽代佛像艺术风格、题材及释迦牟尼佛涅槃场景与图像研究具有重要学术价值。

石函是盛装佛舍利葬具，其装饰主要以塑造佛教人物形象和渲染空间氛围为主，主要题材包含佛教人物、佛教经文、佛教经典故事，以中土传统装饰中很少见的植物花卉花纹，如菩提、忍冬纹、葡萄纹等。

舍利石函藏于首都博物馆。

叶茂台石棺　辽代文物。1974年，辽宁省法库县叶茂台出土。

叶茂台石棺，通高93厘米，长212厘米，宽124厘米。长方形，两端同大，由6块灰白色砂岩石板雕制拼合而成，除棺底外，通体有浅浮雕花纹，并填色绘彩。棺盖浮雕整株卷草和盛开牡丹纹、人形化十二生肖像，四角各雕一伏狮。棺四壁分雕青龙、白虎、朱雀和玄武四神，缀以火焰状云纹。龙虎都云生腋下，如御风而行，朱雀立于云间莲花上，十分生动。棺内壁亦半雕半画左右立有侍卫的门及"妇人启门"图样，上有伎乐仙人飘然而下。整个石棺从纹饰题材设计到整体图案布局，都显得流畅自然，浑然天成，表现出辽早期艺术浑厚朴拙特点，是珍贵的大型雕刻艺术精品。

此石棺形制不是沿用前大后小的一般棺形，而是两端同大的衣箱式。石棺雕刻题材虽沿用汉族常见四神和十二生肖等图案，却满衬

以佛教神光中常见火焰纹，用以助长主题龙腾虎跃的气势。雕刻技法一反过去平雕和线刻手法，运用表面有凸凹体积感的浅浮雕，这在汉族墓葬装饰雕刻中较少见。在石棺头挡板内壁半雕半画"妇人启门"形象，是源于汉族习用题材，在一般宋代墓室雕刻中颇为多见。图景上天花、飞天及门两侧伎乐，其表现的"朱雀立门，乐部送行，飞天接引"升天思想，也深受汉文化影响。但图像雕画在棺头内壁，却是罕见的。

叶茂台石棺藏于辽宁省博物馆。

潘德冲石棺 蒙古汗国中统元年（1260年）文物。1960年，山西省永乐宫旧址西北峨嵋岭出土。墓主潘德冲，全真教著名人物，号仲和妙真人。丘处机的弟子，曾随丘处机谒见成吉思汗，任当时道教河东南北两路提点，是修建永乐宫主持人。

潘德冲石棺，上长182厘米，下长187厘米，前高69厘米，后高49厘米。石灰岩浮雕。前挡中间凿方孔门，通于棺内，门旁各有一侍，男左女右，双手捧物，侧身相对向门而立，门上部刻有一组反映元代戏剧舞台演出场景，戏台为亭台楼阁式，前有栏楯，后有槅扇，四个不同角色正在演出。棺壁两侧刻"二十四孝"图，每幅图以边框划界，图旁刻有榜文。

孝子图像自汉代开始出现，以孝子图像为题材装饰葬具，在北魏时期墓葬中也多有发现，但直到宋金时期，连续带有故事情节的"二十四孝"图像才开始出现，并在墓葬中广泛采用，仅在山西晋南、晋东南一带就发现很多。石椁上杂剧演出场面，演出形式、内容及

舞台布置，都和宋金杂剧相同。石椁中所表现出固定和专用性戏台，金代称作"舞厅"或"露台"，元代称作"舞厅"。以舞台布置而言，石椁所刻舞台背景上写草字屏风，颇似宋金壁画中所常见，像元代杂剧台面上台幔类装饰（元代人称为"帐额""靠背"等）尚未出现。石椁上所刻戏台和杂剧人物扮相似河南偃师宋墓和山西稷山金墓出土砖雕杂剧人物。线刻画笔法顿挫，内容可补充金元之际杂剧演出形式，对研究中国戏剧发展史有重大价值。

潘德冲石棺存于山西永乐宫文物管理所。

龙纹石椁、凤纹石椁 金代文物。2002年，北京市房山区金陵遗址出土。金陵遗址共出土4具石椁，其中正中偏南一具雕龙纹，毁坏严重，其北一具完整，雕有凤纹，西北角两具素面。考古发掘虽没有出土有铭文文物，但出土雕龙纹、凤纹汉白玉石椁应为皇室专用，为中国首次发现。据史书及有关文献记载，此主陵区内应埋葬有太祖、太宗、德宗、睿宗、世宗五代帝王。由于该墓坑位于整个金陵遗址中轴线上，结合考古发现，根据墓葬形制及出土文物，考古专家初步判定，该墓为金太祖完颜阿骨打的睿陵。龙纹石椁主人为金太祖完颜阿骨打，凤纹石椁主人为太祖皇后。

龙纹石椁为汉白玉质，仅残留底部、顶式椁盖一部分及刻有团龙流云纹的东壁挡板，其他三面椁板已不见。椁底残留墨地朱纹金线勾双龙戏珠纹，但已模糊不清。凤纹石椁，长

248厘米，高152厘米，宽120厘米。为汉白玉质，椁盖、椁身均为整块石雕凿而成。椁盖呈长方形顶式，雕刻缠枝忍冬纹，四角刻卷云纹，中间为双凤纹填金。椁身外四周均以松香匝敷，由于松香将外椁壁花纹遮挡，仅从椁壁暴露部分观察，椁壁四框以缠枝忍冬纹圈边，东、西两端挡板正中刻团凤纹及卷云纹，南、北两侧椁壁中间刻双凤纹及卷云纹，周边雕刻手法均采用剔地起花并描金线。椁内壁有墨线勾绘纹饰。石椁内放置木棺一具，木棺四框立在椁内而棺盖残落在棺内，木棺外壁为红漆，漆外饰银片鎏金錾刻凤鸟纹。棺内头骨处随葬有一件金丝凤冠及雕凤鸟纹饰件。

龙纹石椁、凤纹石椁藏于首都博物馆。

第三节　文字石刻与其他杂刻

琅琊刻石　秦始皇二十八年至秦二世元年（前219～前209年）文物。

琅琊刻石，残石，高132.2厘米，宽65.8～71.3厘米，厚36.2厘米，为竖直长方体。石灰岩质。是秦始皇二十八年（前219年）秦始皇东巡到琅琊郡（山东胶南西北）时所立刻石的后半部。书体为秦小篆，相传为李斯所书。残存13行87字，前两行为当时随秦始皇巡视从臣最后两人的官职和姓名，后十一行为秦二世元年（前209年）秦二世补刻诏书及从臣姓名，字已漫漶。刻石原本在山崖上，清代被人凿下保存，是秦刻石罕见珍品。

秦始皇统一六国后，先后于秦始皇二十七年、二十九年、三十年、三十二年和三十七年（前220年、前219年、前218年、前215年和前210年）五次周巡天下，所到之地，多立刻石。据《史记·始皇本纪》记载，所立泰山、峄山、琅琊、会稽、芝罘、芝罘东观和碣石等刻石，意图通过巡行，向不安分的六国旧贵族和百姓示威，以强化及维系空前庞大的秦朝统治。这在琅琊刻石中有所反映。刻石中歌颂秦始皇统一六国的丰功伟绩，强调制定统一法律制度作为办事的准则，重申统一度量衡、统一文字以巩固国家统一的重要性。秦二世在补刻诏书中，强调统一度量衡是秦始皇的功绩，并表示将统一度量衡法令继续推行下去。

琅琊刻石藏于中国国家博物馆。

汉鄐君开通褒斜道摩崖石刻　东汉永平六年至九年（公元63～66年）文物。1970年，因修建石门水库，汉鄐君开通褒斜道摩崖石刻北迁，并藏于陕西汉中博物馆。

汉鄐君开通褒斜道摩崖刻石原在陕西汉中褒城（勉县）北石门溪谷道石崖上。汉中褒城溪谷中有古代摩崖刻石百余品，其中以"石

门十三品"尤为著称，包括汉刻8种，曹魏和北魏刻石各1种，宋刻3种。摩崖刻石是"石门十三品"中最早刻石，因年久为苔藓所封，故人莫知。至南宋光宗绍熙五年（1194年）三月，始为南郑县令晏袤发现，并刻长篇题记于其旁，即"石门十三品"之一的《鄐君开通褒斜道摩崖释文》。鄐君开通褒斜道摩崖刻石在晏袤以前欧、赵、洪三家著录中均未提及，至南宋娄机《汉隶字源》始见著录。但此后六百余年又被苔藓覆盖，无人问津。到清乾隆年间，陕西巡抚、金石家毕沅撰《关中金石志》，复

搜访而得之，遂有拓本传世。

汉鄐君开通褒斜道摩崖俗称"大开通"或"开道碑"。石通高分为三段，前段80厘米，中段103厘米，后段125厘米，上沿宽272厘米，下沿宽276厘米；文16行，行5～11字不等，字径9～16厘米。刻石内容叙述东汉永平六年（公元63年），汉中太守钜鹿人鄐君奉诏承修褒斜栈道，至永平九年（公元66年）四月落成的经过。刻石详细记录用工料及钱、粮和修桥柱、大桥间数、亭所及里程数字等，为研究褒斜栈道沿革和中国古代交通桥阁建筑等提

供重要资料。刻石书法以篆作隶，是少见的汉隶石刻大字之一，与石门颂、西狭颂、郙阁颂并为汉著名摩崖石刻，且年代最早。其书法布局饱满，随石布字，字大小及笔画长短、粗细、正斜皆参差不整，没有波磔，线条遒劲有力，浑厚古拙，具有早期隶书特点。刻石由于剥蚀甚重，许多文字难辨识，在石花中隐隐能辨文字线条走向，刻石文字线条两边不见刀痕，似为锥凿而成。

褒斜道是古代由关中入蜀诸道中时代最早、规模最大、持续最长的一条道路，始建于何时，说法不一，尚无定论。《战国策 · 秦策》《史记 · 范雎传》都有"栈道千里，通于蜀汉"文字记述，是褒斜栈道首见于史的记载，时间在秦昭王五十年（前257年）。褒斜栈道形成应当在此之前。秦之后，除褒斜道和金牛道外，由关中入蜀陆续增添子午道、故道及后来的傥骆道、米仓道等，在各道中褒斜道和金牛道为其正道。由于地理因素和历史原因，褒斜道向来为各代朝廷所重视，继汉武帝"发数万人作褒斜道五百余里"之后，到东汉明帝永平中又诏遣汉中太守鄐君，"受广汉、蜀郡、巴郡徒二千六百九十人，开通褒斜（余）道"，并在这次开道过程中，凿通石门为中国最早穿山隧道。其后，褒斜道上车辆畅通。时人感于鄐君治道之功，乃为之记，镌于石门南半里许崖壁上，从此为褒谷摩崖开了先例。

汉鄐君开通褒斜道摩崖石刻藏于陕西汉中博物馆。

石门颂　东汉建和二年（148年）文物。石门颂亦称"故司隶校尉楗为杨君颂"，原镌刻在褒谷石门西壁。1967年，因国家在石门所在地修建大型水库，将石门颂摩崖刻字从崖壁中凿

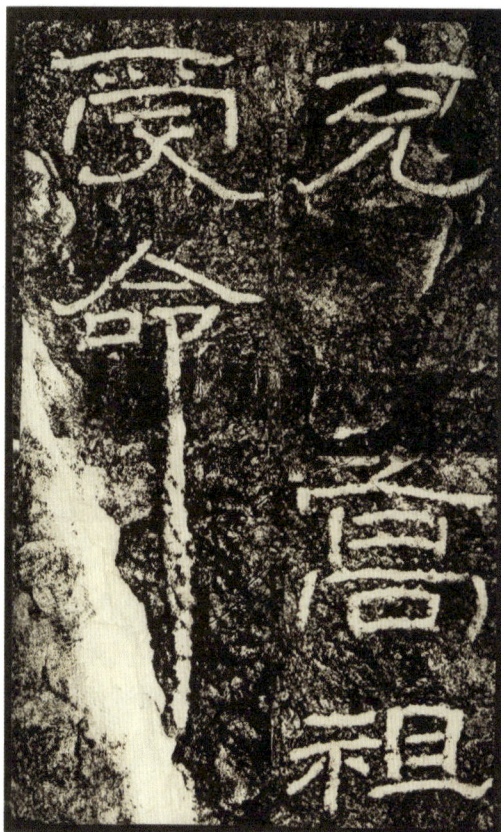

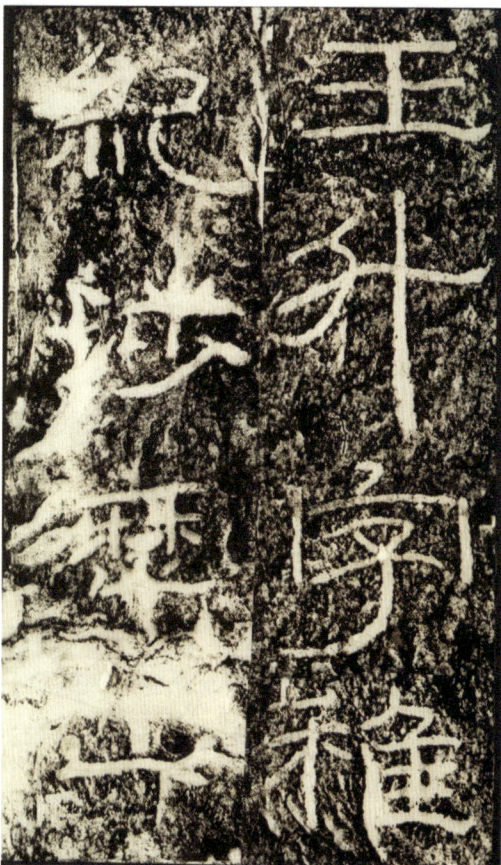

出。1971年，石门颂移藏于陕西汉中博物馆。

石门颂，通高261厘米、宽205厘米。王升撰文。上有王升题额两行10字。文22行，行30、31字不等。刻石内容为汉中太守王升为歌颂杨孟文数次上奏开通陕西褒谷石门的颂词。颂词中，未记述修治具体过程，而是通过对褒斜道重要地位的强调及其开塞历史的回顾，对子午、陈仓、傥骆、堂光四条道路的概述和子午道艰险情况的描绘，突出罢子午道、通褒斜道的意义，赞颂杨孟文"深执忠伉，数上奏请"的精神，"禹凿龙门，君其继踪"的事迹和"自南至北，四海攸通"的功勋，是研究中国古代栈道史的重要资料。

刻石书法隶体，结字随石势铺衍，跌宕起伏；纵横有序之间，每见破格之处，洒脱自然，挺劲多姿。刻石与所见敦煌汉简等书迹相同，书法天真流露，极飘逸新奇，堪为汉隶中具有鲜明个性的杰作。杨守敬《平碑记》称："其行笔真如野鹤闲鸥，飘飘欲仙，六朝疏秀一派皆从此出。"刻石上存留有"书丹"痕迹（在镌刻前，先用朱笔把文稿写在崖面上，叫作书丹），更可珍贵。石门颂摩崖是中国著名的汉隶石刻之一，素为历代名家所称颂，自北魏郦道元、宋欧阳修、赵明诚、洪适到清代王昶、冯云鹏等，皆对此摩崖做过考释。

石门颂藏于陕西汉中博物馆。

衮雪摩崖 东汉建安二十四年（219年）文物。衮雪摩崖传为曹操所书，原在陕西省汉中褒斜栈道南端的隘口——褒谷口。1967年兴建石门水库时，衮雪摩崖被凿下移藏于陕西汉中博物馆。

摩崖高67厘米，宽148厘米，字径35～46

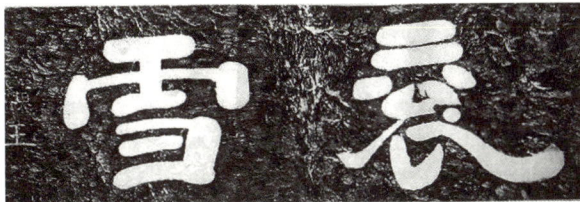

厘米。据史书记载，曹操曾两次到过汉中。第一次是建安二十年（215年），为征五斗米道教祖张鲁而来；第二次是建安二十四年（219年），为与刘备争夺汉中。传说在此期间，曹操登临褒谷故地，见石门外幽谷深滩中，水流俯冲而下，激浪翻滚，犹如白雪，景色极为壮观，遂豪情难抑，挥毫即书"衮雪"，由人镌刻于褒河谷中石尖上，以喻褒谷山水之美。后人因慕其名，又在"衮雪"左侧追镌"魏王"隶书小字。衮雪刻石，据清人罗秀书《褒谷古迹辑略》记载："衮雪刻石有三处，二刻石崖间，宋白巨济及国朝（指清代）张令书，惟浪中石尖所刻似魏王手笔。"白巨济与张令都是仿浪中石刻，白巨济是南宋人，说明衮雪刻石至少在南宋以前就已存在。

衮雪摩崖藏于陕西汉中博物馆。

石门铭 北魏永平二年（509年）文物。

石门铭又名"泰山羊祉开复石门铭"，是镌刻在古褒斜栈道南端石门隧道东壁的摩崖石刻。通高175厘米、宽215厘米。王远书丹、武阿仁凿刻，文27行，行22字，字径5～6厘米，书体介于楷隶之间。在此摩崖右下方，另有一段摩崖刻字，其后署名贾三德，世称"石门铭小记"，或"贾三德题记"，这两段摩崖刻石记述北魏正始、永平年间褒斜改道和复通石门的经过，赞扬羊祉疏请改道的事迹及主持工程者贾三德的品德和才干，是研究褒斜道及石门变迁、通塞的重要资料，有较高的史料价值。石门铭全文融记事、

颂功、写景和抒情于一体，通篇文字典雅生动，叙事真切，是石刻铭文代表作。

石门铭随崖面石势而分行布白，其"疏处可使走马，密处不使通风，若瑶岛散仙，骖鸾跨鹤"。其书体融隶楷为一炉，"体庄茂而宕以逸气，力沉着而出以涩笔"，是中国文字由隶到楷过渡阶段的佳作。书体有严格魏书法度，又体态飞逸，堪称北碑之精粹，被誉为"书中之仙品"。近代书法大师于右任师法石门铭，卓然自成一家，在《右任墨缘》中曾有诗云："朝临石门铭，暮写二十品。辛苦集为联，夜夜泪湿枕。"对石门铭赞誉有加。

石门铭藏于陕西汉中博物馆。

瘗鹤铭石刻　南朝梁武帝天监十三年（514年）文物。

瘗鹤铭原刻于江苏镇江焦山西侧江崖壁之上。宋黄长睿考证为南朝梁武帝天监十三年（514年）刻，中唐后始有著录，宋时被雷击崩落长江。南宋淳熙年间（1174～1189年），从水中捞出一块碎石，上有20余字。清康熙五十二年（1713年），苏州太守陈鹏年又募工匠从江中打捞出四块落石，后将石块砌入定慧寺壁间。清同治戊辰年（1868年），又从江中捞出一石。1960年，建焦山碑林时，将这些石块移至宝墨轩内，藏于江苏镇江焦山碑刻博物馆。此瘗鹤铭为5块残石拼接而成，遗存93字，其中11字不完整。经历代专家考证，"瘗鹤铭"刻石原文应在160字左右，尚有很多缺失。1997年，镇江博物馆和焦山碑刻博物馆联合组成考古队，对刻石塌江地点进行了3个月考古发掘，发现一块长83厘米，宽13～32厘米石块，上有"欠""无"两字。其中"欠"字风化严重，长6.5厘米，宽5.6厘米。从字形分析，为一整字右半边，其左半边因石崩而不存在。"无"字字痕清晰，錾痕大部分明显，字体长8.3厘米，宽6.5厘米，书体为楷隶相结合的真书。经专家考证，"欠""无"是瘗鹤铭刻石中残失字。

自宋代瘗鹤铭残石被发现以来，历代书法家均给予其高度评价，对瘗鹤铭时代、作者、艺术性等方面的研究、探讨一直没停止过，仍未定论。瘗鹤铭虽题署华阳真逸撰，上皇山樵书，但千余年来对其书写者一直众说纷纭。宋人黄长睿考证，瘗鹤铭为梁代陶弘景所书。陶弘景隶书、行书均佳，当时已解官归隐道教圣地镇江茅山华阳洞，故认为属于陶弘景墨迹。另一说，相传是东晋大书法家王羲之所书。王羲之生平极爱养鹤。传说，此刻石是王羲之为悼念死去的两只仙鹤而作。欧阳修认为，华阳真逸是顾况的道号，因此出自顾况之手。还有人认为，是唐人王瓒所书。也有人认为，其字

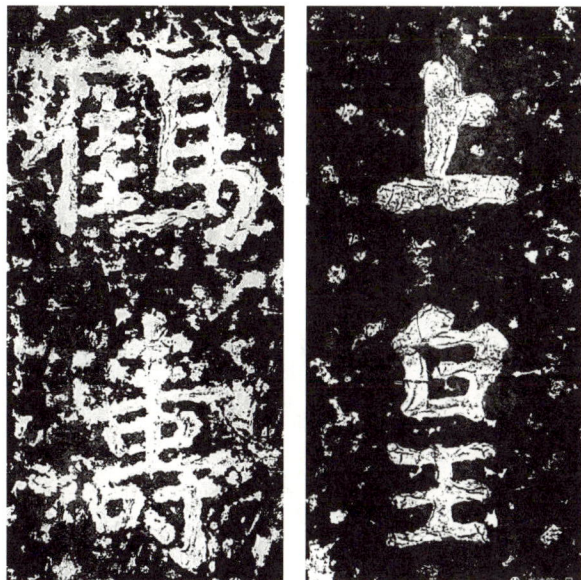

同颜真卿《宋广平碑》接近，认为是颜真卿书。瘗鹤铭被誉为"大字之祖"，其艺术影响力绵长悠久、远及海外，以其独特的神韵和风采博得历代书家、学者青睐。其书法潇洒苍劲、飘逸雄奇，楷笔法则，略带篆隶、行书意趣。加之风雨剥蚀效果，增强线条雄健凝重及深沉的韵味。瘗鹤铭是研究楷书发展过程中篆、隶笔势遗踪发展史的重要实物资料。

瘗鹤铭藏于江苏镇江焦山碑刻博物馆。

麃孝禹碑 西汉河平三年（前26年）文物。

清同治九年（1870年），晚清收藏家泗水知县宫本昂在平邑治水时，丁上堤发现麃孝禹碑，将其带走，存于学宫。碑阳左下方界格外有"同治庚午扬州宫本昂、宫昱，任城刘恩瀛访得此碑于平邑。江曙、高文保来观"题记。

宫本昂将麃孝禹碑转归李宗岱，并专门为此建筑碑亭加以保护。民国9年（1920年），此碑辗转为庄钰所得，保存在济南，后又转至山东图书馆下属山东金石保存所。民国26年（1937年）七七事变前后，山东省图书馆部分精选文物南迁川渝，而麃孝禹碑等石刻文物因

笨重难运滞留济南。在抗日战争期间，这批文物大部分流失，不知去向。1950年7月，在济南经四路纬一路成大汽车行厕所内，发现抗战初期散佚麃孝禹碑。1956年，麃孝禹碑入藏山东省博物馆。

麃孝禹碑，通高182厘米，宽40～46厘米，厚24～26厘米。石灰岩线刻。碑呈圆首长方形。碑身泐蚀较甚，刻迹漫漶，不甚清晰。碑阳阴线刻竖向三栏界格，顶端阴刻房檐形装饰。左右界格上方各刻一鹤，长喙、长颈、细长腿、短垂尾。图案为简笔画，寥寥数笔，简约流畅而极富神韵。鹤下方各刻隶书铭文一

行，右为"河平三年八月丁亥"，左为"平邑成里麃孝禹"，两行共15字。其中"成"字漫漶不清，或释为"侯"。碑铭文记述立碑时间、地点、碑主等。汉甘露四年（前50年），汉宣帝封鲁孝王之子刘敞为平邑侯，于平邑北部置平邑侯国，属东海郡，新莽时国废。麃孝禹即碑主。麃姓当时或为东鲁望族。

麃孝禹碑形制较为原始，铭文简短，开东汉墓碑之先声。麃孝禹碑在书法方面极具代表性，其用笔浑穆圆厚，粗细匀同，具有篆书之遗韵；其造型宽绰舒放，大小错落，甚近似于同时代的简帛文字，字迹遒劲苍古，是古隶的代表

作。在中国碑刻史和书法史上具有重要地位。

碑是主要的文字石刻类型，在东汉时期开始发展，至桓帝、灵帝时期达到极盛。其形制包括碑阳、碑阴、碑首、碑额、碑侧、碑座等。历代著录中汉碑700余种，有确切地址的不足三分之一，位置也多经更迁。麃孝禹碑发现于平邑，题铭亦为平邑，其出土地离原址不远，很是难得。

麃孝禹碑藏于山东博物馆。

袁安碑 东汉永元四年（公元92年）文物。

河南省偃师县辛家村发现。袁安碑后被移置河南偃师县辛家村牛王庙用作供案，因刻

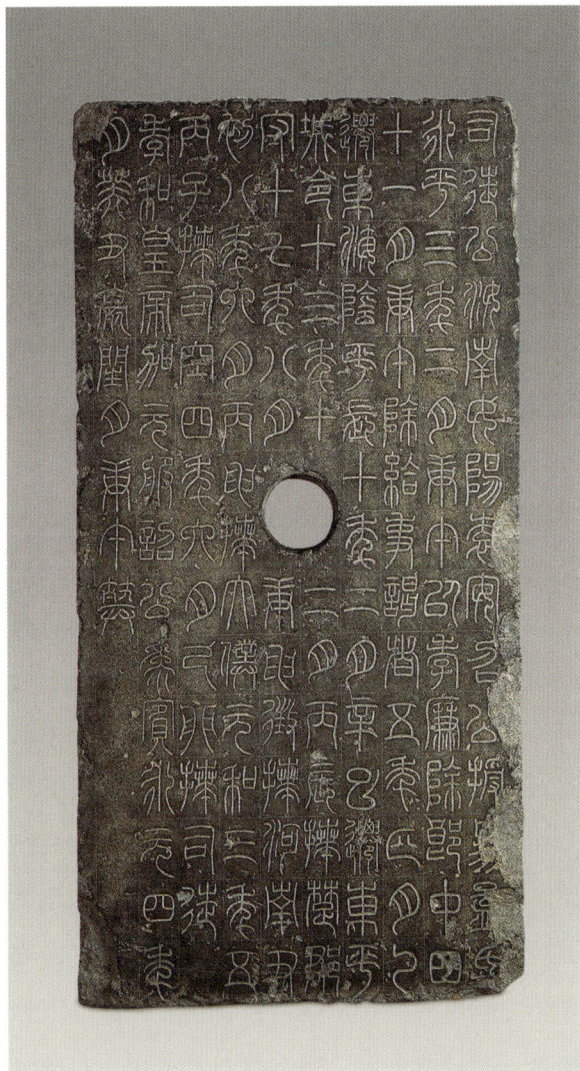

字一面向下，无人知为碑刻。民国17年（1928年）初，牛王庙改为辛村小学。次年夏，一小孩仰卧石案下乘凉，发现石上刻有字迹，村人任继斌遂以拓本行世，并在碑石穿孔空白处盖上辛村小学印章。袁安碑原出土地和出土年代不详，也未见前人著录，从碑侧刻的明万历二十六年（1598年）三月题记可知，此碑至少在明代时就已被人发现。袁安（？～公元92年），字邵公，汝南汝阳（河南商水西南）人。曾任阴平长、任城令、楚郡太守、河南尹，政号严明，断狱公平，在职十年，名重朝廷。后历任太仆、司空、司徒。和帝时，窦太后临朝，外戚窦宪兄弟专权，袁安不畏权贵，多次直言上书，弹劾窦氏专权行为。在是否出击北匈奴的辩论中，袁安力主怀柔，反对劳师远涉、免冠上朝力争达10余次。永元四年春，袁安去世。袁安后代多任大官，汝南袁氏成为东汉有名世家大族。袁安儿子的"袁敞碑"也于民国12年（1923年）在距离袁安碑不远处被发现。

袁安碑，高139厘米，宽73厘米，厚21厘米。石灰岩阴刻。袁安碑全称"汉司徒袁安碑"。碑文篆书，共10行，满行16字，下端残损，每行各缺1字，碑共存139字。碑中间有圆形穿，正当碑中。碑文内容简单，无赞颂铭辞，仅记袁安一生仕历，与《后汉书·袁安传》记载大致相同。

袁安碑是极为罕见的小篆体汉代墓碑。碑字口锋颖如新，与以泰山刻石、峄山刻石为代表的秦篆相比较，用笔上一变秦篆圆转之风，微微带上提按和方折的韵味，使字体飘逸圆融中尽显端庄方正，堪称汉代小篆杰作。袁安碑被金石界所重视，闻名全国。民国27年（1938

年），当地人士曾组织文物保管委员会将此碑收存，后又不知去向。1961年，此碑再现于世，后藏于河南博物院。

袁安碑藏于河南博物院。

裴岑纪功碑　东汉永和二年（137年）文物。20世纪50年代，裴岑纪功碑运往新疆维吾尔自治区博物馆收藏。

裴岑纪功碑，原在新疆维吾尔自治区巴里坤城西25千米之石人子，因碑上锐下大，望之如石人，此地因之命名"石人子"。清雍正七年（1729年）大将军岳钟琪意外发现此碑，

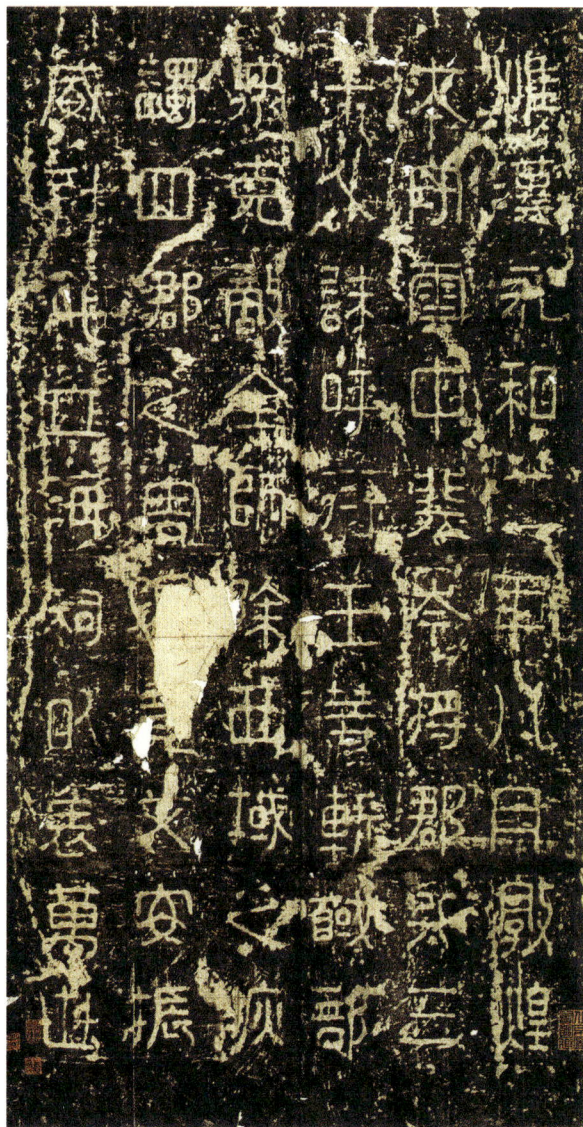

遂将之移置将军府，后又迁往巴里坤城外关帝庙，并筑亭加以保护。乾隆二十二年（1757年），裘文达首次对碑进行捶拓，并把拓片带回内地当作礼物赠送他人，此碑遂为世人了解。由于此碑文字清晰，字体精美，文人墨客竞相求拓。并相传此碑有惊天镇海之力，故亦名"镇海碑"。民国20年（1931年），青海马步芳之堂弟马仲英窜至新疆，进攻巴里坤。守城军兵怕关帝庙会成为敌人攻城堡垒，忍痛烧毁庙宇房舍时，此碑被火烧裂。事后，民众用麻皮蘸胶水将碑石箍好，运至仙姑庙保存。不巧那年大旱，当地乡民听说是因"镇海碑"移走之故，便强行把碑石迁返原处，不料途中又弄裂碑身。

裴岑纪功碑，高111厘米，宽62厘米。全称汉敦煌太守裴岑纪功碑，汉顺帝永和二年为纪念太守裴岑战功而刻。碑文共6行，每行10字。碑文为古隶，系由篆书向隶书衍化时期的作品，隶法已大备，撇、捺处波磔显现，但仍取长形结构为其特色，圆劲古厚，气势磅礴。

据碑文可知，裴岑为云中（山西大同）人，曾任敦煌太守，但史书中未见裴岑其人及西征一事的记载。《后汉书·西域传》记载，自汉安帝后，北匈奴"呼衍王，常辗转蒲类秦海之间，专制西域，共为寇抄"。阳嘉四年（135年）春，"北匈奴呼衍王率兵侵后部（乌鲁木齐），帝以车师六国接近北虏，为西域蔽扞，乃令敦煌太守发诸国兵及玉门关候、伊吾司马合六千三百骑救之，掩击北虏于勒山，汉军不利。秋，呼衍王复将二千人攻后部，破之"。此记载，只言敦煌太守，未记姓名。阳嘉四年后，顺帝改元为永和。裴岑纪

功碑所记战役，是否与史书记载为同一事，尚不能定论。但在呼衍王势力日涨之时，裴岑能以郡兵三千人诛之，可谓功勋卓著。马雍曾认为，此一胜利使这一地区保持十三年安定。

裴岑纪功碑藏于新疆维吾尔自治区博物馆。

鲜于璜碑 东汉延熹八年（165年）文物。1973年，天津市武清县高村出土。

鲜于璜碑，全称汉故雁门太守鲜于君碑。鲜于璜举上郡孝廉后，曾为度辽右部司马、赣榆令、太尉西曹、安边节使等，终官雁门太守，卒年81岁。碑阴铭文颂扬鲜于璜功德，并记录鲜于一家世系。碑阴记载世系与碑阳有所不同，可能二者并非同一人撰写。碑文也反映当时东汉政府与北方少数民族的关系，其中还记载匈奴和乌桓族情况，可补史书之阙，极富参考价值。

鲜于璜碑，包括碑座和碑身两部分。碑身高242厘米，宽83厘米，厚12厘米；碑座长120厘米，宽73厘米，高25厘米。碑座为长方覆斗形，座上有长方形榫槽。碑身为圭形，上锐下方。碑首阳面中部为"凸"字形碑额，阳文篆书碑名"汉故雁门太守鲜于君碑"。碑额两侧刻青龙、白虎。碑额下为一圆穿。碑首阴面刻朱雀。此碑碑首画像和篆额形式为汉碑中罕见。碑文隶书，碑阳16行，行35字，有界格；碑阴15行，行25字，有界格；共827字。通碑字迹清晰，主要叙述鲜于璜祖先世系及生平仕历。

鲜于璜碑是难得的汉隶范本。碑文字体结构谨严，浑朴苍劲，含蓄沉着，以方笔为主，与以圆笔为代表的曹全碑等汉碑书体不同，为汉隶中方笔流派典型代表。碑阳字多呈扁方，而碑阴字扁、长、方相交替出现，形态变化生

动。书法风格开张迁碑拙雅之先河，特别是碑阴部分，下接魏晋南北朝书风。东晋爨宝子碑及一些墓志和南朝刘宋的爨龙颜碑皆有此意。

鲜于璜碑藏于天津历史博物馆。

汉巴郡朐忍令景云碑 东汉熹平二年（173年）文物。2004年，重庆市云阳县旧县坪出土。

汉巴郡朐忍令景云碑（简称景云碑）由朐忍令雍陟于东汉熹平二年（173年）主持立石，追颂永元十五年（103年）去世的前贤景云政德。景云，字叔于，史籍中并无记载。据景云碑记述楚之景氏为高阳苗裔，为鲧禹一脉分支，记载其先人伯沇为遵循"术禹石纽、汶川之会"遗则，曾"龟车留滞，家于梓潼"。碑文还记述景云执掌朐忍县期间清明公正，"政化如神"，因而受到百姓们爱戴和后人思慕。景云于永元十五年（103年）死于朐忍任

上，之后是否回葬梓潼不得而知，可见此碑不是墓碑，而应是功德碑。重庆市云阳县旧县坪原为汉晋时期胸忍县县衙遗址，景云碑碑文反映了重庆三峡地区政治、地理、移民等史实，具有较高的历史与文化价值。

景云碑，通高240厘米，宽95厘米，厚22厘米。石灰岩浅浮雕及线刻。主体由整石雕凿而成，出土时碑断为两截，下半部分在建筑遗址中被砌作础石，但两部分可拼合完好。碑身下端有榫，原应有趺座，已佚失。碑身背面未经打磨，其余三面均刻有画像，正面镌刻有隶体碑文13行367字，画像、字迹均保存较清晰。碑首作三重晕纹，自左向右延展开来，每

重晕上分别刻有一幅画像。最左边一幅有学者辨识为玉兔或兔首人身神怪，也有学者认为是头顶梳双环髻仙女。中间一幅为妇人启门图，妇人头梳高髻，一手扶门，倚户探视，造型与四川荥经画像石棺启门妇人颇为相似，姿态与四川芦山王晖石棺上启门仙人也相统一。最右侧神鸟有金乌、凤凰和朱雀等几种解释。更多专家倾向于神鸟属于朱雀，与碑身两侧青龙、白虎形成呼应，分别代表南、东、西三个方位。两侧青龙和白虎自下向上飞腾，头端分别配以日、月。碑文四缘饰以阴刻祥云飞鸟图案。景云碑纹饰画像布局和配置在汉碑中殊为罕见。

景云碑刻于东汉末年，正是隶书艺术成熟和鼎盛时期，碑文全篇布局在严整中见疏朗，皆尽其笔意舒展，无拘束局促之态。西汉碑铭上隶书一般笔画平直而缺少波磔，而景云碑部分文字横、撇、捺、钩等笔画收尾处多见燕尾蓄势高挑，锋芒毕露，体现出接近魏晋隶书特点。

景云碑藏于重庆中国三峡博物馆。

曹全碑 东汉中平二年（185年）文物。明代万历初年，同州（陕西省合阳县）出土。

曹全碑，全称汉郃阳令曹全碑，也称曹景完碑。出土时完好无损，有完整出土初拓本，称城外本行世，至今罕见。后据传，明末时，曹全碑遭风灾而被折树压断为两截，后流行拓本多为断碑后传拓。曹全碑刻于东汉中平二年。碑载，曹全，字景完，敦煌效谷人，建宁二年（169年）举孝廉，除郎中，拜西域戊部司马，后迁右扶风郡槐里县令。时遇胞弟病故，辞官回家，又遇党锢之变，在家隐居7年。汉灵帝光和六年（183年），又举孝廉，

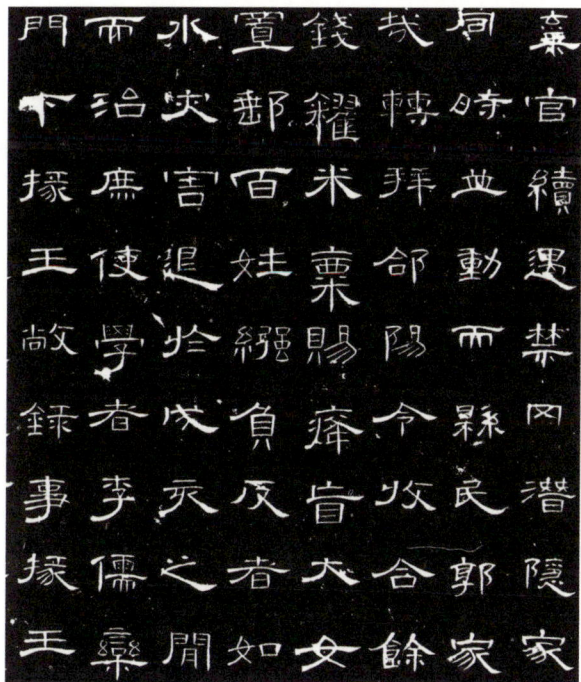

任郎中，后转任郃阳县令。曹全门下属官王敞等乃为之刊石纪功，建立此碑。

曹全碑，高272厘米，宽95厘米。碑阳20行，满行45字，碑阴有5列题名。碑文除详细记述曹氏世系外，还涉及东汉末年历史事件，如东汉建宁三年征讨疏勒之役，碑文中有"疏勒国王和德弑父篡位""和德面缚归死"等语，与文献记载不同，可作为订正历史参考。碑文中有东汉末年黄巾起义已波及陕西，郃阳县民郭家等起而响应酿成"燔烧城寺……三郡告急"的记述，可弥补史籍缺遗。碑阴题名留存许多郡县佐吏称谓，为研究汉代官吏制度提供了重要资料。

碑文保存完好，字迹清晰，反映东汉隶书全盛时期风貌，在众多汉碑中极负盛名。东汉时期，定型的隶书成为官定标准书体。曹全碑为这种书风代表作之一。整个碑文采用字距宽松，行距紧缩布局，字体扁平匀整。用笔不但方圆兼备，圆多于方，婉转舒畅，秀美多姿；更为突出的是刚柔相济，含蓄秀逸，为东汉隶书极盛时期精品。碑阴书法与碑阳不同，质朴直率，毫无刻意求工之气，妙趣横生，在汉隶书法中别具一格。

曹全碑藏于陕西西安碑林博物馆。

曹真碑　三国魏明帝青龙三年至四年（235～236年）文物。

清道光二十三年（1843年），陕西省西安市南郊发现。发现时，碑已残断，只存中间部分。此碑是曹真做雍州牧时，州民所立颂德碑。曹真卒于三国魏太和五年（231年）三月，此碑当在其后立，约立于魏明帝青龙三年至四年（235～236年）。曹真是曹操族子，战

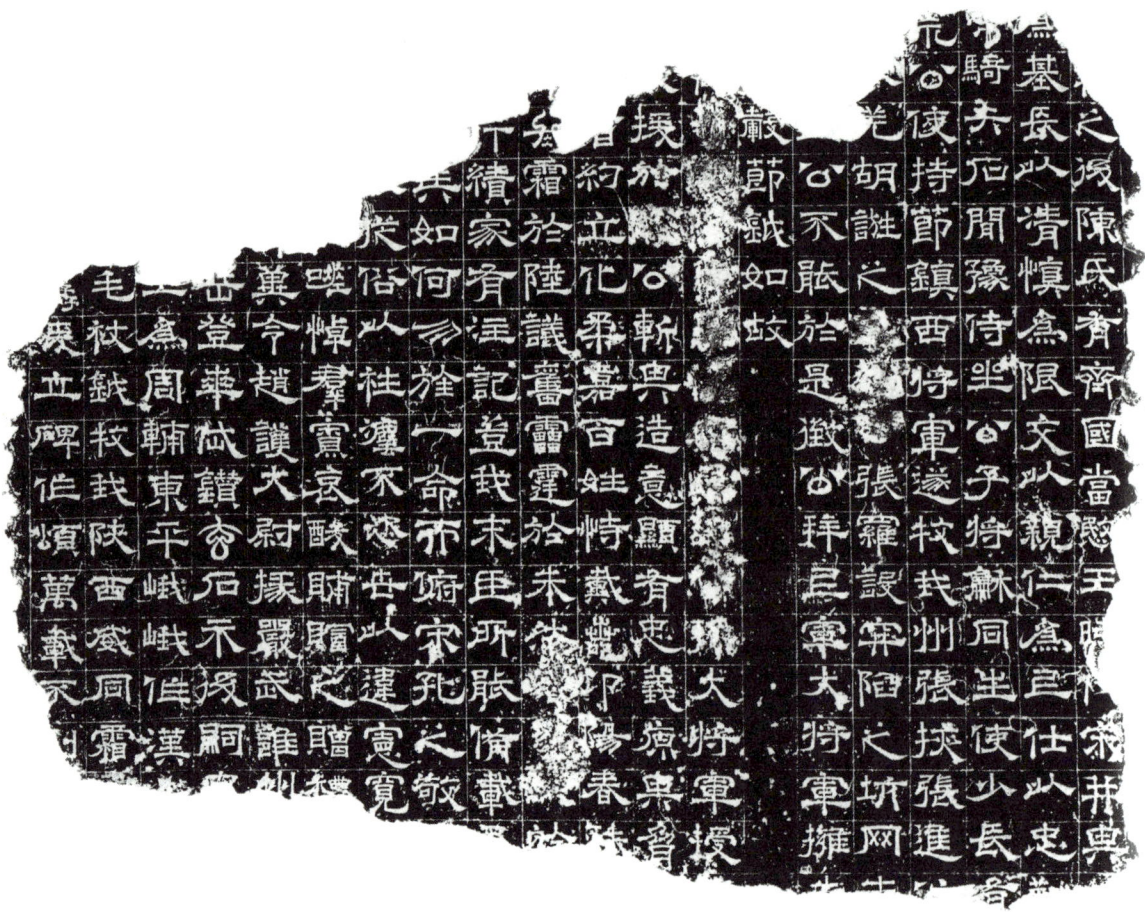

功卓著，官至大将军、大司马，长期担任魏国军事统帅。碑文所记曹真生平业绩中涉及魏蜀攻战的史实，并有对蜀相诸葛亮贬词，碑阳被凿损的多属此类文字。

曹真碑，残高82厘米，宽122厘米，厚22厘米。石灰岩印刻隶书。碑阳存字20行235字，记载曹真生平业绩；碑阴存字30行485字，刻立碑者姓名、官职、籍贯。碑侧雕龙纹。

曹真碑是关于曹真最直接、最可靠的史料。碑文所记，大都可与《三国志·曹真传》及其他有关记载相印证。碑文对某些史事记述要比史书更详，可补史传之不足。如，对张掖张进起义叙述，表明张进起义带有宗教色彩，且有羌、胡等少数民族参加，规模很大，这些内容都是史书中所没有的。曹真碑继承汉隶中横笔作蚕头燕尾状的特点，但又有新的创造和变化。如方笔直势熟练运用，严整结体巧妙安排，在汉隶中都很罕见，是一种新书风，已摆脱汉隶古拙多变风气，进而追求艳丽、妩媚之态，并形成极为规矩的用笔结字方法，对后来北朝楷书形成有较大影响，起到"上引篆籀，下通隶楷"作用。在为数不多的曹魏隶书碑刻中，曹真碑确是难得佳作，而且魏碑中两侧有线雕者也仅此一例。

曹真碑藏于故宫博物院。

毌丘俭丸都山纪功碑　三国魏正始六年（245年）文物。清光绪三十二年（1906年），吉林省集安市西板岔岭乡民筑路时发现。

毌丘俭纪功碑亦称丸都纪功碑。毌丘俭，魏河东郡闻喜县（山西闻喜）人，魏明帝时官至尚书郎，后任荆州刺史、幽州刺史，因平定公孙渊反叛有功，被封安邑侯。正始五年（244年）率军讨伐高句丽，大胜而归。后又任镇南将军、镇东将军。正元二年（255年），因起兵反抗司马师专权失败而被杀。

毌丘俭丸都山纪功碑残存原碑上部一角，残长39厘米，宽30厘米，厚8～8.5厘米。系赭红色含石英颗粒岩石修琢而成，表面加工平整。残碑正面阴刻汉隶7行共计50字，其中3字残泐，仅存部分笔画。字形完整者47字，为"正始三年高句丽……督七牙门讨句丽五……复遗寇六年五月旋……讨寇将军魏乌丸单于……威寇将军都亭侯……行裨将军领……裨将军"。虽残碑碑文中并未出现毌丘俭之名，但根据碑文中"正始三年高句丽""讨句丽五"和"六年五月旋"等所示时间和史实，参照中国古代相关史籍记载，可以确定其为曹魏幽州

刺史毌丘俭征讨高句丽胜利后所刊碑石。

毌丘俭征讨高句丽战争时间和经过，《魏书·少帝纪》《三国志·高句丽》和《魏书·毌丘俭》记载都不一致。毌丘俭纪功碑的发现，引起学术界极大重视，学者们对碑文中涉及的史实、文义及历史地理、残字等进行颇多考证，证实毌丘俭征讨高句丽时间和过程，是正始三年（242年）高句丽寇辽东；正始五年毌丘俭以其"数侵叛"，督诸军讨之，攻破丸都城，句丽王败逃；正始六年五月旋师。为文献中所记载"肃慎南界""不耐城""丸都山"等地望提供明确线索。

毌丘俭丸都山纪功碑藏于辽宁省博物馆。

皇甫诞碑 唐代文物。约明代初年，被移入西安碑林收藏。

皇甫诞，安定乌氏（甘肃平凉西北）人，隋朝时任并州（山西太原）总管府司马。隋仁寿末年（604年），隋文帝的次子杨广以弑父杀兄手段夺取皇位。时任并州总管隋文帝第五子汉王谅起兵造反，皇甫诞抗节不从，为谅所杀。隋炀帝以皇甫诞守节尽忠而赠柱国、弘义郡公的称号。皇甫诞碑是皇甫诞儿子皇甫无逸邀请初唐文人于志宁撰文，书法家欧阳询书写后刻成，以纪念父皇甫诞。

皇甫诞碑，高268厘米，宽96厘米。石灰岩。阴刻楷书。唐于志宁撰文，欧阳询书。碑文28行，每行59字。碑额篆书阳文"隋柱国弘义明公皇甫府君碑"12字。碑身斜向断裂，下部有残损。

欧阳询（557～641年），初唐四大书法家之一，潭州临湘（湖南长沙）人，字信本，官至太子率更令。所以，后人常称他为"信本"

常登若豐起蕭牆禍
生藩翰強踰七國勢
重三監其有蹈水火
而不戚臨鋒刃西莫

於疾風杪世艱雲忠
臣彰於赴難衡須授
命結纓殉國英聲煥
乎記牒徽烈著於旂

或"率更"。欧阳询历经陈、隋、唐三代，在书法上虽初学王羲之，却熔铸汉隶和魏晋楷书特点，又参会六朝碑刻，融贯南北派笔意，形成自己独特风格。据郑樵《金石略》记载，欧阳询平生所写碑志有22种，流传下来主要有房彦谦碑、化度寺邕禅师碑、九成宫醴泉铭、温彦博碑及皇甫诞碑等。皇甫诞碑为欧阳询楷书代表作之一。此碑未书立碑时间，所以对何时立碑和欧阳询何时所书有不同说法，江波考证为贞观十年至十二年之间（636～638年）。但不论书写于哪个阶段，对其书法特点，历史上认识却颇为一致，认为皇甫诞碑用笔紧密内敛，刚劲不挠。法度严谨，遒健险劲，对后世书法发展有深远影响。

皇甫诞碑藏于陕西西安碑林博物馆。

道因法师碑 唐龙朔三年（663年）文物。

此碑为纪念道因法师而立。道因其人，正史不载，依据此碑文记述可知，唐太宗贞观十九年（645年）玄奘西域取经回到长安，道因法师奉诏赴长安协助玄奘法师翻译佛经，显庆三年（658年）逝于长安慧日寺。碑文及额的书写者为唐代书法家欧阳通。欧阳通，字通师，潭州临湘人，欧阳询之子，新旧《唐书》中有传。欧阳通师承父法，刻意临摹，锐志钻研，后与父齐名，世称其父子书体为"大小欧阳体"。欧阳通楷书虽出于父，却更瘦硬、更劲挺，特别是主笔横画在收笔时末锋飞起，富有浓重隶意，在此碑中多有体现。此碑书法笔力遒健，险峻瘦怯，但锋芒棱角毕露，为欧阳通书法的鲜明特色。

道因法师碑，高312厘米，宽103厘米。石灰岩。阴刻楷书。全碑由碑首、碑身和碑座

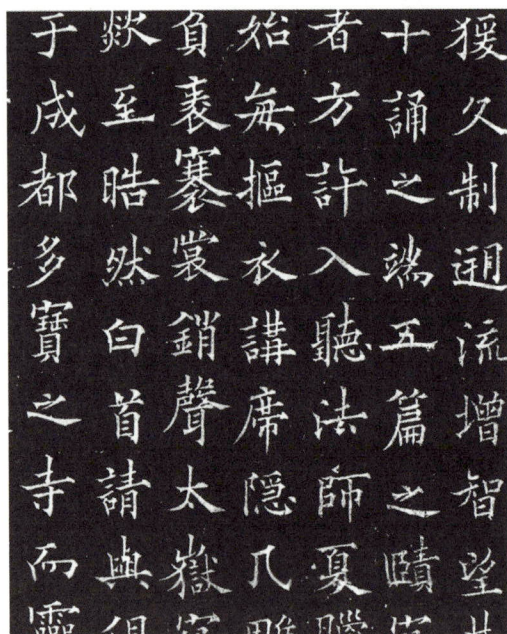

组成。碑首雕作螭首，碑额处雕佛龛，内为坐佛及二菩萨。碑文34行，行73字。碑座两侧阴线刻画人物。一侧7人，为首者头戴花冠，短袍束带革靴。后随者皆隆鼻深目，或披卷曲长发，或络腮须鬓，穿短袍，或穿革靴或跣足露膝，有牵狗、擎华盖、牵马、拄杖等不同姿势。另一侧6人，为首者戴盔披甲，下系胫衣，右手按剑，左手舒掌当胸。后随5人，有持弓、执戟抚盾者，有颈系金铃、手持兵器者，有裸体赤足、手持棍棒者。形貌夸张，衣装各异。

图中所刻人物形貌为域外人，反映唐代长安作为国际大都市与域外各国往来的情状。碑座人物线刻精细，神态生动，衣纹起落有致。吴道子绘画中"虬髯之鬓，数尺飞动，毛根出肉，力健有余""巨状诡怪，肤脉连接"的用笔特色，可从中窥知一二。此线刻图是研究唐代线刻画宝贵资料。

道因法师碑藏于陕西西安碑林博物馆。

大唐三藏圣教序碑 唐咸亨三年（672年）文物。

大唐三藏圣教序碑螭首方座，高350厘米，宽100厘米。石灰岩。阴刻行书，30行，满行83～84字不等，内容是唐太宗李世民为玄奘法师翻译佛经所作序文，并有太子李治（唐高宗）作述记和玄奘上谢表及书心经，通称《三藏圣教序碑》。因碑头上横刻7尊佛像，也叫《七佛头圣教碑》。碑文是唐弘福寺和尚怀仁从王羲之遗留墨迹中搜寻字迹，后根据序、述记、谢表、心经内容选填缀集而成，从贞观二十二年（648年）开始，直到高宗咸亨三年方完成，经历24年，可见怀仁集成此碑艰难程度。

玄奘于唐贞观三年（629年）去印度取经，历经西域16国，搜集梵文佛经657部，于贞观十九年（645年）返回长安，奉敕在长安弘福寺翻译佛经。玄奘上表请求唐太宗为全部经文写序，太宗欣然答应。贞观二十二年序文

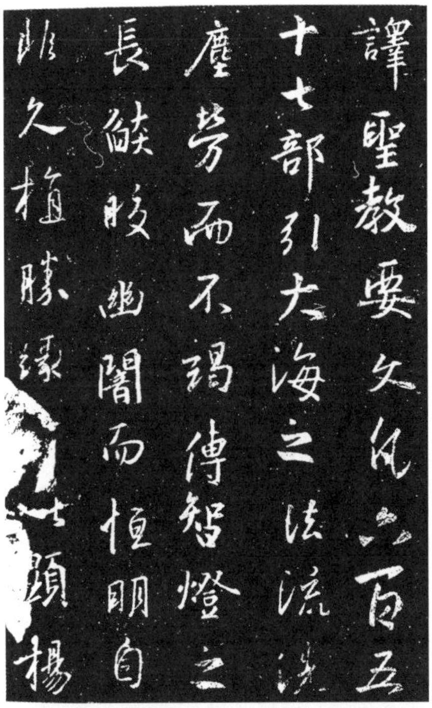
譯聖教要文凡六百五
十七部引大海之法流洗
塵勞而不竭傳智燈之
長焰皎幽闇而恒明自
非久植勝緣何以顯揚

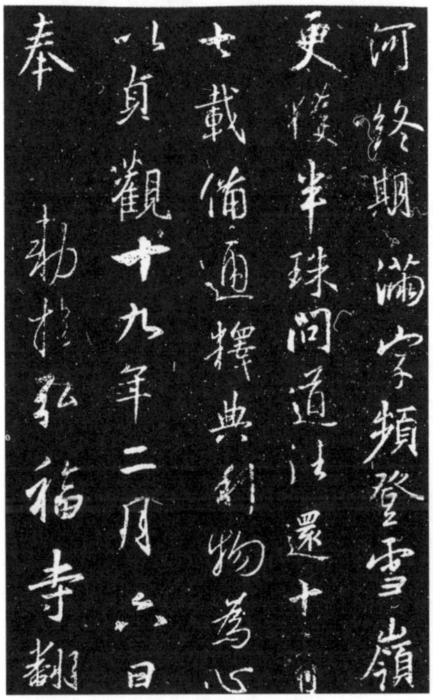
河終期滿字頻登雪嶺
更獲半珠問道法還十
七載備通釋典利物為心
以貞觀十九年二月六日
奉 勅於弘福寺翻

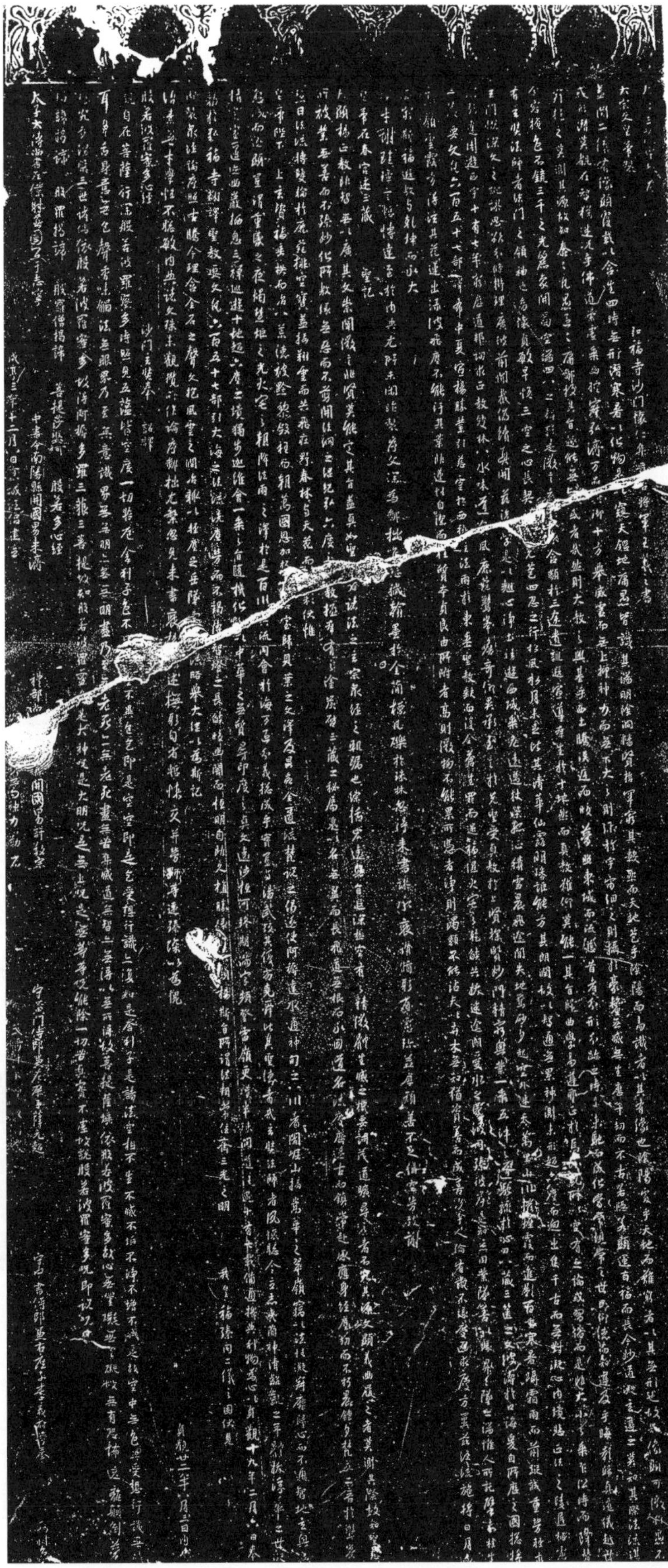

写成。唐太宗在这篇序文里赞扬玄奘法师远涉西域，求取大乘佛法，翻译经、律、论三藏要籍的功绩。太子李治又写述记。玄奘以此为无上荣耀，再上谢表。这些序记受到佛教徒重视，纷纷刻碑，以志永存。先有唐永徽四年（653年）褚遂良用楷书写成，将序和记分刻两块碑立于长安大雁塔；显庆二年（657年）王行满又写《圣教序碑》，立于河南偃师县孔庙，世称河南圣教序碑。龙朔三年（663年），人们又将褚遂良生前在陕西同州（大荔县）写的另一部圣教序墨迹刊刻为《同州圣教序碑》。唐太宗李世民喜爱王羲之书法，让臣下以金帛购求王羲之真迹，作为欣赏和学习范本。怀仁集王羲之墨迹而立大唐三藏圣教序碑正是在这背景下产生。

1973年8月，陕西省文物管理委员会在对石台孝经碑进行整修时，在碑背面石缝中意外发现整幅《集王圣教序碑》拓片。发现时，拓片折叠方整，除因部分受潮发霉，约210字有不同程度残损外，其余文字仍保存原样。字口起伏如新拓，纸背壁画皱褶依然凸出，年久也未压平，是原字真相。专家根据同出文物推断，拓本为南宋拓本。整幅未断南宋拓本完整保存原碑的原貌，为研究王羲之书法艺术提供了珍贵资料。

据传，为补齐所缺的字，怀仁在全国重金收买征集王羲之书法。因此，历史上流传王羲之一字值千金佳话，此碑因此获得"千金帖"别名，也被称为怀仁集王羲之书圣教序碑。碑文虽是怀仁从王羲之遗墨中选集，但基本上保存王羲之书法特有风格，布局井然，气韵生动，体势一贯，历代书家对其评价甚高，称之

为"百代楷模。模仿羲之书，必自怀仁始"。此碑是不可多得的研习欣赏王羲之书法典范。

大唐三藏圣教序碑藏于陕西西安碑林博物馆。

大智禅师碑　唐开元二十四年（736年）文物。

大智禅师碑，亦名"义福禅师碑"。大智禅师，即僧义福（658～736年），佛教禅宗北

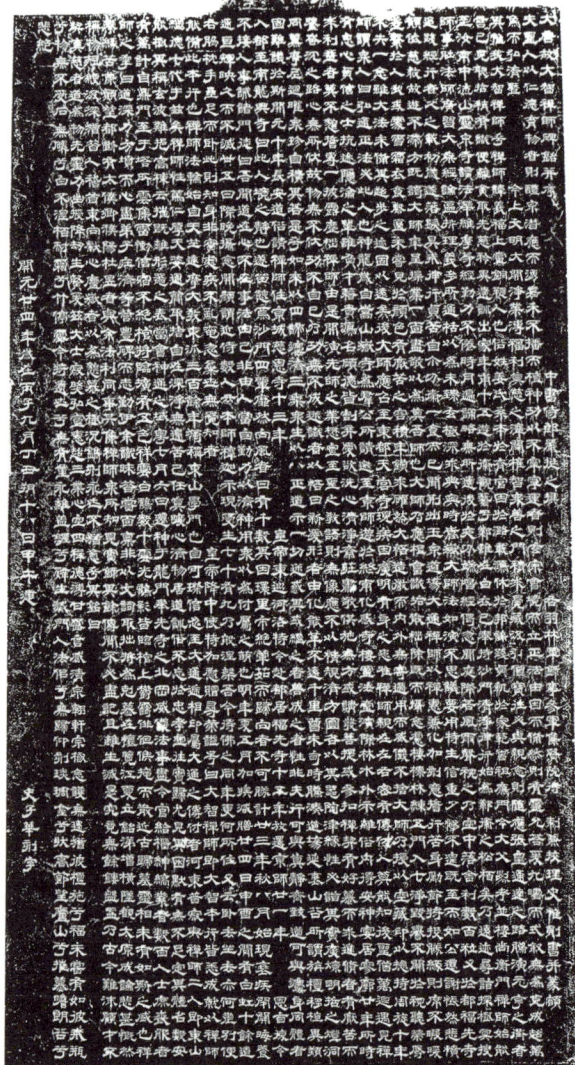

宗神秀弟子。《旧唐书》及《宋高僧传》中载有其生平事迹。此碑是义福之弟子庄济等人为颂先师功德刊立的。

大智禅师碑，高345厘米，宽114厘米。石灰岩。阴刻隶书。螭首，碑阳32行，行61字，由严挺之撰碑文，史惟则书。碑阴下方为阳伯城撰记，亦由史惟则书，刻于开元二十九年（741年），27行，行9字。碑末附宋淳化、宣和，金大定、贞祐，明弘治年间题名。碑侧减地浅浮雕及线刻纹饰，以华丽蔓草、宝相花为衬托，穿插有菩萨、骑狮吹笛、弹琵琶之仙童、迦陵频伽、凤凰等。碑额上端雕有莲座、莲蕾及金翅鸟王，碑阴额上龛有佛像。雕刻纹饰技法纯熟简练，整幅图案生动活泼、繁丽美妙而富有生机，在唐代碑刻花纹图案雕刻中是首屈一指的精美艺术品。

大智禅师碑书者史惟则，与韩择木、蔡有邻、李潮等三人，被宋欧阳修合称为"唐隶四大家"。史惟则擅长籀篆八分，尤以隶书精妙著称，其隶书深受唐玄宗赞赏。唐玄宗《石台孝经》《泰山铭》等不少隶书作品，都曾经史惟则加工摹勒。此碑用笔圆润丰腴，间杂楷法，不难看出上追汉隶笔意。其缜密过之结体，故作夸张波磔，严谨规矩布局，雍容华贵气势等，都与唐玄宗《石台孝经》《泰山铭》相近，在一定程度上比唐玄宗二碑更为厚重深沉。可以说，此碑是标准唐隶的代表作。

大智禅师碑藏于陕西省西安碑林博物馆。

颜氏家庙碑　唐建中元年（780年）文物。

颜氏家庙碑，全称唐故通议大夫行薛王友柱国赠秘书少监国子祭酒太子少保颜君庙碑铭并序，是颜真卿为父亲立的家庙碑，叙述颜氏先世和家族仕宦经历及后裔学问等。颜真卿撰文并楷书，碑额"颜氏家庙之碑"是唐代篆书名家李阳冰所写，世称"二绝"。因此，"好古之士，重如珠璧"。该碑是颜真卿72岁时所书，其书法造诣已达到炉火纯青地步。碑文通篇刚劲严整，雄伟挺拔，是颜书典范之作，也是颜真卿传世碑刻中最后巨作。此碑宋代拓本第三行"祠堂之颂"，"祠"字中，"司"勾笔完好，明拓已剜除。

颜氏家庙碑，高338厘米，宽176厘米。石灰岩。阴刻楷书。碑螭首龟趺，四面环刻，碑阳及碑阴各刻24行，满行47字，碑两侧各6行，满行52字。

颜真卿（709～785年），字清臣，京兆万

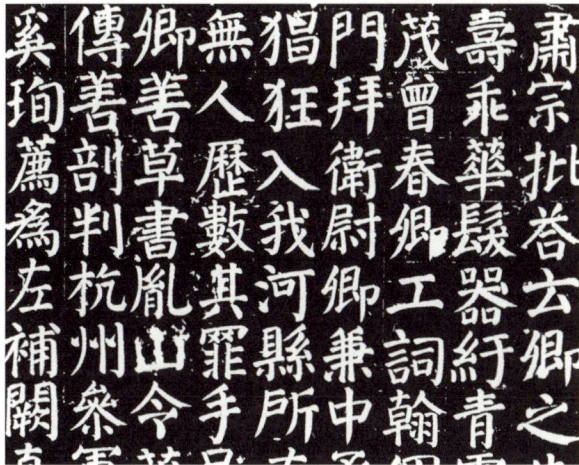

年人（陕西西安），唐代书法家。初学褚遂良，后得张旭笔法，又汲取"初唐四家"特点，兼收篆隶和北魏笔意。隋代与初唐楷书，多以运指为长，结字左紧右舒，呈欹侧之势。颜书则加强腕力作用，巧妙运用藏锋和中锋，形成力透纸背效果，又横轻竖重，似有立体感觉，形成方严正大、朴拙雄浑、大气磅礴的颜体书法，对后世影响巨大。颜真卿书法作品据说有138种，其中，楷书有颜氏家庙碑、多宝塔碑等，行草书有《祭侄文稿》《争座位帖》等。

颜氏家庙碑藏于陕西西安碑林博物馆。

大秦景教流行中国碑 唐建中二年（781年）文物。

明天启五年（1625年）出土，地点有陕

西鳌屋（周至）；长安金胜寺（西安）、长安与鳌屋之间的三种说法。碑石出土消息传出后，法国等西方传教士曾前来拓片，把碑文拓片译成拉丁文寄回欧洲本国。当地人怕碑被盗，秘密抬至金胜寺内保管。清咸丰九年（1859年），武林韩泰华重造碑亭，但不久因战乱碑寺被毁，碑石暴露荒郊。此后，西方一些学者主张将此碑运往欧洲保管，均未得逞。20世纪初，丹麦人傅里茨·何尔谟出三千金买下此碑，准备运往伦敦。清廷得知后，立刻通令陕西巡抚制止，陕西巡抚派陕西学堂教务长王献君与何尔谟协商，后何尔谟同意废除购买合同，仅将复制大小相同碑模带回伦敦，后依照碑石模板，复制一批碑石，分派给各国大学和朝鲜金刚山长安寺。清光绪三十三年（1907年），陕西巡抚将大秦景教流行中国碑石藏于西安碑林。

碑文序中记述，唐贞观九年（635年）大秦国景教僧阿罗本一行到长安，向唐太宗李世民介绍景教内容。太宗让景教僧阿罗本等在皇帝的藏书楼里翻译经典，并讨论教旨。贞观十二年（638年），景教徒得到唐政府资助，在长安建起第一座景教寺大秦寺。唐高宗时，还允许在各州建立景教寺院，使景教得到进一步发展。唐玄宗时，令宁王等五王在寺内建坛场，又送五圣写真安置寺内，还令景教僧去兴庆宫内作功德，玄宗并亲题寺榜。唐肃宗时，在灵武等五郡重立景教寺院。唐代宗每逢诞辰时，对景教僧赐香颁馔。唐德宗时，还任命景教僧伊斯为朔方节度副使，协助郭子仪于戎马军中，伊斯出资重修寺院，发扬景教。

大秦景教流行中国碑，高280厘米，宽约85厘米，厚16厘米。石灰岩。阴刻楷书。碑由大秦寺僧景净撰写，吕秀岩书。碑额楷书题"大秦景教流行中国碑"，额上部阴线刻立于莲座上十字架。碑背面无字。正面下部及左右两侧用叙利亚文和汉文合刻70名景教僧名字和职衔。正面碑文32行，行62字，讲述景教在中国传播流行盛况，是研究唐代景教的珍贵资料。

大秦是中国古代对罗马帝国的称呼，景教是中国对基督教聂斯脱利派的称呼。聂斯脱利是公元5世纪君士坦丁堡一位基督教大主教，因对教义理解不同，其观点被斥为异端邪说，并遭流放，其教派也在罗马帝国受到迫害。最终，聂斯脱利的追随者和罗马教会分裂，积极向东方进行传教活动。大秦景教流行中国碑被公布为中国首批禁止出国（境）展览文物之一。

大秦景教流行中国碑藏于陕西西安碑林博物馆。

玄秘塔碑 唐会昌元年（841年）文物。

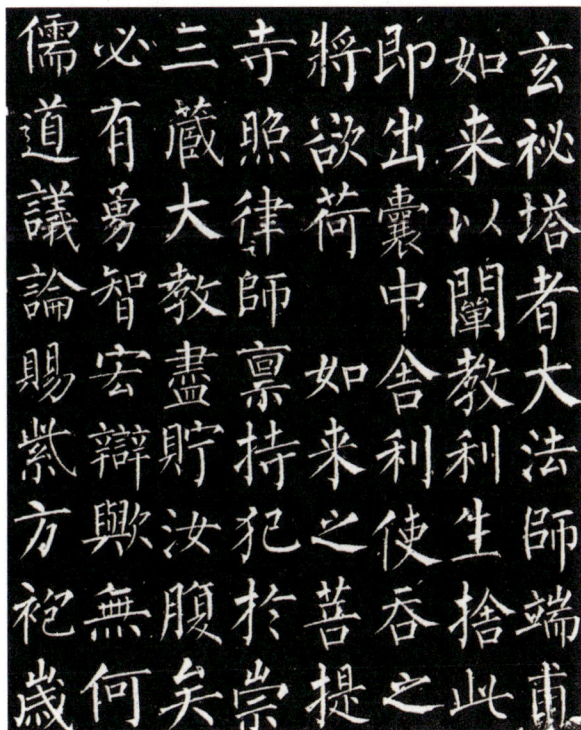

玄秘塔碑，全称唐故左街僧录内供奉三教谈论引驾大德安国寺上座赐紫大达法师玄秘塔碑铭并序。此碑原应立于长安安国寺。碑文记述安国寺上座大达法师生平事迹。

玄秘塔碑，高368厘米，宽120厘米。石灰岩。阴刻楷书。此碑螭首方座。裴休撰文，柳公权书并篆额。碑文楷书28行，行54字。碑侧平雕人兽花草图案。碑阴刻有大达法师弟子正言出钱，购买到庄宅一所后，内庄宅使发给其执据，这亦是研究唐代经济史的珍贵资料。额题

"唐故左街僧录大达法师碑铭"12字，篆书。

柳公权（778～865年），字诚悬，京兆华原（现陕西省铜川市耀州区）人，是晚唐书法家。柳公权初学王羲之，继学欧阳询、颜真卿，终于融合诸家笔法，自成一家，称"柳体"，对后世影响很大。柳体兼取欧体之方，颜体之圆，下笔干净利落，笔力遒劲峻拔，结构严谨，世称"颜筋柳骨"，与欧、颜齐名，是唐宋八大书法家之一。玄秘塔碑气韵浑一，是柳公权64岁所书，其结字内敛外拓，有紧密、挺劲之感；其运笔健劲舒展、干净利落、引筋入骨，寓圆厚于刚劲之中；其书体端正俊丽、四面周到，是柳体楷书代表作。

柳公权以善书名世，其传世书作很多。宋人郑樵《金石略》柳公权名下碑刻数为54种，而《宝刻类编》卷4列其名下碑刻数为76种，这是经唐末五代战乱至宋代尚存者。

玄秘塔碑藏于陕西西安碑林博物馆。

重修护国寺感应塔碑　西夏天祐民安五年（1094年）文物。清嘉庆九年（1804年）出土。

重修护国寺感应塔碑（简称西夏碑），原置武威大云寺。西夏时，大云寺改名为护国寺。元灭西夏后，西夏碑被当时有识之士砌碑亭封闭，得以保存。清嘉庆九年，武威学者、金石学家张澍同友人到大云寺游览，在寺内无意中发现一座被砖封闭的古亭，便说服僧人打开碑亭，发现这件稀世珍宝。此碑后被移置文庙（甘肃省武威市博物馆）保存。

西夏碑，高250厘米，宽90厘米。石灰岩。阴刻。碑首呈半圆形，龟趺。碑两面刻文。一面碑额为西夏文篆书8字，意为"敕感应塔之碑文"；正文为西夏文楷字，计28行，

行65字，第一行意为"大白上国域凉州感应塔之碑文"。另一面刻汉文，碑额为汉文小篆"凉州重修护国寺感应塔碑铭"；正文为汉文楷字，计26行，行70字。碑文四周有线刻卷草纹，碑额两侧刻有伎乐菩萨舞蹈像，舞蹈者动作优美，造型准确。碑题名上有云头宝盖。碑中西夏文和汉文所述内容大体相同，但叙事前后有差别。两面文字不是互译，而是各自撰写。记述凉州城内护国寺佛塔于西夏天祐民安三年（1092年）地震时倾斜，西夏皇太后和皇

帝下诏加以重修之事。

西夏文字于西夏广运三年（1036年）颁布，保义二年（蒙古汗国太祖二十二年，1227年）西夏亡国后仍为党项族所使用，但后来逐渐成为一种死文字。此碑的发现，在西夏文研究方面有十分重要价值，它是已发现保存最完整、内容最丰富、西夏文和汉文对照字数最多的西夏碑刻。从西夏碑拓片传世到额济纳旗发现西夏文字典《蕃汉合时掌中珠》，之后，才有人开始研究西夏文构造、文字和字义。此碑"汉夏合璧"，便于相互比较研究，更是绝无仅有。罗福成最早把碑文西夏文译成汉文。民国12年（1923年）《国立北平图书馆馆刊》4卷3号上，全文发表了西夏碑汉文、西夏文及罗福成译文。1964年，日本学者西田龙雄在其所著《西夏语之研究》（上卷）中，重新翻译碑上西夏文，补充校正罗氏译文多处。1984年，中国社会科学院民族研究所西夏学专家史金波通过核对此碑几种拓本，并核定原碑，经进一步考证研究，发表《凉州感应塔碑西夏文校译补正》，对西夏文中一些较为重要之处做重新译证，使译释碑文更准确、更全面。在研究西夏社会经济、土地制度、帝后尊号、纪年、官制及当时民族关系、佛教盛况等方面，西夏碑提供了丰富而珍贵的资料。

重修护国寺感应塔碑藏于甘肃省武威市博物馆。

西夏文残碑 西夏文物。1974年，宁夏回族自治区西夏陵区出土。西夏王陵区9座帝陵共有碑亭16座，曾屡遭洗劫，所得残碑极破碎，多为三五字，存一二十字者十分少见。其中7号陵西碑亭遗址所出残碑中，字体鎏金，有

的笔画内有金箔留存。

西夏文残碑，长27厘米，宽22.5厘米。为西夏陵出土形体较大、字数较多的一块西夏文碑。砂岩雕凿，阴刻楷书。所刻碑文笔画匀称，笔力遒劲厚重，是不可多得的西夏书法珍品。西夏文字多为较工整楷书，或是借鉴唐代成熟楷书风格。西夏文字同汉字一样，亦具有端详而宁静的特点。不但字体方正匀称，且秀丽轻盈。西夏文楷书亦藏露兼施，方圆并出，既显其骨力，又显其精神。

11世纪李元昊建立西夏后，实行一系列强化民族意识的措施，由大臣野利仁荣主持创制记录党项语言的西夏文字，共6000余字。西夏文字创制借鉴汉字形制，有楷书、行书、草书、篆书等形体，均取法于汉字相应书体变通而成。西夏文同汉文一样，在构成上亦可分为独体字和合体字两大类。其笔画多在10画左右，撇、捺等斜笔较多，结构均匀，格局周正，有较完整构成的体系和规律，具有明显个性特点。西夏文字创制后被作为"国字"推行，因此在本国应用范围十分广泛，如官署文书、法律条令、审案记录、买卖文契、文学著作、历史书籍、字典辞书、碑刻、印章、符牌、钱币

及译自汉、藏文的佛经等。西夏文字是西夏文化精华所在，在整个西夏时期使用从未间断。西夏灭亡后，仍由其后人在一定范围内，延续使用至明朝中期，成为探寻西夏后裔踪迹的有力佐证。如敦煌所藏元代速来蛮西宁王六字真言碑（有西夏字）刻石、北京居庸关云台元代六体（有西夏字）陀罗尼刻经，及河北保定明代两座西夏文石刻经幢，这些说明降及元明，留在河西地区和东移内地一部分党项人，仍有人继续使用西夏文字。约到明末，随党项族的消亡，西夏文成为无人可识的死文字。

西夏文残碑藏于宁夏回族自治区博物馆。

大观圣作之碑 宋大观二年（1108年）文物。此碑原立于陕西乾县，1962年移藏于西安碑林。保存完好。碑文记述设立八行取士科及

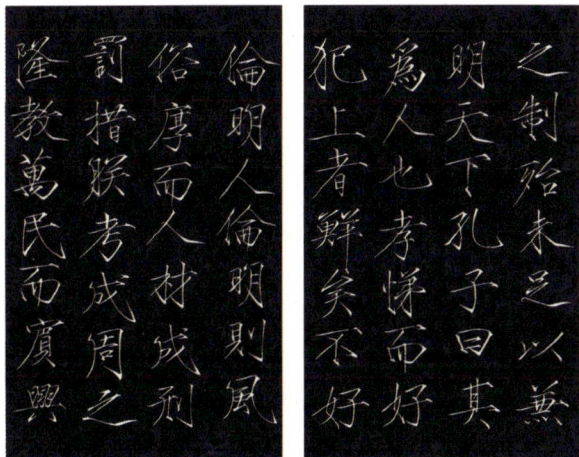

三舍之制重德行轻辞艺的科举新法，为研究宋代科举制度提供实物资料。

此碑书写者宋徽宗赵佶（1082～1135年），在位25年，国亡被俘受折磨而死。其虽在政治上昏庸无能，但在艺术上却才华过人，精书善画，堪称一代大家。在书法上，宋徽宗独创一体，自名曰"瘦金书"。宋徽宗书法先学初唐薛稷、薛曜兄弟，后又学同时代书家黄庭坚。徽宗信奉"书贵瘦硬"古训，用笔源于薛氏，结体笔势取法于黄，将清瘦恣纵特色加以贯通，又吸取画坛前辈笔法，创造出新体楷书瘦金体。大观圣作之碑是宋徽宗的代表作品，字体瘦直挺拔而有弹性，运笔迅疾而张弛有度。大观圣作之碑碑额书者蔡京，书法造诣很高，字势豪健，沉着痛快。从碑额所题6字可看出蔡京精于单字造型，用笔矫健，笔意洒脱，可谓灵运独到，浑然天成。宋徽宗对蔡京书法十分看重，曾以高价收买过蔡京为两个小吏书写的团扇，并宝藏深宫。宋徽宗很多画也都让蔡京题字。

大观圣作之碑，螭首龟趺，通高378厘米，宽140厘米，厚30厘米。石灰岩。阴刻楷书。碑文28行，满行69字，宋徽宗赵佶撰文并书，李时雍摹写。碑额蔡京题"大观圣作之碑"6字。碑文中有"立之宫学，次及太学、辟雍，天下郡邑"等语，可知同一碑文当时摹刻甚多，遍及各州县学校，存世者以陕西、河南、山东为最多。而此碑为代表作。

从碑文可了解到宋代教育和科举制度是非常严明的，给学生规定有"孝、悌、忠、和、睦、姻、任、恤"8种德行，行之可开舍；违之则以"八刑"制裁，不得入学。王安石变法期间，在太学中实行"三舍法"，分太学为外舍、内舍、上舍，依学生程度分别编入三舍。初入太学者为外舍生；外舍生成绩获第一、二等，且行艺优良者，升补为内舍生。内舍生成绩获优、平二等，且行艺优良者，升补为上舍生。上舍生参加科举考试时，可区别对待。成绩下等可免乡试，中等者可免省试，上等者可不经考试直接取旨授官。"三舍"之制把学校和科举结合起来，是宋代对科举制度的一项重要改革，影响很大。

大观圣作之碑藏于陕西西安碑林博物馆。

真草千字文碑　宋大观三年（1109年）文物。

宋大观三年重刻，碑义为隋代智永所书。智永，隋代永欣寺僧人，亦称永禅师，浙江会稽人，王羲之第七代孙，曾师从萧子云学书，更重王氏祖先书法规范，为隋唐间学书者宗匠。智永曾手书千字文800册之多，分赠江东诸寺各一本。平时求书者众多，以致所居住门槛都被踏损，不得不裹以铁皮保护，号为"铁门限"。智永《真草千字文》在章法安排上极为独特，采取真草两体隔行相间排列方式，既便于学书者释读草书，又能让人同时欣赏两种

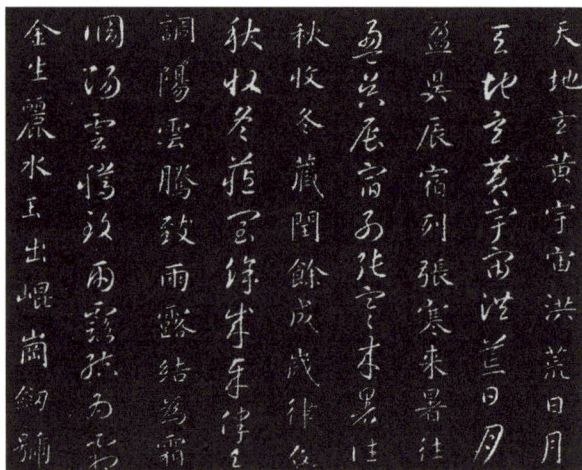

体势书法。其草书完全得笔于王羲之，但又与王羲之"笔墨飞舞"、字字相连书写方式不同，而是每字独立，在字的笔画间用游丝相接，反映字与字之间笔势往来，飘逸之中尤显古意；其真书（楷书）姿态生动，清劲秀雅。智永书法深受后人推崇，由隋入唐的几位大书法家中，虞世南、褚遂良、欧阳询，都曾受到智永书法影响。唐宋以来，凡欲学草书，宗二王书法者，无不以智永书帖为范本。

真草千字文碑，螭首方座，横石三段排列，高268厘米，宽97厘米。石灰岩阴刻。碑顶有"智永千文"4字。碑文内容为千字文。

千字文产生于南北朝梁武帝时期。梁武帝酷爱王羲之书法，收集大量王羲之真品，命人拓出1000个不重复的字，供诸王临写，又命文学侍从周兴嗣把1000个不同的字，编成四字一句、两句一韵的文章。内容涉及天文地理、礼仪治学、法制规范、饮食游乐、艺技宫室等，作为识字、习字和读书三位一体的教科书。智永《真草千字文》流传有墨本和刻本两种。墨迹本为日本所藏，据考证唐时传入日本，著录于日本《东大寺献物账》中。此本多六朝别字，书法秀逸，风神娟静，有六朝遗韵，艺术价值

极高。此碑为中国唯一珍藏的智永千字文刻石本，是北宋大观三年二月薛嗣昌以长安崔氏所藏真迹摹刻上石，因刻于陕西西安，俗称"关中本"。此碑曾立于迎祥观（陕西省西安广济街处），后因观毁才入藏西安碑林。

真草千字文碑藏于陕西西安碑林博物馆。

元祐党籍碑　南宋文物。

北宋中叶，宋神宗起用王安石进行变法。王安石执政期间，为保障新法顺利推行，将以司马光为首的反对新法的旧党成员大部分排挤出朝廷。宋元丰八年（1085年），宋神宗去世。年仅10岁的宋哲宗继位，次年改年号为元祐，太皇太后高氏垂帘听政。高氏一直不赞成新法，司马光奉召入京主政，"尽废新

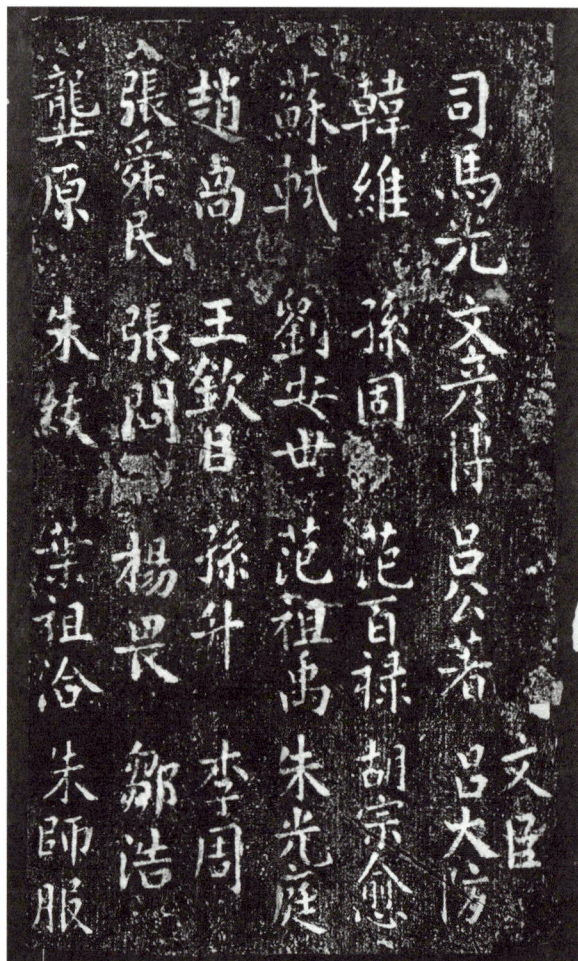

法"，史称"元祐更化"。司马光去世后，旧党内部因政见、学术思想不一而分化为：以洛阳人程颐为首的"洛党"，以四川人苏轼为首的"蜀党"，以河北人刘挚、梁焘、王岩叟、刘安世等人为首的"朔党"。各党之间相互争吵攻击，使北宋党争愈演愈烈。元祐八年（1093年）高氏病逝，哲宗亲政，改年号为绍圣，重新起用变法的章惇、蔡卞、曾布等人恢复新法。并将旧党主要官员吕大防、刘挚、苏辙、梁焘、范纯仁等贬官流放，已去世的司马光、吕公著等人甚至被毁墓追加惩罚。朝廷把元祐时期打击变法派的人称为"元祐党人"，定"元祐党籍"73人。元符三年（1100年），25岁的哲宗病逝，宋徽宗即位，但大权在向太后手中。向太后是守旧派，变法派章惇、蔡卞、蔡京等人因此先后被贬，旧党成员又陆续回到朝廷。当年七月，宋徽宗亲政，在曾布的鼓动下，决意继承神宗、哲宗变法事业，任用蔡京为相继续变法。蔡京却打着推行新法幌子，狂征暴敛，使得民不聊生。崇宁元年（1102年），蔡京为排除异己，假借重施变法为名，先把元祐及元符三年恢复旧法的司马光、文彦博、吕公著等120人定为"元祐奸党"，由徽宗书写98人姓名刻石于端礼门。崇宁二年，将石刻复刻于外路州军。崇宁三年六月十七日，又重定元祐、元符党人及邪等（蔡京把自己的党羽列为"正等"，异己列入"邪等"）姓名，合为一籍，共309人，定为"元祐党籍"。蔡京请徽宗亲自书写，刻石立在文德殿门东壁；二十一日，蔡京又亲自抄写，令地方各州府刻石立碑，昭示天下，是即"元祐党籍"石刻。崇宁五年（1106年）正月，徽宗

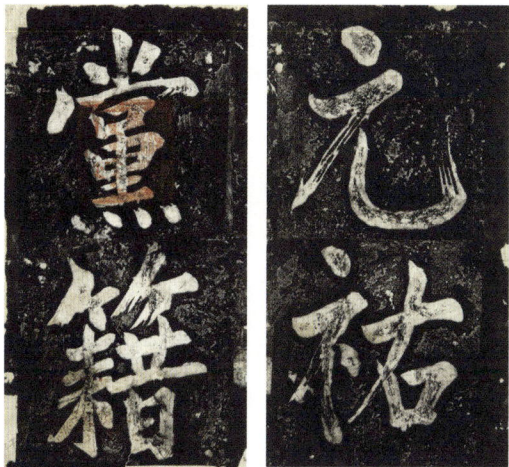

觉得这么做不妥，下令各地销毁石碑。南宋庆元四年（1198年），元祐党人梁焘后人梁律据家旧藏元祐党籍拓本，将碑文重刻于广西桂林七星岩龙隐洞中，保存较好。嘉定四年（1211年），元祐党人沈千曾孙沈暐也依家藏拓本，重新刻碑，立于广西融水城郊真仙岩老君洞内。这两块刻石均成为北宋时期党争重要见证。

融水藏元祐党籍碑，高156厘米，宽83厘米。石灰岩。阴刻楷书。碑文分为四层，碑额有楷书"元祐党籍碑"5字，其次为蔡京题记，20行，满行8字；第3层为党人名录，29行，满行书15人；最后一层为跋，21行。

有专家认为，立于融水真仙岩的元祐党籍碑并非沈刻原状。沈碑已毁于明洪武三年（1370年）之后，此碑刻应该是此后复刻。"文革"后期，真仙岩建工厂，绝大部分石刻、石像被毁。此碑被运送到县政府大院存放，后又曾被当作公路垫石。

元祐党籍碑藏于广西壮族自治区融水苗族自治县民族博物馆。

平江图碑　南宋绍定二年（1229年）文物。

平江图碑由李寿明主持刻绘，吕梗、张允迪、张允成勒石。绘制宋代苏州（时称平江

府）城市地图。苏州在唐时为东南大城市，建有60里坊，390座桥，以都市繁华、河网纵横著称。南宋建炎四年（1130年），金军夷平坊市。绍兴以后陆续修复。此图所示城北居住区小巷横列，除有河道外，与元、明北京的胡同极相似，跨街建坊也与明清城市相同。

平江图碑高284厘米，宽146厘米，厚30厘米。石灰岩。阴线刻。顶上正中有碑额"平江图"三字。四边分题东、西、南、北四字，以北为上。图中所示宋时苏州有外城、子城两重城墙。外城呈南北长矩形，城内外均有壕，城门中水门、陆门并列。街道均取正南北或正东西方向，呈"丁"字或"十"字相交。北半部为居住区，采取街南北向与巷东西向布置。街巷多与河并行，形成水陆交通网。城的南半部官署、学校、寺观较多。子城在城内中部，内为府衙，仅南、西两面有城门。南门以内于轴线上建府衙，前设厅，后为"王"字形平面宅堂。两侧为府属各厅。碑文记述苏州城内有桥梁359座，城外有护城河环绕，城内河道纵横交错，其中城内南北向主干河道有6条，东西向河道14条。另绘有古塔12座，跨街牌楼65座，寺观庙宇50余处。平江图碑准确描绘了当时苏州城市和城市布局，主要建筑物呈明显轴线关系，体现出当时地区政治军事中心的府州城市特点。图中陆路与河道为平行关系，反映江南水城前街后河的特点；商行设立突破前朝后市的传统模式，反映当时经济发展已达新水平。

平江图碑反映出宋代地图绘制水平。图碑采用中国传统地图绘制方法，即平面与立体形象相结合，用线条标示街巷、里弄、河道，用生动立体图画绘制古典建筑、自然风光，刻法粗细得当。在继承传统地图学基础上，平江图碑也反映宋代地图学的进步，现代地图比例尺、方位、图式和注记，三要素都在图中体现出来。通过与苏州城遗迹对照，图上所绘城市范围、道路、河道、桥梁及建筑物位置都相对准确，其中许多街、巷、桥、坊名称一直沿用。在苏州部分地区考古勘探也证实多数遗址和古建筑实物如玄妙观、罗汉院双塔等均与图碑所示相符，体现当时已具有极高的测绘水平。平江图碑是遗存历史最久、最完整的城市平面图，是研究里坊制度废除后宋代城市规划新发展的重要史料之一，图中所示子城府衙也是了解宋代衙城形制的珍贵史料。

平江图碑藏于江苏省苏州碑刻博物馆。

地理图碑 南宋淳祐七年（1247年）文物，为宋代金石艺人王致远根据黄裳（1147～1195年）原图镌刻的。

地理图碑，高221厘米，宽106厘米，厚30厘米。青石质。阴线刻。碑顶端刻"地理图"3字。碑分地理图和图说两部分。地理图绘制中国海岸轮廓，主要山川、河流、湖泊布局及长城和全国各级行政机构即路、府、州、军、监位置。图说共36行，行22字，正书小楷，作者黄裳以宋代现有版图为例，分析中国历代政治地理的变迁情况，并为当时金兵南侵、国土破碎而伤怀。图说末尾处有王致远行草书跋47字，记载《地理图》《天文图》《帝王绍运图》等简要沿革及刻石原因。

遗存宋代全国性石刻地图共4种，即西安碑林《华夷图》《禹迹图》、四川省博物馆《九域守令图》和这方《地理图》。《地理图》相比前三方地图石刻来说，虽成图于南宋中叶，但绘制却是北宋时期政治地理图，除北宋政区外，还包括北方的辽、西北的西夏、西南的大理、南方的交趾、东部的朝鲜半岛等地，其地域北部包括现俄罗斯一小部，蒙古国全部，东部包括朝鲜，南部包括越南，似一幅以北宋版图为中心的亚洲地图。在存世宋代石刻地图中绝无仅有，为研究宋代政治、军事状况提供了直观的实物史料。《地理图》反映北宋行政建制有22路、34府、32州、44军、1监。其中"路"级建制，是宋代最高一级地方行政建制，《地理图》对"路"有反映，在遗存宋代地图中是唯一的，弥补了宋代其他全国性地图行政建制不全的弊端，为研究宋代行政区域提供了珍贵实物史料。《地理图》所表现的自然地理也较精确，其收录的地理范围宏大，甚至在某种程度上超越古代九州框架；《地理图》对中国河流、湖泊和山脉有相当精确和客观的反映，图中收录水名93个，山名149个。还标出长江发源地、黄河发源地、黄河故道和淮水源地理方位；《地理图》绘制海岸线比《华夷图》《九域守令图》精确得多，特别是辽东半岛、山东半岛及中国东南海岸线，已接近近代地图准确性，在传世的几幅宋代石刻地图中，《地理图》是海岸线画得最为准确的一幅。《地理图》还采用立体形象化手法，突出表现在对山脉、森林绘制上，共刻有149座大小山脉，在存世宋代全国性地图中也是最多的。山脉绘制均用人字形笔触和自然描景法，增加山脉立体感觉，《地理图》在不少地方画有森林象形符号，特别是大兴安岭南部一块空地上，画了50余个这种符号，并注有"平地松林，广数千里"8个字，图文结合，

给人以无边无际之博大感觉。《地理图》采用直观写景立体形象化表现手法，显示长城蜿蜒曲折，犹如长龙盘旋绵延万里的雄姿。运用方框式、椭圆式符号，使读者有较清晰形象。《地理图》对所有山名、行政区名、地名都加以长方形框，所有水名皆套以椭圆形圈，以资醒目。这在存世宋代石刻地图中是唯一的。"注记"多，也是《地理图》主要特点，22个注记中主要有政治类、区域界限类、自然地理类和历史典故类等内容。

地理图碑藏于江苏省苏州碑刻博物馆。

撒那威人哈只·赫瓦杰·侯赛因墓碑 元代文物。1958年，福建泉州通淮门附近城基发掘出土。

从此碑文可知，墓主哈只·赫瓦杰·侯赛因卒于元至正二十二年（回历764年，1362年）。"哈只"，表明墓主生前曾朝觐过圣地麦加。"赫瓦杰"，原为波斯语，意为先生、教师、商人、长老，在伊斯兰教国家用作称号。碑文中"西拉菲"系地名，即波斯的施罗围（亦称施拉夫、撒那威、尸罗夫、斯罗夫），是地处波斯南部法尔斯坦地区重要城市，地近波斯湾，自9世纪上半叶至13世纪上半叶的近400年间，为波斯湾最大贸易港。

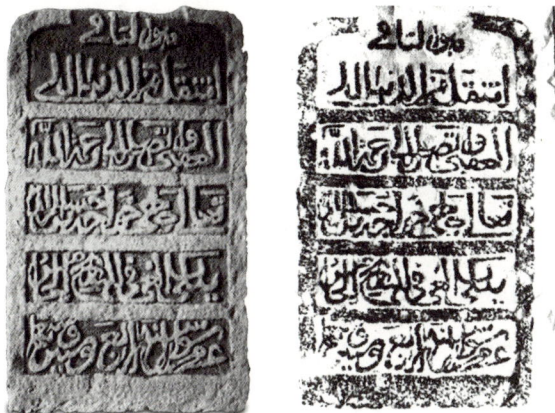

期间，大量波斯商人通过此城到东方进行贸易。岳珂《桯史》、赵汝适《诸蕃志》、林之奇《拙斋文集》及泉州清净寺中元至正十年（1350年）刻立、明正德二年（1507年）重刻的《重立清净寺碑记》中，都记载波斯西拉菲人在泉州经商的事迹，南宋时，居住泉州的阿拉伯、波斯富商，多数都为西拉菲人。

撒那威人哈只·赫瓦杰·侯赛因墓碑，高58.5厘米，宽35厘米，厚8.7厘米。此碑用辉绿岩琢成。碑顶为尖拱形，但尖拱顶已损毁。碑面浮刻6行古阿拉伯文字，意为："他（安拉）是永存的。已从今世到后世。已与至高无上的安拉之怜悯相接。死者哈只·赫瓦杰·侯赛因·耶勒基·西拉菲。卒于回历764年10月15日。"除第一行外，其他每行间都有浮刻横线隔开。背面琢平，未刻文字。

泉州在宋元时期是重要海港，当时有大量外国人侨居此地，尤以阿拉伯人为多。南宋末年，阿拉伯人蒲寿庚曾担任提举市舶官职。泉州遗留大量伊斯兰教石刻，主要有墓碑、墓顶石和石墓及礼拜寺内壁龛石刻等。其中墓碑发现较多有两种形制，一是竖直的长方形碑，顶部多作双重弧曲尖拱状，除碑文外多无其他雕饰，一般高20～60厘米。碑文多为阴刻阿拉伯字，少数在碑阴刻有汉文。此碑为此类代表。另一种碑体为横长方形，上下缘刻纹饰带，碑体下有莲座。这些碑碑文较简单，一般是先述死者姓名，后记伊斯兰历的卒年。泉州发现的伊斯兰教有纪年的墓碑石，其年代多数是在回历700年后，少数是在回历600～700年间。这些伊斯兰教徒多数是波斯人、阿拉伯人，也有土耳其人、阿曼人、也门人、里海地区人和中

亚布哈拉人，其中有贵族、官僚、商人、教长、传教士、艺人和奴婢，也有妇女和儿童，因为多数是商人，又来自不同的国家，所以在书写阿拉伯文墓碑时，多数不甚规范，以致有的很难辨认。

撒那威人哈只·赫瓦杰·侯赛因墓碑藏于福建省泉州海外交通史博物馆。

基督教兴明寺也里可温碑　元大德十年（1306年）文物。1984年，发现于福建泉州涂门外津头埔村水渠闸门边。

从碑文可知，作者吴哆呢是"管领泉州路也里可温掌教官"，是为地方路、州宗教官员，并兼有宗教职务，"主持兴明寺"。泉州发现聂斯脱利教派石碑多于罗马天主教石碑，但泉州聂派有几座教寺，并未被中外史籍所记载，此碑的发现，证明在元大德十年（1306年），泉州曾有一座聂斯脱利教教堂兴明寺，填补史籍上的空白。该碑也是泉州发现的有纪年年代最早的古基督教墓碑。

基督教兴明寺也里可温碑，横向长方形，长61厘米，高25厘米，厚10厘米。系辉绿岩石雕成。是须弥座祭坛式石墓中几方墓碑之最后

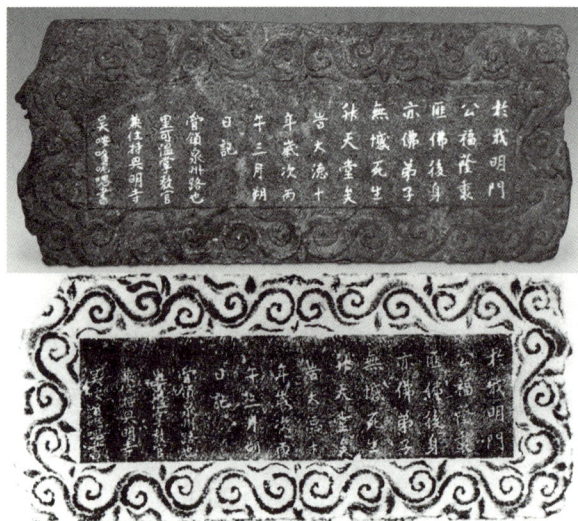

一方，碑面四周围绕6厘米宽连续卷云纹浮雕图案，中刻长方形框，琢平，阴刻竖行汉字14行，正文字径2厘米，内容为："于我明门，公福荫里。匪佛后身，亦佛弟子。无憾死生，升天堂矣。时大德十年岁次丙午三月朔日记。管领泉州路也里可温掌教官兼主持兴明寺吴哆呢书。"碑文前6行汉字是对死者的"赞颂诗"，每两行为一句，共3句，句的末字押韵。可知诗作者"吴哆呢"是具有一般汉文诗词常识的。赞颂诗"公福荫里"一句，句末"里"字，为元朝典型官方公文语尾用字。"福荫里"则为蒙古官方文件开头的赞词。因此，疑碑文作者是谙于汉文字的回鹘人或汪古部人。

元朝灭宋后，景教势力随蒙古军力自中亚、内蒙古等地往东南传播。不过此时景教改称为"也里可温"。汪古部人在12世纪接受中亚传入的也里可温教。汪古部使用文字较为复杂，其中有汉文字、八思巴文字、回鹘文字，及八思巴拼写汉语、叙利亚语、叙利亚字拼写突厥语等。从泉州发现的也里可温教徒遗留墓碑铭文可知，元代泉州也里可温教徒，有相当部分是来自汪古部。景教传入中国后，受佛教影响很大，延至元朝，也里可温教徒对崇奉神仍称"佛"。

基督教兴明寺也里可温碑藏于福建省泉州海外交通史博物馆。

天主教泉州主教安德肋墓碑石 元代文物。民国35年（1946年），在福建泉州通淮门附近城基发现。

从该碑能释读碑文可知，此碑可能是元代曾任泉州圣方济各主教安德肋墓碑。这方墓碑石是中国已发现最早的天主教拉丁文字石刻，

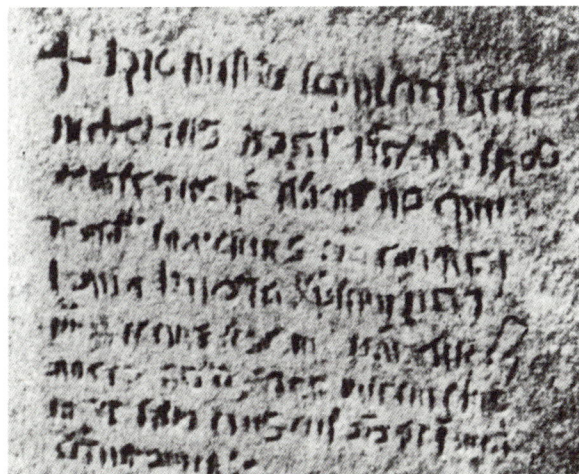

说明早在公元14世纪初，欧洲天主教徒就远涉重洋，梯航泉州，也说明有元一代天主教在泉州的盛行。

天主教泉州主教安德肋墓碑高54厘米，宽45厘米。用辉绿岩雕成。原碑顶作尖拱形，已被毁，碑面飞天及十字架亦一起被凿毁。碑面尖拱下浮雕两个有飘带的飞天，手持一"圣物"，上面刻一朵莲花，在莲花上竖立一个十字架。碑面上阴刻拉丁文9行，第1行前刻一小十字架，文字自左至右横写。已发现的阿拉伯

字或叙利亚字碑石，都是自右至左横写，这件碑石文字自左至右的写法是一般拉丁语系的写法。文字刻得很小，年久磨损，很难句读。

从已收集的70余方元代泉州基督教墓碑中，发现有古拉丁文、蒙古八思巴文、古叙利亚文、古叙利亚字母拼写的突厥语、回鹘文及未被认识的文字和汉文。从墓碑文字和碑额形制判断，当时泉州基督教有聂斯脱利教派（景教）和圣方济各会派（罗马天主教）。据有关文献记载，圣方济各教派大约于元朝中期才传入中国，这一教派首先在北京传教，后渐次播及中国南部泉州。元皇庆二年（1313年），圣方济各教派在泉州添设一个主教区，日辣多为第一任主教，亚美尼亚妇人出资建造一座大圣堂。至治二年（1322年），意大利籍圣方济各会士和德里从泉州登陆，曾见到两座圣方济各会修院。泰定三年（1326年），泉州圣方济各主教安德肋，又完成一座规模较大圣堂。安德肋主教建造教堂遗址所在地，也是历史学家多年来所关注的。有专家认为，十字架碑刻及石墓多发现于泉州城东隅和北隅，特别是在城垣东隅与北隅交接处所得最多。色厝尾这个墓地，恰好就在这一地点，且与安德肋信中"余乃于附近小林中建美丽教堂。堂距东城仅四分之一英里而已"相符，由此推断，色厝尾很可能是元代基督教圣方济各会主教安德肋在城外所建教堂遗址所在地。

天主教泉州主教安德肋墓碑石藏于福建泉州海外交通史博物馆。

挹伯鲁马尔创建湿婆神庙泰米尔文字碑记 元代文物。1956年，福建泉州南门伍堡街民房内发现。原应为一碑，破损断裂为两段。

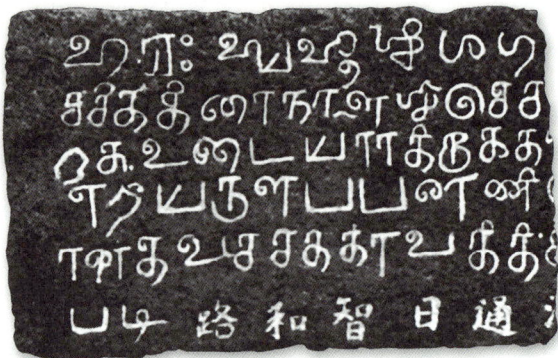

碑文纪年为释迦历1203年（元至元十八年，1281年）。

挹伯鲁马尔创建湿婆神庙泰米尔文字碑记，高32厘米，宽55厘米，厚11厘米。碑文上面五行文字是印度泰米尔文，下面一行为汉文。

对碑文中泰米尔文，中外专家虽有不同翻译，但普遍认为此碑石记述挹伯鲁马尔在泉州建立印度教湿婆神庙的历史。碑文中汉字含义还有待研究。这方泰米尔文字石碑可能与南印度马八儿国有关系。马八儿国是泰米尔人居住区，流行泰米尔文字。南印度泰米尔纳德地区为寺庙之乡，其中尤以规模宏大的湿婆神庙而著称。南印度泰米尔诸王朝，历史上多次向东南亚发展势力，如11世纪朱罗王朝征服缅甸、爪哇、苏门答腊，印度教随之在东南亚流播。中国东南沿海泉州是10～14世纪的东方大海港，马可·波罗曾记载："印度一切船舶运载香料及其他一切贵重货物咸莅此港。"《元史》也记载了元初马八儿国与泉州海外交通十分频繁。因此，元初泰米尔人在泉州创建湿婆神庙，也是很自然的事情，碑文也正是这段历史写照。

挹伯鲁马尔创建湿婆神庙泰米尔文字碑记藏于厦门大学人类博物馆。

玄通弘教披云真人道行之碑　元延祐七年（1320年）文物。1960年，山西省芮城县永乐宫宋德方墓出土。

此碑王利用撰文，韩冲书丹并篆额。记载宋真人生平、道行等，文颇雅洁。书法模仿右军圣教序，颇圆熟，堪称元代佳作。宋真人（1183～1247年），讳德方，字广道，号披云，莱州掖城平村人。"披云子"是其师父丘处机所授之号。宋德方师从刘处玄、王处一与丘处机，分别得到三人真传。元太祖十五年（1220年），宋德方曾随丘处机往八鲁湾见成吉思汗。后三年，返回中都后住长春宫（白云观）。太宗五年（1233年），宋德方曾主河东醮事。太宗九年（1237年），复主平阳醮事。太宗后三年（1244年），主皇子阔端醮事。定宗二年（1247年）去世，时年65岁。宋德方一生中最主要事迹是主持元道藏刊刻事宜。当时，金代孙明道所刊金玄都宝藏已亡佚。宋德方在主平阳醮事时开始重刊《道藏》，亦称《玄都宝藏》，自太宗九年（1237年）开始刊刻，完成于元太宗后三年（1244年），凡7800余卷。经版初藏于平阳玄都观，元定宗时，永乐宫已建成，乃移经版于此。至元十八年（1281年），下令焚毁各地道藏经文印版，永乐宫所藏《玄都宝藏》经版，亦于此时焚毁。

玄通弘教披云真人道行之碑自螭首至龟座高450厘米，宽128厘米。石灰岩。阴刻行书。圭形碑额篆书"玄通弘教披云真人道行之碑"12字，正文30行，满行65字。

作为曾跟随丘处机西行觐见成吉思汗的十八弟子之一，宋德方为金末元初全真道发展做出巨大贡献。宋德方带领全真弟子，开凿的山西太原龙山与山东莱州寒同山两个大规模全真道石窟，对研究元初全真道信仰状况具有重要历史价值。宋德方主持《玄都宝藏》编纂、

补充、整理与刊布，不仅对保存早期全真道典籍做出重大贡献，且还昭示出元初全真道向传统道教回归的发展趋向。

玄通弘教披云真人道行之碑藏于陕西省西安市鄠邑区重阳宫。

莫高窟六字真言碣 元至正八年（1348年）文物。

莫高窟六字真言碣，亦称"元代速来蛮刻石"。从碑两侧和下方题名、题记可知，此碑立于元至正八年（1348年）五月十五日，是当时镇守沙洲速来蛮西宁王及妃子、太子、公主、驸马等布施刊刻。据考证，西宁王为成吉思汗儿子拖雷的八世孙。

莫高窟六字真言碣，残高75厘米，宽57厘米。石灰岩。阴刻。上额横刻"莫高窟"，碑中央阴线刻一尊四臂观音坐像，周边三方都有两列刻文，上方为梵文、藏文各一行；左方为汉文、西夏文各一列；右方为回鹘文、八思巴文各一列。在这六种文字中，汉字为"唵""嘛""呢""叭""咪""吽"，其他文字亦为同音真言。因此，世称六字真言碑。

"六字真言"在佛教中又作"六字大明咒"，是密教重要咒语，又称观世音菩萨心咒，源于梵文，"唵""嘛""呢""叭""咪""吽"这6字为汉语音译，意思是"归命莲花上之宝珠"。按照密教所传，这6字最早是阿弥陀佛见到观世音菩萨时的赞叹语，后被视为一切佛教经典根源，一切福德、智慧及诸行的根本。到藏传佛教便将这"六字真言"定为观世音菩萨明咒，不仅是藏传佛教密宗祈祷心语，且是一种强身健体发声功法。"六字真言"题字在中国境内很常见，既有梵文，也有汉文、藏文、回鹘义、西夏文、八思巴文和蒙古文等，种类繁多。通常情况下，不同文字的"六字真言"都是单字体镌刻，仅有少数用两种文字合刻，用三种以上多体文字镌刻者极为罕见，仅发现于河西走廊地区有，分别使用四种、五种，甚至六种文字合璧题写。除极负盛名的这块"六字真言"碑外，地处河西走廊甘肃省永昌县北圣容寺对面崖壁上，也刻有"六字真言"。"六字真言"在河西走廊的出现与其地理位置和历史发展有关。历史上，河西走廊曾是一个多民族聚集地方。11～13世纪初，党项族建立西夏王朝统治整个河西走廊地区长达200余年。西夏党项族笃信佛教，早在西夏仁宗天盛十年（1158年）就遣使到西藏，迎请藏传佛教高僧在凉州乃至整个河西走廊广泛传播教义。元太祖二十二年（1227年）蒙古灭西夏和元太宗六年（1234年）灭金后，窝阔台将原西夏辖区及现甘肃、青海部分藏族地区，划为阔端封地，阔端成为西凉王，驻扎在凉州（甘肃武威）。新疆回鹘族高昌国国王纽林的斤先祖归降元太祖，纽林的斤和部落辗转到西凉州，在永昌（武威市永昌镇）筑起新城王宫驻扎下来。因此，这一时期河西走廊是一个蒙、汉、藏、西夏、回鹘（元以后名维吾尔族）多民族多文化融合之地。六字真言碑是这种历史文化特色的反映。

莫高窟六字真言碣藏于甘肃敦煌研究院。

千金宝要碑 明代文物。

千金宝要碑，原立于陕西省铜川耀州区药王山上。药王山是唐代医学家孙思邈长期隐

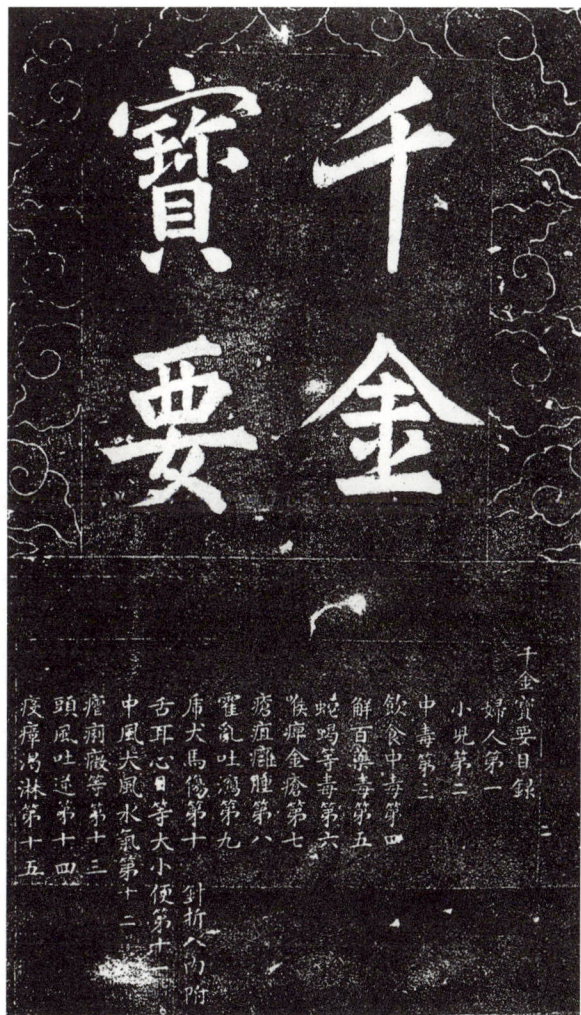

居之处，因民间尊奉孙思邈为"药王"而得名。自宋代后，人们为纪念药王孙思邈，在药王山上修庙、建殿、塑像、立碑，药王山成为医宗圣地。其中存有关碑刻100余方，被称为"药学碑林"。药王山医方碑碑亭内立置医方碑5通。除千金宝要碑4通外，还有《海上方》1通，内容为孙思邈搜集民间单方、验方，编成七言方歌121首，125方，亦为明隆庆六年（1572年）秦王朱守中刻立。这5通碑石共刻数万字，保存完好，是规模较大的医药碑刻，是北宋郭思摘取唐代医学家孙思邈《千金要方》之精华而选编的一部药书，内容涉及妇、儿、内、外各科中一些常见病和多发疾病。碑中收录药方9000余个，分6卷11科，是一部简化的《千金要方》版本，因其所载药方简单、便利、行之有效，且药品价格低廉，各方百姓常手抄拓印，带回家中以备应急。郭思，字得之，号小有居士，宋元丰五年（1082年）进士，官徽猷阁直学士、通奉大夫，河阳人（河南省孟州市），是画家郭熙之子，郭熙山水画著作《林泉高致》即由郭思整理而成。受父亲影响，郭思亦工于画。

《千金要方》是唐代医学家孙思邈的一部医学巨著，篇卷浩大，流传不易，使之无法发挥应有效用。有鉴于此，郭思节取《千金要方》诸方论说，附入所录自己和他人经用有效之方，集为《千金宝要》6卷。其撰集医书思路为：不注重医理阐发及辨证施治理论研究，但致力于医药知识普及。选方以治急症为主，用药简、便、廉，目的是使老百姓遇急病、常见病，仓促之下，检阅碑文，便于施行。《千金要方》是一部大型方书，大方与小方均有，而《千金宝要》所选方药

甚简，每方多用一两味常见药，且无人参等贵重药品。槐白皮、小豆花、地榆等药于田间地头极易寻得，大大方便家无余财穷苦百姓。

千金宝要碑藏于陕西省药王山博物馆。

乾隆御制碑 清乾隆时期文物。

1993～1995年，北京古代建筑博物馆在组织文物普查时，从民国时期报刊上找到关于"北平先农坛发现石幢"三篇报道，据此展开对该"石幢"即乾隆御制《帝都篇》《皇都篇》碑的查找。据调查，该碑在民国24年（1935年）前后曾立于天桥十字路口西北方的斗姆宫内。民国34～38年（1945～1949年），移至先农坛。1949年，育才学校进驻先农坛时，该碑尚立于内坛东北角。1958年"大跃进"期间，该碑被人推倒，散放地表。"文革"期间搞"深挖洞"工程和建设厂房工程

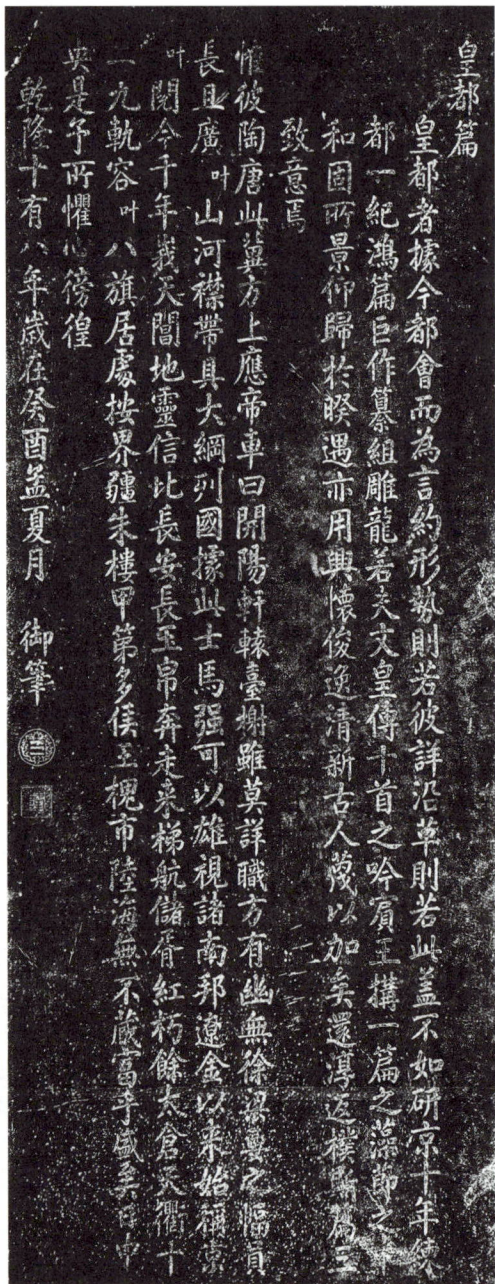

时，该碑各部件被陆续埋入地下。正是依据这些线索，经反复勘察，文物普查人员终于在方便食品厂院内一间办公室地下发现碑身一角，此后又找到碑顶和底座，使这一珍贵历史文物终于重见天日。2006年，乾隆御制碑被移至首都博物馆收藏。

乾隆御制碑，通高670厘米，重约40吨。汉白玉制成，由碑身、碑顶和碑座组成，碑顶和碑座各有两个，共5件。碑座为束腰须弥座，刻有卷草花纹。碑身四面刻有汉、满两种文字。为乾隆皇帝正楷手书其所作《皇都篇》《帝都篇》，前者是一篇序，后者是一首诗。两篇碑文以优美文笔，表达乾隆皇帝"在德不在险"和"居安思危"的治国思想。《帝都篇》中心思想，是立都、立国当以"险""德"兼顾，重在以"德"治国。《皇都篇》主要描述北京自唐虞以来的历史沿革和有清以来富庶兴盛的景象，集中表现"居安思危"的治国理念。两篇碑文详尽描述北京作为帝王之都的意义和价值，是研究北京历史和文化的重要实物文献。

在北京永定门外燕墩，也矗立一块以满、汉文刻着乾隆皇帝御制《帝都篇》和《皇都篇》巨大方形碑刻，两块碑刻立时间、碑的内容和形制都基本相同。同样内容的碑，为何刊刻两块，还有待于进一步研究。

乾隆御制碑藏于首都博物馆。

耶稣会士碑　明清时期文物。

20世纪90年代，在北京海淀区四季青乡正福寺被发现。正福寺墓地建于清雍正十年（1732年），是雍正帝亲赐法国耶稣会士墓地，是继"滕公栅栏"后，北京又一处较大、较为集中的法国传教士墓地，有数十位法国耶

耶稣会士巴多明墓碑

耶稣会士白晋墓碑

稣会士相继葬于此。

北京石刻艺术博物馆有耶稣会士墓碑陈列区，陈列明清以来入华传教士墓碑36方，大部分墓碑高180～200厘米，碑额雕有十字架和莲花或海水江崖等图案，碑中题"耶稣会士×××之墓"，碑文由汉文和拉丁文双语写成。从碑文中可知，36方传教士墓碑中，有25人为耶稣会士，其中包括耶稣会神父张诚、白晋、蒋友仁等人。

耶稣会是天主教修会之一，成立于1534年，希望通过天主教内部改革来抵御新教冲击，也誓愿为上帝之国开疆拓土。耶稣会士在明清时期来华，在中国活动足迹甚广，在传教同时，把西方近代科学知识也传到中国，并把中国文化带回欧洲。北京石刻艺术博物馆中陈列的这些墓碑中，提及的耶稣会士大多来自法国，通过海路、陆路进入中国，打开中法文化交流大门，形成继利玛窦之后西方来华传教史上第二次历史时期。如耶稣会士张诚（1654～1707年），字实斋，生于法国凡尔登，是清康熙二十七年（1688年）来华的五位"国王数学家"之一，法国耶稣会在华传教团体第一任总会长。张诚于1670年入耶稣会，1683年被法国国王路易十四授予"国王数学家"称号，1685年受法国国王派遣，与洪若翰一行来到中国，后再未返回故土。张诚具有非凡的语言天赋、卓越的地图测绘能力和外交谈判能力，到达北京后被康熙皇帝留用宫中，在华近20年，深得康熙皇帝圣眷，多次扈从出巡蒙古、江南等地。张诚康熙二十七年至三十八年（1688～1698年）曾前后8次前往蒙古地区。其间，康熙二十七和二十八年张诚作为拉丁文翻译两次随使团与俄罗斯谈判。由于张诚居间调停，《尼布楚条约》得以顺利签订。

张诚在蒙古地区还进行经纬度测量、考察蒙古历史、地理、社会风貌等，留下详细的记述。这些记述后来由杜赫德编入《中华帝国及其所属鞑靼地区的地理、历史、编年纪、政治及博物》（简称《中华帝国全志》）刊印出版，《中华帝国全志》是18世纪西方国家获得蒙古知识的主要读物，亦是西方传教士汉学奠基之作，为西方对蒙古地区及蒙古民族的关注及研究起到承上启下的作用。耶稣会士白晋到达北京后，很快就掌握满文，其语言才能与科学素养深得康熙赏识。与其他耶稣会士一起，白晋常出入宫廷，为皇帝讲法国耶稣会数学家巴蒂的《几何原本》，此书后来被编入康熙御制的《数理精蕴》中，对清代中晚期中国数学的发展产生深远影响。受康熙帝委托，康熙三十二年（1693年）白晋从北京动身，回法国招募耶稣会士来华，充当中法文化交流使者。白晋带

着300余卷中文书，作为赠送法王路易十四的礼物，于1697年3月到达法国。在法国期间，白晋撰写《康熙皇帝》，加深路易十四对康熙与中国的了解。耶稣会士蒋友仁（1715～1774年），于乾隆九年（1744年）抵达澳门，后奉召进京。入京后，埋头学习满、汉语言文化，孔孟经典、哲学、历史等中国传统文化。经蒋友仁翻译的拉丁文《书经》，译笔之忠实，远出以前各译本之上，足见译者汉学造诣之深。蒋友仁还参与圆明园若干建筑物设计，与其他传教士赴西藏、新疆等处实地测量，将新测量数据补充进《皇舆全览图》。新图命名为《乾隆内府舆图》，最终完成中国全部版图实测绘图。

耶稣会士碑藏于北京石刻艺术博物馆。

徐君夫人菅氏之墓碑　晋永平元年（291年）文物。民国19年（1930年），河南洛阳城北门外后坑村出土。后经于右任从古董商手中

购得，并于民国28年（1939年）将其捐赠西安碑林。

徐君夫人菅氏之墓碑，高58厘米，宽24厘米。石灰岩。阴刻隶书。圆首，上刻三条弧形晕线，边晕下端刻有简单蟠螭纹。碑额刻"晋待诏中郎将徐君夫人菅氏之墓碑"15字，碑阳11行，行16字，内容为死者出身、行状、葬地、年月等。碑阴与碑阳文字相连，7行，行10字，刻赞颂死者铭文，已具备完整墓志形式。此碑蟠螭纹圆首，当系由汉碑形制蜕变而来。故可视为碑形墓志。

此碑书法舒展规整，委婉清丽，是研究中国书法发展演变的宝贵实物资料；也是以碑碣向墓志过渡的中间式样，对探讨墓志形制发展演变具有重要参考价值。魏晋时期是墓志开始定型的过渡时期，建安十年（205年），"挟天子以令诸侯"的曹操以天下凋敝，下令不得厚葬，又禁立碑。晋武帝司马炎于咸宁四年（278年）亦诏禁立碑。虽有禁碑法令，但人们仍旧要刻碑纪念故人，但又不敢违背禁令，于是出现仿照碑形竖立在墓室中的小型碑状墓志，一般高度一米以下，宽度半米之内，直立圹中，与后世墓志平放不同。仿照碑式小型墓志遗风至南北朝时还可见到，如辽宁发现的北魏刘贤墓志。魏晋时期禁碑政策，为墓志的大量兴起和普遍使用起到极大推动作用，也标志着新的埋葬习俗形成。西晋墓志是碑刻转入地下向墓志发展的重要过程，徐君夫人菅氏之墓碑是这种转变时期的代表作，为研究西晋墓葬制度及中国古代埋葬制度发展提供了珍贵资料。

徐君夫人菅氏之墓碑藏于陕西西安碑林博物馆。

徐美人墓志 西晋元康九年（299年）文物。1953年，河南省洛阳市老城北郊邙山下发现。

徐美人墓志，又称徐义墓志，全称"晋贾皇后乳母美人徐氏之铭"。志文详细介绍了徐美人生平事迹及功德。美人徐义进入贾充家做乳母，哺乳贾充长女贾南风和次女贾午。后贾南风被册立为晋武帝太子司马衷之妃，司马衷即帝位后，贾南风也随升为皇后。贾午嫁于骠骑将军韩寿为妻。徐义在宫闱中颇受尊遇，便由"中才人"升为"良人"封号。特别是永平元年（291年）杨骏谋反时，徐义曾救贾皇后，受到皇帝褒奖，元康元年（291年）拜为美人，元康八年（298年）辞世，时年78岁。元康九年（299年）埋葬。

徐美人墓志，圭首方趺。高93厘米，宽52厘米。青灰色石灰岩雕造。阴刻隶书，正面刻文23行，行33字；背面刻文16行，满行23字。

志文中提到有些事件时间及"中才人""良人""美人""军谋掾""太子千人督"等官职、封号，在《晋书》中有些别误或失载。志文中所记历史人物与事件涉及西晋"八王之乱"史实，可与《晋书》互为参校。有专家研究，出土于汉魏洛阳和洛阳以东约15千米偃师的碑志，铭文间架结构及用笔方法都非常接近，风格相同，均为隶书，严谨庄重，气象雍容，方折顿挫更为加强，圭角呈露，装饰意味浓厚，是写刻结合效果，具有一定地方特征。

徐美人墓志藏于河南博物院。

王兴之夫妇墓志　东晋文物。1965年，江苏南京新民门外人台山出土。

此墓志表面涂有一层很薄的漆状物，出土时部分已脱落。王兴之，琅琊临沂（山东临沂）人，生于西晋永嘉三年（309年），卒于东晋咸康六年（340年）。官至征西大将军行参军，后任赣县县令。王兴之是丞相王导的从侄，尚书左仆射、都亭侯王彬之子，与"书圣"王羲之为从兄弟。王氏家族曾主掌东晋朝廷大权，有"王与马，共天下"之称，至南朝时依然显赫。王兴之墓志出土地人台山及附近的象山是王氏家族墓地，距王兴之墓不远处，还发掘王兴之亲属们的几座墓葬，出土有东晋升平二年（358年）三月九日的王闽之（王兴之长子）墓志、升平三年（359年）九月三十日王丹虎（王兴之姐姐）墓志、太元十七年（392年）正月二十二王彬继妻夏金虎（王兴

之的继母）墓志等。

王兴之夫妇墓志，长37.3厘米，宽28.5厘米，厚12厘米。石灰岩。阴刻楷书。两面刻细线分格，共刻203字。墓志正面是在东晋咸康七年（341年）七月二十六日刻写王兴之墓志，共115字。背面是东晋永和四年（348年）王兴之妻宋和之合葬时重刻的合葬墓志，共88字。

王氏墓志的出土，梳理出王氏家族王彬一支世系情况，纠正以往史料文献中的错误。王氏家族墓地的发现，也证明当时世家大族仍普遍采用聚族而葬，形成家族墓地的礼俗习惯。王兴之妻子宋和之墓志内容还表明东晋时期再次兴起墓室合葬的葬俗，对了解东晋丧葬习俗与北方世族迁徙情况具有参考价值。王氏家族墓志显得较简陋，这也是建康（江苏南京）地区出土的东晋墓志的共同特点。有专家认为，其与该地出土墓志主人多为南迁北方士族身份有关，"假葬"或许是东晋墓志形制简陋，刻工草率主要原因之一。此墓志字体虽已楷化，但多用方笔，点画间和间架结构中仍带有隶意，波磔不明显，是隶书向楷书过渡发展的书体。墓志字体与发现于云南省曲靖市的爨宝子

碑相类似。王兴之夫妇墓志与1964年南京南郊戚家山东晋谢鲲墓志的发现，曾引起20世纪60年代一场全国性的关于王羲之《兰亭序》真伪的大讨论。

王兴之夫妇墓志藏于南京市博物馆。

梁舒墓表 十六国时期文物。1975年，甘肃省武威赵家磨村出土。

十六国时期，只有前秦苻坚的建元纪年达12年，据墓表中"建元十二年一月卅日"推断，该墓表年代为前秦建元十二年，即376年。墓主梁舒，安定郡乌氏（甘肃省平凉市西北）人，在史书上虽无记载，但历史上安定乌氏梁姓曾长期在武威及河西一带为官，拥有相当势力。前秦中书令梁熙，随秦军进入河西走廊。苻坚灭前凉后，以其为凉州刺史，坐镇姑臧（武威）。此墓表内容对确定姑臧城和"杨墓"位置，也提供重要依据。据墓表所载"葬

于城西十七里"证明前秦梁舒墓与姑臧地理位置，同武威城与墓葬所处地理位置基本一致，为研究武威城变迁提供了第一手资料。墓志记载，梁舒墓西"百步"，尚有一座"杨墓"，据专家考证，此墓为前凉张骏时沙州刺史杨宣之墓，此墓表也为研究前凉历史提供极为珍贵资料。

梁舒墓表，高37厘米，宽26.50厘米，厚5厘米。碑形圆首，下承以长方形覆莲座，莲花纹饰为浅浮雕。碑额处篆书"墓表"二字，下部用魏体字书写，表文分9行，每行8字，共72字。全文如下："凉故中郎、中都护、公国中尉、晋昌太守、安定郡乌氏县梁舒，字叔仁。夫人故三府录事、掌军中侯、京兆宋延女，名华，字成子。以建元十二年一月卅日，葬于城西十七里杨墓东百步，深五丈。"

碑形墓志在十六国时期多有流行。陕西省咸阳市渭城区密店镇东北原也出土一件十六国时期的后秦弘始四年（402年）十二月二十七日吕他墓表，原石形状是带碑座圆首小碑型，通高65厘米，原立在墓室中。碑额中央刻写"墓表"二字。根据墓表铭文可知，吕他生前曾为幽州刺史，是地位较高的官吏。通过这些实例，可以说明十六国时期西北地区一些官员中，存在一种在墓中安放小碑形状墓表的丧葬礼俗。梁舒墓表是自铭墓表石刻中年代较早者，有专家认为，就墓志起源及墓志名称出现而言，墓表代表墓志在墓碑影响下正式定型的中间环节。"墓记→墓表→墓志"三个不同古墓铭刻名称的发展顺序，也可以说代表墓志在墓碑影响下正式定型的三个步骤。

梁舒墓表藏于甘肃省武威市博物馆。

刘贤墓志　北魏时期文物。1965年，辽宁省朝阳城北西上台村出土，原立于墓中棺前。

据志文可知，墓主为北魏营州临泉戍主刘贤，卒年64岁。铭文中没有刻写年月，只是称："魏太武皇帝开定中原，并有秦陇，移秦大姓，散入燕齐。君先至营土，因遂家焉。"由此可知，刘贤墓志可能是北魏早期石刻。刘贤作为迁移到营州的关中大姓子弟，被辟为中正，后任临泉戍主、东面都督，可以说是地方豪强。刘贤墓志使用的碑形，可能是沿袭中原丧葬习俗，与晋代及晋代后的碑形墓志有文化上的密切联系。

刘贤墓志，总高103厘米，宽30.40厘米，厚12厘米。龟趺长方碑式，碑额顶端呈半圆形，阳面浮雕四兽，中间阳刻"刘戍主之墓志"3行6字，字体近篆，兼具隶意。碑额阴面刻双鸾对舞。碑下为龟趺座。碑文隶书，四面连环刻文，界以棋子格，每行11格，阳面、阴面各6行，两侧各3行。除右侧三行题名外，皆满行，正文165字，加上题名共194字。

墓内设志石，应始于晋。晋志多作碑碣形，刘贤墓志仍存晋制，而不同于北魏后期流行的方形平置墓志。此志形制在北魏墓志中为首次发现。且墓志志文四面连文，北魏仅见此一例，甚至晋志之中也不多见。此前，出土墓中刻石自称为"墓志"的，以刘宋刘怀民墓志为最早，纪年为孝武帝大明八年（464年），已是方形平置。刘贤墓志作碑形，亦自称"墓志"，提供了由墓碑演变为早期墓志的重要实例。刘贤墓志碑额篆书已由繁到简，存有汉隶余韵，志文书法遒劲、雄奇方朴，有些文字尚带行草意味，与当时中原地区碑刻墓志迥然有

别，说明北方边塞与中原地区书法艺术从隶向楷的演变过程。

刘贤墓志藏于辽宁省博物馆。

司马金龙墓表、墓志　北魏太和八年（484年）文物。

1965年，在山西省大同市石家寨发掘的司马金龙与原配姬辰的砖室合葬墓，是有明确纪年的北魏早期墓。该墓共出土青石墓志3件，

其中司马金龙墓表出土于墓门券顶上部。司马金龙墓志铭出土于后室甬道南端东侧。姬辰墓铭出土于后室甬道南端东侧。司马金龙墓志、墓表还保留碑的形式，和此后北魏盛行方形带盖墓志大不相同。墓表出土于墓门上部，也较为罕见。根据墓志铭和《魏书》记载，司马金龙是晋宣帝司马懿弟司马馗九世孙，其父司马楚之，原系东晋高官显贵，于泰常四年（419年）投靠北魏王朝，曾被封为琅琊王，死后陪葬金陵（金陵为北魏前期帝陵总称，在山西省左云县一带）。司马金龙母亲为鲜卑诸王女河内公主，所以司马金龙是晋室皇族后代与拓跋贵族的混血。据铭文可知，司马金龙第一夫人钦文姬辰为秃发皇族之后。

司马金龙墓表呈碑形，通高64.2厘米，宽45.7厘米，厚10.5厘米；座长47厘米，宽14.4厘米，厚13厘米。碑额上部刻篆书"司马琅琊康王墓表"。表文楷书9行："大代太和八年岁在甲子十一月庚午朔十六日乙酉，怀州河内郡温县肥乡孝敬里使持节侍中、镇西大将军、吏部尚书、羽真司空、冀州刺史、琅琊康王司马金龙之铭。"司马金龙墓志铭呈碑形，通高

71厘米，宽56厘米，厚14.5厘米；座长59.8厘米，宽16.5厘米，厚19.8厘米。铭文基本同墓表。姬辰墓铭呈方形，长30厘米，宽28厘米，厚6厘米。刻文两面相连，正面8行，背面4行。

司马金龙墓是北魏平城（山西大同）时期最大的墓葬之一，发现于大同城东御河流域一带，为研究北魏平城提供了重要线索。司马金龙墓志有明确纪年，为断定墓主及年代提供了依据，为平城时期墓葬特例。1979年，在河南省孟县城西南高岗上，发现北魏永平四年（511年）司马悦墓，墓主人司马悦是司马楚之之孙、司马金龙之子。该墓志发现不仅有利于和《魏书》"姬辰墓志""司马金龙墓志"相佐证，更为研究北魏司马氏祖孙三代提供了重要实物资料。由于"司马金龙墓志""姬辰墓志"和"司马悦墓志"完成时间均比《魏书》早，所以墓志中的记载对研究北魏历史显得尤为重要，不仅有利于了解司马氏一族崛起发展及壮大，也有助于了解北魏的碑刻艺术、书法艺术、官制建制、行政建制、恩荫制度和户籍制度。除上述四方墓志外，有关司马氏墓志还有北魏正光二年（521年）"司马显姿墓志"（司

马显姿为司马悦第三女,司马金龙孙女,是北魏世宗宣武帝元恪第一贵嫔夫人)和东魏天平四年(537年)"高雅墓志"(高雅妻子司马显明,是司马悦长女,亦即司马金龙孙女)。与司马金龙家族相关这6方墓志,所载内容是这一时期胡汉通婚、民族融合的具体例证。

司马金龙墓表、墓志藏于山西大同市博物馆。

元桢墓志 北魏太和二十年(496年)文物。民国15年(1926年)河南省洛阳东唐寺门出土。元桢墓志与西安碑林元简、元遥、元定、穆亮、元嵩等300余方北魏、西魏、北齐、北周和隋唐墓志,原是于右任20世纪二三十年代从河南古董商手里购买所得的。

据墓志铭文可知,墓主人元桢,鲜卑族,本姓拓跋,是北魏恭宗第十一个儿子,曾任镇北大将军、相州刺史,有武功,封南安王。太和二十年(496年)死于邺(河北临漳),葬于洛阳城北邙山上。元桢在《魏书·南安王传》有记载,相比之下,墓志对其履历职官的记录较简略,省略元桢因贪财聚敛而坐罪和因涉及

谋反而国除等内容。刊刻此墓志时,正是北魏尽力汉化时期,北魏太和十七年(493年),北魏孝文帝把都城从平城(山西大同)迁到洛阳。太和二十年(496年),孝文帝改革鲜卑姓氏为汉族姓氏,鲜卑皇族拓跋改姓"元"。鲜卑汉化政策在书法上表现得尤为显著,墓志书体处于隶书向楷书的转化阶段,也由初期粗、杂而走向规范化,并在古拙敦厚中显现出豪爽劲健气势,在中国书法史上自成一格。

元桢墓志长、宽各67厘米。石灰岩。阴刻楷书,志文17行,满行18字,共285字。

清朝末年至20世纪30年代,受外国收藏家大肆购买中国古代艺术品影响,中国境内盗掘古墓搜抢文物之风严重,直接导致南北朝墓志,尤其是北朝墓志的大量出土。主要出土地点有:曾为北魏首都的河南洛阳地区,曾为东魏与北齐首都的河北邺城地区,以及西魏首都的陕西长安附近。出土墓志多为这些朝代皇族戚属与贵族官员墓葬中陪葬品。墓志具有丰富历史资料,受到中国学者与文人收藏家重视。收藏家罗振玉、缪荃荪、关葆益、董康、李盛铎、于右任、徐森玉、李根源、张钫等人,均有收集墓志,其中尤以于右任收藏的北魏元氏墓志最为著名。由于于右任的300余块藏石中有7对夫妇墓志,遂将其藏石命名为"鸳鸯七志斋藏石"。

这批藏石因交通原因,先被于右任运到北京市西直门内菊儿胡同一旧王府后院保存,后因中日关系紧张,北平、天津受日本侵略军威胁,于右任担心藏石被毁。民国24年(1935年)冬,面托杨虎城将军设法将墓志运回西安。几经周折,这批墓志陆续于民国25年

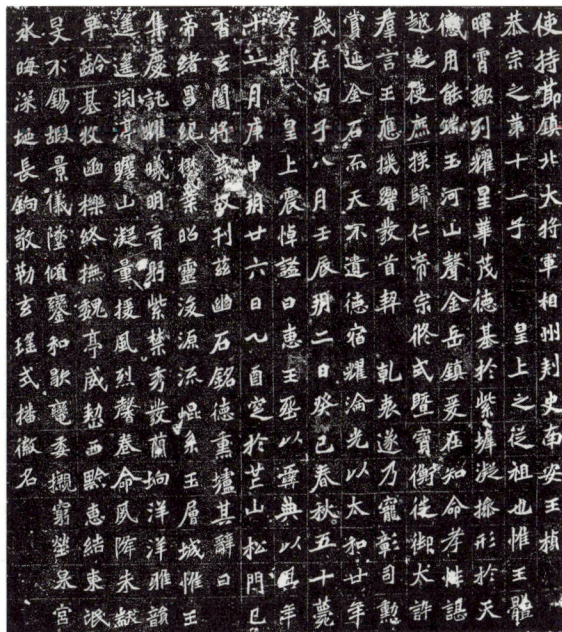

（1936年）运回西安，后被捐赠西安碑林。

元桢墓志藏于陕西西安碑林博物馆。

梁桂阳王萧融夫妇墓志　南朝时期梁文物。1980年，江苏省南京太平门外栖霞区甘家巷出土两方墓志：一方为梁天监元年（502年）十一月一日桂阳王萧融墓志，另一方为梁天监十三年（514年）萧融太妃王慕韶墓志。

萧融，梁太祖第五子，梁武帝萧衍之弟，南齐时曾任太子洗马，不拜，后与长兄尚书令萧懿同被齐东昏侯萧宝卷杀害。梁武帝登基后，赠抚军大将军，封为桂阳郡王。墓志撰写者任昉，官吏部郎中，齐梁之际文学家，与梁武帝交游甚密，为"文学八友"之一。萧融太妃王慕韶为王导七世孙女。墓志撰写者王暕，为王慕韶从兄，官至吏部尚书领国子祭酒。两方墓志反映王、谢等世族大姓的势力影响，在南朝延续相当长历史时期，也反映六朝时期帝王皇室和豪门贵族联姻史实。魏晋南北朝时期，门阀制度成为政治支柱，一批世族为保持门第高贵，生前聚族而居，死后聚族而葬，并通过联姻加强和稳固政治势力。南京地区出土大量六朝世族墓葬，墓志出土地南京太平门外甘家巷一带就是梁宗室族葬区域，埋葬有萧秀、萧融、萧伟、萧憺、萧恢、萧景等诸王。

桂阳王萧融墓志，长、宽各60厘米，厚9厘米。王慕韶墓志，长49厘米、宽64厘米，厚7.5厘米。均为石灰岩，阴刻楷书。

两方墓志出土后，结合传世梁普通元年（520年）十一月二十八日永阳王萧敷墓志与永阳王太妃王氏墓志等形制严谨、文字精美的石刻，可知在梁代，王侯们在墓中有大型墓志

陪葬，且墓志使用具有一定礼仪制度规定。萧融墓志分两部分：前一部分题为"桂阳王墓志铭序"，内容叙述萧融名讳、籍贯、出身、卒年、葬地及其传略；后一部分题为"梁故散骑常侍抚军大将军桂阳融谥简王墓志铭"，是歌颂墓主赞美之词，每句4字，共30句。王慕韶墓志志文，首行题为"梁故桂阳国太妃墓志铭"。内容可分为两部分，前一部分为墓主人名讳、籍贯、传略、卒年、葬地等，间有赞美语句，后一部分是赞美王氏铭辞，包括撰志者和梁武帝赞铭，每句4字，凡35句。铭词后，附有嗣王象及妃张氏概况。两墓志撰写格式虽略有差异，但基本可分为志文和铭赞前后两部分。相对于东晋一代大族成员墓志仅载墓主姓名、籍贯、职官、生卒、葬地及夫人子女名讳官职等简略内容而言，以萧融夫妇墓志为代表的南朝墓志文体已基本形成"前志后铭"的典型程式，为隋唐墓志志文格式化奠定基础。此两方墓志具有很高书法艺术价值。任昉所书萧融墓志，志文楷书，技法熟练，用笔多侧锋起笔，点画潇洒，沉稳遒劲，但字体某些方面却略见隶书遗意。王暕所书王慕韶墓志，志文是十分成熟的楷书，用笔亦多侧锋起笔，起笔不藏锋，收笔不收锋，字体严谨中求潇洒，用笔圆润中求雄健，艺术风格与萧伟墓志、萧憺碑等相近，是梁朝书法艺术另一重要流派。

梁桂阳王萧融夫妇墓志藏于南京市博物馆。

独孤信墓志　北周建国之年（557年）文物。1953年，陕西省咸阳市底张湾出土。

独孤信（502～557年），北朝将领，出身鲜卑化匈奴贵族之家。北魏末年，参与"六镇起义"，追随宇文泰建立西魏王朝，并成为

西魏"六柱国"（西魏实际统治者宇文泰改革军事体制，推行"府兵制"，设8位柱国大将军，其中6人分领全国军队）之一。独孤信后死于西魏北周改朝换代之际的政治斗争，被草草安葬，墓志也非常简略。独孤信虽然不得善终，其后人却在北朝和隋唐两代都有显赫政治地位，声名显赫。

独孤信墓志，长41厘米、宽41厘米、厚7.4厘米。墓志盖已佚，志文共16行，220字，记述独孤信姓名、籍贯、家世谱系、卒年、葬日、葬地及夫人和3个儿子名字。书体介于隶书与楷书之间，方正刚劲，被称为"魏碑"体。

独孤信显赫军功为独孤氏望族打下坚实基础，联姻皇室保证其高门不堕。据文献记载，独孤信妻子崔氏出自北朝大族。独孤信诸女婚姻也多联姻显贵之家，乃至北周皇室。独孤信第六子独孤陀娶弘农杨氏女。独孤信长女嫁宇文泰长子周明帝宇文毓；四女嫁陇西李氏李昞生李渊，唐代追封为元贞皇后；七女独孤伽罗嫁弘农杨氏杨坚，隋代为文献皇后。独孤伽罗雅好读书，识达古今，与隋文帝在宫中并称"二圣"。独孤皇后在后宫和朝野中起着举足

轻重的作用，使独孤家族在经历独孤信被赐死后，从一时低沉又重回高门地位。

独孤信墓志藏于中国国家博物馆。

李诞墓志　北周文物。2005年，陕西省西安市北郊南康村出土。

李诞墓志由志盖和志石组成。志盖方形，盝顶；志石方形，石灰岩。阴刻楷书，11行，满行12字，共126字。志文简要记载墓主生平。墓主李诞，生于北魏宣武帝正始二年（505年），字陁娑，为在华婆罗门后裔，婆罗门种，李诞应是其来到中土后的中文名字。北魏正光年间（520～525年），李诞自罽宾归到中土。墓志中称"其先伯阳之后"，应为攀附名门望族附会之语，说明其受中土文化影响甚大。李诞生平无官职，死后被诏赠为邠州刺史（陕西彬州）。

罽宾，是中国汉唐对中亚一个国家或地区的译称。中国与罽宾建立关系始于汉武帝，后因罽宾屡杀汉使，孝元帝以绝域不录，放其使者于县度，绝而不通。汉至北魏期间，由于中亚各国扩张，罽宾领土范围有一定变化。北魏时，罽宾恢复和中土朝使往来。罽宾具体的地理位置，因史书记载不一，难以

确定，大致范围在葱岭以西中亚地区东南部。南北朝时期，罽宾位于今克什米尔地区，地跨印度和巴基斯坦，其治所善见城位于现代印度实际控制区。罽宾国人崇尚佛法，1～3世纪罽宾为佛教中心之一，在佛教东传中起到重要作用，当地僧徒来中国传布佛教者甚多，中国僧徒亦多往罽宾参拜佛迹和求法取经。婆罗门为印度四大种姓中最高贵种姓，专门从事宗教和祭祀活动。墓主李诞很可能是去罽宾研禅学，归来后在中土讲习佛经，因其高贵的种姓和从事活动多次受到皇帝赏赐。根据墓志可知，李诞墓是中国境内首座墓志中明确记载有罽宾国的墓葬，也是首次发现婆罗门后裔墓葬。同墓志出土的还有一具李诞夫妇合葬石棺，石棺上丰富线刻图像，除传统四神、伏羲女娲等中国传统内容外，还有摩尼宝珠、火焰纹、深目高鼻守护神等异域文化色彩，反映魏晋南北朝时期中外文化交流的历史面貌，为学界进一步研究中西文化交流及丝绸之路，提供极为珍贵资料。

李诞墓志藏于西安博物院。

娄睿墓志 北齐武平元年（570年）文物。1979年，山西太原晋源区王郭村出土。

娄睿墓志，长、宽各81.5厘米。石灰岩阴刻楷书。志盖盝顶式，四角有四铁环，中央刻"齐故假黄钺右丞相东安娄王墓志之铭"。志身刻铭30行，共866字。书体端庄可观。根据《北齐书·武成纪》《北齐书·娄睿传》及墓志可知，娄睿，鲜卑人，本姓匹娄，简改称娄。娄睿一姑母嫁与豪族窦泰，另一姑母娄昭君是北齐神武帝高欢嫡妻，即北齐武明皇太后。武明皇太后生有6男2女，并主持儿子高

澄、高洋、高演、高湛及孙子高殷相继继承北齐王位。由此亲信关系，娄睿随高欢"信都起义"，戎马生涯40年。先为帐内都督，曾平定叛乱，收复轵关，为北齐建立军功，先后被封为东安王、司空、司徒、太尉。天统二年（566年）被封为大司马，统领全军。天统三年为太傅、太师，兼录并省尚书事、并省尚书令，成为"坐而论道""总领帝机"的宰辅重臣。史书也记载娄睿纵情声色，聚敛无厌，

滥杀无辜等劣迹。娄睿卒于武平元年（570年），葬于晋阳。墓葬规格宏大，墓中壁画内容丰富，艺术价值极高。

史料所反映南北朝时期世家大族是统治阶层核心，通过婚姻纽带来巩固统治势力。高欢借助与娄家婚姻关系得以发迹，形成以其为中心的娄、窦、段（也与娄家结亲）豪强集团，并成为北齐政权核心。据娄睿墓志中"窆于旧茔"的记载，结合娄睿墓附近曾发现几处北齐墓，推测这里是娄氏世家家族墓地。

娄睿墓志藏于山西博物院。

北周孝陵墓志　北周时期文物。

北周孝陵墓志文中的"大周高祖武皇帝"，即北周武帝宇文邕。宇文邕是宇文泰第四子，北周第三位皇帝，在位19年（560～578年），时间最长。宇文邕也是北周一代有所作为的帝王，治国建树颇多；天和七年（572年），杀掉专权堂兄宇文护后开始亲政；解放奴隶和杂户，禁止佛道两教和诸淫祀，毁其经像，罢沙门、道士，并令其还俗，以增加国家税收和劳动力；建德六年（577年），攻灭北齐，统一黄河流域，为其后隋朝统一天下奠定基础。宣政元年（578年）六月，宇文邕率兵北伐突厥时，染病亡于途中。临终前遗诏："丧事资用，须使俭而合礼，墓而不坟，自古通典。随吉即葬，葬讫公除。四方士庶，各三日哭。嫔妃以下无子者，悉放还家。"死后谥曰武皇帝，庙称高祖，葬于孝陵。由于明帝（宇文毓）遗诏"葬日，选择不毛之地，因地势为坟，勿封勿树"和武帝遗诏"墓而不坟"的原因，及至唐朝贞观年间官修梁、陈、齐、周、隋五朝正史时，竟已不明孝陵位置所在。

北周另四帝陵墓地址，亦不得而知。1993年8月，陕西省渭城区底张镇陈马村东南农田里，一座无封土、无名的古墓被人发现后遭盗掘。1993年年底，一村民交出盗墓现场拿回家的武德皇后墓志，考古人员由此确定墓主身份。1994年秋天开始，陕西文物部门对被盗墓进行抢救性挖掘，清理出土北周武帝孝陵志及一批珍贵文物，其中有蹀躞铜带具、玉带具、玉璧、彩绘庖厨俑、骑马俑、凤帽披衫立俑、甲马骑俑、笼冠立俑等。1996年，在抓获盗墓团伙后，才知道一件玉腰牌、一对金铃、一对玉珠、金丝及金花等已被盗卖，还未出手的天元皇太后金玺等被追回。由此，周武帝宇文邕与武德皇后阿史那氏合葬墓——孝陵位置被确定。孝陵是一座修建得较为粗糙的墓葬，有一条墓道及五个天井、五个过洞、六个小龛及一个墓室。

北周孝陵墓志，为青色石灰岩质。志盖为正方形，边长85厘米，厚14厘米，盝顶，素面无纹饰。志石亦为正方形，边长与志盖相同，厚11.5厘米。志面阳刻篆书3行，行3字，共

"大周高祖武皇帝孝陵"9字。

北周孝陵墓志与普通墓志相异者，是将本刻于志盖文字刻在志石上，而志盖却无一字，且无任何雕饰。孝陵是唯一经发掘的北周帝陵，孝陵墓志也是唯一发现的皇帝陵墓志。墓志不仅为确定北周孝陵提供可靠证据，亦对研究历代墓志演变提供宝贵资料。

北周孝陵墓志存于陕西省考古研究所。

史射勿墓志　隋大业五年（609年）文物。1987年，宁夏回族自治区固原南郊乡小马庄村出土。

史射勿墓志盖长46.5厘米，宽47厘米，厚10厘米；墓志长46.4厘米，宽45厘米，厚6厘米。志盖青灰色石灰岩质，呈正方形，盝顶。正中阳刻篆书"大隋正议大夫右领军骠骑将军故史府君之墓志"，四周有减地平面浅浮雕卷云纹。斜刹上刻有四神形象，四边阴刻一周忍冬纹。前边中央刻一"前"字。志石青灰色石灰岩质，呈方形，每侧刻三个壶门，前侧正中壶门刻一"前"字。从"前"字右侧壶门开始，按顺时针方向，分别刻有鼠、牛、虎等

十二生肖，背景皆同，上为卷云纹，下刻山峦。其正面磨光，细线刻划大小均等方格。格内阴刻楷书志文，共23行，满行24字，最后空出1行，共499字。

南北朝时期是民族大迁移和融合重要历史时期。居住在中亚锡尔河以南至阿姆河流域的粟特人，在中国史籍中被称作"昭武九姓"，即康、史、安、曹、石、米、何、火寻和戊地九姓，是有名的商业民族，也是丝绸之路上的主角。北朝至唐代，受商业利益驱动和躲避战争目的，大批粟特人东行至中原。为保持贸易活动可靠与稳定，粟特人在西域至中原途中建立据点。史射勿墓志是这段历史实证。志文中仅记载"其先出自西国"，但从其姓氏及其子史诃耽墓志志文"史国王之苗裔"语，推测其家族从粟特地区史国迁徙而来。志文记载，粟特人经河西走廊，曾在张掖居停，最终落籍平凉（宁夏固原）。志文还有史氏祖先在"西国"俱为"萨宝"内容。志文列出史射勿七子之名，除长子名字"诃耽"尚有西国意味外，其余六子均使用汉文名字，再回顾其先辈名字

"曾祖妙尼，祖波波匿"，差异更为明显。史射勿的长子史诃耽，据其墓志记载，曾任长安中央政府"中书译语人"，也就是中书省翻译。史射勿墓志志文展示了一个粟特家族迁徙至中国并逐渐汉化的过程。

史射勿墓志藏于宁夏回族自治区固原博物馆。

李寿兽首龟形墓志 唐贞观五年（631年）文物。1973年，陕西省三原唐李寿墓出土。

此墓志铭文内容详细记述李寿生平业绩。据史料记载，李寿（577～630年），字神通，是唐高祖李渊堂弟。隋大业末年，李寿会同李渊举兵反隋，并参加对宇文化、窦建德、刘黑闼等战争，却屡战屡败，还曾被窦建德俘虏，后随从李世民平定刘黑闼，虽没有显赫战功，却成为建立唐王朝的有功之臣。因此，李寿得到李渊和李世民赏赐，爵位不断升迁。唐贞观四年（630年）12月卒于长安，享年54岁，死后葬于三原县，陪葬献陵。铭文多加粉饰，与史料记载并不相符。

李寿兽首龟形墓志，呈长椭圆形，总长

166厘米，宽96厘米，高64厘米。石灰岩。圆雕及线刻。兽首，龟身，四足趴伏于长方座上，从残存颜色看，曾通体彩绘贴金。墓志以龟背甲为志盖，上面正中纵横四列阳刻"大唐故司空公上柱国淮安靖王墓志铭"篆书16字，周边饰有龟甲、联珠、蔓草等纹样。志身阴刻楷书志文31行，行37字，共1071字，并无撰书人名。书体类似欧阳询书法。

制作成龟形墓志较罕见，仅见北魏元显俊墓志与此李寿墓志等。对这种外形由来尚不确定。龟在中国古代象征长寿和富贵，备受人们崇拜。有专家认为，李寿龟形墓志的出现就是人们对古老灵龟的崇拜。也有专家认为，据墓志中"惧滨海之为田，倘佳城（即墓地）之见日，式铭贞石"，"灵龟是考"的内容，认为与传说中的"灵龟负书"有关联。所谓"灵龟负书"，即相传大禹治水成功时，有灵龟自洛水出，背上排列成"戴九履一，左七右三，二四为肩，六八为足，五居中央"的图形，是华夏历史上影响深远的九宫图。"灵龟负书"出现，也多指祥瑞之兆。但均缺乏确切证据。

李寿兽首龟形墓志藏于陕西西安碑林博物馆。

尉迟敬德墓志 唐代文物。1971年，陕西礼泉县烟霞乡烟霞新村出土。

尉迟敬德（585～658年）在《旧唐书》《新唐书》中均有传。从墓志铭和史料对比研究可知，尉迟敬德祖上历任北魏、北齐、北周、隋等朝要职，至其父尉迟伽时家道中衰。尉迟敬德妻苏氏出自关西士族，举族曾仕北齐。两方墓志反映家族变迁史可折射出北朝政局演变。尉迟敬德于隋大业末从军于高阳，曾

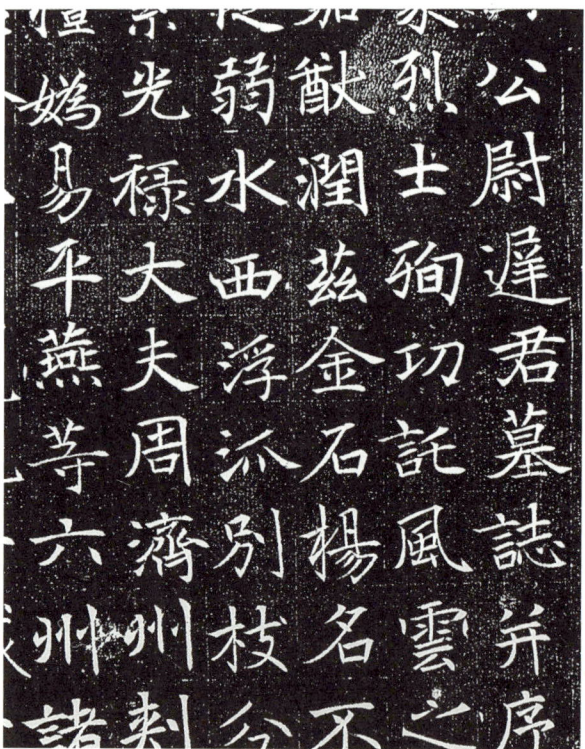

被授予正议大夫。刘武周起义时，以尉迟敬德为副将，刘武周、宋金刚战败奔逃突厥后，尉迟敬德镇守介休，不久归降李世民。武德九年（626年）玄武门之变，尉迟敬德杀李元吉，带兵逼宫，帮助李世民夺取皇权，是李世民褒扬的凌烟阁二十四功臣之一。之后，尉迟敬德因好言人短，而与诸臣不合。后期专心修道，不闻政事长达16年。显庆三年（658年）尉迟敬德病逝后，唐高宗非常重视，"于云龙门举哀，辍朝三日"，敕令京官五品以上及在京地方州郡朝集使等前往尉迟敬德宅第吊唁慰问。显庆四年，尉迟敬德陪葬昭陵。同出土的还有尉迟敬德夫人苏氏墓志。

尉迟敬德墓志，盖覆斗形，底边长120厘米，厚23.1厘米，四面雕宝相花纹饰。盖面阴刻飞白书"大唐故司徒并州都督上柱国鄂国忠武公尉迟府君墓志之铭"。四刹饰缠枝牡丹纹。志石边长120厘米，厚25厘米。志铭四边雕饰忍冬多枝莲蔓草与十二生肖像。志文阴刻楷书2218字。尉迟敬德墓志形体巨大，刻饰极精，特别是志盖面飞白书，字画间丝丝露白，如绢带迎风，有飞动之感，富于装饰色彩。志石四侧十二生肖，也都刻画得活灵活现。志文楷书，结体疏朗匀称，笔力挺拔劲健，效法褚遂良风格，工整中寓秀媚之态。

尉迟敬德墓志藏于陕西省昭陵博物馆。

井真成墓志 唐开元二十二年（734年）文物。

2004年10月12日，西北大学博物馆副馆长贾麦明从西安八仙庵古玩市场中，用不到1000元价格，买下井真成墓志。井真成墓志出土确切地点不明，但志文中有"窆于万年县浐水东原"记载，为探寻其他客死在长安的日本人墓葬，提供非常重要线索。志文前半部分，记述日本人井真成随遣唐使来华，是一个"蹈礼乐，袭衣冠"天才之士，虽有志"强

学不倦"，却"问道未终"，年仅36岁，在开元二十二年（734年）正月去世。志文后半部分，记述了朝廷在井真成死后追赠其官职（尚衣奉御），并由政府出资安葬（葬令官给）。最后，以哀婉韵文结尾。志文公布后，引起中日两国学者高度关注，不仅对志文进行注释、校补，且对诸如墓主身世、来唐时间、在唐情况、日本国号出现时间，以及志文写作形式、何人所写、志面空格是否有意为之等问题进行热烈讨论。井真成来唐的时间，有唐开元五年（717年）日本第九次遣唐使团和唐开元二十一年（733年）日本第十次遣唐使团两种观点。

　　井真成墓志，由志盖和志石组成。志盖为覆斗状，青灰色石灰岩质，底边长37厘米，顶边长20厘米，厚7厘米。盖中央阴刻小篆"赠尚衣奉御井府君墓志之铭"。墓志为汉白玉质，正方形，边长39.5厘米，厚10厘米。阴刻楷书。首题为"赠尚衣奉御井公墓志文并序"，171字碑文，9字疑出土时为铲车所坏，呈残缺状。

　　井真成墓志是中国所发现唯一一方唐代日本人墓志，也是中国发现唯一有关遣唐使的实物资料。日本古代史研究者最关注的是此墓志中出现"日本"国号，因此被视为出现"日

本"国号记载又一实物证据。井真成墓志面世以来在日本引起轰动，在其故乡大阪府藤井寺市，成立相关研究会，发行关于井真成纪念邮票。2005年8月24日，墓志在东京国立博物馆展出时，日本天皇亲临参观。2009年5月，陕西省文物部门向藤井寺赠送井真成墓志复制品。

　　井真成墓志藏于西北大学历史博物馆。

　　金仙长公主墓志　唐开元二十四年（736年）文物。1974年，陕西省蒲城县三合乡武家

村出土。

墓主金仙公主（689～732年）系唐睿宗李旦女，崇奉道教，太极元年（712年）与玉真公主一起出家修道，号三景法师，先在华山大上方修行，后筑观京师长安，以方士崇玄为师。死后诏命陪葬桥陵。志文书丹者玉真公主（692～762年）是金仙公主妹妹，长于诗赋及书法，曾于天宝年间引荐李白入长安。李白曾有《玉真仙人词》《玉真公主别馆苦雨赠卫尉张卿二首》等作相赠。

金仙长公主墓志，志盖齐全。石高106厘米、宽108厘米。石灰岩质。志盖阴刻古文"大唐古（故）金仙长公主志石之铭"。志文系徐峤奉敕撰写，玉真公主书，共33行，行33字。阴刻楷书。志石、志盖四周均刻花纹。

墓志字迹端庄秀丽，典雅娟美，字行间隔开阔，通篇布局疏朗有致，风韵洒脱，令人赏心悦目，是一件造诣颇高的墓志书法佳作。唐代由女子书写碑志本不多见，遗留下来就更少，故而这方墓志堪称唐代墓志中珍品。历朝墓志中，志文由故者亲眷书丹现象十分少见，而由女性亲眷，且又是姐妹书丹更少。因此，该墓志不仅以实物形式真实展现唐代以玉真公主为代表的善书女性的书法艺术水平，也开启所知女性书写墓志先河，具有重要艺术价值和历史价值。

金仙长公主墓志藏于陕西省蒲城县博物馆。

何弘敬墓志 唐咸通六年（865年）文物。1953年，河北省邯郸大名县万堤农场出土。

墓主何弘敬，安徽庐江人，生于永贞元年（805年），卒于咸通六年（865年），墓志记载何进滔、何弘敬和何全皞三代为魏博节度使史实。志文虽以对墓主歌功颂德为主，但记述

历史较深，涉及面较广，为唐代藩镇割据、王朝与藩镇、边境历史等研究提供了宝贵资料。

何弘敬墓志，石灰岩质。盝顶式志盖，顶面边长96～100厘米，底边长188～196厘米，厚88厘米。正方形志石，边长195厘米，厚53厘米。志石正面阴刻楷书59行，3800余字。顶面正中阴刻小篆"唐故魏博节度使检校太尉兼中书令赠太师庐江何公墓志铭"，盖纹为高浮雕或圆雕，顶面正中各为一神兽之首；四刹为四神及云纹，四刹交角处为牛马纹饰，雕工精美，神态生动；四侧为流云纹，图案简练，线条流畅。志石四侧边为十二龛，龛内为着袍服持笏状人各一躯，推测是十二生肖（也有专家认为是供养人），龛间雕刻花卉，龛上下雕刻波浪、花瓣。

何弘敬墓志是中国已发现体量最大的墓志，其规模及形制"超宗氏""逾勋贵"，反映唐代藩镇历史。何氏统治河朔三镇之一的魏博镇40年之久，表面上对朝廷十分恭敬，在武宗朝时积极参与平定泽潞镇叛乱，累加官爵，死后唐懿宗亲派使节前往吊唁。但何氏统治魏博镇，常年脱离唐中央节制，俨然是河北独立

王国。何氏三世，尤其是何进滔和何弘敬，不断被朝廷加官进职，说明何氏藩镇对唐中央政权影响巨大。唐朝廷对何氏家族的姑息政策，也助长何氏势力的膨胀和蔓延，何弘敬墓特殊形制、规模及墓志宏大就是最好明证。

何弘敬墓志藏于河北省邯郸丛台公园七贤祠。

苏谅妻马氏墓志 唐咸通十五年（874年）文物。1955年，陕西省西安西郊大土门村出土。

苏谅妻马氏墓志，石灰岩质。仅存志石。高39.5厘米，宽35.5厘米，厚7厘米。是波斯（伊朗）婆罗钵文（又称巴列维文）与汉文双语合璧墓石。志文上半部婆罗钵文6行横书，志文下半部汉文7行竖书。其中汉文刻："左神策军散兵马使苏谅妻马氏，己巳生，年廿六，于咸通十五年甲午岁二月辛卯建，廿八日丁巳申时身亡，故记。"志文中汉字记载既少且简，但具有唐代墓志基本要素，不难看出墓主葬俗依据唐代习俗的史实。左神策军散兵马使是唐中期朝廷所授武官职务，多为戍边军中武官，留居长安西域各国王子使者或多授予此职。志文中婆罗钵文则采用祆历纪年，并以祆

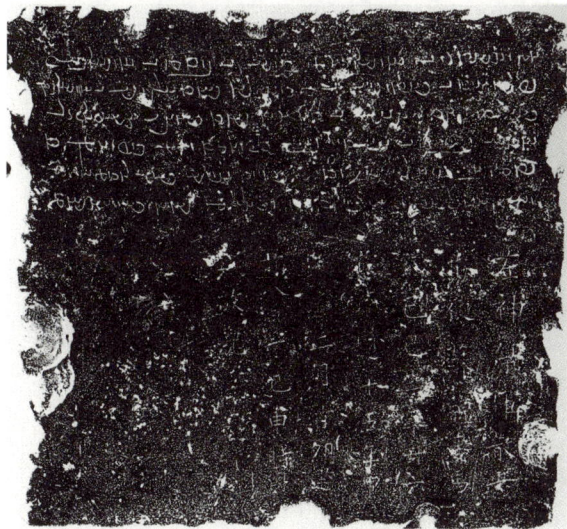

教中善神奥赫尔马兹德、阿迈须拉斯班为死者祝福，说明墓主人是一名祆教忠实信徒，仍保持本国波斯民族习俗。墓志婆罗钵文保留公元3世纪以来波斯墓志模式，不仅与萨珊王朝（224～651年）波斯本土发现的婆罗钵文简短墓志体例相似，且与波斯文化辐射到西边的伊斯坦布尔出土墓志一样，不脱伊朗婆罗钵文墓志行文格式窠臼。

墓志出土以来，许多学者对志文进行多方考释。特别是日、德、法、美、捷克等国伊朗学家就婆罗钵文中疑难语词，参照存世婆罗钵文墓志和文献，从形、音、义方面进行辨识和疏证。祆教，亦名火教、火祆教或拜火教等，是波斯人琐罗亚斯德于约公元前6世纪前后所创立的，在萨珊王朝被奉为国教，很快盛行于中亚、西亚，南北朝时期传入中国。对移居唐朝地域的祆教徒，唐朝廷颇加优待，在长安、洛阳、凉州、敦煌等地先后建有祆祠。苏谅妻马氏墓志出土地西安西郊大土门村，是唐代长安城安远门所在地，是自京城西行发轫之始，也是自西域东来终点。史志表明，在唐代，相当一批波斯人及昭武九姓胡人居住在安远门内侧普宁、义宁等坊及西市周围醴泉、延寿、崇化诸坊，数处祆祠和波斯胡寺设在坊内。马氏墓志在此出土，是该地区大量波斯人居住的历史反映。

苏谅妻马氏墓志藏于陕西历史博物馆。

刘济夫妇墓志 唐代文物。2013年，北京市房山长沟镇坟庄村出土。刘济（757～810年），幽州（北京）人，幽州卢龙节度使刘怦长子，唐德宗、顺宗、宪宗时，任幽州卢龙节度使。刘济曾率军深入乌桓、鲜卑领地千余

里，大败之，边境遂安。刘济镇守卢龙二十余年，深得军心，但诸子不和，祸起萧墙，被次子刘总投毒害死。刘济墓志为当朝宰相、文学家权德舆奉旨所撰，中唐宰相归崇敬之子、书法家工部侍郎归登书写并篆额，这说明刘济在唐代社会地位和身份之显赫。刘济墓志的发现，对刘济名号称谓、战功及下葬时间等方面提供了重要参考。

刘济墓志志盖呈盝顶式。顶面边长52厘米及53厘米，底边残长96厘米及135厘米，厚40厘米。石灰岩质。盖顶部阴刻篆书"唐故幽州卢龙节度观察御使中书令赠太师刘公墓志之铭"。四刹阴刻文吏怀抱十二生肖形象，四角阴刻牡丹花图案。志石与盖相扣，呈长方形，边长142厘米及151厘米，厚22厘米。志石阴刻楷书1543字。四侧面阴刻卷叶牡丹纹。刘济夫人墓志志盖呈盝顶式，顶面边长82厘米，底边长163厘米，厚12厘米。盖顶阴刻描金篆书"唐故蓟国太夫人赠燕国太夫人清河张夫人祔志铭"。志盖四刹浅浮雕文吏怀抱十二生肖造型，间以浮雕牡丹花图案，并根据结构赋彩。志石为正方形，边长161厘米，厚22厘米，阴刻楷书1438字。四侧面阴线刻画卷叶牡丹纹

样。刘济夫人墓志上大型彩绘浮雕十二生肖描金装饰，在唐代墓志中仅见此一例。

刘济夫人墓志撰者是刘济次子刘总，在《旧唐书》和《新唐书》的《刘济传》中，刘总被刻画成"性阴贼，尤险谲"之人。但在张氏墓志中记述的刘总却完全是另一种形象。刘济夫人墓志选材、规格远超刘济墓志，且采用浮雕、彩绘加以修饰。张氏死于刘济之后，此时刘总已继任幽州节度使，厚葬其母，墓志豪华也在情理之中。

刘济夫妇墓志藏于首都博物馆。

陈国公主墓志 辽开泰七年（1018年）文物。1986年，内蒙古自治区奈曼旗青龙山镇辽陈国公主墓出土。

陈国公主在《辽史》中未记载。据墓志可知，陈国公主是辽景宗皇帝孙女、辽圣宗之弟耶律隆庆之女，死于开泰七年（1018年），时年18岁。耶律隆庆在圣宗时期既是亲贵重臣又屡建战功，深得圣宗器重，死后又被追封为皇太弟。据《辽史·皇族表》记载，陈国公主几个兄弟也深受皇帝恩宠，纷纷封王。墓志中，

记述陈国公主曾"自太平进封越国公主",屡受加封。病重期间,"圣上亲临顾问,愈切抚怜,诏太医以选灵方",表明圣宗对其关心,也反映出陈国公主家世地位高贵显赫。陈国公主驸马萧绍矩,《辽史》亦未记载。据墓志可知,萧绍矩为辽初重臣萧思温之孙、萧钮不里之子,圣宗仁德皇后之兄。

陈国公主墓志,青砂岩质,志石与志盖均为正方形,边长89.5厘米,通高28厘米。志盖方形盝顶,顶边阳线刻单线框,内有阴线刻双栏框两个。双栏框内阴刻篆书"故陈国公主墓志铭"3行8字。所有图像均为阴线刻,其中内框与外框间,各边刻3朵云纹,四角各一朵四叶团花。外侧四刹上线刻人身兽头十二生肖像,身着长袍,双手持笏板于胸前,面向右侧身站立。志石正面边框线刻几何纹,侧面刻缠枝草叶纹,志面阴刻楷书27行513字铭文。整套墓志纹饰刻工精细,布局严谨,铭文言简意赅,对仗工整。

陈国公主与驸马合葬墓是保存最完整、出土文物较丰富的契丹皇室墓葬。该墓随葬大量

物品,多为贵重材料制作的艺术精品。特别是公主与驸马下葬时穿戴金银的殡葬服饰,为了解契丹贵族独特葬俗提供了实物资料。此墓下葬于辽圣宗开泰年间,正是辽代政治、经济文化趋于繁荣时期,这些珍贵实物也是研究当时社会政治、经济、文化的重要资料。

陈国公主墓志藏于内蒙古博物院。

北大王契丹大字墓志　辽重熙十年(1041年)文物。1976年,内蒙古自治区昭乌达盟阿鲁科尔沁旗沙昆都乡出土。墓志中汉字和契丹字虽不是相互对译,但内容相同,主要记载北大王耶律万辛的生平事迹。耶律万辛不见于《辽史》记载,墓志内容可补史不足。墓志铭上契丹大字,不仅是研究契丹大字极为珍贵的实物资料,也是出土契丹大字志文较长的优秀书法作品。

北大王契丹大字墓志,青砂岩质。志盖上圆下方,呈圭形,底部有榫。中高94厘米,侧高70厘米,宽61厘米,厚7厘米。正面中央刻篆体汉字"北大王墓志"1行。志盖背面刻楷体汉字21行。志石高96厘米,宽62厘米,厚6厘米。上面阴刻契丹大字27行790余个铭文。

契丹族建立辽后,曾参照汉字笔画结构,先后创造契丹大字和契丹小字。契丹大字是辽太祖耶律阿保机于神册五年(920年)下令由耶律突吕不和耶律鲁不古创制的,有3000余单字,是以几个音符叠成契丹语的一个音缀,仍仿汉字合成一个方块字,繁赘难认。契丹大字和契丹小字与汉字同时使用于辽代,金灭辽后仍通用,且在女真制字过程中起很大作用,直到金章宗明昌二年(1191年)才明令废除,共使用二三百年,后来成为无法释读的死文字。

由于辽代书禁甚严及战乱等原因，契丹文字书籍未流传下来，只有宋代王易《燕北录》和元末明初陶宗仪《书史会要》里收录几个描画的契丹字。遗存契丹大字主要是20世纪以来陆续出土和发现的石刻资料，石刻年代在辽统和四年（986年）至金天德二年（1150年）之间。20世纪以来，契丹大字研究有一些进展，但仍处在探索阶段，契丹文仍是世界上最难攻克的语言之一。

北大王契丹大字墓志藏于内蒙古自治区阿鲁科尔沁旗博物馆。

辽道宗帝后哀册 辽乾统元年（1101年）文物。民国19年（1930年），热河省林西县（内蒙古自治区巴林右旗一部）大阪镇北70公里大兴安岭庆云山白塔子辽庆陵出土。

册主辽道宗耶律弘基（1055～1101年在

位），谥号仁圣大孝文皇帝，酷爱汉文化。册主道宗宣懿皇后名萧观音，工诗文音乐。哀册文是一种哀悼文体。皇帝皇后死后，在葬日举行仪式时，将嗣皇帝宣读的最后一篇祭文，刻在玉简上，再用金丝、银丝连缀成册，盛于石函内，埋入陵中，名为哀册。哀册内容，是论定死者生前功绩。据刘振鹭《辽永庆陵被掘记录》载，民国元年（1912年）前，人们并不知道庆云山一带为辽代帝王陵寝所在。民国2年（1913年），林西县县长率人在林东一带勘查垦地，读到陵寝碑文时，才知道此地为辽代圣宗陵寝。民国19年（1930年）春，奉系军阀、热河省主席汤玉麟儿子汤佐莱派人进行发掘，将陵内哀册掘出，运往沈阳汤氏新邸。

辽道宗帝后哀册共四盒，均为汉白玉质。每石边长约130厘米，每盒厚约30厘米，每盒重约1.5吨。分别镌刻契丹文、汉文两种文字，每方近2000字。这四盒哀册形制宏大，是辽代石刻精品，其丰富内容也为研究辽代历史、文化及释读契丹文提供了宝贵实物资料。历代哀册材质，有玉石、木板等。辽道宗皇帝、皇后哀册与以往发现哀册不同，为石质，呈墓志形状，由册盖、册石组成，上为四方覆斗式册盖，均阴刻篆书哀册名，四刹采用阴线

刻手法，内刻八卦和牡丹纹，外刻飘逸的十二生肖人物像，四角刻双龙和云纹，侧面刻二龙戏珠纹和云纹；四方册石侧面同样刻二龙戏珠和云纹，正面哀册文分别以契丹文、汉文写就。两方汉文帝后哀册中，宣懿皇后汉文哀册虽书家姓名已不可知，但文字结体匀称，体势劲健，既具唐柳公权之书风，又富于变化，书法水平之高，为辽代石刻所仅见，堪称辽代汉字书法精品。两方契丹文帝后哀册均为契丹小字阴刻。其中宣懿皇后契丹文哀册笔画疏密得当，章法整齐美观，书法技艺高超，堪称契丹字书法的佳作。

辽朝存在210年，历经九代皇帝。辽庆陵埋葬的是辽朝第六、七、八三代皇帝及后妃，分别为圣宗耶律隆绪及后妃永庆陵、兴宗耶律宗真及后妃永兴陵、道宗耶律弘基及后妃永福陵。三陵各相距约500千米，辽庆陵是三帝陵统称。辽庆陵共出土哀册十五石，除辽道宗帝后哀册四盒八石外，尚有圣宗及其仁德皇后、钦爱皇后汉文哀册三盒六石；兴宗仁懿皇后汉文册盖一石。

民国24年（1935年）6月1日，汤氏新邸被辟为伪"国立博物馆"，哀册便一直藏于此。民国37年（1948年）4月，国民党南京政府教育部成立东北文物迁运保管委员会，将东北大批珍贵文物尽数运往北京。辽庆陵哀册则由于过重，被列入缓迁之列，而得以留藏于辽宁省博物馆。

辽道宗帝后哀册藏于辽宁省博物馆。

故耶律氏契丹小字墓志　辽天庆五年（1115年）文物。1969年，内蒙古自治区翁牛特旗山嘴子出土。

故耶律氏契丹小字墓志，青灰色砂岩质。墓志盖正方盝顶形，边长61厘米，边厚4厘米，中厚12厘米。四角各刻大牡丹花1枝。四刹刻十二生肖神像，神态装束大体相同，均着斜领长衣，垂袖，手持笏板。志盖中央篆体汉字"故耶律氏铭石"。志石正方形，每边长60厘米，厚12厘米。阴刻契丹小字25行，每行12～25字，记载墓主人契丹皇族耶律挞不也生平事迹。墓志铭文书写规整，笔力刚劲，行距清晰，段落分明，保存完整，是所见契丹墓志中较好的一件。

契丹小字创制时间不详，是由耶律迭剌受回鹘文启示对契丹大字加以改造而成。同契丹大字相同，契丹小字与汉字也同时使用于辽代，金灭辽后仍通用，且在女真制字过程中起很大作用，直到金章宗明昌二年（1191年）才明令废除，共使用二三百年，后成为无法释读的死文字。唐乾陵"无字碑"上刻96个契丹小字，就曾被误认为女真文字。契丹小字为拼音文字，较大字简便，字数虽少，却能把契丹语全部贯通。契丹小字约500个发音符号，约是以一个方体字代表一个音缀，但不像契丹大字那样合叠成多音符方块字，而是参照古回鹘文办法，自上而下，连续直写。由于每个音缀仍是来自汉字方体，无法联写，就形成各音缀相互分离，各多音词之间又不易截断的缺点，行用起来也很不方便。但契丹小字是拼音文字，解读起来比较容易，所以一般研究契丹文者多从契丹小字入手。长期以来，学术界克服参考资料严重匮乏和出土文献体例单一等困难，在契丹字文献字形、字音和字义等方面逐步取得成就。契丹小字中400余个原字，有一半已被破译，1000余条词汇意义被探明，还揭示了一些契丹语语法规律，为契丹文研究进一步深入打下良好基础。

故耶律氏契丹小字墓志藏于内蒙古自治区赤峰博物馆。

苏适墓志 北宋宣和五年（1123年）文物。1957年，河南省郏县三苏坟出土。

苏适，字仲南，苏辙次子，苏轼侄儿。《宋史》无传，《宋史·苏辙传》中载其名，然生卒

履历不详，该墓志可补史阙。志文记载墓主苏适先祖三代名讳官职、墓主为官政绩及卒年葬地。志文通过墓主生前为官善政的典型事例，描绘苏适"刚毅自守，直己而行"的性格和勤于政事的为官政绩。志文书者苏迟是苏适之兄。墓志书体笔法圆润，楷行相间，有其伯父苏轼"平淡天真"特点；志盖楷书突破以往志盖篆书习惯，体现宋代书坛轻松自由尚意风格。

苏适墓志，青灰色石灰岩质。由志盖和志石组成，均为正方形，高、宽各78厘米，厚14厘米。志盖正书"宋承议郎眉山苏仲南墓志铭"3行12字。志文正书39行，行39字。首行题"宋故承议郎眉山苏仲南墓志铭"，首2行题"奉议郎充潍州司录事苏迟撰并书，通直郎权通判定武军府事苏过题盖"。苏迟为苏辙之子，苏过为苏轼之子。

苏适墓志及其妻黄氏墓志出土，既为了解苏洵、苏轼、苏辙家族生活情况提供了重要实物，也澄清了考古界有关郏县"三苏坟"真伪问题。"三苏坟"是指苏洵、苏轼和苏辙墓地，由于《宋史》没有记载苏辙葬地，有人怀疑郏县苏辙墓是"衣冠冢"，而非真茔。这两方墓志出土，证实"三苏坟"中苏轼、苏辙墓是真茔，苏洵墓为衣冠冢。苏适墓志具有鲜明时代特点。志文内容丰富，语言真实感人，无空洞溢美之词，可谓生动的人物传记。这与当时提倡古文运动有关。所谓"古文"，是相对骈文而言，中唐韩愈等人倡导回归质朴、自由的古文运动，提出文以"载道""明道"及"务去陈言""词必己出"的主张，强调语言的真实情感。苏洵、苏轼、苏辙均名列"唐宋八大家"，都是宋代古文运动代表人物。文学

运动对同时代墓志铭创作也产生很大影响。南北朝墓志中，多以骈四俪六记事抒情。古文运动开始后，创作出一批散文体墓志铭，宋以后墓志文体更是以平铺直叙散文为主，骈体文很少见，墓志也由哀悼文学转向传记文学，苏适墓志记述风格体现出这一时代特点。

苏适墓志藏于河南博物院。

乌古伦元忠夫妇墓志 金泰和元年（1201年）文物。1980年，北京市丰台区米粮屯村出土。

一同发现的四座金墓共出土3方墓志，即窝伦、元忠、鲁国大长公主墓志。乌古伦部是金代女真重要的部族之一，与金皇室的关系源远流长。在女真完颜部建立金政权前，乌古伦部祖先就竭力扶助完颜氏，也为女真皇室所器重，形成相互依靠、互通婚姻关系。乌古伦家族又是金代名门大户，有三代"世为姻亲，婆后尚主"关系。乌古伦元忠与其父窝伦都做过驸马，且其家族不止一位乌古伦氏女嫁入女真皇室为后妃。乌古伦部名声显赫，3方墓志撰写人、书丹人、题额人皆极一时之选就可见一斑：李晏、邓俨、张行简、周昂、庞铸在《金史》中各有专传；李著在金章宗时为户部员外郎；乔宇官礼部侍郎，曾出使宋朝。从乌古伦窝论墓志可知，乌古伦窝论娶金太祖皇帝的二公主，官拜驸马都尉，征辽之役后死于山东，后葬于山东莱州。其子乌古伦元忠"自九岁养于邸中如所生"，又配以世宗最喜爱的长女，被金世宗倚为股肱，官拜大定驸马都尉。大定二十三年（1183年）复拜尚书右丞相以后，于次年将其父乌古伦窝论从山东莱州改葬永安村（米粮屯）。

乌古伦元忠墓志呈方形，边长111厘米，

盝顶式盖。盖篆书"大金故开府右丞相判彰德尹驸马都尉任国简定公墓志铭"。首题"大金故开府仪同三司判彰德尹驸马都尉任国简定公墓志铭并序"。张行简撰文，李著书丹，乔宇篆盖。乌古伦元忠夫人鲁国大长公主墓志呈方形，边长115厘米，盝顶式盖。盖篆书"大金鲁国大长公主墓志铭"。首题楷书，文同志盖。周昂撰文，庞铸书丹并篆盖。同出土的乌古伦元忠父亲乌古伦窝伦墓志，志文为李晏撰，邓俨书丹。由此可知，这一带为乌古伦窝伦家族墓地。

乌古伦墓是北京地区首次发掘带有明确纪年的金代贵族墓，三方墓志志文达数千字，为研究乌古伦窝伦、元忠家族史及金代初年历史提供了可靠的文字资料，弥补《金史》之不足。乌古伦窝伦家族墓墓葬形式，反映出女真族风俗，如火化及墓角摆放河卵石或鸡腿瓶等。但出土墓志形制、文字、书法格式等，已很少有女真遗风。与文献记载女真族文字发明较晚，在其南侵中受强大汉文化影响，最后融入汉文化中的历史是一致的。

乌古伦元忠夫妇墓志藏于首都博物馆。

朱权墓志 明正统十四年（1449年）文物。1958年，江西省新建县石埠乡璜源村出土。

朱权生于明洪武十年（1377年），朱元璋第十六子，洪武二十四年（1391年），13岁的朱权被封为宁王。两年后，朱权前往藩地大宁。大宁地处长城喜峰口外（内蒙古宁城），是明朝边关重镇。朱权统帅8万铁骑边防军，骁勇善战，深得朱元璋倚重。洪武三十一年（1398年），朱元璋死，皇孙朱允炆即位，是为建文帝。建文帝即位不久，开始对其叔叔们进行削藩行动。建文元年（1399年），燕王朱棣发动长达4年的靖难之役。靖难之役中，朱权被朱棣绑架，共同反叛建文帝。朱棣即位后，永乐元年（1403年）将朱权改封于南昌，并对其加以猜忌。朱权韬光养晦，将心思用在道教、戏剧、文学上，并颇有造诣。朱权信奉道教，结交道教第43代天师张宇初，研习道典，弘扬道教义理，所撰道教专著《天皇至道太清玉册》，收入《续道藏》。在戏曲、历史

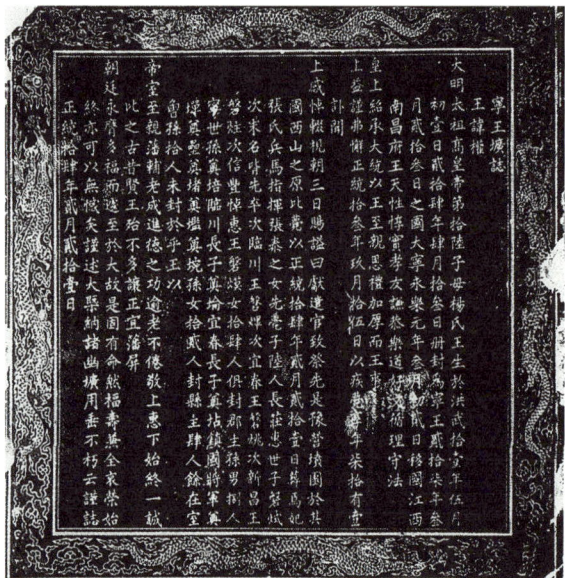

方面著作颇丰，有《汉唐秘史》等书数十种；所作杂剧有12种，有《冲漠子独步大罗天》《卓文君私奔相如》；戏曲论著《太和正音谱》《务头集韵》《琼林雅韵》等存世，其中《太和正音谱》是中国最早的杂剧曲谱，也是中国戏曲史上的重要理论著作。朱权编有古代琴曲集《神奇秘谱》和北曲谱，收琴曲63首。其所制作中和琴，号飞瀑联珠，琴上署制琴人"云庵道人"（朱权别号）。飞瀑联珠琴是中国音乐史上有记载的旷世宝琴，被称为明代第一琴。1977年，美国发射太空船，就选用中国古琴曲《流水》制成金唱片，演奏用琴便是朱权亲制的飞瀑联珠。朱权还悉心茶道，将饮茶经验和体会写成《茶谱》，对中国茶文化颇具贡献。

朱权墓志志盖、石均91厘米见方，四周有6.5厘米花边，以龙戏珠为图案。出土时志、盖二者相贴，用两道铁箍套合。盖正中书"古宁献王圹志"6篆字。宁献王即朱权，是明皇室出类拔萃的藩王，文武兼备。明代文献中，有藩王记载，其中一些具体时间、人名可根据此墓志加以校正。

朱权墓志藏于江西省博物馆。

熹平石经残石 东汉熹平四年（175年）至光和六年（183年）文物。河南省洛阳偃师出土。

汉灵帝熹平四年（175年），议郎蔡邕等奏请正定六经文字，得到灵帝许可。蔡邕主持校定六经结束后，将校正经文书于石碑，因始刻于熹平四年，故称"熹平石经"。历时9年，共刻经典于46块石碑上，每块碑高一丈许，广四尺，共20余万字，字体一律采用隶书，故又

称"一体石经"。熹平石经包括《诗》《书》《礼》《易》《春秋》《公羊》《论语》。东汉光和六年（183年），石经被立于洛阳城南开阳门外太学讲堂（遗址在河南省偃师朱家圪垱村）前，以便读经人校对，史载当时观摩校核经书的人络绎不绝，车马塞道。

熹平石经残石，高45厘米，石灰岩。阴刻隶书。原石应为长方形碑，上刻经文，每面约35行，每行约75字。

汉武帝采纳董仲舒"罢黜百家，独尊儒术"建议后，儒学被定为官学，儒家书籍被奉为经典，设专门博士官讲授。汉代经典世传多为隶书所记，故称"今文经"。汉景帝末年，鲁恭王坏孔子宅，于夹墙内发现一批以古文书写儒家书籍，被称为"古文经"。各有传袭，由于在篇章、文字上都有较大出入而形成今文、古文两大学派。汉代学官在讲授儒经时，

各家经文皆凭所见，并无供传习官的定经本。博士考试亦常因异同引起争端，甚至行贿改兰台漆书经字。鉴于此，蔡邕主持校定六经。熹平石经是中国历史上最早的官定儒家经本，书法集汉隶之大成，用笔方圆兼备，刚柔相济，端美雄健，在当时被奉为书法典范，对后世书法发展有很深影响。熹平石经开创中国历代刻立石经的先河，以后又有魏三体石经、唐开成石经、蜀石经、宋石经、清石经等。佛、道等诸家也刻有石经，构成中国独有的石刻书籍碑林。熹平石经还促进古代拓印技术发展。正是由于人们受拓墨技术启发，才有雕版印刷术的发明。

汉献帝初平元年（190年），董卓烧毁洛阳宫庙，太学荒废，石经始遭破坏。北齐高澄时将石碑从洛阳迁往邺都（河北省临漳县），却在半路上落水，运到邺都的石碑已不到一半。隋开皇年间，又从邺都运往长安，但营造司竟用石碑做柱子基石。至唐贞观年间，魏徵去收集残存石经时，已近乎毁坏殆尽。自宋代以来，偶有石经残石出土，后又陆续在河南洛阳、陕西西安发现一些零碎残石。民国时期在太学旧址时有残石出土，共达数百块之多，据统计共有8275字。1949年后，又发掘和收集一些残石，存600余字，共8800余字。自宋代洪适在《隶释》中著录石经拓本以来，历代文人学者收集、传拓石经残字以校勘经文、研究书法。这些极为珍贵残石分别收藏于西安碑林博物馆、中国社会科学院考古研究所、中国国家图书馆、中国国家博物馆等，还有的已流散到国外，如日本中村不折氏书道博物馆就收藏残石数块。

此熹平石经残石藏于中国国家博物馆。

正始石经残石 魏齐王正始二年（241年）文物。民国11年（1922年），河南省洛阳偃师县佃庄乡出土。

魏文帝黄初元年（220年），复立太学于洛阳，魏齐王正始二年（241年）又刻立石经于太学讲堂西侧，史称"正始石经"。正始石经只有《尚书》《春秋》和部分《左传》，书石者一说邯郸淳，一说卫觊，但均不能肯定。正始石经经文用古文、小篆和隶书3种字体书写，排列方式有竖行直排"一字式"与隶书在上，古文、小篆在下"品字式"两种。其中，古文是指先秦古经中文字写法，小篆是指秦代流行小篆，隶书则是当时流行文字，也被称为"三体石经"。

正始石经残石，高113厘米，宽51.5厘米，厚15.7厘米，石灰岩。阴刻。推测碑石皆是平顶长方形。每碑行数各不相同。在每一碑面刻有纵横线条为界格。每面约33行，每行60字。正始石经原始碑数，古文字学家、考古学

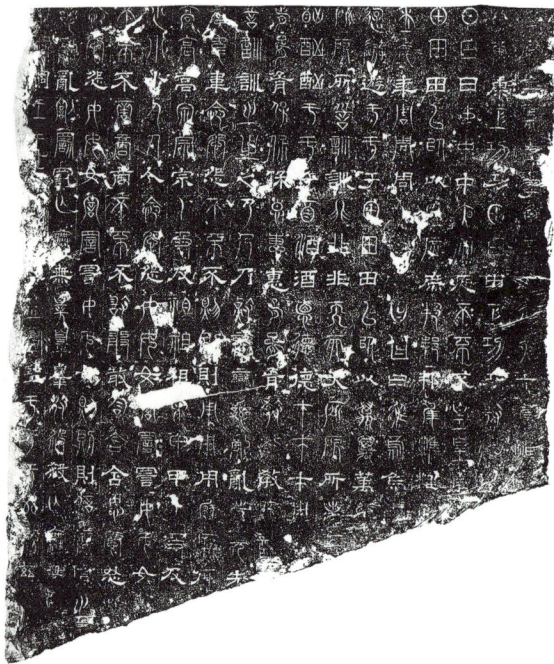

家王国维曾推算最可能是35碑。金石考古学家马衡则根据20世纪30年代初出土《君奭》篇左下角残碑"第廿一"3字及背面"第八"2字，认为"正始石经"应是28碑。1957年，西安市发现《尚书·梓材》残碑一段，下刻"正始二年三"及"第十七石"，这2块残碑记数都证实28碑的推断是正确的。

正始石经是继东汉熹平石经后刊刻的第二部石经，在中国书法史和汉字演进发展史上具有非常重要意义，特别是古文一体历来为人们所尊崇。王国维所著《魏石经考》是对汉魏石经进行考证研究的重要著作。书中就魏三体石经刻制经过、兴废情况、碑数、所刻经文及后代传拓情况等，都有认真考证；提出对石经残石的研究方法，基本为后人在研究工作中所遵循。《魏石经考》仍是研究魏三体石经的重要参考文献。

从北朝开始，石碑被多次迁移，屡遭损毁。民国11年（1922年），盗掘者在洛阳太学遗址出土一块"三体石经"，两面经文1800余字，正面刻《尚书》的《无逸》《君奭》篇，背面是《春秋》僖公、文公传记，是发现存字最多的一块石经。但盗掘者嫌转运不方便，就将它再凿成两半。残石一半藏于河南博物院，另一半藏于中国国家博物馆，并是"古代中国陈列"中重要展品。

正始石经

石台孝经 唐天宝四年（745年）文物。石台孝经初立于唐长安城务本坊太学内，于天祐元年（904年）迁至唐尚书省西隅（陕西西安社会路一带）。

石台孝经碑由碑冠、碑身和碑座构成，石

灰岩。阴刻。高620厘米，共4面，每面宽120厘米。碑冠由碑额和盖石组成，方额左右各浮雕瑞兽，上下刻涌云，上承盖石，盖石边缘刻卷云纹，顶上作出山岳形。碑身由4块青石合成方柱体。碑下有3层方形石台，石台三层四面线刻缠枝牡丹、蔓草及瑞兽等图案，故称石台孝经。碑身正文是《孝经》原文，由唐玄宗李隆基亲笔抄录，为隶书，用笔丰腴华丽、大气磅礴，结构庄严恢宏。碑末刻有唐玄宗亲自写下批注，为行书，飘逸灵动，自然流畅。碑额之上，阴刻篆文"大唐开元天宝圣文神武皇帝注孝经台"，是当时太子也就是后来的唐肃宗李亨所撰写，书迹丰润淳劲。碑身最小字体是当时参与镌刻这方碑人员及机构名字，用唐楷书写。碑冠和碑座艺术化处理，使整个碑显得高大别致，气象不凡。碑座线刻纹饰，以蔓草烘托出怪兽威势，结构给人以威武、活泼、蓬勃的感觉，是盛唐时期艺术精华，具有很高的历史文物价值和学术、艺术价值。

《孝经》是儒家经典之一，是孔子学生曾参记述与孔子问答之辞，中心思想是讲"孝""悌"二字，阐述孝道，历来受到"以孝治天下"统治者重视。传世《孝经》有古文、今文两种文本。东汉郑玄主古文，兼通今经，杂糅今、古两派经说，遍注孝经。郑玄注本与孔安国注本成为《孝经》两种主要传本。南朝时期有梁博士皇侃义疏。至隋孔安国本失传，刘炫伪作孔注孝经传世，于是郑注本与刘炫伪作本讹舛杂乱。唐开元七年（719年），唐玄宗曾下诏诸儒质定。唐开元十年（722年）和天宝二年（743年），唐玄宗亲自训注《孝经》并颁布天下。天宝四年（745年），在银青光禄

大夫、国子祭酒、上柱国李齐古主持下，将玄宗注释孝经和序文，由玄宗亲自书写，刻成石台孝经。至此，长达近千年的《孝经》古今文之争告一段落，郑注本和伪孔本即由此而废。嗣后至今，《孝经》篇都行用玄宗注释。

北宋元祐二年（1087年），石台孝经与开成石经等碑石，一并由唐尚书省之西隅迁至"府学北墉"。

石台孝经藏于陕西西安碑林博物馆。

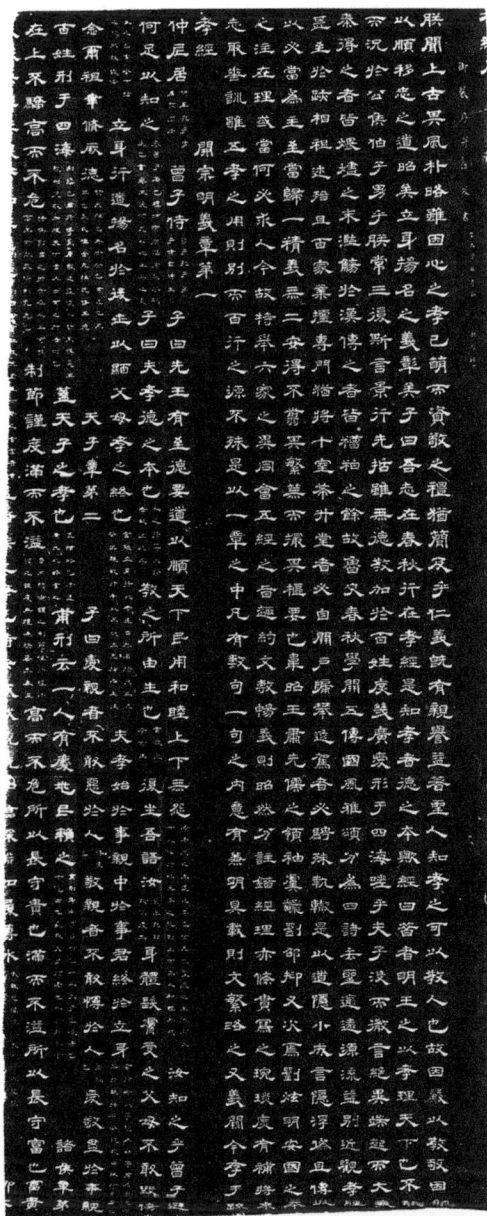

开成石经　唐文宗大和七年（833年）至开成二年（837年）文物。宋时，将开成石经碑石移至府学北墉。

开成石经碑石共114块，石灰岩质。每碑通高300厘米，面宽80厘米。下设方座，中插经碑，上置碑额。

1949年前，陕西西安碑林管理会将碑石去额平列，成排碑墙形状。每石两面刻，上下分成8段，每段约刻37行，每行刻10字，均自右至左，从上而下，先表后里阴刻碑文，共刻经文650252字。每一经篇标题为隶书，经文为楷书，刻字端正清晰，按经篇次序一气衔接，卷首篇题俱在其中。各石衔接次序清晰，规划严谨。

由于唐朝的印刷技术不发达，很多人只能用传抄方式记录、学习儒家经典，造成各种混乱和笔误，也影响科举考试的公正性和严肃性。为保证经典准确、权威，唐初诏命经学大师贾公彦、孔颖达订正经籍。唐代宗大历年间，国子监司业张参曾勘定五经，书于国子监论堂墙壁。至文宗大和年间，在郑覃建议下，"准后汉故事，镌石太学"，由唐玄度主持刻写石经，计有《周易》《尚书》《诗经》《周礼》《仪礼》《礼记》《春秋左氏传》《春秋公羊传》《穀梁传》《论语》《孝经》《尔雅》12种，树立于唐长安城务本坊国子监内。中国清代前所刻石经中唯有开成石经保存最为完好，是研究中国经书历史的重要资料。开成石经不仅在碑刻史和书法史上占据重要地位，且为后人研究儒家典籍提供重要史料版本，是一件弥足珍贵的国之重宝。

开成石经藏于陕西西安碑林博物馆。

晋祠华严石经　唐代文物。晋祠华严石经在晋阳刻好后，安放在晋阳古城西风峪寺庙内，并专设石经藏院予以保存。之后，唐武宗下诏灭佛，寺内众僧为保护石经，将其安放在寺庙地洞内，并放火烧毁地面建筑以做掩护。历经动乱，致使石经在武则天死后两三百年间残损不全。北汉天会年间（957～973年）才得补刻完整，并移放进风峪口风洞内。清康熙五年（1666年）初，学者朱彝尊入洞考察时，发现此经共126块。至日本侵华前，此石经仍保存完好。民国29年（1940年）秋，日本侵略军将大部分石经盗挖出洞外，草袋包裹，准备劫运回日本。在当地爱国人士奋力交涉下，当地居民将已挖出洞的石经转移。民国36年（1947年），残存部分石经被阎锡山军队修筑碉堡时使用。1949年后，人民政府收集到大部分石经，整石加残石130块，并建碑廊保存。

晋祠华严石经，存130块，无盖、无座，无雕饰，高低参差，宽窄不一。刻经每卷分卷之上、卷之下两石，刻石大小一般以每卷字数多少而选定，多数为高1米以上四面刻，也有少数五面、六面或八棱形石柱。

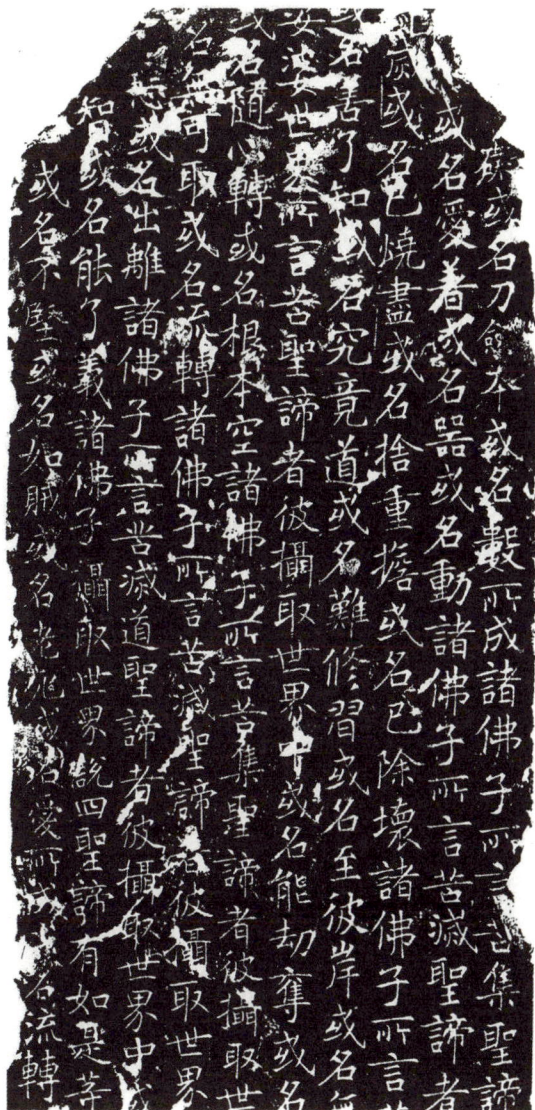

究隋唐佛教史提供珍贵资料。此石经也是唐代精美小楷的荟萃，是古代书法艺术宝库中的重要篇章。石柱经文除少数几块采用隶书外，其余全由2厘米见方小楷书写，由于工程浩大，书法写手很多，小楷风格也就不尽相同，有明显隶意者；有魏碑遗痕者；还有似王羲之小楷神韵，亦有行书笔意者。此石经对唐楷成熟风格、写经体演变，提供重要研究线索。

晋祠华严石经藏于山西省太原晋祠博物馆。

后蜀石经残石　五代十国时期文物。

后蜀石经始刻于五代十国后蜀广政年间，亦称"广政石经"。后蜀石经以开成石经为底本，并增刻注文。由后蜀国王孟昶主持，宰相毋昭裔出资刊刻。广政七年（944年），《孝经》《论语》《尔雅》刊刻完成；广政十四年（951年），又刻成《毛诗》《礼记》《仪礼》；《周易》《周礼》《尚书》也均刻成于广政年间。北宋曾继续蜀石经的刻写，仁宗皇祐元年（1049年），《左传》《公羊传》《穀梁传》刊刻完成。哲宗元祐三年（1088年），成都知府胡宗愈在府学礼殿东南隅创建堂宇，"以贮石经"，号为经堂。宋徽宗宣和六年（1124年），《孟子》刊刻完成。至此，蜀石

《华严经》原本是印度佛典，因译本不同，有60卷、80卷之说。经义内容包含的四法界、十玄门等构成华严宗哲理、学说的核心，是华严宗的经典著作。武则天在圣历二年（699年），请西域于阗国高僧到东都洛阳，翻译《大方广佛华严经》80卷，又命诗人宋之问经办，书法家吕仙乔等以小楷汉字刻写到石上，安置于北都晋阳。经文前有武则天亲笔序，经文中还出现武则天创制的19个新汉字，在少数刻石顶部或末尾还有题记或题名。晋祠华严经是首尾完整的方柱形经文石刻群，为研

经共刻儒家十三部经典，"石室十三经"遂正式形成，有石碑上千块。南宋孝宗乾道四至六年（1168～1170年），晁公武对蜀石经经文进行比对校核，写成《石经考异》，并连同序文一起刻石于成都府学。至此，历时230余年蜀石经终告刻毕。后蜀石经大约在宋末就全部亡佚，据传曾有经石用于筑城，仅有少量残石出土和拓本传世。抗日战争期间，日本侵略者的飞机对四川空袭，当时特将老南门城门洞拆除以利人员疏散。民国27年（1938年），在南门外发现后蜀石经残石10块左右，这块石经残石就是其中之一。

后蜀石经残石高29厘米，残宽21.5厘米，厚7.5厘米。后蜀石经是历代石经中镌刻历时最长、规模最大的石经。经注并刻，体例严整，长期为学林所宝，并便于读者理解和引用，故宋人不少以后蜀石经本为标准，如宋代朱熹著《论语集注》用的是后蜀石经本。后蜀石经"悉选士大夫善书者模丹入石"，文字出自当时著名书家和著名刻家之手，南宋洪迈评其字体"精谨"，笔画犹有贞观盛世"遗风"。后蜀石经首次将后世所称儒家"十三经"全部汇集一堂，并被南宋初赵希弁等人命名为"石室十三经"，这也是最早儒家经典十三经的定名，是经学发展史上的重大事件。由于后蜀石经镌成于中国雕版印刷术发明及大兴之初，依据的都是古本、善本，加之校刻精确，体例严整，因而具有很高的经学校勘价值。

后蜀石经残石藏于中国国家博物馆。

北宋石经　北宋文物。1982年，河南省开封出土。

北宋石经自庆历元年（1041年）开始刊刻，完成于嘉祐六年（1061年），称为"嘉祐石经"。石经刻完后置于开封太学，故又称"开封府石经""汴学石经"。由于经石是一行楷书，一行篆书，亦称"北宋二体石经"，以别于汉熹平一字石经和魏正始三体石经。北宋石经所刻经数说法不一，多数金石家认为有《周易》《诗经》《尚书》《周礼》《礼记》《春秋》《孝经》《论语》《孟子》九经。

此件北宋石经，高175厘米，宽85厘米，厚20厘米。石灰岩。阴刻。仅有部分损伤。碑阳刻写《周礼》"天官冢宰"一节文字，碑阴刻写《周礼》"春官宗伯"一节文字。每面分为三段书写，每段30行，每行10字，是罕见的北宋石经刻石。

石经刊刻于北宋全盛时期的仁宗朝，对校勘儒家经典和考订当时经书用字情况有较高文献学价值。在中国历史上有文字可考的儒家石经刊刻中，北宋石经是学术界各种观点争议较大的一部。刻经时间和数量说法不一，刻经经过及历代补刻不甚明晰，立碑形制、散亡经过、残碑流向等众说纷纭。这与北宋石经留

存稀少有关。在石经刊刻完成60余年后的靖康之乱中，开封陷落，对石经损毁较为严重。且北宋石经罕有拓本传世。北宋石经去向，历来有不同观点。有人说，石经在金国灭宋后被搬运到燕京，以后被毁。有人怀疑石经仍在开封，被黄河泛滥后淤积泥土所掩埋。元代周密《癸辛杂识》中记载："汴学即昔时太学旧址，九经石版堆积如山，一行篆字，一行真书是也。"说明北宋石经至金代末年仍在开封。清代人士曾经在开封观音堂记碑阴发现北宋石经字迹，说明有些北宋石经曾被改为其他碑石使用。民国11年（1922年），在开封市文庙街府学崇圣祠下，发现《孝经》经石1块。1954年8月，开封市北门外发现《礼记》经石1块。1954年、1956年开封二中扩建时，又相继发现《周易》经石两块和《尚书》经石1块。这些经石的发现，给北宋石经仍遗留在开封说法提供更大可能。此石经对复原北宋石经全貌，了解其刻写方法、排列顺序等问题提供了极宝贵的实物例证。

北宋石经藏河南开封博物馆。

南宋石经　南宋时期文物。

此石经底本是宋高宗赵构平日练习书法时抄写的儒家经典文字，其中有少量字迹为皇后吴氏代笔书写。绍兴十三年（1143年），秦桧为配合太学兴建和发展，便逢迎宋高宗奏请刊刻上石。石经刊刻完成后，立于临安太学（浙江省杭州市庆春路西端前洋街岳飞旧宅）。内容包括《周易》《尚书》《毛诗》《春秋左传》全帙，节录《礼记》五篇和《论语》《孟子》等七经，卷末皆刻秦桧跋语（后皆毁去），多为楷书，间杂行书。淳熙四年（1177年），下诏临安府特建

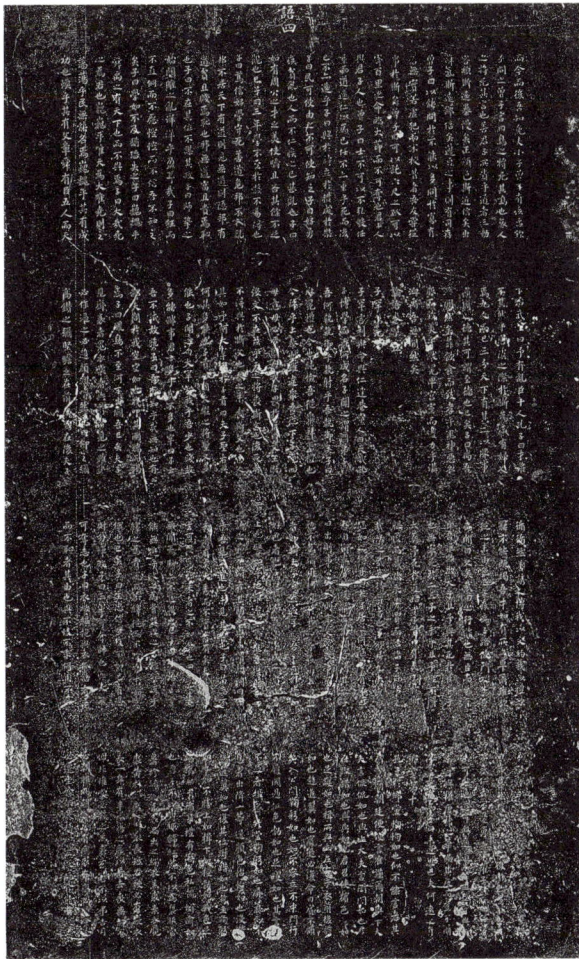

光尧石经之阁贮立石经。宋人《中兴小纪》《四朝闻见录》《石刻铺叙》等均有记载。元初，部分石经已被损毁。留存者明宣德年间移置杭州府学统一保存。

南宋石经又名"南宋太学石经""宋高宗御书石经""绍兴石经""绍兴御书石经"，仅存86块，宽98～122厘米，高约160厘米，厚25厘米。

赵构是南宋开国皇帝，擅长楷书、行书和草书。南宋石经是已发现石经中唯一由皇帝御笔亲书的，汇集良工镌刻，刻工精妙。石经虽然与赵构手写墨迹产生一些差异，但基本上能够反映出原迹风貌。宋高宗赵构在抄写《礼记》时，从中选取五篇文字不长篇章书写。其

中《大学》《中庸》属于《四书》范畴，在《四书》形成过程中，起到示范及推广作用，为朱熹四书学的形成奠定基础。后代对南宋石经书法价值颇为赞赏，南宋洪迈推崇石经书法"端正严重，肃如神明"。在清代，到杭州府学摹拓南宋石经的文人学子人数众多，其场景甚至有"一字万人摹"的夸张描写；有的还以"南宋石经"拓文作为高雅礼品，向外地师友乡谊赠送。

南宋石经藏于浙江杭州孔庙碑林博物馆

乾隆石经　清代文物。

乾隆石经经文为楷书，书写者是江苏金坛人蒋衡（1672～1743年）。蒋衡从雍正四年（1726年）至乾隆二年（1737年）历时12年，

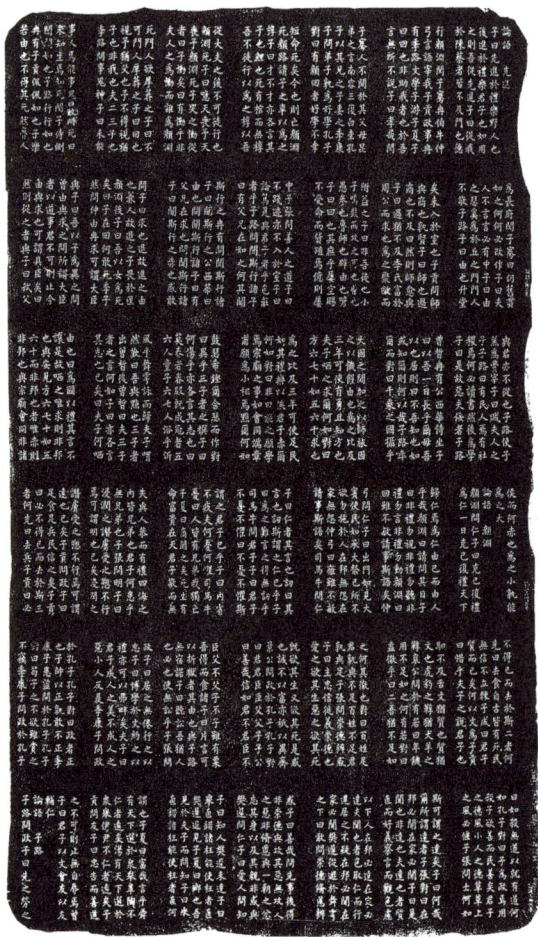

完成十三经抄写。乾隆五年（1740年），由当时江南河道总督高斌将蒋衡十三经抄本呈送乾隆皇帝御览。乾隆见后，甚为高兴，下旨将其收藏在懋勤殿，并赐蒋衡国子监学正。乾隆五十六年（1791年）十一月，乾隆诏设石经馆，特旨钦命和珅、王杰为总裁，董诰、刘墉、金简、彭元瑞为副总裁，并派出金士松等8人随同校勘，以蒋衡所书十三经为底本动工刻石。乾隆五十九年（1794年）九月间，刊刻完成列于太学，作为监生们的标准范本，并以墨拓本颁行各省。乾隆石经后经嘉庆八年（1803年）、光绪十一年两次（1885年）磨改和修订。

乾隆石经又称"清石经"，全部石经共刻石碑189块，加上"谕旨"告成表文碑一块，共190块石碑，共约63万字。所刻为《周易》《尚书》《诗经》《周礼》《仪礼》《礼记》《春秋左传》《春秋公羊传》《春秋穀梁传》《论语》《尔雅》《孝经》《孟子》十三经。

在中国历史上大规模刊刻儒家石经共7次，唯有清朝乾隆石经是中国保存最为完好、最为完整的一部官刻石经，也是中国传统社会最后一部石经。但对乾隆石经的评价，自乾隆设立石经馆始，就有不同看法，一直延续至今。有种说法认为乾隆石经对当时及后来学术发展几无任何实质影响。究其原因，其底本书手蒋衡抄写十三经本是以讲求书法为主，并未精选善本；朝廷对蒋衡写经也是看重其艺术属性，而在仓促刊刻之际，借用石经宣扬本朝文教意图又挤占了经学研究空间，故石经的重要意义虽经官方在科举考试中得以强化，但在乾嘉知识界反响平平，甚至有人声称清朝并无石

经。虽然乾隆石经并不如汉唐宋时石经对经典文本影响之大，但校勘成果和校勘学意义却不逊色。乾隆石经校勘成果《石经考文提要》，是后人读经、校经的重要参考，尤其天禄琳琅所藏古本经"回禄之厄"，《石经考文提要》校勘意义更是不可代替。《石经》校勘工作对参与其中的诸位学者，也产生不小影响。其中阮元独任《仪礼》，又兼任《毛诗》《尔雅》二经校勘，不仅有《仪礼石经校勘记》之作，更促使其萌生为《十三经注疏》制作校勘精良之本的想法，这才有后代学人案头必备的阮元本《十三经注疏》。

乾隆石经藏于北京孔庙和国子监博物馆。

梵汉合文陀罗尼经幢 唐代文物。梵汉合文陀罗尼经幢原立于西安开元寺，后移存西安碑林。

梵汉合文陀罗尼经幢仅存半截，高144厘米。石灰岩阴刻。覆莲座，顶缺失，幢身呈八面柱形，每面宽12厘米，八面均刻文字，字也多半剥蚀。但从文中可看出，是用古尼泊尔文与汉文各一行对照合刻的"陀罗尼真言经"经文。

幢是梵名"驮缚若"译名，原是一种丝帛制成伞盖状物，顶装如意宝珠，下有长杆，于佛前竖立。大多数学者认为，经幢是由丝织幡演变而来。佛教传入中国后，佛教徒把经文写在长筒圆形丝织物上，为保持耐久，又将经文刻于石柱上，称石幢，后亦称经幢。有学者认为，经幢是因《佛顶尊胜陀罗尼经》传入和流行才发展出来的一种石刻新形式。据《佛顶尊胜陀罗尼经》，佛告天帝，"尊胜陀罗尼"有"尘沾影覆"功效。所以这种刻有《尊胜陀罗尼经》石幢又被称为"尊胜幢"或"影

幢"。所谓"尘沾影覆"，就是如果有人能书写此陀罗尼，将其安在高幢上，将幢立于通衢大道、高山、寺院或塔中，人若于上述处所见到此陀罗尼，甚至只要其影映身，或者风吹陀罗尼幢上灰尘落在身上，则此人可"净一切恶道""破一切地狱"，于是佛教徒都热衷于立幢以做功德。初唐时期，开始用石刻模拟丝帛幢，较早纪年的存世石幢，是陕西富平永昌元年（689年）八月立的佛顶尊胜陀罗尼经幢。唐代，《佛顶尊胜陀罗尼经》有很多译本，其中以携带此经来华的罽宾僧人佛陀波利之译本最为流行，唐代经幢上也多采用这一版本。但结合不空和尚碑考证，此幢文是由唐代名僧、

西域和尚大辩证广智三藏法师不空奉诏翻译的版本。唐代宗大历九年（774年），不空和尚灭度后，梵文由海觉书写。

梵汉合文陀罗尼经幢藏于陕西西安碑林博物馆。

大秦景教宣元至本经石经幢　唐元和九年（814年）文物。2006年，河南省洛阳李楼乡城角村东北出土。

2006年七八月，一批"大秦景教宣元至本经"幢拓片影像资料被发布到网上，立即引起中国宗教学界关注，拓片过去从来没有被公布过，也没有景教文物出土报道，这引起专家质疑。后经公安部门查明，经幢被盗墓者发掘并贩卖，并确定出土地。历经波折，经幢终归故土，成为洛阳博物馆的重器。据其上"经幢记"记载，此幢建于唐宪宗元和九年（814年），原来立在一位自中亚移居洛阳、殁后葬于洛阳某地"安国安氏太夫人神道"上，建造者为其"承家嗣嫡"亲子。15年后，又于唐文宗大和三年（829年）"迁举"，但未说明迁

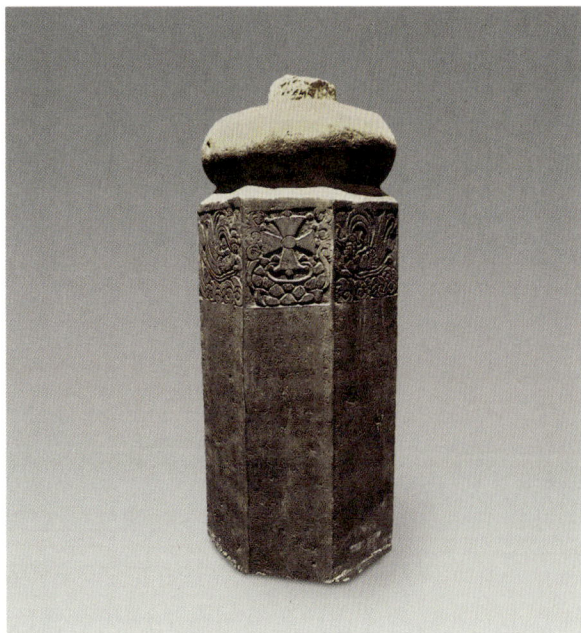

于何处。

大秦景教宣元至本经石经幢，最高81厘米，最短59厘米。这件残经幢为一不规整的八棱（面）石柱，以石灰岩质上等青石制成。顶端凸起一圆形石榫，其下为一圆形石盘，石榫位于石盘中央，为原幢体上半部，其上原应有幢顶，这圆形石盘即为承托幢顶、石榫即为连接幢顶所造。在经幢上端雕有十字架符号及"天神"形象，幢体上刻《大秦景教宣元至本经》一部、《大秦景教宣元至本经经幢记》一篇，另有题记两行和祝词14字，共存809个字。幢体之下原应有幢座，已完全残失。

《大秦景教宣元至本经》是中国化基督教神学著作，经幢上经文虽残缺，但可与1900年在敦煌发现遗书《大秦景教宣元至本经》进行补订校勘。景教即基督教聂斯脱利派，因被指责为异端，所以部分信徒在波斯建立独立教会与罗马教会对抗，在中亚影响很大。后在唐贞观九年（635年）经丝绸之路传入中国，并得到官府支持，在各地建立景教寺院，与袄教（琐罗亚斯德教）、摩尼教并称为"三夷教"。其上"经幢记"中"大秦寺寺主"等内容的出现，印证史料上有关唐时洛阳就有景教"波斯胡寺"记载。《大秦景教宣元至本经》行文完全模仿佛经，幢记之上雕刻两组以十字架为中心的四尊"天神"图像，与佛教造像中"飞天"极其接近，可见当时景教教士们借用已经深入人心的佛教形式，达到传教目的。该经幢是继西安《大秦景教流行中国碑》之后有关唐代景教石刻的重大考古发现，为研究景教在中国传播、中西交通和文化交流情况、丝绸之路东段历史文化等提供了宝贵历史资料。

大秦景教宣元至本经石经幢藏于河南洛阳博物馆。

白居易造石经幢 唐大和九年（835年）文物。1992～1993年，河南省洛阳隋唐洛阳城白居易故居遗址南园区出土。

长庆四年（824年），53岁的白居易在洛阳履道坊买下宅第。大和三年（829年），58岁的白居易称病辞去京官之职改任太子宾客，从长安来到洛阳，居住在履道坊宅第，直到会昌五年（845年）75岁去世。履道坊位于洛阳城东南角，是文官住宅聚集区。遗址中，住宅遗迹是一处坐北朝南、有前后庭院的两进式院落。宅院之西有"西园"，宅院之南有"南园"，皆引伊水入园中。残石经幢即出土于南园中，依惯例此经幢原来位置应在宅院之东南隅，则日出时，幢影可荫护宅院。从出土残损经幢推测，白居易居住期间，园子可能已有供奉佛像或经幢佛堂等建筑，但在五代北宋时被毁，或者这片区域当时已有佛寺，而白居易出资建造经幢。据北宋李格非撰《洛阳名园记》

"大字寺园"条记载，北宋时白居易宅院建筑大多已不存在，但经幢等石刻依然存在。

白居易造石经幢残高31厘米。石灰岩质阴刻楷书。经幢幢身为六面体，每面均以楷书汉字刻写经文，有《佛顶尊胜陀罗尼经》和《大悲心陀罗尼经》，其中跋语部分有"唐大和九年……开国男白居易造此佛顶尊胜大悲心陀罗尼"等内容。

白居易兼信儒、佛、道，晚年尤笃信佛教，热衷佛事，以禅宗佛光大师如满为师，参禅念佛，也兼信密宗。白居易认为，刻经立幢"其功不朽，其义甚深，故吾谓石经功德，契如来付嘱之心"。有专家认为，《佛顶尊胜陀罗尼经》中，即要求信徒们书写、诵读、听闻此陀罗尼，才能"度诸众生所有罪业，坠恶道地狱畜生阎罗王界饿鬼阿修罗身恶道之苦，皆悉不受"。白居易虔诚信此陀罗尼，很自然要亲自书写之，故此经幢可能是白居易书法珍品。有学者推断，白居易宅院出土经幢刻陀罗尼经采用东都福先寺西律院的勘定本。该勘定本是以地诃婆罗《最胜佛顶陀罗尼净除业障咒》为底本。唐代伽梵达摩翻译《大悲心陀罗尼经》，全称《千手千眼观世音菩萨广人圆满无碍大悲心陀罗尼经》。通行本84句，而此经幢刻《大悲心陀罗尼经》采用的是78句咒本，是比较早的版本。

白居易造石经幢存于中国社会科学院考古研究所。

王继勋造陀罗尼石经幢 南唐保大四年（946年）文物。1982年8月，强台风袭击福建省泉州市，开元寺拜庭巨榕折断，击倒树下南宋绍兴十五年 （1145年）造婆罗门金涂式石塔，在石塔基座里，发现佛顶尊胜陀罗尼石经幢。

从刻记可知，建造此经幢石料采自太湖，历程十分艰难。石幢上又刻记许多施舍建经幢人的姓名，其中有许多地方官员，如"州司马专客务兼御史大夫陈光嗣""州长史专客务兼御史大夫温仁俨""军事左押衙充海路都指挥兼御史大夫陈匡俊""権利院使刘拯"，还有"光禄大夫检校尉持节泉州诸军事守泉州刺史御史大夫上柱国琅玡郡开国侯食邑一千户王继勋"等。以上官职，多为史书所缺，可为五代史职官志补白。其中"海路都指挥"为维护航道安全军事指挥官，"権利院"为主管对外贸易机构，为研究泉州五代时社会经济史、海外贸易史提供了重要实物材料。

王继勋造陀罗尼石经幢，高120厘米，八角八面。石灰岩质阴刻竖行76行文字。除主要部分经咒外，还刻记施舍建经幢人姓名及建造经过。经幢构件上浮雕飞天，皆赤足裸露，身体修长，保留唐朝飞天雕刻风格。

经幢上诸地方官员题名，其施舍钱财数目，从一千文、五千文到三十文不等，这反映五代时泉州以刺史为首地方官员崇信佛教的情况。刻记载，寺院组织由僧正、都监、监寺、寺主、都维那、上座进行管理。寺院中有长讲经论大德、讲经论大德、讲赞法慧大德、取幢传经大德、传经持念大德等。僧人中，道昭、文展在《紫云开士传》有传，可为研究泉州开元寺提供文献资料。

王继勋造陀罗尼石经幢藏于福建泉州海外交通史博物馆。

北塔石经幢 辽重熙十三年（1044年）文物。1986年，辽宁省朝阳北塔地宫出土。

此石经幢出土地北塔始建于北魏孝文帝太和年间（485年前后），是北魏文成明皇后冯氏（孝庄皇太后）在东晋时期三燕龙城宫殿旧址柱础上建成的，为土木结构楼阁式塔。北朝末年至隋朝初年，木塔被大火烧毁。隋朝在此基址上修建方形空心式十五级砖塔，称为宝安寺塔，唐时对此塔进行维修，改名开元寺塔。辽初和辽重熙十三年两度维修此塔，更名为延昌寺塔。

北塔石经幢高428厘米。青砂岩石质。原北塔地宫内立有三节幢身及幢座，另有一节幢身和两个莲座散置于地面。复原后，经幢通高526厘米。除第一节幢身之下有两层八角形座和一层仰莲圆座外，其余各节均置八角形和仰莲圆座各一层。幢身为八角柱状，上细下粗，高度与直径往上递减，高71～98厘米，直径37～57厘米。幢座雕刻佛教内容图案，异常精美。从下往上，八角形幢座依次雕刻飞天、伎乐、八菩萨像、八大灵塔、药师七佛、八国诸王分舍利等，各佛旁边还附刻题名。

幢身刻写梵文佛经咒语，有《大佛顶如来放光悉怛多钵怛罗陀罗尼》《大随求陀罗尼》《梵本般若波罗蜜多心经》《大悲心陀罗尼》《佛说金刚大摧碎延寿陀罗尼》《佛顶尊胜陀罗尼经》《菩提场庄严陀罗尼》《大轮陀罗尼》。第4节幢身最后阴刻楷书记述石幢雕凿年代和石匠姓名。辽金时期，梵字经幢大为流行。其原因主要是经幢上所刻绝大多数都是密教陀罗尼经典，而在佛教翻译中，陀罗尼是所谓"五不翻"之一，不作意译，只有音译。

由于汉文难以绝对对应梵文，就出现了以梵文书写陀罗尼经幢。此经幢中梵文经的出现，正是这段历史的反映。此石经幢高大的造型、丰富的内容及华美的雕饰，为辽代经幢中罕见精品。经幢所刻佛经、佛教题材图案，对于核订佛经、探讨佛教文化艺术诸方面问题，都具有很重要的学术价值。

北塔石经幢藏于辽宁省朝阳市北塔博物馆。

无垢净光大陀罗尼石经幢 北宋嘉祐七年（1062年）文物。1957年，浙江省金华万佛塔地下龙宫发掘出土。由刻铭可知，该幢立于北宋嘉祐七年（1062年）。

无垢净光大陀罗尼石经幢，高147厘米。共分七段：底层须弥座呈六角形，其上刻有水纹；束腰每面浮雕两朵云纹，水纹涂有石绿，云纹涂有石绿及桃红，须弥座上覆莲边缘勾有金色和桃红。幢身六面，高54厘米，上刻《无垢净光大陀罗尼经》，并刻有"弟子使院观察孔目官吴善并妻王一娘家眷等秀舌净财装此幢子永充供养弟子刘知古舍此幢子一所永镇龙宫供养嘉祐七年岁次壬寅十月二十八日沙门灵寿书"。幢身表面呈黑色。幢顶由一层腰檐、仰莲、方形短柱（镂空四门形）、二层腰檐、联珠、仰莲、宝珠等七层构件组成。其中莲花花瓣边缘多勾有金色和桃红，下檐檐口及上檐四脊上施金色，宝珠上涂有红色。

根据幢身自铭"幢子"，并结合幢身刻经内容，有专家将其定名为经幢。但也有学者质疑此定名，认为其幢身石质与其他多块石刻构件的石质不同，且幢身为黑色，而其他部件多有彩绘，似不是同一朝代之物，尤其是幢顶部分中空方石块，与所见唐代石灯组合构件相同，可能是安灯之室。所以，这件经幢是宋人用刻有经文幢子，安装于唐代石灯部件上而成，应改其为"灯幢"。

无垢净光大陀罗尼石经幢藏于浙江省博物馆。

西夏文石经幢　明弘治十五年（1502年）文物。1962年，河北省保定市北郊韩庄保定府内兴善寺出土。

明代弘治十五年（1502年）立。两幢所记建幢人均为西夏人平尚吒失领占，书写者也是西夏人。建幢人是兴善寺住持，死者是兴善寺僧人，均于明代弘治年间生活在保定一带。助缘发愿80余人中，包括男女、僧俗，其姓名、法号、姓氏，均属于西夏番姓之列。所谓番姓，即西夏以党项羌为主的非汉人姓氏。这些姓氏，有的曾见于史籍、碑刻及佛经题款上。其中，许多姓氏多为当年西夏皇室、贵族后裔，如"嵬名"是西夏创立者李元昊的姓，"西壁"是有名的西壁太傅的姓，"梁""罗"姓氏也是西夏统治者皇室外戚大姓。傅、高、石、都、赵等姓氏，亦有史籍可查。由此可知，当时在保定一带有西夏番人居住的一个集体，经幢上所记助缘发愿80余人应是这个集体中有名望的人物。也说明西夏国亡后，党项贵族大姓仍占重要地位。

两件石经幢形制相同，都作八角形，由顶

盖、幢身、基座三部分组成。通高分别为263厘米、228厘米。石灰岩。阴刻。两幢幢身八面刻西夏文《尊胜陀罗尼经》。第一面记死者卒年、称号、地点及建幢者和时间，并用汉字镌刻汉工姓名（第2号幢仅记建幢年月和建幢人称号）；其后即经文；第八面除经文外，还用西夏文记助缘发愿人姓名法号。两幢所记80余人无重名者，可见两幢是同时分别建立。

此经幢的发现，推迟了关于西夏文使用下限时间，之前人们认为西夏文使用年代只限于西夏至元初300年间。居庸关刻石刻于元至正五年（1345年），曾被认为是已发现最晚的西夏文资料。陈寅恪曾根据德国柏林国家图书馆所藏明万历写本藏文《甘珠尔》中偶见西夏文字，推测明代尚有通解西夏文的人。这两件西夏文石幢的发现，佐证了陈寅恪的推测无误，是中国有确切年代可考的最晚的西夏文字。此经幢也提供了西夏亡国后，其后裔活动踪迹。成吉思汗军灭西夏后，西夏统治者党项贵族成附属蒙古统治者的色目人。元代京师大都近畿西北大道关隘，曾置有西夏党项（唐兀）军，驻守居庸关附近，用以捍卫京师。在宿卫诸军中，也设有"唐兀卫"，直接充当元皇室禁卫。元代西夏人大批集结在大都（北京）及其西北一带，西夏文仍被广泛使用。最著名的遗物就是居庸关洞壁六种文字石刻，其中就有西夏文。元代雕印西夏文佛经也很兴盛。明代西夏人和元代一样，仍依附藏人喇嘛教。明成祖迁都北京后，西藏喇嘛教徒大量涌入，取道西南，经保定府进入北京。西夏人活动范围也由京师西北转到京师西南大道上。依明代碑文所记，该寺建于元代，属于喇嘛教，两幢记二僧

葬于塔寺，而塔寺的塔是喇嘛教宝瓶式白塔。建幢者又在西夏姓"平尚"后加藏语"吒失领占"称号，说明明代西夏人对喇嘛教的依附，并沿着喇嘛教进京路线，把保定作为活动主要区域。

西夏文石经幢存于河北保定市莲池管理所。

汉幽州书佐秦君神道石柱　东汉元兴元年（105年）文物。1964年，北京市石景山区上庄村东老山东坡出土。

还同时发现一批石阙构件，共出土17件，其中，石柱2件，石柱础2件。据题铭可知，神道石柱是一位来自鲁地（山东省泰山以南汶、泗、沂、沭水流域）工匠主持下，于汉和帝永元十七年，即殇帝元兴元年（105年）完成。秦君石柱顶有榫头，说明原应有石顶盘。

汉幽州书佐秦君神道石柱，2件，造型相仿，唯尺寸略有差异。残高225厘米，向上有收分，上端周长108～111厘米，下端周长127厘米。柱身下端刻通长之凹面直棱纹22道，柱身上端两侧各雕出一只向上攀爬的螭虎拱托柱

额。柱额为长方形，额面隶书3行11字："汉故幽州书佐秦君之神道。"石柱底端有榫头。2件石柱础表面呈四坡形，上面刻有首尾追逐的螭虎，中央有纳榫圆孔，正好与2件石柱榫头吻合。一同出土的石构件上有题铭"永元十七年四月□□□□元兴元年□十月鲁工石巨宜造"。

1979年，河南省叶县曾发现2件小型石翼兽，身长约40厘米，其昂首、张口、挺胸、四肢迈开做疾走状，具有鲜明的东汉石雕神兽造型风格。更值得注意的是，这两件石翼兽四足底座都是一圆盘，圆盘正中有一卯孔，当为纳榫所用。专家根据这两件石翼兽特征，结合前人关于石柱顶装饰物为石兽的记载，推断此对石翼兽是陵墓石柱上装饰物，为秦君石柱柱顶复原提供证据。石柱上端有翼神兽，增强石柱本身装饰感，也为其所标识的神道增添神秘感。秦君墓地石柱与墓阙伴出，证明当时二者是并立的。石柱柱身下半段22道凹面直棱纹，为已发现东汉神道石柱的孤例。柱身纹饰与古埃及和古希腊的一些石柱柱身纹饰相似，为南朝陵园中神道石柱所继承。石额上隶书字体含有篆书意味，笔画劲挺，结体洒脱。石额下攀爬螭虎做回首承顶状，沿袭春秋战国以来，青铜器上采用动物纹装饰器耳作风。石柱础上的双螭虎充满灵动感。秦君石柱造型严谨，比例合度，装饰考究，做工细致，是东汉神道石柱典范之作。

汉幽州书佐秦君神道石柱藏于北京石刻艺术博物馆。

芗他君石柱　东汉永兴二年（154年）文物。民国23年（1934年），山东省东阿县西南

铁头山出土。芗他君石柱立于东汉桓帝永兴二年（154年）。

芗他君石柱，高119.2厘米，宽33.5厘米。石柱四面刻有人物、动物画像，前面上半部刻有文字，最上刻"东郡厥县东阿西乡常吉里芗他君石祠堂"，下刻正文10行417字，记载芗他君事迹及其子芗无患等为其建立祠堂原因与经过。柱础为一雕刻精美神兽。

芗他君石柱文字书法体现出东汉隶书风貌。

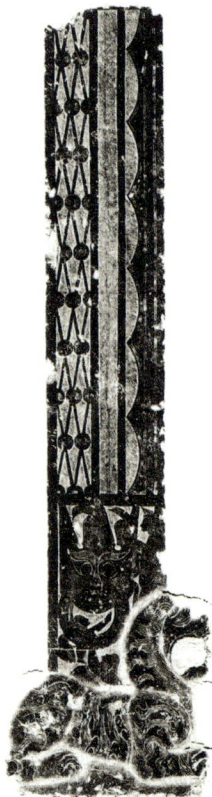

据刻铭可知，石柱为芋他君祠堂内置放石柱之一。汉代题刻石柱存世较少，如此件文字内容丰富，画像雕刻精美者尤为少见。

芋他君石柱藏于故宫博物院。

日晷　汉代文物。清光绪二十三年（1897年），内蒙古托克托出土。

日晷边长27.4厘米，厚3.5厘米。日晷用致密泥质大理石制成。晷面中央有一直径1厘米圆孔，不穿透，以此孔为圆心刻出两个同心圆，内圆与外圆间刻有69条辐射线，占去圆面大部分，其余地方未刻。辐射线与外圆交点上钻小孔，孔外刻汉篆体1～69数字，各辐射线间夹角相等，以此为据补足未刻部分，则可等分圆周为100份，正与一日百刻之数相当。另在两圆间刻有一正方形，其外刻有"TLV"纹，有的纹饰掩去部分数字。同类型日晷在周进《居贞草堂汉晋石影》中还著录一件，为山西右玉出土，仅存一小角残石，复原后，晷面刻纹应与托克托出土这件相近。

日晷，本义是指日影，是利用太阳位置来测量时间的一种设备，主要由一根投射太阳阴

影指标、承受指标投影面（晷面）及其上刻度线组成。因盘面安置方向不同，日晷可分为地平日晷、赤道日晷、立晷、斜晷。此日晷是地平日晷。汉代主要计时工具是漏壶，但由于漏壶中水位和水压无法保持平衡，滴漏速度的快慢变化，造成测时不准确，汉代往往用日晷进行校正。其使用方法是，将晷体放正摆平，在晷心大孔中立"正表"，在外圆小孔中立"游仪"，将正表与游仪照准日出、日入时太阳位置，就可以计算出当日白昼长度，使掌漏人员据以校准漏壶流速、调整昼夜漏刻、确定换箭日期。

日晷藏于中国国家博物馆。

乌杨石阙　汉魏时期文物。2001年，重庆市忠县乌杨镇出土。考古专家根据出土遗址判断乌杨石阙为墓阙。该阙不但双主阙保存基本完整，也是重庆和川东地区唯一一处保留有子阙的石阙。

乌杨石阙为重檐庑殿顶双子母式，砂岩质。主阙高540厘米，进深170厘米。阙由台基、阙身、楼部和顶盖构成。除台基外，其余部分都雕刻有建筑装饰和图像。造型上具有顶盖出檐宽、阙体收分大、构造简洁的特点，因而显得格外挺拔、庄严，具有鲜明的重庆地方特征和时代风格。除阙基外，石阙其余部分雕刻有建筑装饰和图像，其中灵禽异兽图案有铺首、角神、凤鸟和青龙、白虎等，生活图卷有狩猎图、习武图、雄鹰叼羊图、蛇衔老鼠图等。其图像主要为减地平面浅浮雕和半立雕两类，个别为弧面浅浮雕、阴线刻和高浮雕。其中长达两米余的青龙、白虎雕刻，造型生动，展现出汉代雕刻艺术神韵。

阙是中国古代门外两侧建筑，因"中央阙然为道"而得名，常左右成对，可登临远望。在汉代，建阙之风盛行，有城阙、宫室阙、祠庙阙、陵墓阙之分。史书记载，西汉长安城未央宫的东阙、北阙，建章宫的凤阙、圆阙，都是历史上著名的大阙。传说凤阙高20余丈。这些巨阙除凤阙尚有夯土残址外，其余都已湮灭。陵墓阙是东汉陵墓仪卫石刻的重要组成部分，在墓前建造楼阁式石阙在东汉颇为流行，石阙和石柱在东汉都有标识神道的功能。西晋时期，陵墓阙消失。汉代石阙有30余处，阙是年代较、保存较完整的仿木结构石质建筑。而乌杨石阙是其中唯一通过考古发掘复原，并发现相关阙址、神道、墓葬的阙，对研究古建筑艺术、葬制具有重要价值。

乌杨石阙藏于重庆中国三峡博物馆。

杨府君神道石柱　东晋隆安三年（399年）文物。

从铭文可知，杨府君神道石柱立于东晋隆安三年（399年）。墓主姓杨，名阳，字世明，巴郡枳县（重庆市涪陵区）人。曾为巴郡

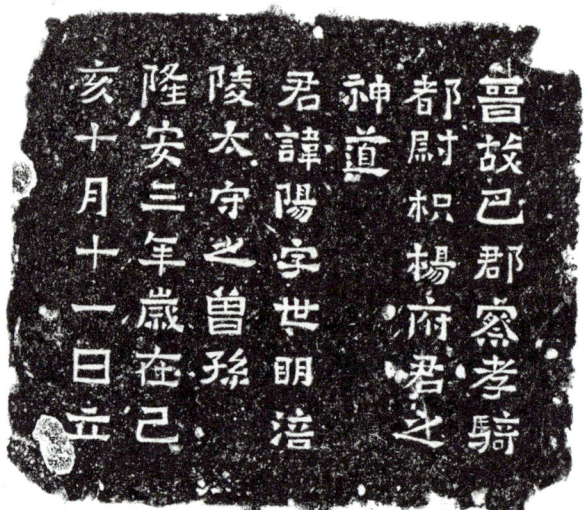

察孝廉、骑都尉，系原涪陵太守之曾孙。

　　杨府君神道石柱，存高82厘米，宽44厘米。石柱瓜棱纹柱身，上有长方形柱额，额上有隶书铭文7行43字。字体遒劲，书法点画方阔肥厚，笔触短促有力，颇为厚重稚拙。

　　神道石柱在东汉时已出现，树立于祠堂、陵墓等建筑物之前神道口处，由下部基座，即柱础；中部柱身，柱身上部有长方形石额刻字；柱顶部的圆形上盖，盖上往往立有雕刻动物或人物形象的墓镇。此件石柱额题完整，是研究神道石柱形式、内容与铭刻文字的珍贵资料。

　　杨府君神道石柱藏于故宫博物院。

　　新铸铜人腧穴针灸图经刻石　北宋文物。1971年，北京市明城墙遗址中发现。

　　"新铸铜人腧穴针灸图经"刻石，残高99厘米，残宽55厘米，厚26厘米。青石质，四边均残，有凿击痕迹。石面残存刻书3栏，每栏之间隔以缠枝花栏格。第一栏大部残缺，现存右下角小字5行17字，左下角大字一个。第二栏刻"足太阳膀胱经"首及"至阴""通谷""束骨"等11穴位；第三栏刻"任脉腹中行"内"阴交""气海"等7个穴位。"会阴"穴后，刻"新铸铜人腧穴针灸图经卷上"。第二、三栏字迹保存较好，漫漶者不多。

　　北宋初年，政府发现经络腧穴图多有错误，遂于天圣四年（1026年）钦命翰林医官院尚药奉御王惟一对北宋前针灸经络腧穴进行订正、补充和规范。天圣五年（1027年），王惟一编著成《新铸铜人腧穴针灸图经》，由医官院摹印颁行。之后，又由王惟一负责，将全书内容刻石，并于天圣八年（1030年），

以该书石刻为壁，在开封大相国寺建成"针灸图石壁堂"，供学习者观摩。并在王惟一主持下，经3年努力，两具针灸铜人亦于天圣八年铸成，史称"天圣铜人"。新铸铜人腧穴针灸图经刻石和天圣铜人集宋朝前腧穴经络之精华，使之形象化、规范化，作为国家级标

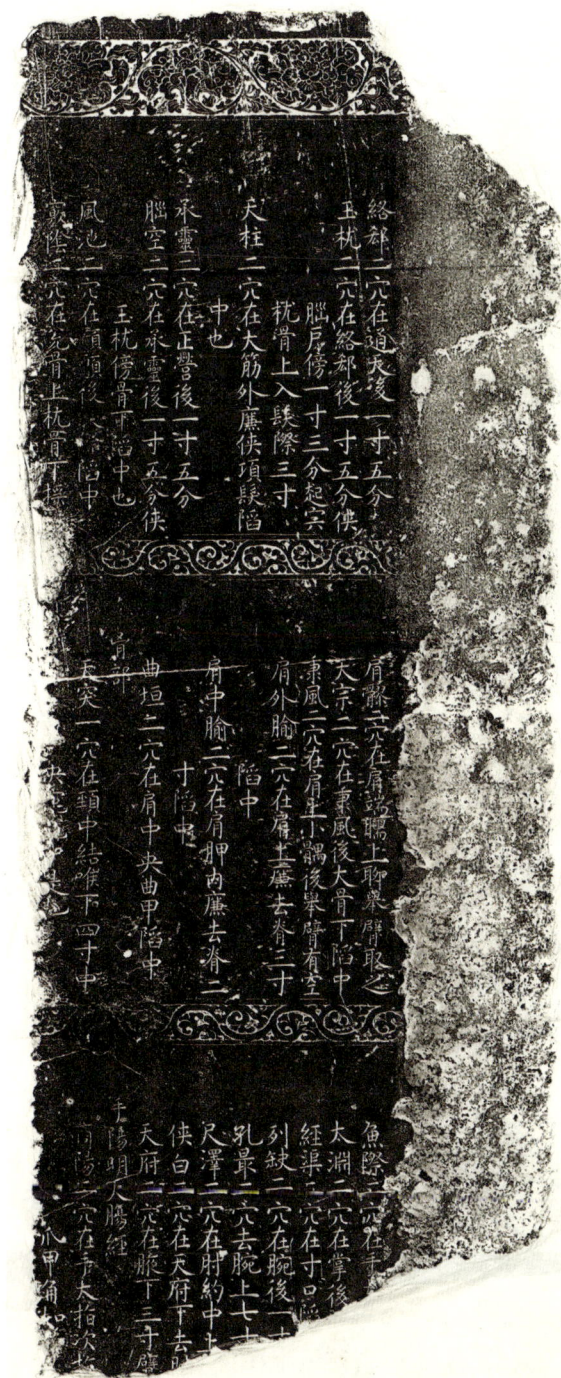

准，供全国医者临床治疗取穴参考。作为针灸教学规范供学生学习，用作对医生和学生进行考核最标准的用具，是研究中国医药学史及针灸学史的珍贵实物资料，为后世针灸医学发展奠定了基础。金灭北宋时，相国寺铜人毁于战火，仅剩医官院铜人，元灭金后将此铜人运至大都。蒙古太宗四年（1232年），针灸铜人为元朝皇帝忽必烈所得。至元年间（1264～1294年），天圣铜人与图经碑石被一起由汴梁（开封市）移至大都（北京），放置在皇城以东的明照坊太医院三皇庙的神机堂内（北京市东城区灯市口以北地带）。至明代英宗皇帝正统八年（1443年），天圣铜人和新铸铜人腧穴针灸图经刻石历经400余载，"石刻漫灭而不完，铜像昏暗而难辨"，于是下令仿之重新铸造一具铜人，史称"正统铜人"，并重刻铜人腧穴针灸图经碑石，将"新铸"二字去掉，增添明英宗序言，记铜人和刻石沿革。到明英宗正统十年和十一年（1445～1446年），修筑京师城垣和东城垣时，宋代图经碑石被劈毁，充当修筑城垣砖石，历经沧桑的宋天圣新铸铜人腧穴针灸图经刻石，就这样被埋在明代城墙下。1965～1983年，北京市在拆除明代北京城墙的考古中，陆续发现宋天圣新铸铜人腧穴针灸图经残石六方，为针灸学术界所瞩目，亦为"宋天圣针灸铜人"再现提供依据。

这些残碑分别藏于中国国家博物馆、首都博物馆和北京石刻艺术博物馆。

新铸铜人腧穴针灸图经刻石藏于中国国家博物馆。

肃府本《淳化阁帖》刻石　明代文物。

宋太宗淳化三年（992年），命翰林侍讲学士王著，将宫中所藏历代帝王、名臣及书法名家103人墨迹420件摹刻在枣木板上。原版初拓以当时最上等歙州贡墨和"轻似蝉翼白如雪"澄心堂纸精心拓印，拓本装订成册。此帖完成于淳化年间，故称"淳化阁帖"。刻成后又深藏禁宫密室，人间难得一见，亦称"淳化秘阁帖"。《淳化阁帖》共10卷，前5卷为汉、魏、两晋、南北朝及隋唐帝王名臣法帖。后5卷主要是王羲之、王献之父子墨迹。《淳化阁帖》对中国古代书法名迹的摹录和广泛流传起到积极作用。原帖刻成后毁于火，所以流传的少数帖本成为稀世之珍。明王朝建立后，朱元璋封其第14子朱楧为肃王，王府设在兰州，赐给朱楧一部宋初拓印本《淳化阁帖》。肃王府一直视此帖为传世之宝，秘不示人。到明万历四十三年（1615年），朱楧后裔宪王朱绅尧应陕西右参政张鹤鸣请求，请当时金石摹刻家温如玉（字伯坚）、张应召（字用之）将其所藏阁帖宋拓祖本，采用陕西省富平县特产的铜磬石进行摹刻，历时7年，明天启元年（1621年）完成，共刻成144块，大都两面刻文，共253面。阁帖翻刻上石后，保存于肃王府东书院遵训阁内，世称"肃王府遵训阁本"，简称"肃府本"，也称"兰州本"。肃府本《淳化阁帖》一区别于其他传世《淳化阁帖》翻刻本的特征，就是在每卷末除照摹宋本"淳化"年款外，各卷（卷九除外）都照摹勒宋祖本卷版号，散在行间。其中卷5末加刻"肃府底本"固有的元至正十年（1350年）张瑨、李仪、吴溥等人观款。由此看出，肃府本《淳化阁帖》非常忠于祖本。各卷除宋本款识外，均添刻"万历四十三年乙卯秋八月九日草

莽臣温如玉、张应召奉肃藩令旨重摹上石"隶书年款三行，这也是后世鉴别肃府本《淳化阁帖》真伪的一个重要标志。肃府本《淳化阁帖》另一特点，就是跋语较多，在该帖卷五、六、七后面，均附刻有肃恭王题跋。卷十结尾另刻肃宪王、张鹤鸣等27人题跋。题跋时间上起万历四十三年（1615年），下至天启元年（1621年）。题跋刊刻应与刻帖同时完工。明崇祯戊寅年（1638年）七月，又增刻王铎题跋，后又发现张柽芳、佟国定题跋，肃府本《淳化阁帖》跋共有31人之多。

肃府本《淳化阁帖》刻石，共144块，每块石高27.4～34.5厘米，宽36.5～40.7厘米，厚5～8.9厘米。大都两面刻文。

肃府本《淳化阁帖》石是中国存世《淳化阁帖》中最早最精也是最完整的一部刻石。由于肃府本摹勒精良，毫发俱在，非常精妙，几乎与原本无异，在明朝重摹阁帖中享有盛誉，一经面世便受到人们追捧。西安碑林博物馆所立帖石，即据肃府本初拓本重摹而成。

明末清初之际，社会动荡，肃府本帖石遭到破坏，尤其是李自成领导农民军攻克兰州后，一些帖石遭到毁损，庆幸大部分保存完好。清顺治十一年（1654年），补刻40余版（处），修补后帖尾加刻"顺治甲午岁张正言、正心承广陵陈曼仙、参泽毛香林二师教补摹上石"隶书年款三行，所补摹页又添刻一组楷书版号。康熙十二年（1673年），吴三桂反清，在甘肃响应的士兵曾将一些帖石砌做马槽。光绪初年，近代学者刘尔炘将帖石转移到文庙尊经阁保存。抗战时期，为防止日本飞机轰炸，甘肃教育家赵元贞将帖石全部转移到官园丰黎仓内地窖中保存。抗战结束，肃府本帖石又被移到文庙内保管，直到1966年交由甘肃省博物馆收藏。

肃府本《淳化阁本》刻石藏于甘肃省博物馆。

第七章
甲骨简牍、文献文书、符节印信

文字，是记录语言的符号；借助文字，人类得以积累、保存、传播信息，所创造文明得以传承；因此，文字，是人类发展过程中最重要的发明之一。同时，文字的出现也被学术界视为人类社会走过漫长的蒙昧、野蛮阶段，迈入文明的最重要标志之一。

汉字，是世界上最古老的文字之一，自成体系，使用时间最长。商代后期的汉字已经具备汉字结构的基本形式，是一种发展到成熟阶段的文字。然而，限于目前材料不足，关于汉字产生的时间、空间及过程，至今仍疑惑重重。自20世纪20年代至今，在河南舞阳贾湖裴李岗文化遗址，浙江萧山跨湖桥文化遗址，甘肃秦安大地湾遗址，陕西西安半坡、姜寨遗址、宝鸡北首岭等仰韶文化遗址，安徽蚌埠双墩文化遗址，湖北宜昌杨家湾大溪文化遗址，上海青浦崧泽文化遗址，山东莒县陵阳河、大朱村、诸城前寨大汶口遗址，青海乐都柳湾马家窑文化遗址，上海马桥良渚文化遗址，内蒙古赤峰石棚山小河沿文化遗址，内蒙古赤峰红山文化遗址，湖北天门石家河文化遗址，广东佛山河宕文化遗址及广东南海官山镇西樵山文化遗址等众多新石器时代遗址，发现了数量众多的刻画在陶器、石器、骨器及龟甲上的单体刻画符号，其时代从距今8000余年一直延续到

距今4000余年。长期以来，学术界亦将此类刻画符号作为探索汉字起源的线索。部分学者认为上述刻画符号具有文字或早期文字性质。同时，江苏吴县澄湖古井堆良渚文化遗址出土一黑陶鱼篓形罐，器腹部并列刻划4个符号；浙江余杭南湖良渚文化遗址出土一黑陶罐，具肩部、腹部刻划一周12个图形，具有明显的叙事意味，学者或将其称作"文字画"，视为文字的先驱。然而，在古代中国境内，不仅存在汉字，还存在其他文字体系。战国时期，在今四川及其附近地区曾流行巴蜀文字；唐宋之后，又相继存在契丹文、西夏文、女真文、蒙古文、维吾尔文、藏文、彝文及纳西文等。因此，上举众多新石器时代遗址发现的刻画符号，与汉字及其他文字体系前身之间，是否存在联系，尚需要确凿证据予以推断。而单纯利用已有对于商周时期古文字的研究成果，去考辨时代久远、不同地域的众多新石器时代遗址发现的刻画符号，仅可视作探索性的尝试。

新石器时代浙江平湖庄桥坟遗址、江苏高邮龙虬庄遗址、山东邹平丁公遗址发现的刻划文字，是中国境内已发现的最早原始文字。山西襄汾新石器时代陶寺文化遗址出土陶扁壶上的朱书"文"字，是所见最早的毛笔书写汉

字。商、西周时期的陶文发现逐渐增多，不仅有诸如商代中期河北藁城台西遗址与江西吴城遗址发现的刻划陶文，也存在大量如郑州小双桥商代中期遗址、河南安阳殷墟出土陶器上的朱书、墨书文字。石玉器及青铜器，也是这一时期用以刻划、书写及铸造文字的载体，其中尤以1977年安阳小屯北墓葬18号墓出土商朱书"在兆执守老在入"玉戈、1976年殷墟妇好墓出土商"卢方弐入戈五"玉戈、1999年河南三门峡上村岭虢国墓地出土西周墨书文字圭形玉片及20世纪60年代河南洛阳北窑西周墓葬37号墓出土内底墨书"伯懋父"青铜鼎等器最具时代特征。刻诗石鼓、侯马盟书、温县盟书及战国"行气"铭玉杖首，所刻划书写题材此前未见，是为春秋战国时期刻划书写文字的石玉器新风貌。而由秦"泰山刻石"、秦始皇廿六年诏陶量、西汉墨书《四时月令诏条》题壁、东汉刻"九九乘法口诀"陶砖及东汉白玉刚卯等器，可知秦汉时期石玉器、陶器上刻划书写的内容外延又较此前进一步扩大。同时，这一时期，诸如西汉"海内皆臣"砖、汉"单于天降"铭瓦当及东汉《春秋公羊传》砖等刻划、模印文字的砖、瓦当之类新的文字题材开始出现。至此，古代中国用于刻划书写文字的石玉器、陶器，其种类、形式及内容丰富异常，荦荦大端，风标垂于后世。

清光绪二十五年（1899年），时国子监祭酒王懿荣偶然从中药"龙骨"上辨识出商代文字；自此，商代甲骨文遂被世人所知。商代甲骨文是商人的占卜记录、记事刻辞、表谱刻辞与习刻，因契刻于龟甲、兽骨而得名。近120年来，累计发现的商代刻辞甲骨约15万片，主要出土于河南安阳殷墟，在河南郑州商城、山东桓台史家遗址及山东济南大辛庄遗址也有零星发现。其中，郑州商城所出刻辞甲骨时代分属商代早期、中期，是迄今所知商代最早的刻辞甲骨。1951～2017年，陕西郿县、河南洛阳东观泰山庙、山西洪赵坊堆村、陕西长安张家坡、北京昌平白浮村、陕西岐山凤雏村、陕西扶风齐家村、北京房山镇江营、河北邢台南小汪、北京房山琉璃河董家林村、陕西周原扶风齐家、陕西周原岐山周公庙、河南洛阳东郊民房地基、山东高青陈庄及宁夏彭阳姚河塬等地，又先后出土西周时期的刻辞甲骨。商代甲骨刻辞内容包罗万象，堪称商代百科全书；而西周时期的甲骨刻辞内容涉及西周统治阶级上层的重要活动，可补史之阙载。作为商、西周时期遗留文字之大宗，甲骨文无疑是这一时期历史研究最重要的可信史料。2017年11月24日，中国申报的"甲骨文"通过联合国教科文组织世界记忆工程国际咨询委员会评审，入选《世界记忆名录》，代表人类文明的精粹。

《尚书·多士》语云"惟殷先人，有册有典"，商代甲骨文中，"册"字作"册"，构形以直竖标识细长的简横线表示连缀简条的编绳，可知简册是商代书写的主要载体。然而，已发现的简牍以战国时期简牍时代最早。自20世纪50年代，湖南、湖北及河南先后出土仰天湖楚简、包山楚简、望山楚简及新蔡楚简、郭店楚简等20余批楚简；湖北、湖南、甘肃及四川陆续出土睡虎地秦简、里耶秦简及龙岗秦简等多批秦代简牍。而如居延汉简、马王堆汉简、银雀山汉简及尹湾汉简等汉代简牍的出土地点，则遍及内蒙古、甘肃、青海、湖北、湖南、山东、河北、江苏、江西、四川、贵州、广东及安徽。魏晋时期，简牍仍在沿用。走马楼三国吴简牍，超过10万枚，蔚为大观。与简牍并行，帛书至迟在战国时期即已存在，汉代尤为盛行。湖南长沙子弹库楚墓所出土战国楚帛书、马王堆汉墓帛书及敦煌悬泉置汉"元请子方"帛书，可谓其中翘楚。上述战国至魏晋时期的简牍、帛书，所载内容囊括当时政治、经济及文化众多领域，是为翔实可信的重要史料。同时，凡此简牍、帛书文字均为毛笔书写，系不同历史时期字体、书体之实录，对文字学、书法艺术的研究意义重大。

在距今8000余年河南舞阳贾湖裴李岗文化遗址出土陶器上，发现戳印痕迹；新石器时代中、晚期，在河南、江苏、福建及云南等地新石器时代考古学文化中，均发现陶质、石质印模，用以压印陶器纹饰。凡此即后世印信之源。商饕餮纹青铜印、商"䇂"青铜印及商"八"夔龙纹青铜印，出土于河南安阳殷墟；又河南安阳殷墟妇好墓出土1枚龙凤纹龙纽玉印。可知至迟始于商代，青铜、玉石已用于制作印信。战国之后，公私使用印信数量激增。直至清代末年，印信在中国古代文物中独为一类，其材质、印纽、印台、印文及制作工艺，与其所处不同历史时期紧密扣合，时代特征甚为分明。封泥，是印信的封缄遗存。秦汉时期的封泥多有发现，其中"皇帝信玺"封泥、"河间王玺"封泥殊为难得。同为金属文字载体，战国楚"鄂君启"节，系楚怀王六年（前323年）楚王颁予封君鄂君启运输商品的陆路、水路免税通关凭证；战国楚"王命命传赁"龙节，系战国中期楚王颁发的传遽凭证；

而如秦杜错金虎符，则是公元前337年～前325年秦惠文君对率军将领下达军令、调动军队的凭证。用于发兵的虎符，至迟行用于战国时期。此后，虽王朝更替，但以虎符发兵成为规制，直至唐代改用鱼符。各朝代所用虎符造型及器铭也相应呈现出不同的时代特征。

至迟始于西汉初年，中国即用纸张做书写、绘图载体。由东汉伏龙坪墨书纸、东晋潘岳书札写本残卷此类珍贵文物，可知汉代用纸书写已深入日常生活。而如北凉高昌郡差刘首蓿文书、北凉真兴六年兵曹范庆白草及唐粟特文摩尼教徒书信卷等历代文书，多记载当时具体事件之原委，史料价值极高。两汉之际，佛教传入中国；自此，抄写及刊印的纸本佛经，历代不绝，遂成一大宗的文物门类。不同时代的经本，如前凉《法句经》卷、隋仁寿四年《优婆塞经卷第十》卷、唐成都府卞家刻本《陀罗尼经咒》页、北宋金银书《妙法莲华经》卷及金刻本《赵城金藏》等，其用纸、经文及字体均具有鲜明的时代烙印。

如东晋墨写本《三国志·步骘传》残卷、晋墨写本《三国志·吴书·吴主传》残卷，皆是存世较早的中国古代抄写文献。唐宋之后，伴随印刷术的发明、普及，大量典籍经刊印而广为流传，且有明嘉靖隆庆年间内府抄本《永乐大典》及清乾隆内府抄本文津阁《四库全书》如此鸿篇巨制。凡此历代文献，在中华文明生生不息传承中的作用厥功至伟。

北宋时期，人们即已使用纸张传拓铭刻文字。世传古代拓本，其大宗分为两类：一如北宋拓《神策军碑》册、明《曹全碑》初拓本（"因"字不损本）之类碑拓；二如北宋拓

《淳化阁帖》册、北宋拓《大观帖》册之类帖拓。凡此拓本字里行间，不仅实录当时之史事，更是在没有摄影技术的时代，惟妙惟肖地保存古代中国不同时期的字体、书体原型及众多书法作品的原貌，故历代备受书家推崇。

战国中期秦放马滩木板地图系1986年6～9月出土于甘肃省天水市北道区党川乡放马滩古墓群，是所见时代最早的中国古代地图，也是所知世界最早具有严格意义上的实物地图。而1977年出土于河北省平山县三汲公社中七汲村的战国中山王䭪金银错《兆域图》青铜板，所载《兆域图》则是已知的世界最早的建筑平面规划设计图。由此可见，中国古代"舆图"绘制之久远。直至晚清，"舆图"种类多样，在典籍中别为一类。商"月一正曰食麦"表谱刻辞是商王祖庚、祖甲时期类似《夏小正》《月令》之类历书的部分抄本，可见历书在古代中国发源之早。此后历朝均异常重视历书之制，重在顺应自然之时，以备农事。1990年，敦煌市博物馆在调查清水沟汉代烽燧遗址时获得西汉宣帝地节元年（前69年）《太初历》木简册，保存完整。《太初历》是中国古代最早依据一定规制而颁行的比较完整的历法，也是当时世界最先进的历法，具有划时代的重要意义。此类历书均是中国古代历法研究中的重要参照。

东汉时期，与当时民间巫术及早期道教的发展密切相关，墓葬中开始流行镇墓文，或称解除文、解注文；绝大多数以陶瓶为载体，其上朱书文字，主要用于分别生死，即为墓主镇压冥界鬼神，解除谪罚，使其得以安居，并令墓主不得返回阳间作祟，从而为生者免除灾殃，以求富乐安康。东汉时期，镇墓文主要流行于洛阳与关中地区，其他地区较少发现；而且，两地所载镇墓文的陶瓶器形不同，呈现出明显的区域特色。东汉末年，战乱频起，直至西晋时期，中原地区极少发现镇墓文，而河西走廊，尤其是敦煌地区，则为镇墓文的主要流行区域。同时，自东汉开始，洛阳地区墓葬中还放置另一种明器——买地券，或称墓莂、冥券及地券，大多以仿简册状的长条形铅板，少数用砖或玉板为载体，上契刻书写有虚拟地契，作为墓主向冥间购买阴宅，以求安居的凭证，是东汉时期土地买卖现实状况与丧葬习俗相结合的产物。这种葬俗后向山西、河北及江苏地区扩散。而且，受当时巫术及早期道教影响，买地券中的荒诞内容日益孳乳，同时期的解除文也逐渐渗入。东汉末年，民生凋敝，直至三国时期，洛阳及北方地区不再发现买地券；迄今所见三国时期买地券，均出土于吴地。始于东汉，至于明清，历代皆使用买地券，而因时代不同，其用材、形制及器铭也随之变化。

1959年秋，在甘肃省武威市磨嘴子4号、22号、23号与54号东汉前期墓棺盖上，发现4幅丝帛，上有朱书、图绘，自铭"柩"，如"平陵敬事里张伯升之柩"。1972～1973年马王堆一号汉墓、马王堆三号汉墓出土的2幅汉文帝时期帛画与1976年5月山东临沂金雀山九号汉墓出土的汉武帝时期帛画，与上述武威磨嘴子东汉墓所出土"柩"的丧葬含义相同。据已有考古发现，这些西汉时期的帛画前身可以追溯至1949年湖南长沙陈家大山楚墓出土的战国时期人物龙凤图帛画与1973年湖南长沙子弹库出土的战国时期人物御龙图帛画。南北朝时期，汉时之柩，或称铭旌、旐、丹旐或旒旐；礼制纷杂，且其形制、书写内容亦有变化。而以"平陵敬事里张伯升之柩"为代表的武威磨嘴子东汉墓出土之柩，则是中国古代铭旌演变中承上启下的关键。

古代中国，是世界四大文明古国之一，也是唯一连续发展、未曾中断的文明。其中重要原因之一，便是中国文字的世世传承，代不乏绝。而上述传世、出土大宗文字载体类的文物，在中华文明的历史进程中，无疑发挥着关键作用。

第一节 刻、写文字的玉石陶瓷

庄桥坟刻文石钺 新石器时代良渚文化文物，出土于2003年6月至2006年9月，浙江省文物考古研究所与平湖市博物馆联合发掘平湖市庄桥坟良渚文化遗址期间。

庄桥坟刻文石钺是2件残石钺：其一编号西T101②：10石钺，上端残，存一双面管钻孔，弧刃，残高9.2厘米，刃宽9.9厘米，器表经过磨光。器一面右上角刻划一字，似左右结构；该面其余笔画组成一个酷似某种动物的象形符号。器另一面右侧连续刻划6个符号，形态规整，排列整齐，其中有相同符号重复。该重复出现的符号在陶器上也以单体形式出现多次。

其二编号H41：1石钺，青灰色板岩，残存器体中段，存一单面钻孔，残高5.7厘米，残宽11厘米，器表经磨光。器一面据其刻划文字笔画组合及布局观察，似为4字，笔画繁复，从笔顺、字形推断应为上下行文；另一面上端刻划2个并列单体字，其下所刻划有残，笔画极其繁复。

庄桥坟石钺所刻划文字，构形中多直线、折线，少弧线，刻划方式基本一致，笔顺较为规范；且两石钺上的文字均连缀成句，具有明显的表意性质。由此观察，这些文字当是较为成熟、初具系统的原始文字。

庄桥坟石钺所刻划文字距今约5000年。2013年7月6日，经考古学家、古文字学家论证，认为是已知中国境内发现的最早原始文字；其与同时期出现的城址、水利工程等均是中华文明业已开始重要标志。

庄桥坟刻文石钺存于浙江省文物考古研究所。

丁公刻文陶片 新石器时代龙山文化文物。1991年秋，山东大学考古实习队第四次发掘山东邹平丁公龙山文化遗址时出土。

1992年1月2日上午，发掘即将结束，进行室内整理。从解剖城墙的探沟T50内灰坑H1235出土遗物中，由协助工作的丁公村女民工董建华发现一大平盆底部残片，其内底刻划5行11字。灰坑H1235时代属于龙山文化晚期，距今4200～4100年。时山东大学历史系栾丰实等几位带队教师当即意识到这一发现的重大意义，并深感责任重大。经认真分析，反复讨论，并严格仔细核验灰坑H1235及其相关遗迹的层位关系、出土遗物，对灰坑H1235出土遗物的出

土时间、运输、存放及洗刷等环节进行了详细了解、分析，最终确认这一发现真实可靠。

丁公刻文陶片是一龙山文化时期的大平底陶盆底部残片，泥质磨光灰陶，残长4.6～7.7厘米，宽约3.20厘米，厚0.35厘米，内底现存刻划5行11字。

刻文系陶器烧制后刻划，右起第1行为3字，其余4行均为2字。陶片左上角存一刻划较浅的符号，左下角存一刻划短线，向下超出陶片。陶文刻写应是自上而下、从右向左；其中个别构形较为象形，其余则多用回转连笔，结体抽象。这些刻文既独立成字，布局又有一定章法，全文应是一个短句或辞章，用以表达语意。

丁公陶片刻文构形已脱离简单的刻画符号及"文字画"阶段，笔画流畅，且以多字连缀组合句子表达文义，文字系统较为成熟。对于该陶文的文字属性，学术界已有共识；而对于其与早期汉字及其他中国上古文字系统的关系，学术界尚存不同意见。学者或以为丁公陶文与汉字分属不同文字系统，应为东夷文化系统文字。1993年4～6月，南京博物院发掘江苏省高邮市一沟乡龙虬庄遗址，于河边采集一属于河南龙山文化王油坊类型晚期的泥质磨光

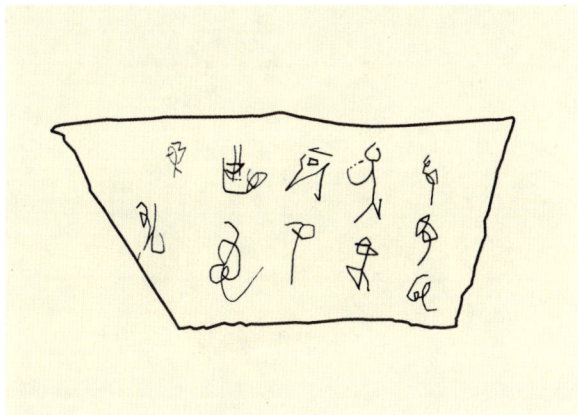

黑陶盆口沿残片，距今4000多年，上刻划2行8字，其中也有回转连笔。丁公刻文与龙虬庄刻文的相继发现，丰富了学术界对于中国上古时期文字的认识，对于探索中国文字及中华文明进程具有重要意义。

丁公刻文陶片藏于山东大学博物馆。

龙虬庄刻文陶片 新石器时代龙山文化文物。1993年4月至1996年4月，南京博物院、扬州博物馆及高邮市博物馆组成考古队发掘江苏高邮龙虬庄遗址过程中于河边采集。

龙虬庄龙刻文陶片是一龙山文化王油坊类型陶盆口沿残片，泥质磨光黑陶，内壁存刻划2行8字。

刻文系陶器烧制后刻划，左行4字，以直线、折线构形，呈纵势，结构规范；右行4字，则呈横势，中有许多回转连笔。全文章法规整，应是一个短句或辞章，用以表达语义。

龙虬庄刻文陶片距今约4000年，左行4字构形极为规范，笔画流畅，已脱离简单的刻划符号及"文字画"阶段；其与右行横势回转连笔4字连缀组合以表达文义，显示当时已形成文字系统。1992年1月在山东邹平丁公龙山文化遗址出土物中发现一刻文陶片，上刻划5行11字，其中多字构形亦为回转连笔。

龙虬庄遗址的考古发现被评为"1993年度全国十大考古新发现"之一。1994年2月6日《中国文物报》介绍道："在遗址上采集的陶盆口沿残片上，有类似文字的刻划符号，对探究中国文字的起源亦十分重要。"

龙虬庄刻文是继山东邹平丁公刻文之后，又一次有关中国早期文字的重要考古发现，进一步丰富了学术界对于中国上古时期文字的认识，对

于探索中国文字及中华文明进程具有重要意义。

龙虬庄刻文陶片藏于南京博物院。

陶寺文化朱书"文"字陶扁壶 新石器时代陶寺文化晚期（约前2000～前1900年）文物，1984年春季出土于山西省襄汾县陶寺文化遗址Ⅲ区编号H3403灰坑。

陶寺文化朱书"文"字陶扁壶是泥质灰陶，器残破，存口沿及器腹部分，残高27.6厘米；侈口，斜颈，颈、腹分界明显，腹部一侧扁平，另一侧鼓凸，桥形鋬，双鋬相连在口沿鼓凸一侧；器表装饰竖条细蓝纹，腹部鼓凸一侧存毛笔朱书"文"字，出土时的字迹鲜红，不久即退变成粉红色；腹部扁平一侧存一毛笔朱书字，为上下结构，笔画漫漶，不识；扁壶

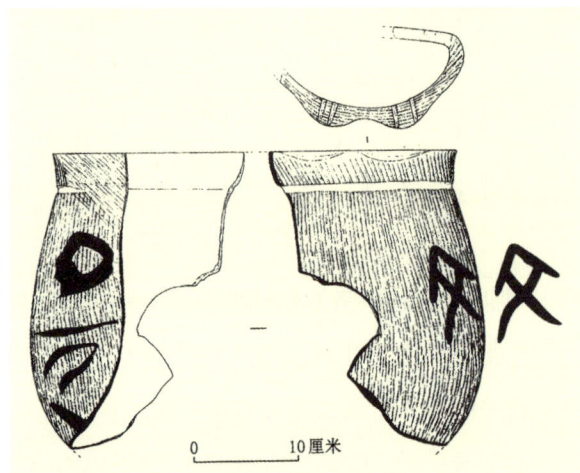

断边涂朱一周，系器残破后所绘。

1985年秋晋文化座谈会上，高天麟首次披露陶寺文化陶扁壶朱书的发现，引起学术界的极大关注。朱书"文"字是迄今所见中国最早的毛笔书写汉字遗迹，线条匀等，清晰呈现出运笔过程中的起、行、收，与商、西周时期的汉字一脉相承，对于探索汉字起源具有重要学术意义。

陶寺文化朱书"文"字陶扁壶存于中国社会科学院考古研究所。

商"司辛"石牛 商王武丁时期文物，1976年出土于河南省安阳市殷墟妇好墓。

商"司辛"石牛，白色大理岩质，圆雕卧牛，头部前伸微昂，双角后伏，小耳后抿，凿有耳孔，细眉方目，口微启露齿，前肢跪地，后肢前屈，短尾下垂；通体勾有阴线，眉间饰一菱形纹，身饰卷云纹，角、背脊与尾部饰节状纹。整器磨制光洁，刻工精致。石牛高14.5厘米，长25厘米，宽11.5厘米，其下颌阴刻"司辛"。出土该石牛的妇好墓墓主"妇好"系商王武丁配偶，庙号为"辛"，亦即商王帝乙、帝辛时期"周祭"祀谱中之"妣辛"。1977年7月22日河南安阳殷墟五号墓座

谈上，唐兰指出，商"司辛"石牛刻铭应读为"后辛"，"后"字加"女"旁作"姤"，系女性"后"之专字，"司母辛"应读为"姤辛"，"司母戊"为"姤戊"。

商"司辛"石牛藏于中国国家博物馆，展出于"古代中国陈列·夏商西周时期"

商"卢方罃入戈五"玉戈 商王武丁时期文物，1976年出土于河南省安阳市殷墟妇好墓。

商"卢方罃入戈五"玉戈是以新疆和田玉雕琢而成，灰黄色，间杂褐色、黑色沁斑；前锋尖锐，微向下弧，援呈长条三角形，较宽，大于援长三分之一，有中脊与边刃，上刃微上拱，下刃微内凹，援末端雕出上、下阑，长方形直内，有边刃，近阑处有一圆穿，且有装秘痕迹。玉戈通体抛光，雕琢精致。通长38.6厘米，援长26.4厘米，援宽10.1厘米，穿径1厘米，内厚0.6厘米。玉戈内后端一面阴刻铭"卢（卢）方罃入戈五"。"卢方"，见于商甲骨卜辞，是商代众多方国之一，"罃"当是人名，该刻铭大意是，"卢方"的"罃"贡戈5件。可知，商王武丁时期，卢方对商王朝履行臣属义务，曾经向商王室贡纳玉戈5件。妇好墓还出土有4件玉戈，编号分别为922、581、444与441，其形制、玉料均与商"卢方罃入戈五"玉戈较为接近，或许同为卢方贡纳而来。

商小屯南地甲骨卜辞屯667载"☑三十卢（卢）方伯澺☑"，又卜辞《甲骨文合集》28095记："卢（卢）伯澺其延乎飨？吉。"

辞中"卢伯澺"即"卢方伯澺"，是卢方之首领。这是商王康丁时期的卜辞，占问"卢伯澺"参加商王该次宴飨。可知商王武丁之后，又经历祖庚、祖甲两朝，至商王康丁时期，卢方一直与商王朝保持着良好关系。但是，在另一则商王康丁时期的卜辞《甲骨文合集》27041"甲戌卜：翌日乙王其寻卢（卢）伯澺不雨？叀父甲乡日祷有正？大吉"中，"卢伯澺"竟然成为商王祭祀中的人牲。可见，在商王康丁时期，卢方与商的关系开始恶化。《甲骨续存》1947辞"☑卢（卢）方☑"载于商王武乙时期，也是所见卢方与商王朝关系中时代最晚的一则刻辞。之后，不见有关"卢方"记载，两者关系不明。而在商代末年，"卢方"却作为商之仇敌、周之盟国参加"武王伐纣"。据《尚书·牧誓》记载，与周人共同参加武王伐纣的8国盟友，即"庸、蜀、羌、髳、微、纑、彭、濮人"；其中，"纑"即上文所述之"卢方"。由此可知，自商王康丁时期"卢方"与商开始交恶，此后积怨日久，最终导致其与周、羌等其他商的敌对方国结盟，走上伐商之路。

卢方作为商王朝众多方国之一，与商的关系变化颇具戏剧性。而关于卢方地望，古代典籍和现代学界均有西北、西南、江汉流域三种理解。西周孝王时期史密簋，1986年出土于陕西省安康县（安康市汉滨区）王家坝，器内底铸铭文9行93字，文中云："唯十又一月，王命师俗、史密曰：'东征。'敆南夷肤、虎会杞夷、舟夷，藋不折，广伐东国。"据此器铭，"南夷"中的"卢""虎"与其他夷方部族，侵伐周王朝东部疆土。该南夷之"卢"，

1445

学者或以为即商代末年助武王伐纣之"卢"。对于卢方之地望，据目前所知的有限史料，尚不足以得出令人信服的学术意见。

商"卢方瞀入戈五"玉戈藏于中国国家博物馆。

商朱书"在兆执叟𡠾在入"玉戈　商王武丁时期文物。1977年4月出土于河南省安阳市小屯北编号77AXTM18墓。

商朱书"在兆执叟𡠾在入"玉戈是以新疆青玉琢成，前锋尖锐，微向下弧；援呈长条三角形，较宽，有中脊与边刃，上刃微上拱，下刃微内凹，内短而薄，较援部略窄，并列上下两个小圆穿，应为装柲之用；玉戈通长20.5厘米，援宽6.6厘米，内长1.3厘米，内宽5.5厘米，内厚0.5厘米。玉戈出土时位于椁室东北角，压在青铜罍之下，残为3段；援部一面自右向左，纵向以毛笔朱书"在兆执叟𡠾在入"7字，"在"字之前似为一残字，文辞不全；字面向下，字迹鲜红，大多清晰，仅一字模糊。目前，学术界对该玉戈朱书含义的理解尚存不同意见：或认为"执叟"与"执羌""执井方"意近，戈文为纪事体，是商王朝在"洮"与"叟"进行战争获胜后所书的；或云"在兆"，即某人在兆进行某种活动，"执叟"即"执秉"，表明玉戈之用途，而"𡠾在入"，则意为玉戈乃"𡠾"方所进献；或认为该玉戈系守卫王都周边武士所秉持之礼器。

商朱书"在兆执叟𡠾在入"玉戈文字作为商代毛笔所书，是用笔之原貌，实为考察商代书法艺术之准绳，弥足珍贵。

商朱书"在兆执叟𡠾在入"玉戈存于中国社会科学院考古研究所。

商"乍册吾"玉戈　商王武丁时期文物。1977年11月，甘肃省庆阳县（庆阳市西峰区）董志公社野林大队瓦畔生产队挖建窑洞时，在窑洞顶部的灰坑中发现商"乍册吾"玉戈。事后，商"乍册吾"玉戈被送交庆阳地区博物馆。

商"乍册吾"玉戈，通长38.6厘米，援长28.3厘米，援宽8.2厘米，内长10.3厘米，内宽7.2厘米，厚0.6厘米，重346克。以青白玉琢成，上间杂褐色沁斑；前锋尖锐，微向下弧，援呈长条三角形，较宽，大于援长1/3，有中脊与边刃，上刃微上拱，下刃微内凹，援末端雕出上、下阑，长方形直内，有边刃，近阑处有一圆孔，内末端琢5对齿牙，内两面均以双阴线勾勒饕餮纹。玉戈援末端近阑处纵向阴刻"乍册吾"3字，笔画纤细。

"乍册"，即作册，系商、西周时期职官，职司典册及册命之事。据《甲骨文合集》5658反"作册西"，可知至迟于商王武丁时期已经设置此职。作册一职，习见于商代末年至西周中期青铜器铭文，如"作册般""作册𡘍"及"作册吴"等；又见于典籍之中，如《尚书·洛诰》之"作册逸"。"吾"为人名。"乍册吾"即该玉戈之器主。

商"乍册吾"玉戈之形制、尺寸及制作工

艺，与殷墟妇好墓出土商"卢方皙入戈五"玉戈及编号441、444玉戈相似，时代亦应与之相近，同为商王武丁时期。作为如此精致玉戈之器主，亦足见"乍册吾"的地位之高。

商"作册吾"玉戈藏于甘肃省庆阳市博物馆。

商朱书石柄形器 商王廪辛、康丁时期文物。1991年发现于河南省安阳市后岗编号M3商墓盗坑。

商朱书石柄形器，凡6件，石质，灰白色，扁平长方体；柄首平顶，下两侧弧形内凹为颈部，柄身较长，两侧斜直，下端窄而薄，或平或尖。六器表面磨光，一面朱书庙号：

"祖庚"，长7.1厘米，厚0.7厘米；

"祖甲"，长7厘米，厚0.6厘米；

"祖丙"，长7.5厘米，厚0.4厘米；

"父□"，长8.4厘米，厚0.5厘米；

"父辛"，长6.6厘米，厚0.5厘米；

"父癸"，长6.6厘米，厚0.5厘米。

类似石柄形器或玉柄形器，在中原地区夏至东周初考古发掘中较为常见，或与青铜器、陶器及其他玉石器置于墓主身旁、棺椁盖上或棺椁之间，或在埋葬坑中与青铜器、其他玉石器及人牲共存。其形制可分为单体与复合体两大类，上举商朱书石柄形器，即属单体。有关柄形器之器名、功用，学术界多有讨论，先后有"琴拨""佩饰""瑞圭""发簪""玉璋""剑柄""石主""瓒柄""玉笏"及"瓒"诸说。

上举商石柄形器朱书"祖庚""祖甲"及"父辛"之类庙号。有的学者认为，柄形器可用为"石主"。柄形器书写庙号，仅见此例，

绝大多数柄形器均无文字，故"石主"之说缺少其他佐证。学术界对于柄形器之器名及功用，主要集中于"瓒柄"或"瓒"的讨论。

商朱书石柄形器存于中国社会科学院考古研究所。

商"小臣系"玉瑗 商代末年文物。1991年出土于河南省三门峡市虢国墓地西周晚期虢仲墓。出土后，由河南省文物研究所委托三门峡市博物馆代为保管。2000年9月，商"小臣系徙"玉瑗，移交入藏虢国博物馆。

商"小臣系"玉瑗是以新疆和田青玉琢成，玉质细腻，微透明，器体大部分受棕黄色沁，间杂少许白色、黑色沁斑，磨制光洁。玉瑗直径15厘米，孔径7.1厘米，厚0.8厘米，重

290克。器侧边缘纵向阴刻"小臣系㪔"4字。

"小臣"两字合文，"臣"字眼球内刻划一点，象征瞳仁，此亦习见于商代甲骨文、青铜器铭文。"小臣"，据商周时期文字材料，存在不同含义，一为具体职官之称，二为谦称。"系"，从爪从丝，与东汉许慎《说文解字》所收"系"之籀文同，为"小臣"之名。

2005年10月至2006年5月，陕西韩城梁带村春秋早期编号M26墓出土有一件"小臣系"玉瑗，器两侧雕有齿牙，器侧边缘纵向阴刻"小臣系㪔"4字，其玉材、受沁状况及刻铭，与上举M2009虢仲墓所出土商"小臣系"玉瑗全同，两器当为一石同时所分琢。

玉瑗器主"小臣系"，又见于上海博物馆藏商代末年"小臣系"卣器铭、民国24年（1935年）春季殷墟侯家庄西北岗1003号大墓西墓道出土残石簋器铭，可印证"小臣系"为商代末年商王帝乙或帝辛近旁之重臣。

河南省三门峡市虢国墓地西周晚期编号M2009虢仲墓还出土商"小臣妥"青玉琮与商"王白"青玉管；同时，虢国墓地西周晚期编号M2012墓出土商"小臣㪔"青玉戈，西周晚期编号M2006墓出土商"王白"青玉觿。其中，"小臣妥"见于商甲骨卜辞，系商王重臣。《逸周书·世俘》记武王伐纣，云"凡武王俘商，得旧宝玉万四千，佩玉亿有八万"，大量商代玉器于武王克商后转入周人。上举河南省三门峡市虢国墓地西周晚期虢仲墓（M2009）、M2006、M2012及陕西韩城梁带村春秋早期编号M26墓所出土6件商代末年玉器，或即由此而来，遂为入葬，其对于商末周初的历史背景及有关"小臣"的研究均有重要价值。

1997年秋，商"小臣系㪔"玉瑗参加国家文物局在中国历史博物馆举办的"全国考古新发现精品展"，并收录于《中国文物精华（1997）》。2015年6月18日至2017年6月18日，商"小臣系"玉瑗参加由中国文字博物馆主办的"汉字"巡展。

商"小臣系㪔"玉瑗藏于虢国博物馆。

西周墨书"伯懋父"青铜簋　西周早期文物。1964初至1966年夏，河南省洛阳市文物管理委员会组成西周墓发掘组，对洛阳北窑西周墓地进行全面钻探与发掘，西周墨书"白懋父"青铜簋即这一期间出土于编号M37西周墓。1965年，由洛阳市文物管理委员会移交入藏洛阳博物馆。

西周墨书"伯懋父"青铜簋器圆体，折沿方唇，颈部略内收，鼓腹，圜底，圈足较高且底部外侈呈阶，器颈、腹部两侧置兽首衔环耳，下附钩状垂珥。器颈部以云雷纹为地，前后对置牺首，"两方连续"饰饕餮纹带，间以圆涡纹；腹部饰竖条纹；圈足以云雷纹为地，"两方连续"饰饕餮纹带。器通高14.1厘米，口径18.9厘米，腹深10.8厘米，圈足径15.4厘米，重2.15千克。器内底一侧墨书"伯懋父"3字。

"伯懋父",即"康叔"之子"康伯"。在《左传·昭公十二年》《世本》《逸周书·作雒》及《史记·卫康叔世家》等有关记载中,"康伯"或称"王孙牟""中旄父";其中所记"康伯"之"字","牟""髦"及"旄",均为声近借字,本字乃是"伯懋父"之"懋"。与出土西周墨书"白懋父"青铜毁M37同一墓地编号M701墓出土康伯壶盖,器铭"康伯作郁壶",也进一步确证"伯懋父"即"康伯"。"伯懋父"习见于西周成康时期青铜器铭文,多与当时重大军事行动有关,足见其当为西周早期之重臣。

墨书"伯懋父"之"父"字,其右下之纵势笔画,形态酷似后世隶书笔画中之"横""捺"及魏晋时期楷书笔画中之"捺",亦即后世书论所言"永"字八法中之"磔"。该笔画产生于商代末年,其所蕴含的线条造型意识,代表中国古代书法发展的新方向。西周早期墨书"白懋父",保留有当时的书写原貌,保留有所见时代最早的墨迹"捺"画,殊为难得。洛阳北窑西周墓地编号M139、M172两座西周墓出土6件青铜戈与铅戈,其援部及胡部分别墨书"史矢""封氏""尧""尧氏""蔡叔"及

"叔邢父戈"。1991年,西周晚期虢仲墓出土有10余件墨书玉器。此类墨迹有助于探索商周时期的书法艺术。

2013年,西周墨书"白懋父"青铜毁,远赴瑞典参加"国王与诸侯——河南出土商周青铜器精品"展。

西周墨书"白懋父"青铜毁藏于洛阳博物馆。

西周虢仲墓墨书玉器 西周晚期文物。1991年出土于河南省三门峡市虢国墓地编号M2009墓。该墓墓主为西周晚期虢国国君"虢仲",M2009墓的发掘,被评为"1991年度全国十大考古新发现"之一。出土后,西周虢仲墓墨书玉器暂由河南省文物研究所保管。2014年12月,入藏虢国博物馆。

虢仲墓内棺盖上整齐排列着10余件墨书玉器:墨书"□□□马两"青玉戈,通长12厘米,宽5.2厘米,厚0.3厘米,重33.9克;墨书"□□"青玉戈,通长8.4厘米,宽2.7厘米,厚0.3厘米,重11.7克;墨书"南中"青玉戈,通长25.9厘米,宽5.5厘米,厚0.2厘米,重69.4克;墨书"伯山父"角刃青玉匕,通长12厘米,宽3.4厘米,厚0.3厘米,重27.2克;墨书"伯大父佩匹马"角刃青玉匕,残长11.4厘米,宽3.8厘米,厚0.15厘米,重18.3克;墨书"□佩□章"角刃青玉璋,通长20.9厘米,宽3.4厘米,厚0.3厘米,重38.4克;墨书"祐佩"平刃青玉匕,通长9.6厘米,宽2.4厘米,厚0.43厘米,重28.4克;墨书"公□"平刃青玉匕,通长13.9厘米,宽3.2厘米,厚0.3厘米,重28.2克;墨书"平虘"单切角碧玉匕,残长14.3厘米,宽3.8厘米,厚0.3厘米,重34.2克;墨书"豖"单切角青玉匕,通长14厘米,宽2.9厘米,厚0.6厘米,重58.5克;墨书"嗇□"双切角青玉匕,通长9.7厘米,宽3.6厘米,厚0.3厘米,重29.3克;墨书"□

父"青玉柄形器，通长10.1厘米，宽2.9厘米，厚0.3厘米，重20.2克；墨书"□□□"青玉柄形器，通长14.8厘米，宽2厘米，厚0.5厘米，重32.3克。

上列玉器墨书，应是当时参加虢国国君"虢仲"葬礼者所赠送物品的清单，亦即典籍中所谓助葬之"赗赙"。其中墨书"□□□马两""伯大父□匹马"，书助葬之人与其所赠之物；而墨书"南中""伯山父""□父"及"公□"等，则仅记助葬者之名。《周礼·春官·大宗伯》曰"以丧礼哀死亡"，凡此墨书所载，是探索西周时期"丧礼"的重要史料。西周虢仲墓出土玉器墨书，存20余字，且字迹清晰，是迄今所发现西周时期数量最大的一批墨迹，不但是先秦时期"丧礼"及玉器研究的珍贵实物，也是探索商周时期书法艺术的重要参照。

西周虢仲墓出土墨书玉器藏于虢国博物馆。

春秋秦刻诗石鼓 春秋时期文物。至迟唐代初年发现于陕西凤翔南（或说发现于宝鸡石鼓山）。唐韦应物与韩愈均作《石鼓歌》以颂，逐渐为世人所重。唐元和十三年（818年），凤翔尹、凤翔陇右节度使郑余庆，将石鼓移至凤翔孔庙，此时"作原"鼓已经亡失。五代时期，战乱频发，石鼓散落。北宋初年，司马池（司马光之父）于凤翔任职，将石鼓运至府学庑门下，而其中"作原"鼓乃时人伪造。司马池委托向传师搜访原"作原"鼓。皇祐四年（1052年），向传师终在当地农人家中将"作原"鼓觅得；然而，此时"作原"鼓已为人削去一半，并做成舂米石臼。大观二年

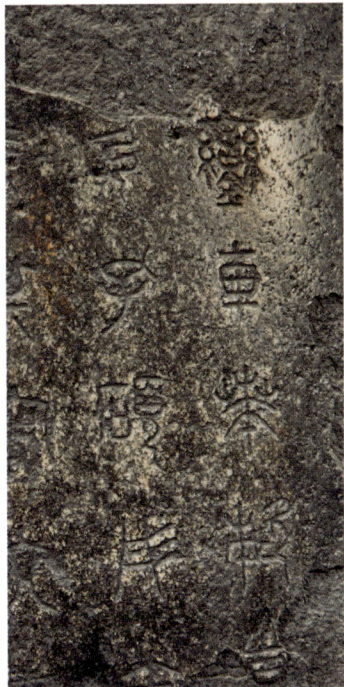

（1108年），石鼓被运至汴京，置于辟雍，后又运至禁城中保和殿旁稽古阁。宋徽宗曾令以金涂入其字，以绝摹拓之患。靖康二年（1127年），金人将石鼓掠至中都，后为王霆、王楫父子所得。入元之后，王楫官至宣抚使，在金枢密院旧址恢复庙学，并将石鼓置于庑下。后石鼓又复散失。大德十一年（1307年），时大都教授虞集在泥土草莱之中发现石鼓，将其立于国子学大成门内。皇庆元年（1312年），石鼓又徙置国子监，此后明、清两代均未曾移动。民国22年（1933年），石鼓与颐和园、古物陈列所文物南迁；民国25年（1936年）冬，被运至南京朝天宫库房存放。民国26年（1937年）12月，南京危急，石鼓又被抢运西迁：先北上运至徐州，再沿陇海路向西转至宝鸡，后经汉中、成都，于民国28年（1939年）6月终达峨眉大佛寺存放。中国人民抗日战争胜利后，石鼓被运抵南京。1950年，石鼓运至故宫博物院。

春秋秦刻诗石鼓，花岗岩质地，外形似鼓，圆顶平底，凡10鼓；石鼓高48～87.5厘米，直径56～80.1厘米。每鼓侧面均分别阴刻四言诗一篇，字体接近《说文解字》所载籀文，内容记述狩猎之事，故又被称为猎碣。

学者以每鼓所刻诗篇首句两字为名，即"汧殹""霝雨""而师""作原""吾水""田车""马荐""吴人""吾车"与"銮车"。所刻诗句与《诗》之"大雅""小雅"相似，其中"吾车"鼓首句"吾车既工，吾马既同"，与《诗·小雅·车攻》句"我车既攻，我马既同"同。每鼓刻诗所述各异，而10鼓刻诗相连缀则为一篇完整叙事。原10鼓刻诗应有700余字，惜历年久远，文字残损甚重，仅存275全字（不计重文、合文），52残字，故难以通过文义复原10鼓序次。

春秋秦刻诗石鼓，系东周时期秦人刻石，所刻文字与西周宣王时期虢季子白盘、春秋时期秦公殷器铭的体势一脉相承，下启秦"小篆"之先声，是汉字演变中的重要环节。对于其镌刻年代，学术界尚未达成一致意见，或以为是春秋时期，或以为战国时期。历代书家对石鼓文字推崇备至。唐张彦远《法书要录》赞曰："体象卓然，殊今异古；落落珠玉，飘飘缨组；仓颉之嗣，小篆之祖；以名称书，遗迹石鼓。"世传春秋秦刻诗石鼓拓本，以明代安国所藏《先锋》《后劲》《中权》三册宋拓最为著名。20世纪二三十年代，此三册宋拓被无锡人秦文锦售予日本三井银行老板，藏于日本东京三井纪念美术馆。

1985年之前，立于箭亭内；1985～2004年，陈列于皇极殿东庑铭刻馆；2004～2014年，展示于皇极殿东庑石鼓馆；2014年至今，陈列于宁寿宫内，供观众品鉴。

2013年8月19日，春秋秦刻诗石鼓，被国家文物局列入"第三批禁止出境展览文物目录"。

春秋秦刻诗石鼓藏于故宫博物院。

侯马盟书 春秋晚期文物。1965年12月出土于山西省侯马市晋城遗址东南部。

1965年11月至1966年5月中旬，为配合侯马发电厂基本建设，山西省文物工作委员会侯马文物管理站在侯马晋城遗址东南部进行考古发掘。12月中旬某日中午时分，在电厂参加勤工俭学劳动的曲沃县农业中学学生，在一个竖坑取土时发现一些玉、石片，上面隐约有朱书字迹，学生们感到很新奇，遂将这些玉、石片分散拿走。时值考古发掘队长陶正刚得知这一消息，立即查看现场，并将分散的玉、石片及时收回，此即编号第16坎的60件盟书标本。侯马发现朱书文字的消息迅速传至太原、北京，国家文物局立即派谢辰生专程由北京赶到侯马。山西省文物工作委员会副主任张颔当时正在平原"四清"工作队，听闻消息立即赶到侯马，并用5天时间完成一篇简报——《侯马东周遗址发现晋国朱书文字》，刊登在《文物》1966年第2期，介绍朱书文字的出土情况，并进行初步考释。时中国科学院院长郭沫若，看到张颔文后也撰写《侯马盟书初探》一文，首次提出"侯马盟书"之名。1995年10月，侯马盟誓遗址被评为"全国十大考古发现"之一。

侯马盟书是春秋晚期晋国卿大夫之间举行盟誓的约信文书，大多是以毛笔朱书、墨书盟辞的圭形玉、石片。侯马盟书出土遗址面积约3800平方米，是春秋晚期的一处盟誓遗址，分为埋书区与埋牺区两部分。此处发现400余个长方形竖坑——"坎"，底部大多瘗埋牺牲，大坎主要瘗有牛、马，小坎主要埋羊或盟书；其中39个坎中出土有5000余片玉石，有的字迹不清，有的无字；大小不一，形状各异，绝大多数呈圭形，长18～32厘米，宽2～4厘米；少数为圆形及不规则形。石质约占三分之二，大

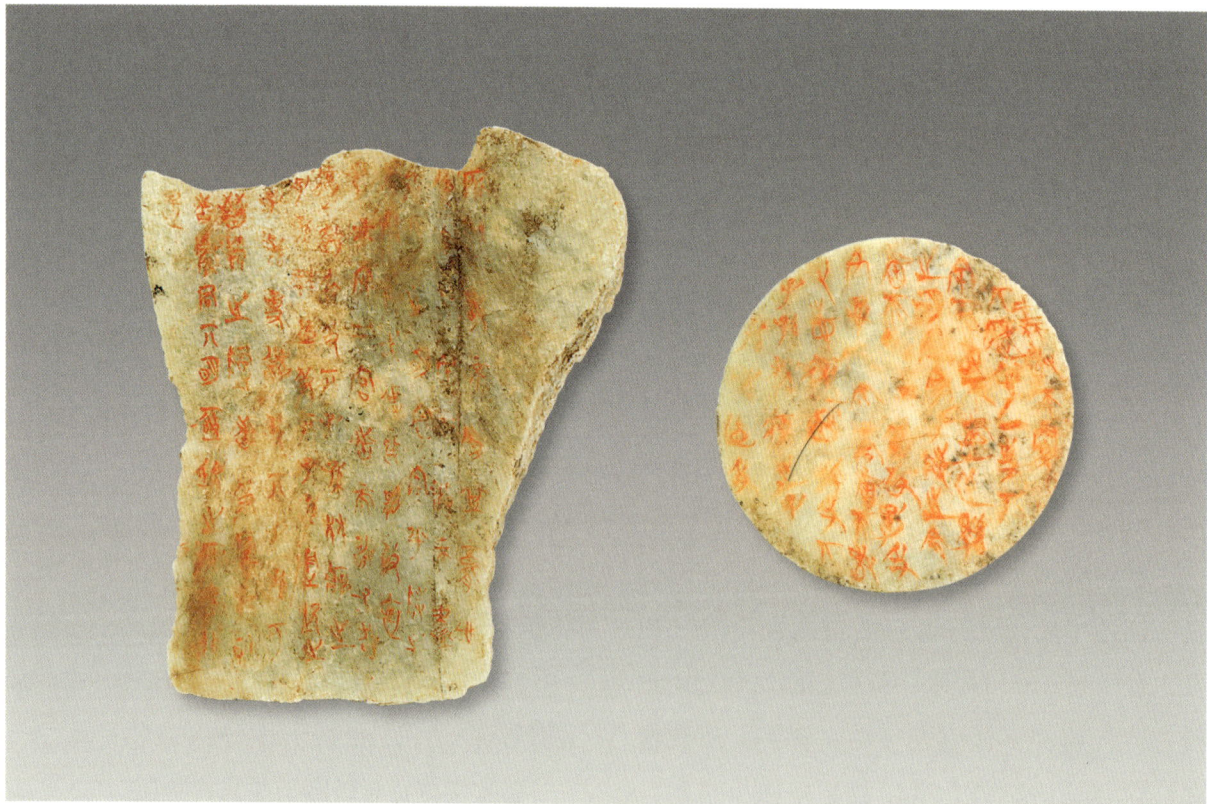

部分为泥质板岩，呈灰黑色、墨绿色及赭色；玉质有透闪岩、矽卡岩等。其中，字迹可辨识者凡656片，系以毛笔将盟辞书写在玉、石片上，多数为朱书，少数为墨书，每片少则10余字，最多达220余字，大多为30～100字。

侯马盟书内容，大致可分为六类：一宗盟类，分别出土于37个坎中，朱书，计514篇，是盟主赵孟为加强赵氏宗族及异姓家臣邑宰的团结一致对敌而举行的盟誓。盟辞强调每个与盟者要效忠盟主，一致诛讨已被驱逐在外的敌对势力，并禁止其重返晋地。诛讨对象分为一氏一家、二氏二家、四氏五家及五氏七家等。二委质类，分别出土于18个坎中，朱书，计75篇，是主盟人对敌对势力采取分化措施，使其与旧主断绝关系，不与逃亡在外的旧势力勾结，制止其重返晋国的活动，并送人质于新主所立的誓约。此类盟誓的诛讨对象又有增加，达九氏

二十一家。三纳室类，集中出土于第67坎中，朱书，计58篇，与盟者盟誓不再侵占、兼并他人奴隶、土地及其他财产，同时反对、声讨宗族中其他人的"纳室"行为；否则，甘愿受到诛灭。四诅咒类，集中出土于编号105坎中，字迹模糊，墨书，凡13片，是谴责某些罪行的诅咒。五卜筮类，分3处置于坎内壁龛，墨书，写在3片玉圭、玉璧上，是为举行盟誓而进行用牲卜筮的记录。六少数破碎盟书，内容与上述几类不同，其中仅有一片保存"永不明于邯郸"的完整语句。

关于侯马盟书的年代及历史背景，学术界众说纷纭，主要存在5种意见。张颔《侯马盟书丛考》认为，盟主赵孟系晋国世卿赵鞅，即赵简子，盟书所载系晋定公十五至二十三年（前497～前489年），因赵鞅索取"卫贡五百家"及诛杀邯郸赵午，从而引发晋国六卿兼并战争的史实。郭沫若《侯马盟书试探》认为，盟主是赵敬侯章，盟书中赵化应为武公之名，盟书所载系晋桓公元年（前386年）赵敬侯章击败武公子朝之事。李裕民《我对侯马盟书的看法》认为，盟书所载与文献中"下宫之难"有关，盟书订于晋景公十五至十九年（前585～前581年）。唐兰《侯马出土晋国赵嘉之盟载书新释》认为，盟主赵嘉即赵桓子，政敌赵尼即赵献子浣，盟书所载系晋幽公十年（前424年）赵桓子嘉将赵献子尼逐出晋国而自立，即位之时，为防范有人企图令赵尼复辟而举行的盟誓。李学勤《侯马、温县盟书历朔的再考察》也认为盟主乃年少时的赵嘉，而非是逐献侯自立时的赵嘉；第105坎出土盟书（诅咒类）反映了晋定公十五年（前497年）晋卿

赵氏家族分裂，赵简子鞅杀邯郸赵午，征讨赵稷、范氏及中行氏的史实。

侯马盟书是中国先秦时期文字的一次重大发现，对于晋国历史、中国古代盟誓制度、古文字学及书法艺术等多学科的研究均具有重要意义。同时，温县盟书的盟辞、用语与侯马盟书基本一致，且两批盟书中共存许多相同人物。在已发表的温县盟书材料中，所涉及13位与盟人中有9人见于侯马盟书，其中5人系侯马盟书与盟人，所余4人则是侯马盟书诛讨之敌对。由此，或有学者将温县盟书与侯马盟书，视为彼此敌对双方的遗物。

2005年9月26日起，始终作为山西博物院"晋魂"基本陈列"晋国霸业"的重要展品。

侯马盟书藏于山西博物院。

温县盟书 春秋晚期文物。20世纪30～80年代先后出土于河南省温县武德镇西张计村。

河南省温县武德镇西张计村是一处盟誓遗址，位于温县城东北12.5千米处的沁河南岸，西南即州城遗址。民国19年、24年、31年（1930年、1935年、1942年），此地曾多次出土书写盟辞的圭形石片，惜大多流散，中国社会科学院考古研究所藏有11片。因西张计村旧属沁阳，又被称为沁阳玉简或沁阳载书。1979年3月12日，西张计村社员在村西北植树，掘出一坑带有墨书文字的圭形石片。该大队侯镇平将这一发现上报公社，又经县文化馆及时向文化主管部门汇报，河南省文物局派河南省博物馆贾峨、郝本性前往该地调查。1980年3月至1982年6月，河南省文物研究所对该盟誓遗址进行发掘，发现124个土坑——"坎"，其中16个坎内出土书写盟辞的石片：8个坎中出土石圭，5个坎中出土石简，其余3个坎中石圭堆积在石简之上，共出土1万余片石圭。其中1号坎出土4588件石片，包括科学发掘所获2703片，已被扰动而仍在原地的1395片及自村民征集所得490片，除少部分石简、石璋外，绝大部分为石圭，石质属于浅变质岩中千枚岩。石圭近于等腰三角形，据两腰边线直弧情况，大致分为短弧腰体、上端为折线或弧线的长直腰体与较厚的直腰等腰三角形3种类型，长9～27.1厘米，底残宽3～4.7厘米，厚0.1～0.4厘米；石简、石璋则呈细长薄片状。所载文字系春秋晚期晋国卿大夫之间举行盟誓的约信文书，为毛笔墨书，由多人书写，纵向行文大多从右至左，少数从左及右，

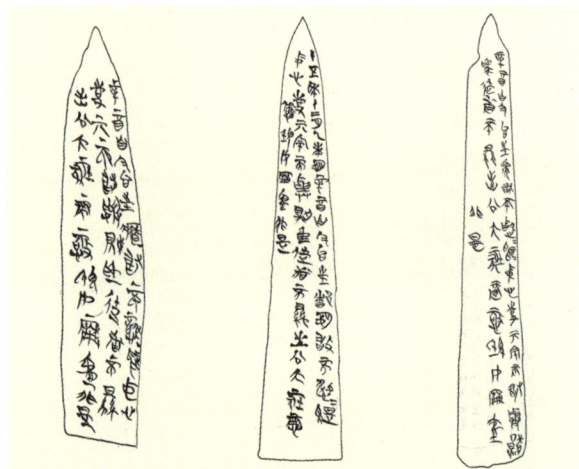

一面未写尽文字，续写背面。盟辞主要内容为"忠心事主"，决不"与贼为徒"，否则将夷灭宗族。

温县盟书出土地春秋时期为"州邑"，赵、魏、韩三家势力发展之后，此地主要为韩氏领据；而且，温县盟书有明确纪年"十五年十二月乙未朔辛酉"。由此，发掘者推定温县盟书主盟人应为韩氏宗主韩简子（名不信），该次盟誓的举行时间为春秋末期晋定公十五年（前497年）十二月二十七日。而观察出土盟书的100多个坎，存在互相打破现象，证明该批盟书并非同一时间埋入；但从盟辞用语看，彼此年代接近。温县盟书与侯马盟书，均有"麻夷非是"之类盟辞，用语基本一致，并出现"赵氏""韩氏"等许多相同人物。而且，在已发表的温县盟书材料中，所涉及13位与盟人中有9人见于侯马盟书，其中5人系侯马盟书与盟人，所余4人则是侯马盟书所诛讨之敌对。或有学者将温县盟书与侯马盟书，视为彼此敌对双方的遗物；而温县盟书是为赵献侯浣之盟，时在晋哀公十五年（前437年），温县盟书出土之地应是侯马盟书所称"赵化（浣）之所"。

温县盟书是继侯马盟书之后中国先秦时期文字的又一次重大考古发现，书写盟辞的石片数量超过侯马盟书两倍，且两者存在极其密切的联系。待温县盟书全部资料整理发表，必将进一步推动晋国历史、中国古代盟誓制度、古文字学、书法艺术及侯马盟书的深入研究。

温县盟书分别存于河南省文物研究所、藏于河南博物院。

战国"行气"铭玉杖首 战国时期文物。20世纪20年代已见于著录，原系合肥李木公旧藏。器铭拓片于20世纪50年代最早刊印于邹安《艺賸》，20年后又录于罗振玉《三代吉金文存》。1976年12月30日，战国"行气"铭玉杖首由天津市文管处拨交，入藏天津历史博物馆。

战国"行气"铭玉杖首，玉质呈苍绿色，间有褐色沁斑；器作12面棱筒状体，中空，内顶部留有钻凿痕迹，器身下部"死"字上有一穿孔；器高5.4厘米，外径3.4厘米，重118克。战国"行气"铭青玉杖首，器表磨制光洁，每个棱面阴刻3字，凡36字，又8个重文符号："行气：奌则逪（蓄），逪（蓄）则神（伸），神（伸）则下，下则定，定则固；固则明（萌），明（萌）则跣（长），跣（长）则遆（复），遆（复）则天。天其杏（本）在上，地其杏（本）在下。巡（顺）则生，逆则死。"

器铭系战国文字，记"行气"之要领，铭首

"行气"两字即篇题。铭中"实则蓄，蓄则伸，伸则下，下则定，定则固"，是概述"行气"自上而下之运行；而"固则萌，萌则长，长则复，复则天"，则是言自下而上之"行气"；"天其本在上，地其本在下。顺则生，逆则死"，是为归纳"行气"之关键。《庄子·刻意篇》云："吹呴呼吸，吐故纳新，熊经鸟伸，为寿而已矣。此导引之士、养形之人、彭祖寿考者之所好也。"意在概略"行气"之道，与战国"行气"铭玉杖首时代相当。

1973年，长沙马王堆三号汉墓出土帛画《导引图》，绘有44幅运动姿态各异的"行气"人物图像，是中国所见时代最早的导引图谱，或有助于对"行气"的领悟。据其中两幅以杖行气图考察，战国"行气"铭玉杖首应是当时"行气"杖首玉饰，器铭"死"字上穿孔即用于安装穿钉固定。

战国"行气"铭玉杖首为遗存战国时期玉器中器铭字数最多，具有极高的文字学价值。器铭所记"行气"要领，也是迄今所见中国古代关于"行气"原理、方法的最早文字记录实物。

战国"行气"铭玉杖首藏于天津博物馆。

秦始皇廿六年诏陶量　秦始皇二十六年（前221年）文物。1963年出土于山东省邹城县纪王城遗址。

秦始皇廿六年诏陶量，高9.3厘米，口径20.5厘米，底径17.7厘米。泥质灰陶，圆桶状，器口部微侈，平沿，外壁斜直，平底；器外壁口沿下部装饰一周凹弦纹；陶量器外壁弦纹下戳印小篆阴文2周，凡40字："廿六年，皇帝尽并兼天下诸侯，黔首大安，立号为皇帝。乃诏丞相状、绾，法度量，则不壹、歉疑

者，皆明壹之。"

据《史记·秦始皇本纪》，二十六年（前221年），秦统一天下，"一法度衡石丈尺"，统一度量衡，上举秦始皇廿六年诏陶量器铭，即此统一度量衡之诏书。《汉书·律历志》："合龠为合，十合为升，十升为斗，十斗为斛，而五量嘉矣。"又据商鞅方升等测，秦制"一升"约合200毫升。1982年9月，陕西省礼泉县药王洞乡南晏村出土一秦"北私府"铜量，自铭"半斗"，实测容水980毫升，正合秦制"半斗"。上举秦始皇廿六年诏陶量容积据测为2000毫升，当为"秦斗"，是当时推行天下的标准量器之一。

秦始皇廿六年诏陶量器外壁诏书文字系以10枚4字阳文方印连缀戳印陶坯，再经烧制而成；字体为小篆，多见方折，工整谨严，从中亦可寻绎秦代初年的小篆风貌。陶量器内底戳2方小篆"騶（驺）"阴文印记，口沿戳半方小篆"馬"阴文印记，系"騶"印记之左半。秦王政二十三年（前224年），秦以春秋薛国故地为"薛郡"，"驺"即其下辖属县，秦封泥中存有"驺丞之印"，故址今山东邹城东南。据陶量内底及口沿戳印之"驺"记判断，该器应为当地制造。

秦统一度量衡，对于巩固中央集权及促进经济发展发挥了重要作用，并对此后中国古代社会产生深远影响。而作为这一重大历史事件的实物见证，秦始皇廿六年诏陶量无疑是研究秦汉时期度量衡制度的重要资料。

秦始皇廿六年诏陶量藏于山东博物馆。

西汉"海内皆臣"十二字铭陶砖 西汉早期文物。西汉"海内皆臣"十二字砖，陶质，褐色，长30.8厘米，宽26.7厘米，厚4厘米；正面宽边阑，阑内以阳线分为12界格，每方界格内有一阳文篆书，凡12字，自右向左纵向排列："海内皆臣，岁登成熟，道毋（无）飢人。"意为天下一统，五谷丰登，路无饿馑，系歌功颂德之辞。

类此"海内皆臣"十二字铭陶砖之流传，始见于清光绪十三年（1887年）夏，时山东潍县高鸿裁自河南购得一枚"海内皆臣"十二字铭砖，为金石学家所重，并定为秦朝遗物。其后，方若《校碑随笔》，据同出"汉广益强"砖，断定"海内皆臣"十二字铭砖为汉代遗物，并云"光绪年间，河南洛阳城南四十里出土'海内皆臣'十二字砖"。

20世纪60年代，考古工作人员对山西夏县西北7千米禹王村附近古城址进行调查，在中城、小城内汉代文化层采集到残砖，砖文字体、内容，正与上举西汉"海内皆臣"十二字铭陶砖文相同。此前该地曾经出土"海内皆臣"十二字铭陶砖及近似西汉初年吕后"半两"钱范。由此可以确认，类似上举西汉"海内皆臣"十二字铭陶砖，当为汉代遗物。同时，西汉"海内皆臣"十二字字体长方，结字挺秀，颇具秦篆遗风，与此后受隶书影响而流行的汉篆字体截然不同，结合其他伴随出土物考察，其时代应为西汉早期。

山西夏县禹王村附近古城址是类似上举西汉"海内皆臣"十二字铭陶砖的唯一出土地点，而此前所云河南出土则系误传。1960年6月，考古工作者对位于山西洪洞东南9千米的古城址进行调查，采集到西汉"海内皆臣，岁登成熟，道毋（无）飢人，践此万岁"十六字铭残陶砖，砖铭字体呈正方形，书风与上举西汉"海内皆臣"十二字陶砖铭明显不同。

西汉"海内皆臣"十二字铭陶砖藏于中国国家博物馆。

西汉"博望侯造"印文陶片 西汉武帝元朔六年至元狩二年（前123~前121年）文物。民国27年（1938年）8月出土于陕西省城固县博望镇饶家营村张骞墓，由国立西北联合大学

历史系师生发掘而得。

西汉"博望侯造"印文陶片是一残断陶片，呈不规则方形，边长2.4厘米，厚0.4厘米；正面存有"博望侯造（铭）"阳文印记，字体介于篆隶之间。

张骞，西汉汉中郡城固县（陕西省城固县）人，先后于建元二年（前139年）与元狩四年（前119年）两次出使西域，加强了西域同内地的联系，具有深远的历史意义。司马迁《史记·大宛列传》誉之为"凿空"之举。元朔六年（前123年），汉武帝命张骞以"校尉"从大将军卫青出击匈奴，而张骞因"知水草处，军得以不乏力"及出使西域之功，于三月甲辰封"博望侯"。元狩二年（前121年）夏，张骞为"卫尉"，奉命与郎中令李广，率军出右北平击匈奴。李广被匈奴围困，死伤甚多，而张骞没有如期抵达，按律当斩，赎为庶人，国除。汉武帝元鼎三年（前114年），张骞卒。其后，汉使均称"博望侯"，以便取信他国，足见司马迁《史记·大宛列传》所云张骞"为人强力，宽大信人，蛮夷爱之"之言非虚。

西汉"博望侯造"印文陶片是确认张骞墓的重要证据。2014年6月22日，在卡塔尔多哈召开的联合国教科文组织第38届世界遗产委员会会议上，张骞墓作为中国、哈萨克斯坦与吉尔吉斯斯坦三国联合申遗的"丝绸之路：长安—天山廊道的路网"中一处遗址点成功列入《世界遗产名录》。

西汉"博望侯造"印文陶片藏于中国国家博物馆。2014年11月6日，于中国国家博物馆"丝绸之路"展首次公开展出，向世人讲述张骞"凿空"西域的历史丰功。

西汉《使者和中所督察诏书四时月令五十条》墨书题壁 西汉元始五年（公元5年）文物。1992年出土于甘肃省敦煌市悬泉置遗址F26号房址。

西汉《使者和中所督察诏书四时月令五十条》墨书题壁，是西汉敦煌悬泉置遗址内编号F26房屋的一堵倒塌草泥墙壁，上涂白粉，墨书隶体，经黏接修复，题壁长245厘米，宽60厘米，厚10厘米。题壁由正文与标题两部分组成，各自外廓宽约3.25厘米墨线边栏，正文边栏呈横式长方形，标题长方形边栏位于正文边栏左下角；墨线边栏纵48厘米，横222厘米。标题边栏内自右向左纵向墨书隶体2行"使者和中所督察诏书四时月令五十条"，正文边栏内有赭石竖线界栏，自右向左纵向墨书隶体99行，系西汉平帝元始五年（公元5年）五月太皇太后颁布之诏书与敦煌太守转发文书。正文分上、下两栏书写，上栏为诏条，下栏为注解，各条以圆点标识，内容主要为"月令"，涉及一年四季农事安排及禁令，包括孟春月令11条、仲春月令5条、季春4条，孟夏月令6条、仲夏月令5条、季夏月令1条，孟秋月令3条、仲秋月令3条、季秋月令2条，孟冬月令3条、仲冬月令5条、季冬月令1条。所用文辞，如第11行孟春月令"毋杀□虫。谓幼少之虫，不为人害者也，尽九［月］"，大多源于《吕氏春秋》十二纪及《礼记·月令》；同时，其中如"谓幼少之虫，不为人害者也，尽九［月］"之类解释文字，则为新增，较原文更加明确、具体。此外，诏书中存"王莽"一段上言及"羲和""和叔""羲和丞"及"敦煌

长史"等职司奉行此"月令"之署言。

西汉元寿二年（公元前1年）六月，哀帝崩，太皇太后拜王莽为"大司马"。九月辛酉，年仅9岁的平帝即位，"太皇太后临朝，大司马莽秉政，百官总己以听于莽"。元始元年（公元元年）正月，又以王莽为"太傅"，赐号"安汉公"。元始四年（公元4年），加王莽尊号为"宰衡"。上举《使者和中所督察诏书四时月令五十条》之颁布，正值王莽专政，墨书所存"安汉公、[宰衡]、太傅、大司马[莽]昧死言"一段文辞，亦是王莽所言。有关王莽所建"羲和"之职，《汉书·平帝纪》记，元始元年二月"置羲和官，秩二千石；外史、闾师，秩六百石；班教化，禁淫祀，放郑声"。而据《使者和中所督察诏书四时月令五十条》中"故建羲和，立四子""羲和臣秀、和叔[臣]晏""令羲和中叔之官初置"及"羲和四子"语句，知王莽所立"羲和"，是套用《尚书·尧典》，"羲和"之外，又设分掌四方、四季之四子，即羲仲（春）、羲叔（夏）、和仲（秋）与和叔（冬），上举《使者和中所督察诏书四时月令五十条》之"和中"即此"和仲"，督察西方"诏书四时月令五十条"之执行，故称"使者"。

《使者和中所督察诏书四时月令五十条》所书体例，丰富了学术界对于"诏条"律令形式的认识；其所载"月令"辞句，可以订正有关注疏之误，具有重要的文献学价值；所存2000余字墨书隶体，是西汉晚期书体及书法之原貌，极为珍贵。西汉《使者和中所督察诏书四时月令五十条》墨书题壁作为其中的重要文物，被国家文物局专家组定为"国宝"。

西汉《使者和中所督察诏书四时月令五十条》墨书题壁存于甘肃省文物考古研究所。

西汉"云中"印文陶片 西汉晚期文物。1984年4月19日，考古工作者在内蒙古自治区托克托县云中故城遗址西门外约50米处的古代陶片堆积中，发现西汉"云中"印文陶片，此可辅助定"云中"故城之地望。1974年，在托克托县中滩乡哈拉板申村北汉代沙陵城遗址附近农田发现1枚东汉时期"云中丞印"铜印，亦可看作"云中"故城之佐证。

西汉"云中"印文陶片是一残破陶罐底部，直径6.3厘米，外底一侧纵向戳印阴文隶书

"云中"，两字通高2.3厘米，宽1.5厘米。

云中，史载为战国时期赵武侯所建城池，约在晋烈公九年至十七年（前399～前387年）。秦王政十三年（前234年），秦占领云中，仍置云中郡。秦始皇二十六年（前221年），分天下为三十六郡，云中郡为其一，辖云中、武泉二县。西汉建立后，《汉书·地理志》载，因秦所置云中郡，属并州，辖云中、咸阳及陶林等11县；王莽时，改云中郡名为"受降"；东汉时期，云中郡所辖11城与西汉不同，如《后汉书·郡国志》所记。

战国至秦汉时期，云中郡辖地相当于今土默特右旗以东、大青山以南、卓资县以西、黄河南岸及长城以北，在汉族与林胡、楼烦及匈奴等少数民族冲突交融过程中，具有重要战略地位。考古证实，云中故城遗址在今托克托县古城乡古城村西侧，西南距托克托县城关镇约35千米。20世纪80～90年代，该地发掘出土大量战国至北魏时期的遗物、遗存，显示出昔日云中城的繁荣。云中城始建于战国，历经秦、汉，北魏末年始废，是迄今所知内蒙古地区有文字记载建筑最早、规模最大的一座城市。

西汉"云中"印文陶片藏于内蒙古自治区托克托县博物馆。

东汉白玉刚卯 东汉末年文物。1972年8月出土于安徽省亳县凤凰台一号汉墓。墓主"丁崇"乃曹操长夫人丁氏族人，地位显赫。

东汉白玉刚卯为两器，玉质阳白，纯净细腻，温润晶莹，长方柱体，上下端面中央钻孔贯通；两器尺寸相同，高2.2厘米，上下端面边长1厘米。

东汉白玉刚卯两器四侧面，分别阴刻纵向

篆书铭2行，其中一器首行6字，余皆4字。其一，铭凡34字："正月刚卯既央，灵殳四方。赤青白黄，四色是当。帝令祝融，以教夔龙。疕蠖刚瘅，莫我敢当。"其二，铭凡32字："疾日严卯，帝令夔化。慎玺固伏，化兹灵殳。既正既直，既觚既方。赤疫刚瘅，莫我敢当。"

刚卯，至迟于西汉晚期已经出现，作为当时一种佩饰，用以驱除疫鬼，厌胜辟邪。《汉书·王莽传》唐师古注引汉服虔记"刚卯"之制，器呈四方形，长三寸，广一寸，以金、玉或桃为材质，于正月卯日制作，系于革带。西晋晋灼云，"刚卯长一寸，广五分，四方，当中央从穿作孔"，上刻两铭，并以采丝相贯。后人又以两器铭首"正月刚卯""疾日严卯"，分别称其为"刚卯""严卯"。据《汉书·王莽传》，王莽因"刘"字上有"卯"，故"其去刚卯莫以为配"，禁止佩戴刚卯。东汉时期，刚卯又称"双印"，佩戴成为常制，如《后汉书·舆服志》所载，等级不同，所佩刚卯用材及所贯丝组亦随之各异。

上举东汉白玉刚卯两器，其形制、尺寸，合于晋灼所记形制，所刻器铭66字，除个别字外，亦与典籍记载相同。考古所得汉代刚卯，另有1980年东汉广陵王墓出土1方白玉严卯（南

京博物院藏），2016年河南宝丰讲武城遗址出土1方东汉白玉严卯及河北景县广川出土1方东汉白玉刚卯，其形制、尺寸及所刻器铭，亦与上举东汉白玉刚卯两器大体相同，可知东汉时期刚卯有统一形制。同时，上述刚卯器铭所刻篆文、隶书，多方折、减笔；东汉许慎《说文解字序》云，书有八体，"七曰殳书"，清段玉裁曰"汉之刚卯，亦殳书之类"。

东汉白玉刚卯是国家一级文物，也是通过考古发掘所获得的唯一双卯，对于校正典籍，以及有关传世品的断代、辨伪，均具有重要价值。

东汉白玉刚卯藏于亳州博物馆。

东汉《春秋公羊传》陶砖　东汉元和二年（公元85年）文物。民国14年（1925年）出土于陕西省西安市西南乡。先由于右任收藏，1959年，入藏中国历史博物馆（中国国家博物馆前身）。

东汉《春秋公羊传》陶砖，长33.6厘米，宽12.5厘米，厚6.5厘米。陶砖正面自右向左纵向阴刻草隶5行，行字不等，凡55字："元年春，王正月。元年者何？君之始年也。春者何？岁之始也。王者孰胃（谓）？胃（谓）文王也。曷为先言王而后正月？王之正月也。何

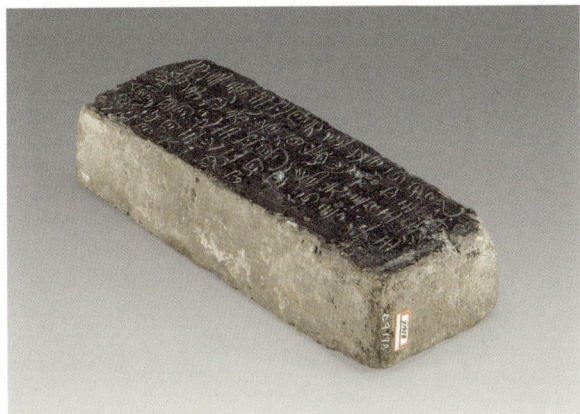

言乎王之正月？大一统也。"

陶砖铭节录的是《春秋公羊传》"隐公元年（前722年）"起首一段文字："春王正月，元年者何？君之始年也。春者何？岁之始也。王者孰谓？谓文王也。曷为先言王而后言正月？王正月也。何言乎王正月？大一统也。"两者略有小异。

东汉《春秋公羊传》陶砖，初录于民国23年（1934年）陈直《关中秦汉陶录提要》："汉元和二年及公羊草隶砖，1925年西安西南乡曾出草隶砖一批，共三十余方。有元和年号及公羊经文者两方，归三原于氏。第一方两行，第一行8字，第二行5字，文云'元和二年七（月）廿二日长安男子张'。第二方文五行，第一行至第四行均每行12字，第五行行6～7字，记五十四五字，文云：'元年春，王正月。元年者何，君之始年也。春者何，岁之始也。王者孰胃，胃文王也。曷为先言王而后正月。王之正月也，何言乎王之正月，大一统也。'"据此可知，东汉《春秋公羊传》陶砖系东汉章帝元和二年（公元85年）所制。

东汉《春秋公羊传》陶砖铭文对于《公羊传》的流传研究具有重要意义。同时，砖铭字体为草隶，有助于全面考察当时的书法面貌。

东汉《春秋公羊传》陶砖藏于中国国家博物馆。

东汉"九九乘法口诀"陶砖 东汉中晚期文物。1981年冬出土于广东省深圳市南头红花园M3号墓。

东汉"九九乘法口诀"陶砖，青灰色，质地坚硬，局部表面烘烧成玻璃状釉层；长37厘米，宽17厘米，厚4厘米。

东汉"九九乘法口诀"陶砖，正、反面均模印菱形网格纹，一面右侧约三分之一部分被抹去纹饰，自左向右纵向刻划"九九乘法口诀"2行，首行"九九八十一，八九七十二，七九六十三，六九五十四，五九四十五"，次行上低半行，"三九二十七，二九十八，四九三十六"。数字笔画清晰，系砖坯未干时所刻。

"九九乘法口诀"至迟于春秋战国时期已应用，在《荀子》《管子》《战国策》及《淮南子》等典籍中，可见"三九二十七""六八四十八""四八三十二"之类辞句。2002年6月，湖南省龙山县里耶古城遗址一号井中出土37000余枚秦简，其中3枚简载"九九乘法口诀"，是所发现世界上记载"九九乘法口诀"时代最早的实物。据罗振玉《流沙坠简》，斯坦因于20世纪初所劫掠敦煌汉简中有"九九乘法口诀"残文木简。民国19年（1930年），西北科学考察团在甘肃居延清理出汉简1万余枚，其中有西汉晚期"九九乘法口诀"残简多枚。凡此出土"九九乘法口诀"，行文均始于"九九八十一"，与上举东汉"九九乘法口诀"陶砖所载相同，是宋代之前"九九乘法口诀"之次序。

东汉"九九乘法口诀"陶砖，在中国汉墓砖中首次发现。此陶砖作为墓砖，也说明"九九乘法口诀"在东汉时期已经广泛应用于日常社会生活，是研究中国数学发展史的珍贵实物。

东汉"九九乘法口诀"陶砖藏于深圳博物馆。

西晋咸宁四年吕氏造陶砖 西晋咸宁四年（278年）文物。民国7年（1918年）前后出土于安徽省凤台县西北乡顾家桥。西晋咸宁四年吕氏造陶砖原为安徽省歙县方雨楼旧藏，几经辗转，终入藏中国历史博物馆。

西晋咸宁四年吕氏造陶砖，长34.8厘米，宽17.2厘米，厚5.8厘米；正面自右向左纵向阴刻章草书3行，行字不等，凡23字："咸宁四年七月吕氏造，是为晋即祚十四年事，泰岁

在丙戌。"砖铭系先在砖坯划刻,再经烧制而成。铭中"丙戌"为"戊戌"之误。

邹安《专门名家》第二集著录南陵徐乃昌收藏晋墓砖3块:"安徽凤台县西北乡顾家桥出土,为乡人郑姓所得,今来沪上。"其中,一砖正面刻划青龙,上题"青龙"2字,砖横头阳文隶书两行:"陈郡太守淮南成德吕府君夫人之椁也。"《广仓专录》也著录2块与该文字相同的墓砖。另一砖横头阳文隶书2行"晋咸宁四年吕氏造,泰岁在戊戌"。上举西晋咸宁四年吕氏造陶砖与邹安《专门名家》《广仓专录》著录两砖,均于民国7年(1918年)前后同出于安徽凤台县西北乡顾家桥。据此墓砖可知,吕氏系淮南郡成德县(安徽寿县东南)人,曾为陈郡太守,咸宁四年(278年)为其夫人造砖修墓。墓砖铭文有两种字体:一如《专门名家》《广仓专录》所录之范制隶书;二如西晋咸宁四年吕氏造陶砖铭之刻划章草。

西晋咸宁四年吕氏造陶砖铭字体系章草间杂行书,字与字之间大多不相连属,用笔质朴,存高古之气,与世传西晋陆机《平复帖》最为神似;然而,铭中"咸宁"二字牵丝,且用字大小参差,已含有较强今草笔势。西晋咸宁四年周伯孙作陶砖与上举西晋咸宁四年吕氏造陶砖为同时所制墓砖,铭中"咸宁"二字连书,书风婉约流美,依稀二王风采。西晋之时,草书面貌因人而异,且今草笔势业已风行。凡此草书铭砖,作为西晋时期的真实笔迹,是研究草书书体演变的重要参照。

西晋咸宁四年吕氏造陶砖藏于中国国家博物馆。

东晋褐彩题铭青瓷著杯 东晋时期文物。

旅顺博物馆征集。

东晋褐彩题铭青瓷著杯器高18.5厘米、口径10.8厘米,腹径23厘米,底径12.3厘米。罐状,敛口,广丰肩,上腹圆鼓,下腹渐内收,平底微凹;口沿饰一周凹弦纹,口沿内壁置对称两系。器体拉坯成胎,呈灰白色,厚薄均匀;器通体施青釉,釉面光亮,口沿处均匀分布四组褐色斑点彩。

东晋褐彩题铭青瓷著杯于肩部环口沿处,以褐彩题铭:"作此著杯者,自用之也。吴。"据此题铭,该器自名"著杯",且为当时窑工"吴"氏自作之用。《礼记·明堂位》述虞夏殷周之酒尊,云:"著,殷尊也。"唐孔颖达云:"无足而底著地,故谓为著也。"相对于酒尊,"著"为平底无足之义。

东晋褐彩题铭青瓷著杯口沿所饰凹弦纹及褐彩,是东晋时期青瓷装饰中的流行元素;题铭字体虽系楷书,但其间杂隶书笔意,是东晋时期的典型书风。该杯造型古朴,既可平置,又可悬挂,或用以盛装米酒。题铭极为罕见,是研究当时名物制度的重要史料。

东晋褐彩题铭青瓷著杯藏于旅顺博物馆。

前秦"大秦龙兴化牟古圣"铭瓦当　前秦时期文物，出土于河北省易县。

前秦"大秦龙兴化牟古圣"铭瓦当是陶质，褐色，直径17.5厘米；当面圆形宽缘，正中圆心凸起，圆心外围与近缘处环以2周阳线，2周阳线之间以放射状短直线等分成8个扇形界格，每方界格内有一阳文，自左向右环读："大秦龙兴，化牟古圣。"

"大秦"系东晋永和七年（351年）由氐族首领苻健建立的前秦政权，都长安（陕西西安）。前秦永兴元年（357年），苻坚即位，是为前秦第三任君主。苻坚统治期间，一度统一中国北方，疆域东至大海，西抵葱岭（帕米尔高原），北极大漠，东南隔淮水、汉水与东晋对峙。前秦建元十九年（东晋太元八年，383年），淝水之战，苻坚大败于东晋，导致前秦政权迅速衰落，中国北方亦再次陷入分裂。前秦太初九年（394年），前秦灭亡。瓦当铭"大秦龙兴"，意为"前秦"建国；"化牟古圣"，则是赞颂前秦君主丰功伟绩等同古代圣君。

前秦"大秦龙兴化牟古圣"铭瓦当作为当时前秦政权官署的建筑构件，是前秦一度统一中国北方之见证。器铭字体端庄典雅，介于隶、楷之间，是了解这一时期文字变化的重要参照。

前秦"大秦龙兴化牟古圣"铭瓦当藏于中国国家博物馆。

北宋崇宁四年赵佶投龙玉简　崇宁四年（1105年）文物。原为罗振玉旧藏。1954年，经国家文物局拨交入藏中国历史博物馆。

投龙玉简高37.7厘米，宽8厘米，厚1.8厘米。以青玉琢成，土沁。

北宋崇宁四年赵佶投龙玉简一面光素，另一面从右至左纵向镌刻7行楷书，凡177字，字口填朱："大宋嗣天子臣佶伏为月临仲夏，时乃炎蒸，保佑眇躬，祝延万寿于明威观崇禧殿功德前，命道士三七人，开启保夏金箓道场一月，罢散日设周天大醮一座，二千四百分位，闻天告地，请福延龄，恭祷真灵，特陈大醮。今者告祈已毕，斋事周圆，谨依旧式，诣水府，投送金龙玉简，愿神愿仙，三元同存。九府水帝，十二河源，江河淮济，溟泠大神，鉴此丹恳，乞为腾奏，上闻九天，谨诣水府，金龙驿传。大宋崇宁四年太岁乙酉六月丙寅朔三日戊辰，于道场内吉时告闻。"

"投龙"，是道教仪式之一，即将写有祈福消罪之类愿望的文简与玉璧、金龙、金纽以

青丝捆扎，分成"山简""土简""水简"，在举行斋醮之后，分别投、埋、沉于名山大川、岳渎水府。南朝刘宋时期，投龙仪式已经成熟，唐朝尤盛，帝王亦参与其中，推波助澜。北宋崇宁四年赵佶投龙玉简是宋徽宗赵佶于崇宁四年（1105年）在投龙仪式中所使用的"水简"。

其他，如清末衡山出土唐玄宗投龙玉简、20世纪70年代嵩山出土武则天投龙金简、五代吴越王钱弘俶投龙银简、1982年苏州林屋洞出土宋真宗天禧二年（1018年）投龙玉简及1981年湖北武当山出土明建文元年（1399年）湘王朱柏投龙玉简等不同时代投龙简，均是研究道教的重要实物。

北宋崇宁四年赵佶投龙玉简藏于中国国家博物馆。

元道教符铭玉简 元代文物。1961年购自北京韵古斋。

元道教符铭玉简长16.3厘米，宽7.1厘米，厚2.5厘米。以青玉琢成，扁体长方形，上端呈弧形，左下角残缺。抛光精细。

元道教符铭玉简6面均阴刻填朱。正面镌道符一通，笔画蜿蜒曲折，状如九叠篆，符内下部刻"勑召万神"；背面从右至左纵向刻6行楷书，凡100字："玉清始清，玉符告盟。召命三界，统摄万灵。符到速追，符到速行。女青诏书，如帝亲行。上元中元，下元之精。敢有不顺，拒逆张鳞。万神斩首，不得留停。符召本坛。诣省府司院帅将雷神，速赴特来。王皇诏书，刻行万程。谨如太上昊天金简、玉皇上帝律令，星火奉行疾！"上方侧面从左向右横刻5字"风、云、雷、电、雨"，

代表上天；下方侧面从左向右横刻5字"金、木、水、火、[土]"，代表五行；左、右两侧面，刻二十八宿星名，左侧面"角、亢、氐、房、心、尾、箕、斗、牛、女、虚、危、室、壁"，右侧面"（奎、娄）胃、昴、毕、觜、参、井、鬼、柳、星、张、翼、轸"，均为东、西、南、北之象征。

明正统《道藏》太平部《法海遗珠》卷二八"总召万灵符秘"收录一通"总召符"，与上举元道教符铭玉简正面所镌道符相似。元道教符铭玉简正面所刻道符系玉清敕召万神符，所传之意为：四方尊天，玉清临御；日月灿烂，皇天降命，太上诏命，神鬼奉行。背面器铭首辞"玉清"即道教三清之一玉清天境，为元始大尊所治最高仙境，以标识该"玉符"乃元始天尊所颁之盟威信物。《法海遗珠》"总召万灵符秘"录有一道"遣符咒"，文字与上举元道教符铭玉简背面器铭大部分相同；由此可知，玉简背面器铭是一道"遣符咒"，用以遣送正面道符的咒文。

元道教符铭玉简是仅见以玉清名义颁刻在玉质法器上的实用道符，是研究元代道教的珍贵实物。

元道教符铭玉简藏于中国国家博物馆。

描金云龙戏珠纹御制诗玉磬　清乾隆二十六年（1761年）文物。清宫旧藏。1959年，入藏中国历史博物馆。

描金云龙戏珠纹御制诗玉磬，是以一巨大新疆和田墨玉琢成，玉色墨绿，纯净光润，曲尺状，上方有一穿孔用于系挂。玉磬通高40厘米，通长74.6厘米；鼓长51.8厘米，鼓博34.2厘米；股长36.5厘米，股博21厘米，厚3.4厘米。

磬孔描金作火珠状，正、反两面四周分别描金两龙与云纹，题材、造型基本相同，构成"二龙戏珠"全图；正面中部自右向左纵向镌刻篆文乾隆御制诗16行，凡132字，字口描金："子舆有言，金声玉振。一虞无双，九成递进。准今酌古，既制镈钟。磬不可阙，条理始终。和阗我疆，玉山是蠹。依度采取，以命磬叔。审音协律，咸备中和。泗滨同拊，其质则过。图经所传，浮岳泾水。谁诚见之，鸣球允此。法天则地，股二鼓三。依我绎如，兽舞鸾鬐。考乐维时，乾禧祖德。翼翼绳承，抚是万国。益凛保泰，启域伐功。敬识岁吉，辛巳

乾隆。乾隆御制。"反面中部自右向左横向镌刻篆文6字"特磬第六中吕"，字口描金，下自右向左纵向镌刻篆文7行27字"大清乾隆二十有六年，岁在辛巳，冬十一月乙未朔越九日癸卯琢成"，字口描金。

玉磬于清乾隆二十六年（1761年）辛巳冬十一月癸卯日雕琢而成。清乾隆二十四年（1759年）允禄等修撰、乾隆三十一年（1766年）廷臣重加校补《皇朝礼器图式》卷8载："朝会中和韶乐特磬第六钟吕，谨按，御制特磬第六应仲吕之吕，四月用之。股修一尺七分八厘六毫，博八寸八厘九毫；鼓修一尺六寸一分七厘九毫，博五寸三分九厘三毫，厚九分七厘二毫。前镌御制铭，后镌'特磬第六仲吕'，年月俱如前。燕飨中和韶乐特磬第六同。"文中所述即上举清乾隆二十六年描金云龙纹御制诗玉磬。《皇朝礼器图式》卷8载云"乾隆二十四年，西域奠定，和田悉入版图，采玉丰博，可叶鸣球。上允廷议，依律琢特磬十二，以俪镈钟""御制特磬第六应仲吕之吕，四月用之"，记有该玉磬雕琢之始末。清乾隆二十四年（1759年）后，以采自和田之玉雕琢"特磬十二"，清乾隆二十六年描金云龙戏珠纹御制诗玉磬即其中之一，用于四月重大礼仪活动，演奏韶乐。

清乾隆二十六年描金云龙戏珠纹御制诗玉磬所用玉材巨大，保存完整，雕琢精细，是中国古代磬中精品。

清乾隆二十六年描金云龙戏珠纹御制诗玉磬藏于中国国家博物馆。

第二节 甲骨

商"其大御王自上甲"刻辞卜骨 商王武乙时期文物。1973年出土于河南省安阳市小屯南地。1972年12月下旬,安阳小屯村社员张五元在村南公路旁小沟取土时发现土中有一些卜骨碎片,其中6片骨上有契刻文辞。他立即向中国社会科学院考古研究所安阳发掘队报告。当时正值隆冬,不便进行考古发掘,安阳发掘队遂对该地采取了一些保护措施。1973年,安阳发掘队先后在村南进行了两次考古发掘,共发现刻辞甲骨5335片,商"其大御王自上甲"刻辞卜骨即在其中。小屯南地甲骨是自民国25年(1936年)发掘YH127甲骨埋藏坑以来发现甲骨数量最多的一次;该批甲骨大多均有可靠地层关系,且与陶器共存,为甲骨文及殷墟文化的分期研究提供了科学依据。

商"其大御王自上甲"刻辞卜骨是一残断的牛右肩胛骨骨扇,残长23.5厘米,宽23厘米,著录于《小屯南地甲骨》2707。卜骨正面现存6条契刻占卜记录,内容有关祭祀;反面施凿、灼。

骨正面刻辞:

☐自上甲,血用白豭九☐?在大甲宗卜。

卯贞:其大御王自上甲,血用白豭九,下示皆牛?在祖乙宗卜。

丙辰贞:其酚大御自上甲,其告于父丁?

☐☐贞:☐其大御王自上甲,血用白豭九,下示皆牛?在大乙宗卜。

☐大御自上甲,其告于祖乙?在父丁宗卜。

☐酚大御自上甲,其告于大乙?在父丁宗卜。

刻辞所记占卜事项为所拟定之祭祀，辞中"上甲"与"大甲""祖乙""大乙""父丁"，分别为商先公、先王。《史记·殷本纪》记商先公世次，始祖"契"后八世为"微"，乃"王亥"之子，即上举刻辞中"上甲"。《国语·鲁语》载展禽云："上甲微，能帅契者也，商人报焉。"商甲骨卜辞中，"上甲"大多作为集合庙主之首，其在商人心中占有重要地位。"上甲"之后七世为成汤，典籍中称"天乙"，即上举刻辞中"大乙"。据商"周祭谱"所列商王世次，"大乙"后三世为"大甲"，"大甲"后六世而为"祖乙"。上举刻辞中"父丁"，当是商王武乙称其亡父"康丁"。据此可知，商"其大御王自上甲"刻辞卜骨时代为商王武乙时期。如此"父丁"之类称谓，可作为商代甲骨文分期断代标准之一。

刻辞中"下示"亦见于其他卜辞，如《小屯南地甲骨》1115"庚子贞：伐卯于大示五牢，下示三牢""己亥贞：卯于大〔示〕其十牢，下示五牢，小示三牢"；两则卜辞中，"下示"与"大示""小示"并见。"示"，象神主之形，商卜辞中所祀商先公、先王及旧臣均通称为"示"；"大示"是言"上甲""报乙""报丙""报丁""示壬"与"示癸"六位商先公；"下示"是谓"大乙""大丁""大甲""大庚""大戊"与"仲丁"六位商先王，两者均为直系；而"小示"则为旁系先王。上举刻辞"卯贞：其大御王自上甲，血用白豶九，下示皆牛"中，"自上甲"与"下示"对言，"自上甲"意即"大示"，本辞意为集合上述12位直系先公、先王

予以合祭。"白豶"与"牛"是本辞所拟定祭祀之牺牲，"白豶"即白色牡豕。商甲骨卜辞中，习见如本辞所记对于牺牲毛色、牝牡之选择。《礼记·明堂位》及《檀弓》皆云，商用牲以"白牡"为尊。本辞中"御"，其他卜辞中或作"御"，用为祭名，旨在为商王祛疾除殃，求得福佑。上举刻辞"☑酌大御自上甲，其告于大乙？在父丁宗卜"中"酌""告"，均为祭名，与"御"祭同时并行。由此可知商人于祭祀中或同时并用多种祭法。

商"其大御王自上甲"刻辞涉及商人祀典中的神主、祭法及祭品等众多事项，内容较为丰富；同时，据刻辞"在大甲宗卜""在祖乙宗卜""在大乙宗卜"及"在父丁宗卜"，知占卜举行于商王宗庙中，应是商占卜制度之一。

商"其大御王自上甲"刻辞卜骨存于中国社会科学院考古研究所。

商"文邑受禾"刻辞卜骨　商王康丁时期文物。2002年出土于河南省安阳市小屯村南。1986～2004年，中国社会科学院考古研究所安阳工作队先后在安阳小屯村中、村南进行多次考古发掘，共获得刻辞甲骨538片，商"文邑受禾"刻辞卜骨即在其中。该批甲骨大多均有可靠地层关系，且与陶器共存，从而为甲骨文及殷墟文化的分期研究提供了科学依据；同时，该批刻辞中出现了一些此前未见的祭祀神主、人名、地名及有关经济、战争内容，为甲骨学及商史研究增添了新的原始资料，是一次重要的考古发现。

商"文邑受禾"刻辞卜骨是一完整牛右肩胛骨，黄色，上有灰斑，长34.7厘米，宽20.5厘米，著录于《殷墟小屯村中村南甲骨》

452。卜骨反面施凿、钻及灼，遗存9条契刻占卜记录，内容有关农事与祭祀。

骨反面刻辞：

壬申卜：受禾？　二

壬申卜贞：文邑受禾？

癸酉卜：受禾？　二

癸酉卜贞：文邑受禾？

甲燎？　二

乙燎？　二

癸巳卜：丙燎，舞？　二

癸燎？　二

燎？　二

刻辞所记是"壬申""癸酉"与"癸巳"三日进行的占卜；"壬申"与"癸酉"日是占问"受禾"，而"癸巳"日则是占问"燎""舞"。"受禾"，是商甲骨卜辞中作为占卜事项之恒语，又称"受年"。《春秋·桓公三年》语"有年"，宣公十六年又记"大有年"，《谷梁传》云："五谷皆熟，为有年也。"《诗·鲁颂·有駜》"自今以始，岁其有。君子有谷，诒孙子"，传云："岁其有，丰年也。""有年""岁其有"意为丰收；反之，庄稼歉收，即《周礼·地官·均人》所谓"无年"。商甲骨卜辞中"受禾""受年"，与上述典籍中"有年"意同。上举"壬申"与"癸酉"日两辞是占问"文邑"是否获得丰收？关于文邑之地望，冯时以为即夏之故邑，在今山西晋南襄汾陶寺一带，可备一说。上举"癸巳"日卜辞所占问之"燎""舞"，两者均为祭名；辞"甲燎""乙燎""丙燎""癸燎"及"燎"，是占问是否举行燎祭以及举行燎祭之日期。

商卜辞《甲骨文合集》（下简称《合集》）33242"☒酉卜☒文邑受禾"、33243"癸酉卜贞：文邑☒禾"，与商"文邑受禾"刻辞同文；两者字体风格、行款相似，或是同时所刻之"成套卜骨"。

商"文邑受禾"刻辞卜骨存于中国社会科学院考古研究所。

商"又伐自上甲祝示"刻辞卜骨　商王文丁时期文物。1973年出土于河南省安阳市小屯南地。1973年，安阳发掘队先后在村南进行了两次考古发掘，共发现刻辞甲骨5335片，商"又伐自上甲祝示"刻辞卜骨即在其中。小屯南地甲骨是自民国25年（1936年）发掘YH127甲骨埋藏坑以来发现甲骨数量最多的一次；该批甲骨大多均有可靠地层关系，且与陶器共存，从而为甲骨文及殷墟文化的分期研究提供了科学依据。

商"又伐自上甲祝示"刻辞卜骨是一残断的牛左肩胛骨骨柄及部分骨扇，残长26厘米，宽9厘米，著录于《小屯南地甲骨》751。卜骨

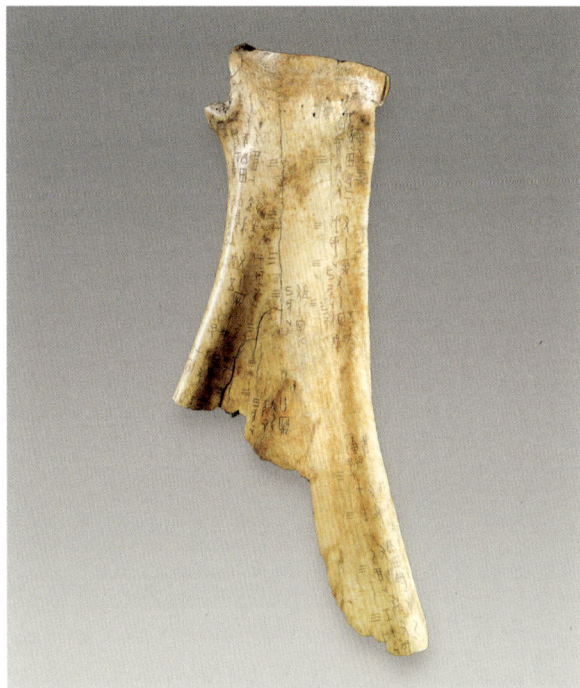

正面有凿，残存16条契刻占卜记录，内容有关祭祀；反面施钻、凿及灼。

骨正面刻辞：

壬午卜：商又伐父乙？　三

乙酉卜：又伐自上甲揩示？　三

乙酉卜：又伐自上甲揩示，叀（惠）乙巳？　三

乙酉卜：又伐自上甲揩示，叀（惠）乙未？　三

乙酉卜：又伐乙巳？　三

甲午卜：又升伐，乙未？　三

乙未卜：令微以望人秋于橐？　三

戊戌卜：又十牢？

戊戌卜：又十牢，伐五，大乙？　三

己亥卜：又伐五，大乙？　三

己亥卜：又十牢？　三

己亥卜：又十牢，祖乙？　三

己亥卜：先又大乙，二十牢？　三

己□先□祖□十□？　三

己亥卜：先又大甲十牢？　三

乙巳卜：叀（惠）皆伐？　三

刻辞所记是"壬午""乙酉""甲午""乙未""戊戌""己亥"与"乙巳"七日进行的占卜，占卜事项为拟定之祭祀，辞中"上甲""大乙""大甲""祖乙"与"父乙"，为拟定所祀神主。商甲骨文中，习见对"上甲"之祭祀，且礼遇甚隆，足见其在商人心中占有重要地位。据商王世次，辞中"父乙"，当是商王文丁称其亡父"武乙"。据此可知商"又伐自上甲揩示"刻辞卜骨时代为商王文丁时期。如此"父乙"之类称谓，可作为商代甲骨文分期断代标准之一。

商"又伐自上甲揩示"刻辞围绕所拟定之祭祀，既占问祭祀日期，如"叀（惠）乙巳""叀（惠）乙未"及"又伐乙巳"之类；又占问所用祭品，如"十牢""二十牢"及"伐五"；而"乙巳卜：叀（惠）皆伐"则是占问祭法。"伐"，于商卜辞中意为斩人首以祭，引申用作祭名、人牲。商甲骨卜辞中，习见杀人以祭；用作牺牲之人绝大多数来自身为战俘的羌人。《左传·僖公十九年》记"夏，宋公使邾文公用鄫子于次睢之社"，又昭公十一年载"冬十一月，楚子灭蔡，用隐太子于冈山"，均为杀人以祭，是商人"伐"祭之遗留上列刻辞"乙酉卜：又伐乙巳"及"戊戌卜：又十牢"中"又"，为祭名，即《诗·小雅·楚茨》"以妥以侑"之"侑"。

商"又伐自上甲揩示"刻辞卜骨虽有残缺，但存刻辞较多，内容丰富；且刻辞刀法精细，方圆并用，结体匀称，书风唯美。

商"又伐自上甲㣇示"刻辞卜骨存于中国社会科学院考古研究所。

商"于大学寻"刻辞卜骨 商王康丁时期文物。1973年出土于河南省安阳市小屯南地。

商"于大学寻"刻辞卜骨是一残断的牛右肩胛骨边缘，残长18.50厘米，宽2厘米，著录于《小屯南地甲骨》60。卜骨正面残存6条契刻占卜记录，内容有关祭祀；反面施凿。

骨正面刻辞：

弜寻？

入叀（惠）癸寻？

于□寻？

于祖丁旦寻？

于庭旦寻？

于大学寻？

刻辞所记占卜事项是所拟定之祭祀，辞中"寻"，用为祭名；"弜寻"是占问是否举行寻祭？"叀（惠）癸寻"是占问"寻"之日期；"于祖丁旦寻""于庭旦寻"与"于大学寻"，是占问"寻"之场所。辞中"大学"，习见于典籍，如《大戴礼记·保傅》

曰："古者年八岁而出就外舍，学小艺焉，履小节焉；束发而就大学，学大艺焉，履大节焉。"又《礼记·王制》语："天子命之教，然后为学。小学在公宫南之左，大学在郊。天子曰辟雍，诸侯曰頖宫。"知"大学"乃掌教"国子"之处，周天子又称"辟雍"。西周青铜器麦尊器铭"王饗荈京，肜祀，零若翌日，在辟雍"之"辟雍"，即西周之"大学"。西周青铜器静段器铭"王令静司射学宫""射于大池"，此"学宫""大池"亦"辟雍"之分区。《礼记·王制》记天子将出征，"受成于学"，"反，释奠于学，以讯馘告"，是出征前与凯旋后均有礼于"大学"。《诗·鲁颂·泮水》："明明鲁侯，克明其德。既作泮宫，淮夷攸服。矫矫虎臣，在泮献馘。"所述即鲁侯于"大学"之中行献俘之礼。商卜辞中"寻"，有用作以战俘献祭之例，如《甲骨文合集》28086"王其寻二方伯"、《甲骨文合集》27041"翌日乙王其寻卢伯澯"，商王将俘获的二方伯、卢伯作为牺牲献祭。上举刻辞"于大学寻"，或即上述典籍中于"大学"所行献俘之礼。如此，则商、周"大学"及献俘之礼是为因袭。

商"于大学寻"刻辞卜骨存于中国社会科学院考古研究所。

商"子呼大子御于宜"刻辞卜甲 商王武丁时期文物。1991年10月出土于河南省安阳市殷墟花园庄东地编号91花东H3商代甲骨埋藏坑。坑内出土甲骨凡1583版，其中刻辞者689版，且以大块与完整卜甲居多，商"子呼大子御于宜"刻辞卜甲即在其中。

商"子呼大子御于宜"刻辞卜甲是一龟腹

甲，黄褐色，左、右甲桥略残，残长28厘米，宽20.5厘米，著录于《殷墟花园庄东地甲骨》480。卜甲正面所呈现卜兆又经刻划，存6条契刻占卜记录，字口填墨，内容有关祭祀；反面施钻、凿及灼。

甲正面刻辞：

丙寅卜：丁卯子劳丁，再嘗圭一，绊九？在𠂤。来戠（兽）自𠺌。　一二三四五

癸酉卜：在𠂤，丁弗宾祖乙彡？子占曰：弗其宾。用。　一二

癸酉：子戾在𠂤，子呼太子御丁宜，丁丑王入？用。来戠（兽）自𠺌。　一

甲戌卜：在𠂤，子又令[繁]，子弜丁告于𠂤？用。　一二

甲戌卜：子呼郎，幼妇好？用。在𠂤。　一

丙子：岁祖甲一牢，岁祖乙一牢，岁妣庚一牢？在𠜈，来自𠺌。　一

刻辞所记是"丙寅""癸酉""甲戌"与"丙子"四日进行的占卜，问卜者为"子"，占卜事项涉及商先王"祖甲""祖乙"及"妣庚"之祭祀；同时，"王""太子"与"妇好"，均于辞中出现，与问卜者"子"关系密切。

殷墟花园庄东地甲骨是继民国25年（1936年）小屯北地YH127甲骨埋藏坑、1973年小屯南地甲骨发现以来殷墟甲骨文的第三次重大发现，被评为1991年全国考古十大发现。该批甲骨时代属于殷墟文化一期，刻辞中某些字体结构及文例均与此前发现的殷墟卜辞存在较大差异，尤其是该批卜辞的问卜者是"子"，而非是"王"，即所谓"非王卜辞"。从该批甲骨卜辞整体观察，辞中尊称"子"者，不仅与商

王存有紧密的血亲关系，祭祀商先公、先王，与商王武丁配偶"妇好"往来密切；且拥有臣僚及庞大的占卜机构，于当时统治集团中地位极高。殷墟花园庄东地甲骨是一批前所未见的商代原始文献，必将极大推进甲骨学及商代历史的研究。

商"子呼大子御于宜"刻辞卜甲存于中国社会科学院考古研究所。

商"子妹其获狼"刻辞卜甲　商王武丁时期文物。1991年10月出土于河南省安阳市殷墟花园庄东地编号91花东H3商代甲骨埋藏坑。

商"子妹其获狼"刻辞卜甲是一龟腹甲，属龟科花龟属花龟种，上部呈黄褐色，下部呈灰黄色，右前甲上部与左后甲边缘残缺，残长23.2厘米，宽14.8厘米，著录于《殷墟花园庄东地甲骨》108。卜甲正面所呈现卜兆又经刻划，存6条契刻占卜记录，字口填墨，内容为占问"子"田猎之事；甲反面施钻、凿及灼。

甲正面刻辞：

辛丑卜：子妹其获狼？　御。　一

辛丑卜：叀（惠）今逐狼？　一　二

辛丑卜：于翌逐狼？　一　二

辛丑卜：其逐狼，获？　一

辛丑卜：其逐狼，弗其获？　一

辛丑卜：翌日壬，子其以□周于狋？子曰：不其□　一

刻辞所记是"辛丑"日进行的多次占卜，占卜事项多为田猎，问卜者为"子"。辞中"叀（惠）今""于翌"，是占问拟进行的田猎日期，选择今日"辛丑"？或是选择明日"壬寅"？"狼"作为此次田猎之欲捕猎物，辞中以"正反对贞"占问"获"与"弗其获"，即是否

会捕获"狼"？

此前商甲骨文所记田猎兽类，如虎、象、兕、豕、鹿、麋、麈、狐及兔等，不见"狼"；且殷墟出土兽骨中亦无狼骨。商"子妹其获狼"刻辞中"狼"，乃首次于卜辞中出现，丰富了此前已知商代田猎的动物种类。

商"子妹其获狼"刻辞卜甲存于中国社会科学院考古研究所。

商"子其往田惠鹿求邋"刻辞卜甲　商王武丁时期文物。1991年10月出土于河南省安阳市殷墟花园庄东地编号91花东H3商代甲骨埋藏坑。

商"子其往田惠鹿求邋"刻辞卜甲是一龟背甲右半部，黄褐色，首、尾部略残，残长24.6厘米，宽10.6厘米，著录于《殷墟花园庄东地甲骨》50。卜甲正面存6条契刻占卜记录，内容为占问"子"田猎之事；反面施钻、凿及灼。

甲正面刻辞：

丁亥卜：子位于右？　一　二

丁亥卜：子位于左？　一　二

乙未卜：子其田从往，求豕，邋？用。不豕。　一　二　三

乙未卜：子其［往］田，叀（惠）豕求，邋？子占曰：其邋。不用。　一

乙未卜：子其往田，若？用。　一

乙未卜：子其往田，叀（惠）鹿求，邋？用。　一

刻辞所记分别是"丁亥""乙未"两日进行的占卜，占卜事项均为田猎，问卜者为"子"。围绕田猎，"乙未"日卜辞是占问拟将进行之田猎是否顺利？是否能捕到豕、鹿？"丁亥"日卜辞是占问"子"于田猎过程中之车位，阵于左或阵于右？田猎是商人的一项游

乐活动，兼具军事训练性质。在已出土的10万片商代甲骨中，有关田猎内容约4500片，足见当时田猎之频繁。此类卜辞中多见对于方位之选择，如《甲骨文合集》28799"王于东位，虎出，擒"、《屯南》629"王往田，从南擒"、《屯南》2745"戊午卜，王往田，从东擒"及《甲骨文合集》29084"丁丑卜，贞：王其田于盂，□南兆位？贞：呼北兆位"，商王田猎亦占问车位。田猎过程中选择方位或视野兽出没方向而定，如《屯南》641"呼西有麋兴，王于之禽"；或与所采取狩猎技术有关，如《屯南》352"其焚擒"，"焚"，即以火驱赶野兽，须考虑风向；野兽嗅觉、听觉极为灵敏，居下风处不易被察觉；或与地形有关，如《合集》28789"其逐沓麋，自西、东、北，无灾"，此即围猎追逐兽群，须预见野兽奔逃之方向，然后实施有效堵截。凡此与商"子其往田惠鹿求邋"丁亥日卜辞类同，均是拟于田猎过程中选择有利车位以备追逐。

商"子其往田惠鹿求邋"刻辞丰富了有关商人田猎的认识；辞中问卜者"子"所涉及的商人家族形态更令学术界投入极大关注。

商"子其往田惠鹿求邋"刻辞卜甲存于中国社会科学院考古研究所。

商"自上甲皆大示"刻辞卜骨　商王武乙时期文物。1973年出土于河南省安阳市小屯南地。

商"自上甲皆大示"刻辞卜骨是一残断的牛右肩胛骨左半部，残长27厘米，宽9厘米，著录于《小屯南地甲骨》9.25。卜骨正面有凿，残存8条契刻占卜记录，内容有关祭祀；反面施凿、灼。

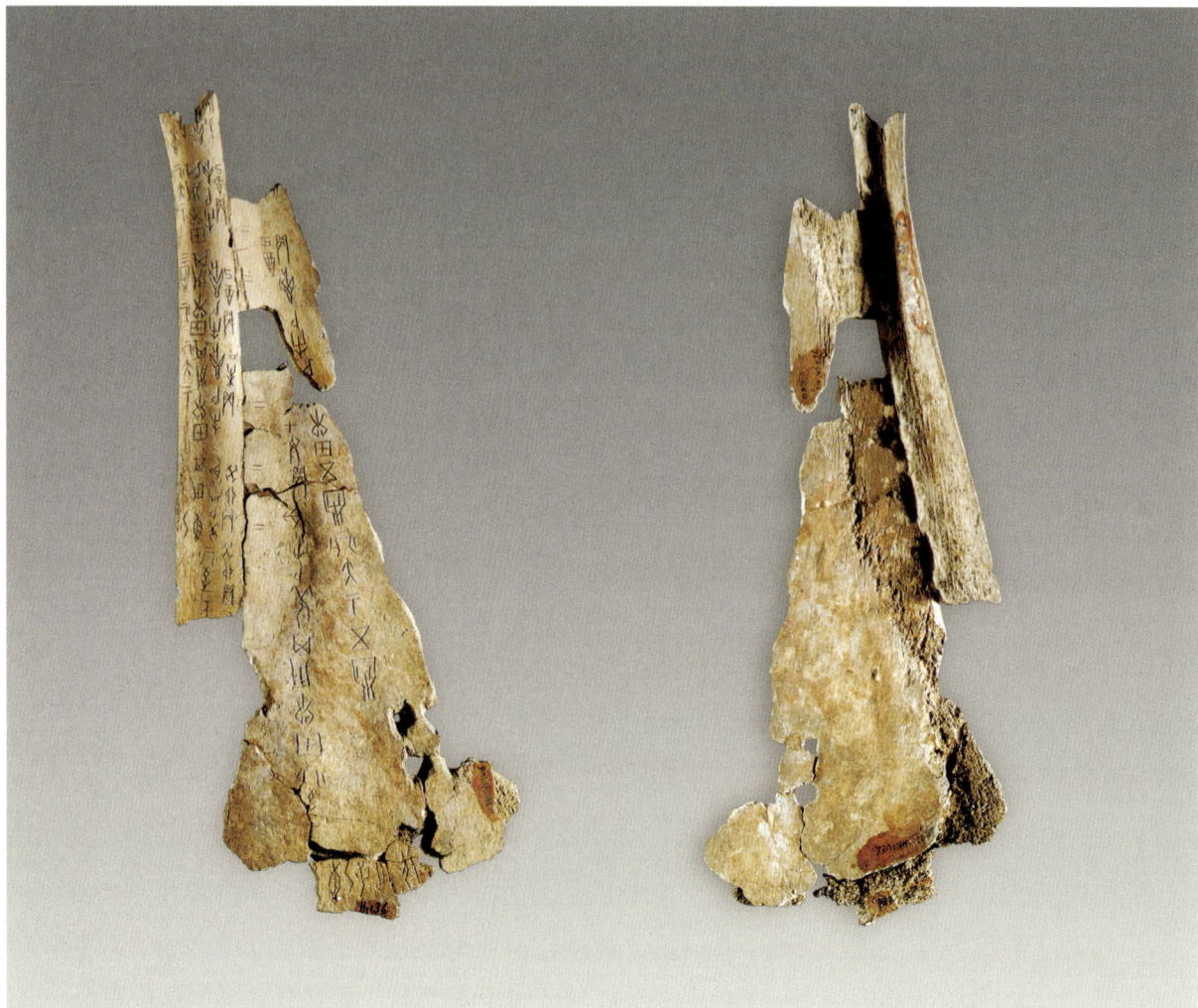

骨正面刻辞：

癸卯贞：皆至于☑？　二

癸卯贞：射雷以羌其用，叀（惠）乙？　二

甲辰贞：射雷以羌其用，自上甲皆至于☑[父丁]，叀（惠）乙巳用伐[四十]☑？

丁未贞：叕以牛其用，自上甲皆大示？　二

己酉贞：叕以牛其用，自上甲三牢皆？　二

己酉贞：叕以牛其用，自上甲皆大示叀（惠）牛？　二

己酉贞：叕以牛其[用]☑，自上甲五牢皆

大示五牢？

庚戌☑叕☑牛☑叀（惠）。

刻辞所记是"癸卯""甲辰""丁未""己酉"与"庚戌"这五天进行的占卜，占卜事项为拟定对商先公"上甲""大示"之祭祀。上列刻辞"自上甲皆大示""自上甲皆至于☑[父丁]"之类，意在集合多位商先公、先王予以合祭。辞中所记牺牲，如"以羌其用""以牛其用"，"羌"与"牢""牛"并举。羌方是商西部边陲一强大方国，至迟自商王武丁时期即与商人为敌，直至商代末年。《尚书·牧誓》记周武王率军伐纣，"庸、蜀、羌、髳、微、卢、彭、濮人"，为参与

该次伐商周之友邦，其中"羌"即商卜辞中"羌"。在商与羌方的长期战事中，作为战俘之羌人，或被迫从事劳作，或如上举辞中用作牺牲；而且，商卜辞中用作牺牲之人绝大多数为羌。上举刻辞"甲辰贞：射𤔲以羌其用，自上甲皆至于☒[父丁]，叀（惠）乙巳用伐[四十]☒"，言该次祭祀拟以四十羌作为牺牲，而卜辞《合集》295"三百羌用于丁"，竟以三百羌作为祭品！类此卜辞记载以羌献祭甚多，足见商与羌方战事持续时间之长。

著录于《小屯南地甲骨》636商卜辞"甲辰贞：射𤔲以羌其用，自上甲皆至于父丁，叀（惠）乙巳用伐四十"，与上列商"自上甲皆大示"刻辞为同文；前者套数为一，后者套数为二，两者为同日一事多卜，学术界称此为"成套卜骨"。类此成套卜辞，时常可相互校验缺损，启发文意。

商"自上甲皆大示"刻辞卜骨存于中国社会科学院考古研究所。

商"燎于东"刻辞卜骨 商王武丁时期文物。20世纪初出土于河南省安阳市小屯村，初为王懿荣购藏，后辗转于王崇烈、王绪祖、臧恒甫、谢午生、庆云堂、李玄伯等处；后入存

中国社会科学院历史研究所。

商"燎于东"刻辞卜骨是一残断的牛左肩胛骨部分骨扇，残长9.6厘米，宽5.2厘米，拓片著录于《合集》11230。卜骨正面现存1条契刻占卜记录，内容有关商人祀典中四方之神的祭祀；反面留有灼痕。

骨正面刻辞：

己丑卜，争贞：燎于东☒。

刻辞所记是商王武丁时期一名"争"贞人于"己丑"日进行的占卜，"燎于东"是占卜事项。与之类似，其他商卜辞如《合集》1581正"燎于西"、《合集》14334"燎于北"及《合集》14315正"燎东、西、南，卯黄牛"等，"东、西、南、北"，即商人祀典中的重要神主——四方之神。据《合集》14294，四方之神各有专名，分别为"东方曰析""南方曰因""西方曰彝""北方曰勹（伏）"。商人祭祀四方之神，大多因"𥝥年""𥝥雨""宁风""宁雨"及"宁疾"而举，祈求风调雨顺、收获丰年，并禳祛疾病；"燎"是行于四方之神的主要祭法。商人对于四方之神，或如《合集》14315"燎东、西、南，卯黄牛"所记，予以合祭；或如《合集》14314"燎于东三豕、三羊、𡘜犬，卯黄牛"所载，仅祭某一方神，显示出时人对于四方之神各自职掌区域之认知。《山海经》载有四方之神，《尚书·尧典》亦记"四时"之官，两者无疑源于商人祀典中的四方之神，源流分明，由此可以纵观中国古代对于四方的认识。

商"燎于东"刻辞卜骨存于中国社会科学院历史研究所。

商"酚𥝥乙巳自上甲二十示"刻辞卜

骨　商王文丁时期文物。20世纪初出土于河南省安阳市小屯村，初为王懿荣购藏，后辗转于郭若愚、庆云堂；解放初年，中国社会科学院历史研究所从庆云堂购得商"酭桒乙巳自上甲二十示"刻辞卜骨入藏。

商"酭桒乙巳自上甲二十示"刻辞卜骨是一块残断的牛左肩胛骨部分骨柄，残长15厘米，宽9.4厘米，拓片著录于《合集》34120。卜骨正面存刻辞3条契刻占卜记录，内容包括战争及商先公、先王的祭祀；反面施钻、凿及灼。

骨正面刻辞：

癸卯卜，贞：酭、桒乙巳自上甲廿示一牛，二示羊，土燎，四戈龛、牢，四巫豕？二

丙辰卜：敦，戋？　　二

壬戌卜，贞：王生月敦，甾戋不☒　三

刻辞所记是"丙辰""壬戌"及"癸卯"三日进行的占卜，其中"丙辰"日占卜是占问进行军事征伐伐，是否顺利？"壬戌"日占卜是占问商王欲于下月进行军事征伐，是否顺利？"癸卯"日占卜是占问后日"乙巳"日拟举行"酭"祭与"桒"祭，分别以"一牛"作为牺牲献祭于"廿示"，即"上甲""报乙""报丙""报丁""示壬""示癸"及"大乙""大丁""大甲""大庚""大戊""中丁""祖乙""祖辛""祖丁""小乙""武丁""祖甲""康丁"与"武乙"20位商直系先公、先王；以"羊"作为牺牲献祭于"二示"，即旁系先王；"燎"祭于"社"；以"龛""牢"作为牺牲献祭于四方边戈之神，以"豕"即去势之豕献祭于四方巫神。

商"酭桒乙巳自上甲二十示"刻辞包含商人祀典中的众多神主、祭法及祭品，内容丰富，具有重要的学术价值。

商"酭桒乙巳自上甲二十示"刻辞卜骨存于中国社会科学院历史研究所。

商"呼田从东"刻辞卜骨　商王武丁时期文物。20世纪初出土于河南省安阳市小屯村，初为刘鹗购藏，后辗转于端方、袁克定、罗福颐及徐宗元处。1977年2月8日，中国社会科学院历史研究所从徐宗元购得商"呼田从东"刻辞卜骨入藏。

商"呼田从西"刻辞卜骨是一残断的牛左肩胛骨骨扇边缘，残长8.20厘米，宽2.20厘米，拓片著录于《合集》10903。卜骨正面存4条契刻占卜记录，内容有关田猎方位。

骨正面刻辞:

贞:[呼]田[从]西?

贞:呼田从北?

贞:呼田从东?

贞:呼田从南?

刻辞所记占卜是占问在拟将进行田猎活动中的方位,先后占问从西、北、东、南哪一方向进行。"田",即田猎之意,典籍中作"畋",《广韵》:"畋,取禽兽也。"据商甲骨文,商人进行田猎,极其重视选择方位,有时视野兽出没方向而定,如《屯南》641"呼西有麋兴,王于之禽"所记;有时与所采取的狩猎技术有关,如《屯南》352"其焚擒","焚"意即以火驱赶野兽,须考虑风向;野兽嗅觉、听觉极为灵敏,居下风处不易被察觉;有时着重考虑地形、地貌,如《合集》28789"其逐沓麋,自西、东、北,无灾",此是围猎追逐兽群,须预判野兽逃逸之方向,然后实施有效堵截。上列商"呼田从东"刻辞分别占问从"西""北""东""南"何处进行田猎,应是考虑权衡如上所述狩猎过程中的各种影响要素。

商"呼田从东"刻辞卜骨存于中国社会科学院历史研究所。

商**"癸亥王卜贞旬无祸"刻辞卜骨**　商王帝乙、帝辛时期文物。20世纪初出土于河南省安阳市小屯村,初为刘鹗购藏,后归胡厚宣。胡厚宣将商"贞旬无祸"刻辞卜骨捐赠予中国社会科学院历史研究所。

商"癸亥王卜贞旬无祸"刻辞卜骨是一残断的牛右肩胛骨骨柄及部分骨扇,残长22厘米,宽12厘米,拓片著录于《合集》35641。

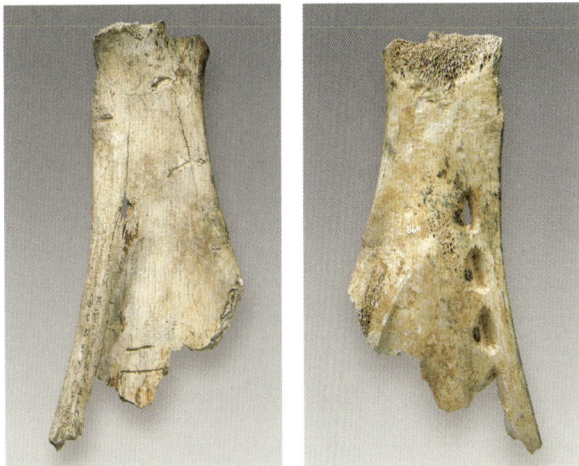

卜骨正面存4条契刻占卜记录卜,内容是商卜辞中习见的卜旬;反面施钻、凿及灼。

骨正面刻辞:

癸丑[王卜,贞:]旬亡(无)[祸?王]占曰:大[吉]!在八月。

癸亥王卜,贞:旬亡(无)祸?王占曰:大吉!在九月。

癸酉王卜,贞:旬亡(无)祸?王占曰:大吉!在九月。甲戌翌戋甲。

癸未王卜,贞:旬亡(无)祸?王占曰:大吉!在九月。甲申翌羌☒。

刻辞所记分别是八月"癸丑"与九月"癸亥""癸酉""癸未"四日进行的占卜,"旬无祸"为占卜事项,辞意"在未来十日之内是否将有灾祸发生?"如"癸亥"日占卜,即占问"癸亥""甲子""乙丑""丙寅""丁卯""戊辰""己巳""庚午""辛未"与"壬申"十日之内是否将有灾祸?学术界称此类占卜为"卜旬",在商甲骨文中最为习见。辞中"祸"字,是商王帝乙、帝辛时期出现的构形,早期作"凵",象占卜所用兽类肩胛骨面呈现卜兆之状。学术界对于"凵"的释读,尚未达成一致意见:郭沫若、胡厚宣及陈梦家认为该字应读为"祸",唐兰主张该字读为"咎",而裘锡圭则倾向该字读为"忧"。尽管存在如此差异,但学术界一致认可:"囚"于商甲骨文中用以表示灾祸之意。上列商"贞旬无畎"刻辞所载四次占卜,均是商王亲自视卜兆判断吉凶,并均判断为"大吉"。辞中"占"字构形作🔲🔲,不同于此前的构型🔲🔲,也是商王帝乙、帝辛时期卜辞用字的主要特征。"占"字构形即会意占卜过程中,依据所用肩胛骨呈现卜兆对所占卜事项吉凶作出判断,亦即《史记·龟策列传》语"灼龟观兆"。

商"贞旬无畎"刻辞卜骨存于中国社会科学院历史研究所。

商"王其田盂无灾"刻辞卜骨 商王武乙、文丁时期文物。20世纪初出土于河南省安阳市小屯村,初为刘鹗购藏,后转归胡厚宣。胡厚宣将商"王其田盂无灾"刻辞卜骨捐赠予中国社会科学院历史研究所。

商"王其田盂无灾"刻辞卜骨是一残断的牛左肩胛骨骨柄及部分骨扇,残长20.4厘米,宽10.8厘米,拓片著录于《合集》33530。卜骨正面有7条契刻占卜记录,内容有关商王田猎;骨反面施钻、凿及灼痕。

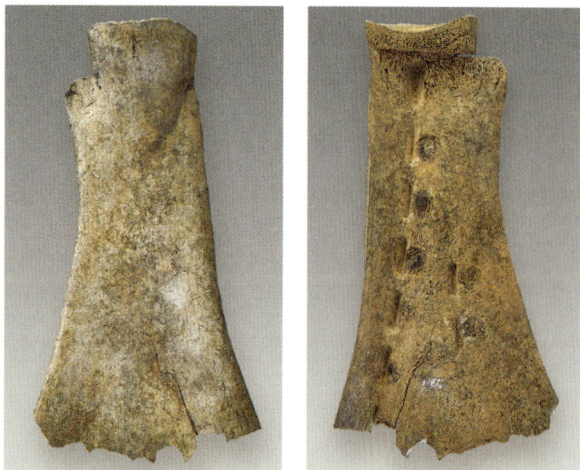

骨正面刻辞:

壬寅☐ 贞☐ 盂☐

乙巳卜,贞:王其田,亡(无)灾?

戊申卜,贞:王其田牢,亡(无)灾?

辛亥卜,贞:王其田盂,亡(无)灾?

壬子卜,贞:王其田向,亡(无)灾?

乙卯卜,贞:王其田丧,亡(无)灾?

戊午卜,贞:王其田向,亡(无)灾?

刻辞所记是"壬寅""乙巳""戊申""辛亥""壬子""乙卯"与"戊午"七日进行的占卜,占卜事项为商王将去"牢""盂""向""丧"四地进行田猎是否将有灾祸发生。田猎是商王朝一项极为重要的活动,兼具政治、经济及军事意义。在殷墟出土15万片刻辞甲骨中,有关田猎内容约占4500片,占卜记录凡5200余条,所涉及地名多达276个,足见当时田猎之盛。上列商"王其田盂无灾"刻辞所记田猎前后持续17日,商王依次所抵达的四处田猎地点,彼此之间的距离亦可估计,是了解当时田猎及商代地理的重要史料。

商"王其田盂无灾"刻辞卜骨存于中国社会科学院历史研究所。

商"大骤风"刻辞卜骨 商王武丁时期文物。20世纪初出土于河南省安阳市小屯村。是罗振玉于清宣统三年(1911年)所收3万片甲骨中精品,著录于民国3年(1914年)十一月所刊《殷虚书契菁华》。1959年,商"大骤风"刻辞卜骨由中国科学院考古研究所调拨入藏中国历史博物馆(中国国家博物馆)。

商"大骤风"刻辞卜骨是一残断的牛左肩胛骨骨扇,残长29.5厘米,宽16.7厘米,拓片著录于《合集》137正、反。卜骨正、反面现

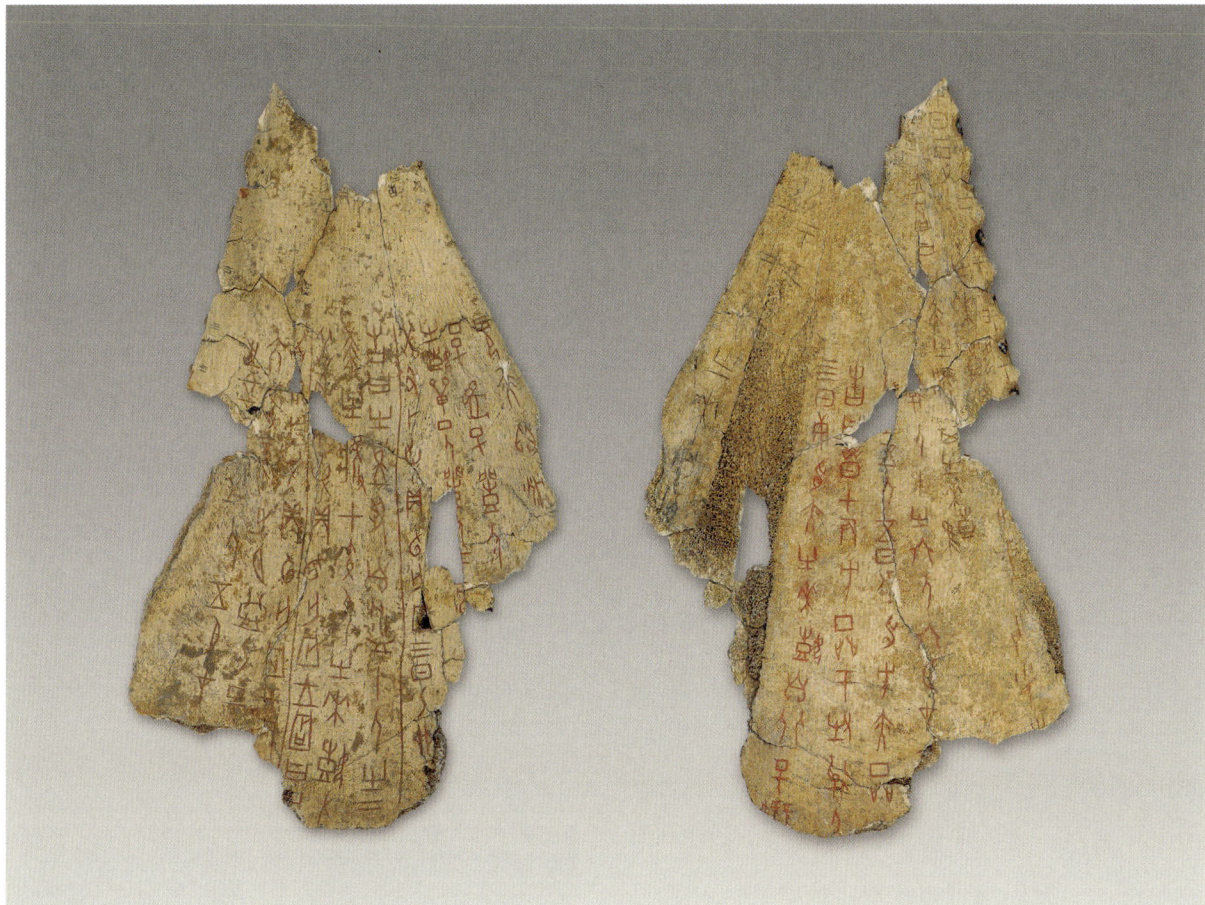

存5条契刻占卜记录，篇幅较长，字口涂朱，内容为卜旬。

骨正面刻辞：

□□卜，□贞：[旬]亡（无）囧？

癸卯卜，争贞：旬亡（无）囧？甲辰☒大骤风，之夕皿乙巳☒逸[十又]五人。五月才[敦]。

癸丑卜，争贞：旬亡（无）囧？王占曰：有求，有梦。甲寅允有来艰。左告曰：有逸刍自益，十人又二。

癸丑卜，争贞：旬亡（无）囧？三日乙卯☒有艰，单邑丰尿于录☒丁巳，龟子丰尿☒鬼亦得疾☒

三 三 三 三 三 二告 小告

骨反面刻辞：

□亡（无）囧？王占曰：有求，有梦。其有来艰。七日己丑，允有来艰自[西]。[微]戈化呼[告曰]：☒方征于我示[褱田]☒。

四日庚申，亦有来艰自北。子敝告曰：昔甲辰方征于蚁，俘人十又五人。五日戊申，方亦征，俘人十又六人。六月才☒

甲子，允有来自东☒亡于兮。

刻辞所记是商王武丁时期一名"争"的贞人分别于"癸卯""癸丑"与"癸未"三日所作的占卜，占卜事项均为"卜旬"，即占问在即将来临的十日之内是否将有灾祸发生。"癸卯""癸丑"两日分别进行的三次占卜记录保存较为完整，"癸丑"与"癸未"日占卜均由商王武丁亲自占断。"癸卯"日占卜记录"验辞"，即占卜事后对于该次占卜是否灵验的追述补记,记占卜次日"甲辰"发生"大骤风"。"大骤风"又见于其他商卜辞,如《合集》13359"壬寅卜:癸雨,大骤风"。"大骤风"意即"大暴风"。商甲骨卜辞中,习见有关"小风""风""四方风""大风""骤风"及"大骤风"之类的记载,上举"癸卯"日卜辞即其中一例。由此可知,诸如"大骤风""骤风"之类极端天气,已严重影响当时的生产、生活,故引起商人高度关注。上举"癸丑"日卜辞中,商王武丁视卜兆占断:将有灾祸发生;在其后两则"验辞"中,分别记占卜次日"甲寅"、第三日"乙卯"与第五日"丁巳",益地刍牧奴隶逃跑12人,单邑发生异常事件。该则"验辞"续记至卜骨反面,记第五日"丁巳"后四日"庚申",北方传来坏消息,贵族子嬻报告:十七日前即"甲辰"日,"方"国侵略叙地,掠走15人;五日后"戊申"日,"方"国再来侵扰,又掳去16人。商"大骤风"刻辞卜骨反面所记"甲子,允有来自东☒亡于亏",系另一则"验辞",大意言"甲子"日东方发生异常事件。卜骨反面另存一则"癸未"日占卜记录,占卜事项亦是"卜旬";商王武丁视卜兆占断:将有灾祸发生;其后"验辞"记占卜日后第七日"己丑",西方传来坏消息,贵族微戈化报告:某方国侵略商示籤田。

商"大骤风"刻辞卜骨存180余字,所记"大骤风"及有关方国、地名,对于商代气象、地理、方国及军事研究,具有重要的学术价值。同时,通篇文字错落有致,笔力劲健,气势恢宏,是商王武丁时期书风的典型代表。

商"大骤风"刻辞卜骨藏于中国国家博物馆。

商"日月有食"刻辞卜骨 商王武乙、文丁时期文物。20世纪初出土于河南省安阳市小屯村。原为王襄所藏,初录于民国14年(1925年)王氏所编纂《簠室殷契征文》。1959年,商"日月有食"刻辞卜骨由中国科学院考古研究所调拨入藏中国历史博物馆。

商"日月有食"刻辞卜骨是一块残断牛骨,残长16.50厘米,宽2.90厘米,拓片著录于《合集》33694。卜骨正面存6条契刻占卜记录,内容有关祭祀、"日食"及"月食"。

骨正面刻辞:

[癸酉]贞:☒三小☒

癸酉贞:于上甲?

于南分?

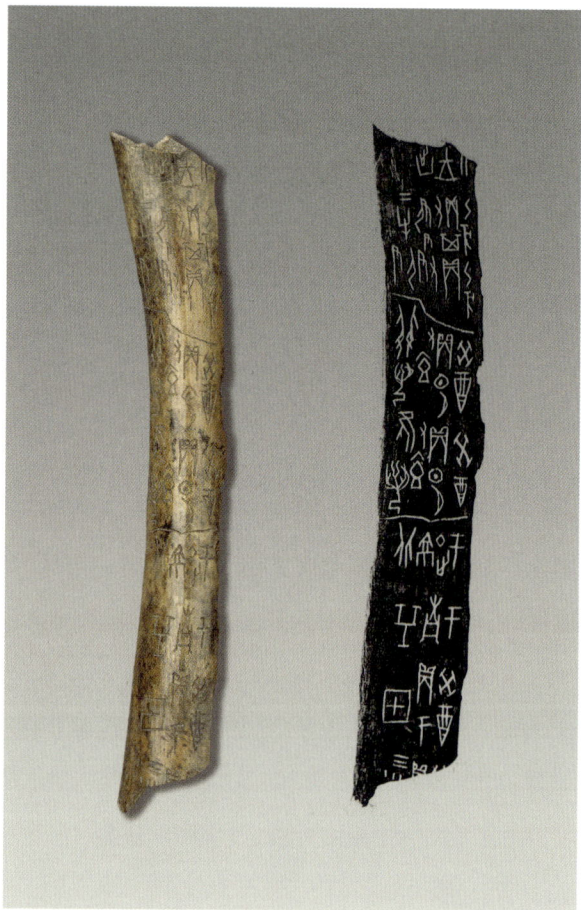

于正京北？

癸酉贞：日月有食，隹（惟）若？

癸酉贞：日月有食，非若？

乙亥贞：又（侑）伊尹？

乙亥贞：其又（侑）伊尹二牛？

☑王☑出

刻辞所记分别是"癸酉""乙亥"两日进行的多次占卜，其中"乙亥"日占卜是占问拟定对商成汤时重臣"伊尹"举行的祭祀。"癸酉"日占卜中，"癸酉贞：于上甲"是占问拟定对商先公"上甲"举行的祭祀；"癸酉贞：日月有食，隹（惟）若"与"癸酉贞：日月有食，非若"，是以"正反对贞"的形式，即从占卜事项正反两方面占问"日月有食"之吉凶。对于"日月有食"一辞含义的理解，关系本次所占问的天象是"日食"还是"月食"？

商代甲骨文中，商王武丁时期宾组卜辞记有五次"月食"，分刻在七块甲骨上，如《合集》11482正、反"癸亥贞：旬亡囚？旬壬申夕月有食"，即"壬申"夜间发生"月食"之记录。《合集》33698："庚辰贞：日有戠，匪囚？隹（惟）若？"类此"日有戠"，学者或以为"日食"。商卜辞中，"日食"与"月食"被反复占问休咎，在当时均被视为灾凶，即《诗·小雅·十月之交》所谓"日月告凶"，后世典籍中多见此类记述。对于上列"日月有食"一辞的释读，学术界目前尚未取得一致意见。学者或读为"日夕有食"，意即黄昏时占问"日食"；或以为"日月有食"为占卜事项，即占问"日食与月食"之休咎；或以为即"日月交食"，亦《汉书·天文志》所云"日月薄食"；或以为"日月"实乃"明"

字，"明有食"即"日食"，卜辞所记是一次发生在"癸酉"日出时的"日食"。对于商甲骨文中所记"日食""月食"的研究，涉及推求该次"日食"或"月食"的确切发生时间，从而为重建殷商纪年提供一份天象实证。以目前研究状况观察，弄清"日月有食"之含义，有必要从其他方面寻求佐证。

商"日月有食"刻辞卜骨藏于中国国家博物馆。

商"王大令众人曰劦田"刻辞卜骨　商王武丁时期文物。20世纪初出土于河南省安阳市小屯村。1959年，商"王大令众人曰劦田"刻辞卜骨由中国科学院考古研究所调拨入藏中国历史博物馆。

商"王大令众人曰劦田"刻辞卜骨是一残断的牛肩胛骨部分骨扇，残长14.7厘米，宽11.9厘米，拓片著录于《合集》1。该卜骨可与藏于日本东京大学东洋文化研究所一刻辞卜骨残块（拓片著录于《甲骨文合集补编》657）相缀合。卜骨正面存1条契刻占卜记录与1条商王武丁言辞，内容有关农事。

骨正面刻辞：

［王］大令众人曰：劦田！

□□卜，㱿贞：不其受年？其受年？十一月。

刻辞所记分别为一则商王武丁有关农事的言辞及一名"㱿"贞人于十一月进行的一次占卜。辞中"劦"字，象以耜起土之形，从三耜，以示多人共同协作。本辞中"劦田"，发生在"十一月"，其他商卜辞如《合集》9499则为"十二月"，应是冬季进行大规模翻耕土地，以为明年春播准备。"［王］大令众人曰：劦田"，辞意商王亲自下令"众人"进行

翻耕土地。"年",东汉许慎《说文解字》云:"谷熟也。"《春秋·桓公三年》语"有年",又宣公十六年记"大有年",《谷梁传》云:"五谷皆熟,为有年也。"《诗·鲁颂·有駜》"自今以始,岁其有。君子有谷,诒孙子",传云:"岁其有,丰年也。""有年""岁其有"意为五谷丰收;反之,庄稼歉收,即《周礼·地官·均人》所谓"无年"。上列刻辞"□□卜,殻贞:不其受年?其受年"中"受年",与上述典籍中"有年"意同,本辞以"正反对贞"的形式从占卜事项正反两方面占问是否将获得丰收?商甲骨卜辞中,"受年"又称"受禾";在《合集》《小屯南地甲骨》及《英国所藏甲骨集》等著录中,有关"受年""受禾"之卜辞凡597例,足见商王对粮食收成极为关注。《周礼·春官·肆师》曰"尝之日,莅卜来岁之芟""社之日,莅卜来岁之稼",此周人占卜稼穑之俗,应是承袭殷礼而来。

商甲骨卜辞中习见商王派遣官吏从事农业活动;且商王下达的命令贯穿于从选择耕地、播种、收获至贮藏整个农事过程。除通过官吏管理外,商王还亲身参与生产。如数量众多卜辞中记商王"省田""省黍",即选择耕地、视察农作物生长。上举"[王]大令众人曰劦田"刻辞亦是商王亲身参与农业生产之例。农业是商代主要生产部门,从甲骨文反映出的状况观察,当时的农业生产已处于一个较为发达的水平;重要原因之一应是得到了商王的高度重视。

上列"王大令众人曰劦田"刻辞中"众人",于其他刻辞中亦称"众",从事农业生产,参加战事、狩猎及做工;农业生产中,"众"及"众人"的活动尤为突出。郭沫若在1944年《古代研究的自我批判》一文中,首次提出商甲骨文中"众""众人"为奴隶,从而引起甲骨学者及古史学者对于"众人"身份的讨论,众说纷纭。20世纪80年代后,学术界对于"众""众人"的研究,侧重于他们是奴隶,或是具有族组织的平民,这一问题的讨论仍将继续。明确奴隶在中国历史发展进程中的特征,全面而客观分析有关卜辞,是讨论这一问题的关键。

商"王大令众人曰劦田"刻辞卜骨藏于中国国家博物馆。

商"土方征于我东鄙"刻辞卜骨 商王武丁时期文物。20世纪初出土于河南省安阳市小屯村,是罗振玉于清宣统三年(1911年)所收3万片甲骨中精品,著录于民国3年(1914年)十一月所刊《殷虚书契菁华》。1959年,商"土方征于我东鄙"刻辞卜骨由中国科学院考古研究所调拨入藏中国历史博物馆。

商"土方征于我东鄙"刻辞卜骨是一残断的牛左肩胛骨大部分骨扇，残长22.5厘米，宽19厘米，拓片著录于《合集》6057正、反。卜骨正、反面存4条契刻占卜记录，刻辞完整，篇幅较长，存180余字，字口涂朱，内容为卜旬。

骨正面刻辞：

☐王占曰：有求，其有来艰。迄至七日己巳，允有来艰自西。微友角告曰：呂方出，侵我示篆田七十人。 五

癸未卜，㱿。

癸巳卜，㱿贞：旬亡（无）囚? 王占曰：有求，其有来艰。迄至五日丁酉，允有来艰[自]西。沚䤸告曰：土方征于我东鄙，戋二邑，呂方亦侵我西鄙田。

癸卯卜，㱿贞：旬亡（无）囚? 王占曰：

有求，其有来艰。五日丁未，允有来艰。饮御自弘围。六月。

☐卜☐五月

骨反面刻辞：

王占曰：有求，其有来艰。迄至九日辛卯，允有来艰自北。蚁妻妓告曰：土方侵我田十人。

☐有来☐有来☐呼☐东鄙，戋二邑。王步自龏于鲇司☐夕豐，壬寅王亦终夕囚。

刻辞所记是商王武丁时期一名"㱿"贞人分别于"癸未""癸巳""癸卯"与"癸亥"四天进行的占卜。辞中"癸巳卜，㱿贞"句，是记录该次占卜的时间（癸巳）与贞人（㱿），在甲骨学研究中，学术界称之为"前辞"；"旬亡囚"为占卜事项，即在未来十日之内是否将有灾祸发生，学术界称之为"命辞"；"王占曰：有求，其有来艰"，是依

据卜兆得出的吉凶判断，学术界称之为"占辞"，商王武丁占断：本旬将有灾祸；"迄至五日丁酉，允有来艰自西。沚馘告曰：土方征于我东鄙，戋二邑，舌方亦侵我西鄙田"，是占卜事后对于该次占卜是否灵验的追述补记，学术界称之为"验辞"，本辞记载，"癸巳"后五日"丁酉"，土方、舌方分别来犯商东部与西部边邑。

上列刻辞中"土方"与"舌方"，分别是商王武丁时期活跃在商北部、西部边陲的重要方国，与商人长期发生战事。其中，土方不仅"征于我东鄙"，掳掠商东部边邑，且如《合集》6059所载"土方☒侵我西鄙"，侵扰商西部边邑，活动范围极大。《合集》6409"王收人五千征土方"，当时"土方"给商人造成极大困扰，致使商王武丁一次征兵五千进行征伐。据商卜辞记载，与"土方"战事主要发生在商王武丁时期与武乙、文丁时期；与舌方战事主要集中在商王武丁晚期，《合集》6170正"登人三千"，记征兵三千征伐舌方，《合集》6098"贞：舌方出，王自征"，占卜商王欲亲征舌方，足见对该战事之重视，同时也从另一侧面反映出舌方力量之强大。商王祖庚、祖甲时期，据《合集》24145"丁酉卜，出贞：阜鞏舌方"所记，仍与舌方发生战事。至商王康丁时期，舌方不在卜辞中出现，应是于商王祖庚、祖甲时期被商人平定。

商"土方征于我东鄙"刻辞内容涉及商与土方、舌方之间的战事，是研究商代地理、方国及军事的重要参考，正可补史记之缺；且该刻辞具备商占卜记录的完整程式，即"前辞""命辞""占辞"与"验辞"，实属罕

见，堪称"甲骨之王"。是"古代中国陈列·夏商西周时期"的重要展品。

商"土方征于我东鄙"刻辞卜骨藏于中国国家博物馆。

商"王宾中丁"刻辞卜骨 商王武丁时期文物。20世纪初出土于河南省安阳市小屯村，是罗振玉于清宣统三年（1911年）所收3万片甲骨中精品，著录于民国3年（1914年）十一月所刊《殷虚书契菁华》。1959年，商"王宾中丁"刻辞卜骨由中国科学院考古研究所调拨入藏中国历史博物馆。

商"王宾中丁"刻辞卜骨是一残断的牛右肩胛骨骨扇，残长32.2厘米，宽19.8厘米，拓片著录于《合集》10405正、反。卜骨正、反面现存5条契刻占卜记录，刻辞完整，篇幅较长，存180余字，字口涂朱，内容为卜旬。

骨正面刻辞：

癸酉卜，殻贞：旬亡（无）囚？王二曰：匄。王占曰：餗！有求，有梦。五日丁丑，王宾中丁祀，隓在庭阜。十月。

己卯，媚子寅入，宜羌十。

癸未卜，殻贞：旬亡（无）囚？王占曰：逸，乃兹有求。六日戊子，子发疒。一月。

癸巳卜，殻贞：旬亡（无）囚？王占曰：乃兹亦有求。若偁！甲午，王往逐兕，小臣甾车马硪骎王车，子央亦坠。

癸巳，一月。

☒贞：旬亡（无）[囚？]☒八日☒来艰。

骨反面刻辞：

癸亥卜，殻贞：旬亡（无）囚？王占曰：☒其亦有来艰。五日丁卯，子咎殊，不畐。

☒王占曰：有求☒

王占曰：乃若偁！

王占曰：有求。八日庚戌，有各云自东面母；昃，[亦]有出虹自北，饮于河。☐月。

☐乃兹。

刻辞所记是商王武丁时期一名"殼"贞人分别于"癸酉""癸未""癸巳""癸亥"与"癸卯"五日进行的占卜，占问未来十日之内是否将有灾祸发生？"癸酉""癸未""癸巳"与"癸亥"四日占卜记录，均具备商占卜记录的完整程序，即"前辞""命辞""占辞"与"验辞"。如"癸酉"日卜辞中，"癸酉卜，殼贞"句，是记录该次占卜的时间（癸酉）与贞人（殼），甲骨学称之为"前辞"；"旬亡国"为占卜事项，即未来十日之内是否将有灾祸，为"命辞"；"王占曰：舍！有求，有梦"，是依据卜兆得出的吉凶判断，为"占辞"，商王武丁占断本旬将有灾祸；"五

日丁丑，王宾中丁祀，陷在庭阜"，是占卜事后对于该次占卜是否灵验的追述补记，称之为"验辞"，本辞记载，在"癸酉"后五日"丁丑"，商王祭祀先王中丁时，倾倒在庭院丘阜上。上列占卜记录中"验辞"所记述的事件，尤其值得关注。"癸酉"日卜辞"验辞"提及商王祭祀先王中丁的时日与地点，有助于学术界深入了解商人祭祀制度；"癸未""癸亥"日卜辞"验辞"记述发生意外不顺的"子发"与"子沓"，当是与商王室关系密切的重臣；"癸巳"日卜辞"验辞"载"甲午，王往逐兕，小臣甾车马碰辇王车，子央亦坠"，述及占卜次日"甲午"，商王田猎，追逐兕兽，小臣甾车马与王车发生碰撞，子央从车上跌落，从中可以了解有关商人田猎的信息。商"王宾中丁"刻辞卜骨反面辞"王占曰：有求。八日庚戌，有各云自东面母；昃，有出虹自北，饮

1485

于河"，是"癸卯"日占卜记录"占辞"与"验辞"，记录占卜后八日"庚戌"，有云自东面母之地涌出，中午过后太阳西斜之时，"虹"自北方出现，下饮黄河之水。

商甲骨卜辞中，习见对云之祭祀，且注重分辨云气之色，如《合集》13399正"庚子酌三翿云"，"三翿云"即"三色云"。上列"癸卯"日占卜记录"占辞"——"王占曰：有求"，预判将有灾祸发生，而"验辞"即以"有各云自东面母"为不祥之应验。"癸卯"日占卜记录"占辞"——"王占曰：有求"，预言将有灾祸发生，而"验辞"即以"有出虹自北，饮于河"为灾凶之应验。可知，古人以灾异附于虹霓至迟始于商代晚期。

商"王宾中丁"刻辞内容丰富，对于商代祭祀、田猎、气象及风俗研究，均具有重要学术价值；刻辞通篇文字纵有行，横无列，错落有致，刀法劲健，结字开张，气势恢宏，是商王武丁时期书风的典型代表。是"古代中国陈列·夏商西周时期"的重要展品。

商"王宾中丁"刻辞卜骨藏于中国国家博物馆。

商"宰丰"雕花骨柶　商代末年文物。20世纪初出土于河南省安阳市小屯村，为顾鳌旧藏，初录于民国22年（1933年）商承祚所辑《殷契佚存》；后入藏于故宫博物院。1959年，商"宰丰"雕花骨柶由中国科学院考古研究所调拨入藏中国历史博物馆。

商"宰丰"雕花骨柶是以咒的一根肋骨制成，残长27.3厘米，宽3.9厘米，拓片著录于《甲骨文合集补编》11299正、反。骨柶骨凹面随形雕刻侧像龙纹、饕餮纹与蝉纹，其间

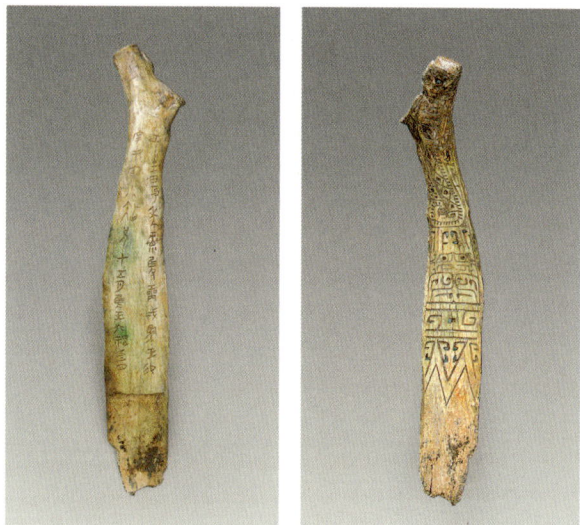

嵌绿松石，精美异常；骨凸面契刻2行28字，记述商王田猎及作器者"宰丰"受到商王赏赐之事。

骨凸面刻辞：

壬午，王田于麦麓，只（获）商戠兕。王易（锡）宰丰，寑小𧹞贶。在五月，隹（惟）王六祀彡日。

刻辞记述商王帝乙或帝辛六年五月壬午日，商王于麦麓田猎，捕获兕；作器者"宰丰"受到商王赏赐，由寝官小𧹞转赐。该骨柶即以辞中所述该次田猎所捕兕之肋骨制成。另见一残断雕花肋骨上段，著录于《甲骨文合集补编》11300正、反，初录于民国22年（1933年）商承祚所辑《殷契佚存》426，时为黄浚所藏。该肋骨凹面随形雕刻侧像龙纹，其间嵌绿松石；骨凸面契刻："壬午，王田于麦麓，只（获）▢宰丰，寑小𧹞贶▢。"该骨虽已残断，但综合观察其用材、雕刻图案、布局、装饰及骨上刻辞内容、书体及书风，与上列商"宰丰"雕花骨柶全同，两骨信为同人同时所作。两根刻辞肋骨于"肋头关节面"而言，彼此位置相对；由此可知，上举中国国家博物馆

1486

所藏商"宰丰"雕花骨栖与黄浚所藏商"宰丰"雕花残骨，分别为骨上刻辞所述于该次田猎中所捕兕之左、右两根肋骨。作器者"宰丰"，又见于其他商卜辞，是商王近臣。

商"宰丰"雕花骨栖刻辞内容为记事，在商甲骨文中数量不多；刻辞内容、文例近于商代末年青铜器铭文；书体亦迥异于绝大多数商甲骨文的简练刀法，而同于这一时期的青铜器铭文，不计用功研磨之多，模仿当时毛笔书写笔画的基本形态，是当时的正体文字。该骨栖雕刻极尽精致，书契不胜其烦，足见当时对于此类记事刻辞之珍重。

商"宰丰"雕花骨栖在商代刻辞甲骨中独为一类，是商代末年田猎、赏赐及书法研究的重要参照；刻辞所记"隹（惟）王六祀彡日"更是学术界在商"周祭"祀谱复原中不可忽视之例。是"古代中国陈列·夏商西周时期"的重要展品。

商"宰丰"雕花骨栖藏于中国国家博物馆。

商"小臣墙"刻辞骨版 商代末年文物。原为于省吾旧藏，初著录于1955年胡厚宣《甲骨续存》下915正、916反；后转归清华大学。1959年，商"小臣墙"刻辞骨版由清华大学调拨入藏中国历史博物馆。

商"小臣墙"刻辞骨版是一牛肩胛骨残块，残长6.9厘米，宽3.9厘米，拓片著录于《合集》36481正、反。骨版正面存契刻文辞5行55字，记述了商代末年规模较大一次战役；骨反面残存刻辞36字，为干支表。

骨版正面刻辞：

☒小臣墙比伐，擒危髦☒二十，人四，馘千五百七十，鬯百☒辆，车二辆，橹百八十三，函五十，矢☒又白麐于大乙，用隹伯印☒鬯于祖乙，用髦于祖丁僊甘京。赐☒

骨版反面刻辞：

……辛未 壬申 癸酉

……辛巳 壬午 癸未

……辛卯 壬辰 癸巳

……辛丑 壬寅 癸卯

……辛亥 壬子 癸丑

……辛酉 壬戌 癸亥

骨版正面刻辞内容可分为三部分：自首行"小臣墙比伐"至第三行末"函五十，矢"，记述"小臣墙"在一次战役中擒获危方首领髦及其部众，斩首一千五百七十，擒获䰜方百人，并缴获车二辆，盾一百八十三件，箭袋五十，矢若干；第四行与第五行刻辞，乃言凯旋后献俘祭祖，以"白麖"侑祭大乙成汤，以雔方首领印、所俘䰜人与危方首领髦为"人牲"分别献祭于祖乙、祖丁等先王；刻辞第五行末"赐"，即商王赏赐战功，惜辞残缺，不得其详。刻辞中"危髦"，即《合集》28088"危方髦☐曹于☐"、《合集》28091"危伯髦于之及☐望"之"危方髦""危伯髦"之省称，系"危方"首领，"髦"为其私名。危方是当时活跃于商王朝西部边陲的一个方国，商王武丁时期，与商人为敌。据上列商"小臣墙"刻辞，商代末年，危方为商王朝击破，损失惨重，其首领为"小臣墙"擒获，并被用作"人牲"祀于商王祖丁！刻辞中，与危方同时为商王朝击败的还有其他两个方国——"䰜方"与"雔方"，足见该次战役规模之大。

刻辞中"小臣墙"，又见于其他商甲骨卜辞，如：《合集》27886："☐小臣墙有来告☐。"《合集》27888："叀（惠）小臣墙令呼比，王受又（佑）？弜令？叀（惠）黔令？"刻辞"叀（惠）小臣墙令呼比，王受又（佑）"也与战事有关。由此可知，"小臣墙"于商代末年常为商王出征，是一重要王臣。

商"小臣墙"刻辞属于商代甲骨文中的"记事刻辞"，概述发生于商代末年的一次战役，在已发现的商甲骨文中，是最为详尽的一则战争史料。刻辞行文与周康王二十五年小盂鼎器铭所记献俘极为相似，结合其他有关卜辞及文献记载，可以启发学术界对于商周时期献俘礼的研究。是"古代中国陈列·夏商西周时期"的重要展品。

商"小臣墙"刻辞骨版藏于中国国家博物馆。

商"焚婞"刻辞卜骨 商王武乙、文丁时期文物。原为孔德研究所旧藏，后入藏上海博物馆。

商"焚婞"刻辞卜骨是一残断的牛右肩胛骨骨扇，残长35.1厘米，宽20.8厘米，拓片著录于《合集》32301。卜骨正面存13条契刻占卜记录，内容为"求雨""宁风"，又倒刻一则记事刻辞；反面施钻、凿及灼。

骨正面刻辞：

丙戌卜：焚婞？

丙戌卜：焚母？

己丑卜：今日雨？

庚戌卜：王求直大甲？

庚戌卜：王求直祖乙？

庚☒燎一☒祖☒于☒

庚戌卜：燎一牛祖☒一牢

庚戌卜：叀（惠）王自奉于岳？

庚戌卜：王求直大乙？

丙辰卜：于土宁风？

☒土宁风

王求雨于土？

☒己☒雨

庚戌癸乞肩三旬

刻辞所记分别是"庚戌""丙辰""丙戌"与"己丑"四日进行的占卜，占卜事项围绕"求雨"与"宁风"。商甲骨卜辞习见于风雨之占卜，缘于当时风雨与当时的生产、生活等紧密相关。上列刻辞"王求雨于土""丙辰卜：于土宁风"，是祈求风调雨顺，以获丰年；辞"庚戌卜：叀（惠）王自奉于岳""庚戌卜：王求直大乙"及"庚戌卜：王求直祖乙"之类，是基于"求雨""宁风"而拟定之祭祀。辞中"岳""土""大乙""大甲"与"祖乙"均为"求雨""宁风"之神主。"岳""土"，为自然神祇；"大乙"即成汤，典籍中称"天乙"；据商"周祭谱"，"大乙"后三世为"大甲"，"大甲"后六世为"祖乙"，三者均为商先王。据商甲骨文，商人认为，其高祖、先公及先王不仅具有控制风雨等自然现象之神力，而且也能左右人间之祸福，故作为祈福消灾之神主。上列刻辞"丙戌卜：焚婵""丙戌卜：焚母"。"焚'

象以火焚人之状，两辞所焚之"婵""母"均为女性。与之同类卜辞甚多，所涉及事项均为"求雨"之祭。《左传·僖公二十一年》记："夏，大旱。公欲焚巫、尪。臧文仲曰：'非旱备也。修城郭、贬食、省用、务穑、劝分，此其务也。巫、尪何为？天欲杀之，则如勿生；若能为旱，焚之滋甚。'"又《礼记·檀弓下》载："岁旱，穆公召县子而问然，曰：'天久不雨，吾欲暴尪而奚若？'曰：'天则不雨，而暴人之疾，子虐，毋乃不可与？''然则吾欲暴巫奚若？''天则不雨，而望之愚妇人，于以求之，毋乃已疏乎？'"凡此典籍所述后世焚巫求雨，与上列商卜辞"焚婵""焚母"之类相同，无疑乃商人风俗之孑遗。

上列刻辞"庚戌癸乞肩三旬"为一则倒刻文辞，是商甲骨文"历组卜辞"骨面记事刻辞。此类刻辞或大致记录卜骨的来历与整治，对于其具体含义，学术界尚存不同认识。

商"焚婵"刻辞卜骨藏于上海博物馆。

商"奉禾于高祖、河"刻辞卜骨 商王武乙、文丁时期文物。原为孔德研究所旧藏，后入藏上海博物馆。

商"奉禾于高祖、河"刻辞卜骨是一残断的牛左肩胛骨骨扇，残长30.7厘米，宽20.3厘米，拓片著录于《合集》32028。卜骨正面现存9条契刻占卜记录，内容为祈年与祭祀；骨反面施钻、凿及灼。

骨正面刻辞：

丁卯贞：甶以羌其用自上甲皆至于父丁？

丁卯贞：甶以羌于父丁？

辛未贞：于河奉禾？

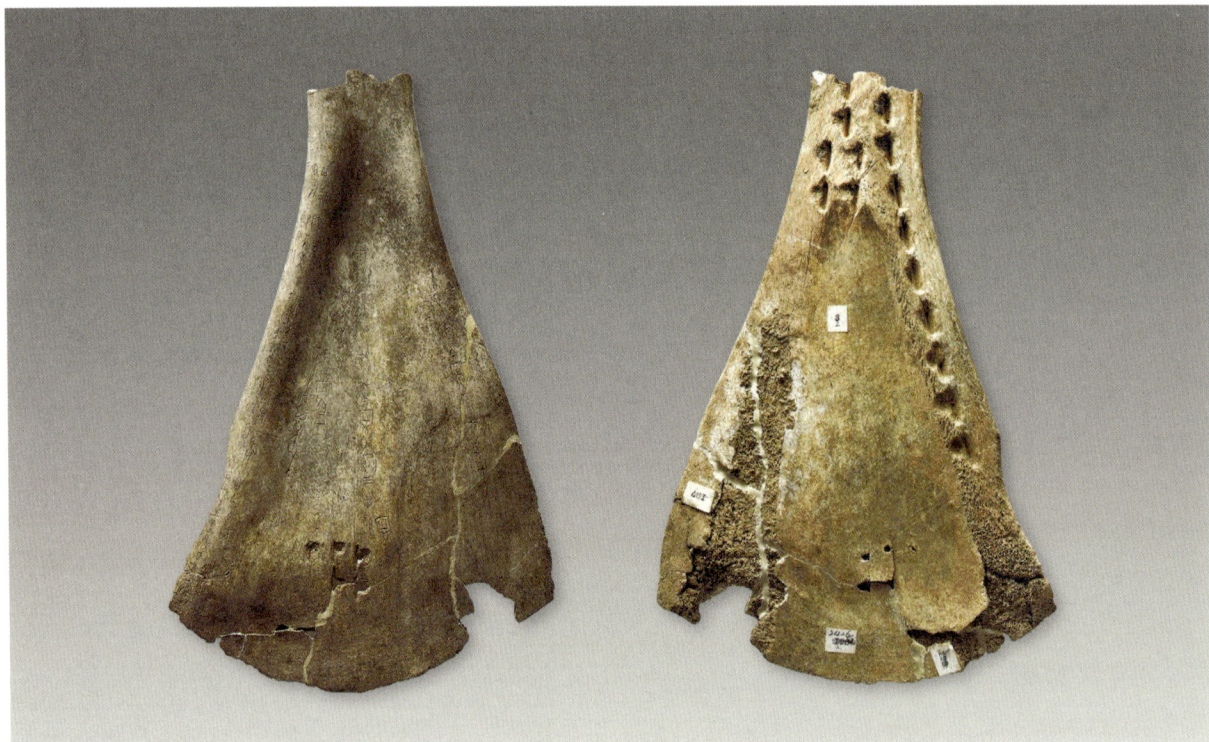

辛未贞：秦禾于高祖、河，于辛巳酚、燎？

辛未贞：秦禾于河，燎三牢，沉三牛，宜牢？

辛未贞：秦禾于岳？

辛未贞：秦禾于高祖，燎五十牛？

辛未贞：其秦禾于高祖？

乙亥卜：其宁秋于邧？

刻辞所记分别是"辛未""乙亥"与"丁卯"三日进行的占卜，其中"辛未"与"乙亥"日占卜事项为"秦禾"与"宁秋"。"秦禾"之"秦"，义为祈求，"秦禾"又称"秦年"，意即祈求丰收。"宁秋"及其他卜辞所言"告秋"，亦与秋收密切相关。类此有关稼穑收成，是商卜辞中主要内容之一，足见当时对农业生产之重视。上列刻辞中"高祖""河"与"岳"，为拟定"秦禾"所祀之神主。有关"高祖"之内涵，"河""岳"，是自然神祇？或是商之"高祖"？凡此均是甲

骨学及商史研究中的焦点。

综合考察商甲骨文中及其他有关史料，"高祖"与"河"分别为不同神主；"河"即黄河，"岳"乃自然之高山，清孙诒让云即中岳"嵩高"；"河"与"岳"均为地祇。商甲骨卜辞中，习见"河"与"岳"并祀，同为祈年、祈雨的主要神主。

商"秦禾于高祖、河"刻辞卜骨藏于上海博物馆，是上海博物馆书法馆重要展品之一。

商"癸巳卜王在九月"刻辞卜骨 商王祖庚、祖甲时期文物。原为邓凤文旧藏，后入藏上海博物馆。

商"癸巳卜王在九月"刻辞卜骨是残断的一牛右肩胛骨骨柄及部分骨扇，骨扇一侧及边缘经人为锯除，残长29.1厘米，宽12.5厘米，拓片著录于《合集》23964。卜骨正面现存13条契刻不完整占卜记录；反面施钻、凿及灼。

骨正面刻辞：

癸巳卜，王 　在九月

癸巳卜，王

癸巳卜，王

癸巳卜，王

癸巳卜，王

癸巳卜，王

癸巳卜，王

癸巳卜，王

癸巳卜，王

甲午卜，王

甲午卜，王

甲午卜，王

甲午卜，王

刻辞仅存"干支"与"王"，其他如占卜事项之"命辞"、视卜兆判断之"占辞"及占卜事后对于该次占卜是否灵验追述补记之"验辞"均不见。卜辞《合集》23347"庚子卜，王"、23865"乙亥卜，王"及23869"丙子卜，王"等，也为此类。与绝大多数商甲骨卜辞不同，商王祖庚、祖甲时期习见该类不完整卜辞，学术界称之为"卜王"卜辞。上列商"癸巳卜王在九月"刻辞卜骨反面施钻、凿及灼，对应之骨正面所呈现卜兆清晰可见，是知相关占卜已行。骨上未见之"命辞""占辞"

及"验辞"，或省略，或待刻。作为单独一类，该类"卜王"卜辞有助于学术界深入理解商代占卜过程之仪节。

商"癸巳卜王在九月"刻辞卜骨藏于上海博物馆。

商"桒其下自小乙"刻辞卜骨 商王武乙、文丁时期文物。原为邓雅旧藏，1968年入藏上海博物馆。

商"桒其下自小乙"刻辞卜骨是一残断的牛右肩胛骨骨柄及骨扇大部分，残长33.30厘米，宽13.70厘米，拓片著录于《合集》32616。卜骨正面现存11条契刻占卜记录，内容有关祭祀；反面施钻、凿及灼。

骨正面刻辞：

辛未贞：在丂牧来告辰衛其比史受☒？

弜比？

桒其上？

桒其下？

桒其下自小乙？

桒叀（惠）甲酚？

桒叀（惠）乙酚？

桒叀（惠）丁酚？

桒其上自祖乙？

桒其即宗于上甲☒？

弜即宗？

刻辞所记占卜主要围绕所拟定进行的祭祀。辞中"上甲"与"祖乙""小乙"，分别为商先公、先王。《史记·殷本纪》记商先公世次，始祖"契"后8世为"微"，乃"王亥"之子，即上列辞中"上甲"。"上甲"后七世为成汤，据商"周祭谱"所列商王世次，成汤后八世为"祖乙"，"祖乙"后四世为"小乙"。上列刻辞"枼其即宗于上甲☒？弜即宗"，"宗"即宗庙，"弜"用作否定词，本辞从占卜事项正反两方面占问是否将于"上甲"宗庙举行祭祀？刻辞"枼其上自祖乙""枼其下自小乙"，是占问拟定所祀神主之范围；刻辞"枼叀（惠）甲酓""枼叀（惠）乙酓""枼叀（惠）丁酓"，是占问所拟定进行祭祀之日期，辞中仅以"甲""乙""丁"之类天干纪日，卜辞习见；"酓"，为祭名。商"枼其下自小乙"刻辞虽文辞简括，但所涉及祭祀内容广泛，具有重要的学术价值。

商"枼其下自小乙"刻辞属于学术界所称之"历组卜辞"，民国22年（1933年）董作宾《甲骨文断代研究例》，将该类卜辞时代定为商王武乙、文丁时期。1976年殷墟妇好墓发掘，学术界开始重新考虑"历组卜辞"的时代，李学勤等学者将"历组卜辞"时代提前至商王武丁时期，由此掀起了一场关于"历组卜辞"时代的辩论。这场辩论虽然促进了有关研究的深入；但学术界对于"历组卜辞"时代尚未取得一致意见，仍将是甲骨学分期断代研究中的重要课题。

商"枼其下自小乙"刻辞卜骨藏于上海博物馆。

商"翌辛酉十人其陷"刻辞卜骨　商王康丁时期文物。原为孔德研究所旧藏，后入藏上海博物馆。

商"翌辛酉十人其陷"刻辞卜骨是一残断的牛左肩胛骨边缘，残长19.40厘米，宽4.60厘米，拓片著录于《合集》22598。卜骨正面现存5条契刻占卜记录，内容有关祭祀；骨反面施凿、灼。

骨正面刻辞：

庚☒贞☒辛

庚申卜，王贞：翌辛酉其陷飨？

庚申卜，王贞：翌辛酉十人其陷？

庚申卜，王贞：其五人？

庚申卜，王贞：卯其陷？

刻辞所记是"庚申"日进行的占卜，占卜事项为祭祀。围绕所拟定之祭祀，辞中既占问日期，"翌辛酉"即次日"辛酉"；又反复占问祭法，即"卯其陷""其陷"及"其

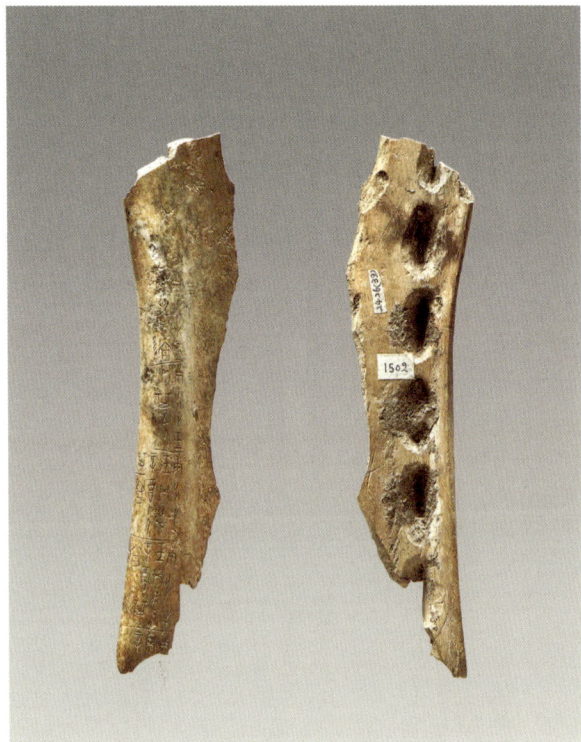

陷縊"，"陷""卯"为用牲之法；"十人其陷""其五人"，是占问所用祭品，辞意或以"五人"献祭？或以"十人"献祭？将人等同于牛、羊、豕之类牲畜，作为祭品，献祀神主，此即"人牲"。据商甲骨卜辞，商王祭祀所用"人牲"超过1.4万人，绝大多数来自身为战俘的羌人。商王武丁时期所用"人牲"最多，达9000余人。据《合集》294"☑☑丑卜，宾贞☑三百羌于丁"记载，某次祭祀献祭"人牲"竟多达300人。上列刻辞中，献祭"人牲"以"卯"为用牲之法；"卯"，后世"刘"即其孳乳字，《尔雅·释诂》："刘，杀也。"以"卯"之字形取义，其用为杀，或兼有对剖之意；商卜辞中，作为用牲之法，"卯"多施之于牛、羊，也如本辞用于"人牲"。其他卜辞中，"人牲"又以"伐"作为用牲之法，如《合集》32053"乙巳贞：丁未又于父丁，伐三十羌"，"伐"象以戈斩人首之形，于有关祭祀卜辞中，意即斩人首以献祭。

与商甲骨卜辞所记"人牲"相关之遗迹，在河南、河北、山东、江苏及湖北等地均有发现，其中以殷墟所见最为触目惊心。1976年春，考古工作者在殷墟西北岗王陵区M1400与武官村大墓南5000平方米范围内清理出191座人骨埋葬坑。坑内绝大多数骨架仅有躯干，身首分离及身首同在者为少数。仅有躯干的骨架颈椎上留有明显刀痕，有些颈椎旁甚至留有下颌骨。有些骨架是被肢解后扔进坑内，或上、下肢被砍，或于胸部被截断，或被腰斩，或手足掌部被砍掉。有些是被捆绑手脚砍杀，有些则是被活埋，表现出抱首屈膝、张口挣扎之惨状！被砍去头颅的均为男性，年龄在15～35岁

之间；同时骨架亦呈现体质上的多种类型。上述埋藏坑中人骨应是商人在与四邻方国、部族交战中所掳之战俘，亦即卜辞中用于献祭之"人牲"。而众多骨架折射出的不同屠戮手段，或可对应卜辞中诸如"卯""伐"之类用于"人牲"的不同祭法。

商"翌辛酉十人其陷"刻辞卜骨藏于上海博物馆。

商"王其田惠成犬比擒"刻辞卜骨　商王祖庚、祖甲时期文物。原为孔德研究所旧藏，后入藏上海博物馆。

商"王其田惠成犬比擒"刻辞卜骨是一残断的牛右肩胛骨部分骨扇，残长15.3厘米，宽8.6厘米，拓片著录于《合集》27915。卜骨正面现存2条契刻占卜记录，内容有关商王田猎；反面施钻、凿及灼。

骨正面刻辞：

于戊……兹用。

王其田于☑，叀（惠）犬师比擒，亡（无）灾？兹用。

王其田，叀（惠）成犬比擒，亡（无）灾？☑犬☑兹用。

弜夙？

刻辞所记是围绕商王田猎进行的占卜。辞中"成"为地名，又见于其他卜辞，是商王经常田猎之处。辞中"犬"，官名；"成犬"与《合集》27920"牢犬"、27921"盂犬"及27904"宕犬"之类，分别为商王朝于"成""牢""盂"及"宕"地所设之"犬"官。"犬"官职责，一如《合集》27901"在潢，犬告狐"，《屯》997："乙酉卜：犬来告有鹿，王往逐"及《合集》27902"戊辰卜，

在潶，犬中告麋，王其射无灾"所载，"告狐""告有鹿"及"告麋"，即观察、通报禽兽出没；二如《合集》10976正"呼多犬网鹿于农"所记，受商王之令猎捕禽兽。上列刻辞"王其田，叀（惠）成犬比擒无灾"之"比"，用于战事及田猎，意为辅助。本辞即占问"成犬"参加该次商王田猎是否将有灾祸？是知跟随商王田猎，亦为"犬"官职责。《左传·哀公十四年》记宋司马子仲称宋景公命于向巢云："迹人来告曰：'逢泽有介麋焉。'公曰：'虽鼍未来，得左师，吾与之田，若何？'""迹人"，晋杜预注："主迹禽兽者。"《周礼·地官·迹人》："凡田猎者受令焉。禁麛卵者与其毒矢射者。"叙官东汉郑玄注："迹之言迹，知禽兽处。"此东周之世"迹人"，与商卜辞中"犬"职司相同。又《周礼·秋官》下辖"犬人"，职"凡相犬、牵犬者属焉，掌其政治"，文中"牵犬"，即以田犬而言。上列商刻辞中"犬"，职司田猎，又以"犬"为名，应为《周礼》"犬人"与"迹人"两职的结合。2003年9月，陕西省宝鸡市金台区长青村纸坊头西周早期一座墓葬出土一尊商代末年青铜甗，器内壁铸铭文："牢犬册作父丁尊彝。"铭中"牢犬"，

即作器者，乃商代末年"牢"地之"犬"官。西周中期青铜器师虘鼎器铭记周王"册命"师虘，有"官犬"一职。由此可知，西周伊始，亦效法商王朝，于各地设置"犬"官。

上列刻辞"王其田于☐，叀（惠）犬师比擒，无灾"之"犬师"，又见于其他卜辞，如《村中》430"叀（惠）犬师[比，弗]悔无灾"、《英藏》2326"王其比犬师，叀（惠）辛无灾"及《屯南》2618"翌日王叀（惠）犬师比，弗悔无灾"。"师"乃商军事编制之称，"犬师"，即"犬"所辖之编制。上列诸辞语境相同，均是占卜"犬师"参加商王田猎是否将有灾祸？同时，"犬师"如《合集》5666正"令旨以多犬卫比多☐"所记，也职司防卫、征伐。

商"王其田惠成犬比擒"刻辞卜骨藏于上海博物馆。

商"隹"刻辞人头骨 商王帝乙、帝辛时期文物。原为孔德研究所旧藏，后入藏上海博物馆。

商"隹"刻辞人头骨是一人头骨残片，残长2.8厘米，宽3.4厘米，拓片著录于《合集》38764。人头骨正面残存契文"隹"上部，骨面发根细孔清晰可见。类此刻辞人头骨，又见以下14片：

《合集》38758："☐夷方伯☐祖乙伐。"
《合集》38759："方伯用☐。"
《合集》38762："☐丑用于☐义友☐。"
《合集》38763："☐戈☐卢☐。"
《殷墟卜辞综述》图版十三·中："☐用☐。"
《合集》38760："☐伯☐。"
《续补》9069："☐伯☐。"

《合集》3435："☒伯龏。"

《合集》38761："☒姞☒。"

《日搜》二·180："☒五邦☒邦端☒。"

《东京》972："☒中凡☒。"

《续补》9070："☒囟☒。"

《怀》1914："☒大甲☒。"

《合集》27741："☒武。"

所见15片商刻辞人头骨，契文均在眉骨之上。刻辞"夷方伯☒祖乙伐"，"夷方伯"即夷方首领；"伐"，象以戈斩人首之形，于有关祭祀卜辞中，意即斩人首以献祭。本辞意以"夷方伯"作为"人牲"斩首，祀于商王祖乙，该人头骨即属"夷方伯"。与之相同，上列其他人头骨刻辞虽残缺不全，但如"方伯用""伯龏"及"伯"之类，应是被用作"人牲"的方国首领之名，"大甲""武"之类则是以方国首领所献祭之商先王。对应上列人头骨刻辞，每一片头骨来自某一方国首领。

类似上举以方国首领作为"人牲"献祭，亦见于其他卜辞，如《合集》36481正"小臣墙"骨版刻辞记述了商代末年规模较大一次战役，其中刻辞"用雊伯印☒鬶于祖乙，用髦于祖丁"，记凯旋后献俘祭祖，以雊方首领印、所俘鬶人与危方首领髦作为"人牲"分别献祭

于商王祖乙、祖丁。又如《京津》4034"羌二方伯其用于祖丁、父甲"，以两方国首领作为"人牲"，祀于商王祖丁、父甲。

商甲骨卜辞中，战事是一项重要内容。商王朝与四邻方国、部族长期交战，据卜辞粗略统计，商人所征伐的方国、部族，商王武丁时期81个，祖庚、祖甲时期2个，康丁时期17个，武乙、文丁时期28个，帝乙、帝辛时期8个。商人将大量战俘作为"人牲"献祭，仅卜辞所记，自商王武丁时期至商代末年，使用"人牲"超过14000人。上列15片刻辞人头骨，是曾与商人发生战事，且被商人重创的15个方国之实物见证：15位方国首领身为战俘，被用作"人牲"，且头骨被刻辞记事，以铭战功。商"佳"刻辞人头骨，隐含着商代末年被击破的某一方国，惜文辞缺失，不得其中邦亡身死之详。

商"佳"刻辞人头骨藏于上海博物馆。

商**"王来征夷方"刻辞卜骨**　商王帝辛时期文物。原为加拿大人明义士所购藏。1952年，英国人林仰山将代明义士保管的商甲骨及其他文物上交山东省文物管理委员会，其中有甲骨8000余片，大多是小片、碎片与无字甲骨，商"王来征夷方"刻辞卜骨即在其中。1955年山东省博物馆成立，山东省文物管理委员会将所藏商甲骨及其他文物移交入藏山东省博物馆。

商"王来征夷方"刻辞卜骨是一牛右肩胛骨残块，残长4.5厘米，宽1.6厘米，拓片著录于《合集》36499；该卜骨可与《合集》36497缀合，即《甲骨文合集补编》11233。卜骨正面存7条契刻占卜记录卜辞，内容为卜旬。

骨正面刻辞：

癸卯☑贞：旬☑隹☑

癸丑王卜，贞：旬亡（无）祸？王来征夷方。

癸亥王卜，贞：旬亡（无）祸？王来征夷［方］。

癸酉王卜，贞：旬亡（无）祸？王来征夷方。

癸未王卜，贞：旬亡（无）祸？王来征夷方。

癸巳王卜，贞：旬亡（无）祸？［王来］征［夷方］。

癸卯王卜，［贞］：旬亡（无）祸？

刻辞所记是商王帝辛时期三个月之内分别于"癸卯""癸丑""癸亥""癸酉""癸未"与"癸巳"日进行的7次占卜，占卜事项为卜旬，即占问未来十日之内是否将有灾祸发生？辞末"王来征夷方"，所述是发生于商代末年的重大历史事件。"夷方"及其他卜辞中"夷"，是商人对于当时分布于济水、泗水及淮水流域，即今鲁、苏、皖地区众多方国、部族的泛称；距今约6500年的大汶口文化及与二

里头文化同时的"岳石文化"，应是早期夷人遗存。夏商西周时期，夷人始终为中原地区统治政权的劲敌，两者之间多有战事。据商甲骨卜辞，商王武丁时期，"夷方"曾臣属于商，后双方矛盾激化，诉诸兵戎。自商王帝辛九年二月始，有关"夷方"内容大量见于卜辞，"夷方"侵扰商境，双方冲突加深，并欲诉诸武力。卜辞显示此时尚犹疑于"今九祀"，或延迟于"十祀又☐"进行征伐。由此观察，当时商人尚未感到来自"夷方"侵扰的紧迫。后"夷方"寇犯商之东土，促使商人果断决定兴师远征，商王帝辛通令东方诸侯，准备攻击"夷方"。此次远征"夷方"，出师前曾举行隆重仪式。十祀九月甲午日，商王帝辛亲自占问，将远征"夷方"一事，告于上下神灵及"大邑商"，以祈求护佑。

一部分远征"夷方"卜辞中附"王征夷方"，且其中记所历月、日及军队驻扎之地；该类卜辞即伐"夷方"之往程。出师仪式后，商军启程，于九月癸亥抵达"雇"地；十一月抵达"商"，即商丘；十二月至于淮水，并于庚寅日计划攻击"林方"。有关商与"夷方"交战细节，卜辞中也有记载。据卜辞所记，十一祀正月，与"夷方"仍有交战；而于十一祀正月癸卯，"王来征夷方，在攸候喜鄙"，商军则已返回攸候喜地驻军。辞"王来征夷方"与"王征夷方"对举，意即自伐"夷方"归来。该类辞中同样所记历月、日及军队驻扎之地，即伐"夷方"之归程，上列商"王来征夷方"刻辞即属该类。据卜辞记载，自征伐"夷方"前线返回"大邑商"，始于十一祀正月，终于同年五月；班师途中，间有零星战事；

"夷方"被击破,首领被擒。

商人远征"夷方",酝酿于商王帝辛九祀二月,十祀九月甲午日举行出师仪式,十二月至于淮水,与"夷方"交战;十一祀正月开始撤军,同年五月入商,前后持续近260日。学术界对于该次远征"夷方"路线一直存在不同认识。民国22年(1933年)郭沫若于《卜辞通纂》有关考释云,卜辞"在齐𩁹,惟王来征夷方",征伐"夷方"所至之地为淮河流域,则殷代之"夷方"乃合山东之岛夷方与淮夷而言。1956年陈梦家《殷虚卜辞综述》认为,卜辞所记"征人方"之战役至于淮水而伐人方、林方,则此等邦方属于淮夷之一,当无可疑。李学勤于1997~2006年先后发表《重论夷方》《商代夷方的名号和地望》《论新出现的一片征人方卜辞》及《帝辛征夷方卜辞的扩大》一系列有关"征夷方"论文,以山东地区出土有关青铜器及考古成果,联系征"夷方"卜辞,认为征夷方之地"淮",不是淮水,而是潍水;夷方在山东中东部,其都邑在淄、潍之间的鲁北地区。1998年,王恩田《人方位置与征人方路线新证》文中,列举在山东所发现的剡、杞等商代青铜器及泰安道朗龙门口水库出土的春秋时期商丘叔簠,认为"攸""攸候喜鄙永"在滕县及其附近,"商"在泰安,"人方"也在滕县附近。在此学术讨论中,学术界开始关注卜辞之外相关考古发现及研究成果,拓展了新思路,无疑是今后期望有所突破的关键。

商代末年青铜器小臣艅尊、小子𫁡𣪘与作册般鼋器铭也记有征伐"夷方"。故宫博物院藏一刻辞人头骨,拓片著录于《合集》38758,骨上刻辞"夷方伯☒祖乙伐","夷方伯"即"夷方"首领,辞意以"夷方伯"作为"人牲"斩首,献祭于商王祖乙,此头骨即属"夷方伯",是商人远征"夷方",并将其击破之实证。如上所述,商王帝辛十祀征伐"夷方"前后持续近260日,且如此远征至少曾经进行两次,战事耗费之大可想而知。《左传·昭公四年》云"商纣为黎之搜,东夷叛之",《吕氏春秋·古乐篇》语"商人服象,为虐于东夷",又《左传·昭公十一年》曰"纣克东夷,而陨其身",凡此均后世追述商王帝辛远征"夷方",因此丧国。或许正是远征"夷方"所导致的国力衰败及对西方警惕放松,致使周人乘虚而入,伐商成功。

商"王来征夷方"刻辞卜骨藏于山东博物馆。

商"月一正曰食麦"表谱刻辞骨 商王祖庚、祖甲时期文物。1945年日本侵略者战败投降后,时山东省胶东行政公署派人去东北地区巩固地方政权,接收敌产。高兢生带领十几人在大连远东炼油厂执行任务时,发现院内一铁皮箱,经电焊密封。待用铁锤砸开,见箱内装有73个木制小抽屉、11个布制小盒,内嵌甲骨1219片。远东炼油厂系海上码头,该铁箱应是日本战败而未及时运走。胶东行政公署各救总会会长张修己闻讯立即来电叮嘱:"务必妥善保管,待机运往胶东。"该批甲骨运至胶东后,先交予胶东图书馆保存。1951年胶东文物管理委员会撤销时,将所藏文物与胶东图书馆所存甲骨移交山东省文物管理委员会。后经鉴定,该批甲骨系罗振玉所藏,上列商"月一正曰食麦"表谱刻辞骨即在其中。1954年山东省博物馆成立后,山东省文物管理委员会将所藏甲骨及其他文物移交入藏山东省博物馆。

商"月一正曰食麦"表谱刻辞骨是一残断的牛右肩胛骨骨柄，残长12厘米，宽7.3厘米，拓片著录于《合集》24440。骨正面契刻干支表谱；反面无施钻、凿及灼。

骨正面刻辞纵列，自左向右，凡8行128字，整理后为：

月一正曰食麦　甲子　乙丑　丙寅　丁卯　戊辰　己巳　庚午　辛未　壬申　癸酉　甲戌　乙亥　丙子　丁丑　戊寅　己卯　庚辰　辛巳　壬午　癸　甲申　乙酉　丙戌　丁亥　戊子己丑　庚寅　辛卯　壬辰　癸巳　二月父𥞞　甲午　乙未　丙申　丁酉　戊戌　己亥　庚子　辛丑　壬寅　癸卯　甲辰　乙巳　丙午　丁未　戊申　己酉　庚戌　辛亥　壬子　癸丑　甲寅　乙卯　丙辰　丁巳　戊午　己未　庚申　辛酉　壬戌　癸［亥］

首辞"月一正曰食麦"，下系"甲子"至"癸巳"30干支；之后，"二月父𥞞"辞下缀"甲午"至"癸［亥］"30干支。第三行以下，除"二"字外，均缺刻横画；且第三行"癸未"夺"未"字，末行"癸亥"夺"亥"字。董作宾于民国19年（1930年）所刊《商代龟卜之推

测》一文中云："其笔顺先直而后横，而斜笔同于直。"郭沫若1972年《古代文字之辩证的发展》亦云："这是很有趣的一个例证，它证明了好几件事。（一）刻横划时也用竖划、斜划的刀法，每刻一字，如遇有横划必须转移骨片。（二）刻这一件的人，每字先刻竖划、斜划，等全文刻完，再转移骨片补刻横划。如此只需转移一次，可以节省时间。但横划只补刻了两行而中止了。（三）原文是当时的时宪书之类，估计在初或许准备刻十二个月，但只刻了一月和二月，连文字也没有刻全。"

首辞"月一正曰食麦"，"月一正"，即一月、正月，典籍中又名"孟春之月"；"食麦"一辞，见于《礼记·月令》。《月令》分述每月之天象、物候及各项政令，并将其纳入"五行"体系。文中又记四季所宜食物：孟春之月、仲春之月、季春之月"食麦与羊"，孟夏之月、仲夏之月、季夏之月"食菽与鸡"，孟秋之月、中秋之月、季秋之月"食麻与犬"，孟冬之月、仲冬之月、季冬之月"食黍以彘"；其中，孟春之月、仲春之月、季春之月"食麦与羊"，与上列刻辞"月一正曰食麦"，两者所述事例相似。上列刻辞"二月父𥞞"，"𥞞"，右从"禾"，所示当与稼穑相关，本辞当言二月所行之农事。刻辞中60纪日干支，应是以备查验。商"月一正曰食麦"表谱刻辞应是当时类似《夏小正》《月令》之类历书的部分抄本。

商"月一正曰食麦"表谱刻辞契于商王祖庚、祖甲时期，文辞虽简，但无疑乃后世类似《月令》相关内容之源。《诗·豳风·七月》语云，"一之日觱发，二之日栗烈。无

衣无褐，何以卒岁？三之日于耜，四之日举趾。同我妇子，馌彼南亩，田畯至喜"，"春日迟迟，采蘩祁祁。女心伤悲，殆及公子同归"，诗句先言每月物候，继之而言当月所行之农事，且托事寄情，客观描绘了西周时期的农业生产及农民日常生活。诗中所述与上列商"月一正曰食麦"表谱刻辞、《月令》及《夏小正》皆有相似之处；且其中"六月食郁及薁""七月食瓜"等诗句，与"月一正曰食麦"语式相同。《诗·豳风·七月》与"月一正曰食麦"表谱刻辞，两者时代最为接近，彼此启发，有助于学术界洞察当时生产及生活之实。商"月一正曰食麦"表谱刻辞也是学术界探讨殷商时期历法的重要参照。

商"月一正曰食麦"表谱刻辞骨藏于山东博物馆。

商"妇妌冥㚙"刻辞卜骨　商王武丁时期文物。原为罗振玉所藏，1955年入藏山东省博物馆。

商"妇妌冥㚙"刻辞卜骨是一残断的牛右肩胛骨骨臼，残长7厘米，宽6.70厘米，重34.10克，拓片著录于《合集》181。卜骨正面存2条契刻占卜记录，内容分别涉及商王武丁配偶"妇妌"生育及商与羌人之间战事；反面施钻、凿及灼。

骨正面刻辞：

乙巳卜，宾，贞：妇妌冥㚙？妇妌☑。

贞：师不其获羌？

刻辞所记是商王武丁时期一名"宾"的贞人于"乙巳"日进行的占卜；辞"贞：师不其获羌"，是占问商军是否能俘获"羌"人？辞"冥㚙"，是当时用于女性生育之辞语，

"冥"读为"娩"，"㚙"读为"嘉"；商卜辞中言生育之事，生男曰"㚙"，生女则曰"不㚙"；辞"乙巳卜，宾贞：妇妌冥㚙"，即占问"妇妌"是否将生男童？

据商卜辞，商王武丁诸妇中，有3人进入"周祭"祀典，即"妣戊""妣辛"与"妣癸"；上列辞中"妇妌"，或作"妇井"，即"妣戊"，亦《小屯南地甲骨》4023所称"妣戊妌"。商卜辞中有关"妇妌"占卜记录达250条之多，类似上列生育卜辞占数十条，内容涉及是否受孕、预产期、生男生女及婴儿是否健康，显示商王武丁对"妇妌"的生育格外关注。"妇妌"拥有封地，为武丁尽守土之责，并向王室贡纳；作为武丁配偶，"妇妌"主持商王室祭祀，职司王室占卜事务，检视卜用甲骨，采集贡龟及牛肩胛骨。与

商王武丁其他诸妇相比，"妇姘"在农业生产领域的参与最为突出，并曾受武丁之命征伐龙方，参与对呂方之战事。"妇姘"深得宠幸，商王武丁曾为其举行禳除灾祸、祈求福佑之祭祀；"妇姘"弥留之际，武丁举行占卜占问其是否将离世？"妇姘"卒于武丁之世，在武丁诸妇中，地位仅次于"妇好"，卒后享祀于商"周祭"祀典。据传，举世闻名的"司母戊"大方鼎（或称"后母戊"大方鼎、"妮戊"大方鼎），即为她铸造，足见其在商王室的尊贵。1984年9～12月，中国社会科学院考古研究所安阳队在河南省安阳市武官村北西北岗王陵区东区发掘一座"甲"字形大墓（编号84AWBM260）。该墓于1959年春季钻探时发现，传"司母戊"大方鼎即出于此，墓主即"妇姘"。

商"妇姘冥妩"刻辞卜骨藏于山东博物馆。

商"王比沚戜伐土方"刻辞卜骨 商王武丁时期文物。原为罗振玉所藏，1955年入藏山东省博物馆。

商"王比沚戜伐土方"刻辞卜骨是一残断的牛右肩胛骨骨臼，残长6.7厘米，宽5.3厘米，重21.9克，拓片著录于《合集》6417。卜骨正面存1条契刻占卜记录卜辞，内容涉及商与"土方"之战事；臼窝存1条记事刻辞，是有关检视卜骨之附记。

骨正面刻辞：

戊午卜，宾贞：王比沚戜伐土方，受出（有）☐？

臼窝刻辞：

丁酉子☐示六屯☐。

刻辞所记是商王武丁时期一名"宾"贞

人于"戊午"日进行的占卜。辞中"沚戜"，是商王武丁时期一位极其重要的人物，虽于史无征，但与其有关占卜记录竟多达300多版。"沚"，即《小屯南地甲骨》4090"沚方"，是商王武丁时期处于商西部边陲一方国，或有学者考其地望在今山西平遥。"沚方"曾与商敌对，后被商征服。"沚戜"，即《合集》5945"伯沚"、707"臣沚"，乃"沚方"首领，作为商"外服"诸侯。据商卜辞记载，商王武丁重视"沚方"农业收成，对"沚戜"个人出行往来及其疾病极为关注，曾去沚地狩猎，并在其地行事、占卜。"沚戜"向商王室贡纳食物、白马及石磬，参与商王祭祀，且随行商王莅临农作物收割。凡此种种，显示商王武丁与"沚戜"关系紧密超常。"沚戜"最为突出是在军事领域，常与商王共同征伐敌方。上列刻辞"戊午卜，宾贞：王比沚戜伐土方，受出（有）☐"，"土方"，是商王武丁时期西部边陲的劲敌，常寇扰商西部边邑，游动范围极大。《合集》6409记"王收人五千征土方"，当时"土方"给商人造成极大困扰，致使商王武丁一次竟征兵五千进行征伐。卜辞记载，与"土方"战事主要发生在商王武丁时期与武乙、文丁时期。上列刻辞中"比"，是用于军事行动之习语，意为联合；辞"王比沚戡伐土方"，意即商王与沚戡共同征伐土方。"沚方"与"土方""呂方"比邻，而"土方""呂方"同为商之敌对，故如上列刻辞"王比沚戡伐土方"，商甲骨卜辞中屡见商王及"妇好"联合"沚戡"征伐二方。

商"王比沚戡伐土方"刻辞卜骨藏于山东博物馆。

商"又燎于六云六豕"刻辞卜骨　商王武乙、文丁时期文物。原为罗振玉所藏，1955年入藏山东省博物馆。

商"又燎于六云六豕"刻辞卜骨是一残断的牛左肩胛骨一侧边缘，残长22.50厘米，宽5.60厘米，重83.40克，拓片著录于《合集》33273；该骨可与《合集》41660缀合，缀合版即《甲骨文合集补编》10639。卜骨正面存13条契刻占卜记录，内容有关"秦禾"、祈雨；反面施钻、凿及灼。

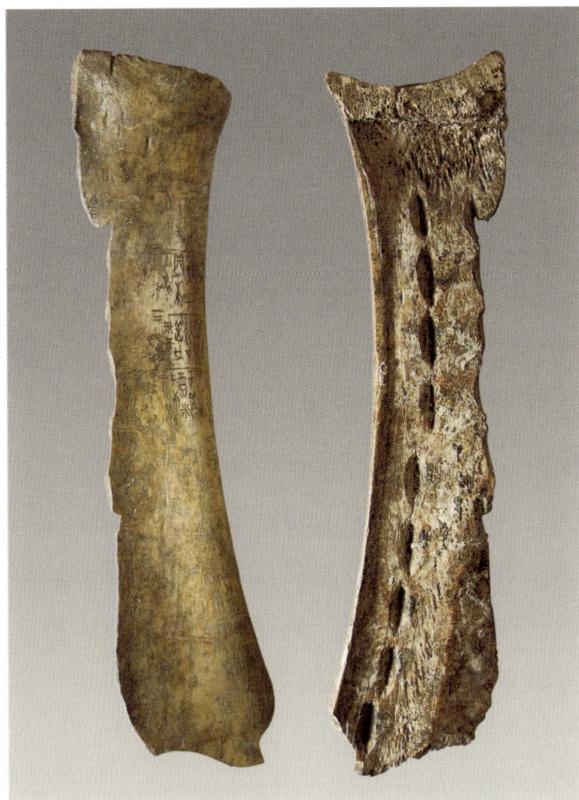

骨正面刻辞：

丙寅贞：燎三小宰，卯牛〔一〕于□？　三

丙寅贞：又（侑）升岁于伊尹二宰？　三

丙寅贞：叀（惠）丁卯酻于𡥀？

丙寅贞：于庚午酻于𡥀？

丁卯贞：于庚午酻、燎于𡥀？　三

戊辰卜：及今夕雨？　三

弗及今夕雨？　三

己巳贞：非囚？

燎于岳，亡（无）从在雨？　三

壬申贞：秦禾于河？　三

癸酉卜：又（侑）燎于六云五豕，卯五羊？　三

癸酉卜：又（侑）燎于六云六豕，卯羊六？　三

今日雨？

刻辞所记是"丙寅""丁卯""戊辰""己巳""庚午""壬申"与"癸酉"连续七日进行的多次占卜，占卜事项为"秦禾""祈雨"。秦禾，卜辞中又称"秦年"，意即祈求丰收；祈雨，意即祈求时雨，亦与稼穑事关紧要，类此是商卜辞中主要内容之一。辞中"燎""卯""侑""升""岁"与"酻"，均为祭名；"宰""牛""羊""豕"，为所用牺牲；"伊尹""夒""𡥀""岳""河"及"六云"，则为拟定所祀之神主。据卜辞所载商人祀典，行云布雨，掌管稼穑，尊为"祈年""祈禾"及"祈雨"的所祀神主，如上列刻辞所示主要为"高祖"及"河""岳""云"等自然神祇；而"上甲"及其后先王、先妣、旧臣，则大多是作祟时

王及王国的主要神主；其中少数，如上列辞中"伊尹"，为商汤重要辅臣，或为"祈年""祈禾"及"祈雨"的所祀神主。迄今所见卜辞，商人于"河"所"祈年""祈禾"最多，其次为"岳"。且如上列刻辞"燎于岳，亡（无）从在雨？壬申贞：桒禾于河"，常以"河"与"岳"并祀对举。"六云"，卜辞中又见"云""二云""三云""四云""五云"及"帝云"之类，专司行雨。"𡚸"，其神主属性尚不清晰，如上列刻辞所载，或与"高祖"，或与"河"，或与"岳"并祀。上列刻辞所载施于"河""岳""𡚸"及"云"之祭法"燎"，其他相关卜辞中，亦是行于"高祖""河""岳"及"云"之主要祭法。

商"又燎于六云六豕"刻辞存100余字，在山东博物馆藏商代刻辞甲骨中字数最多；刻辞涉及商人祀典中神主、祭名及牺牲众多，是研究商人"祈禾""求雨"有关制度的珍贵史料。

商"又燎于六云六豕"刻辞卜骨藏于山东博物馆。

商"勿乎雀伐"刻辞卜甲　商王武丁时期文物。原为罗振玉所藏，1955年入藏山东省博物馆。

商"勿乎雀伐"刻辞卜甲是一龟腹甲之左五鳞下半与左六鳞，长5.9厘米，宽5厘米，重8.8克，拓片著录于《合集》3227。卜甲正面存2条契刻占卜记录，内容分别涉及禳除灾祸的祭祀与军事；反面施钻、凿及灼。

甲正面刻辞：

□卜：勿乎雀伐□。

己未卜：御子僖于母萑？

刻辞"己未卜：御子僖于母萑"所记是

"己未"日进行的占卜，占卜事项是欲为"子僖"禳除灾祸，拟向"母萑"举行"御"祭；刻辞"□卜：勿乎雀伐□"，占问是否命令"雀"出征？与战事有关。

"雀"，是商王武丁时期一位极其重要的人物，虽于史无征，但商甲骨卜辞有近400条与其相关。在商卜辞中，"雀"称"雀男"，或"雀任""任（男）"，系商之"外服"，亦是"雀"之爵称；"雀"又称"亚雀"。由此可知，"雀"又在商王室"内服"中担任"亚"——重要军事将领。"雀"拥有封土，近于豫西地区，其地有农业、畜牧业及田猎区域；该地曾受"亘""缶""册"及"旨"诸方寇扰，足见其战略位置之重要。"雀"拥有军队，称"雀师"，用以屏卫商西部边境。

商王武丁对"雀"极为关心，曾向父、母、兄举行祭祀，为"雀"禳除灾祸，也曾占卜雀地农业收成、黍之收获及雀人于教地放牧等事项；并令"雀"祭祀兄丁，召集王族。凡此种种，均显示"雀"与商王武丁之间存在紧密的血亲关系。据卜辞记载，"雀"协助商王武丁处理政务，受命田猎，又如上列商"勿乎雀伐"刻辞所载，先后征伐"目""桑""基""犬""先""册"及"羌"等20余个方国，并参与商南土经营。在商王武丁时期征伐类卜辞中,以"雀"军事活动最多,反映出其作为商王室血亲,在武丁统治集团内的重要地位。殷墟侯家庄西北岗编号HPKM1001号大墓曾出土一件阴刻"亚雀"铭鹿角棒槌形器,应是"雀"之遗物。

商"勿乎雀伐"刻辞卜甲藏于山东博物馆。

商"癸未王卜贞旬亡畎"刻辞卜骨 商王帝乙、帝辛时期文物。原为罗振玉所藏,1955年入藏山东省博物馆。

商"癸未王卜贞旬亡畎"刻辞卜骨是一牛右肩胛骨残块,残长9.8厘米,宽4.6厘米,重14克,拓片著录于《合集》35424;该卜骨可与《合集》35534缀合,缀合版即《甲骨文合集补编》10942。卜骨正面存2条契刻占卜记录,内容为卜旬;反面施钻、凿及灼。

骨正面刻辞:

癸未王卜,贞:旬亡(无)畎?王占曰:大吉!在三月。甲申彡上甲。

〔癸巳〕王卜,贞:〔旬亡〕畎?在〔四月〕〔王占〕曰:大〔吉〕!

刻辞所记分别为"癸未""癸巳"两日进行的占卜,又缀合同版残存3条契刻占卜记录,程序、内容与之相同,干支日分别为四月"癸卯""癸丑"与五月"癸亥";该版卜辞存有自三月"癸未"至五月"癸亥"五个癸日的卜旬记录,即分别占问未来十日之内是否将有灾祸?"卜旬"是商卜辞最为习见的占卜事项之一,商王武丁时期即已存在;不同时期"卜旬"卜辞的程序、书风及字体互有差异。上列"癸未王卜,贞:旬亡畎"刻辞,其程序是商王帝乙、帝辛时期"卜旬"卜辞的典型。刻辞书风秀丽、严整,"占""畎"两字,结构不同于以往,是这一时期的流行字体,凡此均被学术界视为商代末年"黄组"卜辞的主要特征。

商"癸未王卜贞旬亡畎"刻辞卜骨藏于山东博物馆。

商"不徙允徙"刻辞卜甲　商王武丁晚期至祖庚、祖甲早期文物。2003年3月出土于山东省济南市大辛庄商代遗址。2003年3月，山东济南大辛庄商代遗址共出土14片占卜所用龟甲，其中7片卜甲上有契刻文辞，商"不徙允徙"刻辞卜甲则为其一。

商"不徙允徙"刻辞卜甲是一残断龟腹甲，由4块甲片缀合，存有尾左甲、尾右甲、后右甲、右甲桥及前左甲、后左甲、前右甲大部分，残长18厘米，宽10.7厘米。卜甲在占卜前经过精细的整治处理，刮削痕迹明显，厚薄均匀，正反面均较光滑，右甲桥中部偏下有一圆形穿孔；在前左甲、前右甲、后左甲与后右甲正面均存契刻占卜记录，其中后左甲、后右甲局部字迹漫漶不清，可辨识凡34字；卜甲反面留有钻、凿及灼痕39个，排列规整。

甲正面刻辞：

前左甲：

不徙？允徙？

□酉，浴？

前右甲：

不［徙］？允［徙］？

弜浴？

后左甲：

□□［不徙］？允［徙］？

御四母龏、豕、豕、豕？母一？

后右甲：

不徙？允徙？

弜御？御？□。

刻辞所记占卜事项大致包含三个内容：辞"御四母龏、豕、豕、豕？母一"，为拟定"御"祭四母，以除灾殃，获得福佑，"龏、豕、豕、豕"为拟用牺牲；辞"不徙？允徙"，从占卜事项正反两方面占问是否迁徙？辞"浴？弜浴"，从正反两方面占问是否行浴？

大辛庄商代遗址出土的商刻辞卜甲是在郑

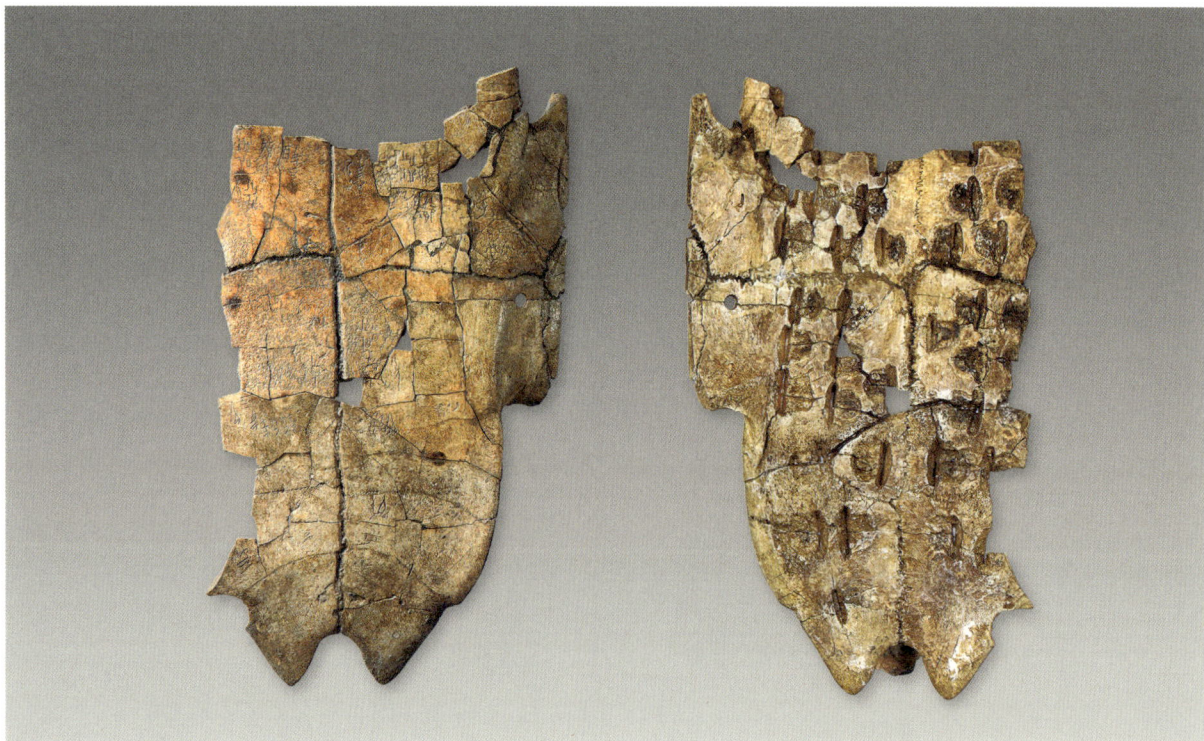

州商城及殷墟之外首次发现的商代刻辞卜甲，在甲骨学发展史上具有里程碑的重大意义。这些刻辞卜甲，在龟甲整治、钻凿形态及"正反对贞"等方面与殷墟刻辞卜用甲骨属于同一系统，文字构形及卜辞句法近于殷墟三、四期卜辞；而其在兆枝朝向、行款走向及序数契刻位置等方面则与殷墟刻辞卜用甲骨存在若干差异，显示出明显的地方特色。大辛庄刻辞卜甲的发现，对于学术界全面探索商代占卜习俗、政治制度及社会组织，提供了极其重要的实物资料，并使学术界开始重新审视大辛庄遗址的性质，思考商王朝与周边地区，尤其是东方地区的关系。

商"不徙允徙"刻辞卜甲藏于山东大学博物馆。

商"丁巳卜不雨"刻辞卜骨　商王武丁时期文物。商"丁巳卜不雨"刻辞卜骨反面位于钻、凿下方，存从右至左纵向墨书题记三行："庚申冬十一月买于京师琉璃厂古雅斋□□□□□"，系庚申年（1920年）王修手笔。王修（1898～1936年），字季欢，一字修之，又字云蓝，号杨庵。浙江长兴人，家有祖遗仁寿堂藏书楼。民国9年（1920年），王修来北京任北洋政府财政部金事，常至琉璃厂、隆福寺搜求善本书籍，旁及钟鼎甲骨。商"丁巳卜不雨"刻辞卜骨即王氏民国9年11月购于北京琉璃厂古雅斋。又因王氏购得七世祖王继贤知蒙城时所刻《古蒙庄子》一书，后在杭州购楼藏书，取名"诒庄楼"，商"丁巳卜不雨"刻辞卜骨即长期收藏于诒庄楼。1952年4月，王氏后裔王新将商"丁巳卜不雨"刻辞卜骨，并同其他王氏藏骨捐赠予浙江图书馆。

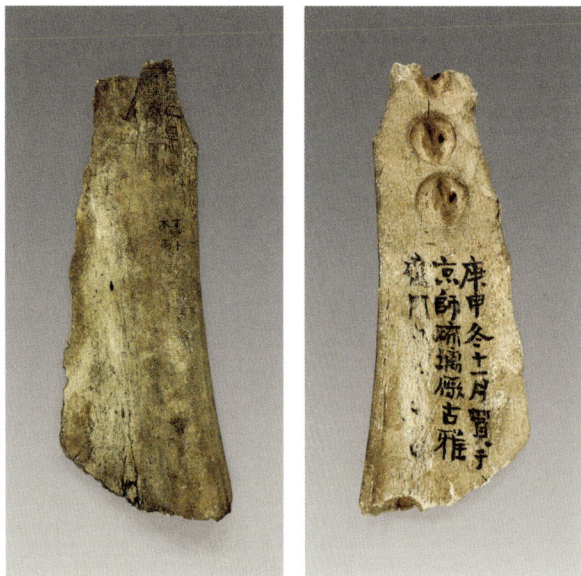

商"丁巳卜不雨"刻辞卜骨是一牛肩胛骨骨扇残块，残长13.70厘米，宽5.40厘米，厚1.00厘米，重34.14克；骨正面现存1条契刻占卜记录，内容为卜雨，刻辞下方有后人墨题"丁巳卜，不雨"；骨反面施钻、凿及灼。

骨正面刻辞：

丁巳卜：不雨？

刻辞所记是"丁巳"日进行的占卜，占问是否降雨？类此卜雨，在商甲骨卜辞中最为习见，缘于当时雨与农业、田猎及祭祀等生产、生活紧密相关。

商"丁巳卜不雨"刻辞卜骨藏于浙江图书馆。

商"丁亥卜彭贞王其田"刻辞卜甲　商王康丁时期文物。20世纪初出土于河南省安阳市小屯村，为罗振玉购藏。1956年，商"丁亥卜彭贞王其田"刻辞卜甲入藏辽宁省博物馆。

商"丁亥卜彭贞王其田"刻辞卜甲是一龟腹甲残片，残长4.8厘米，宽2.9厘米，厚0.6厘米，拓片著录于《合集》28450。卜甲正面存2条契刻占卜记录，内容有关商王田猎；反面施钻、凿及灼3处。

甲正面刻辞：

丁亥卜，彭贞：王其田，亡（无）灾？

☒酉卜，☒王其田，亡（无）灾？

刻辞所记分别为"丁亥"与"☐酉"两日进行的占卜，占问商王欲行田猎，是否将有灾祸发生？辞中"彭"，系商王康丁时期贞人，职司占卜，其他卜辞中还记有"何""教""☐"及"猷"等26位贞人与"彭"同时。上列刻辞中，"王""亡"字笔画契刻随意，辞"丁亥卜，彭贞：王其田，亡（无）灾"行款错乱，整体书风略显"颓废"。类此贞人、字体及书法特征，均是判定商王康丁时期卜辞，亦即学术界称为"何组"卜辞的重要标准。

商"丁亥卜彭贞王其田"刻辞卜甲藏于辽宁省博物馆。

商"乞令我史步伐呂方"刻辞卜骨 商王武丁时期文物。20世纪初出土于河南省安阳市小屯村，为罗振玉购藏，初录于罗氏民国5年（1916年）（丙辰）所辑《殷墟古器物图录》。1956年，商"乞令我史步伐呂方"刻辞卜骨入藏辽宁省博物馆。

商"乞令我史步伐呂方"刻辞卜骨是一残断的牛右肩胛骨，由两大片残块黏接，骨扇下缘残缺，残长42.6厘米，宽20.9厘米，拓片著录于《甲骨文合集补编》1804。卜骨正、反面存10余条契刻占卜记录，内容主要为征伐；骨臼面存1条记事刻辞，是有关卜骨检视、签收之附记；骨反面纵向施钻、凿及灼35处，排列整齐，其中8处凿，8处钻、凿，19处钻、凿、灼并存。

骨正面刻辞：

丁巳卜，亘贞：征？

贞，王占曰：征！

庚申卜，争贞：呼伐呂，受**出**（有）又（佑）？一月。 一

壬戌卜，㱿贞：乞令我史步伐呂方，受囗

贞：勿令我史步？ 一 不舍黿

乞令我史步？ 一

贞：征？ 二 二告

贞：戊陟、戊学求？ 一 二告 二 二告

贞：乎何求得？ 一

贞：何弗其得？ 二

贞：征？ 一 二告 二

贞：妣癸允求？ 小告 二告 二告

骨反面刻辞：

丁巳卜，韦

己未卜，亘，王占曰：吉！征！

勿呼伐呂？

骨臼面刻辞：

丁巳，妇安示一。亘。

骨正、反面刻辞所记分别为"丁巳""己未""庚申"及"壬戌"四日进行的占卜，占卜事项主要围绕"伐呂""伐呂方"，即征伐"舌方"。据商卜辞记载，"舌方"，是一实力较为强大的重要方国，至迟于商王武丁时期即活跃在商西部边陲，并与商人长期发生战事，尤以武丁晚期最为集中。《合集》6170正"登人三千"，记商人征兵三千攻伐呂方；《合集》6098"呂方出，王自征"，载商王武丁亲征呂方，足见对于该战事之重视，也从另一侧面反映出舌方力量之强大。商王祖庚、祖甲时期，如《合集》24145"丁酉卜，出贞：㪍隻呂方"所记，仍与呂方存在战事；至商王康丁时期，呂方不在卜辞中出现，应是于祖庚、祖甲时期被商人平定。上列刻辞连续于

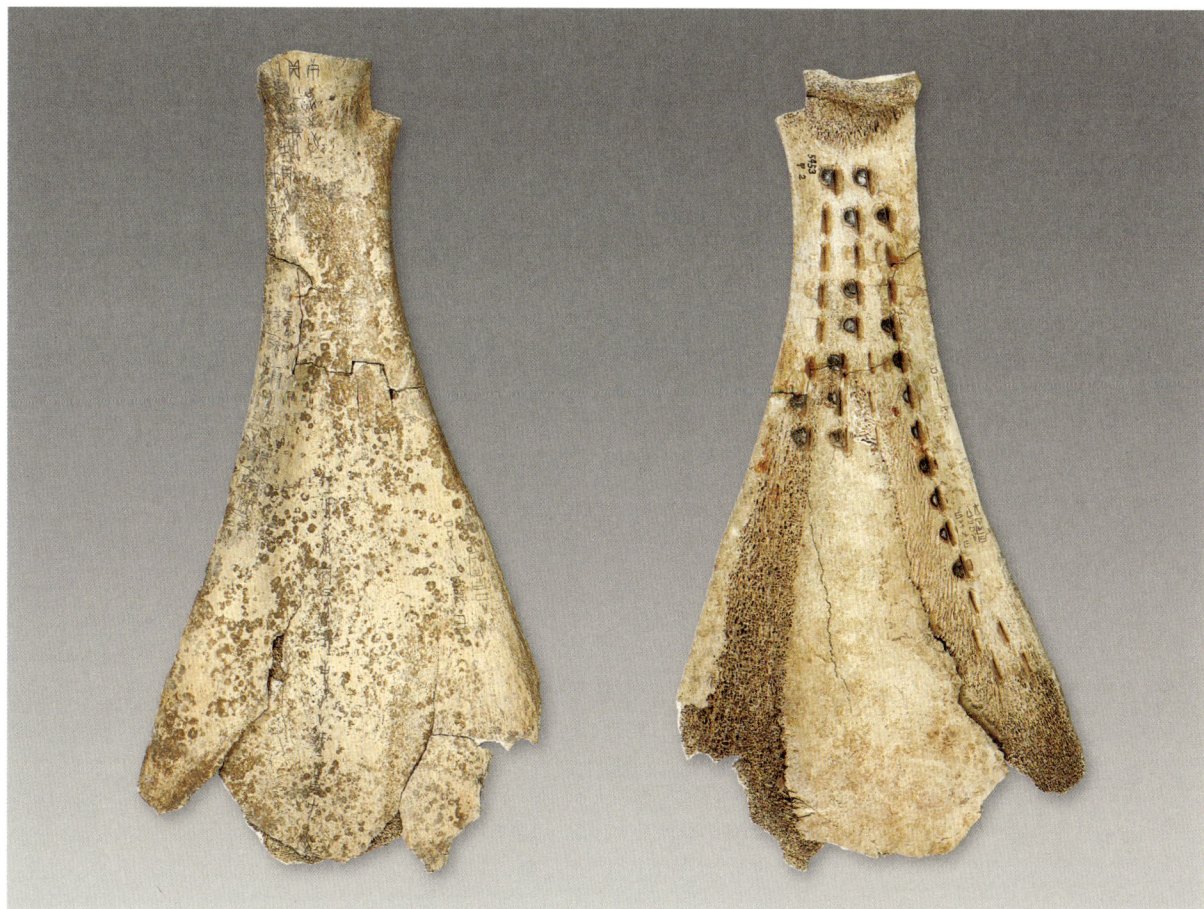

"丁巳""己未""庚申"及"壬戌"四日占卜征伐呂方，且商王武丁亲自视卜兆予以决断，可见此时与呂方战事之紧迫。

该卜骨正面刻辞"不告黾"，商卜辞中习见，是当时占卜术语，通常横刻于兆璺横兆下侧，字体较小；又如上列刻辞中，"不告黾"或与"二告""小告"之类辞语见于同版，不与他文相属，学术界称之为"兆辞"，应是视卜兆判断吉凶之类恒语。清孙诒让、唐兰、郭沫若、董作宾、于省吾、胡光炜及陈邦福等学者均曾稽考其文意，其中陈邦福读为"不牾殊"，意即所占卜之事与卜兆"不乖殊"。

商"乞令我史步伐呂方"刻辞内容丰富，辞中"亘""争""殻"与"韦"四位商王武丁时期的贞人见于同版，殊为罕见，是研究商代战争、方国及占卜习俗的重要史料。

商"乞令我史步伐呂方"刻辞卜骨藏于辽宁省博物馆。

商"癸丑卜贞王旬亡畎"刻辞卜骨 商王帝乙、帝辛时期文物。20世纪30年代出土于河南省安阳市小屯村，为罗振玉购藏；1956年，商"癸丑卜贞王旬亡畎"刻辞卜骨入藏辽宁省博物馆。

商"癸丑卜贞王旬亡畎"刻辞卜骨是一残断的牛左肩胛骨，由12片残块黏接，骨扇中部及下部边缘残缺，残长36厘米，宽17.5厘米，拓片著录于《合集》35706。卜骨正面存7条契刻占卜记录，内容为卜旬；反面纵向施钻、凿及灼痕8处，排列整齐。

骨正面刻辞：

癸丑卜，贞：王旬亡（无）畎？在八月。甲寅彡羌甲。

癸亥卜，贞：王旬亡（无）畎？在八月。

癸酉卜，贞：王旬亡（无）畎？在八月。

癸未卜，贞：王旬亡（无）畎？在九月。

癸巳卜，贞：王旬亡（无）畎？

癸卯卜，贞：王旬亡（无）畎？在九月。

癸丑卜，贞：王旬亡（无）畎？

刻辞所记是商王帝乙、帝辛时期分别于八月"癸丑""癸亥""癸酉"与九月"癸未""癸巳""癸卯"及十月"癸丑"连续七个"癸"日进行的占卜，占卜事项为卜旬，即占问未来十日之内是否将有灾祸发生？"卜旬"是商卜辞中最为习见的占卜事项之一，商王武丁时期即已存在。不同时期"卜旬"卜辞的程序及书风、字体互有差异。上列商"癸丑卜贞王旬亡畎"刻辞，其程序是商王帝乙、帝辛时期"卜旬"的典型。刻辞书风秀丽、严整，其中"癸""贞""王"与"畎"4字，构形不同于以往，是这一时期的流行字体，凡此均为学术界视作商代末年"黄组"卜辞的主要特征。

商"癸丑卜贞王旬亡畎"刻辞卜骨存骨尺寸较大，骨柄部分保存完整，以此可以了解商代卜骨的整治方式；骨上"卜旬"刻辞，时间跨度长达一个甲子，保存完整的连续七个癸日

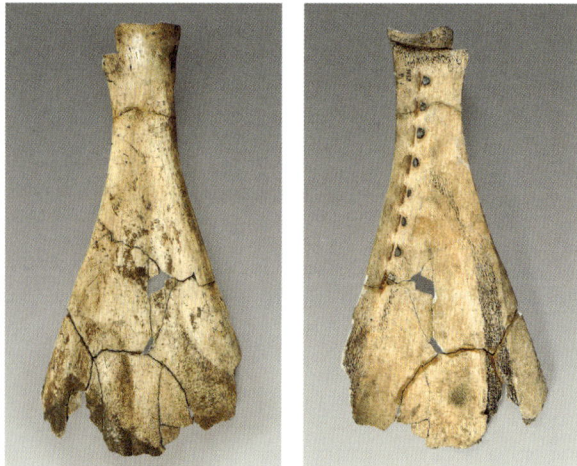

干支，是研究商代晚期历法的重要史料。

商"癸丑卜贞王旬亡畎"刻辞卜骨藏于辽宁省博物馆。

商"己巳卜争贞乍王舟"刻辞卜骨 商王武丁时期文物。20世纪初出土于河南省安阳市小屯村，为罗振玉购藏。1956年，商"己巳卜争贞乍王舟"刻辞卜骨入藏辽宁省博物馆。

商"己巳卜争贞乍王舟"刻辞卜骨是一残断的象左胛骨上部，由两片黏接，残长23.50厘米，宽20厘米，拓片著录于《合集》13758正、反。卜骨正、反面存6条契刻占卜记录；反面施钻、凿及灼。

骨正面刻辞：

己巳卜，争贞：乍（作）王舟☐。

骨反面刻辞：

己巳卜，殸贞：殸亡（无）疾？

贞：王其往田，其雨？

☐葬出老娭于☐。

甲奭☐疾☐。

雀☐戠。

刻辞"己巳卜，争贞：乍（作）王舟"，是占卜为商王制作舟船；辞"贞：王其往田，其雨"，是占卜商王欲行田猎，是否将遭遇降雨；辞"己巳卜，殸贞：殸亡（无）疾"，是占卜"殸"有无疾病。辞中"争""殸"，是商王武丁时期的两位贞人；"雀"，是商王武丁时期一位极其重要的人物，与商王武丁存在紧密的血亲关系。

商"己巳卜争贞乍王舟"刻辞卜骨取材象肩胛骨，极为罕见。1984年，金祥恒于《甲骨文中的一片象胛骨刻辞》一文指出，商"己巳卜争贞乍王舟"刻辞卜骨，"以其骨之大小

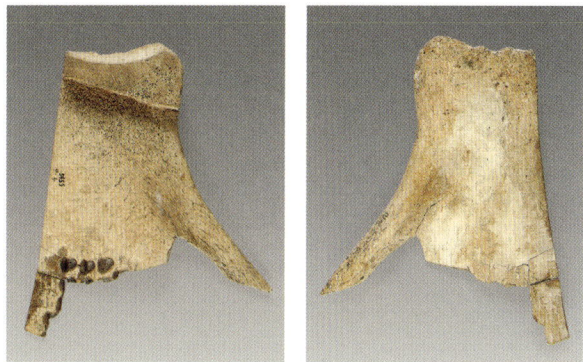

形状而言，骨臼部分特大，骨面略成'三角形'，异于近长方形之牛肩胛骨，故我认为此片为象肩胛骨刻辞"。该卜骨骨臼锯切规整，与牛肩胛骨整治方式不同，凡此均丰富了学术界对于商人占卜工具的认识。中国国家图书馆藏有一商王武丁时期卜骨，拓片著录于《甲骨缀合编》附图32、33，又见《合集》9681，经李学勤目验，"骨片非常厚，最厚处0.7厘米，薄处也有0.5厘米"，与常见牛肩胛骨迥然不同，可能是另一片用以占卜的象肩胛骨。

商"己巳卜争贞乍王舟"刻辞卜骨藏于辽宁省博物馆。

商"有来艰自东画告曰儿"刻辞卜骨 商王武丁时期文物。20世纪初出土于河南省安阳市小屯村，为罗振玉购藏，初录于民国元年（1912年）罗氏《殷墟书契前编》。1956年，商"有来艰自东画告曰儿"刻辞卜骨入藏辽宁省博物馆。

商"有来艰自东画告曰儿"刻辞卜骨是一牛右肩胛骨残块，由6片残块拼接，残长24.8厘米，宽19.5厘米，拓片著录于《合集》1075正、反。卜骨正、反面契刻数条占卜记录，字口涂朱，内容有关气象、祭祀及方国；反面施钻、凿及灼。

骨正面刻辞：

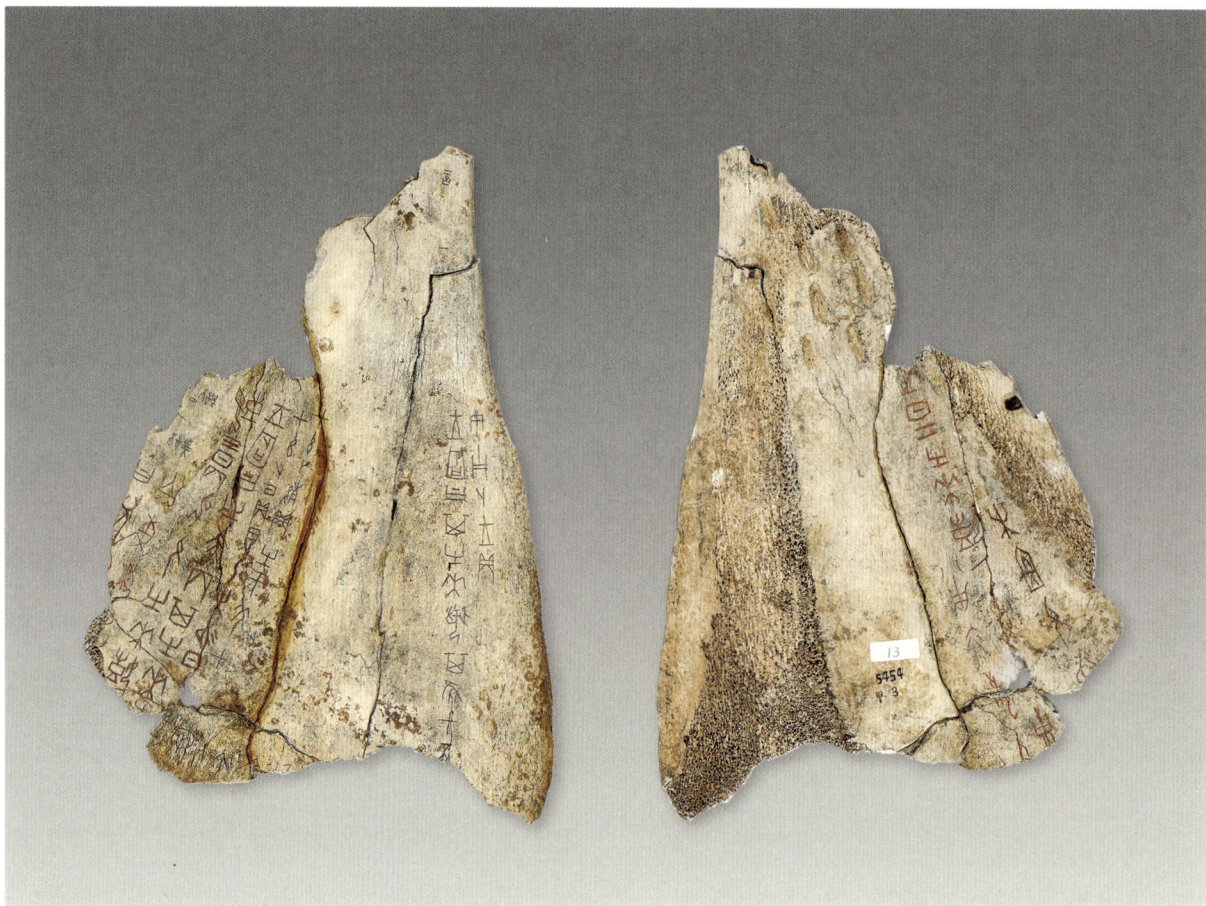

甲午卜，亘贞：翌乙未易日？王占曰：㞢（有）求，丙其㞢（有）来娥（艰）！三日丙申，允㞢（有）来娥（艰）自东，画告曰：儿☐不舍龜

☐入☐羌☐人☐宰☐。

甲午卜，殼贞：㞢（侑）于羌甲？

庚子卜，王贞。王占曰：其㞢（有）来闻，其隹（惟）甲不☐。

二告　不舍龜

骨反面刻辞：

☐占曰：其㞢（有）来三。

☐之日二㞢（有）来娥（艰），乃𢆶御史☐雨亦饮人☐。

乙未宜允易［日］☐。

☐翌☐丑☐雨。

㞢来。

刻辞所记是商王武丁时期分别于"甲午""庚子"日进行的占卜。辞"甲午卜，殼贞：㞢（侑）于羌甲"所记，由贞人"殼"负责，占卜事项为拟定"侑"祭祀商王"羌甲"。辞"甲午卜，亘贞：翌乙未易日"，由贞人"亘"负责，占卜事项为次日"乙未"的天气是否为"易日"。"易日"，是殷墟出土甲骨文中占问气象之恒语。"易"，郭沫若读为"晹"，东汉许慎《说文解字》云"日覆云暂见也"，该种天气状况即日掩于云中，倏然可见。卜骨反面刻辞"乙未宜允易［日］"是该占卜记录之"验辞"，辞意次日"乙未"果然"易日"。

辞"王占曰：㞢（有）求，丙其㞢（有）

来媵（艰）"是该占卜记录之"占辞"，商王武丁视卜兆预判：丙日将有祸祟发生。辞"三日丙申，允出（有）来媵（艰）自东，画告曰：儿"也是该占卜记录之"验辞"，记述"甲午"后三日"丙申"，商东部边境发生祸事，"画"禀告说"儿"地有事。"画"，又称"子画"，与"儿伯"同为商"外服"诸侯；"画"与"儿"亦为地名，两地相接，位于商东部边陲。商卜辞中又记"涵"，乃"画"地之水。《史记·田单列传》载齐有"画邑"，集解引刘熙云"齐西南近邑"，正义引《括地志》云，春秋时"涵邑"又称"棘邑"，地处临淄西北三十里，因涵水为名。《后汉书·耿弇列传》载齐地有邑"画中"，《水经·淄水注》云"又有涵水注之，水出时水东，去临淄城十八里，所谓画中也。"春秋时期"画邑（涵邑）"，汉时称"画中"，其地应是上列商卜辞中商东部边陲之"画"。《春秋》庄公五年（前689年）载"秋，郳犁来来朝"，"郳"为邾国之别支，又称"小邾"，约见于西周晚期；晋杜预谓"东海昌虑县东北有倪城"。清顾栋高《春秋大事表》云，"郳"地在山东滕县东六里。2002年6月，山东省枣庄市东山亭区江村东南高土台南侧发现春秋早期"郳"国墓地，为确定"郳"之地望提供了可靠坐标。上列商卜辞中"儿"，其地当即上述典籍及考古发现之"郳"。所见商卜辞涉及"画""子画"者有80余条，"子画"系商王室成员，因封于"画"地而得名，备受商王武丁关心，向王室贡纳，参与王室占卜、祭祀及军事征伐，卒后又享王室祭祀。上列商刻辞中，"子画"禀告"儿"地有事，可见其作为

商王室重臣，负责商东部防御及"画"地战略位置之关键。

商"有来艰自东画告曰儿"刻辞卜骨藏于辽宁省博物馆。

商"癸酉贞旬亡囚"刻辞卜骨 商王武丁时期文物。原为于省吾旧藏，初录于民国22年（1933年）商承祚所辑《殷契佚存》，后入藏清华大学。

商"癸酉贞旬亡囚"刻辞卜骨是残断的一牛肩胛骨边缘，残长19厘米，宽3.5厘米，拓片著录于《合集》34977；该卜骨可与藏于日本京都大学人文科学研究所的另一块刻辞卜骨（拓片著录于《甲骨文合集补编》34757）缀合。卜骨正面存11条契刻占卜记录，内容为卜旬。

骨正面刻辞：

癸酉贞：旬亡（无）囚?

癸未贞：旬亡（无）囚?

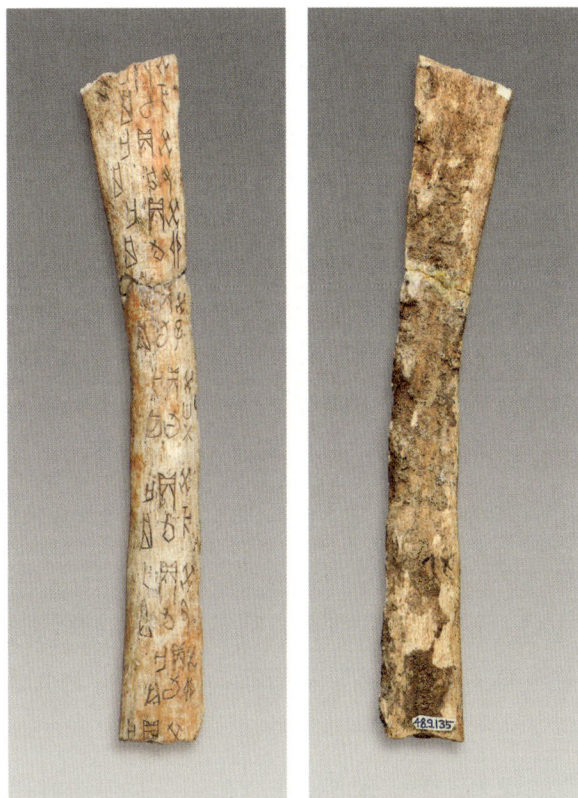

癸巳贞：旬亡（无）囚？

癸卯贞：旬亡（无）囚？

癸丑贞：旬亡（无）囚？

癸亥贞：旬亡（无）囚？

癸未贞：旬亡（无）囚？

癸巳贞：旬亡（无）囚？

癸卯贞：旬亡（无）囚？

癸丑贞：旬亡（无）囚？

癸亥贞：旬亡（无）囚？

刻辞所记分别是"癸酉""癸未""癸巳""癸卯""癸丑"与"癸亥"六个"癸"日进行的占卜，占卜事项均为卜旬，即占问未来十日之内是否将有灾祸发生？"卜旬"皆行于"癸"日，如"癸未"日占卜，即占问自"癸未"至"壬辰"十日之内的休咎；然后，"癸巳"日占卜，占问自"癸巳"至"壬寅"十日之内的灾祸；如此，一旬结束，又一旬开始，循环往复，周而复始。"卜旬"类卜辞在商卜辞中占有较大数量，自商王武丁时期一直延续至商代末年商王帝乙、帝辛时期。

商"癸酉贞旬亡囚"刻辞存六个"癸"日，"卜旬"前后持续两个月之久，是研究商人"卜旬"的重要参照。刻辞单字较大，笔画细劲，同类卜辞中仅有一名贞人"历"，学术界称之为"历组卜辞"。民国22年（1933年）董作宾《甲骨文断代研究例》将该类卜辞的时代定为商王武乙、文丁时期。1976年殷墟妇好墓发掘，学术界开始重新考虑"历组卜辞"的时代，李学勤等学者将"历组卜辞"的时代提前至商王武丁时期，从而掀起了一场关于"历组卜辞"时代的辩论。这场辩论促进了有关研究的深入，但学术界对于"历组卜辞"的时代尚未取得一致意见，今后仍将是甲骨学分期断代研究中的重要课题。

商"癸酉贞旬亡囚"刻辞卜骨藏于清华大学。

商"癸未卜出贞旬亡囚"刻辞卜骨 商王祖庚、祖甲时期文物。原为于省吾所藏，初录于民国22年（1933年）商承祚所辑《殷契佚存》，后入藏清华大学。

商"癸未卜出贞旬亡囚"刻辞卜骨是残断的一牛肩胛骨骨扇残块，残长18.6厘米，宽4.6厘米，拓片著录于《合集》26682。卜骨正面存7条契刻占卜记录，内容为卜旬；反面施钻、凿及灼。

骨正面刻辞：

癸未卜，出贞：旬亡（无）囚？ 一月

癸卯卜，祝贞：旬亡（无）囚？ 九月

癸丑卜，逐贞：旬亡（无）囚？ 九月

癸亥卜，逐贞：旬亡（无）囚？

癸酉卜，出贞：旬亡（无）囚？ 十月

癸卯卜，祝贞：旬亡（无）囚？

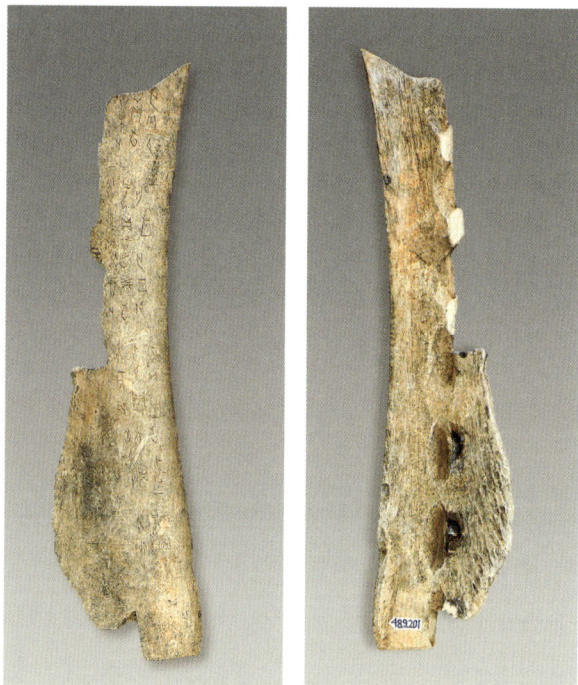

癸丑卜，☒贞：旬亡（无）囚？☒月

刻辞所记是"癸未""癸卯""癸丑""癸亥"与"癸酉"五个"癸"日进行的占卜，始于九月，终于次年一月，占卜事项均为卜旬，即占问未来十日之内是否将有灾祸发生？

刻辞中"出""祝""逐"，是商王祖庚、祖甲时期的三位贞人；他们出现在同版卜辞中，即所谓"同版并卜"，反映了商人占卜制度之一端，又给甲骨学断代研究提供了直接线索。通过此类不同贞人"同版并卜"的互相系联，从而将同时出现的贞人划分为组，结合其他事项，确定其时代，以作为甲骨学断代研究的重要标准之一。此前，学者通过系联不同的"同版并卜"卜辞，从中将商王祖庚、祖甲时期的13位贞人区分成组，并以上列刻辞中贞人"出"为名，凡称"出组"。

商"癸未卜出贞旬亡囚"刻辞卜骨藏于清华大学。

商"登人三千"刻辞卜骨 商王武丁时期文物。原为朱玖莹滂喜堂旧藏，后入藏清华大学。

商"登人三千"刻辞卜骨是一残断的牛肩胛骨骨扇残块，残长15.3厘米，宽5.9厘米，拓片著录于《合集》6170正。卜骨正面存2条契刻占卜记录，内容有关军事。

骨正面刻辞：

☒［辛］卯卜，殷贞：登人三千呼☒。

壬辰卜，殷贞：勿譱登人☒呂方☒。

刻辞所记是商王武丁时期一名"殷"贞人分别于"辛卯""壬辰"连续两日进行的占卜，占卜事项为征兵三千攻伐"呂方"。"呂方"，是商王武丁时期一重要方国，如《合

集》6057正"呂方亦侵我西鄙田"所记，与商长期发生战事，寇扰商西部边陲。商人对于"呂方"，如《合集》5520"呂方不夜出"、《合集》6092"呂方出惟有作囚"、《合集》6186"呼望呂方"及《合集》6194"呼目呂方"，时刻保持监视、侦察；且如《合集》6131正"告呂方于上甲"、《合集》6138"告呂方于唐"所载，将呂方敌情告于祖先，以祈求护佑。上列刻辞"登人三千"及《合集》6168"登人三千呼伐呂方"，辞中"登人"，意为征兵，本辞意即征兵三千攻伐呂方。《合集》6098"呂方出，王自征"，占卜商王亲征呂方。凡此足见商人对与呂方战事之重视，也从另一侧面反映舌方力量之强大。据卜辞记载，与舌方发生的战事主要集中于商王武

丁晚期，商王祖庚、祖甲时期，如《合集》24145："丁酉卜，出贞：旱隻呂方？"仍与呂方交战。至商王康丁时期，呂方不在卜辞中出现，应是于祖庚、祖甲时期被商人平定。

商"登人三千"刻辞所记是商王武丁时期对呂方进行的一次征伐，结合其他有关卜辞，是学术界进行商代地理、方国及军事研究的重要参考。

商"登人三千"刻辞卜骨藏于清华大学。

商"惠三族马令"刻辞卜骨　商王武丁时期文物。原为胡厚宣所藏，初录于1951年胡厚宣所编《战后宁沪新获甲骨集》。1959年，商"惠三族马令"刻辞卜骨入藏清华大学。

商"惠三族马令"刻辞卜骨是一残断的牛右肩胛骨骨柄，残长15.9厘米，宽8.2厘米。拓片著录于《合集》34136。卜骨正面存数条契刻占卜记录，内容有关当时宗族；反面施钻、凿及灼。

骨正面刻辞：

乙酉卜：☑叀（惠）三百☑令。

乙酉卜：王衆令？

弜衆令？

叀（惠）三族马令？

眔令三族？

叀（惠）一族令？

乙酉卜：于丁令马？

刻辞所记为"乙酉"日进行的多次占卜，辞中"三族"，亦见于其他卜辞，如《合集》32815"三族王其令追召方"，商王命令"三族"追击"召方"。上列"乙酉"日卜辞应与其同类，仅是省略追击或征伐之敌方。除"三族"外，商甲骨卜辞中，另有"王族""子族""五族""大左族"及"犬延族"之类。"族"即"宗族"，是当时社会的基本组成单位。商代早期开始，一些青铜器上开始铸造族氏徽号，用以标识作器者所出宗族；西周早期，器铭中依然可见族氏徽号；此类族氏徽号中又可大略析出母族与子族，纷繁绵延，是当时众多宗族之见证。《左传·定公四年》记祝佗追述周初分封，将商人拆分，交予诸侯统辖，鲁公所分"殷民六族"、康叔所分"殷民七族"及唐叔所分"隗姓九宗"，皆旧商之宗族。宗族源于氏族社会，与军制紧密相连，平日聚族而居，战时则以宗族为军制，组织男丁共同而战。西周青铜器班簋器铭云："王令吴伯曰，以乃师左比毛父；王令吕伯曰，以乃师右比毛父；遣令曰，以乃族从父征。"铭中"师"与"族"对文，是以"族"参战之例。又《国语·楚语上》述及晋楚鄢陵之战，雍子谓栾书曰："楚师可料也，在中军王族而已。若易中下，楚必歆之。若合而臽吾中，吾上下必败其左右，则三萃以攻其王族，必大败之。"《左传·成公十六年》记此战云："苗贲皇言于晋侯曰：'楚之良，在其中军王族而已，请分良以击其左右，而三军萃于王卒，必大败之。'"文中"王族"一辞当与商卜辞中

"王族"含义相同，即由"王"之亲族组成的队伍。商卜辞中"多子族"是由与商王血亲关系密切的大臣及诸侯的亲族组成的队伍；"大左族"及"犬延族"与《左传·定公四年》记鲁公所分"殷民六族：条氏、徐氏、萧氏、索氏、长勺氏与尾勺氏"类同，均为族名；"三族""五族"之类，因卜辞简括，所指具体族名不可稽考。

上列刻辞中，商王于该次军事行动，犹疑于"惠一族令"，动用一族兵力；或"令三族"，动用三族兵力。辞中"惠三百"，意即300兵员，或与"三族"为换文；如此，则于此次军事行动，一族拟出100兵员。

商"惠三族马令"刻辞卜骨藏于清华大学。

商"日有戠其告于上甲"刻辞卜骨 商王武乙、文丁时期文物。原为胡厚宣旧藏，初录于1951年胡厚宣所编《战后宁沪新获甲骨集》。1959年，商"日有戠其告于上甲"刻辞卜骨由中国科学院考古研究所调拨入藏清华大学。

商"日有戠其告于上甲"刻辞卜骨是一牛肩胛骨骨扇残块，残长7.7厘米，宽2.9厘米，拓片著录于《合集》33697。卜骨正面存2条契刻占卜记录，内容涉及天象及有关祭祀。

骨正面刻辞：

乙丑贞：日有戠，其［告］于上甲三牛，不用？

其五牛，不用？

其六牛，不用？

乙丑贞：日有戠，其告于上甲☐牢，宜大牢？

刻辞所记为"乙丑"日进行的多次占卜，占卜事项系因发生"日有戠"，而拟向商先公

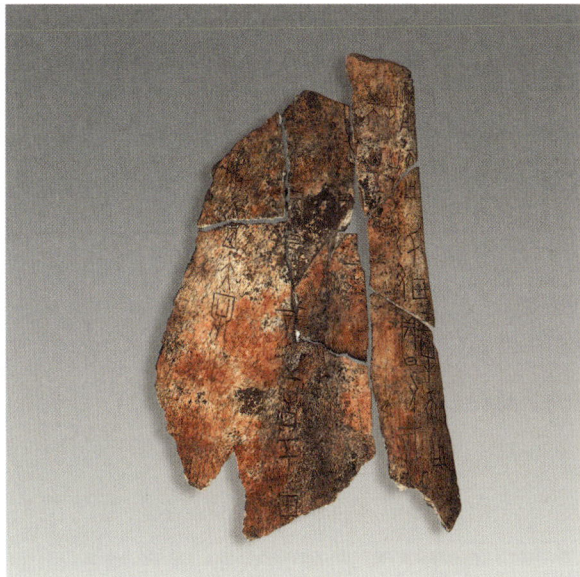

"上甲"举行祭祀。民国26年（1937年）郭沫若《殷契萃编》云"戠与食音同，盖言日蚀之事"，推测卜辞中"日有戠"是言"日食"。之后，学者或以"日有戠"为"日食"，并经讨论，推求"日食"发生之时间。20世纪50年代，陈梦家《殷墟卜辞综述》云："日有戠有两种可能的解释：一如郭沫若在粹55考释所推测，以为'戠与食音同，盖言日蚀之事'；一读若识志或痣，乃指日中黑气或黑子。由前说，则武乙卜辞称日又食为日有戠；由后说则殷代已有日斑的记录。《汉书·五行志》成帝河平元年（前28年）'日出黄，有黑气大如钱，居日中央'，是为世界记日斑的最古的文献。《广雅释器》'黓，黑也'，弋、戠古音同，《说文》曰'橯，弋也'，'酨，酒色也'。"陈氏提出"日有戠"还有言"日斑"的可能。1998年李学勤《日月有戠》（《文博》1998年第5期）云："1980年出版的《小屯南地甲骨》上册，有一片卜辞出现月（又）戠之语。与'日又戠'合并考虑，这显然增加了肯定为日月食的可能性。"

"日食"与"月食",为《合集》11482中作为灾咎之"验辞"。又如《合集》33694"日月有食,惟若"与"日月有食,非若",以"正反对贞",即从占卜事项正反两方面占问"日月有食"之休咎。在当时,"日食""月食"均被视为灾凶,亦即《诗·小雅·十月之交》所谓"日月告凶",后世典籍亦多见此类记述。商卜辞中所记"日食"与"月食"之语分别为"日有食"与"月有食",语句结构与《诗·小雅·十月之交》语"日有食之"相同,仅是后者加一助词"之"。上列刻辞"日有戠"与"日有食"语句结构相同,"戠"与"食"古音相近,通用。商卜辞《屯南》726"壬寅贞:月有戠,王不于一人祸?有祸",占问"月有戠"是否为商王一人的灾祸?上列刻辞"乙丑贞:日有戠,其[告]于上甲三牛,不用"所记,因发生"日有戠",而拟向商先公"上甲"举行祭祀,以求护佑。因"日有戠""月有戠"发生所占问之休咎,均与商卜辞所记占问"日食""月食"之类相似。

"日有戠"与"月有戠",作为两种天象,可能分别为日食与月食。然古人对于日、月之观察,不独日食与月食。如《周礼·春官·保章氏》曰:"保障氏掌天星,以志星辰日月之变动,以观天下之迁,辨其吉凶。"郑注:"日有薄食晕珥,月有亏盈脁侧匿之变。"又《春官·视祲》云:"视祲掌十辉之法,以观妖祥,辨吉凶。"类此涉及日、月形状、颜色及周匝云气之变化,古人均视为吉凶之兆。因此,对于商卜辞"日有戠"与"月有戠"各自所示之天象,除或为日食与月食外,

是否或为有关日、月的其他天象,尚需学术界深入讨论。

商"日有戠其告于上甲"刻辞卜骨藏于清华大学。

商"子渔"刻辞卜骨 商王武丁时期文物。原为胡厚宣旧藏,初录于1951年胡厚宣所编《战后宁沪新获甲骨集》。1959年,商"子渔"刻辞卜骨入藏清华大学。

商"子渔"刻辞卜骨是一牛肩胛骨骨扇残块,残长13.30厘米,宽15.60厘米,拓片著录于《合集》2985;该卜骨可与藏于日本东京大学东洋文化研究所的另一块刻辞卜骨(《合补》657)缀合。卜骨正面存3条契刻占卜记录,内容有关祭祀;反面残留钻及灼。

骨正面刻辞:

乙丑卜,亘贞:御子渔于▢。

乙丑卜,亘贞▢。

丁卯卜,品贞:望▢。

刻辞"乙丑卜,亘贞:御子渔于",是商王武丁时期一名"亘"贞人于"乙丑"日进行的占卜,占卜事项为拟举行"御"祭,为"子渔"祛除灾殃,祈求福佑。与之类同,《合集》13619"癸巳卜,殻贞:子渔疾目,裸告

于父乙"所记,系因"子渔"目疾而拟举行祭祀,为之祛除灾殃。"子渔",习见于商王武丁时期卜辞中,如《合集》2972"呼子渔屮于祖乙"、《合集》2974"渔屮于祖丁"及《合集》2977正"翌乙卯呼子渔屮于父乙",商王令"子渔"祭祀"父乙""祖乙"及"祖丁"等诸位直系先王;且如上列刻辞所记为祛除"子渔"之灾殃而举行祭祀,足见"子渔"地位之高,与商王关系极为亲近。

1977年4月,中国社会科学院考古研究所安阳工作队在河南省安阳市殷都区小屯村北距"妇好墓"东约22米处一座商代贵族墓,中出土一青铜尊与一青铜斝,两器内底均铸铭文"子渔";铭中"渔"宁,从水,从四鱼,与商王武丁时期卜辞如《合集》10475、10476中"渔"字构形相同。此商墓与"妇好墓"年代基本相同,该青铜器铭文中"子渔"即上列商卜辞中"子渔"。

商甲骨文中,类似"子渔"而称"子"者,凡124人,其他如"子商""子立"及"子骨"等。商青铜器铭文中亦见数十位称"子"者,如"子黄"。此类尊称"子"者,拥有僚属,能够代商王赏赐,参加商王军事行动,或

又如"子渔"参与王室祭祀。该类尊称"子"者,或是王子,或是大臣、诸侯,与商王关系密切,在商王朝统治集团中占据重要地位。

商"子渔"刻辞卜骨藏于清华大学。

商"庚子酚三鱼云"刻辞卜骨 商王武丁时期文物。商"庚子酚三鱼云"刻辞卜骨是一牛肩胛骨骨扇残块,残长32厘米,宽21厘米,拓片著录于《合集》13399正。卜骨正面存1条完整契刻占卜记录,字口涂朱,内容有关"云"之祭祀;反面存一占卜记录之"占辞",与骨正面所存"占辞"相同。

卜骨正面刻辞:

己亥卜,永贞:翌庚子酚☐王占曰:兹隹(惟)庚雨卜之☐雨。庚子酚三鱼云戠其☐既祝,启。

骨反面刻辞:

王占曰:兹隹(惟)庚雨卜。

骨正面刻辞是一则完整的占卜记录,其中辞"己亥卜,永贞",是记录该次占卜时间(己亥)与贞人(永),学术界称之为"叙辞"或"前辞"。"翌庚子酚",为占问事项,学术界称之为"命辞",本辞占问次日

"庚子"举行彤祭是否将会降雨？"王占曰：兹隹（惟）庚雨卜之囗雨"，是依据卜兆而得出的判断，学术界称之为"占辞"。商王武丁预判：庚日降雨。"庚子彤三䃼云燕其囗既祝，启"，是占卜事后对于该次占卜是否灵验的追述补记，学术界称之为"验辞"。本辞记载，"庚子"日对"三䃼云"举行彤祭，果然降雨；待告神之后，天空转晴。

辞中"三䃼云"，于省吾云："䃼即啬，应读为色。啬与色为双声叠韵字，三啬云谓三色之云也。"陈梦家曰："我们则读䃼为墙，假为祥，即祥云。"刘钊谓卜辞中"三䃼云"，"当读作三祥云"。类此对于"云"之祭祀，商甲骨卜辞中习见；除此"三䃼云"外，又见"云""二云""三云""四云""五云""六云"及"帝云"之称。商人祀典中，作为自然神祇之"云"，专司行雨，于农业生产至为重要。

商"庚子彤三䃼云"刻辞字体结构开张，笔画刚劲有力，是商王武丁时期的典型书风，堪为甲骨刻辞的佳作。刻辞存"前辞""命辞""占辞"与"验辞"，是一则完整的商占卜记录，内容涉及商人对"云"的祭祀，殊为难得。

商"庚子彤三䃼云"刻辞卜骨藏于北京大学赛克勒考古与艺术博物馆。

商"翌庚寅妇好冥"刻辞卜骨　商王武丁时期文物。20世纪初出土于河南省安阳市小屯村，后为王襄购藏。王襄（1876～1965），祖籍浙江绍兴，世居天津，中国现代金石学家、甲骨学家。王襄收藏甲骨有4000余片，中有许多精品。抗日战争胜利后，陆续有一些教会院校人员及国外学者前来游说王襄，希望以重金收购其所藏甲骨，但均被拒绝。中华人民共和国成立后，王襄曾任天津市政协委员、天津市文史研究馆馆长、中国科学院历史研究所《甲骨文合集》编辑委员会委员。1953年，王襄将其所藏甲骨捐售国家。1956年，天津市文化局将该批甲骨拨交天津艺术博物馆，商"翌庚寅妇好冥"刻辞卜骨即在其中。

商"翌庚寅妇好冥"刻辞卜骨是一残断的牛肩胛骨骨扇部分，残长23.8厘米，宽14.1厘米，重123克，拓片著录于《甲骨文合集》154。卜骨正面存2条契刻占卜记录，内容分别涉及商王武丁配偶"妇好"生育及命令羌人进行狩猎；反面施钻、凿及灼。

骨正面刻辞：

己丑卜，殻贞：翌庚寅妇好冥？

贞：翌庚寅妇好不其冥？一月。

辛卯卜，凸贞：呼多羌逐兔，获？

刻辞"辛卯卜，凸贞：呼多羌逐兔，获"所记是一月"辛卯"日由一名"凸"贞人进行的占卜，占卜事项为命令羌人进行狩猎；辞"己丑卜，殻贞：翌庚寅妇好冥？贞：翌庚寅妇好不其冥？一月"，系一月"己丑"日由一名"殻"贞人进行的占卜，以"正反对贞"的形式，即从占卜事项正反两方面占问次日庚寅"妇好"是否将生产？辞中"冥"，是当时用于女性生育之辞语，读为"娩"。据商卜辞，商王武丁诸妇中，有三人进入"周祭"祀典，即"妣戊""妣辛"与"妣癸"；"妇好"即"妣辛"，在武丁诸妇中最为尊贵。商甲骨卜辞中有关"妇好"占卜记录达250条之多，类似上列生育之辞近30条，且由武丁亲自占问，内容

涉及是否怀孕、怀孕是否安全、预产期及生男生女，显示武丁对于"妇好"生育极为关注。

《合集》2653"癸酉卜，亙贞：生十三月，妇好来"、《合集》26537正"□戌卜，争[贞]：妇好见"，占问"妇好"是否来至？《合集》10133反"妇好入五十"，记录"妇好"贡纳龟甲五十；该类刻辞显示"妇好"拥有封地，为武丁尽守土之责，并向王室贡纳。作为武丁配偶，如《合集》938反"[妇]好示五。宾"所载，"妇好"职司王室占卜事务，检视卜用甲骨；并如《合集》2609"呼妇好侑升于父□"、《合集》2641"勿呼妇好往燎"及《合集》2611"妇好不惟侑泉"所记，"妇好"主持商王室祭祀。与武丁其他诸妇相比，"妇好"在军事方面最

为突出。卜辞记载，"妇好"受武丁之命征发"庞"地士卒，为战事准备兵员，并亲自率己方军队作战。"妇好"先后征伐"羌方""土方""巴方"及"夷方"等方国、部族，战事遍及西北、东南。据《合集》6480，在对"巴方"进行的一次战役中，"妇好"与商王武丁相互配合，布下围歼战阵。

作为武丁之妇，"妇好"深得武丁宠爱，《合集》13711"贞：妇好不延疾"、《合集》13663正"勿于甲御妇好齲"，"妇好"患病，商王武丁占问其病情，并为其举行禳除灾殃之祭，祈求福佑；《合集》201正"贞：妇好梦，不惟父乙"，"妇好"做梦，武丁也要占问是否是其父"小乙"作祟所致？凡此或可透露出武丁对"妇好"的笃厚深情。武丁

晚期，《合集》17064 "好其蚩"，占问 "妇好" 是否会离世？此当是 "妇好" 处于临终病危之际。《合集》17380 "贞：王梦，妇好不惟孽"，"妇好" 离世后，武丁做了噩梦，怀疑是 "妇好" 作祟，可见思念之切；而《合集》712 "丁巳卜，凹贞：酚妇好，御于父乙" 则是武丁对于故去的 "妇好" 之祭祀。

1976年5月17日，中国社会科学院考古研究所安阳工作队在河南省安阳市洹水南岸小屯村北岗地发掘一座商代大墓（编号76AXTM5），随葬品中109件青铜礼器铸铭 "妇好"，5件青铜礼器铸铭 "司母辛"，一石牛下颌刻铭 "司辛"。墓主 "妇好"，即上述卜辞中身为商王武丁配偶之 "妇好"；"司母辛" "司辛" 系 "妇好" 庙号，亦与卜辞所载相合。"妇好墓" 墓出土随葬品凡1928件，墓圹中至少埋葬16具殉人，是商王室墓葬中保存最完整的一批资料。凡此种种，无不昭示 "妇好" 享有的尊贵，可与卜辞记载互为发明。

商 "翌庚寅妇好冥" 刻辞卜骨藏于天津博物馆。

商 "令多子族比犬侯璞周" 刻辞卜骨 商王武丁时期文物。20世纪初出土于河南省安阳市小屯村，后为王襄购藏。1953年，王襄将其所藏甲骨捐售国家。1956年，天津市文化局将该批甲骨拨交天津艺术博物馆，商 "翌庚寅妇好冥" 刻辞卜骨即在其中。

商 "令多子族比犬侯璞周" 刻辞卜骨是一残断的牛右肩胛骨骨臼，残长14.7厘米，宽7.8厘米，拓片著录于《合集》6812正。卜骨正面存2条契刻占卜记录，内容有关军事；臼面存一刻划 "四" 字；反面施钻、凿及灼。

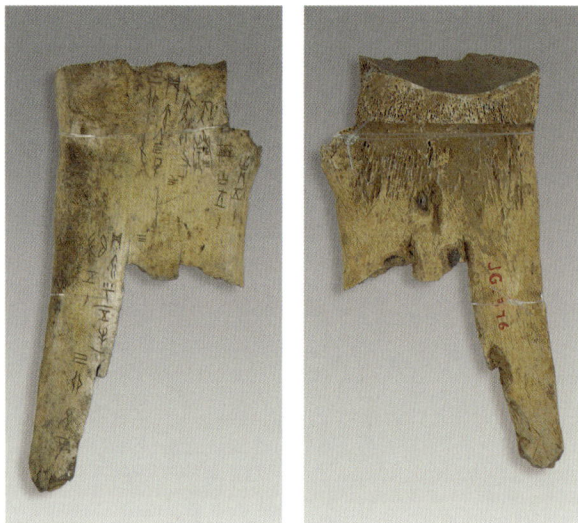

骨正面刻辞：

贞□

癸酉

己卯

己卯卜，允贞：令多子族比犬侯璞周载王事？五月。

贞：勿呼归？五月。

五牛。

刻辞 "己卯卜，允贞：令多子族比犬侯璞周载王事？五月" 所记是商王武丁时期一名 "允" 贞人于五月 "己卯" 日进行的占卜。辞中 "多子族"，涉及甲骨学及商史研究中一个重要课题——"子某" 及 "某子" 的含义。民国22年（1933年）董作宾《甲骨文断代研究例》一文开始对商甲骨文中 "子某" 及 "某子" 进行梳理统计；民国32年（1943年）胡厚宣《殷代婚姻家庭宗法生育制度考》、1958年岛邦男《殷虚卜辞研究》、1987年孟世凯《甲骨学小辞典》、1988年张秉权《甲骨文与甲骨学》、1994年宋镇豪《夏商社会生活史》、1995年饶宗颐《甲骨文统检》及1999年杨升南于《甲骨学一百年》中相继对这一课题进行持续研究。20世纪90年代开始，学术界对商代"子"名的统计由殷墟甲骨文扩展至商代青铜器铭文。据杨升南统计，"甲骨文中称'子某'者124位，称'某子'者31位，称'某子某'者5位"，凡160位。对于"子某"及"某子"的含义，董作宾"推知他们都是武丁的儿子"。伴随甲骨文及青铜器铭文中"子"名的增多，学术界对于"子"的认识也在不断深化。目前，许多学者认为甲骨文及青铜器铭文中"子某"及"某子"的含义较为复杂，其中应包含商王诸子及诸侯、大臣。上列刻辞中"多子族"，意即集合多位"子某"之族军。

辞中"犬侯"，系商之诸侯。据《合集》32966"令犬侯□载王事"、《合集》9793"辛酉贞：犬受年？十一月"、《屯南》2293"辛巳贞：犬侯以羌其用自"及《合集》17619曰"犬示"等卜辞所记，"犬侯"拥有封地，其地存在农业及田猎区；服务于商王室占卜机关，向商王室贡纳；拥有军队，曾跟随商王征伐"亘""羌"等方国、部族。

辞中"周"，其他卜辞中又称"周方"，如《甲骨文合集》6657"王惠周方征"、《怀特》427"周方"，或如《怀特》375称"周侯"；是商西部边陲之"外服"诸侯，亦即《史记·周本纪》所载之"周"。殷墟出土甲骨卜辞中，与"周"有关内容达80余条，多为商王武丁时期。据《合集》3183反甲"周入十"、《合集》5618"令周从永止"、《合集》4884"令周乞牛多□"、《合集》22265"妇周不延"及《合集》1086正"周以嫀"等卜辞所载，至迟于商王武丁时期，"周"即成为商之"外服"诸侯，向商王室贡纳，勤于王事，

且与商王室存在姻亲关系。然而，即在商王武丁时期，"周"与商发生冲突；《合集》22294"惠午伐周"、《合集》6657正"王惠周方征"，两辞记载商王征伐"周方"。

上列刻辞"己卯卜，允贞：令多子族比犬侯璞周载王事？五月"，是占问商王命令集合多位"子某"之族军，并同"犬侯"征伐周方，反映出商王武丁时期商、周关系之恶化。商王祖庚、祖甲时期，又见征伐"周"之卜辞。商代末年周原卜辞中亦见"周"与商之记载。凡此出土材料，结合《史记·周本纪》之类传世典籍，为学术界更为全面洞察商、周之间关系的变化提供了可能。

商"令多子族比犬侯璞周"刻辞卜骨藏于天津博物馆。

商"王敦缶于蜀"刻辞卜骨 商王武丁时期文物。20世纪初出土于河南省安阳市小屯村，为明义士购藏，后由杨宪益交予南京博物院。明义士（1885～1957），字子宜，加拿大人，于清宣统二年（1910年）来华作为英国驻安阳长老会牧师。明义士在安阳（彰德府）逗留13年（1914～1916、1921～1927、1930～1932、1935），民国6年（1917年）即自称购得甲骨约5万片，民国13～16年（1924～1927年），又收购许多甲骨，其总数当在5万片以上。民国22年（1933年），明义士来到山东齐鲁大学国学研究所担任教授。民国26年（1937年）抗日战争爆发，明义士返回加拿大，随行带走大量珍贵文物，将余下部分甲骨埋在齐鲁大学校园内，并绘图为记，交予英国人林仰山保管。中国存有明义士所藏甲骨共有三批：第一批藏于南京博物院，著录于明义士《殷墟卜辞》，商"王敦

缶于蜀"刻辞卜骨即在其中；第二批藏于故宫博物院，著录于明义士《殷墟卜辞后编》；第三批藏于山东博物馆。

商"王敦缶于蜀"刻辞卜骨是一残断的牛左肩胛骨骨柄，残长18厘米，宽6.50厘米，拓片著录于《合集》6861。卜骨正面遗存1条契刻占卜记录，内容有关军事。

骨正面刻辞：

丁卯卜，殸贞：王韋（敦）缶于蜀？

刻辞中"蜀"，是商代一方国族名、地名；或释作"郇"，其地望即山西临猗县西南之"郇城"，亦即东汉许慎《说文解字》所谓"周武王子所封国，在晋地"。《合集》5450"贞：叀（惠）多子族令比廘、蜀载王事"，占问"蜀"勤王事，其他卜辞记有商王占问"蜀"地"受年"；由此可知，"蜀"处于商王朝直接控制之下。辞中"缶"，为商代一方国族名、地名。上列刻辞"丁卯卜，殸贞：王韋（敦）缶于蜀"，占问商王于"蜀"地对"缶"进行攻伐，遂知"缶"与"蜀"两地相近；据其他卜辞，"缶"地又与"雀""蚰"等地有涉。综合考察，"缶"之地望应在山西中部。发现有80余条有关"缶"之卜辞，主要见于商王武丁时期。如上列刻辞"王韋（敦）缶于蜀"记载"缶"与商王朝之间发生战事，其他卜辞中又见"戋缶""执缶""获缶"及"伐缶"等事，皆为商王朝与"缶"之间敌对、攻伐的证明。

"缶"曾臣属于商王朝，《合集》1027正"己未卜，殸贞：缶不我繇旅？一月。己未卜，殸贞：缶其来见王？一月"，"缶"朝见商王，为商军提供粮草；《合集》20223"令

缶豕"，商王命"缶"进献豕牲；《合集》9408"乙丑乞自缶五屯"，"缶"向商王室贡纳占卜用骨；《合集》20449"缶从方允执"，"缶"曾跟随商王征伐"方"地。

"缶"作为商王朝西部的一个方国，曾作为臣属，勤于商王事；又曾叛商，遭到征伐。两者之间关系的曲折、变化，从一个侧面反映出当时商王朝与周边方国、部族之间复杂的地缘政治。上列商"王韋（敦）缶于蜀"刻辞所载，即这种复杂关系的实录。

商"王敦缶于蜀"刻辞卜骨藏于南京博物院。

商"王宾大甲奭妣辛翌日"刻辞卜甲　商王帝乙、帝辛时期文物。重庆中国三峡博物馆征集。

商"王宾大甲奭妣辛翌日"刻辞卜甲是一龟腹甲残块，残长2.6厘米，拓片著录于《甲骨文合集》36208。卜甲正面存1条契刻占卜记录，内容有关商先妣祭祀，字口填墨。

甲正面刻辞：

辛巳卜，贞：王宾大甲奭妣辛翌日，亡（无）尤？

刻辞所记是"辛巳"日进行的占卜。辞中"大甲"即典籍所记商王"太甲"，《史记·殷本纪》："太甲，成汤之嫡长孙也，是为帝太甲。""大甲"即位，由"伊尹"

辅佐，如《史记·殷本纪》所云"帝大甲元年，伊尹作《伊训》、作《肆命》、作《祖后》"，《殷本纪》又记："帝太甲既立三年，不明、暴虐、不尊汤法、乱德，于是伊尹放之于桐宫。""大甲"居桐宫三年，学汤之法度，听伊尹之训，悔过、反善、自责、归贤，"于是伊尹乃迎帝太甲而授之政"。《帝王世纪》云"太甲修政，殷道中兴，号曰太宗"，终成商王朝一代名君。据《今本竹书纪年》，"大甲"在位十二年而陟。有关"大甲"即位世次及其后商王世次，传世典籍与商甲骨卜辞所记不同：传世典籍载，成汤之后依次为"太丁""外丙""仲壬""太甲""沃丁""太庚"，而商甲骨卜辞所记则是"大丁""太甲""大庚"。当以商甲骨卜辞所记为实。

辞"大甲奭妣辛"，意指"大甲"配偶"妣辛"，该种表达辞句又见于商代青铜器铭文。辞"翌日"是商代晚期一种重要祀典，涉及当时的"周祭"制度。

"周祭"是商王室以"翌（日）""祭""𧻚""劦（日）"与"彡（日）"五种祀典，对自"上甲"以下的先公、先王与自"示壬"配偶"妣庚"以下的先妣，严格依照世次，轮番且周而复始进行的一种特殊祭祀制度。该种祭祀首尾相连，连绵不断。在举行"周祭"时，"翌（日）""彡（日）"两种祀典皆单独举行，而"祭""𧻚""劦（日）"三种祀典则是相叠举行，一轮"周祭"全部举行需要36旬，或37旬。已发现的商"周祭"卜辞主要见于商王祖甲时期与商王帝乙、帝辛时期，其中商王祖甲时期约有140

版，而商王帝乙、帝辛时期则多达365版，且内容最为完整，自成系统。

上列刻辞"辛巳卜，贞：王宾大甲奭妣辛翌日，亡尤"，是商王帝乙、帝辛时期对于先妣进行"周祭"的一则占卜记录，于"辛巳"日占卜以"翌日"祀典祭祀商王"大甲"配偶"妣辛"，祭日与先妣日名一致。"妣辛"因其子"大庚"继位为王，故列入"周祭"祀典。据常玉芝研究，在"周祭"制度中，对于"大甲"配偶"妣辛"之祭祀排在第三旬。

商"王宾大甲奭妣辛翌日"刻辞程式、内容及书风，是商王帝乙、帝辛时期卜辞的典型。

商"王宾大甲奭妣辛翌日"刻辞卜甲藏于重庆中国三峡博物馆。

商"元示五牛二示三牛"刻辞卜骨 商王武丁时期文物。重庆中国三峡博物馆征集。

商"元示五牛二示三牛"刻辞卜骨是一残断牛骨，残长6.8厘米，拓片著录于《合集》14822；该卜骨可与《合集》14354、14824缀合。卜骨正面存数条契刻占卜记录，字口填墨，内容有关祭祀。

骨正面刻辞：

辛巳卜□元示□十三月。

己卯卜

贞：元示五牛，二示三牛？

贞：𠂤岁日酻？十三月。

壬午

贞：𠂤岁酻？十三月。

贞：元示五牛，它示三牛？

刻辞所记是商王武丁时期某年"十三月"先后进行的数次占卜。辞中"元示""二示"及"它示"，均为占卜所拟定的祭祀神主。

"它"，民国13年（1924年）叶玉森《研契枝谭》云"即蚕之初文"，并谓"蚕示，乃祀蚕神"。1965年，张政烺指出该字应释为"它"；1979年，张政烺又就商卜辞中"它示"及与之相关的"元示""二示"等问题作以精辟论述。之后，经学术界深入讨论，商卜辞中"元示""二示"及"它示"各自所含旨意渐为清晰。

"它示"于其他卜辞中又作"柁示"。结合相关卜辞综合研究，学术界认为，上列刻辞"元示""二示"及"它示"，分别意指不同集合庙主；"元示"即直系先王，而二示"与"它示"两者相当，即旁系先王。上列刻辞中"元示"与"二示""它示"对言，且祭品亦以"五牛"与"三牛"相别，明显体现出商人对于直系先王与旁系先王两者礼遇的隆杀之分，是探讨商人宗法制度、祭祀制度的重要依据。

商"元示五牛二示三牛"刻辞卜骨藏于重庆中国三峡博物馆。

商"王宾中丁"刻辞卜骨 商王武丁时期文物。1975年，故宫博物院征集。

商"王宾中丁"刻辞卜骨是一牛肩胛骨骨扇残块，残长16厘米，宽12.5厘米，拓片著录

于《合集》10406；该卜骨可与藏于上海博物馆一刻辞卜骨残块缀合，并与藏于中国国家博物馆商"王宾中丁"刻辞卜骨（拓片著录于《合集》10405正、反）为"成套卜骨"，两者同文。卜骨正、反面存5条契刻占卜记录，正面存33字，反面存17字，字口涂朱，内容为卜旬。

骨正面刻辞：

癸酉卜，骰贞：旬亡（无）囚？王二□王占曰：舲！有求，有梦。五日[丁丑]□王宾中丁祀，陁在庭[阜]□二告。

癸未卜，骰贞：□乃兹有求□。

癸巳卜，骰贞：旬亡（无）囚？王占曰：乃□求。若偁！甲午，王往逐兕□[小臣甾车]马硪鲁王车，子央亦[坠]□。

□巳□。

骨反面刻辞：

癸亥卜，骰贞：旬亡（无）囚？王占曰：有求□五日丁卯，子𢀮殊，不晷。

王占曰：有求。八日庚戌，有各云自东面母；昃，亦有出虹自北饮于[河]□。

刻辞所记是商王武丁时期一名"骰"贞人分别于"癸酉""癸未""癸巳""癸亥"与"癸卯"五日进行的占卜，占问未来十日之内是否将

有灾祸发生？"癸酉""癸巳"与"癸亥"三日占卜记录，均具备商占卜记录的完整程序，即"前辞""命辞""占辞"与"验辞"。如"癸酉"日卜辞中，"癸酉卜，殻贞"句，是记录该次占卜时间（癸酉）与贞人（殻），甲骨学研究中，学术界称之为"前辞"；"旬亡囚"为占卜事项，即未来十日之内是否将有灾祸，学术界称之为"命辞"；"王占曰：舍！有求，有梦"，是依据卜兆得出的吉凶判断，学术界称之为"占辞"，商王武丁占断：本旬将有灾祸；"五日［丁丑］囗王宾中丁祀，陁在庭［阜］"，是占卜事后对于该次占卜是否灵验的追述补记，学术界称之为"验辞"，本辞记载，在"癸酉"后五日"丁丑"，商王祭祀先王中丁时，倾倒在庭院丘阜上。

上列占卜记录中"验辞"所记述的事件，尤其值得关注。"癸酉"日卜辞"验辞"提及商王祭祀先王中丁的时日与地点，有助于学术界深入了解商人祭祀制度；"癸亥"日卜辞"验辞"记述发生意外不顺的"子沓"，当是与商王室关系密切的重臣；"癸巳"日卜辞"验辞"载"甲午，王往逐兕囗［小臣甾车］马硪曵王车，子央亦［坠］囗"，述及占卜次日"甲午"，商王田猎，追逐兕兽，小臣甾车马与王车发生碰撞，子央从车上跌落，从中可以了解有关商人田猎的信息。商"王宾中丁"刻辞卜骨反面辞"王占曰：有求。八日庚戌，有各云自东面母；昃，有出虹自北，饮于［河］"，是"癸卯"日占卜记录"占辞"与"验辞"，记录占卜后八日"庚戌"，有云自东面母之地涌出，中午过后太阳西斜之时，"虹"自北方出现，下饮黄河之水。

商"王宾中丁"刻辞所残缺部分，可据中国国家博物馆所藏商"王宾中丁"同文刻辞补充，两者亦可互校。

商"王宾中丁"刻辞卜骨藏于故宫博物院。

商"妇妹其汰疾"刻辞卜甲 商王武丁时期文物。1957年，故宫博物院征集。

商"妇妹其汰疾"刻辞卜甲是一完整龟腹甲，长14.2厘米，宽8.5厘米，拓片著录于《合集》13716正。卜甲正面存1条契刻占卜记录，内容有关疾病；反面施13处钻、凿及灼，并存"争""甘"与一残字笔画。

甲正面刻辞：

丁巳卜，宾贞：妇妹不汰疾？

贞：妇妹其汰疾？

刻辞所记是商王武丁时期一名"宾"贞人于"丁巳"日进行的占卜，占卜事项为"卜疾"。该占卜从占卜事项正反两个方面占问"妇妹"之疾病。"妇妹"之"妹"系女字。

本辞中"妇妹"，如同商代甲骨刻辞及青铜器铭文中所见"妇好""妇妌"及"妇羊"等。据徐义华2003年发表《甲骨刻辞诸妇考》梳理，所见商代"妇某"达204位，商代甲骨刻辞中计157位，见于商代青铜器铭文中有47位。这些"妇某"在甲骨刻辞中或不加私名，泛称"妇"或"多妇"；可知"妇"在商代是一种社会身份标志，她们应是商王、诸侯、大臣及诸子的配偶。据学者统计，在《甲骨文合集》《小屯南地甲骨》《英国所藏甲骨集》《怀特氏等收藏甲骨》及《东洋大学东洋文化研究所所藏甲骨文字》等有关著录中，"除去重片，有妇卜辞930余版。妇刻辞的内容十分广泛，涉及政治、经济、军事、宗教各个方面，许多刻辞的内容也十分重要"，而"如此之多的有关'妇某'活动的占卜表明，妇某应是晚商政治舞台上较为活跃的力量"，拥有较高社会地位，如"妇好""妇妌"，即商王武丁配偶。

上述商代诸妇，以商王武丁时期所见最多。上列商"妇妹其汏疾"刻辞中为"妇妹"占卜之贞人——"宾"，乃商王武丁时期的重要贞人之一，其为"妇妹"行卜，足见"妇妹"与商王室关系之密切。

商"妇妹其汏疾"刻辞卜甲藏于故宫博物院。

商"弜告秋于上甲"刻辞卜骨　商王武乙、文丁时期文物。20世纪初出土于河南省安阳市小屯村，为明义士购藏，1976年，由国家文物局拨交入藏故宫博物院。

商"弜告秋于上甲"刻辞卜骨是一残断的牛骨边缘，残长9厘米，宽1.5厘米，拓片著录于《合集》33230。卜骨正面存2条契刻占卜记录，凡23字，内容与农作物祭礼有关；反面施钻、凿及灼。

骨正面刻辞：

壬□其寻告秋？

弜告秋于上甲？

壬子贞：逆米帝秋？

弜逆米帝秋？

刻辞中"秋"，构形取象蝗虫，即"螽"之肖形；蝗虫至秋季为害最烈，故"秋"又引申为春秋之"秋"。上列卜辞"壬□其寻告秋？弜告秋于上甲"中"告秋"，是商代甲骨卜辞中习见的一种祭祀礼俗，即向祖先、神灵报告谷物长势，以祈求五谷丰收。本辞中所拟祭祀神主为"上甲"。《史记·殷本纪》记商

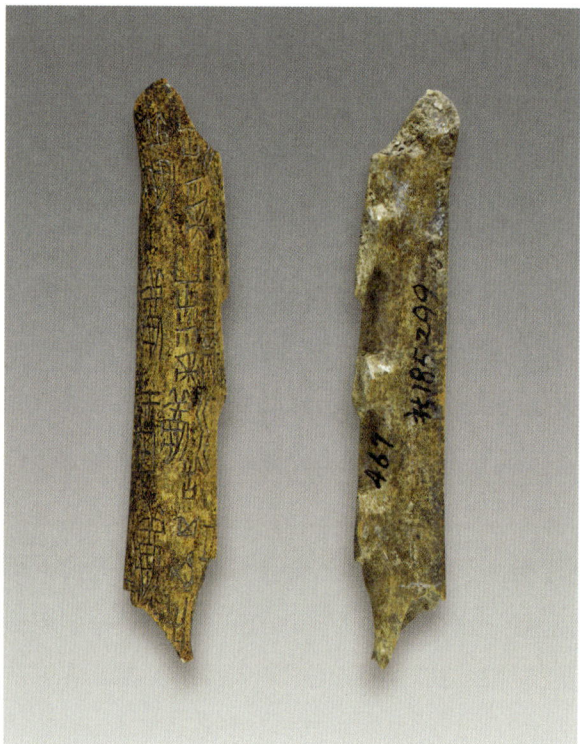

先公世次，始祖"契"后八世为"微"，乃"王亥"之子，其事如《竹书纪年》所云："殷王子亥宾于有易而淫焉，有易之君绵臣杀而放之。是故殷王甲微假师于河伯以伐有易，灭之，遂杀其君绵臣也。"曾为父报仇，杀有易氏。《国语·鲁语》载展禽语云："上甲微，能帅契者也，商人报焉。"上甲微颇有作为，备受商人尊崇。上述典籍中"微""上甲微"，即"上甲"。其他"告秋"商卜辞中祭祀神主又见商人高祖"王亥"及"河""岳"等自然神祇。由其他"告秋"卜辞可知，该种祭礼所用祭牲大多为牛，一牛至六牛不等。

上列刻辞"壬子贞：逆米帝秋？弜逆米帝秋"所记是"壬子"日进行的占卜，从占卜事项正反两方面占问是否举行祭礼——"逆米帝秋"，该种祭礼也应是祈求五谷丰收。

商"弜告秋于上甲"刻辞卜骨藏于故宫博物院。

商"四方神及四方风神"刻辞牛骨 商王武丁时期文物。20世纪初出土于河南省安阳市小屯村，后为刘体智购藏。刘体智（1879～1962），字惠之，后改为晦之，安徽庐江（今合肥）人，侨寓上海，晚清四川总督刘秉璋第四子，清代末年曾任大清银行安徽总督办，民国时期曾任中国实业银行上海分行经理、中国实业银行总经理，1962年任上海文史馆馆员。其为近代收藏大家，室名"远望楼""善斋"及"小校经阁"等，著有《善斋吉金录》《善斋玺印录》《吉金十录》及《小校经阁金文拓本》。刘体智旧藏商代甲骨28450片，是国际私藏甲骨之最大宗者，且以片大、字多及保存状况良好而著称。郭沫若云："刘氏体智所藏甲骨之多且精，殆为海内外之冠。"商"四方神及四方风神"刻辞牛骨，为刘体智于20世纪30年代初之前购藏。20世纪30年代所流传该刻辞牛骨拓本，并非全形，仅是刻辞部分，又因其内容与占卜无关，且骨反面无钻、凿及灼，遂被有些学者疑为伪刻。胡厚宣对该刻辞牛骨进行详细考证，认为刻辞字体遒整，文气古奥，文理通达，与杜撰不同，确系商王武丁时期刻辞，并于民国30年（1941年）发表《甲骨文四方风名考》一文，凿破其中玄机，堪称以"二重证据法"考证古史之范例。1953年夏末，刘体智将其所藏甲骨售予文化部文物管理局，商"四方神及四方风神"刻辞牛骨即在其中。文化部社管局罗福颐、中国社会科学院考古研究所陈公柔与周永珍曾参与自1953年9月14日至10月10日的清点工作。同年9月，该批甲骨暂借中国科学院考古研究所进行整理、研究。1958年8月15日，

文化部文物管理局将该批甲骨拨交入藏北京图书馆（中国国家图书馆前身）。

商"四方神及四方风神"刻辞牛骨是一残断的牛左肩胛骨骨扇部分，残长25厘米，宽15.6厘米，拓片著录于《合集》14294。牛骨正面无卜兆，存纵向、从右至左4行24字契刻文辞，内容是商人祀典中的四方神及四方风神；反面无钻、凿及灼。

骨正面刻辞：

东方曰析，风曰劦；

南方曰因，风曰兕；

[西]方曰秉，风曰彝；

[北方曰]勹（伏），风曰殴。

刻辞系商甲骨文中的记事刻辞，所载为商人祀典中的四方神及四方风神。其他刻辞中多见对此四方神及四方风神之祭祀，将此类刻辞对勘，可知上列刻辞中"四方神及四方风神"之名互有颠倒；商人祀典中"四方神及四方风神"当如下列："东方曰析，风曰劦；/南方曰因，风曰兕；/西方曰彝，风曰秉；/北方曰勹（伏），风曰殴。"

商甲骨卜辞中有关四方神之称谓，或如上列刻辞序列四方神及四方风神之名，或简称"东""南""西""北"，或简称"东方""南方"，或简称"四方""方"。所记四方神之祭祀，大多因"㞢年""㞢雨""宁风""宁雨"及"宁疾"而举，祈求风调雨顺、收获丰年，并禳夺疾病；或予以合祭，或仅祭某一方神，显示出时人对于四方神各自职掌区域之认知。据卜辞记载，商人祀典中的"风神""雨神"均为四方神所统辖。

《山海经》亦载四方神及四方风神，并

四方神之职守："[有人]名曰折丹，东方曰折，来风曰俊，处东极以出入风。"（《大荒东经》）"有神名曰因，因乎南方曰因，乎夸风曰乎民，处南极以出入风。"（《大荒南经》）"有人名曰石夷，[西方曰夷]，来风曰韦，处西北隅以司日月之长短。"（《大荒西经》）"有人名曰鵷，北方曰鵷，来之风曰狁，是处东极隅以止日月，使无相间出没，司其短长。"（《大荒东经》）

文中四方神分别为"折""因""夷"与"鵷"，对应四方风神分别为"俊""乎民""韦"与"狁"；与上列商甲骨文中四方神及四方风神分别对应契合。《山海经》所载四方神及四方风神，无疑源于商人祀典之四方神及四方风神。

《尚书·尧典》记"四时"之官："分命羲仲宅嵎夷，曰旸谷……厥民析，鸟兽孳尾；申命羲叔宅南交……厥民因，鸟兽希革；分命和仲宅西，曰昧谷……厥民夷，鸟兽毛毨；申命和叔宅朔方，曰幽都……厥民隩，鸟兽氄毛。"

文中"析""因""夷"与"隩"，分置东、南、西、北四方，并与春、夏、秋、冬四时相对应；与上列商甲骨文及《山海经》所载对应之四方神，义亦相因，名称相同。

商甲骨卜辞中所记四方神祭祀，又如《合集》11018正"燎于土牢，方帝"所记，常与"土"并祭，与《诗·小雅·甫田》所载"以社以方"相同，是商、周祀典之因袭。

商"四方神及四方风神"刻辞所载，结合其他相关卜辞，清晰反映出时人经过长期生产、生活实践，已经感知伴随春、夏、秋、冬四季变迁，风向及物候亦相应呈现出不同变化。

商"四方神及四方风神"刻辞牛骨藏于中国国家图书馆。

商"亚位其于右利"刻辞卜骨 商王康丁时期文物。20世纪初出土于河南省安阳市小屯村，后为刘体智购藏。商"亚立其于右利"刻辞卜骨，为刘体智于20世纪30年代之前收集。1953年夏末，刘体智将其所藏甲骨售予时文化部文物管理局，商"亚位其于右利"刻辞卜骨即在其中。1953年9月，该批甲骨暂借中国科学院考古研究所进行整理、研究。1958年8月15日，文物管理局将该批甲骨拨交入藏北京图书馆。

商"亚位其于右利"刻辞卜骨是一牛左肩胛骨边缘残块，残长20.5厘米，宽2.2厘米，拓片著录于《合集》28008。卜骨正面现存3条契刻占卜记录，内容有关戍守；反面施钻、凿。

骨正面刻辞：

癸巳卜：其呼戍□

弗利？

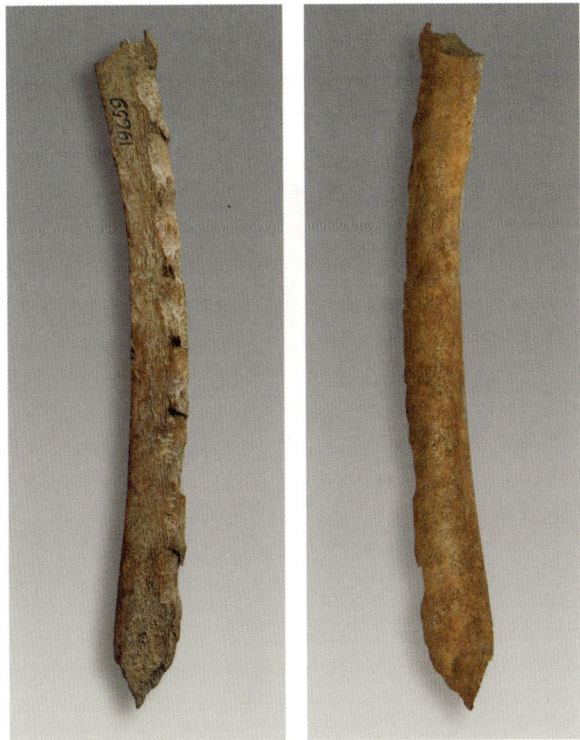

丁酉卜：其呼以多方小子、小臣？

其教戍？

亚立（位）其于右利？

其于左利？

刻辞所记分别是"癸巳"日及其后五日"丁酉"日进行的占卜，占卜事项主要为"戍守"；由"丁酉"日刻辞"其教戍"可知，此次戍守之地为"教"。刻辞"亚立（位）其于右利？其于左利"，"立"即"位"，意指行军及战阵之位置，本辞所记与此次戍守有关，占问"亚"属军位于"右"，或位于"左"，更为有利？显示商王对于执行此次戍守"亚"属军之重视。

"亚"是商王朝高级军职，常与"马""卫"及"射"等其他军事职官共同行动；"亚"也参与农业、田猎、祭祀及占卜等事务。商卜辞中又见占卜"亚"是否"保王""保我"之辞，可知"亚"是当时的重要辅臣。

商卜辞中载"亚雀""亚禽"及"亚般"等人，"雀""禽""般"均为"亚"之私名。"亚雀"是商王武丁时期一位极其重要的人物，与武丁存在紧密的血亲关系，商甲骨卜辞近400条与其相关；商王武丁时期征伐类卜辞中，以"雀"军事活动最多，在武丁统治集团内占有重要地位。殷墟侯家庄西北岗编号HPKM1001号大墓曾出土一件阴刻"亚雀"铭鹿角棒槌形器，应是"雀"之遗物。1982年至1992年，中国社会科学院考古研究所在安阳郭家庄西南发掘191座商代墓葬及陪葬坑，应为一处家族墓地；其中编号M160是一座中型墓，墓主"亚址"，墓内殉人，殉犬，伴有353件各类随葬品，显示其生前较高的社会等级。随葬232件青铜兵器中，3件青铜钺、1件玉钺，象征其军权，大量青铜矛、戈及镞，亦在明示其军事经历。2001年，中国社会科学院考古研究所在殷墟花园庄东地发掘编号M54商代墓葬，内有殉人、殉犬，随葬265件青铜器，显示墓主生前较高的社会地位；墓主"亚长"遗骨上留有多次遭钝器击伤及利刃砍伤痕迹。此类考古发现，可以帮助学术界深入思考"亚"在商代职官系统中的作用。《尚书·酒诰》载商"内服"职官"惟亚、惟服"，《牧誓》以"亚""旅"并举，《诗·周颂·载芟》语"侯亚侯旅"，商青铜器逦段铭"王饮多亚"，西周青铜器髭段铭"诸侯大亚"。凡此记述商、西周时期之"亚"，可与有关卜辞所记及考古发现互证。商卜辞中"亚"，是官职，也是地名、族名，或许可以借此理解考古发现中有些出土"亚"铭青铜器的墓主身份较低之缘由。

商"亚位其于右利"刻辞卜骨藏于中国国家图书馆。

商"王其狩湄日无灾"刻辞卜骨 商王康丁时期文物。20世纪初出土于河南省安阳市小屯村，后为刘体智于20世纪30年代初之前购藏。1953年夏末，刘体智将其所藏甲骨售予时文化部文物管理局；1958年8月15日，文物管理局将该批甲骨拨交入藏北京图书馆。

商"王其狩湄日无灾"刻辞卜骨是一残断的牛左肩胛骨骨臼及骨扇少许，残长15.6厘米，宽7.3厘米，拓片著录于《合集》29248。卜骨正面存3条契刻占卜记录卜辞，内容有关田猎；反面施钻、凿及灼。

骨正面刻辞：

王其兽（狩），湄日亡（无）[灾]？

王勿兑，其雨？

王叀（惠）牢田，不遘雨？吉！

刻辞所记占卜围绕商王田猎事宜，辞"湄日"，是商田猎卜辞中作为"命辞"之恒语，或如本辞言"湄日无灾"，或如《合集》29234云"王迍田，湄日不遘大风"，或如《小屯南地甲骨》116曰"王其田盂，湄日不雨"。"湄日"，杨树达谓："湄当读为弥，弥日谓终日也。"屈万里说同。辞"王其兽（狩），湄日亡（无）[灾]"，占问商王欲行狩猎，终日是否会有灾祸？刻辞中"田"意即田猎，亦典籍中"畋"。《广韵》："畋，取禽兽也。"上列刻辞"王勿兑，其雨"与"王叀（惠）牢田，不遘雨"，是占问商王将去"兑""牢"二地田猎，是否会遭遇降雨？

田猎是商王朝一项极为重要的活动。上列刻辞中，"狩""田"并举，两辞含义有所区别："狩"仅就狩猎行为而言，而"田"所表

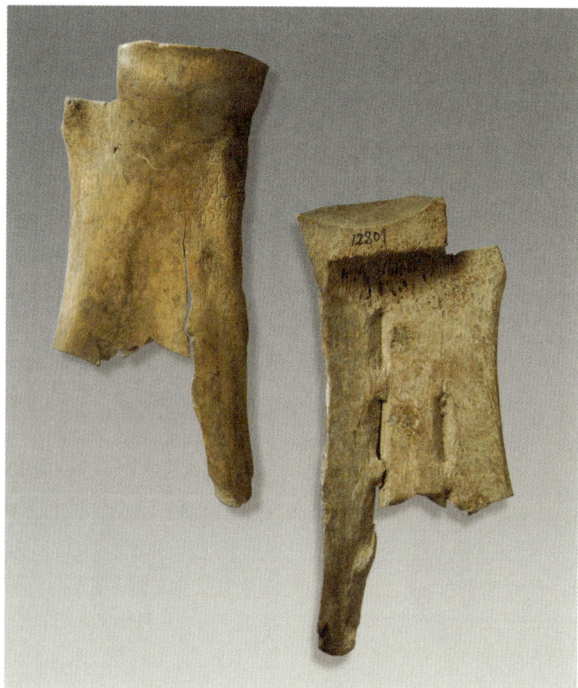

达的田猎活动则包含有更加深刻的政治、经济及军事意向。

殷墟出土田猎卜辞占卜事项如上列刻辞所示，主要围绕是否"无灾""遘雨"及"遘风"。所涉及众多田猎地点，如上列刻辞中"牢""兖"，是商代地理研究的重要史料。

商"王其狩湄日无灾"刻辞卜骨藏于中国国家图书馆。

商"王其逊于盈无灾"刻辞卜骨　商王康丁时期文物。20世纪初出土于河南省安阳市小屯村，后为郭若愚收藏。郭若愚（1921～2012），字智龛，上海人，光华大学中国文学学士，相继师从邓散木、阮性山及郭沫若等学习书法、绘画、篆刻、古文字及考古。中华人民共和国成立后，郭若愚先后在上海市文物保管会、上海博物馆工作，著有《殷契拾掇》《殷墟文字缀合》及《落英缤纷·师友忆念录》等。后郭若愚将所藏甲骨出让与文化部，商"王其逊于盈无灾"刻辞卜骨即在其中。1958年8月，文化部社会事业管理局将该批甲骨拨交入藏北京图书馆。

商"王其逊于盈无灾"刻辞卜骨是一牛右肩胛骨骨扇两片残块，经缀合，长残29.6厘米，宽4.5厘米，拓片著录于《合集》28905，林宏明《醉古集》第193组加缀《合集》28497。卜骨正面存8条契刻占卜记录，内容与商王巡行及田猎有关；反面施钻、凿及灼。

骨正面刻辞：

丁丑卜：翌日戊王其逊于盈，亡（无）灾？

于桳，亡（无）灾？

于丧，亡（无）灾？

于盂，亡（无）灾？

于宫，亡（无）灾？

翌日辛王其逊于盈，亡（无）灾？

于桳，亡（无）灾？

翌日壬王其田瀼，亡（无）灾，擒？引吉！

刻辞所记为三次占卜，其一"丁丑"日占问次日"戊寅"商王将巡行"盈""桳""丧""盂"及"宫"五地有无灾祸；其二是于"丁丑"后四日"庚辰"占问次日"辛巳"商王将巡行"盈""桳"两地有无灾祸；其三为"辛巳"日占问次日"壬午"商王将于"瀼"地进行田猎有无灾祸、是否将擒获猎物。

据上列刻辞所记，商王自"戊寅"至"庚辰"三日，先后巡行"盈""桳""丧""盂"及"宫"五地；于第四日"辛巳"返回"盈"地，次日又前往"瀼"地田猎。由此可知，"盈""桳""丧""盂""宫"及"瀼"六地彼此相接；参照其间所用时间、行程及当时交通状况，或可大致推定六地相距之里程。《左传·僖公二十四年》文"邘、晋、应、韩"之"邘"，晋杜预注云："河内野王县西北有邘城。"《水经·沁水注》云："其水南流，迳邘城西，故邘国也，城南有邘台。……京相璠曰：今野王西北三十里有故邘城，邘台是也。""邘"，王国维疑即商卜辞之"盂"。又《左传·定公八年》曰"刘子伐盂"，"盂"，陈梦家以为即上文"邗"，地在今河南沁阳西北；如此，上列刻辞中其余五地之地望亦可大致推定。

"盟""椊""丧""盂""宫"及"瀼"六地，是商王巡行及田猎之处。学术界对于商王田猎区的研究，主要存在两种意见：其一认为商王有固定田猎区；其二则认为商王没有固定田猎区，其田猎地点分散各地。作为商代历史及甲骨学研究的重点课题，在未来卜辞田猎地研究中，谨慎、准确考释地名文字，兼顾古代地名中的异地同名现象，并注意结合其他相关考古材料，应是取得突破的关键。

商"王其逖于盟无灾"刻辞卜骨藏于中国国家图书馆。

商"大邑受禾"刻辞卜骨 商王武乙、文丁时期文物。20世纪初出土于河南省安阳市小屯村，后为刘体智于20世纪30年代初之前购藏。1953年夏末，刘体智将其所藏甲骨售予时文化部文物管理局；1958年8月15日，文物管理局将该批甲骨拨交入藏北京图书馆。

商"大邑受禾"刻辞卜骨是一牛右肩胛骨骨臼及部分骨扇残块，残长16厘米，宽8.7厘米，断为3片，拓片著录于《合集》32176。卜骨正面存4条契刻占卜记录，内容有关农业、气象及以"人牲"祭祀祖先；反面施钻、凿及灼。

骨正面刻辞：

甲子贞：大邑受禾？

不受禾？

甲子卜：不联雨？

其联雨？

甲子贞：大邑又入在夌？

戊辰卜：又（侑）艮，妣己一女，妣庚一女？

庚□翌□。

刻辞所记为"甲子""戊辰"两日进行的占卜。辞中"大邑"，商代末年帝乙、帝辛时期卜辞中又称"大邑商"，是以殷墟为中心，商王朝行政区域管理中的"内服"，亦即后世所称之"王畿"。上列"甲子"日占卜以"正反对贞"的形式，即从占卜事项正反两方面分别占问"联雨"与"受禾"。"联雨"，

意即雨势连绵；"受禾"，商卜辞中又称"受年"，辞意五谷丰收。

刻辞中"㚔"，构形象以手按执跽跪之人，该字即"服"之初文。殷墟出土甲骨文中，"㚔"意为战俘，常与牛、羊、豕等牲畜并举作为祭品。上列刻辞"戊辰卜：又（侑）㚔，妣己一女，妣庚一女"，占问拟以"㚔"作为"人牲"献祭妣己与妣庚。《合集》22231记载，商王室曾以"㚔"30人作为"人牲"祭祀妣庚，足见当时身为"㚔"境遇之悲惨。

商"大邑受禾"刻辞卜骨藏于中国国家图书馆。

商"伐自上甲六示"刻辞卜骨 商王武乙、文丁时期文物。罗文炯旧藏。罗文炯（1899～1976年），字伯昭，号沐园，四川巴县（后属重庆）人。民国10年（1921年），毕业于上海圣约翰大学。长期经营桐油。1956年公私合营后，历任上海市工艺品进出口公司经理、上海市黄浦区政协副主席及黄浦区副区长。罗伯昭喜好收藏，是古钱币收藏家，曾发起筹建中国钱币学社。1954年，陈梦家于《文物参考资料》1954年第5期发表《解放后甲骨的新资料和整理研究》一文，罗伯昭受该文感召，于当年年末即将所藏400余块甲骨捐献国家。1958年8月，文化部社会事业管理局将该批甲骨拨交北京图书馆。据郭若愚《殷契拾掇三编》，罗伯昭于1954年冬曾以一枚南唐"保大元宝"背"天"铜钱向收藏家孙鼎易得一批甲骨，应为其所捐献国家甲骨来源之一。

商"伐自上甲六示"刻辞卜骨是一牛右肩胛骨残存骨臼，残长6厘米，宽5.8厘米，拓片著录于《合集》32099。卜骨正面存1条契刻占

卜记录，内容有关商先公、先王之祭祀；反面施钻、凿及灼。

骨正面刻辞：

庚寅贞：酒、彡、伐自上甲六示三羌三牛，六示二羌二牛，小示一羌一牛？ 二。

刻辞所记为"庚寅"日进行的占卜，占卜事项为所拟祭祀。商甲骨文"示"，象神主之形，商先公、先王及诸臣均通称为"示"。刻辞"上甲六示""六示"与"小示"，依次为所拟祭祀之集合神主；与该三组集合神主分别对应的"三羌三牛""二羌二牛"与"一羌一牛"，即以所俘之"羌"为"人牲"，并同"牛"共为祭品；其中所用"人牲"及"牛"数目之隆杀，体现出"上甲六示""六示"与"小示"彼此之间的尊卑之别。结合其他有关卜辞，本辞"自上甲六示"，即言商先公"上甲""报乙""报丙""报丁""示壬"与"示癸"；"小示"，则为旁系先王；而位列前两者之间的"六示"，当即"大乙""大丁""大甲""大庚""大戊"与"中丁"六位商直系先王。刻辞中"酒""彡""伐"，均为祭名；"伐"，象以戈斩人首之形，于此类祭祀卜辞中，对"人牲"而言，意即斩首以献祭。本辞所拟祭祀并用三种祭法，足见祀典之隆重。

商"伐自上甲六示"刻辞是一则完整的占卜

记录，祭法、祭品与所祀神主完备，殊为难得，是商先公、先王世系及祀典研究的重要参照。

商"伐自上甲六示"刻辞卜骨藏于中国国家图书馆。

商"于亳社御"刻辞卜骨　商王武乙时期文物。20世纪初出土于河南省安阳市小屯村，后为刘体智于20世纪30年代初之前购藏。1953年夏末，刘体智将其所藏甲骨售予时文化部文物管理局；1958年8月15日，文物管理局将该批甲骨拨交入藏北京图书馆。

商"于亳社御"刻辞卜骨是一牛肩胛骨断裂边缘，长15.1厘米，宽2.3厘米，拓片著录于《合集》32675。卜骨正面存6条契刻占卜记录，内容有关禳除灾殃的祭祀，不同刻辞间存横线界划；反面施钻、凿及灼。

骨正面刻辞：

丁亥□令□

于小丁御？

于🐚御？

于亳土御？

癸巳贞：御于父丁，其五十小宰？

□□［贞］：御于父丁，其百小宰？

刻辞所记占卜事项为拟定举行之"御"祭。"御"，商卜辞中又作"御"，是禳除灾殃之祭名，其被禳内容极其广泛，或人、牲畜疾病，或有关稼穑、水灾之类。"御"，作为祭名，亦见于青铜器铭文，如商代末年《我鼎》"我作御祼祖乙、妣乙、祖己、妣癸"。东汉许慎《说文解字》云："禦（御），祀也。"凡此均与卜辞所记相合。上列刻辞中"小丁""父丁""🐚"与"亳土"，为拟定所祀神主；"父丁"乃商王武乙称谓其父"康丁"；"小丁"，卜辞中又称

"祖丁""四祖丁"，是商先王"祖辛"之子，"小乙"之父，商直系先王之一；"亳土"，即亳地之"社"。

商"于亳社御"刻辞卜骨藏于中国国家图书馆。

商"又于伊尹"刻辞卜骨　商王武乙、文丁时期文物。20世纪初出土于河南省安阳市小屯村，后为刘体智于20世纪30年代初之前购藏。1953年夏末，刘体智将其所藏甲骨售予时文化部文物管理局；1958年8月15日，文物管理局将该批甲骨拨交入藏北京图书馆。

商"又于伊尹"刻辞卜骨是一牛肩胛骨断裂边缘，残长12.3厘米，宽2厘米，拓片著录于《合集》32786。卜骨正面存2条契刻占卜记录，内容有关祭祀；反面存多处纵列施钻、凿。

骨正面刻辞：

癸丑卜：又（侑）于伊尹？

丁巳卜：又（侑）于十立（位），伊又九？

□卯卜：□［雨］。

刻辞所记分别为"癸丑""丁巳"与"□卯"三日进行的占卜，"癸丑""丁巳"日占

卜事项为拟定之祭祀。刻辞中"伊尹",为商汤时名相,在典籍所记商之旧臣中最为显赫。《吕氏春秋·本味》《帝王世纪》及《楚辞·天问》等,谓伊尹系有莘氏采桑女得于"空桑"之中,神化其身世;先秦诸子又多以"伊尹"为庖人,出身卑贱。据《史记·殷本纪》《尚书》等载,"伊尹"辅佐成汤,剪灭夏朝,建立商朝,厥功至伟;且成汤之后,又及时训诫帝大甲,使其修德于政,巩固了商王朝政权。商人对"伊尹"极为尊崇,即如春秋晚期青铜器叔夷镈器铭所云"赫赫成唐","伊小臣惟辅,咸有九州岛,处禹之土"。"伊尹"更被后世颂为辅弼楷模。上列刻辞"癸丑卜:又(侑)于伊尹"所记,拟对"伊尹"举以"侑"祭;刻辞"又(侑)于十立(位),伊又九",拟以"伊尹"与其他九位神主合祭,"伊"即"伊尹"或称,与叔夷镈器铭同,其他卜辞中"伊尹"又称"伊奭"。

已发现有关"伊尹"卜辞130余条,商王武丁时期即对"伊尹"举以频繁而隆重的祭礼,世代不断,且多祀于"丁"日。或如

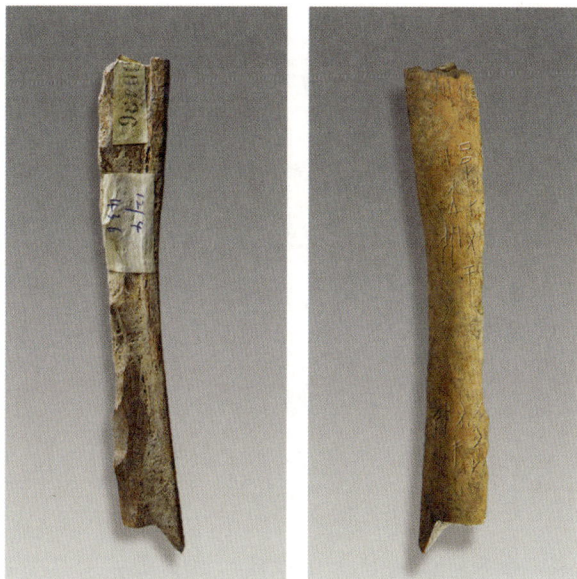

上列"癸丑"日卜辞,单独祭祀"伊尹";或如"丁巳"日卜辞,以"伊尹"与其他神主合祭,《合集》33318"又(侑)伊尹五示"、34123"又(侑)、岁于伊廿示又三"亦属此例。商卜辞中所记"伊尹",多与"高祖""河"及"岳"等作为"求禾""求雨"及"宁风"之神主。有关伊尹祭祀中,间用"彡""又""岁""酻"及"舌"等众多祭法;所用牺牲包括"牛""羊""牢"及"羌"等,数量大,规格高。"上甲"与"大乙",分别是商人最为尊崇的先公、先王,卜辞中商王以伊尹祔祭,足见伊尹所受之殊遇。伊尹不仅享祀于商王室,也为商"子族"敬仰献祭。凡此隆礼,均为其他旧臣无法比拟,亦与典籍及其他出土材料所述其地位之尊相符。

商"又于伊尹"刻辞卜骨藏于中国国家图书馆。

商"以多田亚任"刻辞卜骨 商王武乙、文丁时期文物。20世纪初出土于河南省安阳市小屯村,后为刘体智于20世纪30年代初之前购藏。1953年夏末,刘体智将其所藏甲骨售予文化部文物管理局;1958年8月15日,文物管理局将该批甲骨拨交入藏北京图书馆。

商"以多田亚任"刻辞卜骨是一牛肩胛骨骨扇残块,残长8.2厘米,宽5.8厘米,拓片著录于《合集》32992。卜骨正、反面均存两条契刻占卜记录,内容有关"宁雨"之祭及商职官。

骨正面刻辞:

[丁]丑贞:其宁雨于方?

戊寅贞:出亡(无)囚?□。

骨反面刻辞:

□□以多田、亚、任□

以多田、亚、任□

□[宰]其艺。

骨正面刻辞"[丁]丑贞：其宁雨于方"所记，是"丁丑"日进行的占卜，占卜事项为拟向四方神举以"宁雨"之祭；"方"乃四方神之简称。骨反面刻辞"多田、亚、任"中"亚"，是商王朝高级军职，常与"马""卫"及"射"等其他军事职官共同行动；"亚"也参与农业、田猎、祭祀及占卜等事务；商甲骨文中存有占卜"亚"是否"保王""保我"之辞，可见"亚"是当时重要辅臣。《尚书·酒诰》载商"内服"——王畿之内职官"惟亚、惟服"，《牧誓》以"亚、旅"并举，《诗·周颂·载芟》语"侯亚侯旅"，商青铜器逦段器铭"王饮多亚"，西周青铜器齻段器铭"诸侯大亚"，凡此记述商、西周时期之"亚"，可与有关卜辞所记及考古发现互证，有助于学术界深入思考"亚"在商王朝职官系统中的作用。上列刻辞中与"亚"并列之"田、任"，是商"外服"——王畿之外职官。《尚书·酒诰》曰"越在外服，侯、甸、男、卫、邦伯"，西周康王时期青铜器大盂鼎器铭云"惟殷边侯、田"，是知"甸"初作"田"，与"男"均为商"外服"职官。西

周早期青铜器矢令彝器铭云"侯、田、男"，知西周时期犹沿袭此职。《白虎通义·爵篇》于上引《尚书·酒诰》文作"侯、甸、任、卫"，《尚书·禹贡》文"二百里男邦"，《史记·夏本纪》引作"二百里任国"，《独断》云"男者，任也，立功业以化民"，是"男"与"任"古通。上列刻辞中"田、任"，即商"外服"职官"甸、男"。《合集》36511"余其从多田于多伯征盂伯炎"，记商王统率多位"田"征讨不庭。上列刻辞"以多田、亚、任"，载商王统合多位"田、亚、任"，共同采取行动。"田、任"，与其他卜辞中"侯""伯"及"卫"等，作为商王朝之"封建"，蕃屏王畿之外，戍边以御外来威胁。

商"以多田亚任"刻辞卜骨藏于中国国家图书馆。

商"又于出日"刻辞卜骨 商王武乙、文丁时期文物。20世纪初出土于河南省安阳市小屯村，后为刘体智于20世纪30年代初之前购藏。1953年夏末，刘体智将其所藏甲骨售予时文化部文物管理局；1958年8月15日，文物管理局将该批甲骨拨交入藏北京图书馆。

商"又于出日"刻辞卜骨是一牛肩胛骨骨扇左、右边缘两块残片，经缀合，残长9.2厘米，宽6.3厘米，拓片著录于《合集》33006。卜骨正面存5条契刻占卜记录，内容有关"出日"之祭及商王所建"右、中、左"三师；骨反面残存多处纵列钻、凿及灼。

骨正面刻辞：

辛未卜：又（侑）于出日？三

辛未：又（侑）于出日？兹不用。

乙未贞□用□。

丁酉贞：王作三师：右、中、左？三

辛亥贞：□才（在）祖乙宗□

刻辞所记分别是系"辛未""乙未""丁酉"及"辛亥"四日进行的占卜。辞"又（侑）于出日"，是"辛未"日占卜事项，辞意侑祭"出日"。其他卜辞中，"出日"又与"入日"同祭；"出日"与"入日"，又可简称为"出入日"。有关"出日""入日"卜辞，见于商王武丁、康丁与武乙文丁三个时期，凡12片，存21条刻辞。综合考察该类卜辞，商人祀"出日""入日"，多使用牛牲，或一牛、二牛、三牛以至多牛，兼用宰；祭法为"燎""又""裸""岁""酌"及"卯"等，与人鬼及其他自然神祇所用相同。

自20世纪30年代至今，对于卜辞"出日""入日"的研究，主要有时间与祭日之礼两类学说。民国25年（1936年），陈梦家云卜辞之"出日""入日"乃"祭日之辞"；1956年，又补以《尚书·尧典》语"寅宾出日""寅饯纳日"，谓"与卜辞之称'宾日'相同"，又"《史记·封禅书》齐有八神主，'七曰日主，祀成山……以迎日出云'"。民国26年（1937年），郭沫若云此为"殷人于日盖朝夕礼拜之"。1944年，胡厚宣谓"殷人有祭日之礼，且于日之出入朝夕祭之"。1951年，董作宾说殷代"有日神，于日出日入时祭祀"。1958年，日本学者岛邦男谓卜辞"出日""入日"系时间之辞；1967年，金祥恒也提出"出日、入日本为日出日落之意"。1985年，宋镇豪发表《甲骨文"出日""入日"考》一文，全面梳理卜辞中有关"出日""入日"材料，指出"甲骨文中

'出日''入日'祭礼是殷代的太阳祭礼"。以往学界将"'出日''入日'简单地解释为日出日落或朝夕的意思，都不能符合'出入日'一辞。'出入日'的自然现象是不存在的，是个抽象的专名"，"反映了殷代礼制中某些特殊的宗教性内容"。此种祭礼"大概当时一年中举行的次数是不多的"，"通常行于春秋之际，似有天象的标准"；而"后世在春秋或春分、秋分礼拜出日、入日，恐怕是殷代礼俗的演化，两者之间是一脉相承的"。稽考有关卜辞，知"出日""入日"乃商人祭日之礼，而非时间之辞。

1989年，中国社会科学院考古研究所在安阳殷墟小屯村中马王庙西南T8③中发现一片商王武乙、文丁时期卜骨（编号148），上刻辞"丁酉贞：王作三师：右、中、右"，文末"右"字系"左"字误刻，与上列刻辞"丁酉贞：王作三师：右、中、左"相同。"师"，是商军编制之一，《合集》5807记"中师"，《合集》1253载"右师"，亦当有"左师"；由此可知，至迟于商王武丁时期，商军即已

设置"右""中""左"三"师"建制。西周夷王时期青铜器禹鼎器铭"西六师""殷八师"，知"师"也为周人军队编制之一。《诗·小雅·采芑》句"陈师鞠旅"，东汉郑玄笺谓西周"二千五百人为师"。而有关商军"师"之编制定员，尚未发现确凿证据。商代军事组织与氏族密切关联，军队编制定员应采用"十进制"；卜辞中所见征召兵员，"五千""三千""四千"及"一千"，均为"百"之倍数，正是"十进制"。《尚书·牧誓》载西周初年军队编制，"亚旅、师氏、千夫长、百夫长"，亦均为"十进制"。凡此均可作为探讨商军之"师"编制定员之参考。

商"又于出日"刻辞卜骨藏于中国国家图书馆。

商"酚桒自上甲十示又二牛"刻辞卜骨　商王武乙、文丁时期文物。原为罗文炯收藏。1954年年末，罗氏将其所藏400余块甲骨捐献国家。1958年8月，文化部社会事业管理局将该批甲骨拨交入藏北京图书馆。

商"酚桒自上甲十示又二牛"刻辞卜骨是一牛左肩胛骨柄及少许骨扇上部，残长19厘米，宽2.20厘米，拓片著录于《合集》34115。卜骨正面存4条契刻占卜记录，间有界划，内容有关商先公、先王及河等神主的祭祀；反面残存数处钻、凿及灼。

骨正面刻辞：

又□岁□　二

甲申卜，贞：酚、桒自上甲十示又二牛，小示凢羊？兹用。二

甲申[卜]，贞：□酚河燎？

弜酚河燎，其复？

乙酉卜，贞：桒于丁？二

刻辞所记分别是"甲申""乙酉"两日进行的占卜，占卜事项为拟定之祭祀，涉及商先公、先王及"河"等众多神主、祭法"岁""酚""燎""复""桒"与祭品"牛""羊"。《史记·殷本纪》记商先公世次，始祖"契"后八世为"微"，乃"王亥"之子，其事如《竹书纪年》所云："殷王子亥宾于有易而淫焉，有易之君绵臣杀而放之。是故殷王甲微假师于河伯以伐有易，灭之，遂杀其君绵臣也。"曾为父报仇，杀有易氏。又《国语·鲁语》载展禽语云："上甲微，能帅契者也，商人报焉。"颇有作为，备受商人尊崇。上述典籍中"微""上甲微"，即上列刻辞中"上甲"；且由《合集》24975"其燎于上甲父[王]亥"，知"王亥"确为"上甲"之父。在商人心目中，"上甲"可以左右风雨水旱，影响农业收获，并能降灾赐福，护佑商王及战事，具有无上权威。

卜辞中所见对于"上甲"的祭祀频繁而隆重，"酚""燎""又""御""岁"及"毛"等祭法种类繁多；祭品包括"人牲"，规格极高。祭祀形式多样，如《合集》1188"燎上甲十牛"、1164"御于上甲"，均特祭"上甲"。或将"上甲"与其他商先公、先王合祭，且大多作为集合庙主之首。如在商王"周祭"祀典中，"上甲"即作为首位神主，列入祀典第一旬。凡此足见商人对"上甲"尊崇至极。

上列刻辞"甲申卜，贞：酚、桒自上甲十示又二牛，小示凢羊"，是合祭"上甲"之例；"示"，象神主之形，卜辞中所祀商先

公、先王及诸臣均通称为"示";本辞中"自上甲十示又二"与"小示",依次为所拟祭祀之集合神主;与此二组集合神主分别对应的"牛""羊",作为祭品之隆杀,体现出两者彼此之间的尊卑之别。稽考有关卜辞,"小示",为商旁系先王之称;与之对应,"自上甲十示又二",应是始于"上甲"的十二位直系商先公、先王。陈梦家云本辞"自上甲十示又二"系上甲六示"上甲、报乙、报丙、报丁、示壬、示癸"与大乙六示"大乙、大丁、大甲、大庚、大戊、中丁"相合,亦即"上甲"至"中丁"十二世直系商先公、先王。常玉芝则认为此"自上甲十示又二"乃"上甲、大乙、大丁、大甲、大庚、大戊、中丁、祖乙、祖辛、祖丁、小乙与武丁"。

商"酨莱自上甲十示又二牛"刻辞卜骨藏于中国国家图书馆。

商"今岁商受年"刻辞卜骨 商王帝乙、帝辛时期文物。20世纪初出土于河南省安阳市小屯村,后为刘体智于20世纪30年代初之前购藏。1953年夏末,刘体智将其所藏甲骨售予时文化部文物管理局;1958年8月15日,文物管理局将该批甲骨拨交入藏北京图书馆。

商"今岁商受年"刻辞卜骨是一牛右肩胛骨边缘残块,残长14.9厘米,宽2.2厘米,拓片著录于《合集》36975。卜骨正面存5条契刻占卜记录,内容有关农业收获;骨反面残存多处纵列钻、凿。

骨正面刻辞:

己巳王卜,贞:[今]岁商受[年]?王占曰:吉! 一

东土受年?

南土受年? 吉。

西土受年? 吉。

北土受年? 吉。

刻辞所记是"己巳"日进行的占卜,占卜事项为"受年",由商王亲自依据卜兆进行判断。"年",《说文解字》云:"谷熟也。"《春秋·桓公三年》语"有年",又宣公十六年记"大有年",《谷梁传》云:"五谷皆熟,为有年也。"《诗·鲁颂·有駜》"自今以始,岁其有。君子有谷,诒孙子",传云:"岁其有,丰年也。""有年""岁其有"意为五谷丰收;反之,庄稼歉收,即《周礼·地官·均人》所谓"无年"。本辞"受年",意

同"有年"。本辞乃占问当年是否将获得五谷丰收。商甲骨卜辞中,"受年"又称"受禾";在《合集》《屯南》及《英藏》等著录中,有关"受年""受禾"卜辞凡597例,均由商王亲自依据卜兆进行判断,足见商王对农业收成极为关注。《周礼·春官·肆师》曰"尝之日,莅卜来岁之芟""社之日,莅卜来岁之稼",所述周人占卜稼穑之俗,亦应是承袭殷礼而来。

本辞中商王占问"受年",所述地域依次为"商""东土""南土""西土"与"北土",即当时商王国政治地理结构之大略。《尚书·酒诰》文曰"越在外服,侯、甸、男、卫、邦伯;越在内服,百僚、庶尹、惟亚、惟服、宗工,越百姓里居",西周康王时期青铜器大盂鼎器铭"惟殷边侯、田与殷正百辟",是知"内服"与"外服"构成了当时商王国政治地理结构。与之对应,王邑、王畿、诸侯及臣属方国,由内及外;王畿即"内服",四方诸侯及臣属方国屏卫其外,即"外服"。本辞中商王以"商"与"四土"对称,"商",卜辞中又称"中商""大邑"及"大邑商",即"王畿",而"四土"则为"外服"。《屯南》1126以"商"与"东方、北方、西方、南方"对言,亦为此例。

商"今岁商受年"刻辞卜骨藏于中国国家图书馆。

商"癸■目岳羊"刻辞卜骨 商王武乙、文丁时期文物。20世纪初出土于河南省安阳市小屯村,后为刘体智于20世纪30年代初之前购藏。1953年夏末,刘体智将其所藏甲骨售予时文化部文物管理局。1958年8月15日,文物管

理局将该批甲骨拨交入藏北京图书馆。

商"燎目岳羊"刻辞卜骨是一完整牛右肩胛骨,长43.5厘米,宽24厘米,拓片著录于《合集》33747。卜骨正、反面存20余条契刻占卜记录,内容为卜雨,骨反面又存一条倒刻记事刻辞;正面存5个钻、凿及灼,反面存数列47个钻、凿及灼。

骨正面刻辞:

己巳卜:雨? 允雨。 三

己巳卜:辛雨? 三

己巳卜:壬雨? 三

己巳卜:癸雨? 三

己巳卜:庚雨? 三

庚不雨? 用。 三

己巳卜:辛雨? 三

丙子卜:丁雨? 三

丙子卜:丁不雨? 三

丙子卜:戊雨? 三

丙子卜:燎,雨? 三

丙子卜:燎,雨? 三

丙子卜:燎,弜雨? 三

丙子卜:燎目,雨? 三

丙子卜:丁雨?

戊寅:雨? 三

戊寅卜:己允雨? 三

庚辰卜:雨? 三

庚辰卜:辛雨? 一

庚辰卜:壬雨? 一

甲申卜:燎、目、岳羊? 三

甲申卜:燎十山? 一

甲申卜:燎十山? 二

甲申卜:燎十山? 三

甲申卜:丙雨? 二

甲申卜:丁雨?

乙酉卜:丙戌雨? 三

戊雨? 允雨。

己丑卜:燎、目、岳羊?

己丑卜:燎,庚雨?

己丑卜:庚雨?

骨反面刻辞:

丁丑卜

戊辰雨?

戊辰不雨?

二日,今雨己巳。

癸亥力乞肩 三。

骨正、反面刻辞所记为"戊辰""己巳""丙子""丁丑""戊寅""庚辰""甲申""乙酉"及"己丑"连续多日所做的30余次占卜,占问事项大多占问次日及后日是否降雨,少数占问拟定用于祈雨之祭祀。辞中涉及商人祀典中部分神主如"岳""十山""燎""目",祭法如"燎""燎",祭品如"羊"。反面左侧边缘倒刻文辞"癸亥力乞肩三",同类又如《村中》380"庚戌矢乞肩六旬"、《屯南》783"癸卯矢乞旬肩三"及《屯南》3028"乙未矢乞肩六自正旬"等例,是"历组卜辞"骨面记事刻辞,或大致记录卜骨的来历与整治。而对于其具体含义,学术界尚存不同认识。

商"燎目岳羊"刻辞存连续多日卜雨记录,在商卜辞中极为罕见;该骨尺寸巨大,保存完整,骨上共存218字,并遗留众多钻、凿。凡此对于甲骨学研究均具有重大价值。

商"燎目岳羊"刻辞卜骨藏于中国国家图书馆。

商"勿屮于多介父犬"刻辞卜甲　商王武丁时期文物。20世纪初出土于河南省安阳市小屯村，后为刘体智于20世纪30年代初之前购藏。1953年夏末，刘体智将其所藏甲骨售予时文化部文物管理局。1958年8月15日，文物管理局将该批甲骨拨交入藏北京图书馆。

商"勿屮于多介父犬"刻辞卜甲是一龟腹甲左甲桥、左四鳞与左五鳞残块，残长6.2厘米，宽3.8厘米，拓片著录于《合集》6002。卜甲正面存3条契刻占卜记录，间有横向界划，内容有关祭祀；反面存刻辞"王占曰"，并钻、凿及灼。

甲正面刻辞：

乙酉卜，［殻］贞：刖□

勿屮（侑）于多介父犬？

戊寅卜，争贞：于羌甲□小告。

甲反面刻辞：

王占曰：［吉］。

刻辞所记为商王武丁时期由"殻""争"两名贞人分别于"乙酉""戊寅"两日进行的占卜，占卜事项为拟定之祭祀。《史记·殷本纪》载商王世系，自成汤始，历八代至"祖辛"；帝祖辛崩，其弟"沃甲"立，是为第十六位商王。"沃甲"，《世本》《竹书纪年》作"开甲"。《今本竹书纪年》云："（开甲）元年壬寅，王即位，居庇。五年，陟。"而据商"周祭"卜辞所记商王世系，"祖辛"之后，则为本辞"戊寅"日所拟祀之神主"羌甲"，乃自成汤始八代，第十四位商王。于省吾云，"沃"为"羌"字之讹，典籍中"沃甲""开甲"即卜辞中"羌甲"。《史记·殷本纪》载："帝沃甲崩，立沃甲

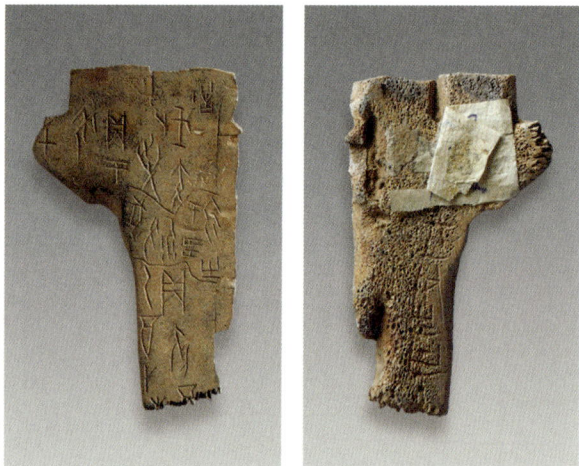

兄祖辛之子祖丁，是为帝祖丁。帝祖丁崩，立弟沃甲之子南庚，是为帝南庚。帝南庚崩，立帝祖丁之子阳甲，是为帝阳甲。"商"周祭"卜辞所记此间商王及世次与《殷本纪》同。"羌甲"虽为旁系先王，然商人对"羌甲"之祭祀较为隆重。"羌甲"或享受特祭，或分别与直系先王、旁系先王合祭，且进入"周祭"祀典，其配偶也于商王祖庚、祖甲时期"周祭"中享祭。奉于"羌甲"之祭品，如"宰""牛""羊""鬯"及"人牲"等，也是丰盛。据《合集》1823正"羌甲虫王"、869"有疾告羌甲"所记，商人以为"羌甲"可赐福降灾，虽为旁系商王，但其在商人心目中具有特殊地位。

本辞"勿屮（侑）于多介父犬"，是占问以犬牲侑祭"多介父"。"多介父"，乃一集合亲属称谓，《合集》2096"多介祖"、2926"多介兄"及816"多介子"与之类似。"介"，用于亲属称谓，意即"嫡庶"之"庶"。《礼记·曾子问》载："曾子问曰：'宗子为士，庶子为大夫，其祭也如之何？'"孔子曰：'以上牲祭于宗子之家，祝曰：孝子某为介子某荐其常事。'"东汉郑玄注："介，副也。不言庶，

使若可以祭然。"此是"庶子"称"介子"。又《礼记·内则》"冢妇所祭祀宾客,每事必请于姑。介妇请于冢妇。舅姑若使介妇,毋敢敌耦于冢妇",以"介妇"与"冢妇"对言,用以称"冢子"之外诸子之妇,亦取"庶"意。本辞中"多介祖""多介父""多介兄"及"多介子"之"介",即用此"庶"义。商卜辞中又记商王称故去的父王为"帝",如武丁称"小乙"为"父乙帝",祖庚、祖甲称"武丁"为"帝丁",康丁称"祖甲"为"帝甲";但不称旁系先王如商王"祖庚"之类为"帝"。西周时期青铜器仲师父鼎器铭称亡父为"帝考",勇叔买段器铭称亡父为"啻考"。凡此称父为"帝",其意当即后世嫡庶之"嫡"。商卜辞中"帝""介"之分,即嫡庶之别,应与至迟自商王武丁时期已经确立的王位父子相承之制,以及卜辞中反映出的直系先王与旁系先王分别于祭祀中所享受的隆杀殊遇相对应,凡此均是商代宗法制度的表征。

商"勿屮于多介父犬"刻辞卜甲藏于中国国家图书馆。

商"王迣于薑往来无灾"刻辞卜甲 商王帝乙、帝辛时期文物。原为日人岩间德也收藏,于民国27年(1938年)前后卖给当时为日本侵略者占领下的旅顺博物馆。民国22年(1933年)著录于郭沫若《卜辞通纂》别录之二《日本所藏甲骨择尤》首片。之后,学术界或以为原物"所在不明"。2011年11月20日,旅顺博物馆与中国社会科学院甲骨学殷商史研究中心签署协议,合作整理馆藏甲骨。经过此次整理、研究,旅顺博物馆所藏甲骨得以全面揭示。经与《卜辞通纂》著录照片比对,商

"王迣于薑往来无灾"刻辞卜甲,左右前甲两边及后腹甲上部左侧已残缺、蚀去多字,并析为三片,甚为可惜。

商"王迣于薑往来无灾"刻辞卜甲是一龟腹甲大部分,残长22厘米,宽10厘米,拓片著录于《合集》36639;该卜甲可与《合集》36577、36764、37508及《合补》13064摹本缀合。卜甲正面存35条契刻占卜记录,字口填墨,内容有关商王长时间于多地巡行、田猎;反面残存多处钻、凿及灼。

甲正面刻辞:

丁巳[卜,贞]:王迣囗,[往]来[亡(无)灾]?

丁卯[卜,贞]:王囗,往[来]亡(无)[灾]?

丁酉[卜,贞]:王迣,[往来]亡

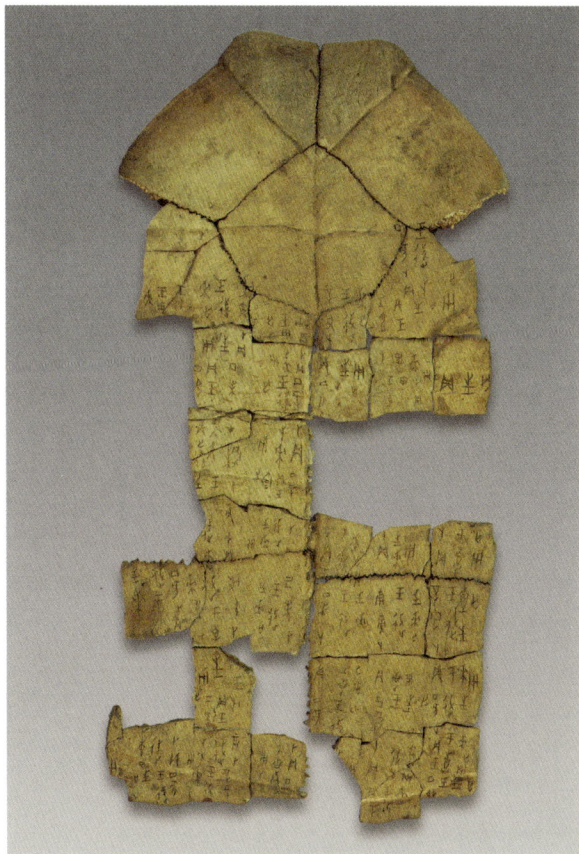

（无）灾？

己酉卜，贞：王逊，往来亡（无）灾？

丁亥卜，贞：王逊于曹，往来亡（无）灾？

丁未卜，贞：王逊于䧉，往来亡（无）灾？

庚寅卜，贞：王逊䧉，往来亡（无）灾？

辛巳卜，贞：王逊于𢀇，往来亡（无）灾？

己亥卜，贞：王逊于曹，往来亡（无）灾？

□卜，贞□往来［亡（无）］灾？

□卜，贞□于𢀇，［往来］亡（无）灾？

丁卯卜，贞：王步于歸，亡（无）灾？ 一

壬寅［卜，贞：王］田，［往来］亡（无）灾？

贞□往［来］亡（无）［灾］？

辛丑卜，贞：王逊，往来亡（无）灾？ 一

壬申卜，贞：王田，往来亡（无）灾？

丁亥卜，贞：王逊，往来亡（无）灾？

丁□贞□

辛巳［卜，贞：］王逊，［往］来［亡（无）灾］？

丁亥［卜，贞：］王逊，往［来］亡（无）［灾］？

□卜，贞：［王逊］于䧉，［往来亡（无）］灾？

戊辰卜，贞：王逊于𢀇，往来亡（无）灾？

□卜，贞：［王］逊［于］曹，往［来］亡（无）［灾］？

己未卜，［贞：］王逊□，往来亡（无）［灾］？

戊午卜，贞：王逊于𢀇，往来亡（无）灾？

丁亥卜，贞：［王］逊于□，往来［亡（无）灾］？

丁巳卜，贞：王逊宫，往来亡（无）灾？

乙丑卜，贞：王逊曹，往来［亡（无）灾］？

戊□王田，［往来］亡（无）［灾］？

丁巳卜，贞：王逊，往来亡（无）灾？

丁未卜，在𢀇，贞：王其入大邑商，亡（无）㞢在畎？

丁亥卜，贞：王逊，往来亡（无）灾？

戊辰卜，贞：王田，往来亡（无）灾？

戊寅卜，贞：王逊，往来亡（无）灾？ 一

壬午卜，贞：王田，往来亡（无）灾？

刻辞所记为"乙丑""丁卯""戊辰""壬申""戊寅""辛巳""壬午""丁亥""庚寅""丁酉""己亥""辛丑""壬寅""丁未""己酉""丁巳""戊午"与"己未"十八日进行的占卜，占卜事项绝大多数为"王逊"，即商王巡行某地，少量为"王田"，即商王于某地进行田猎；占问内容为商王于两类行动中，往返是否将有灾祸？辞中涉及"宫""轊""窴""⚹""⚹""⚹""鯑"及"大邑商"等众多地名；前后18次占卜，跨度长达六旬。有关"王迒"卜辞大部分见于商代末年，如本辞所载，该种行动花费时日，且如《合集》36426"丁丑王卜，贞：其振旅，征迒于盂"，或兴师动众。凡此种种，均可显示"王迒"并非寻常出行。裘锡圭读"迒"为"毖"，意为垯戒镇抚。

商"王迒于窴往来无灾"刻辞卜甲尺寸大，刻辞较多，保留大量有关商代末年商王巡行、田猎的时日、地名，信息较为连贯，是研究商代地理的重要史料，至为珍贵。

商"王迒于窴往来无灾"刻辞卜甲藏于旅顺博物馆。

商"翌庚子不其易日"刻辞卜骨 商王武丁时期文物。20世纪初出土于河南省安阳市小屯村，后为罗振玉购藏。民国17年（1928年），罗振玉迁居旅顺，并建造藏书楼"大云书库"，将全部藏书与文物置于楼中。民国29年（1940年），罗振玉因病去世。民国34年（1945年）苏

联红军解放被日本侵略者占领的大连后，对旅顺实行军事管制，并征用罗振玉住宅与藏书楼，致使罗氏旧藏文物大量散失民间。20世纪五六十年代，旅顺博物馆从民间收集罗氏旧藏文物超过6000件，其中包括甲骨2200多片，是构成旅顺博物馆所藏殷墟出土甲骨的大宗，商"翌庚子不其易日"刻辞卜骨即在其中。

商"翌庚子不其易日"刻辞卜骨是一牛左肩胛骨边缘残块，残长8厘米，宽2厘米，拓片著录于《合集》13278。卜骨正面存1条契刻占卜记录，字口涂朱，内容有关气象；反面残存多处断裂钻、凿。

骨正面刻辞：

贞：翌庚子不其易日？

庚子易日？

[庚] 子 [易] 日。

刻辞所记是"己亥"日进行的占卜，占卜事项为"易日"，从占卜事项正反两方面占问次日"庚子"是否为"易日"。"易日"，是殷墟出土甲骨文中占问气象之恒语，常与"启""雨"等气象同见一辞。"易"，郭沫若读为"暘"，东汉许慎《说文解字》云"日覆云暂见也"，该种天气状况即口掩于云中，倏然可见。

商"翌庚子不其易日"刻辞卜骨藏于旅顺博物馆。

商"翌乙巳其雨"刻辞卜骨 商王武丁时期文物。20世纪初出土于河南省安阳市小屯村，后为罗振玉购藏。民国17～34年（1928～1945年），置于罗振玉旅顺藏书楼"大云书库"；民国34年（1945年）散失民间。20世纪五六十年代，旅顺博物馆从民间收

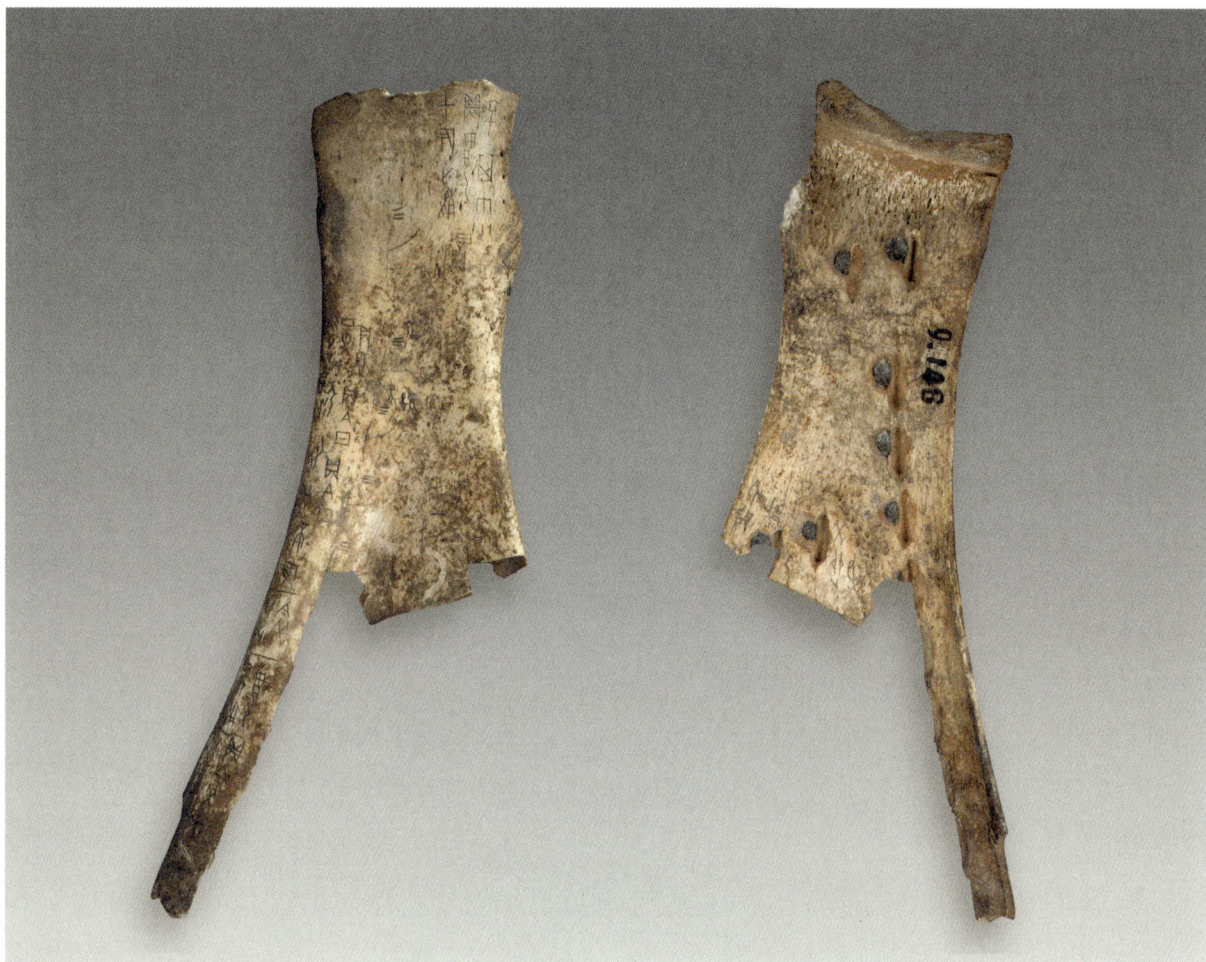

集罗氏旧藏甲骨2200多片，商"翌乙巳其雨"刻辞卜骨即在其中。

商"翌乙巳其雨"刻辞卜骨是一牛右肩胛骨柄及骨扇部分残块，残长25厘米，宽10厘米，拓片著录于《合集》458正、反。卜骨正、反面存数条契刻占卜记录，间有界划，字口填墨，内容有关卜雨及"步"祭；骨反面残存纵列多处钻、凿及灼。

骨正面刻辞：

贞：今癸卯燎？

今癸卯燎？

翌乙巳用羌？

甲辰卜，㱿贞：翌乙巳其雨？　三

不雨？　三

贞：今日步？　三

贞：今日勿步？　三

贞：翌丁未勿步？　三　不舍黿

一　三

骨反面刻辞：

癸卯卜，争

取咼［于？］巳。

骨正面刻辞所记分别是"癸卯""甲辰""丙午"三日进行的占卜，占卜事项分别为卜雨与拟定之"步"祭。辞"贞：今癸卯燎""今癸卯燎？不雨"，占问当日"癸卯"举行"燎"祭，是否将有降雨；辞"甲辰卜，㱿贞：翌乙巳其雨""翌乙巳用羌"，是"癸卯"次日"甲辰"所行占卜，占问次日"乙巳"是否将有降雨，是否以"羌"作为"人牲"献祭求雨；辞"贞：今日步？贞：今日勿步"，从占卜事项正反两方面占问当日是否举行"步"祭；另一刻辞"贞：翌丁未勿步"，占问次日"丁未"是否举行"步"祭。由此可知，该占卜日为"丙午"。辞中"步"，用为祭名。《周礼·地官·族师》语"春秋祭酺"，东汉郑玄注云："酺者，为人物灾害之神也。故书酺或为步。"又《夏官·校人》云"冬祭马步"，郑玄注："马步，神为灾害马者。"《大戴礼记·诰志篇》载："天子崩，步于四川，代于四山"，祭川也谓"步"。又《仪礼经传通解续》引《洪范五行传》"惟元祀，帝令大禹步于上帝，惟时洪祀六沴用咎于下"，此"步"或即祈禳六沴之祀名。凡此所述后世典籍中用作祭名之"步"，有助于学术界深入理解商卜辞中祭名之"步"。综合骨正面刻辞，可稽查日期依次为"癸卯""甲辰""乙巳""丙午"与"丁未"，五日相连。

骨正面刻辞"不告黾"，是商占卜之恒语，通常横向契刻于兆璺横兆下侧，字体较小，或与"二告""小告"之类文辞见于同版，不与其他文辞相属，学术界称之为"兆辞"，应是视卜兆断定吉凶之类术语。清孙诒让、唐兰、郭沫若、董作宾、于省吾、胡光炜及陈邦福等学者均曾稽考其文意，其中陈邦福读为"不啎殊"，意所占卜之事与卜兆"不乖殊"。

商"翌乙巳其雨"刻辞卜骨藏于旅顺博物馆。

商"翌癸未屎西单田"刻辞卜甲 商王武丁时期文物。20世纪初出土于河南省安阳市小屯村，后为罗振玉购藏。民国17～34年（1928～1945年），置于罗振玉旅顺藏书楼"大云书库"；民国34年（1945年）散失民间。20世纪五六十年代，旅顺博物馆从民间收集罗氏旧藏甲骨2200多片，商"翌癸未屎西单田"刻辞卜甲即在其中。

商"翌癸未屎西单田"刻辞卜甲是一龟腹甲之左一鳞、左二鳞、中甲、右一鳞及右二鳞，残长11厘米，宽9厘米，拓片著录于《合

集》9572；该卜甲可与《合集》5080、16399、17331、17464及9583缀合。卜甲正面存10余条契刻占卜记录，内容有关商王出行、占梦、农田施肥及狩猎；反面残存4处钻、凿及灼。

甲正面刻辞：

癸亥卜，宾贞：王必，若？十三月。　一

辛未□屎□单□

丙子卜，宾贞：梦隹（惟）孽？　一

贞：不［惟］孽？十三月。　一

庚辰［卜］，贞：翌癸未屎西单田，受屮（有）年？十三月。　一

癸未□贞□于□　一

戊子卜，宾贞：王往逐𪔀于沚，亡（无）灾？之日王往逐𪔀于沚，允亡（无）灾，获𪔀八。　一

亡勾一

十三月　一

癸巳卜，贞：王往于剢？　一　一

贞：其屮？　一月。

刻辞所记分别为"丙子""庚辰""戊子""癸巳"及"癸亥"日进行的占卜，"癸亥""癸巳"日占卜事项为商王出行，"丙子"日占卜事项为占梦，从占卜事项正反两方面占问所梦是否为灾祸。辞"庚辰［卜］，贞：翌癸未屎西单田，受屮（有）年？十三月"，"西单田"即商都城西郊外附近之田地，"屎"殆指农田施肥，本辞占问"庚辰"后四日"癸未"拟对"西单田"进行施肥，是否将获得丰年。本辞所记"十三月"，为年终。《甲骨文合集》9577又记"屎有正？二月"，凡此年终、岁首，正是北方农田施肥之时令。西汉农学家氾胜之曾追述，商代初年

"汤有旱灾，伊尹作为区田，教民粪种，负水浇稼"，云伊尹教民"粪种"。以卜辞所记相征，氾氏所述当有其实。本辞"戊子卜，宾贞：王往逐𪔀于沚，亡（无）灾？之日王往逐𪔀于沚，允亡（无）灾，获𪔀八"，记有"前辞""命辞""占辞"与"验辞"，程序较为完整；命辞"王往逐𪔀于沚，亡（无）灾"，即占卜事项：商王将去沚地捕猎𪔀，是否将有灾祸？"之日王往逐𪔀于沚，允亡（无）灾，获𪔀八"，为"验辞"，记占卜后商王去沚地捕猎，无有灾祸，并捕获8只𪔀。"𪔀"，或省作"𪔀"，商卜辞中多见捕获𪔀之记载，当为鹰属，严一萍以为即"鹈"之本字。

商"翌癸未屎西单田"刻辞卜甲藏于旅顺博物馆。

商"癸丑卜争贞𢀤以射"刻辞卜骨　商王武丁时期文物。20世纪初出土于河南省安阳市小屯村，后为罗振玉购藏；1961年，由罗氏后人捐赠，入藏吉林大学。

商"癸丑卜争贞𢀤以射"刻辞卜骨是一牛肩胛骨骨扇残块，残长19.3厘米，宽9.9厘米，厚0.8厘米，拓片著录于《合集》5761。卜骨正面存2条契刻占卜记录，内容有关商王出行与臣僚贡纳。

骨正面刻辞：

甲午卜，亘贞：王往出？

癸丑卜，争贞：𢀤以射？

刻辞所记是商王武丁时期由"亘""争"两名贞人分别于"甲午""癸丑"两日进行的占卜，"甲午"日占卜事项"王往出"为商王出行，"癸丑"日占卜事项"𢀤以射"为"𢀤"进献射手。"亘""争"，两人活跃于

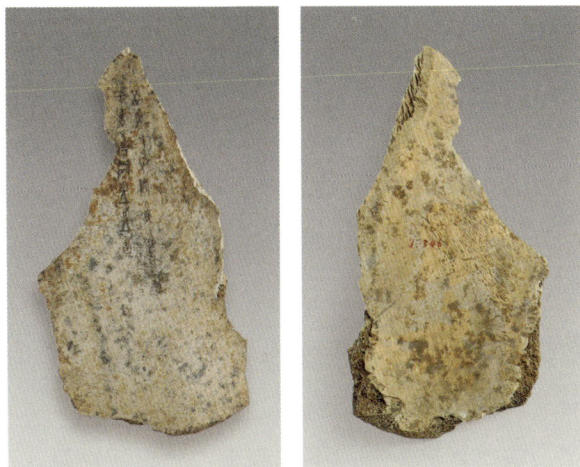

商王武丁时期，主持王室占卜，职责整治、检视卜用甲骨。已知卜辞中，"亘"参与占卜多达500次，而"争"竟达1300余次。据《合集》10184"贞：亘其业（有）凶"、《东京》1068"贞：争弗其肩凡有疾"，商王武丁曾分别为"亘""争"占问疾病休咎，两人深得宠信，是当时的重要贞人。

"✹"，是活跃于商王武丁中期至祖庚、祖甲时期的一位重要臣僚，与其有关卜辞达110余条。《合集》14474"使人于✹"及5811"呼涉✹师"记，✹拥有封地与军队。《合集》2658"贞：呼✹取？贞：呼妇好见多妇于✹"及5461"贞：✹岳王事？王占曰：吉"载，"妇好"在世之时，✹即已受命于商王，勤于土事。

✹曾受商王命征取物资，纳贡于王室；受命驻扎庞地，并参与对"羌方""龙方"战事。✹担任管理农业生产的重要官职"小耤臣"，辖领"小众人臣"进行农业生产，巡视仓廪，以保粮食安全。农业是最重要的经济部门，事关国家生存；而商王命✹主管农事，可见✹是当时统治集团内的重要臣僚。据《合集》4015"贞：✹亡（无）蛊"、13877"贞：

✹其肩凡业（有）疾"、17170"贞：✹不其肩告其盘？十一月"及13740"丙辰卜，贞：祼告✹疾于丁""御✹于妇三宰"，商王曾为✹占问疾病休咎，且为其举行"御"祭，以禳夺疾病，足见商王对✹之宠信异常。

商"癸丑卜争贞✹以射"刻辞卜骨藏于吉林大学考古与艺术博物馆。

商"晕风"刻辞卜骨 商王武丁时期文物。20世纪初出土于河南省安阳市小屯村，后为罗振玉购藏。1957年，由吉林省长春市教师进修学院拨交入藏吉林省博物馆。

商"晕风"刻辞卜骨是一牛肩胛骨残块，残长3厘米，宽2.6厘米，重3克，拓片著录于《合集》20984。卜骨正面存契刻残辞数字，内容有关"晕""风"。

骨正面刻辞：

□辛未□大令□晕风□。

刻辞中"晕"，象日之四周之光气旋卷，即"晕"之初文。作为一种大气光学现象，"晕"的成因原理，当日、月之光穿过位于6千米左右高空悬浮的大量各种形状或正六棱冰晶体薄幕状卷层云时，由于光在不同形状的冰晶中反射、折射，从而形成不同形状的"晕"。中国古代对于日、月之晕，很早即开始观察、记载，如《吕氏春秋·明理》载日"有晕饵"、月"有晕饵"；又《释名·释天》曰："晕，卷也，气在外卷结之也，日月俱然。"战国时期魏人石申所言"日旁有气，员而周匝，内赤外青"，更为生动形象。"晕"，古人或视为吉凶之征兆。《周礼·春官·视祲》"视祲掌十辉之法，以观妖祥，辨吉凶"，郑司农云："辉谓日光气也。"其中包含望"晕"占验吉凶。《左传·昭公十五年》载，梓慎见"赤黑之祲"，曰："非祭祥也，丧氛也。"亦此例。《汉书·艺文志》所录《汉日旁气行占验》《汉日食、月晕杂变行事占验》等，惜失传于世。1973年长沙马王堆三号汉墓出土西汉帛书《天文气象杂占》，书中绘日、月晕图，是秦汉时期人们望晕占验吉凶之大概。晋唐之后，占晕之类书籍日渐弥多。另一方面，通过长期的生产、生活实践，古人发现日、月之"晕"与"风""雨"两类气象，彼此之间分别存在密切联系，如"月晕知风，础润知雨"，"日晕三更雨，月晕午时风"，即此类古老谚语。唐《开元占经·月占篇》引黄帝占辞"月饵而冠者，天子大喜，或大风"及唐李白诗句"月晕天风雾不开"、孟浩然诗句"太虚生月晕，舟子知大风"，均将"月晕"视作"风"之前兆，而"日晕"则为"雨"之先导。至于元代娄元礼《田家五行》"月晕主风，何方有阙，即此方风来"，更将"晕"与"风""雨"之联系深入详察。

本辞"□辛未□大令□晕风□"，"晕"与"风"同现；其他卜辞又见"晕"与"雨"同版。"晕"与"风"及"晕"与"雨"，两类刻辞所涉及之语境当如上述，是时人对

于日、月之"晕"与"风""雨"两类气象，彼此之间分别存在密切联系之洞察。《合集》974"丁卯晕"，占问丁卯日是否将发生"晕"之气象？《合集》13047"王占□其晕"，商王对"晕"之发生予以预判。由此可知商人对"晕"之发生已有预测、判断，而此前提无疑是长期以来对于"晕"的细致观察及对其发生规律的清晰认识。

商"晕风"刻辞卜骨藏于吉林省博物院。

商"癸巳彝文武帝乙宗"刻辞卜甲 商王帝辛时期文物。1977年7~8月，陕西周原考古队发掘西周初年岐山凤雏村甲组建筑基址，在西厢二号房间一编号77QFF1H11窖穴中，出土17000余片卜用甲骨，其中有字者凡283片，商"癸巳彝文武帝乙宗"刻辞卜甲即在其中。

商"癸巳彝文武帝乙宗"刻辞卜甲是一龟腹甲残片，残长2.08厘米，宽1.71厘米，图片、释文著录于《周原甲骨文》第1页。卜甲正面存自左向右纵向契刻文辞，凡6行30字，内容有关祭祀、占卜。

甲正面刻辞：

癸巳彝文武帝乙宗，贞：王其祚祭成唐蕭祝㠯二女其彝血牲三、豚三，思有正？

辞中"文武帝乙"即商王帝辛之父"帝乙"，"宗"即宗庙，"成唐"即"汤"。本辞记载，"王"于癸巳日在"帝乙"宗庙举行彝祭，并占问祭祀"成唐"之事；"王"当即商王帝辛。

继1977年7~8月陕西岐山凤雏甲组建筑基址西厢二号房间编号77QFF1H11窖穴中出土17000余片卜用甲骨后，在西厢二号房间另一窖穴H31中又出土卜用甲骨413片，其中有字者

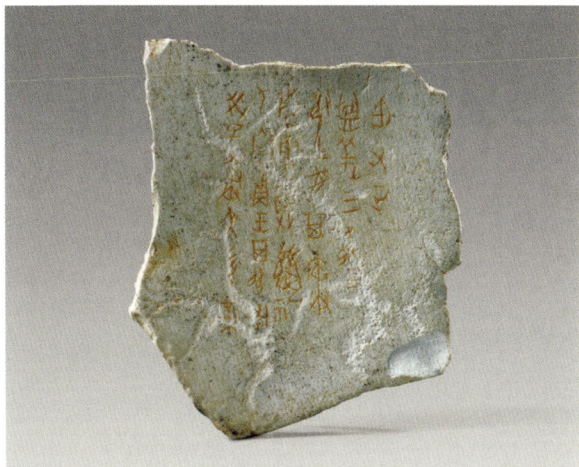

凡10片。陕西岐山、扶风一带的周原，系周人发祥地。该批甲骨整治及钻凿形态完全不同于殷墟甲骨，是西周考古的一次重要发现。学术界围绕该批甲骨文字释读、行款特征、内容、背景、族属、整治、钻凿形态、施灼与呈兆、分期断代及西周甲骨与商甲骨的区别、商周之际的商周关系等问题进行探讨，将甲骨学的研究领域扩大，也将西周甲骨学研究推向深入。其中有关该批甲骨的"族属"是讨论焦点。上列商"癸巳彝文武帝乙宗"刻辞中，"文武帝乙""成唐"均为商先王；同出卜甲H11：84刻辞"贞：王其奉又大甲，冊周方伯□思正"，"大甲"，系"大丁"之子，"汤"之嫡孙，亦为商先王；卜甲H11：112刻辞"彝文武丁"，"文武丁"即商王"文丁"。此类刻辞卜甲学者或称"庙祭甲骨"，由于学者对辞中所涉及之"王"，是商王，或是周王？"冊周方伯"之含义，或为商王册命"周方伯"，或以"周方伯"作为人牲，或为征伐"周方伯"及"周原是否立有商王宗庙"类此主要问题理解不同，从而形成"周原所出甲骨绝大部分属于商王室""周原所出甲骨为周人之物"与"周原所出甲骨大部分为周人之物，也有一

部分为殷人之物"三种不同学术观点。对于此类"庙祭甲骨"族属认识的不同，进而又涉及有关该类甲骨来源的探讨，是周原"本土占卜"，或是"卜后移来周原"。凡此疑惑，尚需继续深入研究。

商"癸巳彝文武帝乙宗"刻辞卜甲藏于岐山周原博物馆。

西周刻筮数卜骨 西周早期文物。1956年1月23日出土于陕西省长安县张家坡西周遗址灰层中。1959年，入藏中国历史博物馆。

西周刻筮数卜骨是一残断的牛右肩胛骨骨柄，残长14.5厘米，宽7.7厘米。卜骨正面有卜兆，卜兆附近契刻数列符号2列，分别为"六八一一五一"与"五一一六八一"；骨反面存圆形钻3孔，钻内有灼痕。

卜骨所刻数列符号是"数占"。数占又名"筮"，与骨卜同为贯穿于中国古代的两种主要占卜手段。古代典籍中多记以蓍草作为数占工具，通过考古发现得知，除蓍草外，其他草类及竹筹也用于数占。虽然卜与筮是两种不同占卜方法；但古人时常使用两者共贞一事。如《周礼·春官·筮人》曰："凡国之大事，先筮而后卜。"又《左传·哀公七年》记晋赵鞅占问救郑一事，即先卜而后筮。上列西周刻筮数卜骨卜兆附近契刻筮数，正是"卜筮并用"之实证。

与该卜骨所刻筮数同类的数列符号，在商、西周时期陶器、青铜器及卜用甲骨上已发现78例；在战国天星观楚简、包山楚简及新蔡楚简中，凡见29例。商与西周时期的筮数，或三层一列，或四层一列，或五层一列，或如上举西周刻筮数卜骨所刻六层一列；三层者类似

后世《周易》之经卦，六层者为重卦，四层、五层者属互体卦。战国楚简中的筮数均为六层并列，相当于《周易》之变卦，较商、西周时期的经卦、重卦更为复杂。"筮"的数列符号历经商、西周至战国时期，由简至繁。同时，商与西周时期"筮"的使用数字为"一、五、六、七、八、九、十"，而战国楚简中"筮"的使用数字则为"一、五、六、八、九"，与前者相比，略去"七""十"。由此可知，自商、西周至战国时期，筮法一脉相承，所用筮数由繁至简。王家台秦墓简本《归藏》中，以数字"一""六""八"为筮数，较战国楚简中筮数又省去"五""九"。上海博物馆藏战国楚竹书《周易》中，以数字"一"示阳爻，以数字"八"表阴爻，是进一步简省，且为马王堆汉墓帛书《周易》及双古堆汉墓《周易》所继承。数分奇、偶，是筮产生之基础，而在所用筮数简化过程中，奇、偶各归"一""八"，即由筮数化为爻象，仅作为阴、阳之符号，而不论其数值大小。今本《周

易》之爻象"—"与"--"，即源于数字"一"与"八"。

西周刻筮数卜骨藏于中国国家博物馆。

西周"新邑"刻辞卜甲 西周成王时期文物。2008年出土于陕西省岐山县周公庙遗址祝家乡北西周时期壕沟。

西周"新邑"刻辞卜甲是一龟腹甲残片，残长1.5厘米，宽1.3厘米，图片著录于《周原甲骨文》第15页。卜甲存契刻文辞3字，内容有关"成周"建造。

甲正面刻辞：

新邑毕。

"新邑"即洛邑"成周"，建造"成周"，是西周初年的重大历史事件。据《逸周书·度邑》，周武王克商之后，返回镐京，彻夜不寐，周公旦前去探问；周武王遂向周公旦讲述依恃"太室山"，占据中原，建都"洛邑"之大政。周成王五年青铜器何尊器铭"唯武王既克大邑商，则廷告于天，曰：余其宅兹中国，自兹辥民"，周成王追述周武王克商之后曾向天昭告：将在"中国（成周）"建宅，于此处治民，正可与《度邑》所载互证。《尚书·洛诰》《召诰》《多士》及《逸周书·作雒》则勾画周公、召公继承周武王遗愿，为周成王营建洛邑"成周"之具体。据何尊器铭"唯王初迁宅于成周""唯王五祀"，知周成王于五年开始迁居"成周"主持大政。《尚书·洛诰》《召诰》及《多士》文中又称洛邑"成周"为"新邑"。与此相关，西周成王时期青铜器新邑鼎器铭"癸卯，王来奠新邑"、臣卿鼎器铭"公违省自东，在新邑"及鸣士卿尊器铭"丁巳，王在新邑"，凡此"新邑"类

铭文所述事件与何尊器铭所记应为先后接踵。上列刻辞"新邑毕",当为占问"新邑"竣工之事。

1977年7～8月,陕西周原考古队发掘西周初年岐山凤雏村甲组建筑基址,在西厢二号房间一个编号77QFF1H11窖穴中,出土17000余片卜用甲骨,有字者凡283片,编号H11:42卜甲刻辞"新邑□□乃□□□用牲",文中所述语境与《尚书·召诰》:"若翼日乙卯,周公朝至于洛,则达观于新邑营。越三日丁巳,用牲于郊,牛二。越翼日戊午,乃社于新邑,牛一、羊一、豕一。"极为相似,与上列刻辞"新邑毕"所记互为关联。何尊器铭记周成王于五年开始迁居"成周"主持大政,刻辞"新邑毕"时间应与此相近。

《尚书·大传》记周公摄政"五年营成周",而《尚书·洛诰》《召诰》则载营建新邑成周系"惟周公诞保文武受命,惟七年",即周公摄政七年之事。如何理解上述典籍中有关营建成周的具体内容,与何尊器铭所记周成王五年迁居成周(洛邑)之事疏通印证,是学术界仍将继续探索的焦点,其中不可避免涉及有关周公摄政之年与周成王纪年之间的关系,

直接影响西周纪年的整体构架。

西周"新邑"刻辞卜甲存于陕西省考古研究院。

商"砮周方伯"刻辞卜甲 商王帝乙、帝辛时期文物。1977年7～8月,陕西周原考古队发掘西周初年岐山凤雏村甲组建筑基址,在西厢二号房间一编号77QFF1H11窖穴中,出土17000余片卜用甲骨,其中有字者凡283片,商"砮周方伯"刻辞卜甲即在其中。

商"砮周方伯"刻辞卜甲是一龟腹甲残片,残长1.4厘米,宽1.36厘米,图片著录于《周原甲骨文》第64页。卜甲正面存1条契刻占卜记录,自左向右纵向刻辞5行20字,内容有关祭祀。

甲正面刻辞:

贞:王其肇又大甲,砮周方伯□思正?不左于受又(有)又(佑)?

"周",是商西部一方国部族。据《史记·周本纪》,周之始祖后稷,兴于陶唐、虞、夏之际;至公刘时,国于豳;后至古公亶父,因受戎狄逼迫,遂迁至岐下周原,周人自此兴盛。古公亶父卒,子季历立;季历卒,子昌立,即周文王。商甲骨卜辞中存有关"周"之记载80余条,称"周方""周侯",或简称"周"。至迟于商王武丁时期,"周"即商之"外服"诸侯,勤劳王事;同时,如《合集》6657正"王惠周方征"、《合集》6812"令多子族比犬候璞周"所记,周与商之间又不断发生冲突。据《古本竹书纪年》,商王文丁时期,周日渐强大,故文丁杀季历,以备不虞。周文王即位后,于商王帝乙二年伐商。《史记·殷本纪》载,商王帝辛曾囚禁周

1553

文王于羑里；又赐其"弓矢斧钺，使专征伐，为西伯"。周武王即位，"九年，武王上祭于毕，东观兵，至于孟津"，意欲伐商。后"十一年十二月戊午"，周武王率军伐商。二月甲子清晨，经过牧野之战，克商。凡此所述商、周之间的冲突，即宗主与"外服"诸侯之间的控制与反叛。上列刻辞中"大甲"，为商先王，系"大丁"之子，"汤"之嫡孙；"周方伯"，即言周之首领。辞中"王"与"周方伯"同版，"王"祭祀商先王"大甲"，"王"即商王。与该卜甲同出卜甲H11∶82刻辞"☐文武☐王其祝帝☐天☐典酓周方伯☐☐思正亡（无）左☐受又（有）又（佑）"及卜甲H11∶112刻辞"彝文武丁☐，贞：王翌日乙酉其秦再中☐文武丁豐"，与上列刻辞"王其秦又大甲，酓周方伯☐思正"所记当为同一史事。"文武丁"即商王"文丁"，辞中商之时王于"文丁"宗庙祭祀，该时王即商王帝乙或帝辛。与"酓周方伯"语句相同，殷墟卜辞《合集》36528"告侯甸酓馘方、羌方、羞方、庚方，余其比侯甸甾戋四邦方"、36512"酓盂方"，辞意对所"酓"之方国进行军事征伐；本片中"王其秦又大甲，酓周方伯☐思正？不

左于受又（有）又（佑）"，当是商王帝乙或帝辛祭祀大甲，以祈佑助征伐"周方伯"。辞中所载正与前文所述商代末年商、周之间的形势相符。

商"酓周方伯"刻辞卜甲藏于岐山周原博物馆。

西周"大保"刻辞卜甲 西周早期文物。1977年7～8月，陕西周原考古队发掘西周初年岐山凤雏村甲组建筑基址，在西厢二号房间一编号77QFF1H11窖穴中，出土17000余片卜用甲骨，其中有字者凡283片，西周"大保"刻辞卜甲即在其中。

西周"大保"刻辞卜甲是一龟腹甲残片，残长2.3厘米，宽1.5厘米，图片著录于《周原甲骨文》第15页。卜甲正面存契刻文辞2行7字，内容涉及西周早期王室重臣"大保"。

甲正面刻辞：

大保今二月往☐。

刻辞所记应是占问"大保"于当年二月去往他处。"大保"，即西周初年王室重臣"召公奭"，历周武王、周成王及周康王三世。《史记·燕召公世家》曰："召公奭与周同姓，姓姬氏，周武王之灭纣，封召公于北燕。"自商代末年始，召公奭与周公同为周王室股肱之臣，参与武王克商。《尚书·君奭序》云"召公为保，周公为师，相成王为左右"，周成王时，在周公东征、营建成周及开发江汉等一系列重大历史事件中发挥主导作用。之后，作为顾命大臣辅佐周康王。召公事迹见于《史记·燕召公世家》与《鲁周公世家》《逸周书·作雒》《尚书·召诰》《洛诰》及《顾命》等典籍中；诸如克罍、克盉、

大保毁及旅毁等数十件西周时期青铜器铭文亦均有提及。克盉器铭语云"大保，唯乃明乃心，享于乃辟。余大对乃享，命克侯于燕"，记周成王嘉奖"大保"召公奭，并"册命"其子"克"为燕侯。1975年，北京房山县（房山区）琉璃河镇黄土坡燕国墓地M253出土堇鼎，器铭云"燕侯命堇饴大保于宗周"，记燕侯命作器者"堇"去宗周向"大保"饴赠物品。由此两铭知"大保"召公奭封于燕，其子"克"乃为第一代燕侯，而"大保"则留守宗周辅佐王室，正可与《史记·燕召公世家》所述有关史事互证。

西周"大保"刻辞卜甲藏于岐山周原博物馆。

第三节　简牍、帛书

仰天湖楚简　战国中晚期文物。1953年7月出土于湖南省长沙市南郊仰天湖25号木椁墓。

仰天湖第25号木椁墓墓主是战国中期晚段楚国大夫一级的贵族，该墓椁室北侧边箱出土43枚竹简，其中19枚保存较为完整，简长20.6～23.1厘米，宽0.9～1.1厘米，厚0.12厘米。每枚竹简右侧边缘刻有上、下2个小契口，两者相距8～9厘米，用于编联成册。简文墨书，均书于篾黄面；字大而清晰，每简2～21字不等；内容为遣策，即记录衣、帽、鞋、席、匜及兵器等随葬品名称、数量的清单。如简文记"织布之帽二偶""一新鞮屦""革带，有玉环，红组""一紫锦之席""五铢皿""一匜""一鉴""一齿梳""一越镨剑"，并标识赗赠者，如简1"许阳公一纺衣，绿里"，"许阳公"即赗赠者。简文还详细记录随葬物品存放之处，如

"皆藏于一匣之中"。简文中以"已"字标示已核对入葬，以"句"字表示未曾入葬而勾销。有些简文如"新屦""其焚柜"等，墨色较淡，是补加文字。

仰天湖楚简是第一批通过考古发掘出土的字迹清楚、字数较多的战国楚简，促进了楚国文字的研究，也为深入考察楚国丧葬及服饰等诸多制度提供了重要实证。

仰天湖楚简藏于湖南省博物馆。

信阳楚简　战国中晚期文物。1957年3月，正式发掘信阳长台关一号楚墓，至5月底结束。该墓墓椁前室东部与左后室中共出土148枚竹简。

信阳楚简中出自墓椁前室东部的119枚竹简残损严重，均为断简，最长33厘米。据残痕推算，原简长约45厘米左右，宽0.7～0.8厘米，厚0.1～0.15厘米，以上、中、下3道黄色丝线编联成册。简文墨书，均写于篾黄面，上、下各留1厘米左右空白。简文存约500字，所载为典籍，无篇题，与传世先秦文献极其相似。简文习见对语，如简1-001"周公

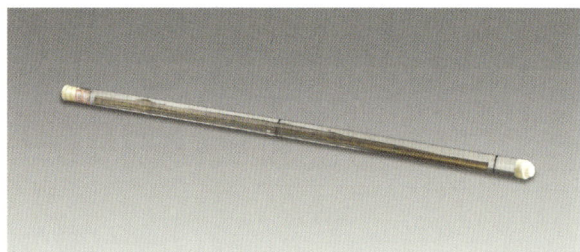

贰然作色曰：'易（狄），夫贱人格上则刑戮至。'"、002"公曰：'易（狄），夫贱人刚愎而及于刑者。'"、005"君子之道，必若五浴之溥"、007"易（狄）之闻之于先王之法也"、012"吾闻周公"。《太平御览》卷八〇二引《墨子》佚文云："周公见申徒狄曰：'贱人强气则罚至。'"与上述信阳楚简中语如出一辙。

信阳楚简中出于墓椁左后室的29枚竹简，保存较为完整，简长68.5～68.9厘米，最长69.5厘米，宽0.5～0.9厘米，厚0.1～0.15厘米；竹简上、下分别编联宽0.4厘米的黑色丝带，上编带距顶端18厘米左右，下编带距末端15.5厘米左右，部分竹简编联以4根简条为一束，两两相对，字面向内。简文墨书，系先编联后书写，不留天头空白，每简字数不等，多者达48字，少者仅16字，共存约1030字，除2枚签牌外，其余内容均为遣策，即记录随葬品名称、数量的清单。简文以"集胠之器""集糈之器""□人之器""□室之器"及"乐人之器"等为题分类，记录随葬之衣、鞋、带、玉环、玉璧及席、缶、钫、鉴、盘、匜、木俑等物。如简2-01"一司翠珥，　司齿珥，一组带，一革皆有钩"、02"二圆缶，二青钫，二方鉴"、12"十醹瓶，屯有盖"，排列有序。简文对于随葬品细节亦做描述，如简2-07"一素绲带，有□钩，黄金与白金之舄"，即对"错金银"带钩之概括。简文所记器物与出土随葬品许多均可相互对应，如简2-18"乐人之器：一墙座栈钟，小大十又三"，墓椁前室出土编钟13枚，与简文所记相符。

信阳楚简存于河南省文物考古研究院。

安大楚《诗经·周南》简　战国早中期文物。2015年初，安徽大学入藏了一批战国竹简，包含《诗经》等多种珍贵文献，这是继郭店简、上博简和清华简之后战国古书简的又一次重大发现（简称安大简）。其中有一组简属《诗经·国风》，完简长度约48.5厘米、宽约0.6厘米，三道编绳，每简容30～40字。竹简正面首、尾留白，简尾留白处书有竹简编号，从"一"始，至"百十七"结束，原来当有107枚，遗存97枚，缺第18、19、56～58、60～71、95～97号简。竹简背面有刻划线。

安大简《诗经·国风》题有各国风的名称及所含诗的篇数。《周南》是其中之一，

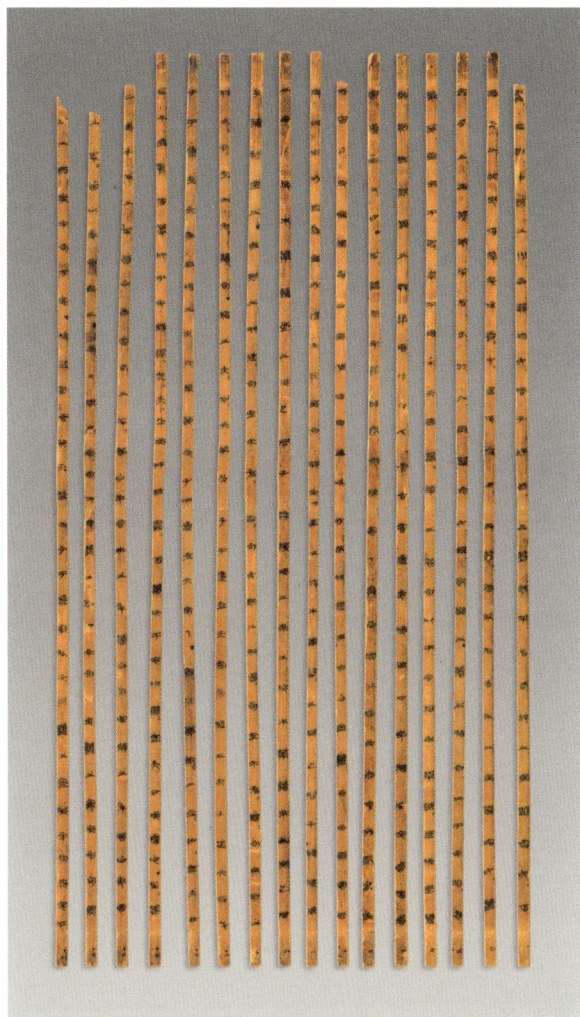

原应有竹简20枚，编号"一"至"廿"。在简20的文末书有"《周南》十又一"。缺简内容为《周南·汉广》后段、《汝坟》全部和《麟之趾》前段。安大简《诗经·周南》十一篇诗的次序为《关雎》《葛覃》《卷耳》《樛木》《螽斯》《桃夭》《兔罝》《芣苢》《汉广》《麟之趾》，诗篇数、诗篇排序与今本《毛诗》一致，但在用字、词句和章次方面有一定差异，如《周南·葛覃》简本和《毛诗》皆三章，每章24字，共72字，两本的用字异文有36字，达到50%。《卷耳》简本和《毛诗》皆四章，每章16字，共64字，两本的用字差异有37字，达到57.8%。《螽斯》简本和《毛诗》皆三章，《毛诗》39字，简本42字，用字差异有24处。今本《毛诗》"我姑酌彼金罍"，简本无"彼"字，"维以不永怀""维以不永伤"，简本皆无"不"字。此外，简本第二章为《毛诗》第三章，简本第三章为《毛诗》第二章。《毛诗》三章首句"螽斯羽"，简本"羽"前皆有"之"字，第二、三章顺序相反。

《诗经》是中国古代最重要的经典之一，虽已流传两千多年，但《诗经》文本中仍有一些难以明确的字词训释和文意解读。安大简《诗经》的面世有助于解决《诗经》中这类疑难问题。作为目前发现时代最早、存诗数量最多的《诗经》写本，安大简《诗经》证明了在战国中早期已经存在与汉代《诗经》文本比较相近的文本，尤其是安大简《诗经·周南》《召南》的诗篇数和次序都与《毛诗》完全一致，令人惊叹。

安大楚简存于安徽大学汉字发展与应用研究中心。

望山楚简 战国中期文物。1965年冬季与1966年春季分两批出土于湖北省江陵望山1号楚墓和望山2号楚墓。

望山1号楚墓墓主悼固以"悼"为氏，是战国时期楚悼王之曾孙。该墓椁室边箱东部出土一批竹简，残断严重，经过拼接，得207枚。竹简中最长者52.1厘米，大多数长度在15厘米左右，宽约1厘米，厚0.1厘米；每枚竹简边缘刻有上、中、下3个小契口，用以编联成册，上契口底边距顶端大多为17.5～18厘米，下契口底边距末端大多为16～16.2厘米，中部契口大多与上、下两契口等距。简文墨书，系先编联后书写，均书于篾黄面；简顶端与末端未见书写，每简字数不等，最多达30字，最少仅1字，大多为6～15字，由多人书写，字迹工整。简文存1093字，单字达216字，内容为墓主悼固生前至少在"齐客张果问王于葳郢之岁"与"郙客困刍问王于葳郢之岁"两个以事纪年之内所进行的多次卜筮与祈祷记录。简文依次记录卜筮年、月、日、卜人、卜筮工具、占问事项、吉凶判断，以及卜人为墓主解除祸祟而拟定的祈祷、攻解之类措施。其中，卜筮事项涉及墓主悼固占问"出入侍王"、仕进与疾病吉凶；简129"公主既成"、简178"门既成"、简124"楚先既祷"之类祈祷记录，是

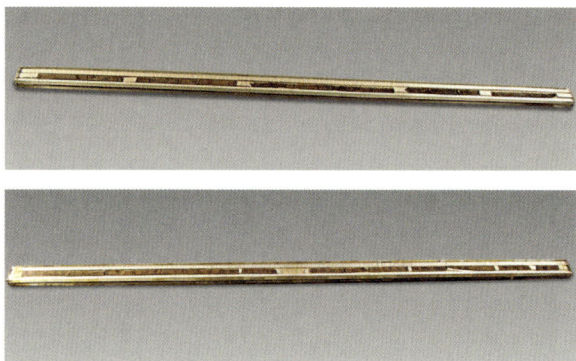

对上述卜人为墓主解除祸祟所拟定祈祷的践履。该批简文中至少记有10位卜人、6种卜筮工具，载有作为祈祷对象的楚简王、楚声王及楚悼王等楚先王，东邸公、王孙喿之类墓主先祖与后土、司命、大水、山川、行等天神地祇，并同佩玉、酒食、白犬、牛、羊等祭品。简132"己未之日卜，庚申内斋"，记录祈祷仪节中的卜日与斋戒，可与周礼所载互征。望山1号墓楚简是湖北省首次发现的楚简，也是中国首次发现的卜筮祈祷类简，简文所载对于战国时期楚国的占卜制度、祈祷制度、习俗及楚文字研究均具有重要学术价值。

望山2号楚墓墓主为一年龄超过50岁女性。该墓椁室边箱中部、东部出土66枚竹简。竹简出土时大多残断，仅5枚竹简保存较为完整，简长63.7～64.1厘米，宽0.6～0.67厘米，厚0.1～0.16厘米。从保存较为完整的5枚竹简观察，每枚竹简边缘刻有上下两个三角形小契口，用以编联成册，上契口底边距顶端大多为17～17.5厘米，下契口底边距末端大多为14.8～15厘米。简文墨书，系在书写后再编联成册，均书于篾黄面；简顶端与末端未见书写，每简字数不等，以保存较为完整的5枚竹简为例，最多73字，最少仅3字，由多人书写，字迹工整。简文存925字，单字达251字，

内容为遣策，即记录随葬器物的清单。首简1"□周之岁八月辛□之日，车与器之典"乃以事纪年。该批简文中所记随葬器物达320种之多，排列有序，且与出土器物对照基本相符；其中许多器名不见于文献，是考订当时器物的珍贵资料，也是战国时期楚国丧葬制度、习俗及楚文字研究的重要参照。

望山楚简藏于湖北省博物馆。

天星观楚简 战国中期（前340年左右，楚宣王或楚威王时期）文物。1978年1月8日～3月28日出土于湖北省江陵县观音垱公社天星观1号楚墓。天星观1号楚墓墓主邸阳君番胜是战国时期楚国封君，下葬于公元前340年左右，时值楚宣王或楚威王时期。该墓椁西室发现竹简：一部分夹在漆皮中，压在兵器杆下，并为盗墓者践踏，残损严重；另一部分置于竹笥内，保存较好。该批竹简存整简51枚，残简355枚，其中15枚简无字，整简长64～71厘米，宽0.5～0.8厘米；竹简右侧边缘刻有上、下两个三角形小契口，用于编联成册。简文墨书，多书于篾黄面，不留天头空白，存字总计4500余字，内容分为卜筮祈祷记录与遣策两大类。

卜筮祈祷记录类存整简50枚，残简111枚，简文存2700余字，内容是墓主邸阳君番胜

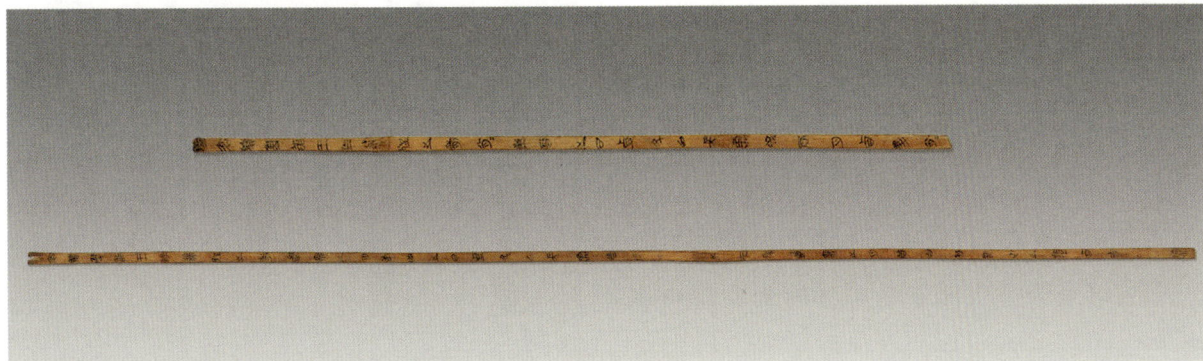

生前至少在"齐客绅膴问王于蕆郢之岁""秦客公孙鞅问王于蕆郢之岁""左师虘聘于楚之岁"与"郙客圉公颂迓楚之岁"四个以事纪年之内所进行的多次卜筮与祈祷记录。简文依次记录卜筮的年、月、日、卜人、卜筮工具、占问事项、吉凶判断、卜人为墓主解除祸祟而拟定的祈祷、攻解之类措施及第二次吉凶判断。占问事项涉及墓主番胜占问"侍王"、疾病吉凶、迁居是否相宜及泛问吉凶。如简49"既赛宫地主"、简50"既赛卓公"及简52"既享祭惠公"之类祈祷记录,是对卜人为墓主解除祸祟所拟定祈祷的践履。简文所载,同一卜人在单次卜筮过程中往往进行两次占问,程序较为复杂,类此"两次占问"亦见于包山楚简。一部分简文记有"习卜"。作为一种卜筮制度,"习卜"最早见于商甲骨卜辞,在包山楚简、望山楚简、新蔡楚简及秦家嘴楚简中也可见到;此类"习卜"均隶属于某一轮卜筮,即承前占问同一事项。卜筮祈祷记录类简文记有10余种卜筮工具,出现20余位卜人,其中卜人"軏膴志"又见于望山楚简与秦家嘴楚简。简文存8组筮占所得数字卦,在楚简中属首次发现。简文载有墓主邸阳君番勠之先祖"番先"、卓公与惠公,祓、司命、司祸、二天子、云君与后土、社、地主、宫地主、道、行、丘、大水、大波、西方等天神地祇,不辜、女殇及强死之类作祟外鬼,附录车马、大牢、牛、羊、猪、白犬、酒食及玉玩、佩玉等祭品。

遣策类仅存1枚整简,残简244枚,一部分简文记录为墓主邸阳君番胜助丧之人的姓名、官职与所赠物品,有"集脰尹""集精尹""宰尹""集尹墨""阳令"与"小司马迲"之类赠物助丧官员,也有"番之里人"及其他人等;赠送的助丧物品以车为主,详细描述车上部件与饰物名称、质地,该部分简文即所谓"赗"。另一部分简文似记录送葬时所用车马、仪仗,记有御者官职、姓名,所驭车名称、所载仪仗、所装备兵器、甲胄、饰件及其在车阵中的位置。

天星观楚简内涵丰富,所载卜筮、祈祷及丧葬内容,许多均属首次发现,可以此深入了解相关制度。作为楚国封君遗物,天星观楚简更是探讨当时楚国上层贵族及上层贵族与中、下层贵族之间在卜筮、祈祷及丧葬等风俗、礼制方面隆杀尊卑的重要实证。

天星观楚简藏于荆州博物馆。

五里牌"鼎八"简 战国中晚期文物。1951年10月,中国科学院考古研究所长沙工作

队发掘长沙东郊五里牌406号战国墓。出土有木俑、木矛、漆弓、漆盾、竹席、竹笥及竹简等文物。其中，竹简出土在椁室西北角，附近发现有竹笥残片。竹简出土时已散乱，经清理，共38枚，全部残断，最长者有13.2厘米，最短的为2厘米，简宽约0.7厘米。竹简以两道编绳编连，简两端平直不削角。简文均写在篾黄一面，字迹不甚清晰。内容属遣册，主要登记随葬器物名称及数量，有饮食器、兵器、日常生活用器等。

1号简记"鼎八"，指随葬的鼎有8件。鼎是东周时期重要的礼器，战国贵族墓中随葬鼎的数量越多，其墓主身份等级越高。此墓由于遭盗扰，墓中未见铜鼎或陶鼎出土，《长沙发掘报告》绘制的"406号墓随葬器物位置示意图"标示"陶鼎"4件，"小陶鼎"4件。《战国楚竹简汇编》称：据发掘者口述，有4个大陶鼎，4个小陶鼎，放置在南厢边偏西处，器物数目与简文所记相符。楚墓遣册中屡记随葬的铜鼎或仿铜陶鼎，如湖北黄冈曹家岗5号楚墓遣册记有"四鼎"，即指墓中随葬的4件牛纽有盖铜鼎。望山2号楚墓遣册记有"六馈鼎，有盖"，墓中出土有盖铜鼎5件，《江陵望山沙冢楚墓》认为"鼎数不全，疑以被盗"。

五里牌楚简是我国考古发掘出土的第一批战国竹简，揭开了楚简发掘的序幕。

五里牌楚简藏于湖南省博物馆。

曾侯乙墓竹简　战国早期文物。1978年5月11日出土于湖北省随县（随州市）城关镇西北郊擂鼓墩曾侯乙墓。

曾侯乙墓墓主曾侯乙是曾国国君，下葬于公元前433年或稍晚。该墓椁北室出土有字竹

简240枚。竹简长70～75厘米，宽1厘米左右；竹简边缘刻有上、下两个三角形小契口，用以编连成册。上契口至顶端多在16.80～17.50厘米，下契口至末端10～12厘米。简文墨书，系先编联后书写，除1枚简两面书写，其余均书于篾黄面。书写自顶端起，不留天头空白，每简1行，字数不等，最多74字，最少4字，存字总计6696字；简文中还使用一些用以标识段落的方块、圆点之类符号及一些作用类似顿号的小短横。此外，在曾侯乙墓椁北室还出土3枚竹签，长9～11厘米，宽0.6～1.1厘米，签文均为"𪎭轩之马甲"。

曾侯乙墓竹简内容为遣策，记录墓主自备与他人赠送用于丧葬的车、马、车上所配备兵器、人、马所用甲胄名称、数量、颜色及饰物等，详细标明某车为何人所驭，某车、某马为何人所赠，并附记随葬木俑。该批简文以"大莫嚣膓为适豭之春八月庚申"纪时，"莫嚣膓为"亦见于新蔡楚简；简文记有王、太子、令尹、鲁阳公、阳城君、坪夜君等人，其中鲁阳、阳城乃楚邑，坪夜君系楚之封君，见于新蔡楚简、包山楚简，王、太子、令尹亦均为楚之称谓，简文字体风格与楚文字完全一致。由此可见，当时的曾国已沦为楚国附庸。

曾侯乙墓竹简在迄今发现的竹简中时代最早，所载内容是研究曾国历史及中国古代丧葬、车马、兵器等诸多制度的珍贵资料。简文存字数量大，在文字学上具有重大价值。

曾侯乙墓竹简藏于湖北省博物馆。

九店楚简 战国中晚期文物。1981年5月至1989年年底先后出土于湖北省江陵县九店公社雨台大队施家洼56号、411号及621号楚墓，

共计334枚。

56号楚墓时代为战国晚期早段，墓侧龛出土竹简205枚，有字简146枚，完整及较完整简35枚，余皆残断。整简长46.6～48.2厘米，宽0.6～0.8厘米，厚0.1～0.12厘米，上有编联线痕三道。简文墨书，均书于篾黄面；自顶端开始，不留天头空白，每枚简中最多57字。简文共计约2700字，内容大致可分为15组，少数与农作物有关，多数为选择时日吉凶之类的《日书》。621号楚墓时代为战国中期晚段，棺椁之间东侧出土竹简127枚，均已残断，有字简88枚，最长22.2厘米，宽0.6～0.7厘米，厚0.1～0.13厘米。简文墨书，多数文字漫漶不清，仅可辨识92字，不能缀联成文，内容论及烹饪等内容，应是古佚书，或名为《季子女

训》。411号楚墓出土竹简2枚，一简完整，一简残缺，整简长68.8厘米，宽0.6厘米，厚0.11厘米，字迹不清。

九店楚简《日书》一些章节涉及奴隶买卖及追捕盗贼，是研究当时社会状况的参考史料。简文记有楚国特有的十二月名及其与四季相配的关系，是楚国历法的实际应用。简文还载有许多量名，增添了学术界对于楚国量制的认识。九店楚简《日书》是迄今所见中国古代最早选择时日吉凶的数术文献，其中许多内容见于云梦睡虎地秦简《日书》，借此可以进行楚《日书》与秦《日书》的比较研究。

九店楚简藏于湖北省博物馆。

包山楚简　战国中晚期（前322～前316年）文物。1987年1月，出土于湖北省荆门市十里铺镇王场村包山二号楚墓。

包山二号楚墓墓主邵㟹，官居左尹，身份约合周制"大夫"，葬于公元前316年。墓中出土竹简凡448枚，有字简278枚，另有1枚竹牍。简文内容涉及文书、卜筮祈祷记录与遗策三类。此外，还发现原系于竹简、竹笥、陶罐及衣物上的30枚签牌。该批竹简厚0.1～0.15厘米，因简文内容不同，简条长、宽亦有区别：一部分遣策简长72.3～72.6厘米，宽0.8～1厘米；另一部分遣策简稍短且窄，如简255长68厘米，宽0.75厘米。卜筮祈祷记录简长度有三种：69.1～69.5厘米、68.1～68.5厘米与67.1～67.8厘米，宽大多为0.7～0.85厘米，极少数0.95厘米；文书简多数长62～69.5厘米，少数短至55厘米，宽大多为0.6～0.85厘米，极少数0.95厘米。大多数简条篾黄面边缘刻有1～2个甚至3个小契口，用以编联成

册，其中文书简与卜筮祈祷记录简刻有上、下两个契口，上契口底边距顶端17～20.5厘米，下契口底边距末端15～17.5厘米，遗策简少数刻有上、下两个契口，绝大多数刻有上、中、下三个契口，上契口底边距顶端1.5～1.7厘米，下契口底边距末端1.6～1.8厘米，中部契口距离两端长度大致相等。简文墨书，系书写简文后再编联成册，绝大多数书于篾黄面，24枚简竹青面书有文字，大多与篾黄面内容有关，有少数文字相连，形成独立段落；除部分

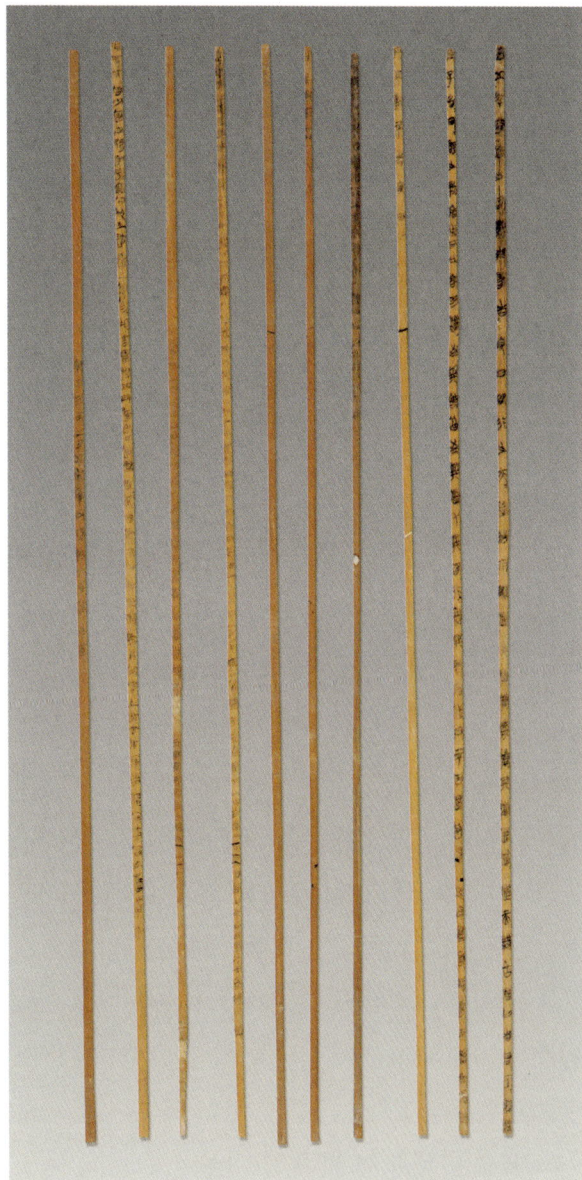

遣策简顶端与末端分别留有1.5～1.7厘米、1.6～1.8厘米空白外；其他简文则自顶端书写，不留天头空白。简文由多人书写，每枚简字距疏密不一，字数不等，最少者仅2字，最多者92字，大多为50～60字左右；一简中为区分不同内容，往往留有一段空白，并在行文中使用一些符号：如以"—"标识于不同人名、不同地名之间及其他需要区别的名、物之间，以"="标识重文或合文，大多用于名词或数词之后；以"-"标识分段，大多用于一段文字起首，少数简文也以"▓"表示分段。

文书简共计196枚，仅见《集箸》《集箸言》《受旮》与《疋狱》四种篇题，书于简背，字形较大。简文主要内容是"大司马昭阳败晋师于襄陵之岁""齐客陈豫贺王之岁""鲁阳公以楚师后城郑之岁""周客监臣迅楚之岁""宋客盛公鳎聘于楚之岁"与"东周之客鬶絰致胙于蔵郢之岁"6个以事纪年之内，受理各种诉讼案件时间与审理时间的汇总、若干独立的案件记录、案件起诉的简要记录汇总及多地贷金记录等。其中包含各地官员向中央政府呈报的文件，记有多宗完整司法案例，涉及户籍、凶杀、逃亡、反官、土地纠纷、强占妻妾及继承权等案情，有些案情与审理记录极为详细，令学术界首次了解当时楚国的司法情况。简文提及郏、下蔡、陈、鲁阳、宜阳、安陵、鄂、随及安陆等大量地名，令尹、左尹、左司马、大莫敖、县公、州加公、县正、司败、里公及里正等众多中央与地方政府职官，是研究战国中晚期楚国疆域与职官制度的重要史料。

卜筮祈祷记录简共计54枚，内容可分为26组，其中22组是墓主邵𰀉生前在"宋客盛公鳎聘于楚之岁""东周之客鬶絰致胙于蔵郢之岁"与"大司马昭阳败晋师于襄陵之岁"3个以事纪年之内，所进行的七轮卜筮记录。简文依次记录卜筮的年、月、日、卜人、卜筮工具、占问事项、吉凶判断、卜人为墓主解除祸祟而拟定的祈祷、攻解之类措施，以及第二次吉凶判断。占问事项涉及墓主邵𰀉占问"出入侍王"与疾病吉凶。简文所载，同一卜人在单次卜筮过程中往往进行两次占问，其程序较为复杂，类此"两次占问"也见于天星观楚简。一部分简文记有"习卜"，如简223"屈宜习之以彤茖为左尹邵𰀉贞"。作为一种卜筮制度，"习卜"最早见于商甲骨卜辞，在望山楚简、新蔡楚简与秦家嘴楚简中亦可见到。此类"习卜"均隶属于某一轮卜筮，即承前占问同一事项。余下4组简文为祈祷记录，简文言"既祷致福""既祷致命"，应是对卜人为墓主解除祸祟所拟定祈祷的践履。卜筮祈祷记录类简文记有10种卜筮工具、12位卜人与6组筮占所得数字卦；载有作为祈祷对象的老僮、祝融、鬶熊之类楚先君，楚先王自熊丽至武王之荆王、昭王，文坪夜君、郚公子春、司马子音及蔡公子豪等墓主邵𰀉先祖，秡、日、月、司命、二天子、后土、社、地主、行、宫行、宫后土、宫地主、野地主、五山、高丘、下丘、大水及南方等天神地祇，不辜、兵死、水上、溺人之类作祟外鬼，附录牛、马、羊、猪、白犬、酒食、衣裳、佩玉、璧、琥及玉环等祭品。包山楚简卜筮祈祷记录保存完整，借此可以审视如新蔡楚简、望山楚简中的同类简文，从而进行相关制度、风俗的综合研究。

遣策类简共计27枚，分4组分置于墓内东室、南室与西室随葬器中。简文以"食室之金器""食室之食""相徙之器所以行"与"大卯之金器"四题，分别记录随葬之食品、食器，青铜礼器、漆木器，车马器、兵器与冠饰、衣物、鞋、梳妆用品、床、枕等墓主人行器。另有1枚竹牍，置于南室马甲之中，上存154字，记"大司马悼愲送楚邦之师徒以救郙之岁，享月丙戌之日"舒寅受助葬之车一辆。简277记苛郙受助葬之盾、矢、马衔等物，与竹牍均为"赗"书。简267记"大司马悼愲救郙之岁，享月丁亥之日，左尹葬"，是包山二号楚墓下葬的绝对年代，即公元前316年。包山楚简遣策详细记录随葬品名称、质地、品种及数量等信息，涉及众多古代典章名物制度，有助于学术界对于战国时期楚国丧葬制度及楚器的研究。

包山楚简纪年明确，所属墓主身份清晰，内容丰富，保存状况良好，简文所载极大推进了战国时期楚国、其他列国及秦、汉时期政治、经济、法律、历史地理等众多领域研究的深入。包山楚简存字总计12626字，单字达1605个，合文31个，较为全面反映了当时楚国文字的基本面貌及实际使用情况，是研究楚国文字乃至战国文字极其重要的材料。

包山楚简藏于湖北省博物馆。

郭店楚简　战国中期文物。1993年10月18～24日出土于湖北省荆门市沙洋区四方乡郭店村1号楚墓。2005年，郭店竹简《老子》（乙）18枚简、《缁衣》47枚简经湖北省文物局调拨，入藏湖北省博物馆。

郭店村1号楚墓墓椁头箱发现有字竹简731枚。竹简长度分为三类：一类32.5厘米左右，二类26.5～30.6厘米，三类15～17.5厘米。形制分为两类：一类竹简两端平齐，二类竹简两端削成梯形。一类、二类长度简条边缘刻有上、下2个小契口，三类长度简条边缘刻有上、中、下3个小契口，用以编联成册。简文墨书，存字总计13000余字，内容为18篇先秦典籍：一类为道家文献：《老子》甲、乙、丙三篇与《太一生水》；二类是儒家文献：《缁衣》《鲁穆公问子思》《穷达以时》《五行》《唐虞之道》《忠信之道》《成之闻之》《尊德义》《性自命出》《六德》《语丛（一）》《语丛（二）》与《语丛（三）》；三类为论述君臣之间权谋、具有纵横家色彩的《语丛（四）》。

郭店楚简《老子》甲、乙、丙篇是迄今所见时代最早的《老子》传抄本，绝大部分文句与今本《老子》相近或相同，但不分《德经》与《道经》，章次与今本也不相对应。

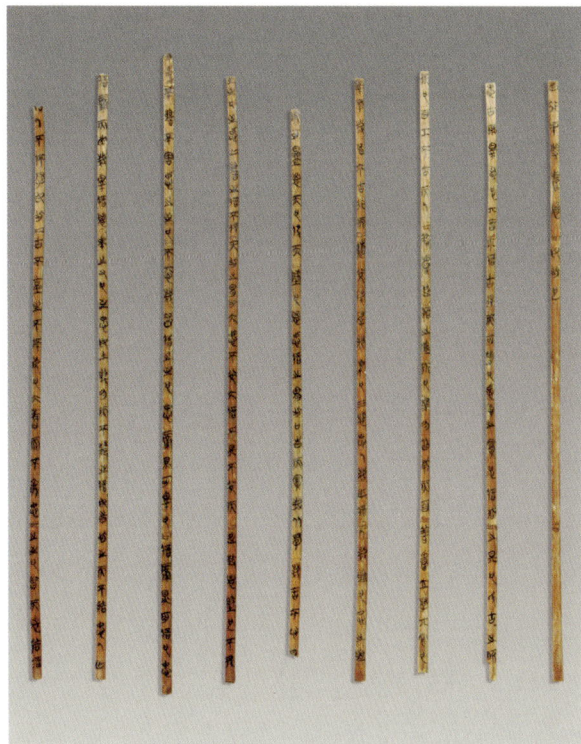

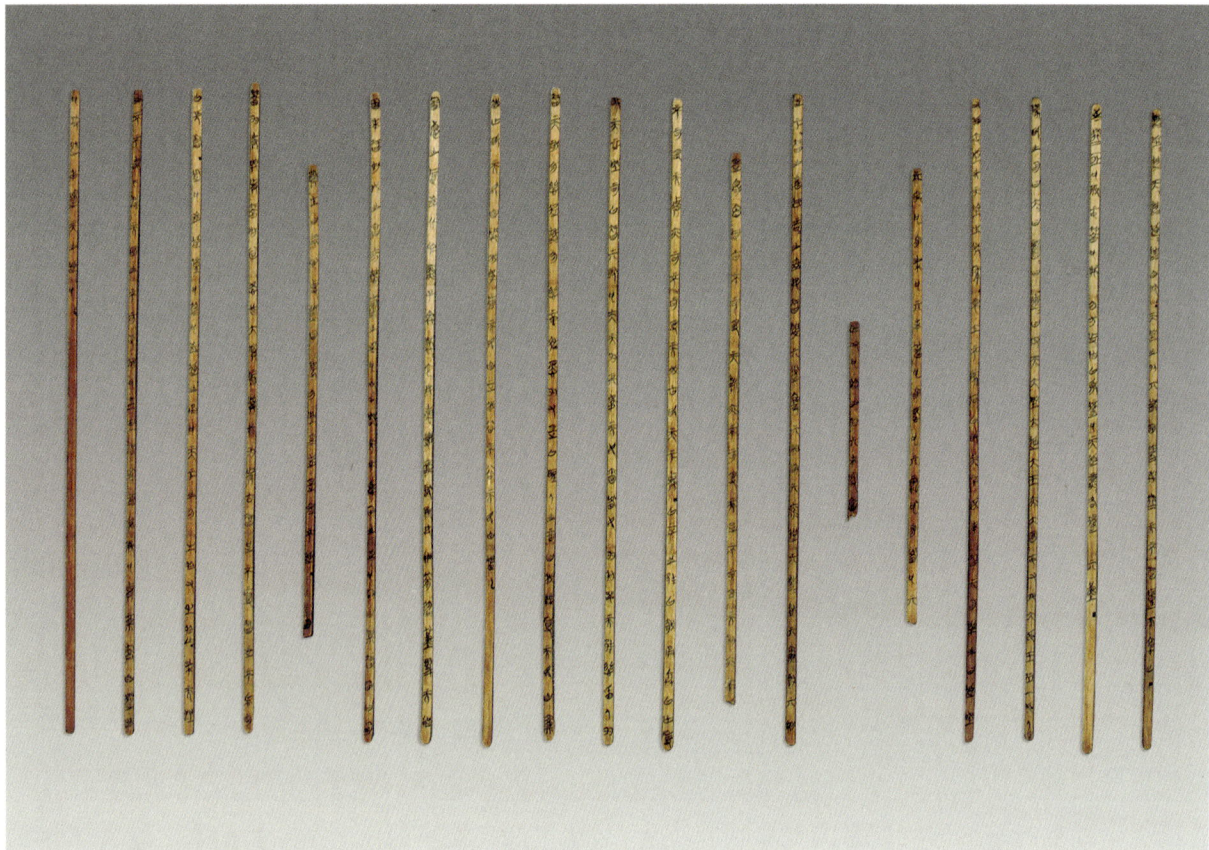

《太一生水》主要论述"太一"与天、地、四时、阴阳等之间的关系,是一篇久佚的重要道家著作。《缁衣》与今本《礼记·缁衣》大体相合,但两者分章及章次区别较大,文字亦有差别,据此可以勘校今本的若干讹误。《五行》曾见于马王堆汉墓帛书,该简本《五行》文字与之存在一些差异。《鲁穆公问子思》未见流传,《穷达以时》大部分内容见于《韩诗外传》卷7及《说苑·杂言》等书。《语丛》由类似格言的文句组成,其体例与《说苑·谈丛》及《淮南子·说林》相似。

郭店楚简的发现,对于中国先秦时期思想史、学术史的研究具有极其重要的意义。2008年3月1日,国务院公布《第一批国家珍贵古籍名录》,郭店楚简《穷达以时》《缁衣》《鲁穆公问子思》《五行》《成之闻之》《语丛(一、二、三、四)》《六德》《性自命出》《尊德义》《唐虞之道》《忠信之道》《太一生水》与《老子(甲、乙、丙)》,名列其中,名录号1~13。2013年8月19日,郭店楚简《老子(甲)(乙)(丙)》,被国家文物局列入"第三批禁止出境展览文物目录"。

郭店楚简分别藏于荆门市博物馆与湖北省博物馆。

战国简《金縢》 战国中晚期文物。2008年7月15日,清华大学入藏一批战国竹简,系由清华大学校友赵伟国自香港抢救回归捐赠。简文载有多篇《尚书》及题材与《尚书》相近的文献,所书事迹可分别列为《夏书》《商书》及《周书》,并载有编年体史书,记述自周初至战国早期的史事,是一批珍贵的战国时期书籍,战国简《金縢》即其中之一。

战国简《金滕》凡14枚简，整简长45厘米，简上3道编绳。简文墨书，第14枚简背下端书篇题"周武王有疾周公所自以代武王之志"，指明简文内容；简背竹节处书次序编号。《金滕》见于西汉初年伏生所传今文《尚书》。战国简文《金滕》所载与传世本《金滕》大致相合，也存在一些差异。如简文记周武王于"既克殷三年"后生病，而传世本则作"二年"；简文中不见传世本中涉及占卜的文句，记周公居东"三年"，而非传世本所云"二年"；简文亦不以"金滕"作为篇题。战国简《金滕》作为战国时期《金滕》篇的一种写本，有助于更加全面理解篇中文意。2013年8月19日，战国简《金滕》，被国家文物局列入"第三批禁止出境展览文物目录"。

战国简《金滕》藏于清华大学。

战国楚简《孔子诗论》　战国晚期文物。1994年春季，香港古玩市场陆续出现一些竹简，香港大学中文系张光裕教授将该信息告知上海博物馆馆长马承源，并电传一批摹本。经过谨慎研究，上海博物馆决定出资收购。1994年5月，该批竹简抵达上海博物馆，完、残简凡1200余枚。1994年秋冬之际，又一批竹简在香港出现，简文内容与第一批竹简有关联。香港上海博物馆之友朱昌言、董慕节、顾小坤、陆宗霖与叶仲午联合出资收购该批竹简，并盛情捐赠予上海博物馆。该批竹简的特征、现状与第一批竹简相同，并可相互缀合，共计497枚。两批竹简相传出土于湖北，是战国晚期楚国贵族墓中随葬品。简文共存3万余字，所载约百种篇目，涉及中国古代历史、政论、哲学及文学等多方面内容，其中仅有不足10种可与

传世先秦古籍相对照，是先秦古籍的一次重大发现，战国楚简《孔子诗论》即其中之一。

战国楚简《孔子诗论》遗存整、残简29枚，其中整简1枚，长55.5厘米；简上、下端皆呈圆形，整简右侧边缘刻有上、中、下3个浅斜契口，用以编联成册。简文墨书，满简约54～57字，总计1006字，所载系先秦儒家佚文，是孔子授《诗》的追记，具体内容可分为四类：一类是简条第一道编绳之上与第三道编绳之下均留白，文字书写在第一道编绳之下、第三道编绳之上，每简约38～43字，不见评论《诗》的具体内容，仅是概论《讼》《大夏》

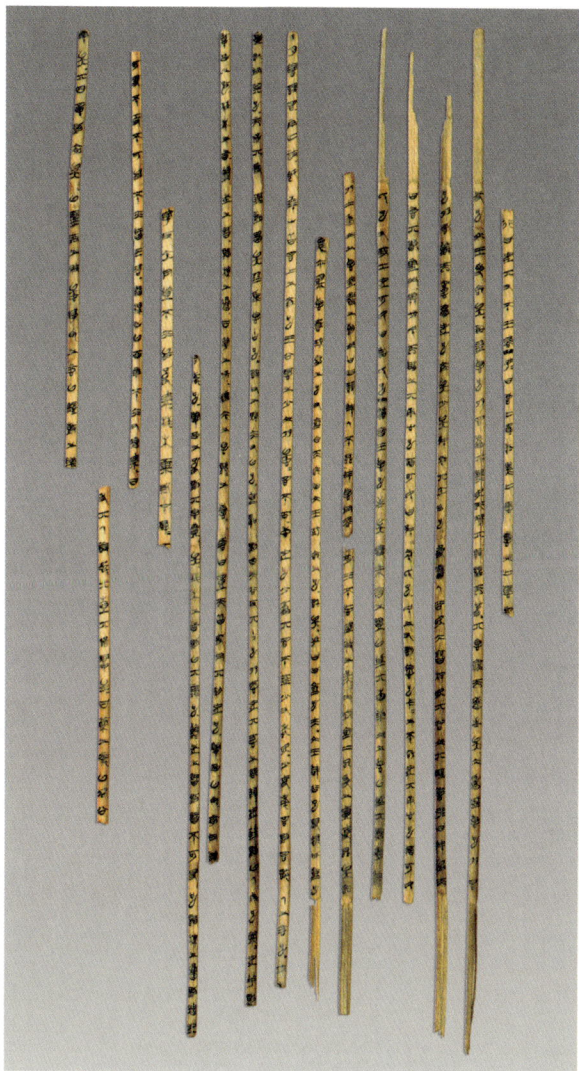

《小夏》与《邦风》，类似《诗》序言性质；二类是论各篇诗的具体内容，通常是就固定的数篇诗为一组，一论再论或多次论述；三类是每枚简上纯为《邦风》篇名；四类是单枚简上《邦风》《大夏》《邦风》《小夏》等并存。

战国楚简《孔子诗论》所列《诗》篇名序列《讼》《大夏》《小夏》与《邦风》，与今本《毛诗正义》之《国风》《大雅》《小雅》与《颂》编次不同，前所未见，表明《诗》各篇名称在孔子论诗之前已经存在，为研究《诗》编次及《诗》本义提供了直接而真实的史料。作为一部儒家经典，战国楚简《孔子诗论》也为了解孔子对《诗》的评价，以及孔子授《诗》方法提供了重要参考。2008年3月1日，国务院公布《第一批国家珍贵古籍名录》，战国楚简《孔子诗论》名列其中，名录号16。2013年8月19日，战国楚简《孔子诗论》，被国家文物局列入"第三批禁止出境展览文物目录"。

战国楚简《孔子诗论》藏于上海博物馆。

新蔡楚简　战国中期文物。1994年8月出土于河南省新蔡县葛陵村一座战国楚墓。

新蔡葛陵楚墓墓主平夜君成，是战国中期的楚国封君，且为楚王近亲。该墓清理出土竹简1568枚。竹简全部残断，长度不一，宽0.6～1.2厘米。简文墨书，多写于篾黄面，字迹清晰，由多人书写。简文存约8000字，内容少数为簿书，多数为卜筮与祈祷记录。簿书首简甲三221"王徙于鄩郢之岁，八月庚辰之日，所受盟于□"，下属如简甲三220"宋良志受四匦，又一赤"、简甲三244"匋人昆闻受二"及简甲三293"钟沱、钟竖受"等一

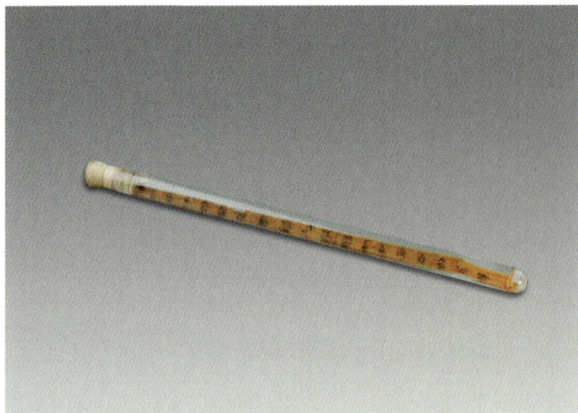

组简文，记参盟者与所受物品数量。卜筮与祈祷记录内容大致可分三种：第一种简文是墓主平夜君成生前至少在"蔞茖受女于楚之岁""大莫嚣阳为战于长城之岁""王复于蓝郢之岁"及"齐客陈异致福于王之岁"等9个以事纪年之内进行的多次卜筮记录。简文依次记录卜筮的年、月、日、卜人、卜筮工具、占问事项、吉凶判断以及卜人为墓主解除祸祟而拟定的祈祷之类措施。占问事项绝大多数是墓主平夜君成占问疾病吉凶，少数为泛问吉凶。一些残简文中，卜人为墓主解除祸祟而拟定祈祷之类措施之后又见吉凶判断。该类简文之文辞、程序与天星观楚简、包山楚简中"两次占问"卜筮记录相同。少数"反复占卜"简仅记占问事项与吉凶判断，是对一事而进行的不断深入的多次占卜，前后彼此互为因果关系。该种记录卜筮的文辞、程序及其所反映的占卜情况，在以往商、周卜辞中均未发现。新蔡楚简卜筮记录中记有筮占所得"数字卦"，并新见"繇辞"。第二种简文为祈祷记录，一部分仅记祈祷举行之月、日、祈祷原因、祈祷之鬼神及祭品，应是对第一种卜筮记录简文中所记卜人为墓主解除祸祟所拟定祈祷的践履；另一部分简文记墓主平夜君成祈祷之"祝辞"，此前

未有发现。简甲三134、108 "甲戌辟，乙亥祷楚先与五山，庚午之夕内斋" 之类，是记录祈祷仪节中的斋戒，可与周礼互征。第三种简文包括邑、里为祈祷所出牺牲的种类、数量及实际执行情况的统计，并载有里人祈祷于社，举行刉、祈祷所用牺牲的种类、数量及汇总。卜筮与祈祷记录简文中，记有30位卜人、30种卜筮工具与15组筮占所得数字卦，涉及老童、祝融及鬻熊等楚先，荆王、文王、平王、昭王、惠王、简王、声王等楚先王，平夜文君、文夫人、子西等墓主平夜君成祖妣，袄、司命、司禄、司祸、二天子、地主、大水、北方、五山、户、门、行等天神地祇，车、大牢、牛、羊、马、猪、酒食、圭、璧、璜及束锦加璧等祭品。

新蔡葛陵楚墓位于淮河流域，墓主平夜君成是战国中期的楚国封君，且贵为楚王近亲。新蔡楚简的丰富内涵有利于研究当时楚国东、西、南部疆土之间在卜筮、祈祷风俗、礼制方面的地域差异，为探讨当时楚国上层贵族及上层贵族与中、下层贵族之间在卜筮、祈祷风俗、礼制方面的尊卑隆杀，提供了珍贵史料。简文也粗略勾画出楚国居民组织、行政区划，一些新出现的字、字形及用语，丰富了学术界对于楚文字乃至战国文字的认识。

新蔡楚简存于河南省文物考古研究院。

睡虎地秦简　战国末年至秦代文物。1975年年底至1976年春季出土于湖北省云梦县睡虎地战国末年至秦代11号墓。

睡虎地秦简共计1155枚竹简（另有残片80枚），整简长23.1～27.8厘米，宽0.5～0.8厘米，以上、中、下三道细绳编联成册。简文墨书隶体，绝大部分写于篾黄面，内容计有《编年纪》《语书》《秦律十八种》《效律》《秦律杂抄》《法律答问》《封诊式》《为吏之道》《日书》（甲种）与《日书》（乙种）10种；其中《语书》《效律》《封诊式》与《日书》乙种为简上所书标题，其余则为整理小组所拟。

《编年纪》《语书》成于秦始皇时期，其他简文有些可能早至战国末期。《编年记》逐年记述自秦昭王元年（前306年）至秦始皇三十年（前217年）统一六国的战争过程与重大事件，记有一名 "喜" 的生平及有关事项，类似后世年谱。《语书》是秦王政二十年（前227年）四月初二南郡郡守腾颁予本郡各县、道的一篇文告。《秦律十八种》包含《田律》《厩苑律》《仓律》《金布律》《徭律》《司空律》《置吏律》《军爵律》《效律》及《内史杂》等，涉及农业、手工业及徭役等众多社会领域的具体法律刑罚。《效律》详细规定核验县与都官物资账目的一系列制度。《秦律杂抄》摘录范围广泛，存有《除吏律》《游士律》及《除弟子律》等11种律名，且许多律文与军事有关。《法律答问》多采用问答形式，对秦律某些条文、术语及律文意图做出解释。《封

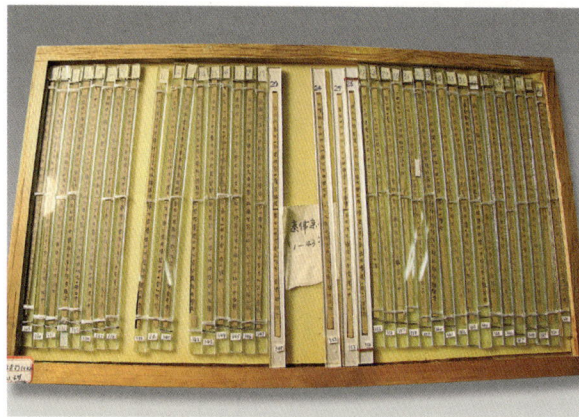

诊式》是对官吏审理案件的要求与相关文书程式。《为吏之道》载有当时官吏经常使用的四字语句，与秦代字书《仓颉篇》等相似，并记有当时人们舂米时歌咏的一种曲调——"相"，篇中许多文句与《礼记》《大戴礼记》及《说苑》等相同；篇末附录2则魏国法律，弥足珍贵。《日书》分甲、乙两种，主要内容是选择时日及应付鬼怪、趋吉避凶的方术。

睡虎地秦简法律简文是迄今所见考古发掘时代最早、保存最为完整的法典，内容广泛，涉及当时政治、经济、文化及军事诸多领域，为研究这一时期的历史提供了前所未见的丰富材料。简文是毛笔墨书秦隶，在文字学上具有极高价值。

2008年3月1日，国务院公布《第一批国家珍贵古籍名录》，睡虎地秦简《编年纪》《为吏之道》《封诊式》《法律答问》《效律》《秦律杂抄》《秦律十八种》《日书》（甲、乙种），名列其中，名录号分别为33、34、35、36、37、38、39、40。2013年8月19日，睡虎地秦简《语书》，被国家文物局列入"第三批禁止出境展览文物目录"。

睡虎地秦简藏于湖北省博物馆。

战国秦"黑夫""惊"家书木牍 秦王政二十四年（前223年）文物。1975年12月1日至1976年1月9日，考古工作者在湖北省云梦县睡虎地发掘12座战国末年至秦代小型土坑木椁墓，其中4号墓出土两方木牍，编号分别为M4：11、M4：6，战国秦"黑夫""惊"家书木牍即M4：11。

战国秦"黑夫""惊"家书木牍长23.4厘米，宽3.7厘米，厚0.25厘米，正、反面现存墨书隶体可辨识者275字，其中正面140字："二月辛巳，黑夫、惊敢再拜问中，母毋恙也？黑夫、惊毋恙也。前日黑夫与惊别，今复会矣。黑夫寄益就书曰：遗黑夫钱，毋操夏衣来。今书节（即）到，母视安陆丝布贱可以为禅裙、襦者，母必为之，令与钱偕来；其丝布贵，徒操钱来，黑夫自以布此。黑夫等直佐淮阳，攻反城久，伤未可智（知）也！愿母遗黑夫用勿少。书到皆为报，报必言相家爵来未来，告黑夫其未来状。闻王得苟得"；背面135字："毋恙也？辞相家爵不也？书衣之南军毋……王得不也？为黑夫、惊多问姑姊、康乐季须、故术长姑外内……毋恙也？为黑夫、惊多问东室季须苟得毋恙也？为黑夫、惊多问婴泛季事可（何）如？定不定？为黑夫、惊多问夕阳吕婴、匦里阎净丈人得毋恙也，婴、净皆毋恙也，毋钱用、衣矣。惊多问新负

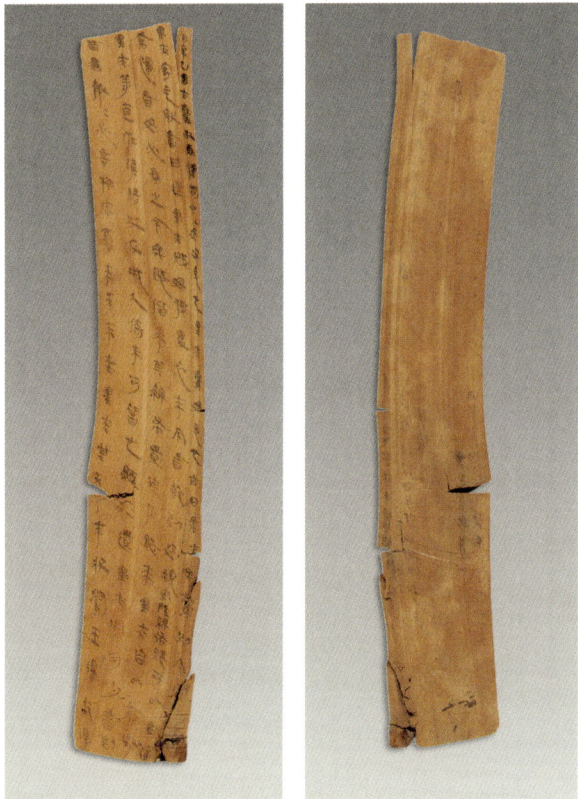

（妇）、娶得毋恙也？新负（妇）勉力视瞻丈人，毋与□□□。垣柏未智（知）归时。新负（妇）勉力也！"

牍文内容是当时从军在"淮阳"参加对楚作战的秦国士卒"黑夫"与"惊"兄弟二人，写给留在家中兄弟中（衷）的家书。该家书中，"黑夫"与"惊"提到急需夏衣与钱，让母亲尽快准备，并简要叙述了当时战况，"直佐淮阳，攻反城久"，并问候亲朋好友。

编号M4：6家书木牍所载内容是M4：11家书中"惊"写给其留在家中兄弟中（衷）的家书。该家书中，"惊"提到急需衣与钱，让母亲尽快准备，并提及"黑夫"，简要叙述了当前处境。M4：6木牍家书所写时间略晚于M4：11木牍家书，两者内容大致相同，均是向母亲索要钱与衣物，唯M4：6木牍所书显得更为急切。M4：11木牍家书中，"黑夫"与"惊"提及他们所在军队"直佐淮阳，攻反城久"，正在"淮阳"对楚作战，进攻"反城"；而M4：6木牍家书中，"惊"言"居反城中"，可知此时秦军已攻入"反城"。《史记·秦始皇本纪》载："二十三年，秦王复召王翦，强起之，使将击荆。取陈以南至平舆，房荆王。秦王游至郢陈。荆将项燕立昌平君为荆王，反秦于淮南。二十四年，王翦、蒙武攻荆，破荆军，昌平君死，项燕遂自杀。"M4：11与M4：6两方木牍家书中所提及"直佐淮阳""攻反城久"及"居反城中"的战事，当是上引秦王政二十三年（前224）楚昌平君反秦于"淮南"后，秦王翦、蒙武于二十四年（前223）率军平叛之役。据此木牍家书，"反城"久攻不下，给秦军士卒心理造成极大冲击，即书中所言"伤未可智

（知）也"！足见当时楚人抗击力量之强。最终，如M4：6木牍家书所言"居反城中"，秦军攻下"反城"，亦即《秦始皇本纪》所载"破荆军，昌平君死，项燕遂自杀"。

战国秦"黑夫""惊"家书木牍，与M4：6家书木牍，是中国已知时代最早的家书实物，文中所提及一系列家属称谓是学术界了解战国末年秦人家庭形态的可信史料。文中记述秦王政二十三至二十四年（前224～前223）秦、楚两军在"淮阳"一带的攻战，可与史载互证，并丰富其始末。

战国秦"黑夫""惊"家书木牍藏于湖北省博物馆。

秦青川更修《为田律》命书木牍 战国晚期（前309年）文物。1979年2月至1980年7月，四川省博物馆会同青川县文化馆，对青川郝家坪战国墓群进行了3次发掘，共清理墓葬

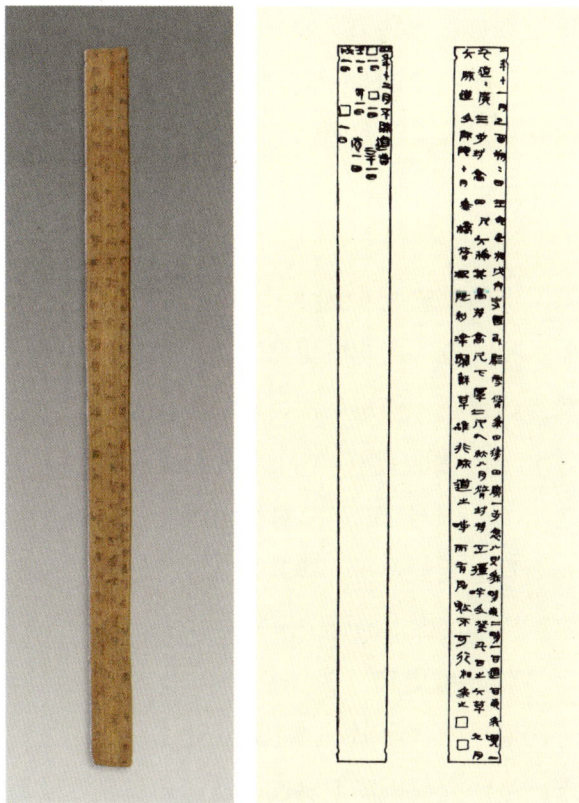

72座；在编号M50墓内椁室中下部、紧靠椁室东墙，出土2方木牍。

秦青川更修《为田律》命书木牍呈长条片状，编号M50：16，长46厘米，宽2.5厘米，厚0.4厘米；编号M50：17，长46厘米，宽3.5厘米，厚0.4厘米。2方木牍上、下近端处两侧各有一契口，应是同一编册，其正、背面均存墨书隶体，其中编号M50：16木牍正面由右至左纵向3行121字："二年十一月己酉朔朔日，王命丞相戊（茂）、内史匽氏、臂更修《为田律》：田广一步，袤八则，为畛。晦（亩）二畛，一百（陌）道。百晦（亩）为顷，一千（阡）道。道广三步。封高四尺，大称其高。捋（埒）高尺，下厚二尺。以秋八月，修封捋（埒），正疆畔，及烮千（阡）百（陌）之大草。九月，大除道及阪险。十月为桥，修陂堤，利津□鲜草。虽非除道之时，而有陷败不可行，辄为之。章手。"背面文字4行，分上、中、下3栏书写，惜残蚀过甚，多不可识："四年十二月不除道者：凡□田□□……□二日，□一日，章一日，□九日，□一日，辰一日，□一日，丹一日，章手。"

正面牍文记秦武王二年（前309年），王命丞相甘茂、内史匽更修《为田律》，内容涉及修改封疆、修道治涂、筑堤修桥及疏通河道等事项；背面记8位不除道之人及其天数。与之相关，编号M50：17木牍正面文字记录若干人不除道天数及折合钱款，凡此均当为《为田律》执行过程中的有关事项。

秦青川更修《为田律》命书木牍是已知时代最早的"命书"抄本，记述了新令颁行始末，是研究战国晚期秦国律法、田亩制度及商鞅变法的重要史料。2013年5月，出土秦青川更修《为田律》命书木牍的郝家坪M50墓及郝家坪战国墓群，由国务院公布为"第七批全国重点文物保护单位"。

秦青川更修《为田律》命书木牍存于四川省文物考古研究院。

放马滩秦简 战国晚期秦国文物。1986年6～9月，甘肃省文物考古研究所发掘天水市北道区党川乡放马滩古墓群，在1号秦墓棺内墓主头骨右侧，出土461枚竹简。2012年，放马滩秦简由甘肃省文物考古研究所移交入藏甘肃简牍博物馆。

放马滩秦简长23～27.5厘米，宽0.6～0.7厘米，厚0.2厘米；竹简右侧边缘刻有三角形小契口，上有3道编联；大部分竹简天头与地脚空白处正、背面粘有深蓝色纺织品残片，是中国古代简册装帧的实例。简文墨书，系先编联后书写，均书于篾黄面；隶体中杂篆书笔势，且残留较多战国文字。简文以中编为界，形成上、下两栏，每简文字大多在25～40字之间，容字最多者43字；书写自上栏开始，通写一则内容至本章写完，如有余地，即用以书写其他篇章；其间以圆点、粗线段区分不同内容，如遇转行，则写在与之邻近简空余处。简文所载内容分为甲种《日书》、乙种《日书》与《志怪故事》三种。甲种《日书》73枚简，包括《月建》《建除》《亡盗》《吉凶》《禹须臾》《人日》《生日》与《禁忌》8章；乙种《日书》382枚简，包含《月建》《建除》《置室门》《门忌》《方位吉时》《地支时辰吉凶》《吏听》《亡盗》《昼夜长短》《占日长短》《五行相生及三合局》《行》《衣

良日》《牝牡月日》《人日》《四废日》《行忌》《五音日》《死忌》《作事》《六甲孤虚》《生子》《衣忌》《井忌》《畜忌》《卜忌》《六十甲子》《占候》《五种忌》《禹步》《正月占风》《星度》《纳音五行》《律书》《五音占》《音律贞卜》《杂忌》与《问病》38章，简文字体结构、书风与睡虎地秦简类似，与甲种《日书》为不同人抄写，或两者存在抄写时间先后；《志怪故事》7枚简，存260余字，文义不能连贯，当有残缺，是秦国县丞向御史呈交的一份"谒书"，记述一位名"丹"人死而复生的故事。

放马滩秦简是继1975年湖北云梦睡虎地秦简之后又一次重大秦简发现，而且是秦人发祥地——天水首次发现的秦人典籍，在秦文化研究中具有重要价值。放马滩秦简《日书》与云梦睡虎地秦简《日书》，内容互有异同，反映出秦、楚及北方与南方之间不同的文化面貌。放马滩秦简乙种《日书》之《五行相生及三合局》《六甲孤虚》《五音占》《六十甲子》《占候》《星度》《纳音五行》《律书》《音律贞卜》及《问病》等章，是所见时代最早的版本。《志怪故事》明显含有志怪性质，北京大学藏秦牍《泰原有死者》性质与之类同，两者与后世《搜神记》一类书籍相似，时代却早了500余年，应是志怪小说之滥觞，具有重要的学术价值。2008年3月1日，国务院公布《第一批国家珍贵古籍名录》，放马滩秦简《志怪故事》与《日书》甲、乙种，名列其中，名录号分别为30与32。

放马滩秦简藏于甘肃简牍博物馆。

龙岗秦简 秦代（前220～前207年）文物。1989年10～12月，为配合湖北省云梦龙岗工程建设，湖北省文物考古研究所、孝感地区博物馆与云梦县博物馆在湖北省云梦县城关东南郊发掘9座秦汉时期墓葬。其中6号墓是一座小型长方形土坑竖穴墓，一椁一棺，棺内仅见墓主上半身遗骸，似为男性，遗骸足档处随葬一批竹简与一方木牍。

龙岗秦简经整理分为293个编号，整简长28厘米，宽0.50~0.70厘米，厚约0.10厘米；竹简边缘刻有小契口，存上、中、下3道编绳，上、下编绳分别距简端、简末1.1厘米，第二道编绳居中，编绳呈白色，有光泽，直径0.1厘米。简文墨书隶体，系先书写后编联，均书于篾黄面，整简可达24字，似为一人所书。简文书写格式与睡虎地秦简类似，重文符号均著于上一字右下部，标识句读的勾号著于简文右边。简文内容为秦代

法律文书，原简无律名，其中大多是此前未知与"禁苑"有关的具体规定及"驰道"律文。龙岗秦简中"黔首"出现9例，不见"百姓"；睡虎地秦简仅见"百姓"，不见"黔首"。《史记·秦始皇本纪》载，二十六年，"更名民曰'黔首'"。据此可知，龙岗秦简时代较睡虎地秦简为晚。龙岗秦简中所用"罪"字，初步统计存17例，而睡虎地秦简则均作"辠"，无一例外。东汉许慎《说文解字》曰："秦以辠似皇字，改为罪。"凡此均可表明，龙岗秦简乃秦始皇统一天下后所抄写。据《史记·秦始皇本纪》，自二十七年始，秦始皇多次巡行，二十八年"之衡山、南郡"，三十七年，"十一月，行至云梦"。龙岗秦简第263号简文"从皇帝而行及舍禁苑中而□□□□□□"，所记有关云梦、沙丘"禁苑"律文，应为秦始皇出巡而特别颁发。由此，龙岗秦简主要法律条文，当行用于秦始皇二十七年（前220年）至秦二世三年（前207年）14年间。

龙岗秦简是目前了解秦汉时期"禁苑""驰道"相关问题的唯一史料，对秦律研究具有重要价值，是继1975年云梦睡虎地秦简之后又一重要秦代考古发现。

龙岗秦简藏于湖北省博物馆。

周家台秦墓简牍 秦代末年文物。1993年6月，为配合宜昌—黄石公路建设，湖北省荆州市周梁玉桥遗址博物馆（湖北省沙市博物馆）在荆州市沙市区西北郊太湖东岸发掘清理周家台30号秦墓。该墓为长方形竖穴土坑墓，一椁一棺，在棺椁北挡板间西南椁底板上，出土以竹笥、编席包裹的竹简381枚，在棺椁北

挡板间西部淤泥中，出土1方木牍。

周家台秦墓竹简分长、短两种形制：长简308枚，长29.3～29.6厘米，宽0.5～0.7厘米，厚0.08～0.09厘米；短简73枚，制作粗糙，有些留有竹节，长21.7～23厘米，宽0.4～1厘米，厚0.06～0.15厘米。长简与短简各自成卷叠压，长简在上，短简在下。简文墨书隶体，除1枚简背书有标题外，其余均书于蔑黄面，每简最少1字，最多43字，总计5300余字，内容包括《三十四年质日》《日书》与《病方及其他》。《三十四年质日》简68枚，均为长简，出土时自成一卷位于竹简中层；竹简两端平齐，简条右侧刻有三角形小契口，有上、中、下三道编绳，上、下两道编绳分别距简端、简末1.1～1.4厘米，中间编绳居中；该册简文列秦始皇三十四年（前213年）全年干支，一部分干支下有简短记事，当是墓主生前任职期间履行公务的记录。《日书》简240枚，均为长简，形制及编联同于《三十四年质日》简，出土时自成一卷，位于竹简最上层；简文系先书写后编联，内容分为《繫行》《戎磨日（一）》《戎磨日（二）》《产子占》《吏》《五行》《孤虚》《三十六置居》与《三十六年日》。《病方及其他》短简73枚，出土时自成一卷位于竹简下层，简端平整，简条边缘无契口，存上、下两道编绳，分别距简端、简末6.4～8厘米；简文系先书写后编联，所记大多独立成篇，内容为《已肠辟》《温病》《下气》《长发》《先农》《亡马牛》《马心》《肥牛》《疟》及《女子蚤》等篇，涉及医药病方、祝由术、择吉避凶占卜及农事等众多内容。

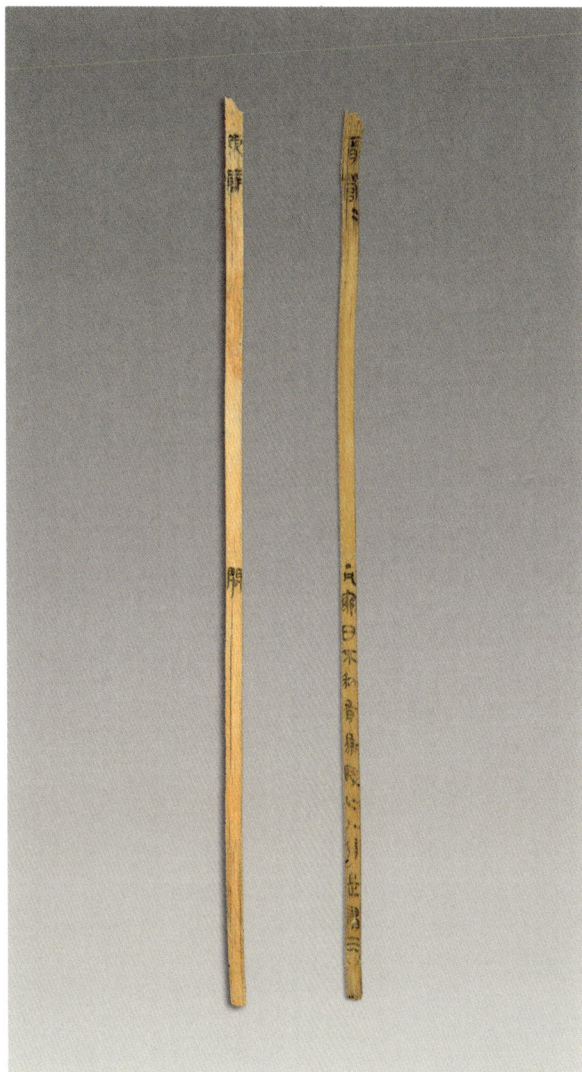

木牍呈长方形，杉木材质，长23厘米，宽4.4厘米，厚0.25厘米。正、背面均抛光，墨书隶体，分栏书写：正面两栏，上栏7行，下栏5行；背面五栏，第一栏3行，第二栏至第五栏行数不等，共记149字。正面所书系秦二世元年（前209年）十二个月朔日干支及月大小；背面第一栏文字分行书写秦二世元年十二月戊戌嘉平、己卯日之记事，第二栏至第五栏依次书写该月全月日干支，是推算墓主生前往廷赋所交赋往返日数的记录。"秦二世元年"（前209年），是30号墓中所见最晚纪年，应是墓主下葬时间上限。

周家台秦墓简牍载有许多新发现，其中《日书》可与云梦睡虎地秦简、天水放马滩秦简《日书》相互参照，有助于学术界加深对于秦文化的认识。2008年3月1日，国务院公布《第一批国家珍贵古籍名录》，周家台秦墓简牍之秦始皇《三十四年质日》名列其中，名录号41。

周家台秦墓简牍藏于荆州博物馆。

里耶秦简 秦王政二十五年至秦二世二年（前222～前208年）文物。2002年4月，湖南省文物考古研究所会同州县文物部门，对龙山县里耶古城遗址、古墓葬进行大规模抢救性考古发掘。5月28日～6月27日，发掘城内遗址一号井，井中出土37000余枚秦简。

里耶秦简包括残简、削衣与超过总数一半的无字简，绝大多数为杉、松木质，极少数竹

质，长度多为23厘米，宽度不一，多在1.4～5厘米之间。简文墨书隶体，内容是秦代洞庭郡迁陵县遗留的公文档案，涵盖户口、土地开垦、物产、田租赋税、徭役、仓储钱粮、兵甲物资、道路里程、邮驿津渡管理、奴隶买卖、刑徒管理、先农祭祀、教育及医药等众多领域的政令、文书。里耶秦简出土后委托荆州文物保护中心进行脱色、脱水处理，以便长久保存。

里耶秦简内容极其丰富，从中可以大致了解当时基层行政机构及其运作方式，为秦代历史研究提供了丰富而可靠的史料。里耶秦简及里耶古城、里耶古井，是秦代考古继兵马俑之后又一重大发现，极大填补了秦代史料缺佚。2012年，中国邮政发售"里耶秦简"邮票。

里耶秦简分别存于湖南省文物考古研究所、藏于里耶秦简博物馆。

岳麓秦简 秦代（约前220～前207年）文物。岳麓秦简大部分是2007年12月由湖南大学岳麓书院从香港征集，共有编号2100个，存较完整简1300余枚。2008年8月，香港一位收藏家将其购藏的秦简76个编号，存较完整简30余枚，无偿捐赠予岳麓书院。

岳麓秦简共有2176个编号，绝大部分为竹简，仅有30多个编号木简，整简宽5～8毫米，长度大致分为30厘米、27厘米与25厘米三种规格。简上编绳分为两种：一种为上、中、下三道编绳，另一种为上、下两道编绳。简文墨书隶体，既有先书写后编联，又有先编联后书写，均书于篾黄面，简背标有"为吏治官及黔首""数""律"及"令癸·丁"之类篇名。简文内容大致可分为七大类：《质日》《为吏治官及黔首》《占梦书》《数》《为狱等状四

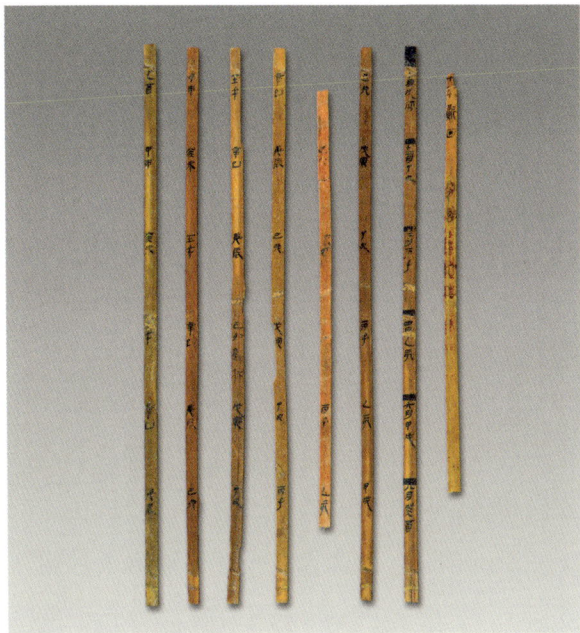

种》（原名《奏谳书》）《秦律杂抄》与《秦令杂抄》；其中《质日》《为吏治民及黔首》《数》书与《为狱等状》四类，系简背原题，其余三类为整理小组所拟。

岳麓秦简是一批珍贵的秦代史料，对秦代法律、数学及秦代文献、语言文字、书体等诸多领域的研究，均具有重要学术价值，是继1975年云梦睡虎地秦简、2002年湖南里耶秦简之后又一次重大秦代简牍发现。2013年，岳麓秦简《质日》《为吏治官及黔首》与《占梦书》，列入《第四批国家珍贵古籍名录》。2016年，岳麓秦简《数》《奏谳书》（后名《为狱等状》），列入《第五批国家珍贵古籍名录》。2013年8月19日，岳麓秦简《数》，被国家文物局列入"第三批禁止出境展览文物目录"。

岳麓秦简藏于湖南中国书院博物馆。

北京大学藏秦简牍 秦始皇时期文物。2010年年初，北京大学接受捐赠，获得一批由香港冯燊均国学基金会出资，自海外抢救回归

的秦代简牍。

北京大学藏秦简牍包括竹简762枚、竹牍4枚、木简21枚、木牍6枚、木觚1枚，骰子1枚、算筹61根及竹简残片若干，其中10卷成册。简牍文墨书秦隶，内容主要包括：《从政之经》46枚简，上有三道编绳，内容、体例近似云梦睡虎地秦简《为吏之道》。《善女子之方》15枚简，存850字，全篇论述如何做"善女子"，是所见中国古代最早的女教专论。《田书》《算书》之类数学文献，竹简4卷与1方木牍，其中讨论数学起源、作用及价值，极为罕见，对中国古代数学思想史研究具有重要意义。《道里书》66枚简，抄写于卷四背面中部，主要记录江汉地区水陆交通路线与里程，是所见战国末期至秦代江汉地区行政区划及交通状况最为详尽的记录。《制衣》27枚简，抄写于卷四正面卷尾，是"黄寄"所传授的制衣之术，可作为研究中国上古时期服饰及工艺技术的原始参照。《公子从军》22枚简，长约23厘米，上有两道编绳，整简27～30字不等，存410字，以一名"牵"女子向"公子"陈述之口吻，述说她与公子之间的情感：既表达了对从军公子的思念之情，又责怨公子对她挚爱情感的淡漠，文中多次引用《诗》句以述其情，是一篇久已失传的战国晚期文学作品。《隐书》9枚木简，内容为《汉书·艺文志》"诗赋略"著录的《隐书》一类。《饮酒歌诗》为饮酒时所唱歌谣，木牍W-013与竹牍Z-002各载1首，木牍M-026载2首；与之相关，有1枚行酒所用骰子，6个三角面分别书"不饮""自饮""饮左""饮右""千秋""百尝"。《泰原有死者》载于1枚木牍，讲述死者复生后，从死者喜

恶角度谈丧祭宜忌,可与放马滩秦简《志怪故事》相联系。数术方技类文献共计320余枚竹木简,内容可分为质日、日书、数占、祠祝与医方,其中数占《禹九策》、祠祝与医方大部分内容此前未见。记账文书,木牍（W-014）两面书写,一面是"作"应得工钱总额及每月得钱统计,另一面是逐次领取记录;木牍M-016、木觚M-015及两枚竹牍Z-010、Z-011所载内容也大致是工作与收入记录。

北京大学藏秦简牍内容丰富,涉及古代政治、经济、地理、数学、医学、文学、历法、方术及民间信仰等诸多领域,许多均为首次发现,史料价值极高。

北京大学藏秦简牍藏于北京大学出土文献研究所。

武威汉简　西汉晚期至东汉早期文物。1957年7月、1959年秋季、1972年11月分别出土于甘肃省武威县磨嘴子6号汉墓、18号汉墓及旱滩坡一座东汉早期土洞单室墓;1981年9月,武威县新华公社缠山大队社员袁德礼上交木简26枚,近年出土于磨嘴子汉墓。

1957年7月,甘肃省博物馆清理武威县磨嘴子6号汉墓。该墓是一座夫妇合葬小型单室土洞墓,在男棺盖前端及棺东侧淤泥下,发现480枚竹、木简,包含《仪礼》简469枚,日忌、杂占简11枚。《仪礼》简规格、内容分为3种:甲本木简398枚,简长55.5～56厘米,宽0.75厘米,厚0.28厘米,上有4道编联;简文墨书隶体,系先编联后书写,留有天头与地脚空白,大多每简容60字,包括《士相见》《服传》《特牲》《少牢》《有司》《燕礼》与《泰射》7篇。乙本木简37枚,简长50.5厘米,宽0.5厘米,简条边缘刻有极小三角形契口;简文墨书隶体,系先编联后书写,留有天头与地脚空白,每简容100～123字,内容为《服传》篇。丙本竹简34枚,简长56.5厘米,宽0.9厘米,上有5道编联;简文墨书隶体,系先编联后书写,均写于篾黄面,留有天头与地脚空白,每简容字不等,少者20～30字,多者50～60字,内容为《丧服》篇。上述9篇《仪礼》存字27298字,篇次不同于大戴、小戴及刘向别录,应为糅合今古文之前西汉后氏礼的庆氏学。甲、乙、丙本《仪礼》由多人抄写,

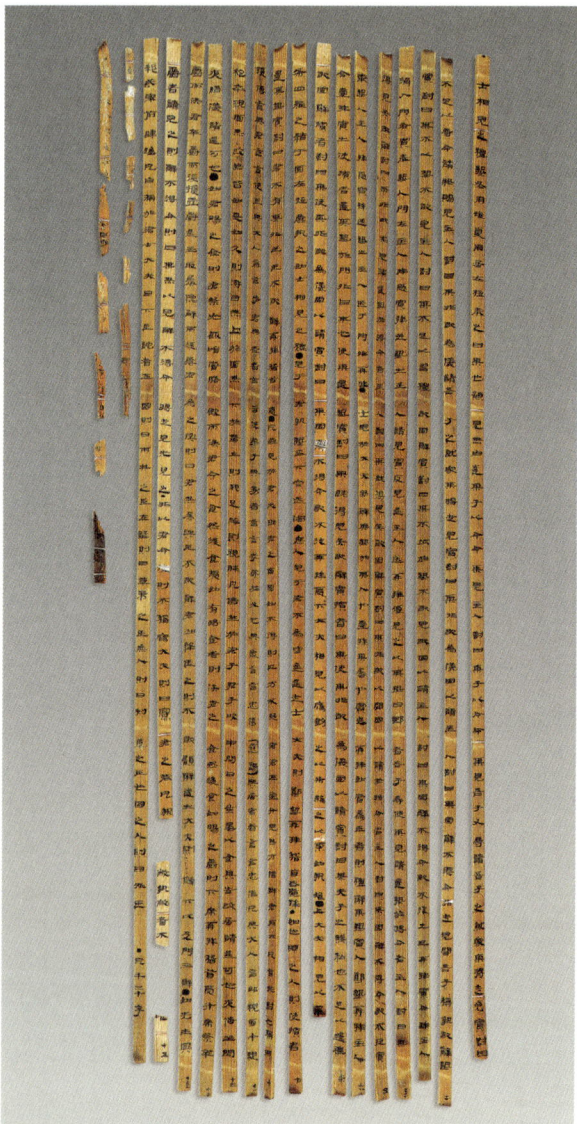

以丙本时代最早，甲、乙本所据之本约在西汉昭、宣之世，抄写时代或在西汉晚期，均为墓主生前教授诵习所用。目前，学术界对武威汉简《仪礼》时代、版本尚存在不同意见。甲、乙本中，均有篇题、篇次写于木简背面第2道编绳之下；简文中或以扁方形、大圆点标识篇次，或以圆圈、三角形标识章句，或以小圆点标识题目，并留有削改、添写、补抄痕迹及钩识、删点之类记号；木简书写面打磨光滑，似又经过特殊液体涂染。

"王杖诏书令"简先后出土两批：第一批于1959年秋季出土于磨嘴子18号汉墓，凡10枚木简，即学术界所习称"王杖十简"，简长23.2～23.3厘米，宽约1厘米，上有三道编联，第二道编联位于简中。简文墨书隶体，系先编联后书写，留有天头与地脚空白，有2枚简天头处书"制"字，其余8枚简天头处各作一圆点。每简存字不等，最多者37字，记载东汉永平十五年（72年）幼伯受王杖事，并录有西汉建始二年（前31年）九月甲辰所下"年七十受王杖"诏书与河平元年（前28年）殴击王杖主当弃市的法令。第二批"王杖诏书令"简是1981年9月甘肃省武威县文物管理委员会在保护、调查重点文物时，由新华公社缠山大队社员袁德礼上交近年在磨嘴子汉墓出土的26枚木简，简长23.2～23.7厘米，宽0.9～1.1厘米，简条正面右侧边缘刻有小契口，上有两道编联；简背书序次，该简册原为27枚简，今缺失第15号简。简文墨书隶体，系先书写后编联，大多留有天头空白，每简字数不等，内容为建始元年（前32年）9月甲辰所下抚恤孤独、废疾的诏书，元延三年（前10年）正月壬申所下处决乡

官吏殴辱王杖主的诏书，"年七十以上杖王杖"及汝南郡王安世等皆坐殴辱王杖主弃市等5个诏书令，诏书令均编入兰台令。

医药简牍是1972年11月出土于甘肃省武威县旱滩坡一座东汉早期土洞单室墓，其中木简78枚，简长23～23.4厘米，分为两类：一类宽0.5厘米，上有三道编联。简文墨书隶体，每简容37字左右，有一简题"右治病百方"，应是该批简册尾题。另一类宽1厘米，简条右侧边缘刻有三角形小契口，上有三道编联。简文墨书隶体，每简容35字左右，系先编联后书写，简文中存"｜""·"符号，间或最后一字末笔拖长加重，以标识行文开篇、换行及结尾。木牍14方，长22.7～23.9厘米，宽1.1～4厘米不等，厚0.2～0.6厘米；牍文墨书隶体，中兼杂草笔，多为两面书写，内容为医学。文中大多于起首标列医方名称，下书药味、药量、治药、用药方法、针灸穴位、针刺深度、留针时刻及针灸、服药等禁忌，也记述病名、病因、病理及疾病理疗方法。其中存有如"治久咳逆上气汤方""治金创内漏血不止方"及"治妇人膏药方"之类30多个较为完整的医方，涉及内科、外科、妇科、五官科及针灸科。所列药物名称，如桂、姜、黄芩、黄连、长石等，现存约100味，详细附述这些药物如"煎之三沸药成""以膏薄之"及"皆并治合"之类的炮制，如汤、丸、膏、散、醴、滴、栓等剂型与用药方法。文中还附记药价及升、斤、尺、两、分、五分匕、三指撮等药用重量单位。

武威汉简《仪礼》是迄今所见《仪礼》最古写本，将其与今传东汉郑玄注本及唐贾

公彦疏本比较，并综考其中3本不同《服传》《丧服》篇，可以梳理《仪礼》经、记、传的发展、变化。两批出土的"王杖诏书令"简内容丰富，记载明确，既有尊老养老、高年赐王杖的诏令，又有抚恤鳏寡孤独及废疾的具体法规，旨在提高老人社会地位，减免老弱病残的刑罚、赋税与徭役，是研究汉代养老制度的重要史料，可补此前文献记载不足。医药简牍内容涉及临床医学、药物学及针灸学，是迄今所见中国古代时代最早且较为完整的医方文献，是中国医学史上的重大发现，表明中国古代医学在当时已经形成较为完备的科学体系。2008年3月1日，国务院公布《第一批国家珍贵古籍名录》，武威汉简甲本《仪礼》、乙本《服传》、丙本《丧服》及医药木简，名列其中，名录号分别为91、92、93、94。2009年6月9日，国务院公布《第二批国家珍贵古籍名录》，武威汉简"王杖诏书令"简名列其中，名录号02401，《第二批国家珍贵古籍名录图录》著录。

武威汉简藏于甘肃省博物馆与武威市博物馆。

居延肩水金关汉"相剑刀"简册 新莽或东汉建武初年文物。1972年至1974年夏秋季节，甘肃居延考古队对居延甲渠候官（破城子）、甲渠塞第四隧与肩水金关三处汉代烽塞遗址进行发掘；其中肩水金关遗址出土11577枚汉简，居延肩水金关汉"相剑刀"简册即其中之一。2012年，居延肩水金关汉"相剑刀"简册由甘肃省文物考古研究所移交入藏甘肃简牍博物馆。

居延肩水金关汉"相剑刀"简册凡6枚，松木材质，单简长22.3厘米，宽1.2厘米，厚0.2厘米，重3克；简条右侧边缘刻有上、中、下3个小契口，以纳编绳；简文墨书隶体，每简20～40字不等，凡209字："欲知剑利善、故器者：起拔之，视之身中无推处者，故器也。视欲知利善者：必视之身中有黑两桁不绝者；其逢［锋］如不见，视白坚未至逢［锋］三分所而绝，此天下利善剑也；又视之身中生如黍粟状，利剑也，加［嘉］以善。欲知币［弊］剑以不报者及新器者：之日中驿，视白坚随燠［锋］上者，及推处白黑坚分明者；及无文［纹］；纵有文［纹］而在坚中者；及云气相遂，皆币［弊］合人剑也。刀与剑同等。右善剑四事。右币［弊］剑六事。利善剑文：悬薄文［纹］者、保双蛇文［纹］，皆可；带羽、圭中文［纹］者，皆可。剑谦者利善，强者表总，弱则利奈何。总新器剑文［纹］：斗

鸡、征蛇文［纹］者、粗者，及皆凶不利者。右币［弊］剑文［纹］四事。"

　　简文是一篇成书于西汉时期鉴别剑、刀优劣的佚文。文中所述"右善剑四事""右币［弊］剑六事"及"右币剑文［纹］四事"，精赅"善剑"与"敝剑"的鉴别标准18条，其中涉及剑的形态、花纹、成分、制作技术及发展史，是研究中国古代兵器及冶炼技术的珍贵史料。古人相剑刀之说，散见于《吴越春秋》《越绝书》《庄子·说剑》及《吕氏春秋·别类》等篇；又《汉书·艺文志》载"形法六家"，有《相宝剑刀》二十卷，居延肩水金关汉"相剑刀"简册即此类。该册简文隶书规整谨严，是西北地区汉简典籍文献的代表。2008年3月1日，国务院公布《第一批国家珍贵古籍名录》，居延肩水金关汉"相剑刀"简册名列其中，名录号90。肩水金关遗址出土的众多汉简，涉及当时政治、经济、军事及文化诸多领域，较为全面揭示了汉代边塞的屯戍生活，具有极高的史料价值。

　　居延肩水金关汉"相剑刀"简册藏于甘肃简牍博物馆。

居延甲渠候官西汉河平元年验问侯史严简　西汉河平元年（前28年）文物。1972年至1974年夏秋季节，甘肃居延考古队对居延甲渠候官（破城子）、甲渠塞第四隧与肩水金关3处汉代遗址进行发掘；其中甲渠候官遗址（破城子）出土简牍7865枚，居延甲渠候官西汉河平元年简即其中之一。2012年，居延甲渠候官西汉河平元年简，由甘肃省文物考古研究所移交入藏甘肃简牍博物馆。

　　居延甲渠候官西汉河平元年验问侯史严简

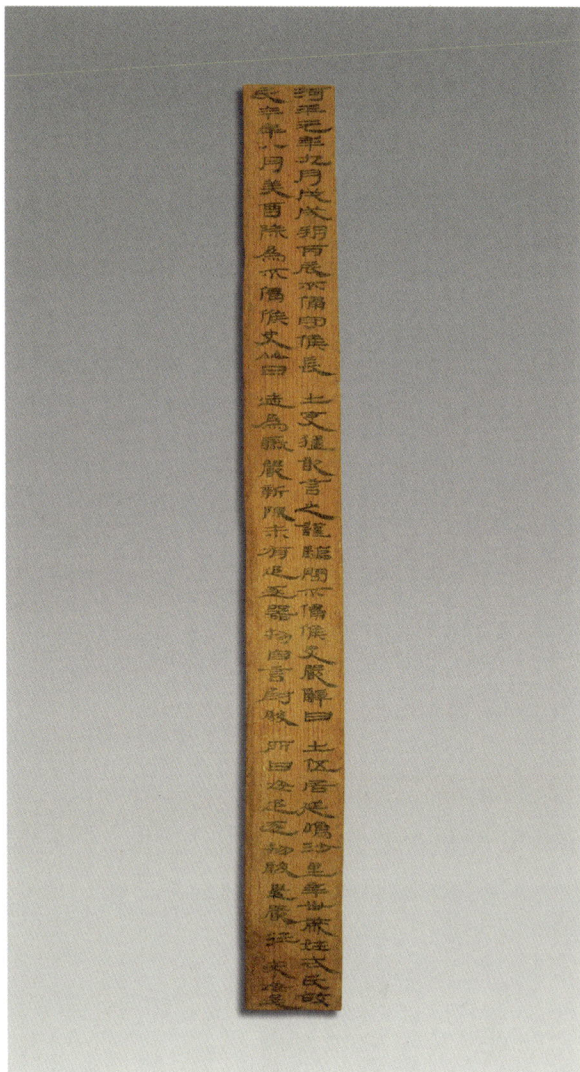

是松木材质，长23.1厘米、宽2.5厘米、厚0.4厘米，重5克；墨书隶体2行："河平元年九月戊戌朔丙辰，不侵守候长士吏猛敢言之：谨验问不侵候史严，辞曰：士伍，居延鸣沙里，年卅岁，姓衣氏，故民，今年八月癸酉，除为不侵候史，以日迹为职；严新除，未有追逐器物，自言尉骏所，曰毋追逐物，骏遣严往来毋过。"

　　简文系西汉成帝河平元年（前28年）九月丙辰日甲渠候官不侵部的上报文书，禀告不侵候史"衣严"缺乏守备器物，需配备置办。

　　居延甲渠候官西汉河平元年验问侯史严简是了解汉代边塞吏员管理制度的原始材料；该

简所书汉隶，书风飘逸，艺术成就较高。甘肃居延甲渠候官（破城子）出土简牍所载内容涉及当时政治、经济、军事及文化各领域，较为全面揭示了汉代边塞的屯戍生活，具有极高的史料价值。

居延甲渠候官西汉河平元年验问候史严简藏于甘肃简牍博物馆。

马王堆汉墓简牍 西汉初年文物。1972年1月16日，湖南省博物馆对长沙市古汉路89号湖南省马王堆疗养院内马王堆一号汉墓进行发掘，至4月28日结束。马王堆三号汉墓封土几乎被一号汉墓封土覆盖，三号汉墓田野工作于1973年11月19日～12月13日完成。两墓均出土简牍。

马王堆一号汉墓墓主为西汉初年长沙国丞相轪侯利苍之妻"辛追"，下葬于公元前168年后数年。该墓东边厢北端出土312枚竹简，简长27.6厘米，宽0.7厘米，简文为"遣策"，详细记录丧葬中所用各类物品：副食品、调味品、酒类与粮食；漆器、陶器、梳妆用具与衣物；乐器、竹器及木制、土制明器。另有19枚陶罐、麻袋所附签牌，49枚竹笥所附签牌。

马王堆三号汉墓墓主为长沙国丞相轪侯"利苍"之子，下葬于公元前168年。该墓东边厢外出土1方纪年木牍，西边厢北端出土5方木牍与404枚竹简。简长27.5厘米，宽1厘米，简文少则1字，多则24字；木牍文少则25字，多则92字。简、牍文为遣策，其中5方木牍文内容分别为一组竹简所记同类随葬品小结；随葬品大体以男女明童、车马、各种食物、漆器、土器、其他杂器及丝织物排序。该墓东边

厢一长方形黑色漆盒内下层靠边狭长格最上层，放置两捆200枚竹简，内容有关医学，其中《十问》与《合阴阳》为一捆，《杂禁方》与《天下至道谈》为一捆。《十问》假托古代帝王、诸侯、官吏、名医及术士问答，就10个有关养生保健问题予以论述。《合阴阳》全篇用简32枚，简首书"凡将合阴阳之方"，专述两性生活方法、技巧与保健，是迄今所见时代最早的一部房中术专述。《天下至道谈》主要讨论有关性保健问题。《杂禁方》涉及如何使用符咒等法以治疗诸如夫妻不和、姑嫂相斗、婴儿啼哭及多噩梦之类。

马王堆汉墓简牍保存完整，为研究古代典章名物、丧葬礼俗、医学乃至西汉初年的社会生活，提供了极为珍贵的史料。其中医简也是世界最早记载性医学、养生学的专科文献，具有重要的学术价值。2008年3月1日，国务院公布《第一批国家珍贵古籍名录》，马王堆汉墓简牍《合阴阳》《天下至道谈》《杂禁方》《十问》，名列其中，名录号分别为73、74、75、76。

马王堆汉墓简牍藏于湖南省博物馆。

马王堆汉墓帛书 秦末至汉初文物。1973年11月19日～12月13日出土于湖南省长沙市古汉路89号湖南省马王堆疗养院内三号汉墓。

马王堆三号汉墓墓主为长沙国丞相轪侯"利苍"之子，下葬于公元前168年。该墓东边厢出土一长方形黑色漆盒，内分上、下两层，下层设有5个大小不同的方格，马王堆汉墓帛书即置于其中2个方格内。马王堆汉墓帛书是50余种秦末至汉初的古籍，抄写在宽48厘米整幅帛与宽24厘米半幅帛上，分别使用

篆书、隶书与介于篆、隶之间的草隶写成，共计10万余字，内容主要包括《老子（甲、乙本）》《周易》《春秋事语》《战国纵横家书》《五十二病方》《足臂十一脉灸经》《阴阳十一脉灸经》《脉法》《阴阳脉死候》《导引图》《去谷食气》《杂疗方》《养生方》《胎产书》《五星占》《相马经》、地图及佚书等，涵盖了《汉书·艺文志》"六艺""诸子""兵书""术数"与"方技"五略。帛书出土后送至故宫博物院进行装裱，并于1978年、1981年与1987年分批次取回，湖南省博物馆又对其中未完成部分进行修复装裱。

马王堆汉墓帛书中许多是经历秦始皇焚书坑儒后遗存、湮没两千余年的古代佚书，一部分为传世古籍的不同版本，为中国传统文献研究提供了丰富的实物资料。帛书所载内容异常丰富，涉及战国至西汉早期的政治、经济、历史、天文、地理、军事、体育、哲学、医学、文学及艺术等众多领域，是中国考古史上的一次重大发现。2008年3月1日，国务院公布《第一批国家珍贵古籍名录》，马王堆汉墓帛书《周易》及卷后佚书、《系辞》《丧服图》《春秋事语》《战国纵横家书》《老子》甲本及卷后佚书、《老子》乙本及卷前四篇佚书、《长沙国南部地形图》《刑德（甲、乙本）》《五星占》《天文气象杂占》《阴阳五行（甲、乙本）》《相马经》《足臂十一脉灸经》《阴阳十一脉灸经（甲、乙本）》《脉法》《阴阳脉死候》《五十二病方》《胎产书》《杂疗方》《养生方》《导引图》《去谷食气》，名列其中，名录号分别为95、96、97、98、99、100、101、102、103、104、

105、106、107、108、109、110、111、112、113、114、115、116、117。2013年8月19日，马王堆汉墓帛书《周易》，被国家文物局列入"第三批禁止出境展览文物目录"。

马王堆汉墓帛书藏于湖南省博物馆。

银雀山汉墓简牍 汉武帝时期（前140年～前87年）文物。1972年4月出土于山东省临沂县银雀山两座汉代墓葬。

银雀山1号汉墓墓主"司马"氏，下葬年代当在公元前140至前118年之间；2号汉墓墓主"召氏"，下葬年代应在公元前134至前118年之间，均处于汉武帝时期。1号汉墓边厢北端与2号汉墓边厢南端底部，出土竹简7623枚，木牍5方。竹简规格分为三种：长69厘米，宽1厘米，厚0.2厘米，经缀联共32枚；长27.6厘米，宽0.5～0.9厘米，厚0.1～0.2厘米，近5000枚；复原长度为18厘米，宽0.5厘米，该种简仅10枚。三种不同规格简册，应是汉代有关礼制的反映。该批竹简分为两道编绳与三道编绳两

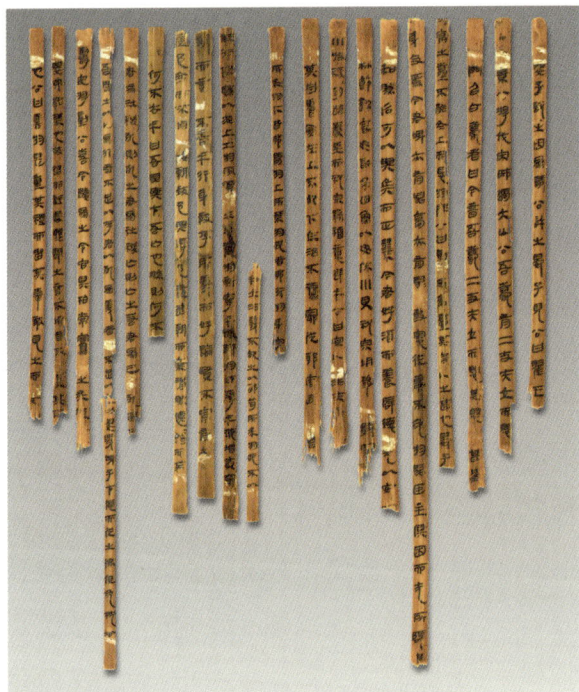

种编联方式。简文墨书隶体，有些规整，有些草率，非一人手笔，系先编联后书写，每简字数不等，其中长27.6厘米每简容35字左右；篇首多在简端置一圆点，以示开端，篇末多有计数，标明本篇字数。简文内容大致分为传世古籍与古代佚书两大类。传世古籍包括《孙子兵法》，即孙子13篇及4篇佚文；《六韬》14组，有见于传世本者，也有佚文；《尉缭子》5篇；《晏子》16章。古代佚书包括：《孙膑兵法》16篇，《汉书·艺文志》称《齐孙子》；《守法守令十三篇》10篇；《地典》，《汉书·艺文志》兵阴阳家下著录；《唐勒》，唐勒、宋玉论驳赋；《十官》《五议》及《务过》等40余篇政论、兵论；《曹氏阴阳》等10篇阴阳、时令、占候之书；《相狗》《作酱》等杂书。2号汉墓出土汉武帝《元光元年历谱》，以十月为岁首，是迄今所见保存最为完整的中国古代历谱，借此可以订正宋代《通鉴目录》以来有关典籍的讹误。

银雀山汉墓简牍传世古籍与古代佚书均为西汉时期写本，时代较早，对于中国古代哲学、军事、法律、历法、古文字学、简册制度及书法艺术等众多领域的研究，均具有重要学术价值 。2008年3月1日，国务院公布《第一批国家珍贵古籍名录》，银雀山汉墓简牍《晏子》《唐勒》《孙子兵法》《孙膑兵法》《六韬》《守法守令十三篇》《尉缭子》《地典》《天地八风五行客主五音之居》《占书》《元光元年历谱》，名列其中，名录号分别为62、63、64、65、66、67、68、69、70、71、72。

银雀山汉墓简牍藏于山东博物馆。

定县汉简 西汉中晚期文物。1973年5～12月出土于河北省定县八角廊40号汉墓。

定县八角廊40号汉墓墓主是西汉中山怀王刘修，下葬于汉宣帝五凤三年（前55年）。该墓早年曾经盗焚，随葬大批竹简遭到扰乱，残碎严重，整简很少，并已炭化成块，字迹难以察辨。简文多为古代典籍，主要有《论语》《儒家者言》《六韬》《文子》《哀公问五义》《保傅传》《日书·占卜》《六安王朝五凤二年正月起居记》及萧望之等人奏议等。其中《论语》620枚简，《儒家者言》102枚简，上述商汤与周文仁德，下记乐正子春言行，其中尤以孔子及其弟子言行最多，所言多为仁、信、忠、孝、礼、智及对孔子的称颂，绝大部分内容散见于如《说苑》《孔子家语》之类先秦、西汉时期古籍；《文子》277枚简，存2790字，已整理出与传世本《文子》相同的文字6章，部分或系佚文；《六韬》144枚简，存1402字，发现《治国之道第六》《以礼义为国第十》及《国有八禁第卅》等13个篇题；

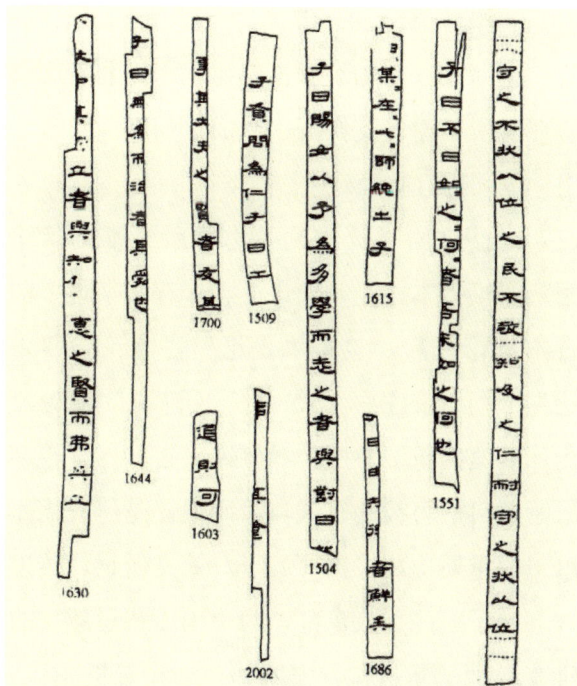

《哀公问五义》，见于《荀子》《大戴礼记》与《孔子家语》，竹简形制与其他不同，应是另一种抄本；《保傅传》部分残简内容分别见于贾谊《新书》与《大戴礼记》，比《大戴礼记》与《新书》多出"昔禹以夏王"以下后半部分文字，又较《新书》多出《连语》中两节；《六安王朝五凤二年正月起居记》记载汉宣帝五凤二年（前56年）六安国缪王刘定入朝长安的途中生活及入朝过程中的各项活动，文中详记沿途所经地名、相距里数。

1974年6月，考古发掘工作主持人刘来成经有关领导批准，将该批定县汉简送至国家文物局进行保护、整理。1976年6月，文物出版社邀请曾参加整理马王堆帛书的张政烺、顾铁符、李学勤与于豪亮，协助进行定县汉简整理，刘来成与信立详配合工作。1976年7月，唐山大地震，整理工作停止。1980年4月，经国家文物局古文献研究室召集，成立整理小组，由李学勤负责，何直刚、刘世枢、张守中及刘来成等参加，继续进行整理。1995年8月，在河北省文物局局长赵德润、河北省文物研究所所长谢飞支持下，组成定州汉简整理小组，继续进行整理。

定县汉简《论语》是迄今所见唯一《论语》西汉抄本，是时代最早、保存文字最多的古本《论语》，也是"鲁论""齐论""古论"并行时的抄本，是研究《论语》三论流传、演变的重要参照。《儒家者言》保存较多原始资料，可校勘有关典籍谬误，是研究儒家思想的重要史料。据《文子》简文所记，传世本《文子》经后人窜乱，为中国古代思想史的研究增添了新材料。《六韬》13个篇题中仅9

篇内容见于传世本，简文所载较传世本更加丰富。《六安王朝五凤二年正月起居记》是研究古代地理及汉代礼仪制度的重要史料。2008年3月1日，国务院公布《第一批国家珍贵古籍名录》，定县汉简《论语》《儒家者言》《文子》，名列其中，名录号分别为77、78、79。

定县汉简存于河北省文物研究所。

江陵凤凰山西汉简牍 西汉文景时期文物。1973年秋至1976年出土于湖北省荆州市荆州区纪南乡纪南城遗址东南隅凤凰山8号、9号、10号、167号、168号与169号6座西汉土坑木椁墓头箱、边箱及近椁顶青灰泥中。

江陵凤凰山西汉简牍凡600余枚竹简或木牍，尺寸不尽相同，9号墓3方木牍长16.5厘米，宽3.8厘米～4.9厘米，厚0.25～0.4厘米；10号墓6方木牍长23～23.5厘米，宽4.6～5.8厘米，厚0.3～0.4厘米；8、9、10号墓竹简除少数外，绝大多数长23厘米，宽0.7

厘米，厚0.15厘米；167号墓木简长23厘米，宽1～1.5厘米，厚0.2～0.3厘米；168号墓竹牍长23.2厘米，宽4～4.4厘米，厚0.3厘米；168号墓竹简长24.2～24.7厘米，宽0.7～0.9厘米，厚0.1厘米。8号墓出土176枚竹简上，残留上、下两道编联。简牍文墨书隶体，一些笔画带有明显战国文字遗留，并夹杂草笔；文字形体简化，大量使用假借字，是西汉文景时期的典型书法。简文书于篾黄面，木牍多为一面书写，少数为双面书写，不留天头空白，字间疏密不均，存字总计4660字，内容主要有"遣策""告地下官吏书""郑里廪簿""郑里户籍簿""市阳里征收田租簿""平里和稿上的刍藁簿"与"中贩共侍约"等。6座墓出土简牍均有"遣策"，是记录随葬品的清单，与出土器物基本相符。从保存完整的167号墓出土木简观察，"遣策"内容先后有序，主要记录随葬品名称、尺寸、数量、位置及器物分类小结。"告地下官吏书"见于10号墓6号木牍背面与168号墓竹牍。168号墓竹牍记墓主下葬时间、籍贯、爵位、姓名、随葬奴婢、车马及其他随葬品。墓中放置"告地下官吏书"，始见于西汉初年，类似习俗亦见于马王堆三号墓、江陵毛家园 号墓等。"郑里廪簿"见于10号墓竹简，是关于江陵西乡郑里发放贷种贷粮的记录。简文记载，郑里有25户，能种田者69人，人口总计105人左右，占有田地617亩，以每亩一斗颁发贷种食。"郑里户籍簿"见于10号墓出土37枚竹简所记，文中存"杨人""大女杨丸""王圣"及"郭贞"等姓名。"市阳里征收田租簿"为10号墓出土7号大竹简所记。简首记"市阳租五十三石三斗六升半"，之后分

行，分别记载"六石一斗当造物""其一石一斗二升当□""其一斗大半当麦""凡□十一石八斗三升"之类。据简文记载，田租为三十税一。《汉书·食货志》记，西汉初年，田租为十五税一，文帝十二年曾取消田租，至景帝元年或二年又令民纳三十税一田租，与上述简文所载相符。"平里和稿上的刍藁簿"见于10号墓出土3号木牍所记。据牍文"平里户刍廿七石""凡十四石二斗八升半""稿上户刍十三石""凡二石八斗三升"，知当时的刍藁以石、斗、升衡量，与秦代相同。中贩共侍约"载于10号墓2号木牍。木牍正面书"中贩共侍约"5字，背面为契约全文，是由张伯等7位贩长共同制订服役者必须遵守的一些约定。

江陵凤凰山西汉简牍，在中国考古发掘的汉代简牍中，数量大，字数多，内容丰富，是研究西汉文景时期政治、经济、文化，考订有关器物名称，探讨不同等级墓葬的埋葬制度及埋葬习俗的重要史料。

江陵凤凰山西汉简牍藏于荆州博物馆。

阜阳汉简 西汉早期文物。1977年7月1日至8月8日出土于安徽省阜阳县双古堆1号汉墓。

双古堆1号汉墓墓主是西汉第二代汝阴侯夏侯灶，卒于西汉文帝十五年（前165年）。该椁室东边箱漆笥内出土一批竹简、木简与木牍，大多已破碎成片，形制及编联特征缺失。简牍文墨书隶体，内容为《诗经》《周易》《万物》《仓颉篇》《年表》《大事记》《作务员程》《行气》《相狗经》《庄子》《刑德》《日书》及辞赋等10余种古籍。其中《仓颉篇》残存120余片竹简，长25厘米左右，系三道编联，简文包括《仓颉》《爰

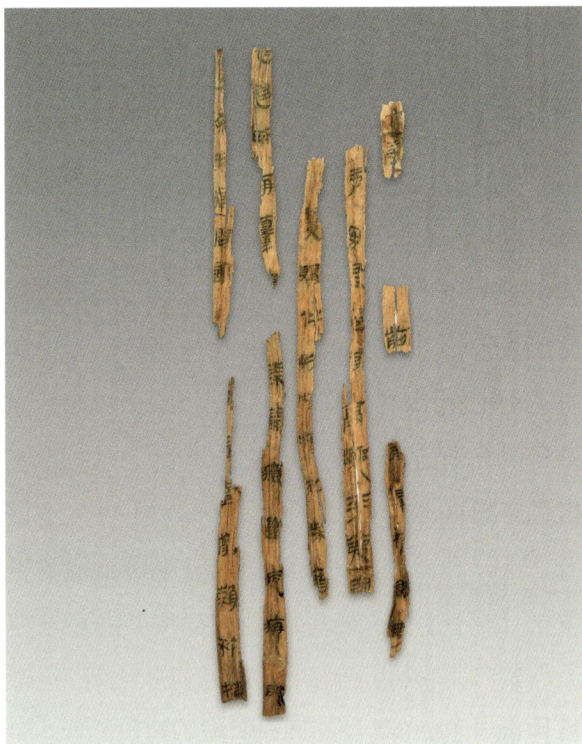

历》与《博学》3篇，存541字，有40余个较为完整的小节、句子，是该书亡佚千年之后的一次重要发现；《诗经》残存170余片竹简，遗存简最长22厘米，简文载有《周南》《召南》《邶》《鄘》《卫》《王》《郑》《齐》《魏》《唐》《秦》《陈》《曹》与《豳》14国风65首诗残文及《小雅》中《鹿鸣之什》4首残诗，文字与传世本《毛诗》及齐、鲁、韩三家《诗》均存在较多异文，是年代较早的《诗经》古本；《万物》残简130余片，简文有关医药卫生、物理及物性，叙事记物，一句一读，两句之间以墨点相隔，应为早期本草、方术之类书籍；《周易》存残简752片，共计3119字，其中1110字属于卦辞、爻辞，与传世本《周易》有若干异文，其余2009字属于卜事之辞，不见于今本《周易》；《作务员程》残存200余片，是作坊规定用人、用工、用料的定量与规格，记有若干度量衡进率；《算术》残存40余

片，文中载有"均输"之类内容；《年表》记周秦以来各国君王在位之年；《大事记》残存10余片，记述汉初之事；《刑德》《日书》及《星占》，为残片，内容为日月星辰运行及吉凶祸福之预测；《吕氏春秋》残存40余片，多为传世本"十二纪"内容，涉及《孟夏》《劝学》及《荡兵》等20余篇，第三号木牍篇题有《知士》《童（重）言》等，与传世本《吕氏春秋》相合；《庄子》存约40片，载有传世本《内篇》中《逍遥游》《人间世》、《外篇》中《骈拇》《在宥》等及《杂篇》中《徐无鬼》《外物》《让王》《天下》等内容，大多仅存数字，唯《外物》"宋元君夜半而梦"残文较多；1号木牍正、背存篇题《子曰北方有兽》《卫人醢子路》等47条，内容多与孔子及其门人有关；2号木牍正、背存篇题如《晋平公使叔向聘于吴》《吴人入郢》等20余条，多为春秋战国之事；有300余片与木牍篇题有关，有些文字见于《说苑》《新序》《孔子家语》及《韩诗外传》；《相狗》《行气》《礼记·曲礼》及辞赋等内容存残简约100片，其中一片存屈原《离骚》句"惟庚寅吾以降"中"寅吾以降"4字，另一片存屈原《九章·涉江》句"船容与而不进兮，淹回水而凝滞"中"不进旖奄回水"6字，虽片文只字，但亦是所见屈原作品的最早写本；其余碎片文字有些与传世本《荀子》《管子》等相合。

阜阳汉简所载内容丰富，所存古籍版本时代较早，对于相关领域研究具有重要的学术价值。2008年3月1日，国务院公布《第一批国家珍贵古籍名录》，阜阳汉简《周易》《诗经》《春秋事语》《年表》《大事记》《仓颉篇》

《儒家者言》《楚辞》《刑德》《万物》，名列其中，名录号分别为52、53、54、55、56、57、58、59、60、61。2009年6月9日，国务院公布《第二批国家珍贵古籍名录》，阜阳汉简《庄子·杂篇》《相狗经》《行气》名列其中，名录号分别为02399、02400、02401。

阜阳汉简藏于安徽省阜阳市博物馆。

上孙家汉简 西汉晚期文物。1978年7月出土于青海省大通县上孙家寨115号汉墓。

上孙家寨115号汉墓是一座竖穴土坑木椁墓，单椁双棺，墓主马良是一位军事将领。该墓两棺之间出土400枚木简。木简材质为云杉属，残断、腐朽严重，后经整理，已公布240枚；木简长方形，经削制，少数整简长24～25厘米，宽0.7～1.9厘米，厚0.1～0.3厘米，重0.5克。简文墨书隶体，每简30～40字不等，内容为《孙子兵法》及佚文军法、军令、军爵与篇题目录类文书，如"□闻鼓音，左部前曲、左右官、后遂（队）皆左，间容□陈为将军""可击之，能斩捕君长、有邑人者及比

二千石以上，赐爵各四级；其毋邑人及吏皆千石以上至六百石，赐""左什肩章青，前什肩章赤，中什[肩]章□□，□□肩章□黑"，主要包括部曲（军队编制）、操典（操练法规）、军队标识、军功爵级、赏赐制度及行杀、处罚等规定。简文所载军队标识，如肩章、旗帜的区别等，与《尉缭子》内容大体相同，唯字句有别。

上孙家汉简是青海地区首次发现的汉简，许多简文均是久已散佚的军事律令条文，正可弥补史载之缺，是研究西汉时期军事制度及当时中央政府屯戍青海地区的重要史料，对法律史研究也具有重要价值。

上孙家汉简藏于青海省文物考古研究所与青海省博物馆。

敦煌马圈湾西汉《捕律》简 西汉中晚期文物。1979年，甘肃省博物馆文物队与敦煌县文化馆组成汉代长城调查组，于6～7月完成敦煌县境69座烽燧遗址的调查，同年10月又对马圈湾烽燧遗址进行试掘，出土简牍1217枚，

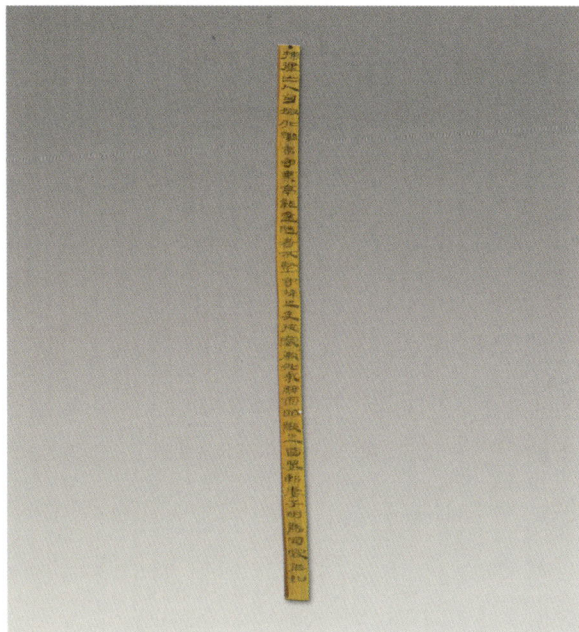

绝大多数为木简，竹简极少，敦煌马圈湾西汉《捕律》简即其中之一。2012年，敦煌马圈湾西汉《捕律》简由甘肃省文物考古研究所移交入藏甘肃简牍博物馆。

敦煌马圈湾西汉《捕律》简是木质，长25厘米，宽0.9厘米，厚0.2厘米，重5.5克；纵向墨书隶体1行："捕律：亡入匈奴外蛮夷，守弃亭鄣逢（烽）隧（燧）者，不坚守降之，及从塞傲外来绛（降）而贼杀之，皆要斩，妻子耐为司寇，作如。"

简文所载为汉代《捕律》，谓汉人亡入塞外蛮夷匈奴、守塞者不坚守岗位，以及擅杀来降者，皆处以腰斩刑罚，家属也要坐罪。

敦煌马圈湾西汉《捕律》简是研究汉代刑律的重要史料。敦煌马圈湾遗址的发掘是近数十年来首次对敦煌烽燧遗址进行的科学发掘工作，进一步明确了有关问题，意义重大。

敦煌马圈湾西汉《捕律》简藏于甘肃简牍博物馆。

敦煌马圈湾西汉"帛一匹，四百卅乙株币"帛书 西汉中期文物。1979年出土于敦煌县境69座烽燧遗址。2012年，敦煌马圈湾西汉"帛一匹，四百卅乙株币"帛书由甘肃省文物考古研究所移交入藏甘肃简牍博物馆。

敦煌马圈湾西汉"帛一匹，四百卅乙株币"帛书是一长条形丝帛，长43.4厘米，宽1.8厘米，重2克，为当时裁制衣时所余剪边。左侧毛边是绢帛织成下机时裁割形成，右侧与上端为剪边，下端为原帛边，帛两侧及下端染为红色。帛书上端本色中间偏左，纵向墨书1行："尹逢深，中毁左长传一，帛一匹，四百卅乙株币。十月丁酉，亭长延寿，都吏稚，鋎。"

帛书隶体，兼有草意。文中"株"即"铢"，"币"即"市"，"亭长"乃市亭之长，"都吏"为主管市场贸易的官吏，"鋎"即"讫"，验讫。

敦煌马圈湾西汉"帛一匹，四百卅乙株币"帛书内容涉及当时市贸制度、绢帛价格及边塞绢帛的来源，史料价值极高；帛书所用丝帛也是研究当时生产工艺的珍贵实物。敦煌马圈湾遗址的发掘是近数十年来首次对敦煌烽燧遗址进行的科学发掘工作，进一步明确了有关问题，意义重大。出土遗物绝大部分为当时低级官吏、戍卒长期使用破损后丢弃，生动揭示了当时屯戍生活情景。

敦煌马圈湾西汉"帛一匹，四百卅乙株币"帛书藏于甘肃简牍博物馆。

玉门关小方盘城"玉门都尉"简牍 西汉晚期文物。小方盘城遗址位于敦煌市西北90

千米处的狭长沙石台地上，东距河仓城（俗称"大方盘城"）遗址11公里。自20世纪初以来，小方盘城遗址陆续出土有简牍文书。1998年10月，为配合敦煌小方盘城的加固维修，敦煌市博物馆对小方盘城周围进行了小范围发掘，出土汉简300余枚。

木牍Ⅱ98DYT1∶17为封检，长14.6厘米，残宽2.3厘米。牍文"玉门都尉府以亭行"，大字隶书，工整优美，"玉门都尉府"为收件方，"以亭行"指按邮亭接续传递。在牍的左上角又写"三月乙丑东门卒琴以来"，字迹与前文不同，小字，较潦草，当是文书送达目的地后由递送者所书。

木简Ⅱ98DYT1∶27为两行书，中起脊，保存完好，长23.5厘米，宽1.7厘米，属尺书。木简容61字，记："三月戊寅，敦煌大（太）守恭，长史褒，守部候修仁行丞事，敢告玉门都

尉卒人：写移拓题，归持弓、楼丸入关合籍，语言云何，已封赏去一宿乃遣吏逐夺，留以何请令？"此为敦煌太守府发往玉门都尉的下行文书，内容涉及出入关，是由太守恭、长史褒及代理丞事的修仁联名下发给玉门都尉兵卒。

这批简牍藏于敦煌市博物馆。

张家山汉简 西汉初年文物。1983年12月至1984年1月，荆州博物馆为配合江陵砖瓦厂取土工程，清理江陵张家山3座西汉初年小型墓葬（编号M247、M249、M258），出土1600余枚竹简。1985年秋与1988年初，荆州博物馆先后发掘清理张家山两座西汉初年墓葬（编号M127、M136），出土1130枚竹简。

张家山M247墓出土竹简1236枚（不含残片），内容包括《历谱》《二年律令》《奏谳书》《脉书》《引书》《算术书》《盖庐》与"遣策"。《历谱》自汉高祖五年（前202年）至吕后二年（前186年），是迄今所知时代最早的西汉初年实用历谱。《二年律令》是吕后二年（前186年）颁布的28种律令，有《金布律》《徭律》及《津关令》等篇题，令亡佚已久的汉律得以重现，是研究西汉早期法律制度、刑罚体系的原始材料，使秦、汉律对比研究成为可能，也是系统研究汉、唐律关系及其对中国古代社会法律影响的基础。《奏谳书》是一部议罪案件汇编，包括20余宗案例，是秦、汉司法诉讼制度的直接记录，从中可以了解秦汉法律的实施状况。《脉书》可以确证马王堆帛书《五十二病方》卷前佚书应由《足臂十一脉灸经》与《脉书》构成，并可补帛书《脉法》中许多缺字；且简本《脉书》中一些疾病名称，也可与《五十二病方》所记

对应。《引书》是专门讲述导引、养生及治病的著作，部分内容与马王堆帛书《导引图》可相互印证。《盖庐》是一部年代较早的兵家佚书，全篇为吴王阖庐与伍子胥对话，阐述兵家思想。《算数书》是早于《九章算术》的一部数学问题集，集中反映了战国晚期至西汉早期数学发展的水平，在中国数学史上占有重要地位。"遣策"41枚，记随葬品名称及数量。M249出土竹简文为《历谱》与《日书》。M258出土竹简文为《历谱》。M127出土竹简300余枚，简文为《日书》，与云梦睡虎地《日书》大致相同。M136出土竹简829枚，简文内容较多，可分为如下7组：《功令》，篇名原题，凡184枚简，简文有关西汉初年戍边杀敌立功的具体记功方式、详细规定及官序递补序列；《却谷去病》93枚简，简文为食气却谷之法，与马王堆帛书《却谷去病》相同，内容更加完整；《盗跖》44枚简，篇名原题，简文为孔子见盗跖，亦即《庄子·外篇·盗跖》，内容完整，与传世本文字基本相同；10枚简，记载宴享及饮食器皿等，缺简较多，内容不整；《七年质日》70枚简，篇名原题，以干支编排日历，其形式、排列与银雀山汉简《历谱》相似，应为汉文帝前元七年（前173年）；《汉律十五种》372枚简，各篇皆有篇名，内容与M247墓出土竹简所载律令大致相同；"遣策"56枚简，记录随葬品名称及数目。

张家山汉简数量巨大，内容丰富，是极其重要的历史文献，对于秦汉时期法律、军事、数学、医学及数术等众多领域的研究，具有极高的学术价值，是中国考古工作的重大发现。2008年3月1日，国务院公布《第一批国家珍贵古籍名录》，张家山汉简《二年律令》《奏谳书》《庄子·盗跖》《盖庐》《算术书》《历谱》《脉书》《引书》，名列其中，名录号分别为44、45、46、47、48、49、50、51。

张家山汉简藏于荆州博物馆。

敦煌悬泉置西汉捕亡文书两行　西汉中晚期文物。1990年10月至1992年12月，甘肃省文物考古研究所对敦煌甜水井附近的汉代悬泉置遗址进行全面清理发掘，出土简、两行、牍、觚、封检、削衣多达35000余枚，其中有字者共计23000余枚，敦煌悬泉置西汉捕亡文书两行即其中之一。2012年，敦煌悬泉置汉捕亡文书两行由甘肃省文物考古研究所移交入藏甘肃简牍博物馆。

敦煌悬泉置西汉捕亡文书两行是柽柳木质，长23.2厘米，宽1.4厘米，厚0.4厘米，重4克；横截面呈三角形，中间有棱状凸起，左右两侧扁平，用以书写。

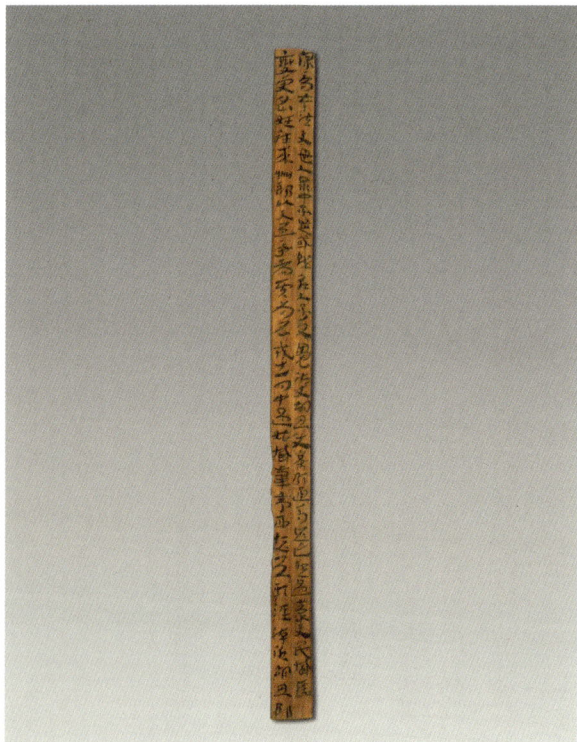

敦煌悬泉置西汉捕亡书两行墨书2行："宗守奉法，吏毋入众中不道，或贼杀人不发愚御史胡君使案验，通等皆亡，疑过豪吏民臧匿，变更名姓，往来州部，以吏逐事商贾为名。戍十一月中，过姑臧苇亭西块与临泾游徼胡君郎。"内容为逐捕逃亡人员，是研究汉代法律制度的原始材料。书体为章草，流畅洒脱。发现于汉敦煌悬泉置遗址的"两行"，多数以柽柳削制，长23~23.5厘米，宽2厘米，厚0.5厘米，以在单块木上书写两行字而得名，内容多为诏书、律令、爰书及其他重要文件，时代见于王莽之前，主要流行于西汉宣帝至成帝时期。汉敦煌悬泉置遗址出土70000余件遗物，被评为"1991年十大考古发现"与"八五"期间"全国十大考古发现"。

敦煌悬泉置西汉捕亡文书两行藏于甘肃简牍博物馆。

敦煌悬泉置西汉元致子方帛书 西汉中晚期文物。20世纪90年代初，甘肃省敦煌汉代悬泉置遗址。均为私人信札，敦煌悬泉置西汉元致子方帛书即其中之一。2012年，敦煌悬泉置西汉元致子方帛书由甘肃省文物考古研究所移交入藏甘肃简牍博物馆。

敦煌悬泉置西汉元致子方帛书是一长方形丝帛，原为黄色，因年久脱色，呈黄白色，长23.2厘米，宽10.8厘米，厚0.1厘米，重2克；帛书出土时纵向2折，复横向3折成小方块，应是为了封缄、邮递；帛书从右至左纵向墨书隶体10行，墨迹浸洇，大多数字旁有渗透反向字影："元伏地再拜请：子方足下，善毋恙？苦道，子方发，元失候不侍驾，有死罪！丈人、家室、儿子毋恙，元伏地愿子方毋忧。丈人、

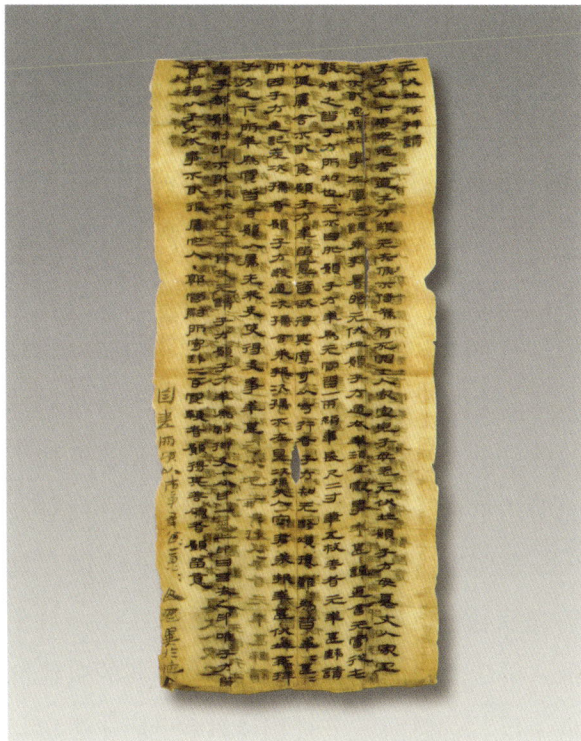

家室元不敢忽骄，知事在库，元谨奉教。暑时元伏地愿子方适衣、幸酒食、察事，幸甚！谨道：会元当从屯敦煌，乏沓，子方所知也。元不自外，愿子方幸为元买沓一两，绢韦，长尺二寸；笔五枚，善者，元幸甚。钱请以便属舍，不敢负。愿子方幸留意，沓欲得其厚、可以步行者。子方知元数烦扰，难为沓。幸甚幸甚！所因子方进记差次孺者，愿子方发过次孺舍，求报。次孺不在，见次孺夫人容君求报，幸甚，伏地再拜！子方足下，所幸为买沓者愿以属先来吏，使得及事，幸甚。元伏地再拜再拜！吕子都愿刻印，不敢报，不知元不肖，使元请子方，愿子方幸为刻御史七分印一，龟上，印曰：吕安之印。唯子方留意，得以子方成事，不敢复属它人。郭营尉所寄钱二百买鞭者，愿得其善鸣者，愿留意。自书：所愿以市事，幸留意留意，毋忽，异于它人。"

帛书凡322字，是"元"致"子方"的信

札。致信人"元"请受信人"子方"为他代买一双沓与5枚笔，捎信给次儒并要求回信，并请子方为"吕子都"刻一方龟纽"吕安之印"印，为郭营尉买一条响鞭。信中符号"·"出现3次，分别置于第7行"子方足下"与"所幸"之间，第8行首，第9行"它人"与"郭营尉"之间，应是提示下文转换主题。全文前9行隶书极为工整，书风飘逸流美，是他人代"元"所书；第10行"自书"是致信人"元"自笔，草意甚浓。

敦煌悬泉置西汉元致子方帛书是保存最为完整且字数最多的汉代私人信札实物，对于深入了解当时的社会生活，具有重要的史料价值。汉敦煌悬泉置遗址出土70000余件遗物，被评为"1991年十大考古发现"与"八五"期间"全国十大考古发现"。

敦煌悬泉置西汉元致子方帛书藏于甘肃简牍博物馆。

高台"郭公"帛书 东晋十六国时期文物。1991年冬季，由甘肃省高台县新坝乡六洋坝村农民裴延祖在骆驼城遗址北2千米处五座窑附近开垦时发现，上缴高台县文化馆。有关人员随即至现场进行勘察，发现几处早年被盗的汉、魏晋时期墓葬，地表多散落陶片、砖块。

高台"郭公"帛书是一长方形丝帛，纵39厘米，横25.4厘米，上、下基本完整，左、右残。帛书墨书楷体，自右向左纵向书82行，字高2～3毫米，存14篇短文。除第1篇与第14篇内容有残，其余各篇基本完整，且自第2至第14篇均有标题；标题上、下以"▲"号标识，其旁加以红色画线；帛书全文是解读儒家经典的申论，作者习以《论语》《孟子》《诗经》

及《尚书》等经典文句入题，进而纵论治国、尚知及爱民之理。帛书第75行有文句"终不至于郭公□□五之无征者"，文中"郭公"，疑指东晋十六国时期河西学者郭瑀。郭瑀（？～376年），字元瑜，东晋十六国前秦、前凉时期敦煌郡人，祖籍西平郡西都县，与敦煌索氏同为本郡大族；青年时游学张掖，拜隐居在张掖东山的学者、略阳人郭荷为师，潜心攻读，精通经义。郭荷死后，郭瑀为师守孝三年，后至临松薤谷（马蹄寺）开凿石窟，设馆讲学，弟子多达千余人，著有《春秋墨说》《孝经综纬》等。前凉王张天锡、前秦皇帝苻坚前后多次派使请郭瑀出山为官，均遭拒绝。东晋太元元年（376年），王穆在酒泉起兵，对抗前秦，派使联络郭瑀与敦煌索嘏在张掖起兵策应，并封郭瑀为左长史、军师将军。后王穆与索嘏不和，杀索嘏；郭瑀悲痛万分，绝食

7日而亡。其事见于《晋书·隐逸传》。帛书文中称"郭公"，所称者应是郭氏弟子或再传弟子。

高台"郭公"帛书藏于甘肃省高台县博物馆。

尹湾汉墓简牍　西汉末年文物。1993年2～4月出土于江苏省连云港市东海县温泉镇尹湾村西南高岭6号汉墓。

尹湾6号汉墓墓主师饶，字君兄，曾在东海郡先后历任卒史、五官掾、功曹史，下葬于西汉成帝元延三年（前10年）。该墓出土竹简133枚，简长22.5～23厘米，宽分为0.8～1厘米与0.3～0.4厘米2种形制。简文墨书隶体，书于篾黄面，内容包括：《元延二年（前11年）日记》，在预先编制成册的元延二年历谱上记事；《刑德行时》，以日干与一日时段为依据占测行事吉凶；《行道吉凶》，以10枚简将60干支排成一个横行六甲表，在每个干支下注明几阳、几阴及某门，并用5枚简分别说明：出行时得到不同数量"阴""阳"，得其门，或不得其门，从而会出现不同吉凶；《神乌傅》，文中以拟人手法，描述雄乌与雌乌选址筑巢，一盗鸟偷窃建筑材料并将雌乌伤害致亡，其主题、情节与曹植《鹞雀赋》及敦煌《燕子赋》相似，是一篇亡佚两千余年的汉赋。与竹简同出木牍23方，长23～23.5厘米，宽6～9厘米，厚0.3～0.6厘米，其中有10方名谒，是研究墓主身份的重要资料，其余为西汉末年东海郡有关文书及数术类书，主要包括：《集簿》，东海郡行政建置、吏员设置、户口、垦田及钱谷出入等年度统计；《东海郡吏员簿》，东海郡太守、都尉与各县、邑、侯

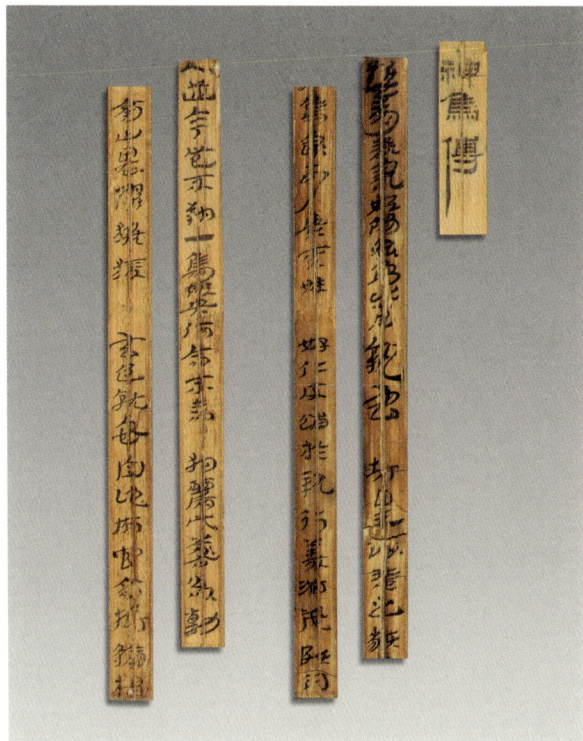

国及盐、铁吏员的统计；《东海郡下辖长吏名籍》，东海郡下辖三十八个县、邑、侯国及盐、铁长吏官职、籍贯、姓名、原任官职及迁、除缘由；《东海郡下辖长吏不在署、未到官者名籍》，以输钱都内、繇、告、宁、缺（死、免）、有劾、未到官诸项，记载有关长吏官职、姓名；《东海郡属吏设置簿》，东海郡太守府现任掾史等属吏的设置情况；《武库永始四年兵车器集簿》，分为乘舆兵、车器与库兵、车器两大部分，逐项记录武库所藏兵、车器名称与数量；《赠钱名籍》，记赠钱者姓名与钱数，亦有少数未记钱数，仅书姓名；《神龟占》《六甲占雨》；《博局占》；《元延元年历谱》；《元延三年五月历谱》；《君兄衣物疏、君兄缯方缇中物疏、君兄节司小物疏》，分别为墓主随葬衣物、文具、书籍及梳篦等中小物品的清单。

尹湾汉墓简牍存近4万字，内容丰富，是

中国政治制度史、档案史、军事史、古代文学史及古代数术史等众多领域研究的重要史料。其中西汉末年东海郡文书档案，是迄今发现古代中国时代最早、保存最为完整，纪年明确的郡级行政文书，其细致性、完整性与系统性前所未见。元延三年（前10年）五月历谱，一年中四时八节、伏、腊、祭日记载齐全，确属罕见，是研究西汉时期历法的完整实例，借此亦可纠正《万年历》的错讹，并重构西汉朔闰。

2002年，尹湾汉墓简牍被列入第一批48件"中国档案文献遗产名录"。2003年，尹湾汉墓被公布为"江苏省第五批文物保护单位"。2008年3月1日，国务院公布《第一批国家珍贵古籍名录》，尹湾汉墓简牍《元延二年日记》《神乌傅》《元延元年历谱》《元延三年五月历谱》《神龟占》《六甲占雨》《博局占》《刑德行时》《行道吉凶》，名列其中，名录号分别为81、82、83、84、85、86、87、88、89。2009年，尹湾汉墓简牍经江苏省文物局鉴定为国家一级文物。

尹湾汉墓简牍藏于连云港市博物馆。

走马楼三国吴简牍 东汉建安至三国吴嘉禾年间（196～237年）文物。1996年6～12月，长沙市文物考古研究所对地处长沙市五一广场旁平和堂商厦建设区域内的古井群进行抢救性发掘，在原走马街50号房基下编号J22古井内，发现超过10万枚三国时期吴国纪年竹、木简牍，其中有字简72000余枚。

走马楼三国吴简牍是三国时期吴国长沙郡临湘县及临湘侯国的文书，书写年代大部分在东汉建安至吴嘉禾年间（196～237年），简文内容大致可分为吏民田家、黄簿民籍、缴纳各

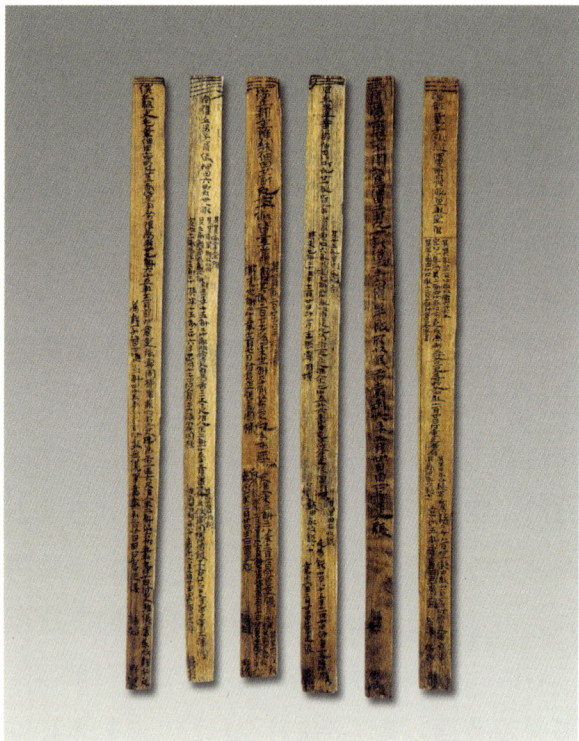

种赋税的簿籍、米布钱等物出入调运账簿、司法文书、官府上下行文书及名刺、信札等类，涉及政治、经济、军事及法律等诸多领域。

走马楼三国吴简牍出土地点集中，且为同一政区、同一时间段内的文书，据此可以进行一个政区社会基本情况的复原研究，是深入了解三国时期吴国土地制度、赋税制度、司法制度及其他有关典章制度的重要基础史料。走马楼三国吴简牍被评为"1996年全国十大考古新发现"之一、"二十世纪百项考古大发现"之一。

走马楼三国吴简牍藏于长沙简牍博物馆。

额济纳汉简 西汉宣帝神爵三年至东汉光武帝建武四年（公元前59～公元28年）文物。1999年、2000年及2002年，内蒙古自治区文物考古研究所先后在额济纳河流域汉代居延烽燧遗址进行3次考古发掘，出土木质简牍500余枚（方）。

额济纳汉简分为简、牍、两行、柧、楬及封检等不同形制，存2卷较完整册书，其一尚系有编绳。简牍文绝大多数为墨书隶体，少数为红色、白色书画，年代自西汉宣帝神爵三年（前59年）至东汉光武帝建武四年（公元28年），跨度达87年之久。简牍文所载大致分为书檄、簿籍、律令、封检及其他五大类：书檄包括诏书，上行文书，下行文书，视事书，除书，偿债担保书，病书，府记，官记与私记10小类；簿籍包括被兵簿，钱财出入簿，日迹簿，计簿，出入簿，吏奉赋名籍，吏卒廪名籍，吏卒家属廪名籍，车父亭长骑吏名籍，吏卒在署名籍，卒不任候望名籍与日迹梼12小类；律令包括烽火品约，功令卅五与士吏行政规范3小类；封检包括实物检与文书检2小类；其他包括历谱简、术数简与人面像、典籍、医方、日书等，内容涉及政治、经济、军事及历史地理诸多领域。其中，如王莽登基诏书、

分封单于诏书及行政条例等均为首见，有关名籍、债券契约等亦异于此前发现。

额济纳汉简是继民国19～20年（1930～1931年）发现第一批居延汉简及1972～1982年间发现第二批居延汉简之后的第三次重大发现，为西汉中期至东汉初期，尤其是新莽时期的政治、军事、法律、汉匈关系及居延地区边塞屯戍等众多领域的研究，提供了重要史料。

额济纳汉简存于内蒙古自治区文物考古研究所。

孔家坡汉墓简牍 西汉早期文物。2000年3月出土于湖北省随州市北郊孔家坡8号汉墓。

孔家坡汉墓椁室北部头箱出土竹简781枚、木牍4方；竹简有上、中、下三道编绳，上、下两道编绳分别距简端、末2厘米，中间一道编绳居中。简文墨书隶体，书于篾黄面，内容包括《日书》《历谱》与《告地策》。《日书》简703枚，以丝织品包裹置于竹笥

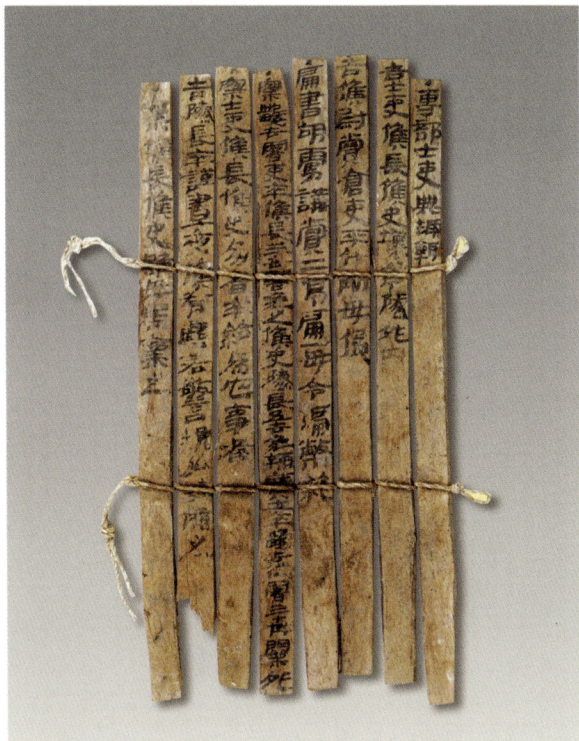

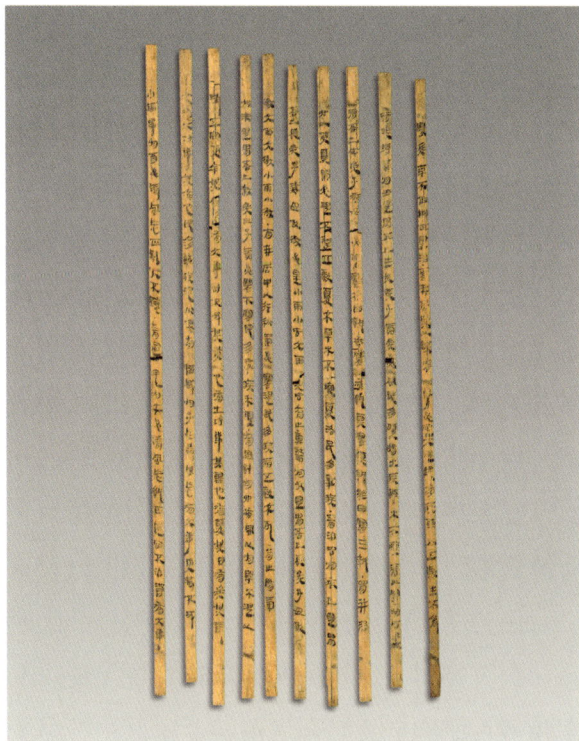

内，整简长34厘米，宽0.7~0.9厘米，厚0.2厘米；简文存《建除》《丛辰》《星》《盗日》《禹须臾所以见人日》及《艮山》等篇，部分见于云梦睡虎地《日书》及天水放马滩《日书》。《历谱》简78枚，缀合为60枚，保存较好，整简长27厘米，宽0.5~0.7厘米，厚0.2厘米；简文记西汉景帝后元二年（前142年）全年十二个月之月朔及月大小，冬至、立春、夏至三节气，腊、初伏、中伏二祀，并注有出种；该《历谱》以60枚简编排一年历日，简册分7阑，每阑多为2字，少数4字，首阑书写干支，中段各阑书写节气，下段各阑书写月大小，如"甲辰，冬至，正月大"，多数简仅记月朔日干支。木牍，长23厘米，宽3.5~5.5厘米，其中1方木牍正、反面墨书"二年正月壬子朔甲辰，都乡燕佐戎敢言之库啬夫□……"包括时间、墓主及随藏品清单等，系"告地策"，是为安置死者而比照现实社会实际通行公文而虚拟的文书。据此牍文，墓主名"辟"，是"桃"侯国都乡库啬夫。牍文所载名物与出土随葬品基本相合。

孔家坡汉墓简牍《日书》是所见西汉时期最早的数术类文献，所存篇目较多，是继秦云梦睡虎地及天水放马滩《日书》之后，同类数术文献的一次重要发现。《历谱》样式简洁，结构独特，此前未见，是墓葬断代的可靠依据，也是系统研究秦汉时期历法的重要史料。

孔家坡汉墓简牍藏于随州市博物馆与湖北省博物馆。

长沙东牌楼东汉简牍　东汉灵帝时期（168~189年）文物。2004年4~6月，长沙市文物考古研究所为配合城市基本建设，对位于

市中心五一广场东南侧古井群进行考古发掘。5月25日~6月11日，在清理编号J17古井过程中，出土东汉灵帝时期的426枚木质简牍。

长沙东牌楼东汉简牍大多呈暗黑色，多为杉木，有字简206枚，无字简220枚。简牍制作规整，可分为木简、木牍、封检、名刺、签牌及异形简6大类，以木牍及封检居多，木牍、木简大多与封检配合使用。木简长23~23.5厘米，宽1~2厘米，厚0.1~0.6厘米；木牍长20~27.9厘米，宽2.2~6.3厘米，厚0.10~1厘米；封检形制多样，长9.2~23.9厘米，宽3.5~9厘米，厚0.5~3.3厘米。简牍文墨书，字体有篆书、隶书、章草、行书及正书，由多人书写，呈现出不同风貌。简牍所载四个年号"建宁""熹平""光和"与"中平"，均为

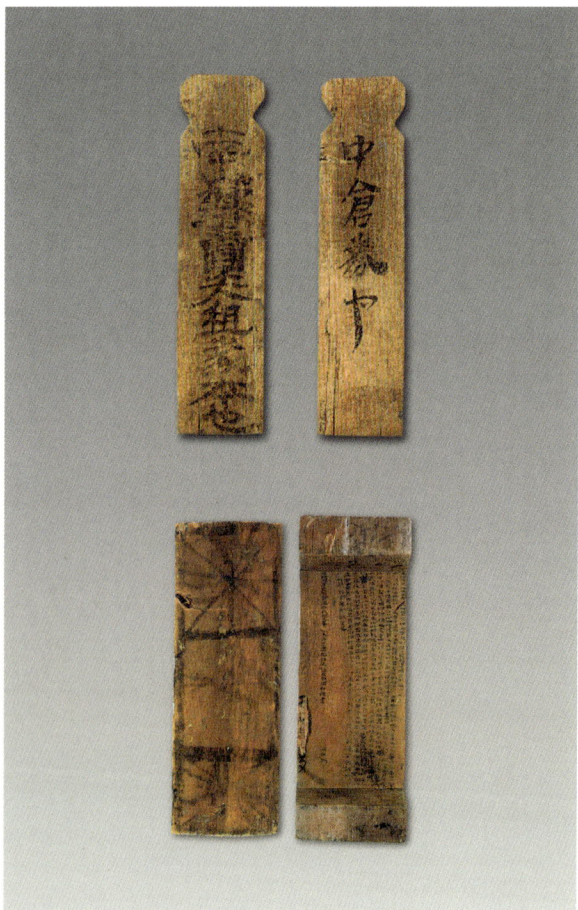

东汉灵帝（168～189年）纪年，可知该批简牍年代应为东汉灵帝时期。简牍文是当时长沙郡与临湘县通过邮亭收发的公私文书，主要包括地方各级官曹之间的行文、地方下级官吏向上级官吏的上言、地方官吏之间的书信、地方官吏的家书、户籍、名簿、名刺、券书及杂帐等内容。

长沙东牌楼东汉简牍蕴藏丰富的历史信息，填补了此前东汉末年简牍空白，可与同地出土的三国吴简衔接，借以进行综合研究。该批简牍所反映的文字、书体面貌，对中国文字学及书法史研究也具有重要的学术价值。

长沙东牌楼东汉简牍存于长沙市文物考古研究所。

光和六年东部劝农邮亭掾周安言事封检

东汉灵帝光和六年（183年）文物。2004年5月25日至6月11日出土于湖南省长沙市中心五一广场东南侧编号J17古井内，同时伴出其他形制封检及与封检配合使用的木牍、木简。

光和六年东部劝农邮亭掾周安言事封检是木质，长方形，上下两端倾斜，长19.2厘米，宽8.4厘米，厚2.2厘米；正面中部刻有3道捆绳沟槽与一方形封泥槽，反面光素。封检正面从右至左纵向墨书4行：首行"合檄一封"，汉简中习见，是标注文书种类之惯例。《后汉书·百官志》载县之官吏，本注曰："诸曹略如郡员，五官为廷掾，监乡五部，春夏为劝农掾，秋冬为制度掾"；由此可知，墨书次行"［临］湘东部劝农邮亭掾周安言事"，周安为临湘县东部"劝农掾"兼"邮亭掾"，作为县曹属吏，既职司劝农，又负责邮亭事务。第三行"廷以邮行诣如署"，意通过邮行抵达

官署；第四行"光和六年正月廿四日乙亥申［时］□驲□［亭］"，是该封检发邮的具体时间与邮亭之名。光和六年东部劝农邮亭掾周安言事封检是周安用以封缄通过邮亭发送的"言事"，即公文。

"封检"是中国古代用以封缄往来文书及财货的遗存，主要发现于汉晋时期。有关文书封检，因此时纸张尚未普遍使用，简牍作为主要书写材料，往来文书，为求保密，防止揭拆，需加以封缄，如晋崔豹《古今注》所云："凡传，皆以木为之，长五寸，书符信于上，又以一板封之，皆封以御史印章，所以为信也。"所用封书之板即所谓"检"，与封泥并行。魏晋之后，纸张普及，封检与封泥逐渐废除。有关封检、封泥之制，在《周礼》《左传》《吕氏春秋》《后汉书》《古今注》《汉旧仪》《东观汉记》及《秦律十八种》等文献中均有记述，可与考古发掘封检实物相比照。

光和六年东部劝农邮亭掾周安言事封检所载信息较为全面，可与此前发现的其他汉魏时

期封检进行比较，有助于学术界全面厘清中国古代封检制度的始末。

光和六年东部劝农邮亭掾周安言事封检存于长沙市文物考古研究所。

荆州纪南松柏汉墓简牍 西汉武帝早期文物。2004年底出土于湖北省荆州市荆州区纪南镇松柏村1号汉墓。

纪南镇松柏村1号汉墓墓主周偃，于汉武帝建元元年（前140年）职司"江陵西乡有秩啬夫"，元光二年（前133年）八月"迁为南平尉"，爵位"公乘"。该墓出土63方木牍，出土时呈浅黄色或浅褐色，木纹较细，长22.7～23.3厘米，宽2.7～6.5厘米，厚0.2厘米，其中6方无字，31方单面墨书隶体，26方双面墨书隶体，据出土位置推测，木牍系分类捆绑，无字木牍似用作上下封页。牍文内容主要分为："遣策"，记录部分随葬品名称与数量；各类簿册，包括南郡及江陵西乡等地户口簿、正里簿、免老簿、新傅簿、罢癃簿、归义簿、复事算簿、见卒簿及置吏卒簿

等；叶（牒）书，记载秦昭襄王至汉武帝七年历代帝王的在位年数；令，主要是汉文帝颁布的部分法律；历谱，主要是汉武帝时期历谱；墓主周偃功劳记录；汉景帝至汉武帝时期墓主周偃的升迁记录及升调文书等公文抄件。墓中出土10枚木简，出土时呈浅黄色，木纹较细，长19.7～22.8厘米，宽1.3～1.4厘米，厚0.15厘米。简文均单面墨书隶体，如"右方四年功书""右方遣书"及"右方除书"之类，内容与木牍所书有关，应为放置于各类木牍后面的标题。

荆州纪南松柏汉墓简牍文字材料丰富，为研究西汉时期南郡、江陵的政治、经济、文化，提供了重要史料。牍文所录汉武帝早期南郡所属17个县、道及侯国名称，是除《汉书·地理志》外所见有关西汉时期南郡属县最早、最为明确的记载，使学术界对汉武帝时期南郡政区的了解更为清晰，也对《张家山汉简·二年律令·秩律》所记一些县、道的归属有了新认识，进而全面考察西汉时期南郡政区的历史演变。

荆州纪南松柏汉墓简牍藏于荆州博物馆。

北京大学藏西汉竹书 西汉中期文物。2009年年初，北京大学接受捐赠，获得一批自海外回归的西汉竹简。

北京大学藏西汉竹书共计编号3346枚，整简1600余枚，残简1700余枚，多数可以缀合，原有整简当超过2300枚；简端修治平齐，边缘多数刻有小契口，以纳编绳；竹简分为长、中、短3种规格：长简长约46厘米，相当于汉尺二尺，三道编绳，简文为三种选择类数术文献；中简长29.5～32.5厘米，相当于汉尺一尺

三寸至四寸，三道编绳，简文为各种古代典籍；短简长约23厘米，相当于汉尺一尺，两道编绳，简文为医方；简背上部大多有较浅斜直划痕，是用作编连成册时以防止错乱的标记。简文墨书隶体，大多书于篾黄面，少数竹青皮刮去后书写篇题，内容包括《仓颉篇》《赵正书》《老子》《周驯》《妄稽》与其他子书、《反淫》、数术书及医书近20种古代文献，基本涵盖《汉书·艺文志》所划分的六艺、诸子、诗赋、兵书、数术与方技六大门类；不同文献抄写年代略有早晚，多数主要处于汉武帝后期，下限不晚于汉宣帝时期文物。

北京大学藏西汉竹书内容丰富，在考古学、历史学、文献学、古文字学及文学、书法等诸多领域，均具有重要的学术价值。

北京大学藏西汉竹书藏于北京大学赛克勒考古与艺术博物馆。

前凉建兴卅八年"赵清行"封检 前凉建兴四十八年（360年）文物。2009年2～4月，甘肃省文物考古研究所对甘肃省玉门市清泉乡白土良村金鸡梁北前凉时期24座赵氏家族墓葬进行清理发掘。赵姓是魏晋时期酒泉地区大姓，前凉建兴卅八年"赵清行"封检出土于其中5号墓。

前凉建兴卅八年"赵清行"封检是木质，长方形，长27厘米，宽9.5厘米，厚1～1.5厘米；正面平整，中部刻有3道横向捆绳沟槽与一方形封泥槽，反面呈弧形，中间厚，两侧薄，四边楔有薄边，似为镶嵌之用。封检正面上方中部墨书"赵清行"，收件人；右下方墨题"酒泉国相章"，寄书人；左下方墨书"建兴卅八年八月十二□"，发文时间；3处字迹

相同，应出自酒泉侯相令史之手。建兴卅八年（360年），时值前凉张玄靓在位。封检出土于金鸡梁，地近魏晋时期酒泉郡治，属于前凉酒泉国境，封检墨书"酒泉国"当是"酒泉郡侯国"之省。史载，前凉建兴四十六年（358年）五月，前凉辅政张瓘谋逆被杀，张玄靓以"（宋）混为使持节、都督中外诸军事、骠骑大将军、酒泉郡侯，代瓘辅政"；建兴四十九年（361年）四月宋混卒，"玄靓以（宋混弟）澄为领军将军，辅政……九月……凉右司马张邕恶宋澄专政，起兵攻澄，杀之，并灭其族"。宋氏酒泉郡侯国存于建兴四十六年（358年）五月至四十九年（361年）9月间，前凉建兴卅八年"赵清行"封检年代正在这一期间。参校《晋书·地理志》，两晋公侯国以相治民，晋官第五品有"郡国太守、相、内史"；又《宋书·礼志》记"郡国太守、相、内史，银章，青绶"，可知前凉建兴卅八年"赵清行"封检所记酒泉国相以"章"封缄，与史载相符。

封检是中国古代用以封缄往来文书及财货的遗存，主要发现于汉晋时期。有关文书封检，因此时纸张尚未普遍使用，简牍作为主要书写材料，往来文书，为求保密，防止揭拆，需加以封缄，如晋崔豹《古今注》所云："凡传，皆以木为之，长五寸，书符信于上，又以一板封之，皆封以御史印章，所以为信也。"所用封书之板即所谓"检"，与封泥并行。魏晋之后，纸张普及，封检与封泥逐渐废除。有关封检、封泥之制，在《周礼》《左传》《吕氏春秋》《后汉书》《古今注》《汉旧仪》《东观汉记》及《秦律十八种》等文献中均有记述，可与考古发掘封检实物相比照。

前凉建兴卅八年"赵清行"封检作为十六国时期封检实物，可与汉魏时期封检进行比较，有助于学术界全面厘清中国古代封检制度的始末。

前凉建兴卅八年"赵清行"封检存于甘肃省文物考古研究所。

西汉海昏侯墓简牍 西汉中晚期文物。2015年出土于江西省南昌市海昏侯墓。

海昏侯墓墓主是西汉第一代海昏侯刘贺，身为汉武帝之孙，昌邑哀王刘髆之子，始元元年（前86年），刘贺年仅五岁即承嗣王位，成为第二任"昌邑王"。元平元年（前74年），汉昭帝驾崩，权臣霍光将当时年仅19岁的昌邑王刘贺扶上帝位。但是，27天后，刘贺因"行淫乱"而被废黜，并遣归故国，废为庶人，昌邑国亦被除，降为山阳郡。元康三年（前63年），汉宣帝封刘贺为海昏侯；四月，刘贺前往豫章郡海昏县（今江西南昌）就国。汉宣帝神爵三年（前59年），刘贺薨，年仅33岁。刘

贺是西汉历史上在位时间最短的皇帝，史称"汉废帝"，历经汉武帝、汉昭帝、汉宣帝三朝，其人生充满传奇。

西汉海昏侯墓简牍出土于海昏侯墓椁内西回廊北部数个漆箱内，竹简约5000枚，长约22～23厘米，宽0.6～1.1厘米，厚约0.2厘米。简文墨书隶体，内容包括《诗经》《论语》《礼记》《孝经》《易经》《悼亡赋》《医书》《六博棋谱》及《五色食胜》等内容。其中《悼亡赋》中有描写冢墓的文字。《论语》中发现《知道》篇，应是自汉末以来久已失传的《齐论》。《易经》先解释卦名，自《象》传下内容与《日书》相似，虽然排序与传世本《易经》相同，但内容却与传世本《易经》差别较大。医书内容与养生、房中术有关，其在马王堆帛书《天下至道谈》"八道"之上增加"虚""实"，成为"十道"。

《五色食胜》是以五种颜色代表相应食物，类比于"五行"相生相克的方术类内容。木牍约200方，长约23厘米，多数宽约6.6厘米，少数宽约3厘米，厚约0.7厘米；一部分是系在竹木笥或漆箱上的标签，上面写有盛器编号及所盛物品名称、数量等；另一部分单独置于一漆箱内，有58个编号，其中49方外形基本完整，9方残碎，主要是元康三年（前63年）至五年（前61年）海昏侯刘贺及其夫人上奏皇帝及太后关于朝贺与秋请的奏牍，还有部分是抄写《论语》等内容的书牍。

西汉海昏侯墓简牍，在迄今所见历次墓葬出土简牍中数量最多，是中国简牍史上的重大发现。作为科学发掘的史料，西汉海昏侯墓简牍是学术界了解当时政治、经济、文化科技及社会风俗等众多领域的重要参考。

西汉海昏侯墓简牍存于江西省文物考古研究院。

第四节　符节印信

战国秦杜错金虎符　战国秦惠文君时期（前337～前325年）文物。1975年冬季，陕西省西安市郊区山门口公社北沈家桥村社员杨东峰在距离北沈家桥村东北0.5千米的"南关道"平整土地时发现。"南关道"是一北高南低，高约2米的缓坡，战国秦错金杜虎符出土于坡坎半腰，上距地表30厘米，周围地面散布许多秦汉时期绳纹瓦及陶容器碎片。同时在虎符出土地东北150米处，挖出一堆圆形方孔铜钱，又于村南皂河边出土多个广肩深腹瓮，造型与秦咸阳故城所出土同类器物相同。北沈家桥村位于西安市西南7.5千米，北距汉城遗址14千米，东南距汉宣帝杜陵14千米，村东南约2千米为杜城村，居于秦汉时期杜县城址范围内；战国秦杜错金虎符出土于该地，恰与史载吻合。杨东峰拾得虎符，于1978年11月30日将虎符上交陕西省历史博物馆。

　　战国秦杜错金虎符是青铜铸造，器作虎形，是左半符，通长9.5厘米，高4.4厘米，厚0.7厘米，重83克；虎昂首站立，圆目前视，尖耳后抿，伏于脑际，阔鼻，短吻开口，脊背下凹，长尾后垂，末端上卷，神态威猛雄健；器颈部有一穿孔。虎符正面自颈部至后腿错金篆文9行，每行3～6字不等，凡40字："兵甲之符，右在君，左在杜；凡兴士被（披）甲，用兵五十人以上，必会君符，乃敢行

之；燔燧（燧）之事，虽毋（无）会符，行殹（也）。"虎符至迟于战国时期已经行用，是国君对率军将领下达军令、调动军队的凭证。器作虎形，剖为左右两半，右半由国君保存，左半则交由率军将领。国君遣使下达军令时，须附以虎符右半，有关将领将虎符右半与藏于己处的左半合符，合验无误方执行军令。"合符"调兵，以《史记·魏公子列传》对信陵君救赵，"晋鄙合符"的描写最为生动。之后，虽王朝更替，但一直沿用虎符发兵，直至唐代改用鱼符；各朝所用虎符造型及器铭也相应呈现出不同的时代特征。

　　战国秦杜错金虎符器铭大意为：军用兵符，右半存于国君，左半交予杜县；凡调动杜县军队五十人以上，必须会合国君右半符；如遇紧急军情，烽火举事，不必合符，可以行动。左半符反面肩部与腹部交界处置一倒三

角形榫，用于合符时穿卯查验。器铭中"右在君"之君，即秦惠文君。据《史记·秦本纪》，"孝公卒，子惠文君立""十四年，更为元年"，又《史记·六国年表》记，秦惠文君十三年（前337年）"四月戊午，君为王"；可知秦惠文君即位后称"君"，十三年四月戊午，始改称"王"。秦惠文君之前，秦诸国君均称"公"，秦王嬴政统一六国后，又改称"皇帝"。由此可知，战国秦杜错金虎符器铭之"君"，是公元前337年至前325年之间的秦惠文君。器铭"左在杜"之"杜"，地名，周时为杜伯国。据《史记·秦本纪》，秦武公十一年（前687年）"初县杜"，《汉书·地理志》京兆尹有"杜陵"，《括地志》载"汉宣帝时修杜之东为陵，曰杜陵县，更名此为下杜城""下杜故城在雍州长安县东南九里，古杜伯国"。"杜"，为秦都咸阳东南京

畿重地。《史记·秦始皇本纪》载，秦二世听信赵高之言，曾将"六公子戮死于杜"，二世陵墓也置于杜南之宜春苑。

战国秦杜错金虎符造型生动，工艺精湛，器铭笔画多方折，古朴典雅，内容、字数及行文程式与新郪虎符相似，然其铸造及使用早于新郪虎符，是已发现中国古代最早的虎符实物。

战国秦杜错金虎符藏于陕西历史博物馆。

战国楚鄂君启节 楚怀王六年（前323年）文物。1957年4月，发现于安徽省寿县城东门外丘家花园。4枚战国楚鄂君启节，包括3枚车节与1枚舟节，另伴有小铁锤、小金块（郢爰）及陶片等遗物。同年9月，六安专署进行文物普查工作时，4枚战国楚鄂君启节收归国有。1959年，其中1枚战国楚鄂君启车节与1枚舟节调入中国历史博物馆（今中国国家博物馆）。1960年，文物工作者在蒙城新集公

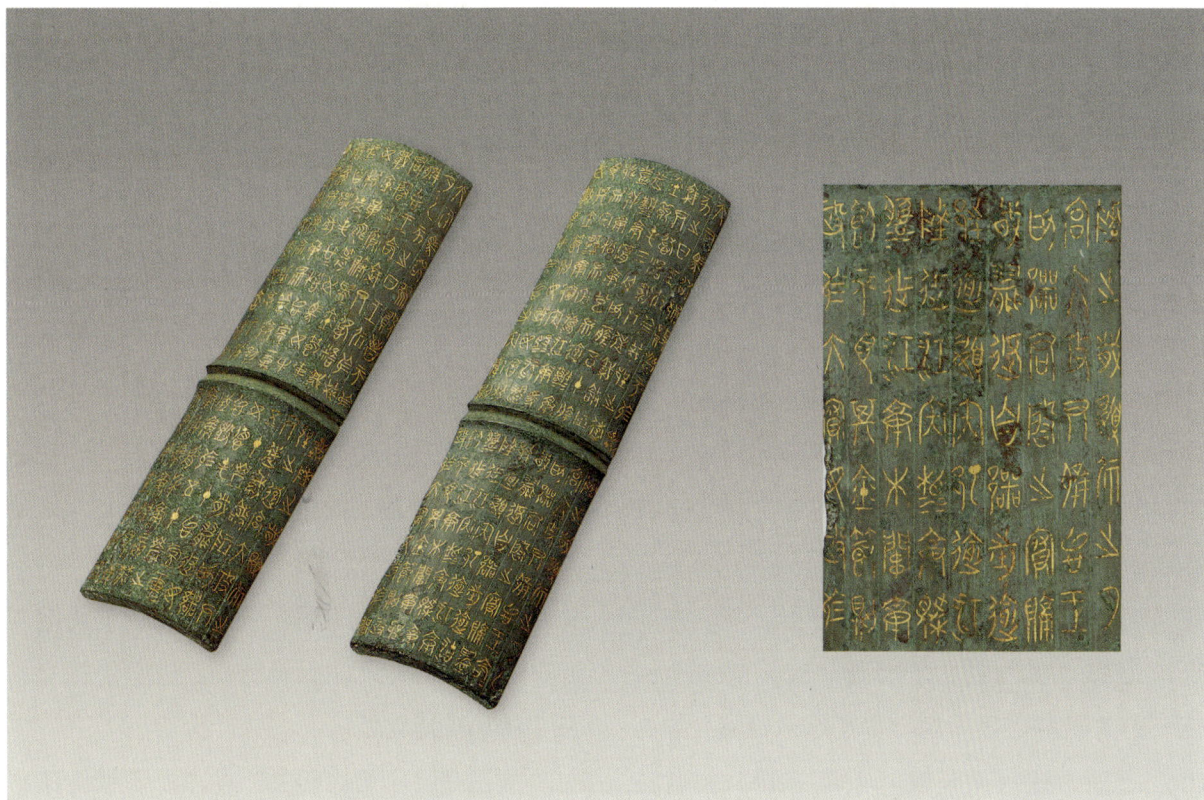

社又征集1枚战国楚鄂君启舟节，与其余2枚鄂君启车节藏于安徽省博物馆。

战国楚鄂君启节是青铜材质，存5枚，单枚形如剖开的竹片，中间有一竹节将整器分为上长下短两段；其中3枚车节均长29.6厘米，宽7.3厘米，厚0.7厘米，弧长8厘米，可拼合成一个大半圆竹筒状；2枚舟节均长31厘米，宽7.3厘米，厚0.7厘米，弧长8厘米；以单枚圆弧计算，车节与舟节各自均应由5枚拼合成一竹筒状。

战国楚鄂君启车节正面阴刻8条阑线，阑内错金铭文9行："大司马卲（昭）阳败晋师于襄陵之岁，夏層之月，乙亥之日，王处于莪郢之游宫，大攻尹脽以王命，命集尹悤（悼）糌（赭），裁（织）尹逆，裁（织）殺（令）阬，为鄦（鄂）君启之府賸（就）铸金节：车五十乘，岁翟返，母（毋）载金、革、黾箭；女（如）马、女（如）牛、女（如）德（特），屯十以堂（当）一车；女（如）檐徒，屯廿檐以堂（当）一车，以毁于五十乘之中；自鄦（鄂）市，就阳，就枷城，就酓禾，就柳焚（棼），就繇阳，就高丘，就下鄰，就居鄵（巢），就郢；见其金节则毋征，毋舍桴食，不见其金节则征。"

战国楚鄂君启舟节正面阴刻8条阑线，阑内错金铭文9行："大司马卲（昭）阳败晋师于襄陵之岁，夏層之月，乙亥之日，王处于莪郢之游宫，大攻尹脽以王命，命集尹悤（悼）糌（赭），裁（织）尹逆，裁（织）敂（令）阬，为鄦（鄂）君启之府賸（就）铸金节：屯三舟为一舸，五十舸，岁翟返；自鄦（鄂）市，逾油，让（上）汉，就㕙（穀），就芸（鄖）阳，逾汉，就䣙，逾夏，内（入）邔（涢），逾江，就彭射（泽），就松（枞）阳，内（入）泸江，就爰陵，让（上）江，内（入）湘，就䏶（牒），就郷（洮）阳，内（入）灅，就鄗（郴），内（入）淯（滇）、沅、沣、滶（油），让（上）江，就木关，就郢；得其金节则毋征，毋舍桴食，不得其金节则征；女（如）载马、牛、羊，以出内（入）关，则征于大府，毋征于关。"

战国楚鄂君启车节器铭凡147字，鄂君启舟节器铭凡164字，所载是"大司马昭阳败晋师于襄陵之岁"，即楚怀王六年（前323年），楚王颁予封君"鄂君启"运输商品的陆路、水路免税通关凭证。铭中规定车船数量、运输路线、免征额度、免征期限及禁运物资。

战国楚鄂君启节生动直观地再现战国中期楚国的财税管理制度，是研究楚国乃至先秦时期税收体制的可信史料。作为中国存世年代最早的免税通关凭证，战国楚鄂君启节器铭所涉及战国时期楚国的交通、地理及封君等状况，在相关领域研究中也具有重要学术价值。

战国楚鄂君启节藏于安徽博物院与中国国家博物馆。

战国楚"王命命传赁"龙节 战国中期文物。民国35年（1946年）9月出土于湖南长沙东郊黄泥坑虾蟆井（今长沙市芙蓉区）一座小型战国土坑墓，同出还有素面铜镜及双耳陶壶等遗物。龙节出土后，辗转于古董商手中；中华人民共和国成立后，入藏湖南省博物馆。1959年，战国楚"王命命传赁"龙节经拨交入藏中国历史博物馆。

战国楚"王命命传赁"龙节是青铜铸造，

整器呈扁平长方体，上宽下窄，长20.6厘米，首端宽2.5厘米，尾端宽1.9厘米；器首铸作龙首，额部饰对称云纹，双角弯曲后伏，双目凸出，长吻，口部镂空，齿牙毕露，腮部有一贯穿，可以系缓。器正面、背面分别阴刻1行铭文："王命命传赁""一檐食之"。

器铭为典型战国楚文字，"王命命传赁"，意楚王所命之"传赁"；"一檐食之"，意为王命境内各地传舍，以"一担"食量供给"传赁"人员饮食。由此可知，战国楚"王命命传赁"龙节既可作为持有者的身份证明，又可便利持有者的食宿。与该龙节形制及铭文相同者，还有其他4器，藏于上海博物馆及故宫博物院等处。同时还发现与战国楚"王命命传赁"龙节同时期的楚"王命命传赁"虎节，器作虎形。该类龙节与虎节，即《周礼·秋官·小行人》所云："达天下之六节：山国有虎节，土国用人节，泽国用龙节，皆以金为之。"

战国楚"王命命传赁"龙节是战国中期楚王颁发的传遽凭证，是考察中国古代传遽及交通的重要实物。

战国楚"王命命传赁"龙节藏于中国国家博物馆。

战国楚"王命命车驲"错金虎节 战国晚期文物。1983年8月，考古发掘南越王墓。10月初，发掘工作结束。战国楚"王命命车驲"错金虎节通体裹有丝绢，与银片、鎏金瑟柄等物品堆放在一处，置于墓室西耳室中部南墙根下。

战国楚"王命命车驲"错金虎节是青铜铸造，整器铸成片状虎形，通高11.6厘米，通长19厘米，厚1.2厘米；虎做蹲踞状，昂首挺胸，怒目圆睁，齿牙毕露，弓身卷尾，似欲扑击之状，形象生动威猛。虎头、足及关节处以阴线勾勒，虎眼、虎耳镶嵌以较细黄金箔片，虎身正、反面分别铸出27道、33道弯叶形浅凹槽，槽内镶嵌黄金箔片，以示斑纹；整器视觉层次清晰，富丽堂皇。虎节器正面错金铭文5字"王命命车驲"。器铭是典型战国时期楚文字，"王命命车驲"意即楚王所命之"车马"，既可作为持有者的身份证明，又可便利持有者的食宿。故宫博物院与湖南省博物馆分别收藏一虎节，形制与"王命命车驲"错金虎节相同，唯无错金，器铭"王命命传赁"。同时还发现与虎节同时期的楚"王命命传赁"龙节，器作龙形。该类龙节与虎节，即《周礼·秋官·小行人》所云："达天下之六节：

山国有虎节，土国用人节，泽国用龙节，皆以金为之。"

战国楚"王命命车驲"错金虎节是战国时期楚王颁发的传遽凭证，是考察中国古代传遽及交通的重要实物。

战国楚"王命命车驲"错金虎节藏于西汉南越王博物馆。

战国楚"王命命传赁"虎节　战国晚期文物。据传出土于安徽寿县，见于民国25年（1936年）黄濬《尊古斋所见吉金图》卷4。1956年，战国楚"王命命传赁"虎节，由文化部文物局拨交入藏故宫博物院。

战国楚"王命命传赁"虎节是青铜铸造，整器铸成片状虎形，通高10.7厘米，通长15.9厘米，重0.47千克；虎做蹲踞状，昂首挺胸，怒目圆睁，齿牙毕露，弓身卷尾，似欲扑击之状，形象生动威猛。虎节器正面阴刻铭文："王命命传赁"。

器铭是典型战国时期楚文字，"王命命传赁"意即楚王所命之"传赁"，既可作为持有者的身份证明，又可便利持有者的食宿。与该虎节形制、铭文相同或相似者，还有其他2器，分别收藏于南越王墓博物馆与湖南省博物馆。

战国楚"王命命传赁"虎节是战国时期楚王颁发的传遽凭证，是考察中国古代传遽及交通的重要实物。

战国楚"王命命传赁"虎节藏于故宫博物院。

秦阳陵虎符　秦（前221～前207年）文物。传20世纪初出土于山东峄县，原为罗振玉旧藏，初录于民国14年（1925年）罗振玉《增订历代符牌图录》。后入藏中国历史博物馆（中国国家博物馆）。

秦阳陵虎符是青铜铸造，器作虎形，左、右半符黏合，通长8.9厘米，宽2.1厘米，高3.4厘米；虎呈伏卧状，圆目平视，圆耳上竖，阔鼻短吻，脊背下凹，长尾后垂，末端上卷，前足抓地，后足前屈，似欲跃起扑击之状。虎符左、右半符脊背处各有左行纵向错金同铭2行12字："甲兵之符，右在皇帝，左在阳陵。"

器铭大意为，军用兵符，右半存于皇帝，左半交予阳陵。《史记·秦始皇本纪》载，二十六年（前221年），秦统一六国，"号曰'皇帝'"，且"始皇推终始五德之传"，"数以六为纪"。秦阳陵虎符器铭云"皇帝"，左、右半符脊背处各有12字，器铭凡24字，皆为"六"之倍数。由此可知，秦阳

陵虎符乃二十六年（前221年）秦统一六国之后所铸。据《汉书·地理志》，左冯翊下辖24四县中有"阳陵"，"故弋阳，景帝更名"，《汉书·景帝纪》载景帝"葬阳陵"。而《史记·高祖功臣侯者年表》载"阳陵侯"，与《傅宽列传》所云傅宽"因定齐地，剖符世世勿绝，封为阳陵侯"同，又秦阳陵虎符器铭"左在阳陵"；据此知汉初"阳陵"乃因袭秦之故名。

秦阳陵虎符器铭，字体谨严宽博，作为国之重器，或为李斯所书。铭中"甲"作"甲"，"在"作"十"，均承袭商周古文；而此二字于峄山刻石、会稽刻石中均作小篆之体。因此，峄山刻石、会稽刻石之类，当在"书同文字"之后，秦阳陵虎符则于其前，可以代表秦代初年的文字面貌。同为秦之虎符，秦错金杜虎符铸造于战国秦惠文君（前337～前325年）时期；新郪虎符行用于秦并天下之前，两者年代均早于秦阳陵虎符。清吴大澂旧藏秦栎阳虎符，造型及器铭均与秦阳陵虎符相似，两者当同时所铸。凡此数件秦之虎符，作为存世寥寥的早期虎符实物，是学术界探索古代兵符制度的珍贵实物。

秦阳陵虎符藏于中国国家博物馆。

西汉安国侯虎符 西汉早期文物。原为罗振玉旧藏，著录于罗振玉《贞松堂吉金图》及民国14年（1925年）《增订历代符牌图录》。罗氏曾作《汉安国虎符跋》云："错银成字，不可施墨，不异景星凤凰，人间无第二品，此为吾斋重宝耶！"后西汉安国侯虎符入藏东北博物馆（辽宁省博物馆），1952年于黑龙江省北安县经重新整理登记，入藏辽宁省博物馆。

西汉安国侯虎符是青铜铸造，器作虎形，为右半符，通长7.8厘米，宽2.78厘米，厚1.55厘米；虎做伏卧状，三角形眼窝，圆目前视，圆耳竖立，阔鼻，短吻，口微张，宽背弧脊，短尾上翘，前足平铺，后足前屈腹下；器内侧虎肩部与后腹部各置一方形凸槽，可与左半符凹槽相穿卯，以做合符。虎符脊背与肋部分别错银篆文1行，凡9字："与安国侯为虎符第三。"

"安国侯"，乃汉之封侯。《史记·高祖功臣侯者年表》载，安国武侯王陵，"以客从起丰，以厩将别定东郡、南阳，从至霸上。入汉，守丰。上东，因从战不利，六年八月甲子，武侯王陵元年。定侯安国"；高后八年（前180年），哀侯忌元年；孝文元年（前179年），终侯斿元年；建元元年（前140年），安侯辟方元年；元狩三年（前120年）侯定元年；元鼎五年（前112年），侯定"坐酎金免"，国除。又《汉书王子侯表》记，绥和元年（前8年）六月，赵共王之子刘吉被封为安国侯，十六年后被免。安国侯所治在今河北安国市。

据《史记·孝文本纪》，汉文帝二年（前178年）"九月，初与郡国守相为铜虎符、竹使符"，西汉于文帝二年始行虎符之制。由此可知，西汉安国侯虎符铸造及使用年代上限为文帝二年（前178年），即终侯游次年。有关西汉虎符之状，汉应劭曰："铜虎符第一至第五，国家当发兵，遣使者至郡合符，符合乃听受之。"唐颜师古云"右留京师，左与之"，晋崔豹《古今注》云"铜虎符银错书之"；凡此所述皆与西汉安国侯虎符器铭相合。

西汉安国侯虎符与堂阳侯虎符、临袁侯虎符器形相同，左、右半符对称器铭行文，源于秦杜虎符、新郪虎符及阳陵虎符，异于其他汉代虎符器铭于脊处中分，是西汉虎符的早期形制。

西汉安国侯虎符藏于辽宁省博物馆。

西汉鲁王鎏金虎符　西汉时期（公元前154～公元8年）文物。1976年，陕西省咸阳市周陵乡南贺村村民在田间掘土时发现，出土地点位于南贺村东约100米处，东南距汉哀帝义陵约1千米。1981年11月，咸阳博物馆将西汉鲁王鎏金虎符征集入藏。

西汉鲁王鎏金虎符是青铜铸造，通体鎏金，器作虎形，为左半符，通长5.6厘米，高2.35厘米，厚1厘米；虎做伏卧状，三角形眼窝，圆目前视，圆耳竖立，阔鼻，短吻，口微张，宽背弧脊，短尾呈半球形，前足平铺，后

足前屈腹下，神态乖巧；虎前爪内侧置宽0.4厘米凹槽，可与右半符凸榫相穿卯，以做合符。虎符脊背与肋部分别错银篆文1行：脊文7字"汉与鲁王为虎符"，皆为半字；肋文"鲁左五"3字。

虎符至迟于战国时期已经行用，是国君对率军将领下达军令、调动军队的凭证。器作虎形，剖为左右两半，右半由国君保存，左半则交由率军将领。国君遣使下达军令时，须附以虎符右半，有关将领将虎符右半与藏于己处的左半合符，合验无误方执行军令。"合符"调兵，以《史记·魏公子列传》对信陵君救赵，"晋鄙合符"的描写最为生动。之后，虽王朝更替，但一直沿用虎符发兵，直至唐代改用鱼符；各朝所用虎符造型及器铭也相应呈现出不同的时代特征。

西汉鲁王鎏金虎符器铭"鲁王"，始封于西汉初年。考《史记·汉兴以来诸侯王年表》，汉惠帝七年（前188年），吕后临朝，"初置鲁国"，封其外孙，故赵王敖之子张偃为鲁王；汉文帝元年（前179年），诸吕之乱既平，废为侯。汉景帝二年（前155年），"分楚复置鲁国"；汉景帝三年（前154年），平定"七国之乱"，徙景帝之子淮阳王刘馀为鲁王，是为鲁恭王。之后，经鲁安王，鲁孝王，鲁倾王，至鲁文王刘睃无嗣国除。汉哀帝建平三年（前4年），复立鲁顷王之子刘闵为鲁王，至王莽时废除。据《汉书·地理志》，鲁国属豫州，下辖鲁、卞、汶阳、蕃、驺与薛6县，处徐州、豫州与兖州交会之所，其地在今山东省南部。《史记·孝文本纪》，文帝二年（前178年）"九月，初与郡

国守相为铜虎符、竹使符"，西汉于文帝二年始行虎符之制。由此可知，西汉鲁王鎏金虎符铸造及颁予年代上限为鲁恭王刘馀时期。有关西汉虎符之状，汉应劭曰："铜虎符第一至第五，国家当发兵，遣使者至郡合符，符合乃听受之。"唐颜师古云"右留京师，左与之"，晋崔豹《古今注》云"铜虎符银错书之"，凡此所述皆与西汉鲁王鎏金虎符相合。西汉鲁王鎏金虎符器铭"鲁左五"，与秦杜虎符"右在君，左在杜"、新郪虎符"右在王，左在新郪"及阳陵虎符"右在皇帝，左在阳陵"相同，可知汉承秦制。

西汉鲁王鎏金虎符是汉中央政府颁予"鲁王"之虎符，器铭为错银篆文，而秦杜虎符、新郪虎符及阳陵虎符器铭则均为错金篆文，且两者器铭行文差别甚大，此是秦汉之异。已发现西汉虎符多为太守虎符，如西汉鲁王鎏金虎符之类颁予王国之虎符，确属罕见，对于全面了解西汉虎符制度具有重要学术价值。

西汉鲁王鎏金虎符藏于咸阳博物院。

西汉齐郡太守虎符　西汉时期文物。1988年12月，陕西省咸阳市秦都区沣西乡李家庄村村民王小春在村北菜地打土墙时发现，出土地点位于汉长安城上林苑范围之内。1989年5月，咸阳博物馆将西汉齐郡太守虎符征集入藏。

西汉齐郡太守虎符是青铜铸造，器作虎形，左、右合符，通长5.8厘米，高2.3厘米，厚2.1厘米，重126克；虎做伏卧状，三角形眼窝，圆目前视，圆耳竖立，阔鼻，短吻，口微张，宽背弧脊，尾呈半球形上翘，前足平铺，后足前屈腹下，神态乖巧；左半符虎身内侧置长1厘米、宽0.08厘米、深0.6厘米两个凹槽，

可与右半符内侧所置对应凸榫相穿卯，以做合符。虎符脊背与两侧肋部分别错银篆文1行：脊文8字"与齐郡太守为虎符"；左肋文4字"齐郡左二"；右肋文2字"右二"。

据西汉齐郡太守虎符器铭，知该虎符为汉中央政府颁予"齐郡太守"之虎符。检《汉书·百官公卿表》，"郡守，秦官，掌治其郡，秩两千石"，"景帝中二年，更名太守"，是"太守"之称始于景帝。齐郡，据《汉书·地理志》，初为秦置，属青州。考《史记·汉兴以来诸侯王年表》，汉高祖四年（前203年），封韩信为齐王；五年，徙韩信为楚王；六年（前201年），封子肥为齐王，都临淄。汉武帝元朔二年（前127），齐王刘次昌薨，无嗣国除为郡；元狩五年（前118年），复置齐国，六年立子刘闳为齐王；元封元年（前110年），刘闳薨，无嗣国除为郡。王莽时，改齐郡为"济南"，改临淄为"齐陵"。西汉时期"齐郡"之称，始于汉武帝元朔二年（前127），是西汉齐郡太守虎符铸造及颁予年代上限。

西汉齐郡太守虎符左、右半符均在，保存完整，极为罕见，其造型及器铭与西汉鲁王虎符相似，是研究西汉时期虎符制度的重要实物。

西汉齐郡太守虎符藏于咸阳博物院。

西汉玄菟太守虎符 西汉时期文物。原为清吴式芬（1796～1856年）旧藏，著录于吴氏《捃古录》卷4。吴氏于陕西西安得西汉玄菟太守虎符，曾于清咸丰五年（1855年）请当时篆刻大师翁大年（字叔均）（1811～1890年）将所临绘虎符摹刻上石。该石刻拓本见于民国时期罗振玉《历代符牌图录后编》，附题记"汉元菟太守铜虎符，得之长安，错银为文，不可摹拓。咸丰乙卯（1855年）九月，吴江翁叔均抚刻于石，吴式芬记。"后，虎符由无棣县文化馆移交入藏山东博物馆。

西汉玄菟太守虎符是青铜铸造，器作虎形，为左半符，通长7.5厘米，高2.5厘米，重75克；虎做伏卧状，三角形眼窝，圆目前视，圆耳竖立，阔鼻，短吻，口微张，宽背弧脊，短尾上翘，前足平铺，后足前屈腹下；器内侧虎肩部与后腹部各置一凹槽，可与右半符凸榫相穿卯，以做合符。虎符脊背与肋部分别错银篆文1行：脊文7字"与玄兔太守为虎符"，皆为半字；肋文"玄兔左二"4字。

西汉玄菟太守虎符器铭"玄兔"，即西汉"玄菟"郡。汉武帝元封三年（前108年）夏，灭朝鲜。据《汉书·地理志》，汉武帝元

封四年（前107年），以故朝鲜之地置玄菟、乐浪、临屯与真番四郡，属幽州；其中，以玄菟郡面积最大，其范围约朝鲜咸镜南道、咸镜北道及中国辽宁、吉林西部一带，王莽时称"玄菟亭"。

西汉玄兔太守虎符是汉中央政府颁予玄菟太守之虎符，其铸造及颁予年代上限为汉武帝元封四年（前107年）。

西汉玄菟太守虎符藏于山东博物馆。

西汉"张掖都尉棨信"棨信 西汉晚期文物。1972年至1974年秋，甘肃居延考古队对居延甲渠候官（破城子）、甲渠塞第四隧与肩水金关3处汉代遗址进行发掘；其中肩水金关遗址出土简11577枚，其他遗物1311件。西汉"张掖都尉棨信"棨信，即1973年出土于该遗址。2012年，甘肃省文物考古研究所将西汉"张掖都尉棨信"棨信移交入藏甘肃简牍博物馆。

西汉"张掖都尉棨信"棨信是一红色长方形织物，长21厘米，宽16厘米，厚0.1厘米，重2克，上方中央处缀一系。棨信正面自右向左纵向墨书篆文3行6字"张掖都尉棨信"。

张掖，即汉张掖郡。《汉书·武帝纪》载，元狩二年（前121年）秋，"匈奴昆邪王杀休屠王，并将其众合四万余人来降，置五属

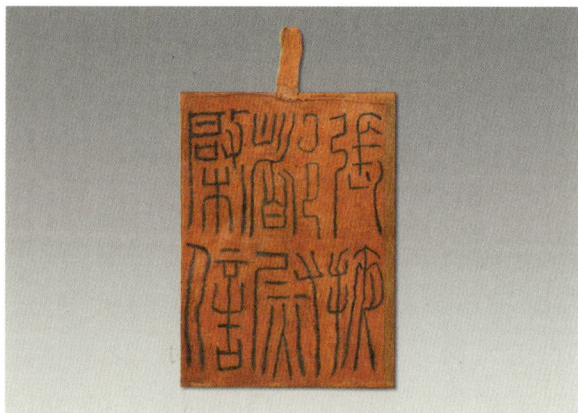

国以处之。以其地为武威、酒泉郡"，元鼎六年（前111年），"乃分武威、酒泉地置张掖、敦煌郡，徙民以实之"。都尉，作为职官，西汉时期设于郡内，掌管郡内军事，东汉时期，内郡罢置都尉，但边郡仍有设置。"张掖都尉"，即张掖郡都尉。"棨信"一词，见于《后汉书·窦武传》及《宋书·谢庄传》等，是用作传令开门、闭门的凭证。晋崔豹《古今注》曰："信幡，古之徽号也，所以题表官号，以为符信，故谓为信幡也。"所述"信幡"与西汉"张掖都尉棨信"棨信相仿。《宋书·王昙首传》记："元嘉四年，车驾出北堂，尝使三更竟开广莫门，南台云：应须白虎幡，银字棨。"《太平御览》卷341引《麟角》云"晋朝唯用白虎"信幡。此白虎信幡虽为晋朝以来的制度，但也是信幡用作符信以通行关禁之例。

西汉"张掖都尉棨信"棨信属信幡之类，缀于竿上，用作通行关禁的符信，是研究中国古代棨信、信幡制度的重要实物。

西汉"张掖都尉棨信"棨信藏于甘肃简牍博物馆。

辽契丹文鱼符 辽代文物。传出土于辽宁省朝阳市，后辽宁省博物馆购自辽宁省文物店入藏。

辽契丹文鱼符是青铜铸造，鱼形，为左半符，长6.6厘米，宽2.2厘米，厚0.1厘米；鱼符顶置一穿孔，正面铸鳃线、鳞纹并错金；内侧上部铸阳文"同"字，下铸6字契丹阴文。

中国古代至迟于战国时期已开始以"虎符"作为下达军令、调动军队的凭证。唐朝开始，兵符之制大变，《大唐六典》门下省载，

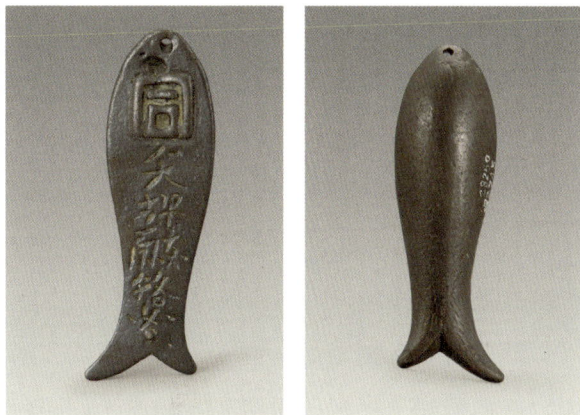

"铜鱼符，所以起军旅，易守长""鱼符之制：王畿之内，左三右一；王畿之外，左五右一"。唐朝改"虎符"为"鱼符"，且左者在内，右者在外，左、右之数不同，凡此皆与秦汉以降古制不同。唐朝鱼符，器作鱼形，剖为左、右两符，内侧刻有文字，注明佩符人身份或鱼符使用范围，中间有"同"字形榫卯以做契合，有些还在底侧中缝加刻"合同"两字以资查验。

916年，辽太祖耶律阿保机建立契丹，仿照唐制，设立百官。有关兵符之制，《辽史·仪卫志》载："太祖受命，易以金鱼。金鱼符七枚，黄金铸，长六寸，各有字号，每鱼左右判合之。有事，以左半先授守将，使者执右半，人小、长短、字号合同，然后发兵。"又《兵卫志》记"铸金鱼符，调发军马"。辽虽沿用唐之鱼符，但左者在外，而右者在内，与唐制不同。辽契丹文鱼符为青铜铸造，史书缺载，考其器形及器铭，仍袭用唐之铜鱼符，可资学术界全面了解辽兵符制度。

辽契丹文鱼符为左半符，是"先授守将"之半，该器传出土于辽宁省朝阳市。朝阳时为辽之霸州，重熙十年（1041年）升兴中府，是为辽京门户、军事重镇，此地出土鱼符，可证

其曾经重兵布防。

辽契丹文鱼符藏于辽宁省博物馆。

商"㚔"青铜印　商王武丁时期文物。2009年出土于河南省安阳市殷墟王裕口村南103号墓。墓主男性，年龄30岁左右，该印位于棺椁之间西南角，紧贴西侧椁壁。

商"㚔"青铜印是青铜铸造，环纽，方形印台，横截面呈梯形；印纽高0.89厘米，印台边长2.2～2.4厘米，高0.45厘米。印面锈蚀严重，结合X射线照片确认，印面宽边阑，阑内印面内凹，为一阴文"㚔"字。

河南安阳殷墟王裕口村南103号墓中随葬16件青铜器中，有两尊青铜鼎与1尊青铜爵上均铸"㚔"字铭文。由此可知，商"㚔"青铜印即墓主之印。"㚔"，习见于商甲骨卜辞，如《合集》11546："癸酉卜，㚔贞：旬亡（无）囚？"16582："壬辰卜，㚔贞：今夕亡（无）囚？"㚔是商王武丁时期贞人集团中之一员，也是其所出族名。出土商"㚔"青铜印的103号墓属于殷墟文化第二期，时代与其相同。距离103号墓东部约7米处为时代稍晚的殷墟文化第三期94号墓，墓中出土青铜鼎与弓形器上也铸铭文"㚔"。在103号墓、94号墓周围分布40余座墓葬，这些墓葬多东西方向，且分布集中，应是"㚔"家族墓地。

商"㚔"青铜印属于族氏名印，与后世印

章用以标识使用者私名、官职有相通之处。在这个意义上，作为真正意义上的印章至迟在商代已经产生。1976年，殷墟妇好墓出土1枚蟠龙纽大理石印；2016年4月，陕西省渭南市文物工作者在对澄城县王庄镇柳泉村西九沟墓地西周早期4号墓进行抢救性清理发掘过程中发现1枚整体造型及印面所刻题材与之极其类似的蟠龙纽玉印。两印印面内凹，与商"㚔"青铜印印面相同。此类内凹印面，使用时应是钤印在如陶器之类的弧形、软性载体上。此前，考古工作者发掘殷墟孝民屯铸铜遗址时，发现一块带状纹饰镶嵌范，该范横截面一端有阳线"贝"纹，应是由类似印章之类的器具捺印形成。江西清江商代吴城遗址也发现数件带有文字的陶器，器上"矢""臣"字，是使用阴文印模捺印而成。河南渑池郑窑遗址曾出土1枚二里头文化时期的陶质戳印器，具备捺印功能。上溯至新石器时代中、晚期，在河南、江苏、福建及云南等地考古学文化中已出现陶质、石质印模，用以压印陶器纹饰。凡此陶质、石质印模，与江西清江商代吴城遗址捺印文字、殷墟出土"㚔"青铜印、妇好墓出土蟠龙纽大理石印及澄城出土西周蟠龙纽玉印，功用相似，时代前后相接，勾勒出中国古代早期玺印滥觞的轨迹。

商"㚔"青铜印存于中国社会科学院考古研究所安阳工作站。

商"𠆤"夔龙纹青铜印　商王武丁时期文物。2010年出土于河南省安阳市殷墟刘家庄北地77号灰坑。

商"𠆤"夔龙纹青铜印是青铜铸造，环纽，正方形印台；印纽高0.46厘米，印台边长

2.2厘米，高0.45厘米。印面锈蚀严重，结合X射线照片确认，印面窄边阑，阑内上部为左右并列的阳文"八"，下为一凸起侧像夔龙纹，外卷角呈倒"C"形，张口，躬身、尾部上卷。

"八"，作为族名，在商代青铜器铭文中较为多见；"八"铭青铜器的出土主要集中在河南安阳殷墟刘家庄北地与苗圃南地两处，其他如殷墟西区墓地、东八里庄、戚家庄及花园庄东地等处也有分布。

出土商"八"夔龙纹青铜印的殷墟刘家庄北地77号灰坑，时代属于殷墟文化第二期，周围分布同时期的房基、水井及灰坑。距离77号灰坑东部较近处，集中分布10余座墓葬。这些墓葬大多不随葬陶器，所随葬青铜器入葬前多被打碎；在其中70号墓出土的殷、瓿、爵，413号墓出土的爵及448号墓出土的鼎上均铸"八"铭文。该处墓群与77号灰坑时代相同，应是"八"家族墓地。此前在安阳殷墟之外也有"八"铭青铜器出土，并有许多传世品，有学者认为，"八"族系属于周族的氏族，与山西"光社文化的关系是比较密切的"，并认为"八"族"原住在山西境内"。近年殷墟出土大量"八"铭青铜器，发现"八"家族墓地，77号灰坑出土商"八"夔龙纹青铜印，凡此新的考古发现令学术界开始重新考虑"八"族的

相关问题。

商"八夔龙纹"青铜印，据印面而言，属于文字与肖形合印，该类印文是此后中国古代印章的一个重要类别。

商"八"夔龙纹青铜印存于中国社会科学院考古研究所安阳工作站。

商饕餮纹青铜印 商代晚期文物。1998年秋季出土于河南省安阳市殷墟东南安阳市水利局院内1号房基遗址，据地层关系判断，商饕餮纹青铜印属于殷墟文化第三、四期，即殷墟晚期。

商饕餮纹青铜印是青铜铸造，环纽，方形印台；印纽位于印台中部偏下，隐约可见"◇"形纹饰；印纽高0.49厘米，印台边长1.5厘米，宽1.6厘米，高0.33厘米。印面窄边阑，阑内为一阳线饕餮纹，上部两个外卷角呈倒"C"形，圆形双目，眼球中空，口部大张，略有变形。该印面饕餮纹极为简省，线条清晰，与故宫博物院藏商饕餮纹青铜印面的饕餮纹整体构图相似。

商饕餮纹青铜印是经考古科学发掘出土的首枚青铜印，对于探索中国古代早期玺印起源具有重要学术价值，其印纽、印台造型为后世印章所继承，据印面图案而言，该印属于此后中国古代印章的重要类别之一——"肖形印"。

商饕餮纹青铜印存于中国社会科学院考古

研究所安阳工作站。

西周蟠龙纽玉印 西周早期文物。2016年4月，陕西省渭南市文物工作者在对澄城县王庄镇柳泉村西九沟墓地4号墓进行抢救性清理发掘过程中出土，玉印位于墓底居中，应是佩戴于墓主身上。

西周蟠龙纽玉印玉质温润，近似和田白玉，间有褐色、灰色沁斑，蟠龙纽，椭圆形印台上隆；蟠龙圆雕，昂首探出印台，外卷角，目作扁圆状，方鼻阔口，两前爪站立，躬背，后身及尾部沿印台侧缘作顺时针方向盘曲，绕过前胸，再绕至左后，恰好围成印台侧缘一周；龙身饰13枚重环式鳞纹，身后部有一对穿孔，孔径0.5厘米；印通高2.9厘米，龙纽长3.6厘米，宽1.1厘米，高1.7厘米，印台长4厘米，宽3.1厘米，高0.6厘米。印面内凹约0.3毫米，随形阴刻边阑，阑内以阴线十字界格四分印面，四格内阴线雕刻4种图形，左上格内为一侧像龙纹，右上格内为一侧像饕餮纹，左下格内为一夔龙纹，右下格内为一侧像凤鸟纹。

1976年，殷墟妇好墓出土一枚蟠龙纽大理石印，整体造型及印面所刻题材与西周蟠龙纽玉印极为相似，是已发现中国年代最早的龙钮玺印。2009年，河南安阳殷墟王裕口村103号墓出土一枚商王武丁时期"舌"青铜印，印面内凹，与上举殷墟妇好墓出土蟠龙纽大理石印

及西周蟠龙纽玉印印面相同。此类内凹印面使用时应是钤印在如陶器之类的弧形、软性载体上。此前，考古工作者发掘殷墟孝民屯铸铜遗址时，发现一块带状纹饰镶嵌范，该范横截面一端有阳线"贝"纹，应是由类似印章之类的器具捺印形成。江西清江商代吴城遗址也发现数件带有文字的陶器，器上"矢""臣"字，乃使用阴文印模捺印而成。河南渑池郑窑遗址曾出土一枚二里头文化时期的陶质戳印器，具备捺印功能。上溯至新石器时代中、晚期，在河南、江苏、福建及云南等地考古学文化中，已出现陶质、石质印模，用以压印陶器纹饰。凡此陶质、石质印模，与江西清江商代吴城遗址捺印文字、殷墟出土"舌"青铜印，妇好墓出土蟠龙纽大理石印及澄城出土西周蟠龙纽玉印，功用相似，时代前后相接，勾勒出中国古代早期玺印滥觞的轨迹。

西周蟠龙纽玉印存于陕西省渭南市文物旅游稽查支大队清理队。

春秋秦"王戎兵器"青铜印 春秋时期文物。清陈介祺（1813～1884年）旧藏，后为周叔弢（1891～1984年）购藏。1981年，周叔弢将春秋秦"王兵戎器"青铜印捐赠予天津艺术博物馆。

春秋秦"王戎兵器"青铜印是青铜铸造，绞丝状环纽，印台为扁体菱形，上面左右两侧对称蟠虺纹，铸造精致；印通高1.9厘米，印台长4.8厘米，宽3.3厘米。印面铸阳线边阑，与阑内所铸"X"状交叉阳线相交，将印面分为四界格，格内铸阳文"王戎兵器"4字反文，意为王军旅所用兵器。

秦"王兵戎器"青铜印印文字体属于春秋

时期，印台上面所铸蟠虺纹为春秋时期流行于秦国之造型。该印应是当时军中用于封检文书、货物所用，是秦之官玺，也是遗存的中国古代最早官玺。

目前，在考古发掘及传世先秦时期古玺印中，以战国时期数量最多，商与西周时期的实物亦有少量发现，春秋秦"王戎兵器"青铜印是唯一一枚春秋时期的玺印，承前启后，对于勾勒中国古代玺印制度发展的轨迹至关重要。

春秋秦"王戎兵器"青铜印藏于天津博物馆。

战国"左桁正木"青铜印　战国中晚期文物。1964年11月，山东省五莲县迟家庄大队社员在庄北1.5千米战国时期的盘古城遗址东部地下半米深处，发现一泥质灰陶罐，罐口盖一豆盘，罐内盛13枚青铜印。青铜印出土后，暂由大队保存，后几经辗转，仅剩8枚。青铜印出土地盘古城东侧是著名关隘"北将口"，传为战国时期李睦营垒所在，是当时沟通东方沿海南北交通的咽喉要道。1973年，昌潍地区与五莲县有关人员在此地进行文物普查时，将8枚战国"左桁正木"青铜印收存于五莲县图书馆，后入藏五莲县博物馆。

战国"左桁正木"青铜印凡8枚，青铜铸造，形制基本相同，唯大小有异；印台呈方形，上为圆筒状，顶端外附一周凸箍，筒孔内壁尚存朽木灰迹，系所纳木柄残留；印通高6.5～8.6厘米，印面长2.6～3.4厘米，宽2.4～3.4厘米，筒外径3～4.1厘米，内径2.2～2.8厘米，重0.15～0.325千克。8枚印印面形制、文字相同，均为四周凸起方阑，阑内阳文4字"左桁正木"。

类似战国"左桁正木"青铜印，仅见1枚著录于黄濬《尊古斋古玺集林初二集》，罗福颐将其收入《古玺汇编》，编号为0298。对于印文"左桁正木"，学术界存在不同释读。学者或读为"左桁（横）正（征）木（玺）"，即左横关卡征税所用玺印。朱德熙云，"左桁（衡）正（征）木"之"衡"，为"古山林之官"，其职司即《周礼·地官·林衡》"掌巡林麓之禁令而平其守，以时计林麓而赏罚之。若斩林木，则受法于山虞，而掌其政令"；"正木"也是官职，"二者都是林衡的属官"，即管理山林的官员。与战国"左桁正木"青铜印相似，又有战国"右正桁木"青铜印与世传山东临淄出土战国"左廪桁木"青铜印，为圆筒状。石志廉《战国古玺考释十

种》以为，"左廪桁木"青铜印，应是打烙在左廪公用木横（衡）上面的烙印，且烙印应打烙在横的中间部位，表示此横是已经取得公家承认的标准器，可以正式通行于世；"右正桁木"，即右廪征收粮食所用木横之义。如参照石氏释读，印文"左桁正木"，当读为"左正桁木"。

战国"左桁正木"青铜印藏于山东省五莲县博物馆。

战国"王命□□"青铜印　战国中晚期文物。1973年发现于湖北省荆门县掇刀地区，由当地村民上交县文化馆。1984年，荆门市博物馆成立，县文化馆将战国"王命□□"青铜印移交入藏。

战国"王命□□"青铜印是青铜铸造，环纽，方形印台；印通高1厘米，印台边长2厘米，宽1.9厘米，重10克。印面宽、窄相次双边阑，阑内阴文"王命□□"4字，布局匀称，笔画以圆笔为主，与楚简文字风格一致，为楚系玺印。目前，对于印文"王命"后两字之释读，学术界尚未达成共识，或读为"王命通达"，或释作"王命粜述"，或读作"王命传徙"。与此"王命□□"印文相似，战国中晚期楚王所颁发的传遽凭证，如"王命命传赁"龙节、"王命命传赁"虎节及"王命命车驲"错金虎节，两者文字内容及行文格式类同；由此，战国"王命□□"青铜印，当是楚国官印，或用于封缄文书及财货。

战国"王命□□"青铜印是研究楚文字及楚国玺印制度的重要实物，也为探索战国时期驿传机构、邮驿制度及职官提供了可信史料。

战国"王命□□"青铜印藏于荆门市博物馆。

战国虎形王字青铜印　战国时期文物。1986年，湖南省文物部门对大庸县（张家界市）永定区枫香岗乡进行大规模考古发掘，战国虎形王字青铜印出土于13号楚墓。该印出土后，存于张家界市永定区文物管理所，2016年，拨交入藏张家界市博物馆。

战国虎形王字青铜印是青铜铸造，环纽，方形印台；印通高0.9厘米，印台边长1.5厘米，宽1.5厘米。印面阳线、阴线相次边阑，阑内阴铸一虎形侧像。猛虎回首，尖耳上竖，怒目圆睁，张口做吼状，身躯颀长，扭曲成S形，长卷上尾，虎爪夸张。虎头上方有一横置阴文"王"字。

战国虎形王字青铜印印面布白适中，铸刻线条流畅清晰，猛虎造型简洁，栩栩如生，显示当时铸造工艺的成熟。印面为文字与肖形组合，发现较少，是中国先秦时期玺印重要类型之一。

战国虎形王字青铜印藏于张家界市博物馆。

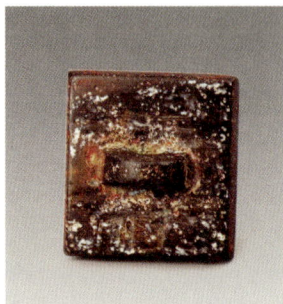

战国巴蜀文青铜印 战国时期文物。1954年出土于四川省昭化县宝轮院巴蜀船棺葬。

战国巴蜀文青铜印是青铜铸造，桥纽，正方形印台，边长2.4厘米。印面阳线、阴线相次边阑，阑内阴线"田"字界格，格内均为阴文巴蜀文字。

巴蜀文字是一种中国古代文字，独立于中原华夏文字系统之外，主要流行于川西平原的蜀地、川东巴地与湘西山区。目前所见巴蜀文字最早的使用物证，约在春秋晚期，使用下限则在战国末年秦灭巴蜀之后，一些铸有巴蜀文字的器物在西汉早期墓葬中时有出土。巴蜀文字大致包括两类形体：一类是具有强烈图案化特征的象形符号，多出现于印章或青铜器上，迄今所见不足200个，战国巴蜀文青铜印印文即属此类；另一类完全摆脱象形，常以书面语形式出现。目前，学术界对巴蜀文字尚无法解读，其或用以表意，或用于表音，亦无法判断。

战国巴蜀文青铜印印纽、印台形制与印文布局，无疑是模仿同时期中原地区所流行的汉文玺印。此类巴蜀文青铜印发现较多，应是中原汉文玺印传入之后，由当地模仿铸造。战国巴蜀文青铜印及其他载有巴蜀文字的遗物，承载着尘封的古巴蜀史事，亟待学术界予以更多关注。

战国巴蜀文青铜印藏于重庆中国三峡博

物馆。

战国楚"勿正关玺"青铜印 战国时期文物。周叔弢（1891～1984年）旧藏。1981年，周叔弢将战国楚"勿正关玺"青铜印捐赠给天津艺术博物馆。

战国楚"勿正关玺"青铜印是青铜铸造，环纽，正方形扁体印台；印通高1.1厘米，印台边长3.3厘米。印面阳线边阑，阑内阳文"勿正关鉨"4字，是典型战国时期楚系文字。"鉨"，即"玺"；"勿正关"，即"勿征于关"，类似语辞见于战国楚鄂君启节（见"鄂君启节"条），"毋征于关"意为所载货物经过关卡时免于征税，印文"勿征关"语意应与之相同。由此可知战国楚"勿正关玺"青铜印是当时由国家颁发的免税凭证。

战国楚"勿正关玺"青铜印是反映中国古代玺印制度的重要实物，其与鄂君启节是所见古代中国时代最早的免税通关凭证，是研究楚国乃至先秦时期税收体制的可信史料。

战国楚"勿正关玺"青铜印藏于天津博物馆。

战国楚"大𨻻"青铜印 战国时期文物。据徐乃昌（1868～1943年）《安徽通志金石古物考稿》，传出土于安徽寿县，后藏于徐安（懋斋）。1956年，战国楚"大𨻻"青铜印由国家文物事业管理局调拨入藏故宫博物院。

战国楚"大賮"青铜印是青铜铸造，长柱纽，方形印台；印通高11.7厘米，印台长5.4厘米，宽6.1厘米。印面阳线、阴线相次边阑，阑内阴线"日"字状界格，左右两分，格内阴文左起横读"大賮"。

印文系战国文字，"大賮"，即典籍中"大府"，作为官署，见于《周礼·天官》"大府掌九贡、九赋、九功之贰，以受其货贿之入，颁其货于受藏之府，颁其贿于受用之府"，职司国家财货之出入。印文"大賮"之"賮"，从贝，正与"大府"职司财货相合。据印文特征，"大賮"即战国时期楚国所设之"大府"。《吕氏春秋·分职》载楚叶公"乃发太府之货予众"，此"太府"即"大府"。战国楚鄂君启节是楚怀王六年（前323年）颁予封君"鄂君启"运输商品的陆路、水路免税通关凭证，器铭"如载马、牛、羊，以出入关，则征于大賮，毋征于关"，"大賮"，与各处关卡对文，为中央政府之官署，有征税职责。

民国22年（1933年），安徽寿县朱家集李三孤堆（淮南市谢家集区杨公镇双庙村）出土战国"大賮之臣"青铜臣、"大賮之馈盏"青铜敦、大賮镐；1976年，安徽凤台县郊区出土战国"郢大賮"量；1956年，安徽寿县城东南邱家花园出土战国"大賮之器"错银云纹青铜卧牛；1965年，江苏涟水县浅集镇三里墩出土战国"大賮之器"镶嵌绿松石青铜卧鹿。凡此均为战国时期楚国"大府"所藏之器，是"大府"既掌赋税，又司器物之实证。

战国楚"大賮"青铜印是当时"大府"之官印，用以作为征收、出入财货之信。此类柱纽适于掌握，与其他系绶孔状印纽不同，在战国玺印中确属罕见，堪称巨制。

战国楚"大賮"青铜印藏于故宫博物院。

西汉"皇后之玺"玉玺 西汉时期文物。1968年9月发现于陕西省咸阳市渭河北塬上韩家湾公社狼家沟大队。当时，狼家沟大队社员孔祥发14岁的儿子孔忠良在狼家沟水渠边上发现西汉"皇后之玺"玉玺，捡起带回家中。孔祥发得知此事，将西汉"皇后之玺"玉玺带到西安，捐献给陕西历史博物馆。文物工作人员随后来到发现地点，进行勘查。

西汉"皇后之玺"玉玺，以优质新疆和田羊脂白玉雕琢，通体纯净，润泽致密，螭虎纽，正方形印台；印纽为高浮雕螭虎状，双目圆睁，隆鼻方唇，张口露齿，身躯匍匐，扭曲遒劲，体态矫健，雕镂精致，生动传神。印台四侧面均饰长方形阴线框，框内阴刻4个彼此颠倒、勾连的卷云纹，每个卷云纹均以双阴竖线与边框相连，部分阴线内残留朱砂。印通高2厘米，印台边长2.8厘米，重33克。印面阴刻篆文"皇后之玺"，雍容典雅。

汉代册立皇后，均要授予玺印，是为皇后合法身份的凭信。有关汉代皇后玺印制度，《汉书》《后汉书》中未见记载，东汉卫宏《汉旧仪》载："皇后玉玺，文与帝同。皇后之玺，金螭虎纽。"文中所记汉皇后玺印之质地，前后文字抵牾。而西汉"皇后之玺"玉玺的发现，则为学术界厘清了这一长期悬而未决的疑问。

西汉"皇后之玺"玉玺出土地点位于汉高祖长陵西南约1千米，有学者据此推断玉印应为吕后之印，亦有学者据印文篆体及印面设计，认为时代属文景至西汉中晚期。西汉"皇后之玺"玉玺是迄今所见唯一一方汉代皇后玺印，是最重要的中国古代玺印之一。2013年8月19日，西汉"皇后之玺"玉玺，被国家文物局列入"第三批禁止出境展览文物目录"。

西汉"皇后之玺"玉玺藏于陕西历史博物馆。

西汉"轪侯之印"鎏金青铜印　西汉（前186年）文物。1973年11月19日至1974年1月13日，湖南省博物馆、中国科学院考古研究所对马王堆二号汉墓进行发掘，西汉"轪侯之印"鎏金青铜印出土于北椁箱。

西汉"轪侯之印"鎏金青铜印是青铜铸造，鎏金，龟纽，正方形印台；龟纽圆雕，龟缩颈，龟首上昂，背部隆起，上阴刻甲纹；龟

钮与印台间有一横向穿孔，以纳印绶；印通高1.5厘米，印台边长2.2厘米。印面阴刻篆文"轪侯之印"。

"轪侯"，据《史记·惠景间侯者年表》，汉惠帝二年（前193年）四月庚子，封长沙相"利仓"为侯，食七百户，在位八年，薨于高后二年（前186年）；第二代侯豨元年，即高后三年（前185年），在位二十一年；第三代侯彭祖元年，即文帝十六年（前164年），在位二十四年；第四代侯秩在位三十年，元封元年（前110年）为东海太守，行过不请，擅发卒兵为卫，当斩，会赦，国除。《汉书·高惠高后文功臣表》所记基本相同，唯第一代轪侯作"黎朱仓"，第四代作"扶"，又记宣帝"元康四年，仓玄孙之子竟陵簪褭汉诏复家"。

马王堆二号汉墓中，与西汉"轪侯之印"鎏金青铜印伴出1枚阴刻篆文"长沙丞相"青铜印与1枚阴刻篆文"利苍"玉印。由此可知，马王堆二号汉墓墓主"利苍"，即《史记·惠景间侯者年表》所记之第一代轪侯"利仓"、长沙国丞相，而《汉书·高惠高后文功臣表》记作"黎朱仓"，系传抄之误。据《汉书·百官公卿表》，汉初列侯"金印紫绶"，而西汉"轪侯之印"鎏金青铜印铸造粗糙，印文凿刻随意，当为随葬之明器。

关于"轪"之地望，据2004年湖北荆州纪南松柏汉墓出土木牍所记，西汉前期系"南郡"所辖；而《汉书·地理志》所载"轪"为"江夏郡属县"，则是汉武帝置"江夏郡"后。《汉书·地理志》自注"轪"乃"故弦子国"，在今河南光山一带；据沈约《宋书·州

郡志》、郦道元《水经注·江水》，"轪"在今湖北浠水一带。对此歧说，学者或将河南光山一带视为汉初之"轪"，湖北浠水附近之"轪"为东晋南渡后的侨治；或认为"轪"原在湖北浠水，后迁至河南光山一带。凡此疑惑尚需学术界深入探讨。

西汉"轪侯之印"鎏金青铜印藏于湖南省博物馆。

西汉"宛朐侯执"金印　西汉景帝元年至景帝三年（前156～前154年）文物。1994年3月20日至4月20日，徐州博物馆对徐州簸箕山宛朐侯刘执墓进行发掘，西汉"宛朐侯执"金印出土于墓主遗骸腰部偏上。

西汉"宛朐侯执"金印是以黄金铸造成型，后经雕刻加工而成，龟纽，方形印台，四边略有外弧；龟纽圆雕，龟身大致呈长方形，龟缩颈，首部较小，微昂，双目圆睁，背部隆起，上刻饰内外相套含的六边形、五边形、四边形、三边形及二边形，以象征甲纹，四足站立，爪趾分明；龟纽与印台间有一横向穿孔，以系绶带；印通高2.1厘米，龟纽高1.45厘米，印台高0.65厘米，印台边长2.3厘米，重127克。印面阴刻篆文"宛朐侯执"4字，结字规整，方中见圆，端庄典雅。

"宛朐侯执"即西汉宛朐侯刘执，西汉楚元王刘交之子。据《史记·汉兴以来诸侯王

年表》，公元前201年正月丙午，汉高祖刘邦封其异母弟刘交为楚王，都彭城（徐州）。又《汉书·楚元王传》《史记·惠景间侯者年表》载，汉景帝即位，"以亲亲封元王宠子五人"，"执为宛朐侯"，景帝元年（前156年）四月乙巳，刘执得封"宛朐侯"。"宛朐"，亦称"冤句"，故梁国属县，景帝中元年后为济阴国属县，其地在山东菏泽西南。汉景帝三年（前154年）正月，发生"七国之乱"，作为楚王刘戊叔父，刘执亦参与其中。"七国之乱"平叛之后，宛朐国除。《史记·孝景本纪》记，三年"六月乙亥，赦亡军及楚元王子蓺等与谋反者"，《汉书·景帝纪》载景帝下诏云"楚元王子蓺等与濞等为逆，朕不忍加法，除其籍，毋令污宗室"，刘执得以赦免。而《汉书·王子年表》则云，刘执于景帝三年参与谋反被诛。据吴建民教授对宛朐侯刘执墓墓主牙齿鉴定，其年龄在30岁左右，由此推断刘执死亡时间当距汉景帝三年（前154年）不远。

西汉"宛朐侯执"金印印文兼具爵位与名，较为罕见，应属私印。印文提供了更为丰富而确凿的历史信息，至为难得。

西汉"宛朐侯执"金印藏于徐州博物馆。

西汉"文帝行玺"金印　西汉文帝时期文物。1983年8～10月，经文化部与中国科学院报请国务院批准，广州市文物管理委员会、中国社会科学院考古研究所与广东省博物馆联合组成象岗汉墓发掘队，对广州越秀公园西侧象岗山南越王墓进行发掘。西汉"文帝行玺"金印发现于墓主遗骸胸部。

西汉"文帝行玺"金印由黄金铸造，含金

量超过98%，龙纽，方形印台。龙纽圆雕，龙首呈方形，探出印台一角，双目圆凸，短吻，阔鼻，长身盘曲成"S"状，遒劲翻腾，四足，三爪，其中两足各据印台一角，龙尾向内卷曲；龙额、耳部錾刻椎点，躯体凿刻"V"形图案，以示鳞片；龙身中部隆起与印台形成空隙，以系印绶，两侧留有摩擦痕迹。印通高1.8厘米，印台高0.6厘米，边长3.1厘米，宽3厘米，重148.5克。印面阳线、阴线相次边阑，阑内阴刻"田"字界格，格内阴刻篆文"文帝行玺"，书体工整。

"文帝"系西汉南越王国第二代南越王赵眜。据《史记·南越列传》，赵佗，"秦时用为南海龙川令"；秦灭，"佗即击并桂林、象郡，自立为南越武王"。"汉十一年（前196年），遣陆贾因立佗为南越王"；"高后时，有司请禁南越关市铁器"，赵佗遂"自尊号为南越武帝，发兵攻长沙边邑，败数县而去焉"。汉文帝时，第二次遣陆贾出使南越，赵佗称其妄窃帝号，仅是聊以自娱，并向汉称臣，奉贡职；但是赵佗于其国内依然僭越如故，"其使天子，称王朝命如诸侯"。汉武帝建元四年（前137年），赵佗卒，其孙"胡"继为南越王。"后十余岁，胡实病甚，太子婴齐请归。胡薨，谥为文王"。《汉书·南粤传》记"婴齐嗣立，即藏其先武帝、文帝

玺"，去其僭号。南越王国，都番禺（今广州），作为西汉时期一处地方割据政权，全盛时期势力范围包括今广东、广西、香港、澳门、海南及北越南大部分地区。元鼎五年（前112年），南越国相吕嘉反，杀南越王及汉使者。汉出兵破南越，元鼎六年（前111年），南越国亡，共经五世93年。

象岗山南越王墓还出土"泰子"龟纽金印1枚、"泰子"覆斗纽玉印1枚、"帝印"蟠龙纽玉印1枚、"赵眜"覆斗纽玉印1枚及刻铭"文帝九年乐府工造"青铜铙一编8枚。《汉书·南粤传》记第三代南越王"婴齐嗣立，即藏其先武帝、文帝玺"。由此可知，南越王墓墓主是南越国第一代王赵佗之孙、第二代南越王——"文帝"赵眜，《史记·南越列传》所载第二代南越王，赵佗之孙名"胡"为误。西汉"文帝行玺"金印是已发现尺寸最大的一枚汉代金印，也是唯一一枚汉代龙纽金印。

西汉"文帝行玺"金印藏于西汉南越王博物馆。

西汉"刘注"银印 西汉早期文物。1982年11月出土于江苏省徐州市铜山县龟山二号墓。该墓位于拾屯镇孤山村（属九里区）的龟山西麓中部，是一座西汉时期的竖井式崖洞墓。1984年底，辗转入藏徐州市文物部门。

西汉"刘注"银印是银质，龟纽，正方形扁体印台；龟纽圆雕，龟缩颈，双目圆睁，背部隆起，上錾刻不同形状六边形、四边形龟甲纹，腹甲也有刻纹，四足站立，爪趾分明；龟纽与印台间有一横向穿孔，以系绶带；印通高1.7厘米，纽高1厘米，印台高0.7厘米，印台边长2.1厘米，重39克。印面阴刻篆文"刘注"。

据《史记·汉兴以来诸侯王年表》及《楚元王世家》记载，"刘注"系西汉第六代楚王，第五代楚安王刘道之子。西汉元光六年（前129年），楚安王薨，刘注嗣，元朔元年（前128年）即刘注元年，其在位14年，于元鼎二年（前115年）薨，谥号襄王。《汉书·诸侯王表》及《楚元王传》记载略同。而据清夏燮《校汉书八表》，刘注于汉武帝元朔元年至元狩元年（前128～前117年）为楚王，在位12年。对于刘注其人，仅《史记·楚元王世家》索隐述赞语云"文、襄继立，世挺才英"，只言片语，描绘过于笼统。西汉"刘注"银印即刘注私印。

西汉"刘注"银印的出土，确证龟山二号墓即西汉楚襄王刘注夫妇合葬墓，对于西汉陵墓形制的演变及断代研究具有重要学术价值。

西汉"刘注"银印藏于徐州博物馆。

西汉元朔三年上郡青铜印范 西汉武帝元朔三年（前126年）文物。1976年，由天津市文管处拨交入藏天津市历史博物馆。

西汉元朔三年上郡青铜印范是青铜铸造，方形漏斗状，折平沿；器通高2.7厘米，长5.2厘米，宽5厘米。印范内底中央处有一桥纽印形凸出体，四周有一半漏斗形凸出体与之相连；器外壁左、右两侧刻铭8行15字"元朔三年叔坚工仆，上郡工褒夫立戊"。刻铭系"物勒工名"，记该印范铸造时间（元朔三年）、铸造地点（上郡）及铸造人员（叔坚工仆、褒夫立戊）。

上郡，中国古代行政建置，秦汉时期，其辖境大体在今陕北黄土高原及与其接壤的河套南部区域，原为戎狄部族所居。据《史记·秦

本纪》，战国初期，"魏筑长城，自郑滨洛以北，有上郡"，上郡为魏国占据。《史记·张仪列传》载，秦惠文王十年（前328年）"魏因入上郡、少梁，谢秦惠王"，此即《魏世家》所云"尽入上郡于秦"，是年上郡入秦。至于上郡所辖，《李斯列传》记"魏纳上郡十五县"。秦亡，项羽于公元前206年2月"立董翳为翟王，王上郡，都高奴"，八月汉军回击关中，刘邦"遣诸将略定陇西、北地、上郡"，次年"置陇西、北地、上郡、渭南、河上、中地郡，关外置河南郡"。《史记·高祖功臣侯者年表》记，棘丘侯襄为西汉上郡首任郡守。西汉初年，上郡时常遭受匈奴寇犯，汉文帝"后六年冬，匈奴三万人入上郡"。汉武帝时期，通过对匈奴作战，至元朔三年（前126年），上郡辖境空前扩大。《汉书·地理志》记，上郡辖肤施、独乐。张家山247号汉墓452号竹简也记有上郡辖县。

西汉元朔三年上郡青铜印范外壁刻铭记该印范于元朔三年（前126年）制于上郡，时值上郡辖境最大之时。《汉书·地理志》载西汉时期多处郡县设有工官，又《后汉书·百官志》记，"其郡有盐官、铁官、工官、都水官者"，"本注曰：有工多者置工官，主工税物"。印范铭"上郡工褒夫立戊"，标识该印范为当时上郡工官所督造。

西汉元朔三年上郡青铜印范保存完整，揭示了汉代玺印的铸造方法，借此亦可探索中国古代冶炼技术。印范器铭纪年明确，具有极高的史料价值。类此印范，存世极少，弥足珍贵。

西汉元朔三年上郡青铜印范藏于天津博物馆。

西汉"石洛侯印"金印　西汉武帝时期（前122～前87年）文物。传清嘉庆年间（1796～1820年）出土于山东诸城，曾著录于瞿中溶《集古官印考证》、邓秋枚《神州国光集》及罗福颐《秦汉南北朝官印征存》等。1959年，张少铭先生将西汉"石洛侯印"金印捐赠入藏中国历史博物馆。

西汉"石洛侯印"金印由黄金铸造，龟钮，正方形扁体印台；龟钮圆雕，龟首上扬，双目圆睁，背甲上隆，六边形甲纹雕琢精细；印通高1.8厘米，印台边长2.4厘米。印面阴刻篆文"石洛侯印"，文字结体方中见圆，气韵生动，布局匀称、规整。

据《史记·建元以来王子侯年表》，"石洛侯"刘敬是城阳顷王刘延子，齐悼惠王刘肥曾孙，元狩元年（前122年）四月戊寅封。表中记石洛侯刘敬，而索隐则云石洛侯刘敢，两者所记人名不同。《汉书·王子侯表》无"石洛侯"，而载"原洛侯敢"，云"城阳顷王子，四月戊寅封"；可知《史记》索隐"石洛

侯敢"，即《汉书》"原洛侯敢"，校以西汉"石洛侯印"金印，当以"石洛侯"为实，"原洛侯"系误传。《汉书·王子侯表》记，"石洛侯"食邑琅琊。又《汉书·王子侯表》载，"石洛侯"封于元鼎元年（前116年）四月戊寅，凡26年，征和三年（前90年），坐杀人弃市，与《史记》所载"元狩元年"封侯不同。

1977年10月，山东省即墨县王村公社小桥大队附近出土一枚西汉"诸国侯印"金印，质地、形制及尺寸均与"石洛侯印"相仿。汉卫宏《汉官旧仪》记："丞相、列侯、将军金印，紫绹绶，中二千石、二千石银印青绹绶，皆龟钮。"西汉"石洛侯印"金印与"诸国侯印"金印，均为列侯之印，其质地、形制与《汉官旧仪》所记相符，是当时列侯玺印之规制。

西汉"石洛侯印"金印藏于中国国家博物馆。

西汉"滇王之印"金印　汉武帝元封二年（前109年）文物。1956年出土于云南省晋宁县石寨山古墓群6号墓。1955～1960年，考古工作者对云南晋宁石寨山古墓群先后进行4次发掘；1996年5～6月进行第5次发掘，发现大量遗迹、遗物，证实该地即"滇"之故址中心。出土西汉"滇王之印"金印的6号墓规模较大，随葬品丰富，并出土玉衣半成品，应是"滇王"之墓。

西汉"滇王之印"金印由黄金铸造，蛇钮，正方形印台，印纽与印身系分铸后焊接而成；印通高1.8厘米，印台边长2.4厘米，重89.5克。印面阴刻篆文"滇王之印"。

秦汉时期，中原地区将活跃在云贵高原、四川西部及广西进入高原部分地区的众多部族

泛称为"西南夷",《史记·西南夷列传》有简略概述。其中居住滇池附近地区的部族,《西南夷列传》称为"靡莫","滇"是其中之一,且为最大。《华阳国志·南中志》云:"滇池县,郡治,故滇国也。"战国时期,楚威王曾令"庄蹻将兵循江上,略巴、蜀、黔中以西",庄蹻至滇池,"以兵威定属楚"。待其欲归报楚,恰逢秦击夺楚巴、黔中郡,道路不通。庄蹻返回,成为"滇王"。元狩元年(前122年),汉武帝遣王然于、柏始昌及吕越人等出使,寻求通往身毒国之路,来至滇地。滇王尝羌留汉使,帮助寻找通道,但始终未能如愿。期间,滇王曾问汉使:"汉孰与我大?"足见此地闭塞,与外界隔绝之久。据《史记·西南夷列传》,汉武帝灭南越之后,诏"滇王"入朝;而滇王不听,且与其同姓之劳浸、靡莫数次侵犯汉使。元封二年(前109年),汉武帝"发巴蜀兵,击灭劳浸、靡莫,以兵临滇。滇王始首善,以故弗诛。滇王离难西南夷,举国降,请置吏入朝,于是以为益州郡。赐滇王王印,复长其民"。

西汉"滇王之印"金印当是汉赐"滇王王印",证有关史载之实。1784年,日本福冈县志贺岛出土"汉委奴国王"金印,蛇纽,通高2.4厘米,印台边长2.4厘米,印文阴刻,与西汉"滇王之印"金印相似,有助于学术界全面考察汉代玺印制度。2013年8月19日,西汉"滇王之印"金印被国家文物局列入"第三批禁止出境展览文物目录"。

西汉"滇王之印"金印藏于中国国家博物馆。

西汉"楚都尉印"银印 西汉早期文物。1994~1995年出土于江苏省徐州市狮子山楚王陵。

西汉"楚都尉印"银印是银质,龟纽,正方形扁体印台;龟纽圆雕,龟缩颈,双目圆睁,背部隆起,上多錾刻六边形龟甲纹,四足站立;龟纽与印台间有一横向穿孔,以系绶带;印通高1.7厘米,印台边长2.3厘米。印面阴刻篆文"楚都尉印"。

都尉,作为武官至迟出现于战国后期,《史记·王翦列传》及《战国策·赵策》等均有所载。秦至汉初,都尉是军中高级职官,如《史记·陈涉世家》载:"陈胜自立为将军,吴广为都尉。"《项羽本纪》记:"沛公已出,项王使都尉陈平召沛公。"又《汉书·爰盎传》载,爰盎曾"调为陇西都尉,仁爱士卒,士卒皆争为死"。西汉时期,都尉职责不断扩大。《汉书·百官公卿表》记,景帝中元二年(前148年),郡尉更名都尉;景帝中元六年(前144年),主爵中尉又更名都尉。武帝时期,于中央又置骏粟都尉、水衡都尉、奉车都尉、驸马都尉及护军都尉等;地方诸郡,设置关都尉、部都尉、农都尉、属国都尉及骑都尉。凡此构成西汉时期都尉体系。

西汉"楚都尉印"银印是西汉早期楚国所置都尉之印信。《汉书·百官公卿表》,都尉"秩比二千石"。《汉书·百官公卿表》曰:

"凡吏秩比二千石以上，皆银印青绶。"东汉卫宏《汉旧仪》载，"中二千石、二千石银印青缃绶，皆龟纽"。文中所记"二千石"之龟纽银印，与西汉"楚都尉印"银印相符。

狮子山楚王陵出土200余方印章，除"楚都尉印"外，还有"楚侯之印""楚太史印"及"楚司马印"等。这些印章当初集中贮存于甬道西侧4号耳室内一木（漆）质箱中，后被盗墓者盗出，绝大多数散落在盗洞、扰乱土中，少部分遗落在4号耳室内，个别出自陪葬墓。印文涉及西汉早期楚国宫廷职官、军队职官与属县职官，是中国古代印章的一次重大发现。

西汉"楚都尉印"银印藏于徐州博物馆。

西汉"婕伃妾娋"玉印　西汉时期文物。相传出土于北宋时期，明代转藏于李氏六砚斋。入清之后，又相继归龚自珍、潘仕成等收藏，后入陈介祺"万印楼"，曾被误认为汉成帝皇后赵飞燕遗物。1956年，经国家文物事业管理局调拨，西汉"婕伃妾娋"玉印入藏故宫博物院。

西汉"婕伃妾娋"玉印是以优质和田白玉雕琢而成，洁白纯净，雁形印纽，正方形扁体印台；雁形印纽高浮雕，曲颈匍匐，刀法简洁，造型生动传神；印通高1.2厘米，印台边长2.3厘米。印面阴刻鸟虫篆"婕伃妾娋"，笔画诘屈，起收处勾勒出鸟首、鸟尾，极富装饰性。

印文中"娋"，印主私名。婕伃，典籍中作"倢伃"。《汉书·外戚传》载："至武帝制倢伃、娙娥、傛华、充依。各有爵位，而元帝加昭仪之号，凡十四等云。昭仪位视丞相，爵比诸侯王。倢伃视上卿，比列侯。"唐

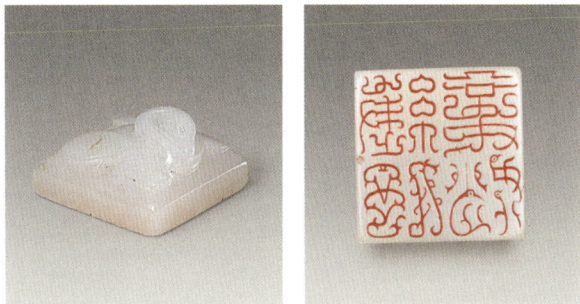

颜师古注曰："倢，言接幸于上也；伃，美称也。"倢伃，是汉代后宫妾之称谓，汉武帝时始置，仅次于皇后、昭仪之下，其爵位"视上卿，比列侯"，足见位秩之高。《后汉书·礼仪志》南朝梁刘昭注引蔡质所记立宋皇后仪云"太尉袭授玺绶，中常侍长太仆高乡侯览长跪受玺绶，奏于殿前，女史授婕妤，婕妤长跪受，以授昭仪，昭仪受，长跪以带皇后"，可知南朝宋时后宫中皇后、昭仪、婕妤（倢伃）相次，犹存汉制。

西汉"婕伃妾娋"玉印质地优良，雕琢精美，集印材、印纽、印文三美于一方，堪为汉印艺术之杰作，其与西汉"皇后之玺"玉玺，是已知仅存的两枚汉代后宫女性之印，是考察汉代后宫用印制度的重要实物。

西汉"婕伃妾娋"玉印藏于故宫博物院。

西汉"刘安意"玉印　西汉中期文物。民国35年（1946年）出土于河北省邯郸五里村汉墓，墓中同出许多长方形、方形玉片，应为玉衣残件，足见该墓等级之高。

西汉"刘安意"玉印由白玉琢成，覆斗形纽，顶端两侧有一横向穿孔，以纳印绶，正方形印台；印通高1.7厘米，印台边长2.5厘米。印面阴刻篆文"刘安意"，文字布局匀称饱满。

据《汉书·王子侯表》，刘安意，是象氏节侯刘贺之子，赵敬肃王刘彭祖之孙，汉景帝

曾孙。元封三年（前108年），刘安意封象氏侯，嗣27年，汉昭帝始元六年（前81年）薨，谥思侯。《汉书·地理志》载，西汉时期，冀州"钜鹿郡"所辖20县中，有"象氏"，为"侯国"，王莽时改称"宁昌"，此地即象氏侯国。

西汉"刘安意"玉印制作规整，抛光精细，是汉代私印精品。

西汉"刘安意"玉印藏于中国国家博物馆。

西汉"大刘记印"玉印 西汉晚期文物。2015年12月12日出土于江西省南昌市海昏侯墓。

西汉"大刘记印"玉印是以优质和田白玉雕琢，通体纯净，间有少许浅褐色沁斑，龟纽，正方形扁体印台；龟纽圆雕，龟首上昂，圆目前视，吻部平伸，四肢粗短扁平，两趾，龟背阴刻由3层重叠四边形、五边形组成的龟背纹；龟纽与印台间有一横向穿孔，以纳印绶；整器制作规整流畅，打磨精细，光泽圆润；印通高1.64厘米，印纽高0.96厘米，印台高0.68厘米，边长1.76厘米，孔长径1.05厘米，孔短径0.35厘米，重9.7克。印面阴刻篆文"大刘记印"，结体方整匀称，庄重典雅，具有典型的西汉晚期风格。

2016年1月17日，在1号墓主遗骸腰部位置，又出土一枚玉印，印面阴刻篆文"刘贺"。结合墓中其他随葬品，确认M1墓主即刘贺。刘贺是西汉第一代海昏侯，身为汉武帝之孙，昌邑哀王刘髆之子，始元元年（前86年），刘贺年仅5岁，即承嗣王位，成为第二任昌邑王。元平元年（前74年），汉昭帝驾崩，权臣霍光将当时年仅19岁的昌邑王刘贺扶上帝位。但是，27日后，刘贺因"行淫乱"而被废黜，并遣归故国，废为庶人，昌邑国被除，降为山阳郡。元康三年（前63年），汉宣帝封刘贺为海昏侯。四月，刘贺前往豫章郡海昏县（江西南昌）就国。汉宣帝神爵三年（前59年），刘贺薨，年仅33岁。刘贺是西汉历史上在位时间最短的皇帝，历经汉武帝、汉昭帝、汉宣帝三朝，其人生充满传奇，史称"汉废帝"。

西汉"大刘记印"玉印及"刘贺"玉印，对于确认1号墓墓主身份至关重要。

西汉"大刘记印"玉印存于江西省文物考古研究院。

西汉"刘贺"玉印 西汉晚期文物。2016年1月17日出土于江西省南昌市海昏侯墓。2014年，江西省文物考古研究院完成海昏侯墓封土与墓室内填土发掘；2015年，对该墓椁室进行发掘并开始墓内遗物的提取与保护；2016年初，主棺椁清理接近尾声，室内遗物保护全面展开。2016年1月17日，西汉"刘贺"玉印出土于墓主遗骸腰部位置。

西汉"刘贺"玉印是以优质和田白玉雕琢，温润以泽，上有褐色、黑色沁斑，印体上部呈覆斗形，上鸱鸮纽，正方形扁体印台；鸱鸮纽圆雕，伏身顾首，瞠目钩喙，眉耳毕现，短尾疏翅，形象生动，雕刻精熟，为中国汉代考古所未见。印通高1.5厘米，印台边长2.1厘米。印面阴刻篆文"刘贺"，结字端庄，左右等分，布局匀称。

刘贺是西汉第一代海昏侯，身为汉武帝之孙，昌邑哀王刘髆之子，始元元年（前86年），刘贺年仅5岁，即承嗣王位，成为第二任昌邑王；元平元年（前74年），汉昭帝驾崩，权臣霍光将当时年仅19岁的昌邑王刘贺扶上帝位。但是，27日后，刘贺因"行淫乱"而被废黜，并遣归故国，废为庶人，昌邑国被除，降为山阳郡。元康三年（前63年），汉宣帝封刘贺为海昏侯；四月，刘贺前往豫章郡海昏县（江西南昌）就国。汉宣帝神爵三年（前59年），刘贺薨，年仅33岁。刘贺是西汉历史上在位时间最短的皇帝，历经汉武帝、汉昭帝、汉宣帝三朝，其人生充满传奇，史称"汉废帝"。

西汉"刘贺"玉印及同出"大刘记印"玉印对于确认海昏侯墓1号墓主身份至关重要。

西汉"刘贺"玉印存于江西省文物考古研究院。

西汉"淮阳王玺"玉印 西汉中晚期文物。原为清陈介祺旧藏，著录于陈氏《十钟山房印举》。1959年，经故宫博物院拨交，西汉"淮阳王玺"玉印入藏中国历史博物馆。

西汉"淮阳王玺"玉印由白玉琢成，水银沁，覆斗形纽，顶端两侧有一横向穿孔，以纳印绶，正方形印台。印通高1.6厘米，印台边长2.2厘米，重20克。印面阴刻篆文"淮阳王玺"，字体端正，线条流畅，布局规整。

淮阳国，作为西汉诸侯王国，几经废除。考《史记·汉兴以来诸侯王年表》与《汉书·诸侯王表》，先后有刘氏8人封淮阳王：汉高祖十一年（前196年），封高祖子友；吕后元年（前187年），封惠帝子强；吕后六年（前182年），封惠帝子武；前元四年（前176年），汉文帝子代王武徙封淮阳王；景帝元年（前156年），汉景帝子刘余，封淮阳王；元康三年（前63年）四月，汉宣帝子钦，封淮阳王；河平二年（前27年），刘钦子玄嗣爵；元寿二年（前1年），刘玄子演袭淮阳王，在位19年。王莽篡汉，被贬为公，次年被废。

西汉"淮阳王玺"玉印形制及印文，具备西汉中晚期特征，或为汉宣帝子刘钦一系淮阳王所用。有关汉代诸侯王玺印，东汉卫宏《汉旧仪》云："诸侯王印，黄金玺，骆驼纽，文曰玺。"又《后汉书·舆服志》徐广注曰：

"太子及诸侯王金印，龟纽，纁朱绶。"1981年2月24日，江苏邗江甘泉砖瓦厂工人陶秀华在厂轮窑附近偶然发现东汉"广陵王玺"金印，是东汉光武帝刘秀第九子刘荆，于永平元年（58年）徙封广陵王时被赐予的封印，其质地、纽式及印文与《后汉书·舆服志》徐广注相符，应是汉代诸侯王玺印之规制。由此推断，西汉"淮阳王玺"玉印当属私刻。

西汉"淮阳王玺"玉印藏于中国国家博物馆。

西汉"诸国侯印"金印　西汉末年文物。1977年10月，山东省即墨县王村公社小桥大队村民迟秀英在田间劳动时偶然发现。西汉"诸国侯印"金印出土地属汉代皋虞县故地（青岛市即墨区王村镇小桥村附近），为汉代墓葬区，曾出土西汉时期陶器。汉时诸具在今诸城西南15公里，诸城与即墨之间仅隔胶州，相距不远，故金印出土于即墨在情理之中。迟秀英发现金印，上交即墨县文物管理工作组。1984年3月，即墨县博物馆成立，西汉"诸国侯印"金印入藏。

西汉"诸国侯印"金印由黄金铸造，龟纽，正方形扁体印台。龟纽圆雕，龟首呈三角形，前探，背部高隆，上凿刻六边形甲纹，周缘刻鱼子纹，四足宽扁，做站立状，上凿刻鱼子纹，爪趾分明，龟尾内收。印通高2.1厘米，

龟身长2.3厘米，宽1.5厘米，印台边长2.5厘米，重96克。印面阴刻篆文"诸国侯印"。

"诸国侯"，即封于"诸"之列侯。《汉书·地理志》载，"琅邪郡"辖51县中，有"诸"，王莽时改称"诸并"，故址在今山东省诸城市西南15公里。又《汉书·武帝纪》记，汉武帝女"诸邑公主"，于"征和二年（前91年）闰月坐巫蛊死"；"诸邑公主"，即食邑于"诸"。由此可知"诸县"至迟于西汉武帝时期已置。印文"诸国侯"，典籍中不见，正可补史载之缺。据印文字体观察，西汉"诸国侯印"金印应铸造于西汉末年至东汉初年。传清嘉庆年间（1796～1820年），诸城出土一枚西汉"石洛侯印"金印，藏于中国国家博物馆，其质地、形制及尺寸均与西汉"诸国侯印"金印相仿。汉卫宏《汉官旧仪》记："丞相、列侯、将军金印，紫绲绶，中二千石、二千石银印青绲绶，皆龟纽。"西汉"诸国侯印"金印与"石洛侯印"金印，均为"列侯"之印，质地、形制与《汉官旧仪》所记相符，是当时"列侯"玺印之规制。1986年，西汉"诸国侯印"金印被国家文物鉴定委员会专家鉴定为国家一级文物。

西汉"诸国侯印"金印藏于青岛市即墨区博物馆。

新莽"中垒左执奸"青铜印　新莽时期文物。原为周叔弢（1891～1984年）旧藏；1981年，周氏将新莽"中垒左执奸"青铜印捐献予天津艺术博物馆。

新莽"中垒左执奸"青铜印是青铜铸造，龟纽，正方形扁体印台；龟纽圆雕，伸颈昂首站立，背甲高隆，錾刻甲纹清晰，铸造精细；印通高2.1厘米，印台边长2.3厘米。印面阴文

篆书"中垒左执奸"，笔画匀称，工整秀丽。

《汉书·百官公卿表》载："中尉，秦官，掌徼循京师，有两丞、侯、司马、千人。武帝太初元年更名执金吾，属官有中垒、寺互、武库、都船四令丞。都船、武库有三丞、中垒两尉。""中垒两尉"见于封泥有"中垒右尉"，故知"中垒"设左、右两尉。又《汉书·王莽传》记，天凤四年（17年），王莽"置执法左右刺奸。选用能吏侯霸等分督六尉、六队，如汉刺史，与三公士郡一人从事"。与印文"中垒左执奸"类似，又见印文"南执奸印""石泉右执奸""梴县左执奸""木禾右执奸印"及"录聚采执奸"；此类印文"执奸"或即典籍中所载王莽所置"刺奸"，印文"中垒左执奸"当是"中垒"所置"左执奸"职。据此，亦应置"中垒右执奸"职。此类"执奸"印文可补史载之缺，是研究新莽时期法制及官制的重要史料。

新莽"中垒左执奸"青铜印藏于天津博物馆。

新莽"步昌祭酒"青铜印　新莽时期文物。原为周叔弢（1891～1984年）旧藏；1981年，周氏将新莽"步昌祭酒"青铜印捐献予天津博物馆。

新莽"步昌祭酒"青铜印是青铜铸造，桥纽，正方形扁体印台。印通高2厘米，印台边

长2.2厘米。印面阴文篆书"步昌祭酒"，笔画匀称，布局工整。

步昌，县名。据《汉书·地理志》，"蜀郡"，汉初因秦置，所辖15县中"蚕陵"，王莽时改称"步昌"。古时宴飨须祭先，必以席中尊者一人担当祭者，此即"祭酒"。《史记·荀卿列传》载"齐襄王时，而荀卿最为老师。齐尚修列大夫之缺，而荀卿三为祭酒焉"，荀子在齐曾为祭酒。祭酒，后因为官名。《后汉书·百官志》载博士之长，本称仆射，东汉改为博士祭酒。刘昭注引汉胡广说，"官名祭酒，皆一位之元长者也"。印文"步昌祭酒"，即当时步昌县所置。又见新莽时期印文"新成左祭酒""新成右祭酒"。《汉书·地理志》载，汉中郡，王莽时改称新成。可知，印文"新成左祭酒""新成右祭酒"，是新成郡所置左、右祭酒。新莽时期"祭酒"印文，丰富了史籍中有关"祭酒"之缺。

新莽"步昌祭酒"青铜印藏于天津博物馆。

东汉"朔宁王太后玺"金印　东汉建武七年至建武十年（31～34年）文物。1954年出土于陕西省宁强县阳平关，后入藏重庆市博物馆。

东汉"朔宁王太后玺"金印由黄金铸造，龟纽，正方形扁体印台；龟纽圆雕，伸颈，昂首站立，圆目仰望，背甲上隆，起伏明显，上刻六边形甲纹，周缘錾鱼子纹，四足宽扁，上

刻鱼子纹，爪趾分明；印通高2厘米，印台边长2.4厘米，重101.662克。印面阴刻篆文3行6字"朔宁王太后玺"，文字结体方正严谨，布局匀整。

朔宁王，是东汉初年公孙述颁予隗嚣之封号。隗嚣，《后汉书》有传，字季孟，天水成纪人，"素有名，好经书"，新莽时，被国师刘歆引荐为士。歆死，隗嚣归乡里。更始元年（23年），其父隗崔、伯父隗义及上邽人杨广、冀人周宗等"三十一将，十有六姓"，聚集数千人，举兵应汉，攻杀王莽镇戎郡大尹，占据平襄，并推隗嚣为"上将军"。隗嚣遂以"承天顺民，辅汉而起"之名义占据一方，兴兵十万，击杀王莽雍州牧陈庆，降安定，先后攻夺陇西、武都、金城、张掖、武威、酒泉及敦煌等郡，威名四布。更始二年（24年），更始帝遣使征召隗嚣，封其为"右将军""御史大夫"。更始三年（25年），刘秀称帝，隗嚣劝更始帝归政刘秀；更始帝不允，隗嚣与其他诸将合谋，欲劫更始东归。事泄，隗嚣亡归天水，"复招聚其众，据故地，自称西州上将军"。建武二年（26年），邓禹西击赤眉，屯兵云阳，部下冯愔纠众反叛，西向天水，隗嚣率军迎击，败叛军于高平。邓禹遣使命隗嚣为"西州大将军"，并"得专制凉州、朔方事"。后隗嚣遣将军杨广迎击欲西上陇之赤

眉，建武三年（27年），又出兵协助征西大将军冯异败吕鲔，甚得光武帝嘉许。后光武帝令隗嚣发兵击蜀，隗嚣婉言相拒，开始显露"欲持两端，不愿意天下统一"之心，以便伺机觊觎天下。建武六年（30年），隗嚣派王元出据陇坻，"伐木塞道"，阻遏伐蜀汉军，并遣使称臣于公孙述，与其起事之初所谓"兴辅刘宗"背道而驰。建武七年（31年），公孙述封隗嚣为"朔宁王"。建武八年（32年）春始，光武帝派来歙、吴汉、岑彭等率军进击隗嚣，并劝降王遵、牛邯等"大将十三人，属县十六，众十余万，皆降"。隗嚣穷困陌路，于建武九年（33年）春，忧愤而死。其部将王元、周宗拥立隗嚣少子隗纯为王。建武十年（34年），汉来歙、耿弇、盖延等率军攻破落门，隗纯投降。"朔宁王"，作为东汉初年一方割据，共存两世，自公元31～34年，东汉"朔宁王太后玺"金印即此间朔宁王之母遗物。

东汉"朔宁王太后玺"金印铸造精细，是新莽至东汉初年的典型造型。在这一时期历史进程中，金印见证了汉政府统一天下的决心，至为珍贵。

东汉"朔宁王太后玺"金印藏于重庆中国三峡博物馆。

东汉"广陵王玺"金印 东汉永平元年（58年）文物。1981年2月24日，江苏省扬州市邗江县甘泉乡砖瓦厂工人陶秀华在厂轮窑附近偶然发现。该地距邗江甘泉2号汉墓约百米，堆放着2号墓的填土与乱砖，东汉"广陵王玺"金印当为2号墓遗物。1980年4月17日至5月7日，南京博物院曾对邗江甘泉2号汉墓进行清理。

东汉"广陵王玺"金印由纯黄金铸造，龟纽，方形印台；龟纽圆雕，背甲錾刻六角形龟背纹，周缘及四肢錾刻鱼子纹。印通高2.121厘米，印台高0.945厘米，印台边长2.372厘米，宽2.375厘米，重122.87克。印面阴刻篆文"广陵王玺"，笔画转折与末端皆作方笔，隶意明显，布局疏密有致，端庄凝重。整器制作精致，保存完好如新。

广陵王，即东汉光武帝刘秀第九子刘荆，据《后汉书·显宗孝明帝纪》与《后汉书·光武十王列传·广陵思王荆》，刘荆于"建武十五年（39年）封山阳公，十七年（41年）晋爵为王"。建武中元二年（57年），光武帝崩，汉明帝刘庄即位，刘荆数次阴谋策划叛乱，均被汉明帝察觉而未遂。汉明帝顾念其为母弟，未做深究，于永平元年（58年）"八月戊子，徙山阳王荆为广陵王，遣就国"。但刘荆徙封广陵王后，继续谋反，其事败露，终于永平十年（67年）"春二月，广陵王荆有罪，自杀，国除"。邗江甘泉2号汉墓所随葬青铜雁足灯底盘口沿铸"山阳邸铜燕足长镫建武廿八年造比十二"1行17字篆体铭文，由此可知墓主即广陵王刘荆。东汉"广陵王玺"金印于附近出土，进一步确证邗江甘泉2号汉墓墓主为刘荆无疑。东汉"广陵王玺"金印当是永平元年（58年）刘荆徙广陵王时被赐予的封印。关于东汉诸侯

王玺印之制，《后汉书·舆服志》徐广注曰："太子及诸侯王金印，龟纽，纁朱绶。"文中所云为东汉"广陵王玺"金印所证实。

东汉"广陵王玺"金印是已发现唯一汉诸侯王玺印，对于汉代诸侯王用印制度的研究具有重要学术意义，而且也印证了1784年春出土于日本九州福冈县东郊志贺岛的"汉委奴国王"蛇纽金印的真实性，破解了延续近200年关于该金印真伪的悬案。

东汉"广陵王玺"金印藏于南京博物院。

东汉"云中丞印"青铜印 东汉时期文物。1974年，发现于内蒙古自治区托克托县中滩乡哈拉板申村北汉代沙陵城遗址附近农田。该印出土后，保留在村民手中。1975年，托克托县档案馆将东汉"云中丞印"青铜印征集。1985年，托克托县文化馆成立文物调查队后，档案馆将东汉"云中丞印"青铜印移交托克托县文化馆。1992年，托克托县博物馆成立，托克托县文化馆将所收藏文物，包括东汉"云中丞印"青铜印，移交入藏托克托县博物馆。

东汉"云中丞印"青铜印是青铜铸造，龟纽，正方形扁体印台。龟纽圆雕，龟首上昂，双目圆瞪，中脊隆起，内侧龟甲纹对称布局，四足宽扁，爪趾分明，立于印台中心，将龟身托起，与印台间形成空隙，以纳印绶。印通高1.4厘米，印台高0.5厘米，边长2.4厘米，重28.8克。印面阴刻篆文"云中丞印"，字体端正。

云中，史载为战国时期赵武侯所建城池，约在公元前399～前387年。《史记·匈奴列传》记，公元前307年，赵武灵王"北破林胡、楼烦。筑长城，自代并阴山下，至高阙为塞。而置云中、雁门、代郡"，是为初置

云中郡。秦王政十三年（前234年），秦占领云中，仍置云中郡。秦始皇二十六年（前221年），分天下为三十六郡，云中郡为其一，辖云中、武泉二县。西汉政权建立后，《汉书·地理志》载，因秦所置云中郡，属并州，辖云中、咸阳、陶林、桢陵、犊和、沙陵、原阳、沙南、北舆、武泉与阳寿11县。东汉时期，云中郡所辖11城与西汉不同，如《后汉书·郡国志》所记：云中、咸阳、箕陵、沙陵、沙南、北舆、武泉、原阳、定襄、成乐与武进。战国至秦汉时期，云中郡辖地相当于今土默特右旗以东，大青山以南，卓资县以西，黄河南岸及长城以北，在中原与林胡、楼烦及匈奴等少数民族交融、冲突过程中，具有战略地位。云中县是云中郡治所在，经考古发掘证实，故城遗址在今托克托县古城乡古城村西侧，西南距托克托县城关镇约35公里。

东汉"云中丞印"青铜印是东汉时期云中县丞之印。

东汉"云中丞印"青铜印藏于内蒙古自治区托克托县博物馆。

东汉"汉归义賨邑侯"金印　东汉时期文物。据1935年所撰《云阳新县志》卷22载，清光绪十六年（1890年）前后出土于夔州府云阳县南境双河口夹沟坝。此地当云阳、万县、奉节交界接壤之地，农民锄地，掘出一个大铜洗，东汉"汉归义賨邑侯"金印即在洗内，并伴出万余枚汉五铢钱。县廪生刘家佑（字保卿）得知，以数斗米换得该印。中华人民共和国成立后，东汉"汉归义賨邑侯"金印入藏重庆市博物馆；后调拨入藏中国历史博物馆（中国国家博物馆）。

东汉"汉归义賨邑侯"金印由黄金铸造，羊纽，正方形扁体印台。羊纽圆雕，形象写意，凿刻粗犷。印通高2.5厘米，边长2.3厘米。印面阴刻篆文"汉归义賨邑侯"。

印文"归义"，是汉中央政府颁予其统辖的周边少数民族首领的一种封号，《后汉书·百官志》载："四夷国王、率众王、归义侯、邑君、邑长，皆有丞，比郡、县。"西汉宣帝时期，先零首领或封为"归义羌侯"，东汉建武十三年（37年），封白马羌为"归义君长"，均是其例。

賨人，旧称"板楯蛮夷"，是秦汉时期居住在巴郡境内的古老土著部族，宕渠（四川达州、巴中全境及广元、南充部分地区）是其活动中心。据《后汉书·南蛮西南夷列传》，秦昭襄王时，板楯蛮夷中有人射杀游走秦、巴、蜀、汉中之地、伤害千余人之白虎，秦昭襄王遂嘉许以减免租赋。刘邦为汉王，招募板楯蛮夷平定三秦。之后，所征发七姓不输租赋，其余板楯蛮夷每年交纳口赋四十。因巴人称赋税

为賨钱，賨人因此得名。印文"賨邑侯"，见于《三国志·魏志·武帝纪》建安二十年（215年）记，"九月，巴七姓夷王朴胡、賨邑侯杜濩举巴夷、賨民来附，于是分巴郡，以胡为巴东太守，濩为巴西太守，皆封列侯"。由此可知，賨邑侯是汉世之爵。

东汉"汉归义賨邑侯"金印是賨人与汉中央政权关系紧密的历史见证。

东汉"汉归义賨邑侯"金印藏于中国国家博物馆。

东汉"汉归义羌长"青铜印　东汉时期文物。1953年出土于新疆维吾尔自治区沙雅县于什格提古城。

东汉"汉归义羌长"青铜印是青铜铸造，羊纽，正方形扁体印台。羊纽圆雕，羊昂首，目视前方，屈肢跪卧。印通高3.5厘米，印台边长2.3厘米。印面阴刻篆文"汉归义羌长"，是当时汉中央政权颁赐羌族首领的封号。印文布局匀称典雅，应为东汉时期。

两汉时期，西域地区有羌族居住，且与汉中央政权关系密切。汉景帝时期，曾置"羌道县"；汉武帝元鼎六年（前111年），置"护羌校尉"。宣帝神爵二年（前60年），置"西域都护"，作为当时西域境内最高行政、军事长官，监护包括羌族在内的西域各族；东汉时期，先后置"西域都护""西域副校尉"及"西域长史"，管理有关事务。

据《汉书·匈奴传》，汉颁赐匈奴印绶，单于以下诸臣，所受汉室印绶，印文冠以"汉"字，王莽时印文则冠以"新"字。印文"汉归义羌长"及所见汉中央对其他部族所颁赐玺印印文，也冠以"汉"字，是当时规范。印文"归义"，是汉政府颁予其统辖的周边少数民族首领的一种封号，《后汉书·百官志》载："四夷国王、率众王、归义侯、邑君、邑长，皆有丞，比郡、县。"西汉宣帝时期，先零首领或封为"归义羌侯"，东汉建武十三年（37年），封白马羌为"归义君长"，均是其例。印文"羌长"，意为羌之首领，含义应如《汉书·西域传》所载"最凡国五十，自译长、城长、君、监、吏、大禄、百长、千长、都尉、且渠、当户、将、相至侯、王，皆佩汉印绶，凡三百七十六人"之"译长""城长""百长"及"千长"之类。

东汉"汉归义羌长"青铜印是汉中央政府颁赐西域地区羌族首领的官印，也是汉朝在西域地区行使主权的历史见证。

东汉"汉归义羌长"青铜印藏于中国国家博物馆。

东汉"汉匈奴归义亲汉长"青铜印　东汉晚期文物。1977年年底出土于青海省大通县后子河公社上孙家寨编号乙区M1匈奴墓。

东汉"汉匈奴归义亲汉长"青铜印是青铜铸造，驼纽，正方形扁体印台。驼纽圆雕，昂首，目视前方，屈肢跪卧。印通高2.9厘米，纽高2.1厘米，印台高0.8厘米，边长2.3厘米。印面阴刻篆文"汉匈奴归义亲汉长"，是当时东汉中央政府颁赐匈奴首领的封号。

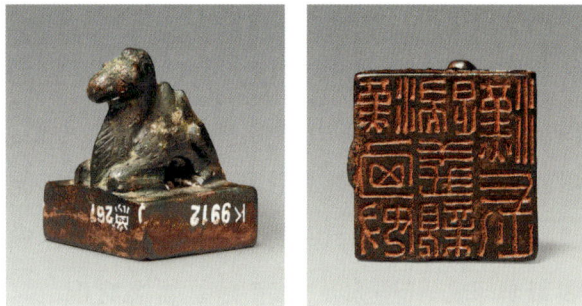

上孙家寨为湟中地区，西汉宣帝之后，该地为小月氏、羌人与汉人杂居。东汉时期，匈奴别部"卢水胡"来至湟中地区。由此可知，东汉"汉匈奴归义亲汉长"青铜印是东汉晚期汉中央政府颁赐当时居住在湟中地区的匈奴首领官印，印文"匈奴"，当即"卢水胡"。

据《汉书·宣帝纪》，汉颁赐匈奴印绶，始于汉宣帝甘露三年（前51年），时呼韩邪单于至长安，汉"赐以玺绶"；又据《汉书·匈奴传》，匈奴单于以下诸臣，亦皆受汉室印绶。印文冠以"汉"字，王莽时印文则冠以"新"字。东汉时期，沿袭由中央政府颁赐周边少数民族君长及其属官印绶的制度，直至东汉末年。印文中"归义"，是汉政府颁予其统辖的周边少数民族首领的一种封号。

东汉"汉匈奴归义亲汉长"青铜印藏于中国国家博物馆。

东汉"司禾府印"煤精石印　东汉时期文物。1959年，于新疆维吾尔自治区民丰县尼雅遗址征集。

东汉"司禾府印"煤精石印由煤精石琢成，桥纽，印台上部呈覆斗形，下部呈扁体正方形。印通高1.6厘米，印台边长2厘米。印面阴刻篆文"司禾府印"，文字隶意较浓，刀法爽利。

尼雅遗址地处新疆维吾尔自治区民丰县城

北约150千米沙漠中，参照以往出土木简、木牍及其他遗物，该处即汉代"精绝国"故地。《汉书·西域传》："精绝国，王治精绝城，去长安八千八百二十里"，"北至都护治所二千七百二十三里，南至戎庐国四日行，地隘陜，西通扜弥四百六十里"。汉宣帝神爵二年（前60年），西汉政府置西域都护府，总管西域事务，保护往来商旅。自此，汉中央政权正式在西域行使管辖。据《西域传》记载，汉政府于"精绝国"置"精绝都尉、左右将、译长各一人"。

印文"司禾府"，作为官署于史书中未见记载，其职司稼穑，应与汉政府于当地屯田有关。汉武帝时，曾于轮台、渠犁屯田；汉宣帝置西域都护府后，"徙屯田"，置"屯田校尉"。《汉书·地理志》敦煌郡所辖广至县下注云"宜禾都尉，治昆仑障"，该地亦是屯田之所。汉元帝时，于车师前王庭屯田。《后汉书·西域传》记，东汉明帝永平十六年（公元73年），"乃命将帅，北征匈奴，取伊吾庐地（新疆哈密境内）置'宜禾都尉'以屯田，遂通西域"。两汉屯田，均为巩固守卫之措施。印文"司禾府"，其职司当与上述"屯田校尉""宜禾都尉"相似，是当时汉政府在尼雅地区所置管理屯田事务的机构。从尼雅遗址历次出土文物观察，两汉魏晋时期，该地有着发

达的农业，也是对"司禾府印"的诠释。

东汉"司禾府印"煤精石印是汉政府在尼雅地区实行屯田的历史见证，可补史载之缺。"司禾府"与"精绝都尉、左右将、译长"等，共同维护着丝绸之路的畅通。

东汉"司禾府印"煤精石印藏于新疆维吾尔自治区博物馆。

东汉"赵谚子产印信"青铜印　东汉时期文物。原为周叔弢（1891～1984年）旧藏；1981年，周氏将东汉"赵谚子产印信"青铜印捐献予天津艺术博物馆。

东汉"赵谚子产印信"青铜印是青铜铸造，桥纽，正方形扁体印台。印通高1.7厘米，印台边长2.3厘米。印面从右至左纵向阴文篆书6行30字："赵谚子产印信。福禄进，日以前，乘浮云，上华山，饲玉英，饮醴泉，服名药，就神仙。"

"赵谚"是印主姓名，"子产"是其字；"福禄进，日以前，乘浮云，上华山，饲玉英，饮醴泉，服名药，就神仙"，是东汉时期盛行的吉祥韵语，内容为道教求仙之类，习见于当时铜镜铭中。如浙江慈溪出土一面东汉博局禽兽纹铜镜，周铭："上大山，见神人，饲玉英，饮醴泉，驾蜚龙，乘浮云，官□秩，保子孙，乐未央，贵富昌。"即此类。

东汉"赵谚子产印信"青铜印铸造精细，

印文30字，是所知中国先秦时期文辞最多的玺印，文字布局匀静典雅，至为珍贵。

东汉"赵谚子产印信"青铜印藏于天津博物馆。

东汉"关内侯印"金印　东汉时期文物。1956年出土于湖北省云梦县吴铺镇赵许村。村东北有一地名叫睡虎墩，村民在此挖取淹栏土时，发现东汉"关内侯印"金印，伴出一柄剑。两日后，队长周文明与村民周学富将金印送交县文化馆。

东汉"关内侯印"金印由黄金铸造，龟纽，正方形扁体印台。龟纽圆雕，伸颈，昂首站立，圆目仰望，背甲上隆，起伏明显，上刻六边形甲纹，周缘錾鱼子纹，四足宽扁，上刻鱼子纹，爪趾分明。印通高2.2厘米，印台边长2.4厘米，重114克。印面阴刻篆文"关内侯印"，文字结体方中见圆，布局匀整端庄。

"关内侯"，秦之爵名，在二十等级中位列之第十九级，仅次于彻侯。汉承秦制，西汉初年，鄂千秋即被封为关内侯。两汉时期，对于关内侯之封赐，前后有较大不同。汉初，关内侯无封土，有食邑，以所食户数，收取租税；而自西汉惠帝之后，多数关内侯已无食邑，仅少数"特令食邑"。东汉时期，晋崔豹《古今注》云"建武六年，初令关内侯食邑者，俸月二十五斛"，自建武六年（公元30年），关内

侯始食月俸。《后汉书·孝安帝纪年》载，东汉安帝永初三年（109年），"三公以国用不足，奏令吏人入钱谷，得为关内侯"。东汉后期，可以钱买爵关内侯。

东汉"关内侯印"金印铸造精细，是新莽至东汉初年的典型造型。1979年夏，河南省沁阳县板桥公社关刘庄大队盆窑生产队社员在田间锄地时，拾得一枚东汉"关内侯印"金印，印文字体与上举东汉"关内侯印"金印印文类似。

东汉"关内侯印"金印藏于湖北省博物馆。

东汉"琅邪相印章"银印 东汉时期文物。据民国20年（1931年）《增修胶志》记载，东汉"琅邪相印章"银印是清嘉庆年间（1796～1820年）于大珠山下由农民耕地偶得，后归潍县陈介祺（1813～1884年）。陆明君《簠斋研究》记，清道光二十八年（1848年）冬，陈介祺"至胶得见琅邪相印章龟纽银印。至诸城闻新出一银印售于潍，雪舫叔得之，即以见赐"。该印著录于陈介祺《十钟山房印举》卷二。民国时期，陈氏后人将该印质押于"德宝斋"（详见陈君善《万印楼藏印始末》）。中华人民共和国成立后，东汉"琅邪相印章"银印入藏故宫博物院。

东汉"琅邪相印章"银印是银质，龟纽，正方形扁体印台，龟纽与印台间置一圆环。龟纽圆雕，伸颈探首，背覆圆甲，上刻菱形双层

龟甲纹，周缘錾鱼子纹。印通高3.1厘米，印台高1.3厘米，边长2.5厘米。印面从右至左纵向阴刻篆文3行5字"琅邪相印章"，文字结体端正，浑厚饱满。

印文"琅邪"，东汉时期琅邪国。据《后汉书·光武十王列传》，建武十五年（39年），光武帝子刘京封琅邪公，十七年（41年）晋爵琅邪王，是为孝王；后递传夷王、恭王、贞王、安王；至顺王，在位8年，薨，国绝。建安十一年（206年），又立顺王子熙为王，在位11年，坐谋欲过江，被诛，国除。印文"琅邪相"，是当时琅邪国之相。两汉时期，诸侯国之"相"均为中央政府所置。《汉书·百官公卿表》载，汉初，诸侯王掌治其国，丞相统众官；景帝中五年（前145年），令诸侯王不得复治国，天子为其置吏，并改丞相曰相；成帝绥和元年（前8年），更令相治民，如郡太守，《后汉书·百官志》亦云，"皇子封王，其郡为国"，置相一人，如太守。据《汉书·百官公卿表》，太守秩二千石；《后汉书·舆服志》注引《东观书》亦云"郡太守、国傅、相，皆秩二千石"，是知诸侯国相"秩二千石"。对于"秩二千石"之印，《汉书·百官公卿表》载，"凡吏秩比二千石以上，皆银印青绶"，《汉旧仪》曰"二千石银印，皆龟纽"，《汉旧仪补遗》记"御史、二千石银印，龟纽，文曰章"，凡此记述与东汉"琅邪相印章"银印相符。

东汉"琅邪相印章"银印是仅存的汉诸侯国相印，有助于学术界全面考察汉代玺印制度。

东汉"琅邪相印章"银印藏于故宫博物院。

东汉"部曲将印"青铜印 东汉末年文

物。1952年，河南省开封市柴火市街周唐氏捐赠予开封市文教局；同年，文教局将东汉"部曲将印"青铜印转交入藏河南省博物馆。

东汉"部曲将印"青铜印是青铜铸造，桥纽，正方形扁体印台。印通高2.2厘米，印台边长2.3厘米。印面阴文篆书"部曲将印"。

"部曲"，汉代军队编制之名。《后汉书·百官志》记，将军"其领军皆有部曲。大将军营五部，部校尉一人，比二千石；军司马一人，比千石。部下有曲，曲有军侯一人，比六百石。曲下有屯，屯长一人，比二百石"。《汉书·李广传》"程不识故与广俱以边太守将屯，及出击胡，而广行无部曲行陈"，唐颜师古注曰："《续汉书·百官志》云，将军领军，皆有部曲。大将军营五部，部校尉一人，部下有曲，曲有军侯一人。今广尚于简易，故行道之中而不立部曲也。"上孙家汉简中亦记有"部曲"。此后，"部曲"一词，又引申为军队或士兵之义，如《后汉书·邓禹传》记："汉中王刘嘉诣禹降。嘉相李宝倨慢无礼，禹斩之。宝弟收宝部曲击禹，杀将军耿欣。"即此例。印文"将"，作为军官之称，据《后汉书》及《三国志》，始于东汉末年、三国时期出现，并逐渐普遍设置，以分别统领部曲。《后汉书·献帝纪》载，初平三年（192年）"董卓部曲将李傕、郭汜、樊稠、张济等反，

攻京师"，又《后汉书·董卓列传》云"安西将军杨定者，故桌部曲将也"，文中所记数人均为"部曲将"。"部曲将"职上又设"部曲督"，总领各"部曲将"。"部曲将""部曲督"之设置，一直延续至两晋时期。

世传及出土"部曲将印""部曲督印"数量较多，造型、尺寸均与东汉"部曲将印"青铜印相仿。桥纽，纽壁较厚，纽孔作半圆形，边棱分明。印台呈正方形扁体，边长2.3～2.4厘米，印文风格亦一致。

东汉"部曲将印"青铜印藏于河南博物院。

西晋"关中侯印"金印 西晋时期文物。1957年出土于湖南省长沙县陈家大山编号M20西晋墓。该墓是一座"凸"字形砖室墓，羡道有两个耳室，主室四壁略带弧形，墓中还出土四系壶、陶杯、陶碗、瓷壶、铜钱及石砚等文物。

西晋"关中侯印"金印由黄金铸造，龟纽，正方形扁体印台。龟纽圆雕，龟首上昂，口部微启，龟背上隆，两侧背甲阴刻对称菱形纹，四足宽扁，爪趾分明，立于印台中心，将龟身托起，与印台间形成空隙，造型简括，铸制粗犷。印通高1.9厘米，印台边长2.4厘米，重125克。印面阴刻篆文"关中侯印"。

《三国志·魏书·武帝纪》载，建安二十年（215年）冬十月，"始置名号侯至五大夫，与旧列侯、关内侯凡六等，以赏军功"，裴松之注引《魏书》曰："置名号侯爵十八级，关中侯爵十七级，皆金印紫绶；又置关内外侯十六级，铜印龟纽墨绶；五大夫十五级，铜印环纽，亦墨绶，皆不食租，与旧列关内侯凡六等。臣松之以为今虚封盖自此始。"由此可知，"关中侯"系东汉建安二十年（215

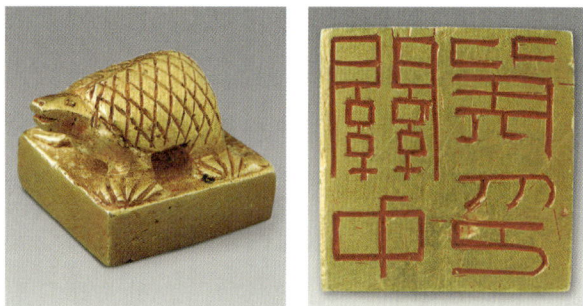

年）始置封爵，以赏军功，但不食租，是为虚封，如晋陆机、何遂、陈悝及毛安之等人，均曾获此封爵。文中所记关中侯"金印紫绶"，与西晋"关中侯印"金印相符。

1976年12月30日，河北邯郸南郊三堤村北约200米处出土一枚龟纽"关中侯"金印，印通高2.3厘米，印台边长2.45厘米，重125.2克；1985年1月13日，南京市栖霞区迈皋桥采石场出土一枚龟纽"关中侯"金印，印通高2.1厘米，印台边长2.4厘米，重118克；又河南博物院收藏一枚龟纽"关中侯"金印，印通高2.5厘米，印台边长2.5厘米，重125克；上述3枚龟纽"关中侯"金印与湖南省博物馆藏西晋"关中侯印"金印，时代相近，质地、造型亦均类同，是学术界了解汉末魏晋时期有关"关中侯"封爵制度的重要实物。

西晋"关中侯印"金印藏于湖南省博物馆。

东晋"孙寔"六面青铜印　东晋中晚期文物。1994年4月中旬出土于南京市南郊铁心桥镇一座东晋中晚期墓葬。

东晋"孙寔"六面青铜印是青铜铸造，印体呈"凸"字形，上部缩进部分正方体为印纽，下部正方体为印台。印通高3.2厘米，印纽高1.3厘米，边长1.2厘米，左右两侧有一圆形穿孔，孔径0.4厘米，印台高1.9厘米，边长1.9厘米。印纽顶部阴刻篆文"白记"，印台底部阴刻篆文"孙寔"，印台四面分别阴刻篆文"孙公远""孙寔白事""孙寔白笺""臣寔"；六面文字，除"臣寔"外，均阴刻边阑。印文"孙公远""孙寔"，字体线条纤细，字中竖笔引长下垂，收笔尖细，体势舒展开阔，与字体上部结合紧密形成强烈反差，此即六朝时期新出现的一种书体——悬针篆，上紧下松，疏密相间，别有意趣。

该类六面青铜印，所见传世及考古发掘仅10余枚：天津博物馆藏1枚女子所用"曹氏"六面青铜印、1枚"翟征"六面青铜印，浙江省义乌市博物馆藏1枚"朱赟"六面青铜印，江苏镇江出土1枚道教"南帝三郎"六面青铜印，南京地区出土6枚，安徽马鞍山地区亦有出土。存世考古发掘六面青铜印，均属于东晋时期，且印主，如"颜镇之""华瑛""谢沈"及"张迈"等，大多为当时士族。其中"颜""华"均是六朝世家大族，"谢沈"是为《晋书》立传之史学家。"张迈"六面青铜印系2015年3月24日至5月10日出土于南京铁心桥尹西村东晋中期家族墓。据《晋书·张光传》，张光，早年立有战功，升任梁州刺史；建兴元年（313年），张光在与叛军作战中激愤而死。其子张迈在张光死后不久即率兵出城为父报仇，也战死在沙场。印文"孙寔"，虽史书无考，但从其墓葬规模推断，也是当时豪族。

东晋"孙寔"六面青铜印及其他此类六面印，虽为私印，但一印有多种印文，适合不同用途，须具备一定身份地位的士族才会拥有。此类六面青铜印造型、尺寸及印文风格皆相仿，当时应已形成一定规范，是研究六朝时期玺印制度及书体流变的重要实物资料。

东晋"孙寔"六面青铜印藏于南京市博物馆。

三国魏"平东将军章"金印　三国时期文物。

三国魏"平东将军章"金印由黄金铸造，龟纽，正方形扁体印台；龟纽圆雕，龟首上昂，双目圆睁，龟背上隆，上刻龟甲纹，四足宽扁，爪趾分明，刀法粗犷；印通高2.3厘米，边长2.4厘米，重132.7克。印面阴刻篆文"平东将军章"。

"平东将军"，始见于东汉末年，《三国志·魏书·吕布传》宋裴松之注引《英雄记》云："初，天子在河东，有手笔版书召布来迎。布军无蓄积，不能自致，遣使上书。朝廷以布为平东将军，封平陶侯。"知吕布曾被授以"平东将军"。三国魏晋时期，平东将军为"四平将军"——"平东将军""平西将军""平南将军""平北将军"之一。

三国魏"平东将军章"金印，据其形制及印文特征，时代当属三国时期。

三国魏"平东将军章"金印藏于中国国家博物馆。

西魏"独孤信"多面体煤精石印　西魏大统十六年至北周孝闵帝元年（550～557年）文物。1981年出土于陕西省旬阳县城东南，后入藏旬阳县博物馆。后西魏"独孤信"多面体煤精石印经调拨入藏陕西历史博物馆。

西魏"独孤信"多面体煤精石印由煤精石琢成，是由16个正方形面与8个三角形面组成的多面体。印通高4.5厘米，宽4.35厘米，印面边长均2厘米，重75.7克。14个正方形面上阴刻楷书印文，凡47字，内容分为三类：行文用印，凡6面，即"大都督印""大司马印""柱国之印""刺史之印""密""令"；上书用印，凡4面，即"臣信上疏""臣信上章""臣信上表""臣信启事"；书信用印，凡4面，即"独孤信白书""信启事""信白笺""耶楷"。印文中"印"作"卬"，"刺"作"剌"，"疏"作"疎"，孤作"孤"，启作"启"，敕作"楷"，"密"作"密"，"令"作"全"等，均为南北朝时期所流行异体字。

印主"独孤信"，《周书》《北史》有传，生于北魏景明四年（503年），出自鲜卑，云中人，本名如愿。史载，独孤如愿"美容仪，善骑射"。北魏孝明帝正光末年，发生六镇之乱，独孤如愿与贺拔度等人斩杀卫可孤，"由是知名"。初为葛荣部下，葛氏失败后，投归尔朱荣。至长广王元晔即位之初，先后任荆州新野镇将、防城大都督，后升任武卫将军。西魏初年，独孤如愿平定东魏占据的三荆地区，拜为车骑大将军、仪同三司；后在与东魏交战中寡不敌众，率部逃至南梁。大统三年（537年）秋，独孤如愿返回长安，上书谢罪。西魏文帝命其为"骠骑大将军，加侍中、开府，其使持节、仪同三司、浮阳郡公悉如故"。大统六年（540年），东魏侯景进犯荆州，丞相宇文泰令独孤如愿与李弼出武关防守。侯景兵退之后，以独孤如愿为大史，慰抚三荆。随后，独孤如愿任陇右十州大都督、秦州刺史。独孤如愿治理秦州，"事无壅滞"，"数年之中，公私富实，流民愿附者数万家"，宇文泰"以其信著遐迩，故赐名为'信'"，自此，改名独孤信。大统十四年（548年），独孤信"进位柱国大将军"；大统十六年（550年），迁尚书令；六官建，拜大司马。557年，北周建立，独孤信"迁太保、大宗伯，进封卫国公，邑万户"；因与太傅赵贵等谋诛晋国公宇文护，于孝闵帝元年（557年）二月被免；三月间，"逼令自尽于家，时年五十五"。西魏"独孤信"多面体煤精石印以"信"为名，具备"柱国""大司马"等职，不见"太保、大宗伯、卫国公"之类。由此可知，全部印文使用时间应在西魏大统十六年至北周孝闵帝元年，即550～557年。

西魏"独孤信"多面体煤精石印集47字，

14种印文于一体，堪称中国古代印章之最，是学术界全面了解独孤信的可信史料。

西魏"独孤信"多面体煤精石印藏于陕西历史博物馆。

北周"天元皇太后玺"金印　北周大象元年（579年）文物。1993年8月5日，位于陕西省咸阳市渭城区底张乡陈马村北周武帝孝陵遭到盗掘，北周"天元皇太后玺"金印落入不法分子手中。渭城区公安局专案组经过缜密侦查，于1996年6月13日将金印查获。

北周"天元皇太后玺"金印由黄金铸造，卧式瑞兽纽，长方形扁体印台。印纽与印台系分铸镶嵌，工艺精美。印通高4.7厘米，印台边长4.55厘米，宽4.45厘米，重802.56克。印面阳线边阑，阑内阳文篆书"天元皇太后玺"，字体大小不一。

北周（557～581年）是中国历史上南北朝时期北朝之一，历孝闵帝、明帝、武帝、宣帝与静帝五世，于静帝大定元年（581年）二月为隋所替。"天元皇太后"，即北周武帝宇文邕皇后阿史那氏。据《北史》《周书》，阿史那氏系当时突厥木杆可汗俟斤之女。北周与突厥结盟，借以抗衡北齐，俟斤可汗初欲将其女许配周武帝，后又反悔。周武帝即位（560年）后，多次派人前去迎亲，但均无果。保定五年（565年）二月，周武帝又诏命陈公纯、宇文贵及杨荐等大臣率120人使团再次迎亲。期间，俟斤可汗迟迟不应，且又许齐婚。几经周折，直至天和三年（568年）三月，阿史那氏终随使者归周。阿史那氏"有姿貌，善容止"，深得周武帝礼敬。宣政元年（578年）六月，武帝驾崩，周宣帝即位，尊阿史那氏为

皇太后。大象元年（579年）二月，改尊号为"天元皇太后"；大象二年（580年）二月，又尊曰"天元上皇太后"。宣帝崩，周静帝尊阿史那氏为"太皇太后"。隋开皇二年（582年），阿史那氏离世，享年32岁，隋文帝杨坚诏有司备礼，将其合葬于周武帝孝陵。由此可知，北周"天元皇太后玺"金印，即阿史那氏于大象元年（579年）二月被尊为"天元皇太后"时所制之印。

北周"天元皇太后玺"金印纽式、印台尺寸及印面阳文，与此前汉晋时期玺印相比，均发生明显变化，昭示着自北朝开始玺印制度的转变，是研究秦汉印制向隋唐印制转变过程中珍贵的实物资料。

北周"天元皇太后玺"金印存于咸阳市渭城区文保中心。

隋开皇十六年"观阳县印"铜印 隋开皇十六年（596年）文物。原为周叔弢（1891～1984年）旧藏；1981年，周氏将隋开皇十六年"观阳县印"铜印捐赠予天津艺术博物馆。

隋开皇十六年"观阳县印"铜印是铜质，半圆形扁柱纽，左右有一穿孔，正方形扁体印台。印通高3.5厘米，印台边长5.3厘米。印台右侧、左侧凿刻楷书铭"开皇十六年十月五日造"。印面阳线边阑，阑内阳文篆书"观阳县

印"，字口较深。

观阳，古代县名。据《汉书·地理志》，西汉初置"胶东国"，下辖8县，中有观阳，以"在观水之阳"而得名，故址在山东省海阳市。后几经兴废。隋开皇十六年（596年）复置，为牟州治；大业初年，属东莱。唐代初年，观阳属登州，贞观年间废。由隋开皇十六年"观阳县印"铜印印台凿刻楷书铭"开皇十六年十月五日造"，可知该铜印系公元596年观阳县复置时所颁造。

隋开皇十六年"观阳县印"铜印是存世较少的隋代玺印，其采用一种新的铸印方法：先铸造如盒状印体，再将扁细铜条依印文笔画的长短、形态进行剪裁、弯曲，然后拼连成字，焊接在印面上。基于这种制作，印文线条大多顺势而为圆转弧形，整体印面呈现出回环婉转的风格。

隋开皇十六年"观阳县印"铜印藏于天津博物馆。

唐狮纽"契丹节度使印"鎏金铜印 唐代文物。1975年六七月，河北省隆化县章吉营乡韩吉营村15岁的中学生吕宝龙参加劳动时偶然发现。

唐狮纽"契丹节度使印"鎏金铜印是铜质鎏金，狮纽，方形扁体印台。印台背面作覆斗状，四坡面阴刻4只姿态各异的狮子，中部凸

起弧形二层台，上铸一蹲坐狮子，狮头微昂，发毛后披，双目远眺，口部微张露齿，胸部前突，尾下垂置于右后，造型生动，铸刻精致，鎏金大多脱落。印通高4.3厘米，狮纽高3厘米，印台边长6.5厘米，宽6厘米，重226克。印面阳线边阑，阑内2行6字阳文篆书"契丹节度使印"。印文为预制焊接，呈现出回环婉转的风格。

节度使，作为职官，始置于唐睿宗景云年间（710～711年），以戍守边疆、掌司军旅，五代、宋、辽、金皆曾沿用。"契丹节度使"，新、旧《唐书》不见记载，《契丹、奚列传》有言"常以范阳节度使为押奚、契丹两蕃使"。

唐鎏金狮纽"契丹节度使印"鎏金铜印，学者或以为唐官印，或认为其年代应为唐末五代时期；更有学者推断该印系辽太祖受位五年，即公元910年所颁发之辽官印。凡此均涉及中国古代民族关系史及玺印制度，尚需学术界深入探讨，以补史载之缺。

1991年8月31日至9月6日，唐狮纽"契丹节度使印"鎏金铜印经河北省文物鉴定小组鉴定为国家一级文物；1993年7月28日，又经国家文物专家鉴定小组复核鉴定为国家一级文物。

唐狮纽"契丹节度使印"鎏金铜印藏于隆化民族博物馆。

五代"元从都押衙记"铜印 五代文物。出土于河南开封，原为周肇祥（养庵）（1880～1954年）旧藏；1956年，由天津市文化局拨交入藏天津市历史博物馆。

五代"元从都押衙记"铜印是铜质，片状纽，顶作半圆形，上有穿孔，长方形片状印台。印通高2.30厘米，印台长6厘米，宽4.80厘米，重76.70克。印面阳线边阑，阑内铸2行阳文楷书"元从都押衙记"。

《新唐书·兵志》载："初，高祖以义兵起太原，已定天下，悉罢遣归，其愿留宿卫者三万人。高祖以渭北白渠旁民弃腴田分给之，号元从禁军。后老不任事，以其子弟代，谓之父子军。"此"元从禁军"，"于龙首监置营以处"，宿卫宫禁，又因其护守于玄武门即北门一带，又名"北门屯兵"。印文"元从都押衙记"之"元从"，即源于"元从禁军"。都押衙，作为职官，原为唐代押牙旗武职；安史之乱后，藩镇割据，皆擅设衙官，于是"衙将""衙官"及"都押衙"之类官名日渐繁杂；五代时期，节度使或自辟牙职，有称左、右都押衙或都押衙者；北宋初年，州郡胥府中也多有左、右押衙、都押衙等。"元从都押衙"，作为军帅亲重之职官，多见于五代史书，五代"元从都押衙记"铜印，可与有关记载互记。

五代时期官印传世极少，五代"元从都押衙记"铜印是遗存唯——枚楷书印文的五代时期官印，对于研究当时的军政制度及玺印流变均有极高的史料价值。

五代"元从都押衙记"铜印藏于天津博物馆。

辽契丹大字铜印 辽代文物。1975年出土于内蒙古自治区敖汉旗萨力巴乡（原乌兰公社）七道湾子村。

辽契丹大字铜印是铜质，扁体方形纽，长方形扁体印台。印通高3.7厘米，印纽高2.4厘米，印台边长5.8厘米，宽5.55厘米，重300克。印纽顶端一侧阴刻"上"字；印面阳线边阑，阑内"叠篆"阳文契丹大字，目前尚未译识，布局均匀，字迹工整，字口较深。

契丹大字是辽太祖神册五年（920年），耶律阿保机令耶律突吕不与耶律鲁不古参照汉字创制的一种文字。不久，又创制另一种契丹文字，即契丹小字。契丹大、小字创制后，与汉字在辽境内使用。辽亡后，契丹文字仍然被女真人使用，甚至在女真文创制后，也一直被沿用至金代中叶。已发现的契丹文铜印，有些已被译出。《辽史·仪卫志二符印》载"南北王以下内外百司印，并铜铸"。由此可知，辽契丹大字铜印是当时南北王以下内外百司之印。

辽契丹大字铜印保存完整，契丹字迹清晰，是了解辽代印章、契丹文字的重要史料。

辽契丹大字铜印藏于内蒙古史前文化博物馆。

西夏大庆元年西夏文"静州粮官专印"铜印 西夏大庆元年（1036年）文物。1956年，由天津市文化局拨交，入藏天津市历史博物馆。

西夏大庆元年西夏文"静州粮官专印"铜印是铜质，矩形板纽，抹角长方形扁体印台。印通高3.1厘米，印台边长6.5厘米，宽6.2厘米。印纽顶部凿刻一西夏文"上"字；印台上面围绕印纽凿刻西夏文铭一周："大庆元年，正神、速行利、力娘冷领齐。"印面双层阳线边阑，阑内阴文西夏文篆书"静州粮官专印"。

静州，唐代地名，在今宁夏永宁境内。据《宋史·夏国列传》，唐代末年，静州曾为拓跋思恭所镇；北宋真宗咸平四年（1001年），静州归西夏。西夏文"静州粮官专印"铜印印台上面凿刻西夏文铭"大庆元年"，西夏景宗元昊年号之一，即1036年，此时，静州已属西夏；铭中"力娘冷领齐"，为印文"粮官"之姓名。

西夏文是党项族参照汉字创制的文字，西夏文官印印文也仿效汉字篆体。

西夏大庆元年西夏文"静州粮官专印"铜印是西夏高官所用，纪年明确，保存完好；而且是遗存西夏高官铜印中唯——枚印台凿刻铭

文的，至为珍贵。

西夏大庆元年西夏文"静州粮官专印"铜印藏于天津博物馆。

金大定十八年"和拙海栾谋克之印"铜印　金大定十八年（1178年）文物。天津博物馆征集。

金大定十八年"和拙海栾谋克之印"铜印是铜质，矩形直纽，正方形扁体印台。印通高6厘米，印台边长6.1厘米。印纽顶铸一"上"字，以示方向；印台上面右侧凿刻楷书铭"大定十八年八月"，左侧凿刻楷书铭"礼部造"；印台上侧面凿刻楷书铭"和拙海栾谋克印"；印台左侧面、下侧面凿刻女真文铭1行12字；印面阳线边阑，阑内为"叠篆"阳文"和拙海栾谋克之印"。

"猛安""谋克"，是金女真族的重要社会行政组织，日常射猎、耕作，战时出征。《金史·太祖本纪》载，太祖二年"初命诸路以三百户为谋克，十谋克为猛安"，后日渐成熟，在金代119年历史中始终扮演重要角色。金大定十八年"和拙海栾谋克之印"铜印印台下侧面所刻女真文铭读为"牙回和罗哈苔皿于和卓温孩罗湾谋克"，其中第4字"皿于"，意为"猛安"，前"牙回和罗哈苔"系"猛安之名"；"和卓温"，即印文"和拙"，"孩罗湾"，即印文"海栾"，为"谋克"之名；由此可知，"和拙海栾谋克"隶属于"回和罗哈苔猛安"。《金史·完颜琼传》记："明昌元年，授婆速路获火罗合打世袭猛安。"即铜印侧刻铭"回和罗哈苔猛安"。又《金史·仆散浑坦传》载，浑坦乃"济州和术海鸾猛安涉里斡没谋克人"，"和术海鸾"一词，清《金

史国语解》释为满文"和卓海栾"，即印文之"和拙海栾"。"和拙"有"美丽"之意，"海栾"意为"榆树"，"和拙海栾"意即"美丽的榆树"，是印文"谋克"之住地。海兰河，又名海兰江，系满语音转，史载还有曷懒水、合兰河、骇浪河等别名，意为榆树之河，是图们江支流嘎呀河支流布尔哈通河的最大支流，即印文"和拙海栾"。

中华人民共和国成立后，有关金代"猛安""谋克"官印在北方各省，如河北、山东、内蒙古及东北三省等地均有出土，尤以东北三省较为集中，据学者初步统计，有60余方。此类官印材质、造型、尺寸及印文相似，区别于其他类官印，印文含有"猛安""谋克"部冠称，是该"猛安""谋克"统帅之称，也是部族名称，标示该"猛安""谋克"部籍贯、居住地，具有重要史料价值。金大定十八年"和拙海栾谋克之印"铜印为此类官印之代表。

金大定十八年"和拙海栾谋克之印"铜印刻凿女真文铭，存世极少，极为珍贵。金中叶以降，女真人多已不通晓其母语、文字，为此，金世宗、金章宗多次申令，掀起所谓的恢复"故俗"，如金大定十八年"和拙海栾谋克之印"铜印之类，或是这种历史背景下的产物。

金大定十八年"和拙海栾谋克之印"铜印

藏于天津博物馆。

金"泾州之印"铜印 金章宗承安三年（1198年）文物。1976年，征集于甘肃省泾川县城关公社完颜洼大队庙张生产队。

金"泾州之印"铜印是铜质，长方形柱状纽，方形扁体印台；印通高5.3厘米，印台边长7.15厘米，宽2.1厘米，重1065克。印面阳线边阑，阑内"叠篆"阳文"泾州之印"；印台侧面阴刻楷书铭"泾州之印"；印台上面印纽左右两侧分别阴刻楷书铭"礼部造""承安三年十一月"。

"承安三年"，即金章宗承安三年（1198年），可知金"泾州之印"铜印乃"礼部造"金代官印。泾州，金代属庆原路。金世宗大定七年（1167年），改保定县为泾川县，意为泾水之川；元光二年（1223年），迁州治于长武（甘肃泾川泾明长武城），不久又迁回泾川。泾州辖领泾川、长武、良原与灵台4县。

金"泾州之印"铜印是国家一级文物，是有关泾州建置的唯一遗存实物史料。

金"泾州之印"铜印藏于泾川县博物馆。

元"统领释教大元国师之印"玉印 元代文物，上限为至元八年（1271年）十一月。

元"统领释教大元国师之印"玉印由青玉琢成，交龙纽，长方形扁体印台。交龙纽圆雕，两龙首尾互错，身躯相缠，伏卧于印台之

上，刀法粗犷，刻画传神。印通高11.4厘米，印台边长12.4厘米，宽12.1厘米。印面宽阳线边阑，阑内镌阳文八思巴文4行8字"统领释教大元国师之印"。

"大元"，系至元八年（1271年）十一月，忽必烈始定之国号，是元"统领释教大元国师之印"玉印封授之年代上限。"释教"即佛教，在元代，具有统领全国佛教权威的大元国师大多来自萨迦派宗教领袖。

南宋淳祐四年（1244年），蒙古王子阔端率军驻扎凉州（甘肃武威），派人召请在西藏地区极具威望的萨迦斑智达贡嘎坚赞来凉州，商谈西藏归顺事宜。淳祐六年（1246年）八月，萨班带着八思巴与恰那多吉两个侄子长途跋涉抵达凉州。商谈归顺事宜后，萨班即致书乌斯藏等各地政教首领，奠定了西藏地区直辖中央政府的基础。统一西藏后，元朝实行一系

列政策、措施，大力扶持对统一西藏有功的萨迦派，在西藏建立以萨迦昆氏家族为核心的萨迦地方政权，并册封大量萨迦派宗教人物为国师、大元帝师及帝师等。幼年曾跟随叔父同赴凉州会晤阔端的八思巴，成人后备受元世祖忽必烈信赖、喜爱，先后于南宋景定元年（1260年）、元至元七年（1270年）被封为国师、元朝第一任帝师。元至元五年（1268年），八思巴完成蒙古新字即"八思巴文"的创制，至元六年（1269年）献于忽必烈。忽必烈将八思巴文"诏颁行于天下"，作为元代官印主要印文字体。

2013年8月19日，元"统领释教大元国师之印"玉印被国家文物局列入"第三批禁止出境展览文物目录"。

元"统领释教大元国师之印"玉印藏于西藏博物馆。

元至正十七年八思巴文"淮海等处义兵千户印"铜印　元至正十七年（1357年）文物。原为周叔弢（1891～1984年）旧藏；1981年，周氏将元至正十七年八思巴文"淮海等处义兵千户印"铜印捐赠予天津艺术博物馆。

元至正十七年八思巴文"淮海等处义兵千户印"铜印是铜质，梯形柄纽，长方形扁体印台。印通高7.6厘米，印台边长6.7厘米，宽6.8厘米。印台上面右侧凿刻铭"淮海等处义兵千户印"，左侧凿刻"中书礼部造至正十七年"等字铭；印面宽阳线边阑，阑内阳文八思巴文篆书。

八思巴文，是由元国师八思巴于忽必烈时期创制的蒙古新字。至元五年（1268年）完成，至元六年献于忽必烈，遂"诏颁行于天下"，作为元代官印主要印文字体。千户，作为官职，源于金女真族的重要社会行政组织——"猛安""谋克"。《金史·太祖本纪》载，太祖二年"初命诸路以三百户为谋克，十谋克为猛安"，日常射猎、耕作，战时出征，后日渐成熟，在金代119年历史中始终扮演重要角色。"猛安者，千夫长也，谋克者，百夫长也"，金海陵王正隆五年（1160年），又"以百户为谋克，千户为猛安"。由此可知，千户即"猛安"，其官阶"从四品，掌修理军务，训练武艺，劝课农桑，余同防御"。1976年秋季，黑龙江省阿城县阿什河公社白城二队一社员在金代上京会宁府遗址发现一面银牌，上錾刻一行汉字铭文"上京鞋火千户"，是金"千户"之实证。南宋嘉泰三年（1203年），成吉思汗攻打乃蛮时，曾对麾下军队进行整顿，委任千户之官、百户之官与十户之官。随着不断扩张，军队中出现汉军，成吉思汗曾对一些汉军将领授予"万户""千户"之衔，而千户制亦成为大蒙古时期的基本社会、军事组织。元代末年，农民起义爆发，元廷"令郡县团结义民以自守"，一些士大夫纷纷组织"义兵""义旅""乡兵"及"乡勇"之类不同名目的地方武装以求自保。元至正十七年八思巴文"淮海等处义兵千户印"铜印左侧凿刻"中书礼部造至正十七年"等字

铭,据此可知该印颁于1357年,正值元末农民起义风起云涌之时,印文"淮海等处义兵"即这一历史背景下的产物。

元至正十七年八思巴文"淮海等处义兵千户印"铜印藏于天津博物馆。

明"大明天子之宝"白石印 明代文物。清宫旧藏。

明"大明天子之宝"白石印是石质,印体上部高浮雕海水蛟龙,翻腾盘绕,生动传神。正方形扁体印台。印通高4.2厘米,印台边长4.8厘米。印面阳线边阑,阑内镌刻阳文篆书"大明天子之宝",文字结体圆转,雍容典雅。

明代帝王宝玺之制作,据《明太祖实录》《明史·舆服志四》及《明世宗实录》等载,始于洪武二年(1369年);之后,又于洪武二十一年(1388年)前后、嘉靖十八年(1539年)陆续补造,遂形成二十四宝:"皇帝奉天之宝""皇帝之宝""皇帝行宝""皇帝信宝""天子之宝""天子行宝""天子信宝""皇帝尊亲之宝""皇帝亲亲之宝""制诰之宝""敕命之宝""广运之宝""敬天勤民之宝""御前之宝""表章经史之宝""钦文之玺""丹符出验四方""奉天承运大明天子宝""大明受命之宝""巡狩天下之宝""垂训之宝""命德之宝""讨罪安民之宝"与"敕政万民之宝",遂为定制。具体不

同玺印之用途,与宋辽时期十四玺相比,内容更加丰富。惜明代二十四宝已荡然无存!此外,还有如"大明成化之宝""成化皇帝之宝"及"成化之宝"之类突出年号的宝玺,虽然不作为明代诸帝传世宝玺,但仍然具备皇帝宝玺的性质、作用。

在明代,仅有皇帝、皇后所用玺印方可称"宝",且使用龙纽。明"大明天子之宝"白石印印体上部浮雕海水蛟龙及印文"宝"字,足以昭示其至尊之用,虽不在二十四玺之中,但亦是明代帝王宝玺的重要遗存。

明"大明天子之宝"白石印藏于故宫博物院。

明洪武二年"怀仁县印"铜印 明洪武二年(1369年)文物。原为周叔弢(1891～1984年)旧藏;1981年,周氏将明洪武二年"怀仁县印"铜印捐赠予天津博物馆。

明洪武二年"怀仁县印"铜印是铜质,梯形柄纽,正方形扁体印台。印通高7.8厘米,印台边长6.7厘米。印台上面印纽左侧凿刻楷书铭"尚书礼部造 洪武三年二月 日",右侧凿刻楷书铭"怀仁县印",印台左侧面凿刻楷书铭"吕字七十七号";印面宽阳线边阑,阑内铸"九叠篆"阳文"怀仁县印"。印台左侧面凿刻楷书铭"吕字七十七号"是明代官印以"千字文"所排列序号,以"吕"排序官印始

于明代。

怀仁县，明、清两代行政建置，隶属大同府，在山西省北部、桑干河上游，地处大同盆地中部、山西雁门关外，地势险要，是为战略要地。明代由安东中屯卫后所守护。

明洪武二年"怀仁县印"铜印藏于天津博物馆。

明文彭刻"七十二峰深处"牙章　明代中晚期文物。相传于抗日战争时期出土，原为杭州高络园（1886～1976年）旧藏，著录于《丁丑劫余印存》；后归华笃安（1900～1970年）。1983年9月，华笃安夫人毛明芬女士遵先夫遗愿将所藏1500余方明清流派印章无偿捐予上海博物馆，明文彭刻"七十二峰深处"牙章即在其中。

明文彭刻"七十二峰深处"牙章是象牙材质，方柱体，正方形印面。印高4厘米，印面边长3.10厘米。印面残裂严重，边缘及笔画均有缺损，阳文篆书"七十二峰深处"，布白匀称，线条坚挺圆润；印体左侧可见"文彭"两字行书款，笔画有残。据此可知，该印系文彭所刻。20世纪60年代，方去疾曾在一手卷上见过该牙章完整无损印蜕。

文彭（1498～1573年），字寿承，号三桥，别号渔阳子、三桥居士、国子先生，长洲（今江苏苏州）人，文徵明之长子，官国子监博士；善写墨竹，亦工山水，所作类其父，花果亦佳；精书法，少承家学，初学钟繇、王羲之，后效怀素，自成一家，晚年倾力于孙过庭；曾书《古诗十九首》卷，并有嘉靖三十年（1551年）《题仇十洲摹本清明上河图记》。文彭尤精于篆刻，师法汉与宋元古印，风格端庄古雅，与何震并称"文何"。初多作牙章，亲手落墨，请南京李石英镌刻；后得灯光石，遂多刻石章，极大地推动了当时文人自制印章之风气，为后世所宗，尊为流派印章之鼻祖，并形成以其为首旧称"三桥派"的印人群体。文彭祖籍衡山，其父文徵明号"衡山居士"亦缘于此。印文"七十二峰深处"，即衡山七十二峰，可见对故乡之思念。

文彭所作篆刻，传世寥寥，明文彭刻"七十二峰深处"牙章有宋元朱文印章遗风，更显珍贵。

明文彭刻"七十二峰深处"牙章藏于上海博物馆。

明崇祯十六年"荡寇将军印"银印　明崇祯十六年（1643年）十月文物。1964年1月12日，南京市政部门疏理东排水系统发现。

明崇祯十六年"荡寇将军印"银印是银质，虎纽，正方形扁体印台，上起二层台为虎座；圆雕虎纽，虎首上昂，双目圆睁，两耳后抿，四肢屈卧做匍匐状，虎尾上卷紧贴中脊，通体阴刻斑条及毛纹。印通高7.5厘米，印台高2厘米，边长10.4厘米，虎座边长7.2厘米，高0.7厘米，重3200克。印台上虎纽左侧阴刻楷书铭"礼部造崇祯拾陆年拾月日"2行11字；右侧阴刻楷书铭"荡寇将军印"1行5字；印台左侧面阴刻楷书铭"崇字捌百柒拾号"1行7字；印面0.9厘米宽阳线边阑，阑内刻"柳叶篆"阳文"荡寇将军印"2行5字。

关于明"将军"印信之制，《明史·舆服志》云："武臣受重寄者，征西、镇朔、平蛮诸将军，银印，虎钮，方三寸三分，厚九分，柳叶篆文。"明崇祯十六年"荡寇将军印"银印材质、印纽、尺寸及印文，与所记相符。银印印台上虎纽左侧阴刻楷书铭"礼部造崇祯拾陆年拾月日"，标识该印铸造于明崇祯十六年（1643年）十月，正值明军与李自成、张献忠农民军鏖战之时。考《明史·庄烈皇帝本纪》《孙传庭列传》及《流寇列传》，崇祯十六年（1643年）八月十日，孙传庭率军出潼关；九月二十三日甲寅，与李自成军战于南阳，"兵溃于襄城，以余众四万人入潼关"。十月辛酉朔，三日癸亥"李自成间道出潼关后夹攻，官军大溃，总兵孙传庭死之"；部将白广恩逃至固原，不久即投降李自成。此时明中央朝廷不知战况，竟于八日戊辰"诏加白广恩荡寇将军，庚午削孙传庭尚书以为事官，充秦督扼守潼关，未知其败没也"。由此可知，明崇祯十六年"荡寇将军印"银印即颁予白广恩之印。分析当时状况，该印并未送至白广恩处。

明崇祯十六年"荡寇将军印"银印藏于南京博物院。

明崇祯十六年"永昌大元帅印"金印　明崇祯十六年（1643年）文物。2013年，四川彭山江口沉银遗址发生严重盗挖案件；郑红枫团伙于2013年清明节盗挖明崇祯十六年"永昌大元帅印"金印，并于5月以近800万元价格倒卖。2016年8月，经过四川眉山市、彭山区两级公安机关两年多的缜密侦查与连续奋战，公安部督办的"2014.5.1"特大盗掘倒卖文物案成功告破，追回文物千余件，明崇祯十六年"永昌大元帅印"金印即在其中。

明崇祯十六年"永昌大元帅印"金印由黄金铸造，虎纽，正方形扁体印台。虎纽圆雕，双目圆睁，虎口大张，虎身前倾，四肢微屈，虎尾向上卷起，似欲扑击之状，通体阴刻线纹毛发及斑纹。虎纽与印台系分别铸造，然后嵌合。印通高8.6厘米，印台高1.6厘米，印台边长10.39厘米，重3.195千克。印台上面虎纽左、右两侧分别阴刻楷书铭"癸未年仲冬吉日造"与"永昌大元帅印"；印面宽阳线边阑，阑内铸纵向3行6字"九叠篆"阳文"永昌大元帅印"。

"癸未年仲冬"，即明崇祯十六年（1643年）农历十一月，是该印铸造时间。《明史·舆服志》记："武臣受重寄者，征西、镇朔、平蛮诸将军，银印，虎纽，方三寸三分，厚九分，柳叶篆文。"明崇祯十六年（1643年）"荡寇将军印"银印，虎纽，正方形扁体印台，边长10.4厘米，印文"柳叶篆"；南明永历二年（1648年）"规秦将军之印"铜印，虎纽，正方形扁体印台，边长10厘米，印文"柳叶篆"；南明永历六年（1652年）"平东将军印"铜印，虎纽，正方形扁体印台，边长10.09厘米，印文"柳叶篆"。凡此明及南明将军印印纽形制、规格尺寸及印文均与上引《明史·舆服志》相符。明崇祯十六年"永昌大元帅印"金印，其虎纽及规格尺寸，与明及南明时期诸印相合；但是其印台阴刻楷书铭程序与明及南明时期诸印相异。明代洪武之后，史载不见"元帅"之称；而明代末年多位农民军领袖自封，或者被封为元帅。如崇祯十六年（1643年）正月，李自成攻下承天，被推举为"奉天倡义文武大元帅"。据《明史·舆服志》，金印仅用于皇室，百官用印，一、二品官员使用银印，其他百官使用铜印，传世及出土有关印章证实此类记述为实。

明崇祯十六年"永昌大元帅印"金印应为明末农民军首领所制之印。关于印主,目前学术界主要存在两种意见。明崇祯十七年(1644年)正月庚寅朔,李自成在西安称帝,国号大顺,改元永昌;部分学者认为明崇祯十六年"永昌大元帅印"金印印主即李自成。另一部分学者认为,李自成于崇祯十七年(1644年)改元永昌,与该印铸造年代——明崇祯十六年(1643年)农历十一月不符;而且李自成于明崇祯十六年(1643年)正月自立,三月称新顺王,年底自封大元帅可能性极小。金印系江口出水,确证曾为张献忠所有。明崇祯十六年(1643年)五月,张献忠攻占武昌,自称大西王,建立大西政权;后向南进军,陆续控制湖南全部及湖北南部,广东、广西北部广大地区。该印为张献忠于明崇祯十六年(1643年)在湖广区域征战期间制作。张献忠自封为永昌大元帅,符合当时形势,也借以表达其对大西政权"永昌"的期待。上述关于明崇祯十六年"永昌大元帅印"金印印主学术讨论,两种意见的推理过程中均存在许多缺漏,其中疑惑尚需学术界深入研究。

明崇祯十六年"永昌大元帅印"金印存于四川省文物考古研究院。

南明"平东将军之印"铜印　南明永历六年(1652年)文物。1979年5月出土于广西壮族自治区玉林县蒲塘公社新忠大队金鸡坪。

南明"平东将军之印"铜印是铜质,虎纽,正方形扁体三阶印台。圆雕虎纽,虎作站立状,双目圆睁,虎尾上卷紧贴中脊呈波浪形。印通高7.2厘米,虎纽高6厘米,长8厘米,印台高1.2厘米,边长10.09厘米,重1.5千克。印台上面虎纽左侧阴刻楷书铭"平东将军印"1行5字;右侧阴刻楷书铭"永历六年礼部造"1行7字;前侧阴刻楷书铭"永字四千三百第九号"1行9字;印面阳线边阑,阑内"柳叶篆"阳文"平东将军之印"3行6字。

永历,南明朱由榔(1623～1662年)年号。南明朱聿键隆武二年(1646年)十一月十八日,明神宗之孙桂王朱由榔在两广主要官吏丁魁楚、瞿式耜拥戴下,于广东肇庆即帝位,次年(1647年)改元永历,永历六年即1652年。永历十六年四月十五日(1662年6月1日),朱由榔被吴三桂绞杀于昆明。自郑成功于永历十六年(1662年)收复台湾,至郑克塽于永历三十七年(1683年)十二月降清,台湾一直使用"永历"年号。印台上面右侧阴刻楷书铭"永历六年礼部造"1行7字,为铸印时间。永历六年(1652年)二月,永历政权移跸于贵州安龙,时廷臣扈从文武仅50余人。

关于明代"将军"印信之制,《明史·舆服志》云:"武臣受重寄者,征西、镇朔、平蛮诸将军,银印,虎纽,方三寸三分,厚九分,柳叶篆文。"南明"平东将军之印"铜印,其印纽、印台边长及印文,与所记相符。其他世传及出土南明时期印信规制,也多与《明史·舆服志》相合。1979年4月,贵州省道真县顺河公社青坪大队尖峰生产队出土1方南明永历二年"规秦将军之印"铜印,印台上面右侧阴刻楷书铭"永历二年十一月奉圣旨礼部造以铜代银"。由此可知,南明时期此类"将军"铜印,乃"以铜代银",源于当时财政状况。

孙可望,是明末张献忠农民军主要将领,

受封为平东将军。大顺三年（1646年）十一月二十七日张献忠死后，孙可望部于永历元年（1647年）三月自贵州进入云南，并于永历三年（1649年）四月向永历政权乞封，后成为权臣。有学者认为南明"平东将军之印"铜印印主即孙可望。南明永历政权长期颠沛流离于两广及云贵等地，并多次驻留广西南宁，广西地区多有南明"永历"时期官印出土。

南明"平东将军之印"铜印存于广西壮族自治区玉林市文化新闻出版广电局。

清"笃恭殿宝"玉印　清初文物。1968年，由北京市立女一中郝玉兰、夏进平、杨京京捐赠，入藏中国历史博物馆。

清"笃恭殿宝"玉印以青白玉雕琢而成，印体上部作覆斗形，下部为正方形扁体印台。覆斗形上部雕刻云龙纹，一正龙翻腾隐现于云海之中，龙首、角、目、鼻、须、爪、麟，刻画极其精细。印通高3.1厘米，印台边长5.6厘米，重216克。印面阳线边阑，阑内镌阳文篆书"笃恭殿宝"，文字结构谨严，布局匀整。

笃恭殿，始见于《清太宗实录》崇德元年（1636年）四月丁亥"定宫殿名"条载："中宫为清宁宫，东宫为关雎宫，西宫为麟趾宫，次东宫为衍庆宫，次西宫为永福宫，台东楼为翔凤楼，台西楼为飞龙阁，正殿为崇政殿，大门为大清门，东门为东翼门，西门为西

翼门，大殿为笃恭殿。"崇德元年（1636年）四月丁亥，清太宗皇太极于改国号为"大清"庆典上，公布所命名的宫殿名称，笃恭殿为其中之一。由此可知，笃恭殿作为清沈阳故宫"大殿"最初汉名，始于崇德元年（1636年）四月，是当时举行重大活动的场所。《清世祖实录》载："丁亥，上即帝位。是日，内外诸王、备了率文武群臣，集笃恭殿前。颁诏大赦。诏曰：八月二十六日，即皇帝位，以明年为顺治元年。"清顺治帝于崇德八年（1643年）在笃恭殿即皇帝位；次年赐多尔衮大将军印，发布进军中原命令，亦在笃恭殿举行。"大殿"又称"大衙门"，清人入关，笃恭殿改称大政殿。

清"笃恭殿宝"玉印为清初所用之印，年代上限即崇德元年（1636年）四月丁亥，是清代初年历史见证。

清"笃恭殿宝"玉印藏于中国国家博物馆。

清"大清受命之宝"玉印　清代初年文物。清光绪二十六年（1900年），俄国出兵东北，九月三十日包括清"大清受命之宝"玉印在内的"盛京十宝"被起运热河（河北承德）避暑山庄收藏；民国2年（1913年），又"辇致京师"。民国3年2月4日，北平成立"古物陈列所"，以紫禁城三大殿与运至北平的23万件文物为藏品，"盛京十宝"亦在其中。古物陈列所于民国37年（1948年）并入故宫博物院。1959年8月，清"大清受命之宝"玉印入藏中国历史博物馆。

清"大清受命之宝"玉印以碧玉雕琢而成，龙纽，长方形扁体印台。印通高13厘米，印台边长15.2厘米，宽14.8厘米。印面宽阳线

边阑，阑内镌阳文满、汉双文，右为汉文篆书"大清受命之宝"，左为满文同铭；龙纽附系黄色绶带与牙牌，牙牌两面分别刻满、汉双文"大清受命之宝匣"。

乾隆之前，清帝所用御宝，没有规定确切数目。乾隆初年，收藏在交泰殿"御宝"达39方之多。十一年（1746年），乾隆对交泰殿所藏前代诸帝宝玺重新考证排次，"爰取周易大衍天数二十有五之义，定为二十有五之数"，将总数定为25方，详细规定各宝玺名称、尺寸、纽式与用途，并对御宝的宝文形制、保管及使用等做了制度上的改定。确定后的二十五宝囊括了皇帝行使国家最高权力的各个方面。十三年（1748年），乾隆指授儒臣厘定满文篆法，应用于御宝；同年又令儒臣制为清文各篆体书，改镌前4宝后二十一宝，左清篆，右汉篆，皆用"玉箸文"。余下14方御宝中，4方作为一般宝玺收贮，其余10方或为宝文重复，或为清初诸帝使用，乾隆亲自验察，认为此十宝"虽不同于现用之宝，而未可与古玩并列"；

"十一年，尊藏御宝十于凤凰楼"，派人将此十宝送盛京（辽宁沈阳）皇宫凤凰楼中珍藏，光绪初年又移至敬典阁，此即"盛京十宝"。

清"大清受命之宝"玉印作为"盛京十宝"之一，"以章皇序"，用以彰显清受命于天的正统身份，是清初历史见证。

清"大清受命之宝"玉印藏于中国国家博物馆。

清**"大清嗣天子宝"银质镀金印**　清代初期文物。清宫旧藏。

清"大清嗣天子宝"银质镀金印是银质镀金，交龙纽，正方形扁体印台。交龙纽圆雕，两龙首尾相错，身躯缠绕，各部位刻画细腻，生动传神。印通高7.6厘米，纽高5厘米，印台边长7.8厘米；附清康熙时期所制银质蓝地錾金雕云龙戏珠纹印匣，长17厘米，宽17厘米，高17厘米。印面宽阳线边阑，阑内镌阳文满、汉双文，右为2行汉文篆书"大清嗣天子宝"，左为2行满文同铭。

清"大清嗣天子宝"银质镀金印即二十五宝之第三宝，用以"以章继绳"，意即遵法上天。《〈交泰殿宝谱序〉后》载乾隆帝语："按谱内青玉皇帝之宝，本清字篆文，传自太宗文皇帝时，自是以上四宝，均先代相承传为世守者，不敢轻易。"据此可知，清"大清嗣天子宝"银质镀金印与白玉"大清受命之宝"、碧

玉"皇帝奉天之宝"、青玉"皇帝之宝",四宝实为清太宗皇太极崇德元年(1636年)称皇帝、改国号"大清"以后所制。于乾隆帝而言,均为"先代相承传为世守者"。清"大清嗣天子宝"银质镀金印,典籍中记为金质。故宫博物院藏《交泰殿奉安宝册》,于二十五宝名称之"大清嗣天子宝"下有一黄条:"乾隆三十年五月初九日,呈览过。奉旨:交给傅恒等认看,是银镀金宝,重六十四两。奉旨仍供交泰殿。"可知乾隆当时已察觉该印之材质,且特请傅恒等确认,而有关文献未做更改。

清"大清嗣天子宝"银质镀金印是一级甲品文物,藏于故宫博物院。

清"喀喇沁王之宝"寿山石印 清代文物。

清"喀喇沁王之宝"寿山石印由寿山石琢成,长方形印体,上端随形。印高10.8厘米,印面长7.2厘米,宽6.8厘米,重1258克。印身四面随形浅浮雕,构成散点透视连续画面:重峦叠嶂,云雾缭绕,虬松石生,一高士策杖,行于山间;前方松石之下,两高士促膝而坐,右侧松峰下露出些许石阶;石阶所至,阁楼高耸,周遭云松,楼后清泉响于石间,潺潺溪水流于楼下,楼中一人凭窗下望,隔岸两人耕耘;一农夫肩荷农具,自阁楼后山牵牛漫行。印顶中间有一磨制圆孔,随形雕琢:屋舍山间,蝙蝠飞舞,云气四漫。印体所雕题材包含

山水、云松、农耕、高士,构思奇巧,四面及印顶衔接自然、恰当。印面阳线边阑,阑内镌阳文篆书"喀喇沁王之宝","喀喇"二字残缺多半。

"喀喇沁",蒙古土默特永谢部一。史载,1635年,后金对该部进行管理;自后金天聪年间至清乾隆时期,喀喇沁部为清王朝冲锋陷阵,立下了汗马功劳。清代所划定喀喇沁部的游牧地界大致在内蒙古自治区赤峰市喀喇沁旗、宁城县与辽宁省喀喇沁左翼蒙古族自治县,包括河北省承德市部分地区,是距离北京最近的蒙古部落,战略位置十分重要。清王朝极其重视对喀喇沁部的管理,清皇室与喀喇沁部通婚十分密切,喀喇沁王公长期被授予重要官职,在清统治集团中发挥重要作用。

清"喀喇沁王之宝"寿山石印是清王室与喀喇沁部长期保持亲密关系的见证。石印雕刻注意随形而就,尽量减少耗材,并善于处理、运用缕裂,具有极高的艺术水准。2004年,经内蒙古自治区文物鉴定委员会鉴定,清"喀喇沁王之宝"寿山石印为一级文物。

清"喀喇沁王之宝"寿山石印存于喀喇沁旗文物管理局。

清"和硕智亲王宝"金印 清嘉庆十八年(1813年)文物。

清"和硕智亲王宝"金印由黄金铸造,含金量60%,金黄中散发银青色,质地坚硬,赑屃纽,方形扁体印台。圆雕赑屃纽,独角,龙首,龟身,龙尾,铸造异常精致。印通高12.3厘米,印纽长17.5厘米,印台高3.6厘米,印台边长11.3厘米,宽11.2厘米,重9.95千克。印面宽阳线边阑,阑内镌阳文满、汉双文,右

为汉文篆书"和硕智亲王宝",左为同铭满文篆书,两篆均为文脚呈燕尾式的"芝英篆"。

智亲王,即清仁宗嘉庆皇帝次子绵宁(1782~1850年)。清嘉庆年间(1796~1820年),社会矛盾加剧,京畿、直隶、山东、河南等地的八卦教(九宫教)、荣华会、白阳教、红阳教及青阳教等教派部分教徒逐步融合组成秘密教会组织"天理教"。嘉庆十八年(1813年)八月二十日,嘉庆皇帝开始"秋狝木兰";而趁此时机,天理教约200名教众在教首林清的鼓动、组织下,潜入北京,于九月十五日戊寅午时,由宫中太监策应,从东、西华门攻打紫禁城,有七八十人突入禁门。皇次子绵宁此时正在尚书房读书,闻听有警,立即出门探问;将近未时,"闻有贼人越墙从内右门西边入者",即令人取来鸟枪、撒袋、腰刀,并在养心门外亲手击毙攀上西大墙两人。在绵宁组织下,当晚戌时,攻入宫中的天理教众全部被捕或被击毙。九月十五日,嘉庆正在返京途中,驻跸丫髻山;九月十六日己卯,于丫髻山至白涧途次,得知绵宁率众平息叛乱,深为感动,当即册封绵宁为和硕智亲王,"于皇子岁支分例加倍,岁给俸银一万二千两,以示优奖",号所用枪曰"威烈",赐金册、宝印,即清"和硕智亲王宝"金印及金册。印文"和硕"一词来自满语,意即"一方",和硕

亲王系清宗室封爵第一等级;"智"用以表彰"绵宁身先捍卫,获保安全,实属忠孝兼备"。绵宁于嘉庆二十五年(1820年)继承帝位,改名旻宁,是为清宣宗道光皇帝。

清"和硕智亲王宝"金印与中国国家博物馆藏清"和硕醇亲王宝"金印,天津博物馆藏清"和硕庆亲王宝"鎏金银印,三印之印纽、印台及印文式样基本相同,是清"和硕亲王"玺印之规制。

清"和硕智亲王宝"金印系清宫旧藏,后藏于南京博物院。

清"宣宗成皇帝之宝"玉印 清道光三十年(1850年)文物。清"宣宗成皇帝之宝"玉印是以一整块优质碧玉雕琢而成,交龙印纽,正方形扁体印台。交龙印纽圆雕,两龙交错,躬背含胸,龙首上昂,双角后伏,双目圆睁,如意状阔鼻,张口露齿,髭须、鬣毛飘洒,四肢粗壮,爪趾分明,中脊齿凸,鳞次栉比。印通高10.6厘米,印台边长12.9厘米,重达3750克。印面宽阳线边阑,阑内镌阳文满、汉双文,右为汉文篆书"宣宗效天符运立中体正至文圣武智勇仁慈俭勤孝敏宽定成皇帝之宝"29字,左为满文篆书同铭。

宣宗,为清道光皇帝(1782~1850年)庙号,"效天符运立中体正至文圣武智勇仁慈俭勤孝敏宽定成皇帝"是其谥号。清道光皇帝

系清代第六位皇帝，清仁宗嘉庆皇帝次子，初名绵宁。嘉庆十八年（1813年）九月十五日戊寅，天理教约200名教众在教首林清的鼓动、组织下，潜入北京，于午时由宫中太监策应，从东、西华门攻打紫禁城，并有七八十人突入禁门。绵宁表现英勇，"身先捍卫"，率众于当晚戌时将攻入宫中的天理教众全部击毙、捕获。九月十六日己卯，嘉庆册封绵宁为和硕智亲王，赐金册、宝印，"于皇子岁支分例加倍，岁给俸银一万二千两，以示优奖"。绵宁于嘉庆二十五年（1820年）继承帝位，改名旻宁。道光皇帝在位三十年，厉行节俭，勤于政务，整顿吏治，平定张格尔叛乱，严禁鸦片。1840～1842年，英国殖民者对中国发动了第一次鸦片战争。鸦片战争以中国失败告终，导致赔款割地，签订了中国历史上第一个不平等条约《南京条约》。道光三十年（1850年）正月十四日丁未，道光皇帝崩于圆明园慎德堂。四月甲戌，尊谥号"效天符运立中体正至文圣武智勇仁慈俭勤孝敏宽定成皇帝"，庙号"宣宗"，咸丰二年（1852年）二月壬子葬于清西陵之慕陵。

清"宣宗成皇帝之宝"玉印整器雕琢极其精细，是皇帝宝玺中的精品。

清"宣宗成皇帝之宝"玉印系清宫旧藏，后藏于中国国家博物馆。

清"**提督湖北总兵官印**"**银印**　清咸丰三年（1853年）文物。1959年，由天津市文化局拨交天津市历史博物馆收藏。

清"提督湖北总兵官印"银印是银质，虎纽，正方形三层扁体印台。虎纽圆雕，怒目圆睁，齿牙毕露，髭须上扬，双耳前竖，额部

阴文"王"字，四爪抓地，五趾分明，长尾上卷伏于脊背，通体阴刻斑条纹及毛纹。印通高10厘米，印台边长10.5厘米。虎纽右侧印台上镌汉文楷书铭2行"提督湖北总兵官印礼部造"，虎纽左侧印台上镌满文楷书3行同铭。印台右侧面镌汉文楷书铭"咸字九号"，印台左侧面镌汉文楷书铭"咸丰三年四月日"。印面宽阳线边阑，阑内镌阳文满、汉双文，三种书体：左为满文篆书，中为满文楷书，右为汉文小篆，2行8字"提督湖北总兵官印"。

清"提督湖北总兵官印"银印是清政府授予当时湖北总兵向荣的官印。向荣于清咸丰三年（1853年）正月廿日接任湖北提督，曾任剿灭太平天国江南大营首脑。清代银质官印遗存较少，清"提督湖北总兵官印"银印对于清代玺印制度及近代史研究均具有重要学术价值。

清"提督湖北总兵官印"银印藏于天津博物馆。

清"**和硕醇亲王宝**"**金印**　清同治十一年（1872年）文物。1956年，由溥仪弟溥任捐赠。

清"和硕醇亲王宝"金印由黄金铸造，赑屃纽，正方形扁体印台。圆雕赑屃纽，独角，龙首，龟身，龙尾，铸造异常精致。印通高12.2厘米，印台边长11.6厘米，重6800克。印面宽阳线边阑，阑内镌阳文满、汉双文，右为汉文篆书"和硕醇亲王宝"，左为同铭满文篆

书，两篆均为文脚呈燕尾式的"芝英篆"。

印文"和硕"一词来自满语，意即"一方"，和硕亲王系清宗室封爵第一等级。第一代"醇亲王"奕譞，清宣宗道光帝第七子，道光三十年（1850年），封醇郡王；同治三年（1864年），加亲王衔；十一年（1872年），晋爵"和硕醇亲王"。1874年，次子载湉即位，是为光绪皇帝，奕譞被恩准"世袭罔替"，成为清朝铁帽子王之一。清"和硕醇亲王宝"金印即1872年奕譞晋爵所颁赐。清光绪十六年（1890年），醇亲王奕譞薨，第五子载沣因袭爵位，是为第二代醇亲王，其子溥仪即后宣统皇帝。清宣统三年（1911年），清帝溥仪逊位，醇亲王历经两世而终。

清"和硕醇亲王宝"金印与南京博物馆藏清"和硕智亲王宝"金印，天津博物馆藏清"和硕庆亲王宝"鎏金银印，三印之印纽、印台及印文式样基本相同，是清"和硕亲王"玺印之规制，也是晚清历史的重要见证。

清"和硕醇亲王宝"金印藏于中国国家博物馆。

清"和硕庆亲王宝"鎏金银印　清光绪二十年（1894年）文物。清宣统三年（1911年）十二月，溥仪逊位，和硕庆亲王奕劻及家人避居津门，直至离世，清"和硕庆亲王宝"鎏金银印遂留存天津。1976年，由天津市文化局拨交天津市历史博物馆。

清"和硕庆亲王宝"鎏金银印是银质鎏金，赑屃纽，长方形扁体印台。赑屃纽圆雕，独角，龙首，龟身，龙尾，铸造异常精致。印通高12厘米，印台边长12.7厘米，宽12.5厘米。印面宽阳线边阑，阑内镌阳文满、汉双文，右为汉文篆书"和硕庆亲王宝"，左为同铭满文篆书，两篆文脚均为呈燕尾式的"芝英篆"。

印文"和硕"一词来自满语，意即"一方"，和硕亲王系清宗室封爵第一等级。清嘉庆四年（1799年），乾隆第十七子永璘被嘉庆帝封为庆郡王；嘉庆二十五年（1820年），永璘晋封庆亲王，其子依例降为郡王。后其孙奕劻于光绪二十年（1894年），由慈禧太后懿旨封庆亲王；光绪二十四年（1898年），又得以"世袭罔替"，是清朝第12位铁帽子王。清"和硕庆亲王宝"鎏金银印为清光绪二十年（1894年）慈禧太后六十诞辰时晋封庆郡王奕劻为和硕庆亲王时所颁赐。

清"和硕庆亲王宝"鎏金银印与南京博物馆藏清"和硕智亲王宝"金印，中国国家博物馆藏清"和硕醇亲王宝"金印，三印之印纽、印台及印文式样基本相同，是清"和硕亲王"玺印之规制，也是晚清政治的重要历史见证。

清"和硕庆亲王宝"鎏金银印藏于天津博物馆。

清"祺皇贵太妃之宝"银印 清代末年文物。

清王朝灭亡后，宣统皇帝溥仪曾在天津静园居留过一段时间，他从内宫携带出的文物珍品许多皆遗留在天津，清"祺皇贵太妃之宝"银印即其中之一。

清"祺皇贵太妃之宝"银印是银质，龙纽，正方形扁体印台。圆雕龙纽，昂首挺胸，双角后伏，躬背扬尾，五趾抓地，各部位刻画异常精细，形象生动威武。印通高10厘米，印台边长12.7厘米。印面宽阳线边阑，阑内镌阳文满、汉双文篆书"祺皇贵太妃之宝"。

"祺皇贵太妃"，即清咸丰皇帝"端恪皇贵妃"——佟佳氏，满洲镶黄旗头等侍卫裕祥之女，清道光二十四年（1844年）十月二十四日出生，咸丰八年（1858年）三月二十五日入宫侍奉咸丰。佟佳氏由母家直接接入皇宫，非经过八旗选秀，在清代应是唯一特例；咸丰十一年（1861年），被同治皇帝封为"皇考祺妃"；宣统二年（1910年）卒，宣统皇帝尊其为"皇祖祺皇贵太妃"。祺皇贵太妃在清咸丰帝所有后妃中最后离世，是清代唯一历经道光、咸丰、同治、光绪与宣统5朝的后妃，亦是定陵妃园寝最后入葬的妃嫔，在中国古代历史上极为罕见。

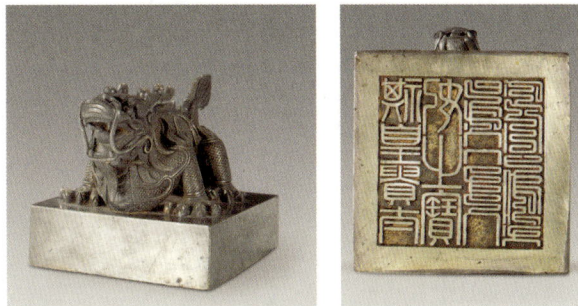

清"祺皇贵太妃之宝"银印是清宣统皇帝为皇祖重制玉册，改镌玉宝时所制，是晚清政治的重要遗物。银印铸造精致，工艺极其复杂，是难得的艺术珍品；印纽、印文标志清王朝后妃的用印制度，更具学术价值。

清"祺皇贵太妃之宝"银印藏于天津博物馆。

清端方"陶斋读碑记"铜印 清代末年文物。清端方"陶斋读碑记"铜印是铜质，长方形桥纽，长方形扁体印台。印通高2.40厘米，印台长7.50厘米，宽2.20厘米。印面阳线边阑，纵向分为5界格，格内铸隶体阳文"陶斋读碑记"。

陶斋，是清代末年重臣端方之斋号。端方（1861～1911年），满洲正白旗人，托忒克氏，字午桥、午樵，清光绪八年（1882年）举人，历任陕西巡抚、湖北巡抚、湖广总督、江苏巡抚、湖南巡抚、两江总督及直隶总督等要职，于清末政坛显赫一时。清宣统三年（1911年），端方为川汉、粤汉铁路督办大臣，后受命率湖北新军入川镇压保路运动；11月27日，于资州被起义新军所杀，谥忠敏。端方笃好古物收藏，在当时富于天下，且多精品，国之重器毛公鼎即其所藏，著有《陶斋藏石目》《陶斋藏石记》及《陶斋吉金录》等。

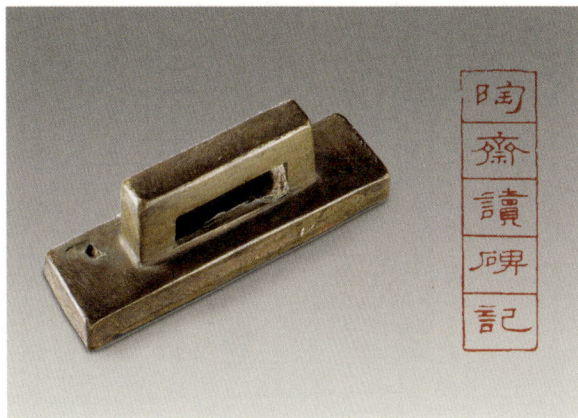

清端方"陶斋读碑记"铜印是端方赏鉴碑帖所用印记，也是当时社会达官显贵阶层流行古物收藏风气的见证。

清端方"陶斋读碑记"铜印藏于中国国家博物馆。

民国"大总统印"银质鎏金烧蓝印匙牌 民国早期（1918年10月至1922年6月）文物。1973年，辽宁省文物店在沈阳地区征集。同时还有民国"中华民国之玺"玉印与民国"陆海军大元帅之印"玉印各自附属印匙牌及黄绫缎封套，三者材质、形制、尺寸全同。1983年11月22日，民国"大总统印"银质烧蓝钥匙牌及民国"中华民国之玺"玉印、民国"陆海军大元帅之印"玉印各自附属印匙牌，经征集入藏沈阳故宫博物院。

民国"大总统印"银质鎏金烧蓝印匙牌是银质鎏金，长方片状，上端呈圆弧形，有一穿孔，系一黄色绒绳，并连缀黄绫缎封套；牌高7.50厘米，宽2.70厘米，厚0.40厘米，重61.25克。印匙牌两面周缘起棱，内麻纹地，正面中央铸阳文楷书"大总统印"1行4字，周饰两株嘉禾，其中绿色茎叶、黄色禾穗及两株嘉禾根茎交联处系结蓝色彩带为烧蓝工艺；牌背面中央铸阳文楷书"印匙牌"1行3字，左右两侧饰嘉禾图案，与正

面基本相同，惟上部饰交叉红、黄、蓝、白、黑五色旗；匙牌底部錾"宝华"，据此知该印匙牌为当时北京银蓝商号"宝华楼"所制；所系黄绫缎封套上墨笔楷书"大总统印匙牌"1行6字。

民国"大总统印"银质鎏金烧蓝印匙牌是沈阳故宫博物院藏民国"大总统印"玉印附属，为徐世昌任中华民国大总统期间所用，时间为民国7年（1918年）10月至民国11年（1922年）6月。牌中嘉禾图案，是民国时期常见图案之一，"取丰岁足民之义，垂劝农务本之规"。红、黄、蓝、白、黑五色旗，据《中华民国临时约法》，以此五色象征汉、满、蒙、回、藏五族共和政权体制。

1996年，经辽宁省文物鉴定委员会成员高文、杨珩、王洪元及徐英章等确认，民国"大总统印"银质鎏金烧蓝印匙牌是沈阳故宫博物院所藏民国"大总统印"玉印附属文物，为一级文物。

民国"大总统印"银质鎏金烧蓝印匙牌藏于沈阳故宫博物院。

民国"中华民国之玺"玉印 民国早期（1918年10月至1922年6月）文物。1974年，由辽宁省沈阳市原副市长徐志捐献。

民国"中华民国之玺"玉印是以整块白玉雕琢制成，洁白莹润，印纽作十字交叉提梁状，正方形扁体印台；印纽浅浮雕嘉禾纹，其中一梁连续琢刻嘉禾五穗，另一梁雕刻嘉禾四穗，自交叉处分为两段；印通高7厘米，印台边长12.50厘米，重1845克。印面宽阳线边栏，栏内镌阳文篆书3行6字"中华民国之玺"。

沈阳故宫博物院又藏民国"大总统印"玉印与民国"陆海军大元帅之印"玉印。1973

年，辽宁省文物店在沈阳地区征集"中华民国之玺""大总统印"与"陆海军大元帅之印"三枚玉印各自附属之银质鎏金烧蓝印匙牌及黄绫缎封套，材质、形制、尺寸全同。三枚玉印之材质、制作工艺及相关附属完全相同，为同时所制。

湖北省辛亥革命博物馆藏一组四份民国早期"魏宸组"任命状，内容系任命魏宸组出任中华民国驻荷兰、比利时、国际联合会、德国公使及代表，顺次为中华民国元年（1912年）十一月二十二日任命魏宸组出任"驻和（荷兰）国公使"、民国8年（1919年）一月五日任命魏宸组出任"驻比利时国特命全权公使"、民国9年（1920年）十一月二十日任命魏宸组出任"国际联合会全权代表"、民国10年（1921年）七月二十四日任命魏宸组出任"驻德意志国特命全权公使"。四份委任状上，除以楷书写明任命者、受命人、相关主管官员及具体官职、时间等项，均钤"大总统印"；第一份任命状任命者签名"袁世凯"，其余三份任命者签名则为"徐世昌"。两类任命状上所钤"大总统印"之印面尺寸、字体结构、笔画各有不同；其中徐世昌所钤之"大总统印"，正是沈阳故宫博物院藏民国"大总统印"玉印。徐世昌生于清咸丰五年（1855年），1918年10月当选为中华民国正式总统；1922年6月第一次直奉战争后，直系军阀控制北京政府，曹锟、吴佩孚逼迫其去职，徐世昌

被迫下野，寓居天津。三份徐世昌签名任命状所标示时间，民国8年（1919年）1月至民国10年（1921年）7月，在徐世昌执政期间。由此可知，民国"大总统印"玉印、民国"中华民国之玺"玉印与"陆海军大元帅之印"玉印，均系徐世昌任中华民国大总统期间所用，时间为民国7年（1918年）10月至民国11年（1922年）6月。

1996年，经辽宁省文物鉴定委员会成员高文、杨珩、王洪元及徐英章等鉴定，民国"中华民国之玺"玉印为一级文物。

民国"中华民国之玺"玉印藏于沈阳故宫博物院。

西安相家巷遗址出土秦封泥　战国晚期至秦代文物。2000年4月27日至5月28日，中国社会科学院考古研究所汉长安考古队在陕西省西安市未央区六村堡乡相家巷农田中勘察发掘一处秦代遗址，出土为数众多的封泥；其中较为完整及字迹清晰者有100多种，凡325枚。

西安相家巷遗址出土秦封泥多数呈灰色或褐色，经过烘烤，大多为圆形、椭圆形，少数为不规则形，个别为方形；侧面留有指纹，背面有竹简及绳索印痕。正面印文多为四字，如"内史之印""中车府丞""乐府丞印""都水丞印""郎中丞印"及"咸阳丞印"之类；少数为二字，如"都厩""骑尉"及"少府"等；个别为三字，如"中谒者"；大多数印文有"田"字或"日"字界阑。

西安相家巷遗址出土秦封泥时代为战国晚期至秦代，其中所涉及职官，分属中央与地方官署，所载信息极大超越此前学术界的有关认识，促使学术界重新审视《汉书·百官公卿

表》，借此补充、订正文献记载之不足，对于秦官制体系及秦汉时期官制研究具有重要意义。该批封泥蕴含丰富的历史地理信息，有些填补了过去研究的空白。许多印文，如"北宫""南宫""章台""禁苑"及"杜南苑"等，与秦都咸阳密切相关，是探讨秦都咸阳发展史、都城布局的重要史料。而且该批封泥是经考古发掘、具有明确的共存遗物及清楚的地层关系，更具科学价值。

西安相家巷遗址出土秦封泥存于中国社会科学院考古研究所。

秦"右丞相印"封泥 秦代文物。1995年出土于陕西省西安市北郊相家巷村，同出秦"左丞相印"封泥、秦"廷尉之印"封泥等其他大量封泥。

秦"右丞相印"封泥是秦"右丞相印"印的封缄遗存，不规则椭圆形，泥呈褐色，长3.5厘米，宽3厘米，厚0.5厘米；正面留有阳文小篆"右丞相印"印痕；反面印有捆绑绳痕。印面呈长方形，阳线边阑与阑内阳线

"十"字界阑相交，印文"小篆"秀丽劲挺，凡此均系典型秦印特征。

丞相，作为职官，初置于战国时期秦国。据《史记·秦本纪》，秦武王二年（前309年），"初置丞相，樗里疾、甘茂为左、右丞相"。秦王政二十六年（前221年），统一天下，沿用此前左、右丞相之制，《史记·秦始皇本纪》载："三十七年十月癸丑，始皇出游，左丞相斯从，右丞相去疾守。"汉承秦制，《汉书·百官公卿表》云："相国、丞相，皆秦官，金印紫绶，掌丞天子助理万机。秦有左右，高帝即位，置一丞相，十一年更名相国，绿绶。孝惠、高后置左右丞相，文帝二年复置一丞相。有两长史，秩千石。哀帝元寿二年更名大司徒。武帝元狩五年初置司直，秩比二千石，掌佐丞相举不法。"

与秦"右丞相印"封泥同出秦"左丞相印"封泥，两者印面文字及印面布局相近，是典籍中所记秦置左、右丞相之实证。

秦"右丞相印"封泥藏于西安中国书法艺术博物馆。

秦"廷尉之印"封泥 秦代文物。1995年出土于陕西省西安市北郊相家巷村，与其他同出封泥700余方，由阎小平捐赠予西安中国书法艺术博物馆。

秦"廷尉之印"封泥是秦"廷尉之印"印的封缄遗存，椭圆形，泥呈褐色，长3厘米，宽2.7厘米，厚1厘米；正面留有阳文小篆"廷尉之印"印痕，反面印有捆绑绳痕。印面呈正方形，边长1.8厘米，阳线边阑与阑内阳线"十"字界阑相交，印文"小篆"秀丽劲挺，凡此均系典型秦印特征。

廷尉，职掌刑狱，初置于战国时期秦国。《史记·李斯列传》记，秦王政十年（前237年），下逐客令，李斯上书，于是"秦王乃除逐客之令，复李斯官，卒用其计谋。官至廷尉"。又《秦始皇本纪》载，二十六年，秦并天下，有"廷尉李斯议曰"之语，是知李斯曾任秦廷尉，且廷尉一职，自战国至秦始终沿用。同一时期，其他列国治狱之官，如《韩诗外传》记李离为晋文公"大理"，《吕氏春秋·勿躬》述管子荐弦章为齐桓公"大理"，《说苑》载楚置"廷理"，均与秦不同称。汉承秦制，亦设廷尉职，《汉书·百官公卿表》曰："廷尉，秦官，掌刑辟，有正、左右监，秩皆千石。景帝中六年更名大理，武帝建元四年复为廷尉。宣帝地节三年初置左右平，秩皆六百石。帝元寿二年复为大理。王莽改曰作士。"

秦"廷尉之印"封泥是秦设置"廷尉"之实证。

秦"廷尉之印"封泥藏于西安中国书法艺术博物馆。

秦"琅邪候印"封泥　秦代文物。20世纪30年代出土于山东临淄北郊刘家寨，入藏山东省立图书馆。民国26年（1937年）日本侵略者发动全面侵华战争，王献唐、屈万里与李义贵等人护送包括秦"琅邪候印"封泥在内的馆藏精品图书、文物远途跋涉迁至四川乐山，先后藏于古寺及崖墓中。1950年12月25日，该批迁至四川乐山的精品文物经北京运回济南。

秦"琅邪候印"封泥是秦"琅邪候印"印的封缄遗存，圆形，泥呈灰色，长2.9厘米，宽3厘米，重10.28克；正面留有阳文小篆"琅邪候印"方形印痕，反面印有2道捆绑绳痕。印面呈正方形，边长1.8厘米，阳线边阑与阑内阳线"十"字界栏相交，印文"小篆"秀丽劲挺，凡此均系典型秦印特征。

琅邪，本系山名，故城在山东省黄岛区，越王勾践曾徙都于此。公元前221年，秦灭齐；《史记·秦本纪》南朝宋裴骃《集解》云，秦于齐地设"齐郡"与"琅邪郡"。秦始皇二十八年（前219年），秦始皇曾登琅邪山，刊石颂德。《汉书·地理志》载，西汉时琅邪郡辖51县。《汉书·百官公卿表》载："中尉，秦官，掌徼循京师，有两丞、候、司马、千人"，"武帝元狩三年昆邪王降，复增属国，置都尉、丞、候、千人"，"西域都护加官，宣帝地节二年初置，以骑都尉、谏大夫使护西域三十六国，有副校尉，秩比二千石，丞一人，司马、候、千人各二人。戊己校尉，元帝初元元年置，有丞、司马各一人、候五人，秩比六百石"，唐颜师古注云："候及司马及千人皆官名也。"又东汉卫宏《汉旧仪》载："边郡太守各将万骑，行障塞烽火追虏。置长史一人，掌兵马。丞一人，治民。当兵行，长史领。置部都尉、千人、司马、候、农都尉，皆不治民，不给卫士。""候"，为汉之武官。而由秦"琅邪候印"封泥印文可

知，职官之"候"，秦时已经设置。世传秦封泥尚有"琅邪司马""琅邪发弩""琅邪左盐""琅邪水丞""琅邪都水"及"琅邪司丞"，凡此均有助于学术界深入研究秦琅邪郡职官设置。

秦"琅邪候印"封泥藏于山东博物馆。

秦"临菑丞印"封泥　秦代文物。

清末以降，山东临淄北郊刘家寨一带多有封泥出土。20世纪30年代，秦"临菑丞印"封泥出土于此地。时王献唐任山东省立图书馆馆长，至民国25年（1936年）图书馆已收集包括秦"临菑丞印"封泥在内周秦汉晋时期封泥凡534枚。民国26年（1937年）日本侵略者发动全面侵华战争，王献唐积极筹措、抢救文物。经时省教育厅批准，先后于民国26年（1937年）10月12日、10月23日与12月20日，分三批将馆藏图书、文物装箱，运抵曲阜奉祀官府保存。12月27日，在衍圣公孔德成建议下，王献唐、屈万里与李义贵三人，挑选部分精品文物装箱南下，余者暂存孔府；并约定待抗战胜利后，该批文物仍归省立图书馆，若国亡，则归孔府。就在这一日，济南沦陷。王献唐一行携文物"过铜山，经汴郑，出武胜关，凡八日行程，三遇空袭，而抵汉口"；民国27年（1938年）2月4日，又徙万县，再迁重庆，溯江而上，经泸州、宜宾，最终迁至乐山，所携带文物先后藏于古寺、崖

墓中。1950年12月25日，该批迁至四川乐山的精品文物经北京运回济南，文化部文物局留下滕县安上村出土的12件青铜器及1件秦陶量，其余悉数归还山东，共计2111件，交予山东省古物管理委员会，封泥亦在其中。1953年2月19日，山东省古物管理委员会正式改称山东省人民政府文物管理委员会。1953年10月19日，经文化部批准，省文管会陈列、文物保管部门与省自然博物馆筹备处合并，成立山东省博物馆筹备处，该批封泥及其他文物入藏山东省博物馆。

秦"临菑丞印"封泥是秦"临菑丞印"印的封缄遗存，圆形，泥呈褐色，长2.8厘米，宽3厘米，重12.83克；正面留有阳文"临菑丞印"印痕，反面印有1道捆绑绳痕。印面呈正方形，边长1.8厘米，阳线边阑与阑内阳线"十"字界阑相交，印文"小篆"秀丽劲挺，凡此均系典型秦印特征。

临菑，即临淄，系齐之都城，其名源于《水经·淄水》所云"城临淄水，故名临淄"，故址在山东省淄博市临淄区。据《史记·齐太公世家》，当西周夷王时，齐献公建都于此，直至战国末年，临淄始终是东方重要的政治、经济、文化中心。公元前221年，秦"兵卒入临淄"，灭齐；《史记·秦本纪》南朝宋裴骃《集解》云，秦于齐地设"齐郡"与"琅邪郡"。据《汉书·地理志》，临淄为齐郡所辖之县及郡

治。又《汉书·百官公卿表》载，秦郡、县皆置"丞"。由此可知，"临菑丞印"是秦时齐郡临淄县丞之印。世传尚有秦"临菑司马"封泥。学者或云秦时有临淄郡，而无齐郡；或云先有齐郡，而后有临淄郡；如此，则"临菑丞印"或为"临淄郡"之丞印。凡此齐郡与临菑郡之疑惑，尚需学术界深入探讨。

秦"临菑丞印"封泥藏于山东博物馆。

西汉"轪侯家丞"封泥匣　西汉初年文物。1972～1973年出土于湖南省长沙市古汉路89号湖南省马王堆汉墓。

马王堆一号汉墓出土西汉"轪侯家丞"封泥匣，有37方封缄在竹笥上，杉木材质，纵断面呈"凹"字状，长4.2～7厘米，宽2.6～2.8厘米，厚1.1～1.4厘米，凹槽厚0.5厘米，中有封泥，许多泥反面残存细绳。封泥正面留有阳文小篆"轪侯家丞"印痕，字迹较为清楚者27方。墓中出土16件大口罐口部亦有封缄完好的"轪侯家丞"封泥匣。马王堆三号汉墓中出土"轪侯家丞"封泥匣，封缄在竹笥上，凡12方。

据《史记·惠景间侯者年表》，汉惠帝二年（前193年）四月庚子，封长沙相利仓为轪侯，食七百户，在位8年，薨于高后二年（前186年）；第二代侯豨，高后三年（前185年）袭位，在位21年；第三代侯彭祖，文帝十六年（前164年）袭位，在位24年；第四代侯秩在位30年，元封元年（前110年）为东海太守，行过不请，擅发卒兵为卫，当斩，会赦，国除。《汉书·高惠高后文功臣表》所记基本相同，唯第一代轪侯作"黎朱仓"，第四代作"扶"，又记宣帝"元康四年，仓玄孙之子竟陵簪褭汉诏复家。"1973年11月19日至1974年

1月13日，湖南省博物馆、中国科学院考古研究所对马王堆二号汉墓进行发掘，墓中北椁箱出土印文"轪侯之印""长沙丞相"2枚青铜印与1枚印文"利苍"玉印。由此可证，马王堆二号汉墓墓主"利苍"，即《史记·惠景间侯者年表》所记之第一代轪侯"利仓"、长沙国丞相，《汉书·高惠高后文功臣表》记作"黎朱仓"，是传抄之误。《汉书·百官公卿表》记："彻侯金印紫绶，避武帝讳，曰通侯，或曰列侯，改所食国令长名相，又有家丞、门大夫、庶子。"《后汉书·百官志》云列侯"其家臣，置家丞、庶子各一人。本注曰：主侍侯，使理家事。"知"列侯"置有"家丞"，职司家事。封泥文"轪侯家丞"，即轪侯所置之"家丞"。出土西汉"轪侯家丞"封泥匣的马王堆一、三号汉墓，墓主分别是下葬于公元前168年后的轪侯利苍之妻"辛追"与下葬于公元前168年的轪侯利苍之子，为其封缄随葬器物是"轪侯家丞"之职司。

马王堆一号汉墓出土"轪侯家丞"封泥，据印文字体可分两种，马王堆三号汉墓出土"轪侯家丞"封泥是其中一种。有学者将两种"轪侯家丞"封泥视为第一代"轪侯家丞"与第二代"轪侯家丞"之别；且将三号汉墓中一方封泥印文复原为"利豨"，并据墓中一方木牍所记"十二年二月己巳朔戊辰，家丞奋移主藏"及棺制等，推断马王堆三号汉墓墓主即第二代轪侯利豨。然而，由木牍所记"十二年二月己巳朔戊辰"，知马王堆三号汉墓墓主下葬于汉文帝十二年，即公元前168年；而据《史记·惠景间侯者年表》，第二任轪侯利豨薨于汉文帝十五年（前165年），与马王堆三号汉

墓墓主下葬相差3年。如将马王堆三号汉墓墓主视为第二任轪侯利豨，且认为《史记·惠景间侯者年表》《汉书·高惠高后文功臣表》有关记载均为误，则两书中所载历代轪侯彼此衔接的起止年份亦相应均有误差。凡此推断，尚需提供更坚实的学术证据。

西汉"轪侯家丞"封泥匣藏于湖南省博物馆。

西汉"阳陵令印"封泥 西汉景帝前元五年（前152年）后文物。2001年出土于陕西省高陵县阳陵邑遗址。2000年10月，陕西省考古研究所阳陵考古队在位于阳陵正东泾河谷地发现阳陵邑建筑遗址，出土汉代不同时期封泥600余方，印文主要为"阳陵令印""阳陵丞印"及"阳陵右尉"等，其中"阳陵令印"封泥435枚。

西汉"阳陵令印"封泥是西汉"阳陵令印"印的封缄遗存，方形，泥呈褐色，长2.7厘米，宽2.4厘米，厚1厘米；正面留有阳文小篆"阳陵令印"印痕。印面呈正方形，边长2厘米，印文字体及印面布局，已具汉代玺印的典型特征。

阳陵，是汉景帝刘启与王皇后"同茔异穴"合葬之陵园，《史记·孝景本纪》载，汉景帝前元五年（前152年）三月，"作阳陵、渭桥；五月，募徙阳陵，予钱二十万"。《汉书·景帝纪》亦云："五年春正月，作阳陵邑；夏，募民徙阳陵，赐钱二十万。"阳陵作为汉景帝之寿陵，始建于汉景帝前元五年初。阳陵位于陕西咸阳原东端，主要由阳陵陵园、陪葬墓区与阳陵邑三大部分组成，地跨咸阳市渭城区、泾阳县与西安市高陵县3个县、区；其中阳陵邑是为供奉阳陵而特设的县级行政区划，遗址位于西安市高陵县泾渭镇东北。《汉书·百官公卿表》云："县令、长，皆秦官，掌治其县。万户以上为令，秩千石至六百石；减万户为长，秩五百石至三百石。皆有丞、尉，秩四百石至二百石，是为长吏。"由此可知，阳陵令是阳陵邑最高行政长官，阳陵丞与阳陵右尉是"长吏"。

西汉"阳陵令印"封泥及"阳陵丞印""阳陵右尉"封泥的大量出土，为确定阳陵邑地望提供了直接证据。

西汉"阳陵令印"封泥存于陕西省考古研究院。

西汉"楚中尉印"封泥 西汉早期文物。1994～1995年出土于江苏省徐州市狮子山楚王陵，共7方，均发现于墓道西侧南耳室，并伴出青铜戟、青铜矛、青铜剑及铁戟、铁矛、铁剑等近百件兵器，其中2方西汉"楚中尉印"封泥置于2捆铁剑上。

西汉"楚中尉印"封泥是西汉"楚中尉印"印的封缄遗存，不规则方形，泥呈褐色，长2.6厘米，宽2.7厘米，厚1.1厘米；正面留有阳文篆体"楚中尉"印痕。印面呈正方形，边长2.30厘米，印文字体及印面布局，已具汉代玺印的典型特征。

"中尉"，《汉书·百官公卿表》云："秦官，掌徼循京师，有两丞、候、司马、千人。武帝太初元年更名执金吾，属官有中垒、寺互、武库、都船四令丞。"《后汉书·百官志》记："执金吾一人，中二千石。本注曰：掌宫外戒司非常水火之事。月三绕行宫外，及主兵器。"又记"太仆"属官："考工令一人，六百石。本注曰：主作兵器弓弩刀铠之属，成则传执金吾入武库，及主织绶诸杂工。左右丞各一人。"汉王国职官也置中尉，如《汉书·河间献王传》"中尉常丽"、《吴王濞传》"城阳中尉"均是其例。中尉在王国中举足轻重，《汉书·淮南厉王长传》记薄昭责刘长之语，文中有"为军吏者中尉主"，表明军史皆为中尉管辖。王国发兵，将军时常由中尉担任，如《汉书·高五王传》载齐哀王时，齐为平诸吕之乱而西向出兵，以中尉魏勃为将军。

西汉"楚中尉印"封泥是西汉早期楚国中尉行用印信封缄之遗存，也是汉王国所置中尉之实例。与封泥伴出近百件兵器，表明楚王国兵器由中尉管辖。《汉书·百官公卿表》《后汉书·百官志》载，中尉（执金吾）"主兵器"；以狮子山楚王陵出土西汉"楚中尉印"封泥验证，汉王国与中央之中尉，两者职责相同。

狮子山楚王陵出土80余方封泥，印文除"楚中尉印"外，还有"楚内史印""楚太仓印"及"兰陵丞印"等。这些封泥分别出自内墓道两侧三间耳室，印文涉及西汉早期楚国宫廷职官、军队职官与属县职官，是中国古代封泥的一次重大发现。

西汉"楚中尉印"封泥藏于徐州博物馆。

西汉"河间王玺"封泥 西汉时期文物。原为清吴式芬（1796～1856年）旧藏，著录于清光绪甲辰（1904年）秋所刊吴式芬、陈介祺同辑《封泥考略》卷2。后转归孙鼎（1907～1977年）藏。1979年3月，孙氏家人将西汉"河间王玺"封泥捐赠予上海博物馆。

西汉"河间王玺"封泥为圆形，泥呈黑色，长3.25厘米，宽3.4厘米；正面留有篆体"河间王玺"阳文方形印痕；反面有木纹、绳纹印痕；中部有捆绑用绳穿孔。

据《史记·汉兴以来诸侯王年表》，西汉文帝二年（前178年）二月乙卯，封高祖之孙、赵幽王刘友之子刘辟强为河间王，是为西汉首位河间王，在位13年，文帝十四年（前166年）薨；哀王福即位，在位仅一年，文帝十五年薨，无后国除为郡。汉景帝元年（前156年），复置河间国；汉景帝二年三月甲寅，封景帝之子刘德为河间王。汉武帝元光六年（前129年），恭王不害袭爵，元朔三年（前126年）薨；元朔四年（前125年）刚王堪元年，元鼎三年（前114年）薨；元鼎四年（前113年），倾王授元年。《汉书·诸侯王表》载，天汉四年（前97年），孝王庆嗣；五凤四年（前54年）元嗣，在位十七年，建昭元年（前38年），坐杀人废，迁房陵；建始元年（前32年）正月丁亥，孝王子良绍封，在位二十七年，薨；建平二年（前5年），尚嗣，在位十四年，王莽篡位，贬为公，次年废。西汉时期，河间国封地在今河北省境，几经废置，共历10王。

西汉"河间王玺"封泥据其印文字体，属西汉时期，是当时河间王封缄留下的遗存。汉代诸王封泥存世极少，西汉"河间王玺"封泥与西汉"淮阳王玺"玉印、东汉"广陵王玺"金印，保存了两汉诸王用玺的基本风貌，是全面考察汉代玺印制度的重要实物。

西汉"河间王玺"封泥藏于上海博物馆。

西汉"御史大夫"封泥 西汉时期文物。20世纪30年代出土于山东临淄北郊刘家寨，入藏时山东省立图书馆。民国26年（1937年）日本侵略者发动全面侵华战争。王献唐、屈万里与李义贵等人护送包括西汉"御史大夫"封泥在内的馆藏精品图书、文物远途跋涉迁至四川乐山，先后藏于古寺及崖墓中。1950年12月25日，该批迁至四川乐山的精品文物经北京运回济南。

西汉"御史大夫"封泥是西汉"御史大夫"印的封缄遗存，不规则圆形，泥呈褐色，长2.4厘米，宽2.7厘米，重9.29克；正面留有阳文小篆"御史大夫"印痕，反面印有捆绑绳痕。印面呈方形，无边阑，印文小篆，其字体结构及印面布局具有典型的西汉时期特征。

《史记·秦始皇本纪》载，二十六年（前221年）秦初并天下，群臣议帝号，"丞相绾、御史大夫劫、廷尉斯等皆曰"，又二世元年（前209年）刻石铭"丞相臣斯、臣去疾、御

史大夫臣德昧死言"，"御史大夫"是秦之重臣。汉因秦制，置"御史大夫"，《汉书·百官公卿表》云："秦官，位上卿，银印青绶，掌副丞相。有两丞，秩千石。一曰中丞，在殿中兰台，掌图籍秘书，外督部刺史，内领侍御史员十五人，受公卿奏事，举劾按章。"别载汉卫宏《汉旧仪》曰："御史，员四十五人，皆六百石。其十五人衣绛，给事殿中为侍御史，宿庐在右渠门外。二人尚玺，四人持书给事，二人侍前，中丞一人领。余三十人留寺，理百官也。"汉武帝时，御史大夫一职尊崇有加，时而"出讨奸猾，治大狱"。汉成帝绥和元年（前8年），御史大夫更名"大司空"，金印紫绶，禄比丞相；汉哀帝建平二年（前5年），复为"御史大夫；元寿二年（前1年），又复为大司空"。西汉之世，御史大夫（大司空）位高权重。西汉"御史大夫"封泥年代下限当在汉哀帝元寿二年（前1年）文物。

西汉"御史大夫"封泥藏于山东博物馆。

西汉"居延右尉"封泥匣 西汉中晚期文物。1974年出土于居延甲渠候官遗址。2012年，甘肃省文物考古研究所将其移交入藏甘肃简牍博物馆。

西汉"居延右尉"封泥匣是木质，纵断

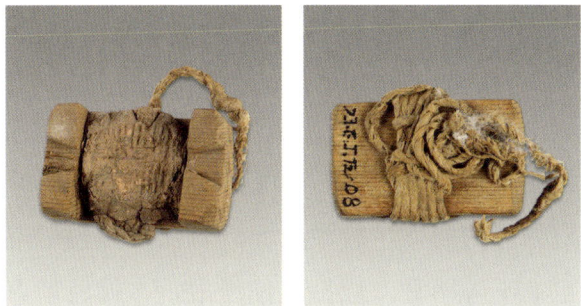

面呈"凹"字状，中有封泥，反面残留麻制封绳，长5厘米，宽3厘米，厚2厘米，重8克。封泥正面留有阳文小篆"居延右尉"印痕。

封泥又称泥封，是中国古代以官私玺印抑印于泥，用以封缄往来文书及财货的遗存，主要见于战国秦汉时期。魏晋之前，纸张尚未普遍使用，简牍系主要书写材料，作为往来文书，为求保密，防止揭拆，通常将简牍捆扎或以囊盛装，在结扎或封口处以泥封护，并在泥上抑印官私玺印，即封泥。魏晋之后，纸张普及，封泥逐渐废除。有关封泥之制，在《周礼》《吕氏春秋》《左传》《后汉书》《古今注》《汉旧仪》《东观汉记》及《秦律十八种》等文献中，均有记述。作为遗存的封泥，直至清代末年方被世人所知。目前所见封泥，大量始见于战国时期，秦汉时期尤为盛行，其中蕴含丰富而真实的中国古代官制、地理信息，是一类重要的古代遗存。

西汉"居延右尉"封泥匣不同于大多数所发现封泥，不仅保存封泥本身，有助于学术界了解汉代居延地区的职官设置；而且也完整保留封泥木匣与麻制封绳，实为难得，是复原汉代封检制度实际操作的重要实物。

西汉"居延右尉"封泥匣藏于甘肃简牍博物馆。

西汉凌源安杖子古城址出土封泥　西汉时期文物。1979年4月出土于辽宁省凌源县安杖子古城遗址。

凌源安杖子古城址内出土汉代封泥19方，多数为褐色，少数土黄色，由细腻黏土制成，质地较为坚硬。形状有正方，有略圆，侧面稍有倾斜，直径3.6～1.7厘米，厚2.2～3.3厘米。四周留有指纹，背面有马鞍形凹槽，槽内留有横竖交叉的竹木纹理及粗细绳纹印痕。该批封泥据正面印文及印面布局特征，可分为两种：第一种，印面呈圆角方形，篆书阳文，印文笔画较粗，2方："右美宫左""右北［太守］"；第二种，印面呈方形，阳线边阑与阑内阳线"十"字界阑相交，篆书阳文，印文笔画较细，字迹较为清晰者12方："夕阳丞印""延陵丞印"（2方）"薋丞之印""昌城丞印""广成之丞"（4方）"白狼之丞""当城丞印"与"泉州丞印"；缺字者5方："无终□□""阴□丞□""□□铁印""□□丞印"与"□目□印"。

据《汉书·地理志》，"右北平郡"，秦代所置，王莽时称"北顺"，属幽州，下辖16县：平刚，无终、石成、廷陵、俊靡、薋、徐无、字、土垠、白狼、夕阳、昌城、骊成、广成、聚阳与平明。同属幽州之"代郡""渔阳郡"，分别辖有"当城""泉州"两县。由此可知，西汉凌源安杖子城址出土封泥所涉及地名除"泉州""当城"分属"渔阳郡"

与"代郡"外,其余均属"右北平郡"。其中"石成、廷陵",王莽曰"铺武";"白狼",王莽曰"伏狄";"夕阳",王莽曰"夕阴";"昌城",王莽曰"淑武";"广成",王莽曰"平虏"。对于该批封泥的时代,发掘者认为与古城址所发现其他遗迹、遗物同时,乃西汉时期遗物;周晓陆认为其中"夕阳丞印""延陵丞印""赟丞之印""昌城丞印""广成之丞""白狼之丞""当城丞印""泉州丞印"与"无终□□"9种是秦代遗物。

西汉时期,由于攻伐及防御匈奴,凌源安杖子古城址靠近大凌河谷,扼守燕山门户,战略位置十分重要。作为军事交通重镇,此前学术界以为安杖子古城址或为右北平郡之"平刚",或为"字县"。经过此次考古发掘,古城址出土多件陶器口沿、器底刻有"石城",且出土封泥中不见"石城"。由此推断,安杖子古城址或为右北平郡所辖县之"石城"。

西汉凌源安杖子古城址出土封泥是当时右北平郡、渔阳郡与代郡所辖地方行政机构之间往来公函的封检,是研究秦汉时期北方疆域建置的珍贵史料,为安杖子古城址属县的确立及深入探索右北平郡辖县地理位置提供了重要线索。

西汉凌源安杖子古城址出土封泥藏于辽宁省博物馆。

西汉呼和浩特二十家子古城出土封泥 西汉时期文物。1959年至1961年出土于内蒙古自治区呼和浩特市赛罕区黄合少镇二十家子村西汉古城。

呼和浩特二十家子古城出土封泥96方,多为圆角方形与椭圆形,泥呈青色、灰色、黑色、褐色、黑褐色、红黄色及橙黄色,细腻、无杂质,长1.9～3.1厘米,宽2.15～3.9厘米,厚0.35～1.5厘米;其中39方揭自封检封泥槽,留有木痕,余下封泥则为木简等其他物品的封缄;封泥表面、背面及体内留有粗细不等两种双股捆扎细绳痕。古城遗址内还出土387块未经戳印的封泥及封泥料。封泥正面有阳文、阴文2种篆体印痕,印文有"安陶丞印""安陶左尉""定襄丞印""武进丞印""武进右尉""平城丞印""都武□印""武城丞印""骆□□□""东乡""西乡""仓""□□库□□""□□太□章"及"鹿未央印"等。

印文"定襄""都武""武进""武城""骆",即《汉书·地理志》所载西汉时期"定襄郡"之辖县;"平城"是相邻"雁门郡"之辖县。据《汉书·地理志》,汉高帝析"云中郡",置"定襄郡",辖12县,其地相当于今内蒙古长城以北的卓资、和林格尔、清水河等地。西汉时期,定襄郡是保卫西汉北部边界的第一道防线,又是攻伐匈奴的前沿,具有重要的战略地位。出土封泥的呼和浩特二十家子古城恰在定襄郡辖地之内。《汉书·地理志》记定襄郡辖县"定陶",清王先谦《汉书补注》曰,朱一新曰"汪本作安陶",王先谦云:官本作"安陶"。二十家子古城出土封泥存印文"安陶丞印",1994年7月至1995年6

月，内蒙古文物考古研究所对呼和浩特市榆林镇陶卜齐古城进行考古发掘，出土铭"安陶"空心砖。由此可知，《汉书·地理志》所载定襄郡辖县"定陶"，是"安陶"之误。印文中"丞""尉"皆汉时所置县官，据《汉书·百官公卿表》《后汉书·百官志》，县置"丞、尉"，"丞署文书，典知仓狱。尉主盗贼"。由此可知，呼和浩特二十家子古城出土封泥是西汉时期定襄郡辖县及雁门郡辖县之间往来文书的封缄遗存。

西汉呼和浩特二十家子古城出土封泥地点集中，其中定襄郡辖县"武进""定襄""都武""武城""骆"及邻郡雁门辖县"平城"之封泥，多则3方，少则1方，"安陶丞印"封泥，完整26方，残损8方，或仅存"丞"字，或仅存"印"字，字体风格与完整封泥相同者6块，基本同出一地，附近分布较多粮窖。古城内还出土一柄残铁斧，斧背一侧铸篆文"安"字，或是"安陶"县官督造之证；而且"安陶左尉"之职权，应仅行使于本县范围。二十家子古城发掘者认为该城是西汉时期定襄郡"安陶"县址所在，诸多封泥乃是"安陶丞"在县属机构行文所留下的遗存。与之相反，1994年7月至1995年6月，呼和浩特市榆林镇陶卜齐古城发掘者认为，封泥具有较大移动性，除"安陶丞印"外，亦发现如"武进""平城"之类其他属县封泥，将二十家子古城视为安陶县治址所在，较为牵强。陶卜齐古城出土铭"安陶"空心砖，为汉代上等建筑构件，具有较强稳定性，地层关系明确；而且陶卜齐古城出土陶器残片上发现两方"市"字戳印，可见当时陶卜齐古城"举旌当市"之盛况，该城应是安陶县治所在。

西汉呼和浩特二十家子古城出土封泥存于内蒙古自治区文物考古研究院。

第五节　经本、文书

东汉伏龙坪墨书纸　东汉中晚期文物。1987年10月出土于甘肃省兰州市伏龙坪龙尾山汉墓。时值伏龙坪龙尾山一工地施工，发现一座古墓。兰州市博物馆接到群众举报后，随即组织专业人员前往工地实地勘察，并进行抢救性发掘。清理过程中，在一朽烂铜镜下发现东汉伏龙坪墨书纸。

东汉伏龙坪墨书纸是两片麻纸，原为一铜镜衬垫，直径17厘米；上分别存墨书40余字与60余字，其中一片存文："□言□女妇悉履祚佑□盈采东就医药会□悲痛奈何当奈何溉□相会得此书复当西□所复见饮泣而行□复当留后忽忽□。"内容应为信函，字体介于隶、楷之间，兼有草笔。

1988年，东汉伏龙坪墨书纸送往中国历史博物馆进行保护处理。东汉伏龙坪墨书纸是中国已发现的最早墨迹纸张之一，为研究汉代造纸术及纸张使用提供了宝贵的实物资料。纸上保留的东汉中晚期墨迹，对于梳理这一时期隶书、楷书及行草书的书体演变，至为重要。1996年9月，经国家文物局专家鉴定小组鉴定，东汉伏龙坪墨书纸被定为国家一级文物。

东汉伏龙坪墨书纸藏于兰州市博物馆。

东晋潘岳书札写本残卷　东晋时期文物。20世纪20年代出土于新疆吐鲁番一带。后为徐益珊所得。徐益珊，名谦，甘肃临夏人，光绪

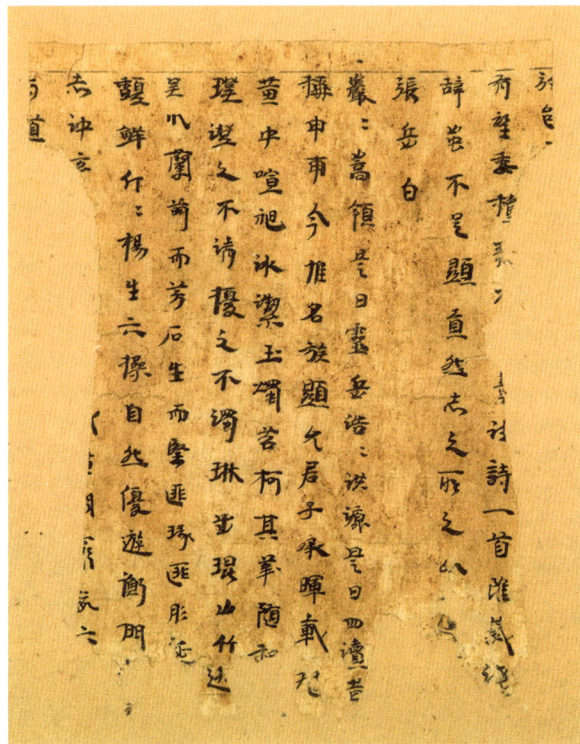

二十九年（1903年）癸卯科举人，历任新疆内务司司长、财政厅厅长及阿克苏道尹等职，从政多有政绩。1958年，徐益珊次子徐懋鼎将东晋潘岳书札写本残卷捐赠甘肃省博物馆。

潘岳（247～300年），字安仁，荥阳中牟人，西晋文学家。其妻为杨肇之女，潘岳《杨仲武诔》有"藉三叶世亲之恩，潘杨之穆有自来矣"句，潘杨两家，世代联姻，故后世亦称姻亲为"潘杨"。潘杨两家极为亲密，据潘安《怀旧赋》，潘氏曾进嵩山悼念杨氏父子。

东晋潘岳书札写本残卷是一浅黄色麻纸，被分割为不规则的4块，纵25厘米，横15.5～20.5厘米；上残存墨书43行，460余字，乃一书札。卷后附唐天山县田亩账、武周如意元年高待义戏书及民国19年（1930年）2月15日黄文弼写与徐益珊的书信。首尾均残，无法得知全貌，文中出现四言诗，品论德才、交游及离别之情，如第14、15行文云"□晔如春华。其二虎啸致风，龙动云兴□""□叹友生，易美断金。管鲍符合，乔□"。文义精深、广征博引，辞藻华丽，文采飞扬，是一篇文学佳作。写本残卷受书人为"杨生"，文中提及"嵩岭"；第20行"岳白：夫甘箪食之味者"、第35行"张岳白"，重复出现"岳白"。此卷所言或是"潘岳"书予其妻族杨姓成员"杨生"的书札。

东晋潘岳书札写本残卷楷体中兼有行草笔法，用笔较为恣肆，应是东晋时期有关潘岳文集的抄本。写本残卷后所附黄文弼写给徐益珊书信云："承借六朝残卷，已抄毕，特奉还。"后署"二月十五日"。此是黄文弼于民国19年（1930年）第二次赴新疆考察时所记。

东晋潘岳书札写本残卷藏于甘肃省博物馆。

前凉《道行品法句经第三十八》卷 东晋太和三年（不晚于368年）文物。相传出于甘肃敦煌藏经洞。

前凉《道行品法句经第三十八》卷是白麻纸，泛黄，纸面光洁，质地精细，保存良好，卷前有剪截痕，纵24.9厘米，横135.5厘米；乌丝阑，栏宽1.6厘米，天头1.1厘米，地脚1厘米；所书系《道行品法句经第三十八》与《泥洹品法句经第三十九》两品经文，单纸横42.20厘米，书26行，计2纸，前纸6行，后纸9行，凡67行，行16～24字不等；每行分上、下4段，品名及段首标有墨点；首题"道行品法句经第卅八"，品题"泥洹品法句经第卅九"，卷末附题记"升平十二年沙弥净明""咸安三年十月廿日沙弥净明诵习《法句》起"两则，是沙弥净明分别于升平十二年（368年）与咸安三年（373年）的两次诵经记录。卷中有雌黄改字。据此可知，升平十二年（368年）是该卷书写的时间下限（升平为东晋穆帝年号，行用5年；咸安为东晋简文帝年号，行用2年。此处分别称"十二年""三年"，可见前凉地区并非为东晋实控）。升平十二年题记，字迹潦草；而相

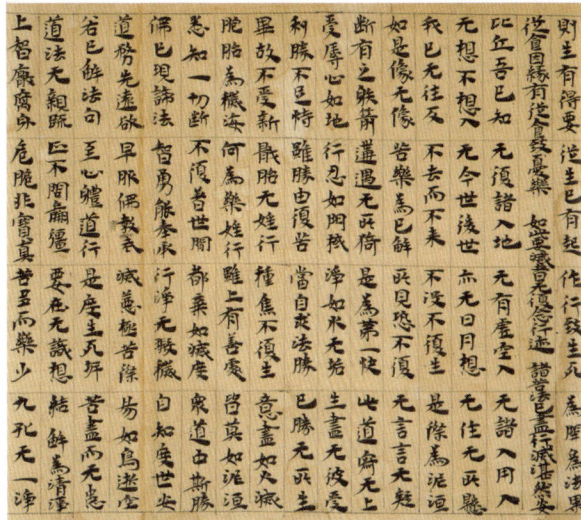

隔五年之后，咸安三年题记则较为工整，此亦是沙弥净明的启蒙学书历程。卷中书体处于隶楷之间，具有当时"经抄体"的特有风韵，且存在许多这一时期流行的异体字。

《法句经》自译成已有1700余年，其间辗转传抄，品次、字句屡经改易。如《道行品法句经》，前凉《道行品法句经第三十八》写本作第三十八，通行刊本《大正藏》则为第二十八；《泥洹品法句经》，前凉《道行品法句经第三十八》写本作第三十九，三十有五章，通行刊本则为第三十六，三十有六章。若以写本每行为一章，三十五行经文中仅第十七行为六句，其他各行均为四句，恰是35章，写本所记章数正确。将前凉《道行品法句经第三十八》卷与通行刊本《大正藏》做校勘，两者文字存在较多差别，互有优劣，以此可校订其中讹误。

前凉《道行品法句经第三十八》卷是中国已知最早的佛经写本。其他如上海博物馆藏后凉麟嘉五年（393年）《维摩经》、安徽省博物馆藏北凉神玺三年（399年）《贤劫千佛品经》与中国国家图书馆藏西凉建初十二年（416年）《律藏初分第三》，亦是中国仅存少数早期写经。凡此均是研究早期佛经版本及佛教传播的重要实物。卷末题记"升平""咸安"，是前凉张天锡袭用东晋穆帝、简文帝年号，为学术界研究前凉与东晋及前凉与前秦之间的关系，增添了新的史料。

前凉《道行品法句经第三十八》卷藏于甘肃省博物馆。

北凉真兴六年高昌郡兵曹范庆白草牒　大夏真兴六年（424年）文物。1979年4月下旬出土于新疆维吾尔自治区吐鲁番地区阿斯塔那古

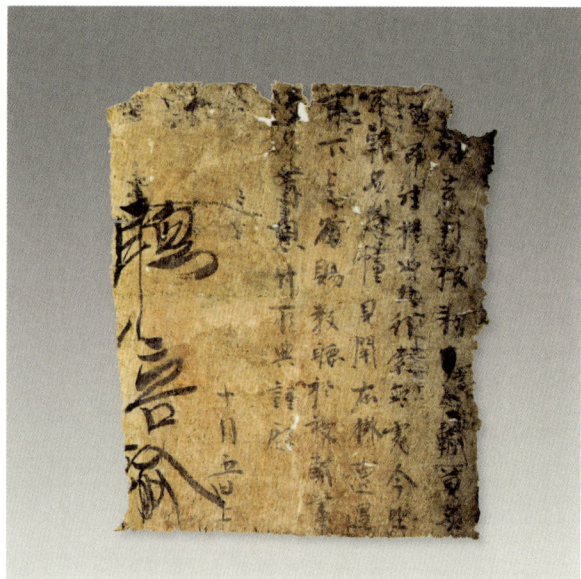

墓群。北凉真兴六年高昌郡兵曹范庆白草牒亦为十六国女性墓葬出土绢面纸鞋拆出的8件文书之一。

北凉真兴六年高昌郡兵曹范庆白草牒是一份官方公文残件，纵25厘米，横21.5厘米，现存墨书9行，正文仅存"不得违失，明案奉行"1行，其余8行均为各级官员签署。其中第3行"真兴六年十月十三日兵曹范庆白草"，"真兴"，是十六国时期夏赫连勃勃在长安称帝后次年所用纪年；"草"意为起草，"白"即禀白之意，是当时向上级报告情况的公文用语。公文中有蓝色勾勒，标识该项事情已办理完毕，是十六国时期文书的一个特点。其反面书"北凉因欠税见闭在狱启"10字。

北凉真兴六年高昌郡兵曹范庆白草牒作为官方公文，其中签署官员有校曹主簿、兵曹、主簿、功曹史、典军主簿、五官、典军与录事等，是学术界了解北凉时期高昌郡府官制的重要史料。

北凉真兴六年高昌郡兵曹范庆白草牒藏于吐鲁番博物馆。

北凉高昌郡内学司成白请差某人刈苜蓿牒 大夏真兴七年（425年）或稍晚的文物。1979年4月下旬出土于新疆维吾尔自治区吐鲁番地区阿斯塔那古墓群。时值阿斯塔那古墓群保管员在基建取土，发现一座十六国时期墓葬（编号79TAM382）；随后，吐鲁番地区文管所对该墓进行清理。墓主为一成年女性，随葬一双绢面纸鞋，是以各种废旧文书折叠、粘贴而成，外面裱糊红底白色方形花纹绞缬绢面。从该双纸鞋中共拆出8件文书，北凉高昌郡内学司成白请差某人刈苜蓿牒即其中之一。

北凉高昌郡内学司成白请差某人刈苜蓿牒是一由典学主簿建签署的内学司成令狐嗣白文残纸，纵24.5厘米，横19.5厘米；存墨书8行，始于"内学司成令狐嗣白"，终于"四月十六日白　典学主簿建"，大意是某人名在军籍，应该去收割苜蓿，因其一直负责在学馆打理桑树，故内学司成令狐嗣向典学主簿建禀明有关情况。从文末"事诺付曹存记奉行"及文中蓝笔勾勒观察，此事已经得到典学主簿批准。北

凉高昌郡府官制中所设"典学主簿"一职，职掌教育；"内学司成"，则协助典学主簿分管具体事务。文末"四月十六日白"，乃内学司成令狐嗣所书日期；该件文书反面"北凉真兴七年高昌郡兵曹白请差直步许奴至京牒"，书于大夏真兴七年（425年）正月廿日（真兴为大夏赫连勃勃的年号，行用7年）。由此可知，北凉高昌郡内学司成白请差某人刈苜蓿牒书写时代当同为"真兴七年"，或稍晚。

由北凉高昌郡内学司成白请差某人刈苜蓿牒可知北凉高昌郡时期，在新疆吐鲁番地区已经设有专门管理学馆的机构、官员，内学馆亦应拥有土地，且募人以打理有关事务。

北凉高昌郡内学司成白请差某人刈苜蓿牒藏于吐鲁番博物馆。

西魏《贤愚经卷第二》卷 西魏大统初年文物。传出于甘肃敦煌藏经洞。

西魏《贤愚经卷第二》卷是黄麻纸，上有细横纹，纵24厘米，横736厘米，以19张单纸黏接；每纸横37.8厘米，书经文23行，行17字。墨书楷体，略带隶意，卷首残缺，卷尾题"贤愚经卷第二"，存《恒伽达品第六（缺品目）》《须阇提品第七》《波斯匿王女金刚品第八》《金财品第九》《华天品第十》《宝天品第十一》《羼提婆梨提品第十二与慈力王血施品第十三》。品目、经文与通行刊本《大正藏》略有不同，两者为同一译本，以写本为佳。写本中多次出现"晋言金刚""晋言华天"及"晋言宝天"等辞，或与译经时代有关。有关《贤愚经》译者，《大藏经》作"元魏沙门慧觉等译"，与写本中所云"晋言"不符，需要重新予以审视。

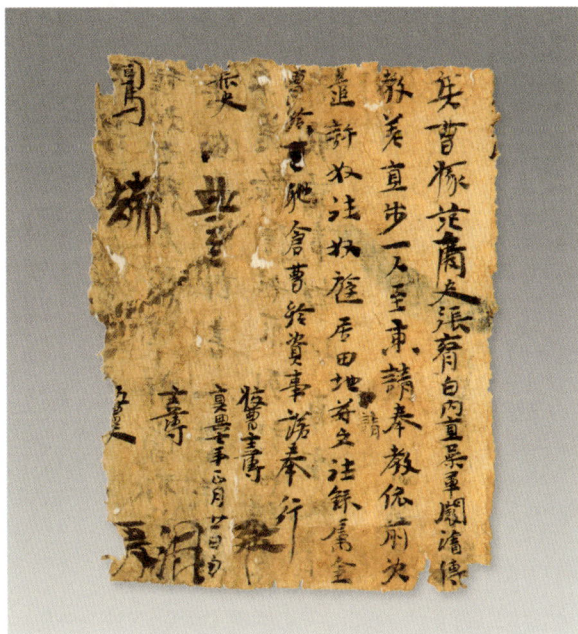

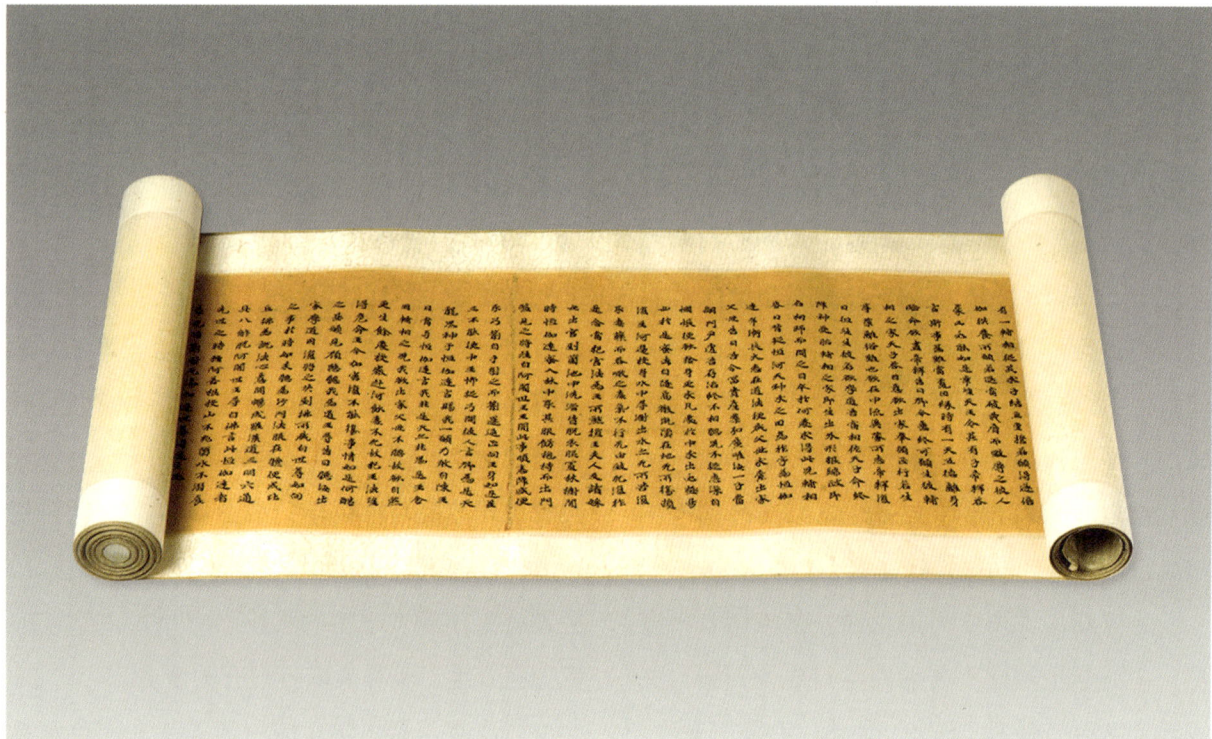

西魏《贤愚经卷第二》卷末题发愿文："敦煌太守邓季彦妻元法英供养为一切。"邓季彦，见于《北史》《周书》之《令狐整传》与《申徽传》；二传前者作"邓彦"，后者作"刘彦"，今以西魏《贤愚经卷第二》卷题记相证，作"邓（季）彦"为是。邓季彦，瓜州刺史东阳王元荣之婿，于北魏孝昌年间跟随元荣至敦煌，大统初年任敦煌太守。后邓季彦擅杀元康，自领瓜州刺史，不听调遣，戮辱使臣，私通吐谷浑，将图叛逆。西魏大统十一年（545年），宇文泰遣申徽联络瓜州豪门令狐整、张穆等，智擒邓彦，解京治罪。资料显示，邓季彦妻元法英写有三部经卷，即西魏《贤愚经卷第二》、法藏P.3312《贤愚经卷第一》与李盛铎旧藏《大智度论》；其中法藏P.3312《贤愚经卷第一》所题发愿文与《贤愚经卷第二》相同，《大智度论》所题发愿文为"大统八年十一月十五日瓜州刺史邓季彦妻昌

乐公主元"。在此三则发愿文中，亦可大致寻绎邓季彦在敦煌的兴衰始末。

西魏《贤愚经卷第二》卷保存完好，堪为写经中上品。

西魏《贤愚经卷第二》卷藏于甘肃省博物馆。

隋《优婆塞经卷第十》卷 隋仁寿四年（604年）文物。传出于甘肃敦煌藏经洞，为兰州市古旧书店收购。后入藏甘肃省博物馆。

隋《优婆塞经卷第十》卷是麻纸，染黄，由9张抄经纸黏接而成，纵25.7厘米，横459厘米；乌丝阑，楷书，天头3.1厘米，地脚3.1厘米，乌丝阑界宽1.8厘米。卷首残，经文始于"方便所谓"，凡247行，行17～20字，每纸长52.2厘米，经文29行；经尾题"优婆塞经卷第十"；卷末题记："仁寿四年四月八日，榠维珍因向京，为亡父写《灌顶经》一部、《优婆塞经》一部、《善恶因果经》一部、

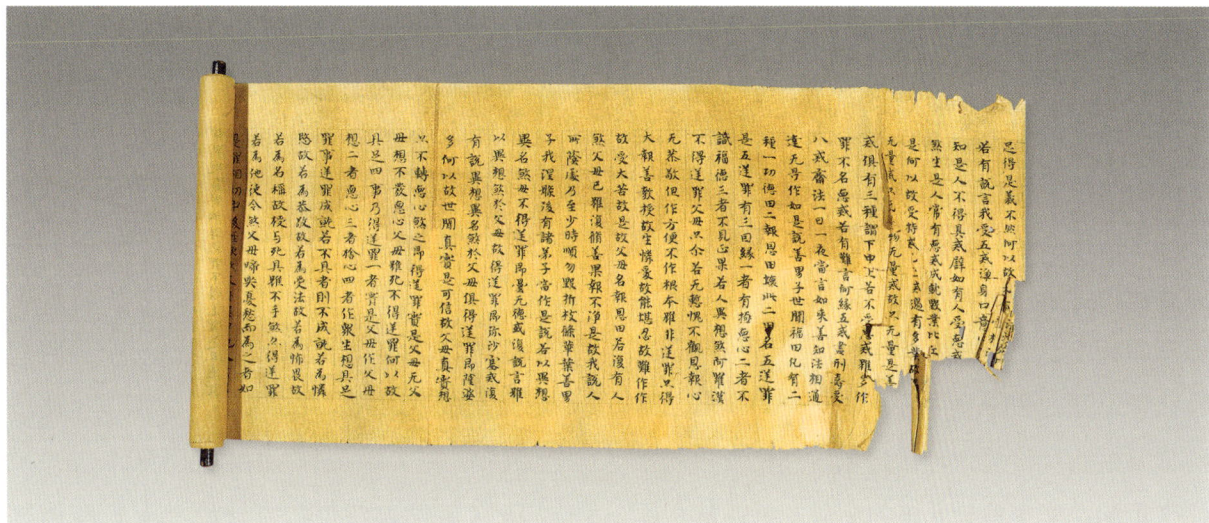

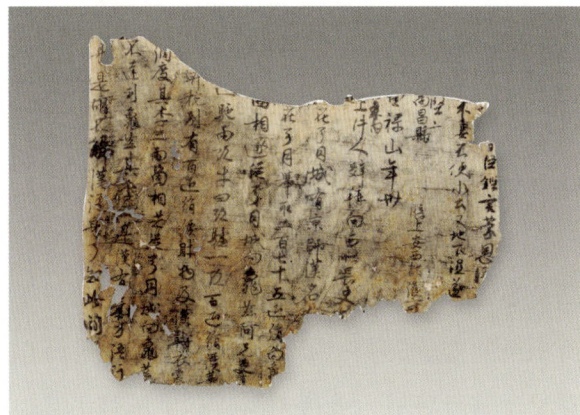

《太子成道经》一部、《五百问事经》一部、《千五百佛名经》一部、《观无量寿经》一部，造观世音像一躯，造卌九尺续命神幡一口。所造功德为法界众生一时成佛。"

隋《优婆塞经卷第十》卷书写时间为隋仁寿四年四月八日，即604年佛诞节；发愿人是楹维珍，发愿地点应为敦煌，目的为葬在京城的亡父做功德。题记兼述发愿之舍施，内容详备，是研究当时佛教传播的重要史料。

隋《优婆塞经卷第十》卷藏于甘肃省博物馆。

唐西州高昌县上安西都护府牒稿 唐咸亨元年至四年（670~673年）文物。1966年出土于新疆维吾尔自治区吐鲁番地区阿斯塔那61

号墓。

唐西州高昌县上安西都护府牒稿为录上讯问曹禄山诉李绍谨两造辩辞事是8段墨书残纸，纵8~39厘米，横29厘米；存墨书73行，写于废旧文书背面，主要内容是一份高昌县向安西都护府报告审讯粟特商人曹炎延与汉人李绍谨之间借贷纠纷案件的牒文稿。文中记述：京师汉人李绍谨（又名李三）在弓月城向胡商曹炎延举借275匹绢及其他杂物，两人并结伴从弓月城去龟兹。后李绍谨不承认其借绢之事，曹炎延弟曹禄山将李绍谨告诉上官府；此时安西四镇已经陷落，安西都护府退保高昌，于是曹禄山向高昌县提起诉讼。高昌县官府案问李绍谨，起初他拒不承认曾向曹炎延借绢，并声称也不曾与胡人同路；但经多次问讯，寻找证人，李绍谨终于承认其借绢一事，并答应付清本利。牒文稿背面是一件书于唐麟德二年（665年）的文书，阿斯塔那61号墓中又出土咸亨四年（673年）墓志，由此可以推断牒文稿书写时间在麟德二年之后，咸亨四年（673年）之前。同时该牒文稿写于安西都护府退保高昌之后，而安西都护府于咸亨元年

（670年）四月迁往西州。因此，唐西州高昌县上安西都护府牒稿为录上讯问曹禄山诉李绍谨两造辩辞事书写时间在唐咸亨元年至四年（670～673年）。

唐西州高昌县上安西都护府牒稿为录上讯问曹禄山诉李绍谨两造辩辞事文中所提及"京师"即长安，"龟兹"即库车，"弓月城"大致在伊犁盆地伊宁市附近，均是当时丝绸之路的重要枢纽及贸易中转站，域内外使者、商贾往来于此。文中曹氏兄弟为昭武九姓，从京师来弓月城、龟兹等地"市易"，一次性借给李绍谨275匹绢，从一个侧面反映出当时贸易之繁荣。而唐政府对于此类域内外贸易纠纷诉讼的处理，足见在当地的有效行政管理及所享有的崇高威信。

唐西州高昌县上安西都护府牒稿藏于新疆维吾尔自治区博物馆。

唐《佛说大药善巧方便经卷上》卷 唐高宗咸亨四年（不晚于673年）文物。出于甘肃敦煌藏经洞，20世纪60年代购于兰州邓秀峰。

唐《佛说大药善巧方便经卷上》卷是黄檗染硬纸，纤维组织细密、均匀，工艺极精，纵25.1厘米，横158.4厘米；乌丝阑，行距1.8厘米，天头2.93～3.04厘米，地脚2.86～2.92

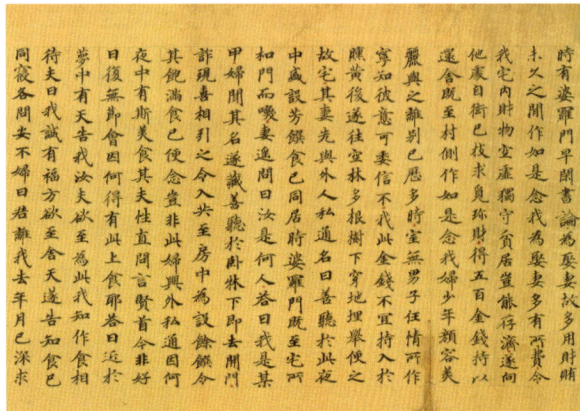

厘米；精楷书写，存经文80行，行17字，凡1348字。经文无首，始于"时有婆罗门早闲书论"，终于"诸人见已共叹希奇"句，其中11处以朱砂句读；文末题"佛说大药善巧方便经卷上"。卷末题记4行："上元初癸酉岁，谨按《大云经》是宇宙再清之年，苍生解悬之日，相之月北陆□日之裔琳琅记。"癸酉岁，是唐高宗咸亨四年（673年），次年即唐高宗上元元年，是为该卷书写的时间下限。

唐《佛说大药善巧方便经卷上》卷用材及书写特征与唐内府写本极其相似。《大药善巧方便经》是一部故事集，成于唐高宗、武则天时期，流传范围不广，唐代之后不见流传，传世诸经藏亦均未著录。幸有敦煌研究院藏唐《佛说大药善巧方便经卷上》卷，后世得以所闻。该卷与伯希和3791号为同一写卷，后被人分割，应是该经初始流传的抄本。仅敦煌研究院与法国国家图书馆藏《大药善巧方便经》，弥足珍贵。

唐《佛说大药善巧方便经卷上》卷藏于敦煌研究院。

武周载初元年西州高昌县宁和才等户手实 武周载初元年（689年）文物。1964年出土于新疆维吾尔自治区吐鲁番地区阿斯塔那35号墓。

武周载初元年西州高昌县宁和才等户手实是由数纸粘接成卷，纵29厘米，横1105厘米，纸背骑缝处钤"高昌县印"，并署"押"字；墨书为武周载初元年（689年）宁和才、王隆海及史苟仁等户的11件手实。手实，即由户主所申报的家庭人口、年龄、身份及土地等信息登记。《新唐书·食货志》载："里有手实。

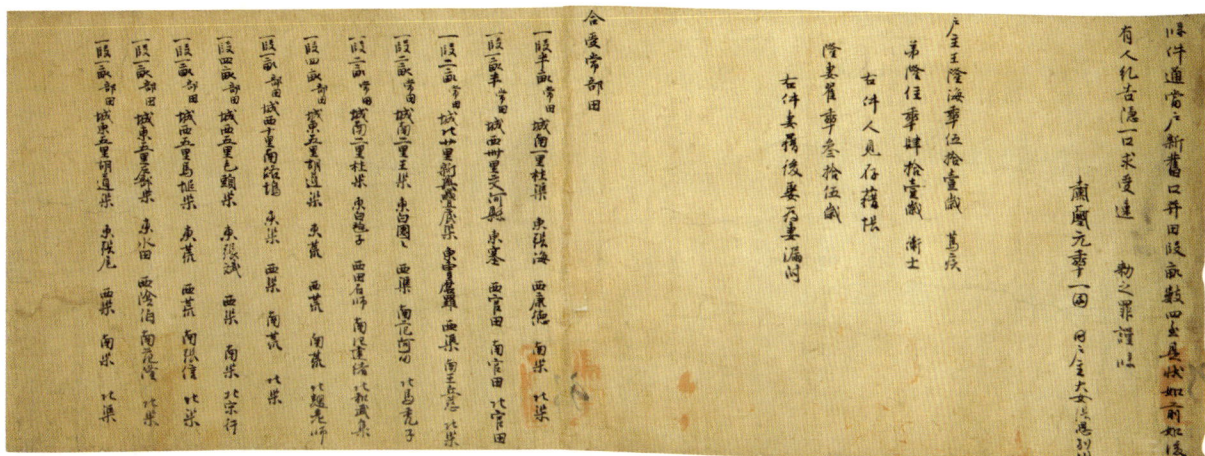

岁终，具民之年与地之阔悭为乡帐。"唐代的手实一年一造，里正、乡司将各户手实粘连成卷，州县则据此手实编成户籍，呈送尚书省户部；而政府则据手实、籍账等登记征发徭役，检点府兵及征收赋税。武周载初元年西州高昌县宁和才等户手实登记王隆海、史苟仁、严仁秀、翟急生、杨支香、曹多富、康才宝、康才义、王具尼及康鹿独等户主姓名、家庭人口、年龄及资产土地、居住园宅的数量、位置等信息，文末为户主的保证例行文字，"牒件通当户新旧口、并田段亩数四至，具状如前；如后有人纠告，隐一口，求受违敕之罪。谨牒"。武周载初元年西州高昌县宁和才等户手实出土于新疆吐鲁番阿斯塔那地区，由此可知唐政府在西州地区推行与内地相同的手实制度。

武周载初元年西州高昌县宁和才等户手实，其具录时间为武周载初元年一月，文中"载""初""年""月""日"及"地"等字，均为武周所创新字。武则天以永昌元年十一月改作载初元年正月，并推行新字；武周载初元年西州高昌县宁和才等户手实登记时间距武则天推行新字仅两月，足见当时唐中央政府与新疆地区联系之密切及对当地的高效管理。

武周载初元年西州高昌县宁和才等户手实藏于新疆维吾尔自治区博物馆。

唐开元二十年游击将军石染典过所　唐开元二十年（732年）文物。1973年出土于新疆维吾尔自治区吐鲁番地区阿斯塔那509号墓。

唐开元二十年游击将军石染典过所，由3张纸黏接而成，首尾残缺，纵28.8厘米，横76.5厘米；存墨书24行，是官府发给石染典的"过所"，即当时非官方人员行经各地关卡须持有的证明公文。文中1～10行，是瓜州都督府批给石染典的过所，记都督府户曹收到石染典申请改给过所的牒文，述石染典携作人康禄山、石怒忿、家生奴移多地及10头驴，自安西来瓜州"市易"；之后，欲从瓜州返回安西，为顺利通过铁门关及其他镇戍守捉之类关卡，所以具牒向瓜州都督府户曹申请改给新过所；瓜州都督府户曹审查无误后，由户曹参军"宣"与"史杨祇"签署，钤"瓜州都督府之印"朱文方印，注明批准时日"开元贰拾年三月拾肆日给"，改给石染典新过所。11～14行，记石染典持瓜州都督府改给过所，由瓜州往沙州途中，接受所经悬泉、常乐、苦水与盐池戍四守捉关

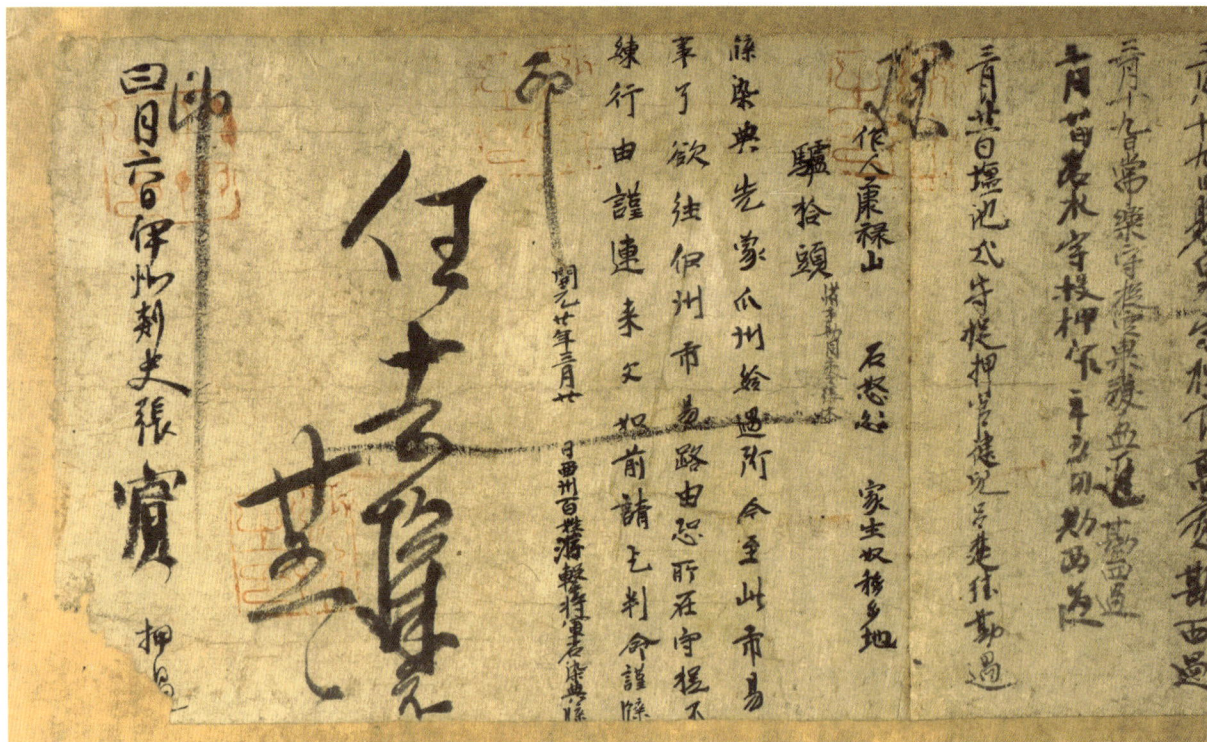

卡检查，附有关官吏签署，注明检查合法而放行的具体时日，如"三月廿一日，盐池戍守捉押官健儿吕楚珪勘过"之类。15~20行，记石染典自瓜州来至沙州"市易"；之后，欲从沙州往伊州"市易"，请求沙州州府改给新过所，以期顺利通过途中关卡，其间经过沙州"市令张休"审核。21~22行，记沙州州府官吏"琛"对石染典申请改给过所具牒的批准辞"任去"，附签署及批准时日；为防作弊，"琛"在所批过所与石染典先前所持瓜州都督府改给过所的黏接处、石染典具牒与其签署三处，各钤1方"沙州之印"朱文官印，足见其谨慎。23~24行，由"伊州刺史张宾"亲自核查签署，并钤"伊州之印"朱文方印，注明勘察时日。

据唐开元二十年瓜州都督府、沙州州府改给西州百姓游击将军石染典过所，石染典是当时西州百姓游击将军，此次携作人、奴仆一行4人及10头驴，在由安西至瓜州，又自瓜州至沙州，再由沙州往伊州"市易"过程中，前后向安西都护府、瓜州都督府与沙州州府3次具牒申请过所。石染典每至一地，即向当地官府申请过所，每至一处关卡，均须接受一番详细检查；负责检查的官员在石染典过所上记下通关日期，注明"某地某官员勘西过"之类，记录了石染典"市易"全部过程及履行手续。

过所，在唐代已形成一整套完备制度，其申请、签署、发放与查验均有严格规定；而若无过所而私渡关津，则系违律。唐开元二十年瓜州都督府、沙州州府改给西州百姓游击将军石染典过所证明，唐中央政府的政令在西域地区得到有效执行，维护当时社会稳定及丝绸之路的贸易繁荣。唐开元二十年瓜州都督府、沙州州府改给西州百姓游击将军石染典过所广受学术界关注。

唐开元二十年游击将军石染典过所藏于新疆维吾尔自治区博物馆。

唐成都府卞家刻本《陀罗尼经咒》页 唐肃宗至德二年（757年）后文物。民国33年（1944年4月）出土于四川成都国立四川大学内。时值四川大学修筑校内自荷花池至锦江边道路，在距离锦江畔约五六十米处，发现4座唐宋时期的小型墓葬。在其中一座唐墓墓主尸骨所佩戴银镯内，发现唐成都府卞家刻本《陀罗尼经咒》页。

唐成都府卞家刻本《陀罗尼经咒》页是佛教密宗之物，雕版印制，所用茧纸质地薄，且半透明，韧性极强。纵30.5厘米，横34厘米；四周双边，右框外题纵向汉文1行："［成都府］成都县□龙池坊近卞□□印卖咒本□□□。"刻本中央为一双框小方栏，栏中一尊六臂菩萨落于莲座之上，手持各种法器；栏外围刻焚文，即中国佛教经典所称天城体7经咒17周；咒文外雕双栏；四角各置一尊菩萨，每边均有3尊菩萨，其间为佛教贡品。

经咒右题"成都府成都县"系印制地点。成都，旧称益州，唐天宝元年（742年）改称"蜀郡"，又于唐肃宗至德二年（757年）更名"成都府"。据此可知，此《陀罗尼经咒》

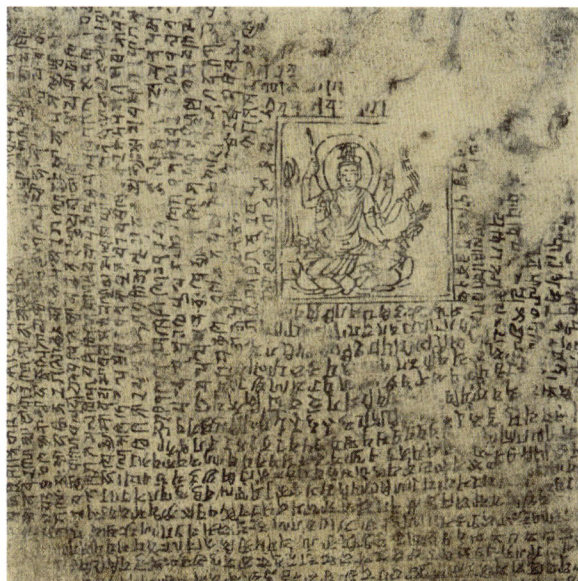

页的出现，应在唐肃宗至德二年（757年）之后。结合墓葬形制及其他随葬器物等诸多方面考察，唐成都府卞家刻本《陀罗尼经咒》页当为晚唐印本。中华人民共和国成立后，考古工作者又陆续在唐、五代及宋辽时期墓葬中发现同类陀罗尼经咒遗物；而且这些经咒出土时大多置于墓主所佩戴臂钏或所附银盒、铜盒内，个别附于墓主腭托中。凡此特殊的随葬方式，应是佛教密宗与中国民间方术相结合的产物。

唐成都府卞家刻本《陀罗尼经咒》页并同上述唐代其他《陀罗尼经咒》页及1906年新疆吐鲁番出土武则天时期印制《妙法莲华经》、甘肃敦煌石室发现唐咸通九年（868年）王玠雕版《金刚经》，作为存世时代最早的几件印刷品，是学术界探索早期雕版印刷的重要实物。

唐成都府卞家刻本《陀罗尼经咒》页藏于中国国家博物馆。

唐粟特文摩尼教徒书信卷 唐代文物。1981年夏季出土于新疆维吾尔自治区吐鲁番市柏孜克里克千佛洞。1980年冬季，新疆维吾尔自治区吐鲁番市文物局对柏孜克里克千佛洞崖前多年形成的沙土堆积进行清理。1981年夏季，在清理65号洞窟坍塌的土砂石时，发现保存完好的3件粟特文与5件回鹘文文书，唐粟特文摩尼教徒书信卷即在其中。

唐粟特文摩尼教徒书信卷由9张纸黏接而成，在接缝与纸行书写处，铃有朱文圆印，纵26厘米，横268厘米，重0.361千克；存墨书粟特文135行，是摩尼教徒之间的书信，由"拂多诞"夏夫鲁亚尔·扎达吉写给一名叫马尔·阿鲁亚鲁·普夫耳的"慕阁"；长卷中部是一幅工笔重彩的彩绘伎乐图，画中有1行金字题记。

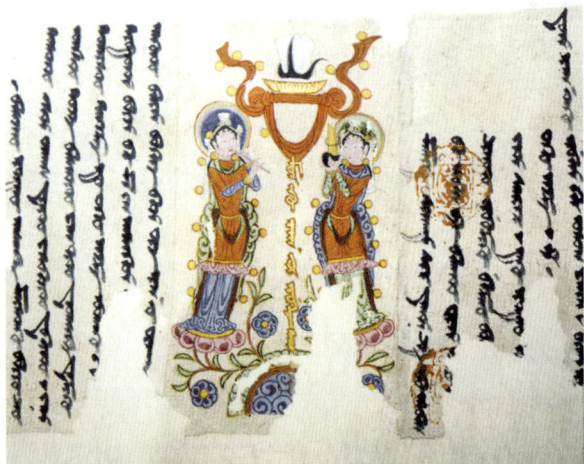

唐粟特文摩尼教徒书信文中，马尔·阿鲁亚鲁·普夫耳作为东方教区"慕阇"，可知此地当时曾是摩尼教东方教区中心。摩尼教，公元3世纪由波斯人摩尼创立，教团分为12个教区，每个教区设有1位"慕阇"（教师、承法教道者），6位"拂多诞"（教监），30位默奚悉德（长老），僧尼或选民、听众（一般信徒）。摩尼教约在武周延载元年（694年）传入中国，后于开元年间遭唐政府禁止，仅允许其在胡人中传播，但民间仍有摩尼教的活动。安史之乱（755～763年），回鹘出兵助唐，回鹘兵又将摩尼教引入，并很快奉为国教。回鹘早期使用突厥文，牟羽可汗时，请粟特人为国师，信仰摩尼教，并开始以粟特文书写摩尼教经典与官府文书，后又借用粟特文字母拼写回鹘文。

唐粟特文摩尼教徒书信卷藏于吐鲁番博物馆。

北宋乾德三年吴越王钱俶刻本《一切如来心秘密全身舍利宝箧印陀罗尼经》卷 北宋乾德三年（965年）文物。1971年11月出土于浙江省绍兴县城关镇物资公司内。时值浙江省绍兴县城关镇物资公司进行房屋基础施工，发现

地下有一座钱俶于乙丑年（965年）铸造的铁质阿育王塔，塔内藏有一长约10厘米的红色木质圆筒，北宋乾德三年吴越王钱俶刻本《一切如来心秘密全身舍利宝箧印陀罗尼经》卷（乙丑本）置于筒内。

北宋乾德三年吴越王钱俶刻本《一切如来心秘密全身舍利宝箧印陀罗尼经》卷（乙丑本）是墨书刻本，白皮纸，纵8.5厘米，横182.8厘米；框纵7.1厘米，卷首自右向左纵向楷书题3行"吴越国王钱俶敬造《宝箧印经》八万四千卷，永充供养，时乙丑岁记"。次后"礼佛图"，图右，一奉佛人案前跪拜礼佛，其右后一人侍立，佛结跏趺坐于莲座，众弟子侍立左右，佛与弟子均有头光；图左下方，两位奉佛人焚香祈祷，一佛二弟子随即应现，均有头光；图左上方，一人立于山门前，欲引佛入庭院，画面中央上方绘一宝灯，天花四散。"礼佛图"后，题"一切如来心秘密全身舍利宝箧印陀罗尼经"，次后楷书经文，凡220行，行10～12字不等。

北宋乾德三年吴越王钱俶刻本《一切如来心秘密全身舍利宝箧印陀罗尼经》卷（乙丑本）是吴越王钱俶捐刻。钱俶（929～988年），948～978年在位，初名弘俶，字文德，杭州临安人，钱镠之孙，钱元瓘第九子，末代吴越国王。宋太祖建隆元年（960年），授天下兵马大元帅；宋太宗太平兴国三年（978年），钱俶献所据两浙十三州之地归宋。吴越国佛教兴盛，曾雕版刻印许多佛经，以钱俶捐刻的《一切如来心秘密全身舍利宝箧印陀罗尼经》最为著名。钱俶动用大量人力、财力先后3次刻印《宝箧印陀罗尼经》，置入塔中供养；除

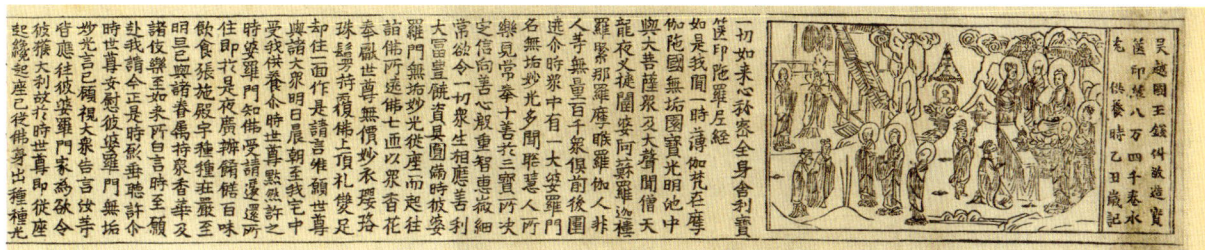

乾德三年（965）"乙丑本"外，还有后周显德三年（956年）"丙辰本"与宋开宝八年（975年）"乙亥本"，此《宝箧印陀罗尼经》三个版本，均为版心小、字径小的小幅经咒，卷首前刊题，次为"礼佛图"，次后经题、经文，仅是所用纸张有竹纸、白皮纸与棉纸之别。其中以"乙亥本"流传最广，浙江图书馆、浙江博物馆、泉州三省堂、上海玉佛寺、中国国家图书馆、西北大学图书馆、美国国会图书馆、纽约市图书馆及英国博物院等处均有收藏。民国13年（1924年），杭州西湖雷峰塔倒塌，砖塔内发现多卷黄绫包首《宝箧印经》，卷首题"天下兵马大元帅吴越国王钱俶造此经八万四千卷，舍入西关砖塔，永充供养，乙亥岁八月日纪"，此即"乙亥本"。民国6年（1917年），湖州天宁寺改建中学校舍施工时，在石幢下象鼻中发现数卷经文，卷首题："天卜都元帅吴越王钱弘俶印《宝箧印经》八万四千卷，在宝塔内供养。显德三年丙辰岁记。"此即"丙辰本"，最为罕见。传闻1957年瑞典国王曾购得"丙辰本"1卷，藏于瑞典皇家图书馆。1971年1月，安徽省无为县中学宋代舍利塔下砖墓小木棺内发现1卷"丙辰本"。"乙丑本"相对于其他两本而言，刻印质量最好，图画线条明朗，文字清晰，墨色精良，且纸质洁白，千年如新。卷首题"乙丑岁"，即宋太祖赵匡胤乾德三年（965年）；又因赵匡

胤父名弘殷，而钱俶名"弘俶"，故避讳改为俶，题"吴越王钱俶"。南宋志盘《佛祖统纪》："吴越王钱俶，天性敬佛，慕阿育王造塔之事，用金铜精钢造八万四千塔，中藏《宝箧印心咒经》，布散部内，凡十年而讫功。"北宋乾德三年吴越王钱俶刻本《一切如来心秘密全身舍利宝箧印陀罗尼经》卷（乙丑本）是所见唯一藏于阿育王塔内的经卷，弥足珍贵。

北宋乾德三年吴越王钱俶刻本《一切如来心秘密全身舍利宝箧印陀罗尼经》卷（乙丑本）藏于浙江省博物馆。

北宋金银书《妙法莲华经》卷 北宋庆历四年（1044年）文物。1951年发现于山东省即墨县。时值土地改革，各村将收缴的一些文物上缴县文物管理工作组，北宋金银书《妙法莲华经》卷即在其中。同年，胶州专署派员来即墨调走32箱文物，其中包括北宋金银书《妙法莲华经》卷6。1984年3月，即墨县博物馆成立，北宋金银书《妙法莲华经》卷1、2、3、4、5、7卷，移交入藏；卷6则遗存于胶县图书馆。1986年8月，国家文物鉴定委员会专家史树青、刘光启与山东省文物鉴定小组成员台立业、关天相，受青岛市文物管理委员会邀请，来青岛举办的历史文物鉴定讲习班授课，在胶县博物馆提供的教学实物中发现北宋金银书《妙法莲华经》1卷；之后又在胶县博物馆、即墨县博物馆鉴定馆藏文物时，发现两馆分藏

北宋金银书《妙法莲华经》7卷，两者相合恰为完整一部。1987年3月，由国家文物鉴定委员会主任启功主持，在中国历史博物馆举行鉴赏会，与会专家认为，该部北宋金银书《妙法莲华经》7卷是极其珍贵的一级文物。

北宋金银书《妙法莲华经》卷凡7卷28品，卷轴装，除卷4外，其余各卷包首均残，前杆皆失；包首系黄色、淡青色云鸾绫，纵26～27厘米，内面为金色樗蒲纹印花绢，纵9～10厘米，纹饰清晰，应为明代重裱时所用宋代旧绢；全卷使用名贵的碧纸（又称磁青纸），色呈深蓝，质厚且韧，单张纵30.50～31厘米，横51～52厘米，各卷用纸16.50～25张不等；各卷经首纸横26～27厘米，经尾纸横43～59厘米，附平头木轴；全卷以细白麻纸裱背。各卷均书"后秦三藏法师鸠摩罗什奉诏译"，卷5以金银泥绘制一男二女供养人像，上方金书"果州西充县抱戴里弟子何子芝与同寿女弟子陈氏、长男文用、次男文祚、小男文一同造此经，愿长保安吉供养亡过母亲杨氏"题记5行，卷7尾银书"庆历四年太岁甲申十二月戊子朔五日壬辰弟子何子芝造此经一部谨记"题记3行，其后又金书"大明洪熙元年孟秋吉旦善人葛福诚重修补造毕"题记1行。据此可知，北宋金银书《妙法莲华经》

卷即鸠摩罗什所译，由北宋庆历四年（1044年）果州西充县（四川西充）抱戴里何子芝一家为供养亡母杨氏出资捐造，后明洪熙元年（1425年）又经葛福诚修补重装。

北宋金银书《妙法莲华经》各卷卷首附以金银泥所绘图画。每幅画面用纸3张，其中部分经纸饰以银丝阑，框高22.5～23厘米，所绘包括护法神像、经变画、供养人像及如来说法图等；每幅画面均有简练的文字榜题，以说明图画内容，且各卷经变画内容亦与该卷各品经文内容相对应。图中供养人像上方附有题记，各卷略有不同。除卷1外，各卷图文均以护法神像、经变画、供养人像、如来说法图、经变画与经文顺序展开。如来说法图中，如来居于中央，四周绘梵王帝释、天王、菩萨、比丘弟子之类；其中如来、梵王、天王、菩萨皆为金面，余为银面，各卷基本相同。卷1未见经变画与供养人像，卷中除护法神像与如来说法图外，其余均为明洪熙元年所补。卷2有6纸，卷3有2纸，亦为洪熙元年所补。卷5、卷6品序倒错，与该卷经变画内容不符，应是明代重装时所乱。北宋金银书《妙法莲华经》卷经文系以金银泥楷书，每纸26～33行，行16～20字不等；每卷经文起始右上角书经名及次序，下书"后秦三藏法师

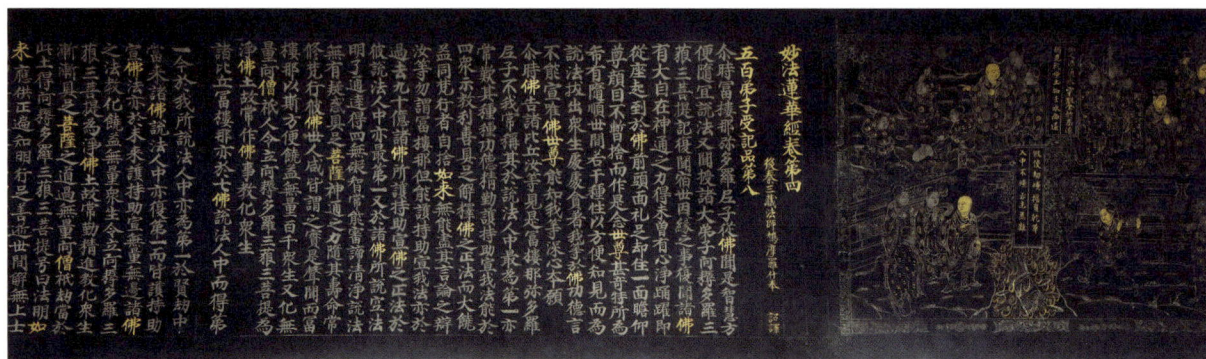

鸠摩罗什奉诏译"，文中凡经名、菩萨、如来、世尊诸佛等名均为金书，总计6万余字。

《妙法莲华经》又称《法华经》，是大乘佛教重要经典之一，在现存三种汉译本《妙法莲华经》中，以后秦弘始八年（406年）鸠摩罗什所译流传最广。唐代之前，写经大多为墨笔纸本；北宋时期始以金银泥书写，传世品罕见，北宋金银书《妙法莲华经》卷是迄今所知时代最早的金银书写经。该经卷书写精整，卷首图画沿袭了唐代画家吴道子所开创的"吴家样"风格，气韵生动，具有唐代佛教绘画的艺术传统，是研究四川地区古代绘画的重要代表作品，对于中国美术史、宗教史及科技史的研究，也具有重要的学术价值。1988年6月，中国佛教协会主席、国家文物鉴定委员会主任委员赵朴初在为青岛湛山寺佛像举行开光法事期间，专门抽出时间仔细观瞻北宋金银书《妙法莲华经》卷，并敬笔题诗11韵："聚沙戏为塔，尚为佛所赞。何况以金银，恭敬书经卷。庆历传至今，几经桑海换。十年劫火烧，幸未遭毁散。感君意殷勤，亲奉与我看。天雨曼陀罗，到眼光烂漫。端庄杂流丽，书法殊精湛。明人补缺处，笔态隔霄汉。谛视亦可珍，精诚有一贯。是为国之宝，不独一市冠。庆此殊胜缘，合掌再三叹。"2008年3月1日，国务院公布《第一批国家珍贵古籍名录》，北宋金银书《妙法莲华经》卷名列其中，名录号00940。2008年开始，故宫博物院文保科技部承担了对即墨市博物馆藏北宋金银书《妙法莲华经》6卷的修复工作，历时3年，使这一国宝得到有效保护。

北宋金银书《妙法莲华经》卷6藏于胶州市博物馆，卷1、2、3、4、5、7藏于青岛市即墨区博物馆。

北宋回旋式活字本《佛说观无量寿经》残页 北宋崇宁二年（1103年）前后文物。1965年发现于浙江省温州市白象塔。白象塔，又称白塔，7层砖木结构，原矗立于浙江省温州市梧田区南白象乡（瓯海县）。因长期风雨侵蚀，到了20世纪60年代，白象塔随时伴有坍塌危险，且无法再进行维修加固。1964年，经浙江省文物管理委员会批准，决定予以拆除。1965年2月至4月，清理工作完成，北宋回旋式活字本《佛说观无量寿佛经》残页发现于该塔第二层墙壁中。

北宋回旋式活字本《佛说观无量寿佛经》残页左纵8.5厘米，右纵10.5厘米，横13厘米，纸色泛黄，坚韧柔和，纤维细长，类似棉纸，与文献所载"蠲纸"相近；墨书宋体，可辨识166字，系《佛说观无量寿佛经》四观至九观一部分，约占该六观中十分之一篇幅。经文呈回旋式排列，字体偏小而草率，大小及笔画粗细不一；排字较密，有些几乎首尾相插，如将"一一"印成"="，"天作"印成"泰"，"十一"印成"士"之类；每行回旋

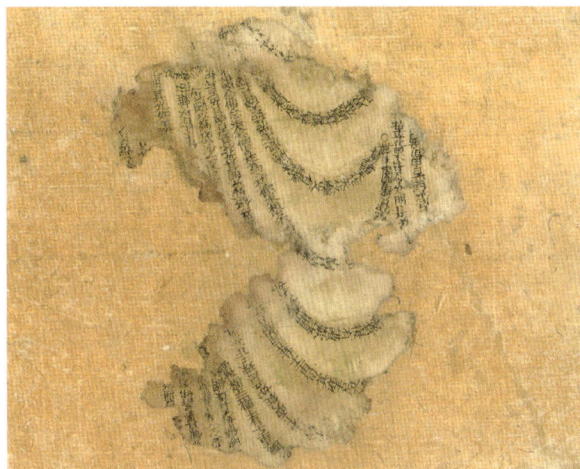

萦绕，做不规则排列，于回旋转折处出现字形颠倒现象，如句"皆以杂色金刚"之"色"字横卧，呈"🔄"；有句子中间出现1个或3个"○"，如"有无○量诸天，作天伎乐"；兼有漏字现象，如第六观中，脱漏"其楼"与"名"3字；纸面字迹可见轻微凹陷，墨色浓淡不一。凡此上述特征正与宋沈括《梦溪笔谈》所记毕昇活字印刷特征相符。

北宋仁宗庆历年间（1041～1048年），毕昇发明世界第一幅胶泥活字，是人类印刷史上的重大变革，对人类文化发展产生了极其深远的影响。北宋回旋式活字本《佛说观无量寿佛经》残页印刷年代为北宋崇宁二年（1103年）前后，是已发现存世时代最早的泥活字印刷品，距毕昇首创活字的庆历年间约50余年，是毕昇活字印刷的最早实物见证，对学术界有关早期活字印刷及中国印刷史的研究大有裨益。

北宋回旋式活字本《佛说观无量寿佛经》残页藏于温州博物馆。

北宋开宝六年刻大观二年印本《开宝藏》之《佛说阿惟越致遮经卷上》卷　北宋大观二年（1108年）文物。原为山西太原崇善寺旧藏，后经调拨入藏中国国家图书馆。

北宋开宝六年刻大观二年印本《开宝藏》之《佛说阿惟越致遮经卷上》卷是卷轴装，凡35版，卷首破损，第1版残，存第2～35版；硬黄纸，每版纸纵32.3厘米，横45～49厘米不等，通卷长1560厘米，每版23行，行14字。卷尾题经名"佛说阿惟越致遮经卷上"，每版端刊"阿惟越致遮经卷上，第×张，草字号"，又附刊经题记"大宋开宝六年癸酉岁奉敕雕造"，印工墨记"陆永"。印经牌记："熙宁辛亥岁仲秋

初十日，中书剳子奉圣旨赐大藏经板于显圣寺圣寿禅院印造。提辖管勾印经院事演梵大师慧敏等。"卷中施经戳记："盖闻施经妙善，获三乘之惠因；赞诵真诠，超五趣之业果。然愿普穷法界，广及无边，水陆群生，同登觉岸。时皇宋大观二年岁次戊子十月日毕。庄主僧福滋、管居养院僧福海、库头僧福深、供养主僧福住，都化缘报愿住持沙门鉴峦。"

《开宝藏》是中国古代第一部雕版印刷佛教大藏经。北宋开宝四年（971年），宋太祖赵匡胤敕令高品宦官张从信往益州（四川成都）雕造佛经全藏，至宋太宗太平兴国八年（983年）告成。全藏初刻，以千字文自"天"至"英"编号，收录经典凡1076部，5048卷，分装480帙，版片多达13万块。天圣五年（1027年）后，又补入自太平兴国七年（982年）至咸平二年（999年）间所译新经，凡30帙279卷，千字文编号自"杜"至"毂"；后据《贞元续开元录》增补《开元释教录·入藏录》未收经籍242卷24帙，并续补《大唐开元释教录广品历章》与《贞元续开元录》3帙，千字文编号自"振"至"奄"；又补入天台教典15帙与慈恩章疏21帙，千字文编号自"岫"至"庶"。经此不断完善，此部大藏经所收经籍6000余卷，版片多达16万块，是当时世界最大规模的木刻丛书。因其始刻于开宝年间，后世遂称之《开宝藏》。雕版后送至汴京太平兴国寺译经院西侧印经院珍存，宋神宗熙宁四年（1071年），又移至汴京城西北阊阖门外白沟河南崇化坊显圣寺。1127年，靖康之难，显圣寺遭金兵纵火烧毁，《开宝藏》经版从此不知其踪。宋王朝曾将《开宝藏》遍赠

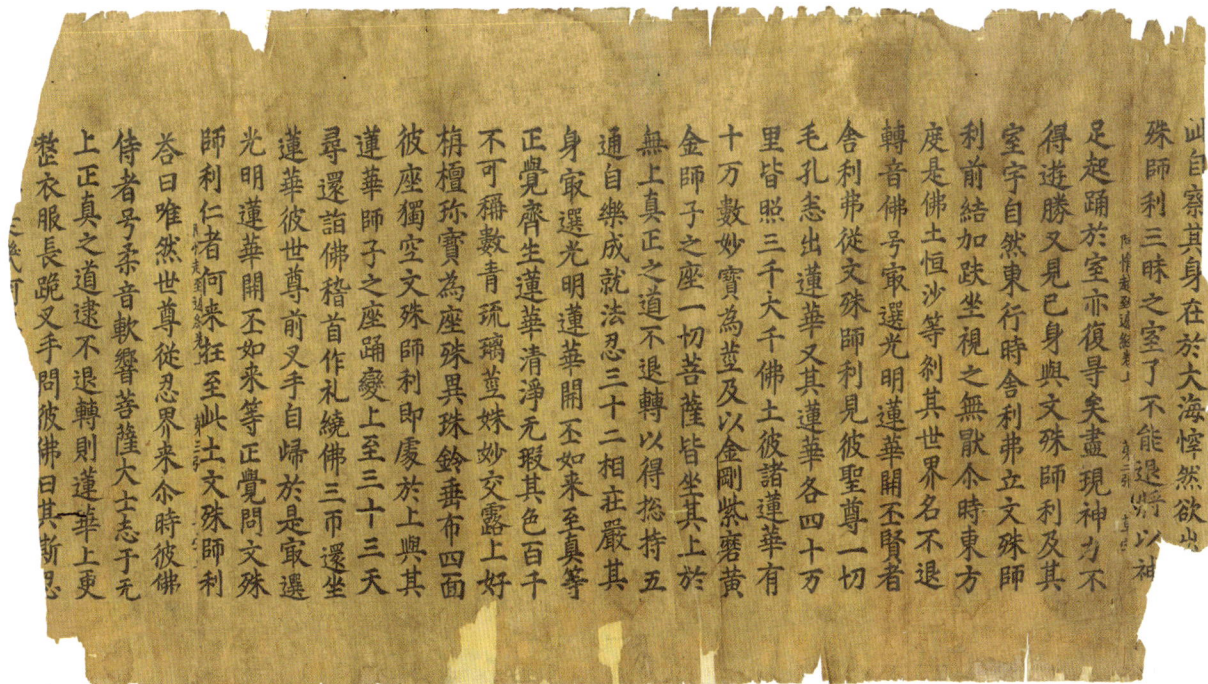

日本、高丽、越南、辽、西夏及敦煌、吐鲁番等地，使该部藏经在东亚、中亚及东南亚地区产生了巨大影响。《赵城金藏》《初刻高丽藏》均据《开宝藏》复刻，后《再刻高丽藏》又在《初刻高丽藏》基础上，对校《开宝藏》《契丹藏》等藏经完成。近代日本《大正藏》以《再刻高丽藏》为底本。中国《中华大藏经》以《赵城金藏》为基础。《开宝藏》作为中国古代第一部刊印佛教大藏经，具有无可比拟的重大价值。

《开宝藏》全藏久已无传，民国23年（1934年），范成和尚在山西省晋城县青莲寺曾发现《开宝藏》34卷。资料显示，仅中国国家图书馆、中国佛教协会图文馆、上海图书馆、山西博物院、山西省高平市文博馆及日本书道博物馆、日本京都南禅寺、美国哈佛大学赛克勒博物馆收藏《开宝藏》，存12卷13种，吉光片羽，弥足珍贵。所见《开宝藏》残卷，皆如北宋开宝六年刻大观二年印本《开宝藏》之《佛说阿惟越致遮经卷上》卷，多印于北宋崇宁、大观年间（1102～1110年），均以硬黄纸，卷轴装。2008年3月1日，国务院公布《第一批国家珍贵古籍名录》，北宋开宝六年刻大观二年印本《开宝藏》之《佛说阿惟越致遮经卷上》卷名列其中，名录号00846。2013年8月19日，北宋开宝六年刻大观二年印本《开宝藏》之《佛说阿惟越致遮经卷上》卷，被国家文物局列入"第三批禁止出境展览文物目录"。

北宋开宝六年刻大观二年印本《开宝藏》之《佛说阿惟越致遮经卷上》卷藏于中国国家图书馆。

西夏文佛经《吉祥遍至口和本续》册　西夏后期（12世纪下半叶）文物。1991年8～9月出土于宁夏回族自治区贺兰县贺兰山东坡拜寺沟沟口约10千米处一座建于西夏时期的正方形13层砖塔废墟。1990年11月，方塔惨遭不法分子炸毁；12月7日，宁夏回族自治区文化厅、公安厅进行联合现场调查。经国家文物局批准，

1991年8～9月，宁夏文物考古研究所与贺兰县文化局对方塔废墟进行清理发掘，西夏文佛经《吉祥遍至口和本续》册出土于废墟中部。

西夏文佛经《吉祥遍至口和本续》册凡9册，足本7册，内17～37页不等，残本2册，总计220页；蝴蝶装，白麻纸精印，足本有封皮、扉页；封皮纸略厚，呈土黄色，左上粘有刻印西夏文长条题签，外廓边栏，封皮内附褙纸，有些褙纸系西夏文佛经废页，字面向内；册内版框纵30.5厘米，横38.8厘米，四界子母栏，栏距上下23.5厘米，无界格；半页左右15.2厘米，天头、地脚及两侧宽约3.5厘米；版心宽1.2厘米，上半为西夏文书名简称，下半为页码，页码文字有汉文、西夏文、汉夏合文3种形式；册内半页西夏文10行，行22字，字大小约1厘米，约10万字。首页首行为经名，顶格；第2～4行小字低三格，为译经者职衔与人名题款，末页尾行题款，大小与正文同。正文所书内容包括四部分：一、《吉祥遍至口和本续卷第三》《吉祥遍至口和本续卷第四》《吉祥遍至口和本续卷第五》，计3册；二、《吉祥遍至口和本续之要文一卷》，计1册；三、《吉祥遍至口和本续之广义文下半》，计1册；四、《吉祥遍至口和本续之解生喜解补第×》，存完本第一、第五，残本第二、第三，计4册。

西夏文佛经《吉祥遍至口和本续》册译自藏文，未见著录，藏文原本或早已失传。西夏文佛经《吉祥遍至口和本续》册是已知海内外所存《本续》孤本，是藏传佛教密宗经典的最早刻本，也是世界最早的木活字版印本，将中国木活字的发明及使用时间从元代提前至宋代，对于考古学、西夏学、佛学、藏学、图书史、文献学、文化史及印刷史等诸多领域的研究，均具有重要价值。西夏文佛经《吉祥遍至口和本续》册是国家一级文物，2002年1月18日，被国家文物局列入"首批禁止出国（境）展览文物目录"。2008年3月1日，国务院公布《第一批国家珍贵古籍名录》，西夏文佛经《吉祥遍至口和本续》册名列其中，名录号02306；2015年，收入《宁夏回族自治区珍贵古籍名录》，编号0004～0007。

西夏文佛经《吉祥遍至口和本续》册存于宁夏回族自治区文物考古研究所。

金刻本《赵城金藏》卷 蒙古太宗与乃马真后摄政时期（1229～1246年）文物。民国22年（1933年）夏季，范成和尚发现于山西赵城县广胜寺。自此，《赵城金藏》始为外界所知。民国23年（1934年）秋季，南京支那内学院创始人、院长欧阳竟无派弟子蒋唯心赴广胜寺详细调查《赵城金藏》。民国23年（1934年）12月，蒋唯心考察报告《〈金藏〉雕印始末考》先于南京《国风》第5卷12号上发表；民国24年（1935年）1月，又由南京支那内学院发行单行本，基本厘清了《赵城金

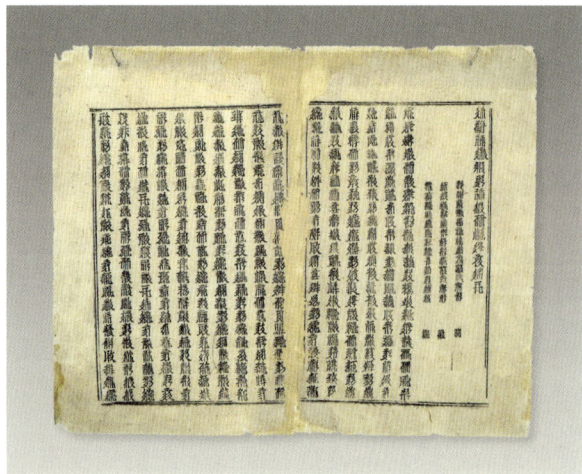

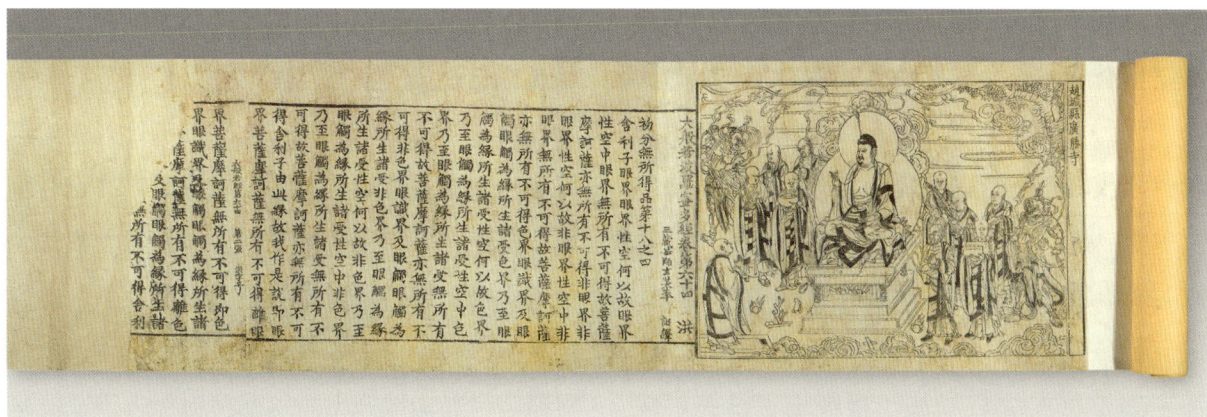

《藏》的基本结构与刊刻状况。民国27年（1938年）2月，日本侵略者占领赵城，广胜寺距日军占领的道觉村仅1000米之遥。为了《赵城金藏》的安全，广胜寺僧人遂将全部经卷移至飞虹塔内封存。民国31年（1942年）春，日本侵略者提出，将于阴历三月十八日当地庙会期间登上飞虹塔游览，广胜寺派人将此事报知八路军赵城县抗日政府。太岳军区第二地委获悉，立即向太岳军区党委书记安子文、军区司令陈赓、军区政委薄一波汇报；区党委又将此紧急情况上报中央。延安来电，批准抢救《赵城金藏》。经缜密部署，4月27日夜，太岳军区与县游击大队在群众及广胜寺僧人配合下，将《赵城金藏》连夜转移。4月28日清晨，运至地委机关所在地安泽县亢驿村。不久，日军发动大"扫荡"，地委机关转移，全部经卷装在包袱中，马驮人背，与日军周旋于崇山峻岭之间。反"扫荡"战斗结束之后，经卷运至沁源县太岳区委驻地，后来又移至该县一座废弃煤窑中。由于煤窑渗水潮湿，导致部分经卷受潮发霉、黏结。抗日战争胜利后，晋冀鲁豫边区政府决定将《赵城金藏》交由北方大学保护。民国35年（1946年）国民党进攻平汉线，北方大学转移至山区，经卷亦全部运至河南太行山区涉县，存于温村天主教堂内，并由北方大学校长范文澜派张文教随行看护。在保护经卷过程中，张文教劳累病倒，遂由太行行署代为管理。民国38年（1949年）1月，北平和平解放。2月，北平图书馆在函"北平市军管会文化接管委员会"文"请将全部《赵城藏》拨归本馆"中述及："此藏从前偶有散佚流出者，经本馆收购，已有一百九十一卷"。据中央人民政府指令、华北局书记薄一波电令，民国38年（1949年）4月，太行行政公署"秘"字第8号护照，由张文教护送42箱《赵城金藏》送至北平图书馆，由采访、善本两部门清点，共得4330卷，又9大包残页。民国38年（1949年）9月19日，北京图书馆发"人"字532号文，"函贾敬颜，谢赠《赵城金藏》一卷（《天圣广灯录》第四卷）"。1965年，山西省博物馆赠予北京图书馆金刻本《赵城金藏》133卷，明代抄配本19卷。中华人民共和国成立之后，多数公私时存《赵城金藏》均入藏北京图书馆，现存4813卷，其中包括一批元代补版。

金刻本《赵城金藏》卷是纸本，系蒙古太宗与乃马真后摄政时期（1229～1246年），由赵城县广胜寺僧人发起印刷的金熙宗皇统年间至金世宗大定十八年（1141～1178年）所刊佛教大藏经，因其长期供奉于赵城广胜寺，故称《赵城金藏》。全藏卷轴装，以千字文编次，自"天"至于"几"，凡682帙，每帙基本为10卷，或略有增减，总计约7000卷。元代末年及入明之后，广胜寺所藏金刻本《赵城金藏》时有经卷散佚。20世纪30年代，存4957卷，后又有散佚，遗存4813卷。全卷黄纸护首，朱漆木轴，每卷经首加装一幅释迦说法图，纵28～31厘米，横约39厘米，图右上角刊"赵城县广胜寺"6字；每卷由若干版黏接而成，经纸纵28～31厘米，横45.5～53厘米；除部分特殊版式，卷内一般每版23行，行14字，上下单栏；版端小字经名简称、卷次、版片号、千字文号，部分经疏、经录版式有所不同。金刻本《赵城金藏》雕版是由金潞州长子县女子崔法珍募刻，刊于金熙宗皇统年间（1141～1149年）至金世宗大定十八年（1178年），开板地点为解州天宁寺，全藏完成刊刻，历时约30年。金大定二十三年（1183年）后，全藏经板送至金中都保藏。

金刻本《赵城金藏》卷，世上仅存一部，在大藏善本中卷帙最多，其版本价值、资料价值也居于诸藏之首。北宋开宝年间所刊《开宝藏》是中国遗存最早的佛教经典，惜仅残存寥寥数卷；金刻本《赵城金藏》是以北宋《开宝藏》为底本复刻，两者装帧、版式及行款全同，且《赵城金藏》部分卷中尚存"开宝""天圣"及"绍圣"等北宋年号雕造、印刷题记，保留北宋《开宝藏》的基本原貌。《赵城金藏》中有40余卷每版23～32行，行20～29字不等，字体、版式与山西省应县佛宫寺塔内所发现辽刻本《契丹藏》一致。凡此为佛学、佛经校勘及中国雕版印刷史的研究提供了可据史料。

自1949年至1965年，北京图书馆（今中国国家图书馆）对金刻本《赵城金藏》卷进行全面修缮，基本恢复了《赵城金藏》之原貌。为便于后人了解抗日战争时期《赵城金藏》的残损状况，特别留下几件破烂经卷、残渣，以作对照。

民国23年（1934年）《赵城金藏》发现之初，由时北京三时学会、上海影印宋版藏经会与北平图书馆三家联合，选择其中46种255卷罕见经典，缩小版式，线装影印，出版《宋藏遗珍》3集12函120册。同时期又仿真影印《因明论理门十四过类疏》1卷、《大佛顶如来密因修证了义诸菩萨万行首楞严经》10卷。20世纪80～90年代，由任继愈主持，以《赵城金藏》缩微胶卷为基础，重新编辑出版《中华大藏经》。2008年3月1日，国务院公布《第一批国家珍贵古籍名录》，金刻本《赵城金藏》卷名列其中，名录号00840。

金刻本《赵城金藏》卷藏于中国国家图书馆。

明朱砂版藏文《大藏经》 明代文物。原甘肃武威"凉州清应寺藏经阁"内所供奉，后

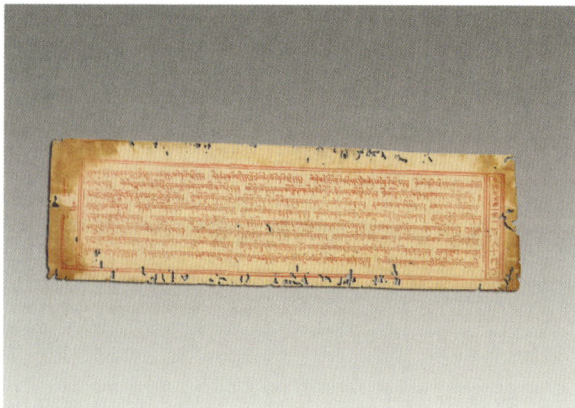

入藏武威文庙，又入藏武威市博物馆。

明朱砂版藏文《大藏经》是雕版藏文朱砂印本，所用纸张为当时凉州所产优质毛头纸，页面纵70厘米，横22厘米，字框纵66厘米，横18厘米；凡1000多页，可见页码847页，单页8行，内容为藏文《大藏经》之《甘珠尔》部。《甘珠尔》中的《般若经》《宝积经》《华严经》及《秘密经》等7大部分内容均包含在内；每页正反面边栏皆有藏、汉两文对照的经名与页码数字。

明朱砂版藏文《大藏经》不见史载，与明永乐版藏文《大藏经》有较大区别，是藏文《大藏经》八大版本之外又一新版本。其版式及标记，颇具地域特色，或是凉州当地所刊，工艺属上乘之作，具有极高的文献学与版本学价值。

明朱砂版藏文《大藏经》藏于武威市博物馆。

第六节　碑帖拓本

北宋拓《淳化阁帖》册　北宋淳化三年（992年）文物。北宋拓《淳化阁帖》册6、7、8卷原为南宋王淮、贾似道等收藏，后归元赵孟頫。入清之后，先后经孙承泽、安岐、钱樾、李宗瀚及李瑞清递藏；民国时期，初藏于周湘云；民国18年（1929年）末，为蒋谷孙（1902～1973年）所得。蒋氏因此取斋号"宝帖籯"，嘱托吴湖帆为之作《宝帖籯图》，图左上吴氏题记："谷孙道兄收藏宋拓淳化祖本三卷，贾师宪悦生堂旧物，明季归孙氏闲者轩者，凡六、七、八三卷，皆王右军书，为海内阁帖之冠。己巳冬日属图册端。吴湖帆并记于四欧堂。"之后，此6、7、8卷《淳化阁帖》入藏吴普心（1897～1987年）。20世纪40年代，北宋拓《淳化阁帖》册4、6、7、8卷流出国门。20世纪80年代后，相继为美籍犹太人安思远获得。1994年，启功得知安思远藏有北宋拓《淳化阁帖》册，托人动员他将此拓册带至中国展出。1996年，安思远携北宋拓《淳化阁帖》册4卷来故宫博物院展出，引起巨大轰动。此后数年，上海博物馆通过多方渠道始终与安思远保持联系，期望他出让此拓册；同时委托时任国家文物局外事处处长王立梅女士赴美与安思远洽谈。经过不懈努力，王立梅女士不负众望，终以450万美元的价格说服安氏，将北宋拓《淳化阁帖》册4卷购回。2003年4月14日晚，王立梅女士将北宋拓《淳化阁帖》册4卷送至上海，入藏上海博物馆。此前，美国大都会博物馆、比利时博物馆、日本藏家及中国拍卖行等均欲购此《淳化阁帖》，安思远认为《淳化阁帖》来自中国，应该让它回归故里！

北宋拓《淳化阁帖》册包括《淳化阁帖》第4卷、第6卷、第7卷与第8卷；其中第4卷、第7卷与第8卷，是所知仅存的祖刻拓本，堪称无上珍品，第6卷系其后北宋泉州本的北宋祖刻本，亦是善本之最。第四卷织锦封面，清崇恩隶书题签"北宋拓阁帖卷第四"，款"道光庚戌修禊后十日书于香南精舍。滇生尊兄先生堪喜斋鉴藏精本，玉牒崇恩仰之氏获观，喜为题眉"；清吴荣光（1773～1843年）内签"宋拓淳化阁帖第四卷"；册前附吴荣光道光己亥（1839年）八月及其后三次跋记；帖心半开纵25.70厘米，横21.50厘米，是历代名臣法帖，拓纸20开，内存吴荣光多处眉批；册后附明董其昌借观小札，清翁方纲、朱昌颐与崇恩跋文。册内钤"艺文之印""贾似道图书子子孙孙永宝之""伯荣审定""吴氏筠清馆所藏书画""荷屋所得古刻善本""崇恩审定""玉牒崇恩"及"滇生乃普"等众多鉴藏印记。吴氏云此拓册系其"嘉庆乙丑得于京师厂肆"，并将此第4卷与李宗瀚（1769～1831年）所藏《淳化阁帖》第6、7、8卷做比较考订。由封面崇恩道光庚戌（1850年）题签可知，吴氏之后，此拓册入于许乃普（1787～1866年）处。第6、7、8卷，世称"司空公本"，相同织锦封面，清安岐（1683～约1745年或1746年）题签："淳化阁帖。麓邨珍藏。"帖心半开纵25.5厘米，横15.8厘米，三卷均为王羲之书，各卷拓纸分别为33开、29开与24开；册前附褚德彝（1871～1942年）己巳（1929年）十一月题页，并吴湖帆己巳冬日所绘《官帖箓图》；三卷均有明王铎（1592～1652年）丁亥（1647年）九月内签；第6卷末附北宋佚名者跋文，第8卷末附南宋宰相王淮（1126～1189年）于淳熙癸卯（1183年）八月晦日跋文。册内钤"艺文之印""中书省印""门下省印""尚书省印""贾似道图书子子孙孙永宝之""悦生""长""大雅""孙承泽印""朝鲜人""安岐之印""安仪周家珍藏""钱樾""李宗瀚""临川李氏""李氏珍秘""湘云秘玩""蒋祖诒印""祖诒审定""官帖箓收藏印""谷孙""吴普心家珍藏""吴庭香""普心""思学斋""安思远藏"及"安思远珍藏记"等众多鉴藏印记。

《淳化秘阁法帖》，又称《淳化阁帖》《阁帖》及《官帖》，是已知中国古代最早的一部汇刻各家书法墨迹的大型丛帖。北宋淳化三年（992年），宋太宗诏命翰林侍书王著汇集内府所藏历代帝王、名臣及书家103人420篇墨迹，编次为10卷，刊刻于枣木板。每卷末刻篆书款："淳化三年壬辰岁十一月六日奉圣旨模勒上石。"《淳化秘阁法帖》内容丰富，第1卷为历代帝王法帖，第2、3、4卷为历代名臣法帖，第5卷为诸家古法帖，第6、7、8卷为王

羲之书，第9、10卷为王献之书。其中虽有真伪杂糅、错乱失序之处，但其摹勒逼真，且将众多历代名书汇于一帙，对于古代书法名迹的保存及传播发挥了重要作用，故被后世誉为"中国法帖之冠""丛帖之祖"。宋太宗曾将《淳化秘阁法帖》拓本分赐宗室、诸臣，但不久即停赐，足见此拓在当时已珍贵异常。宋仁宗庆历年间（1041～1048年），宫中发生火灾，《淳化阁帖》帖版部分遭焚毁，故祖刻拓本愈为珍稀，流传至今已是凤毛麟角。

2008年3月1日，国务院公布《第一批国家珍贵古籍名录》，北宋拓《淳化阁帖》册名列其中，名录号00704。

北宋拓《淳化阁帖》册藏于上海博物馆。

北宋拓《九成宫醴泉铭》册 北宋初年文物。原为明太祖朱元璋长女临安公主驸马都尉李祺旧藏，故世称"驸马李祺本"；清代初年，归高士奇。后又相继经赵怀玉"味辛斋"、金绍权"守安堂"递藏，辗转流落；1952年，张明善在上海旧书店偶然得到。张明善之父张彦生（1901～1982年）于1956年跋云："子明善收此奇品，不欲自私，愿献政府永存。"同年，张彦生、张明善父子将北宋拓《九成宫醴泉铭》册捐献国家。后经国家文物

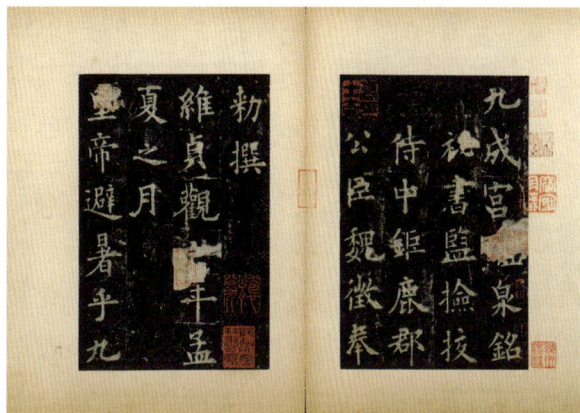

局调拨，入藏故宫博物院。

北宋拓《九成宫醴泉铭》册为丝锦封面，清方熏（1736～1799年）题签；蝴蝶装，册内麻纸墨拓，白纸挖镶剪条装裱，半开纵22.8厘米，横11.8厘米；凡25开半，半页4行，行6字；册后附张效彬、张彦生跋文。碑文"钜鹿"之"鹿"、"耸阙"之"阙"、"长廊四起"之"四"、"云霞蔽亏"之"霞蔽亏"、"重译来王"之"重"及"栉风沐雨"之"栉"字，均未缺损，是为所存损字最少拓本，比其他诸本多出30余字；且字口清晰，锋颖如新，字迹丰润，精神完足，乃所存善本之最。册内钤"驸马都尉陇西李祺印""李氏子祺""竹窗""高士奇印""赵怀玉信孙氏""金绍权""金绍权鉴藏金石文字记"及"金富来"等鉴藏印记150方。递经名家收藏，流传有绪。

《九成宫醴泉铭》碑石镌刻于唐贞观六年（632年）四月，由魏徵奉敕撰文，欧阳询奉敕正书。碑额"九成宫醴泉铭"阳文篆书6字；碑文24行，满行50字，凡1100余字，记述唐太宗李世民来九成宫避暑时无意间发现醴泉之事。碑文"粤以四月甲申朔旬有六日己亥，上及中宫，历览台观，闲步西城之阴，踌躇高阁之下，俯察厥土，微觉有润，因而以杖导之，有泉随而涌出。乃承以石槛，引为一渠，其清若镜，味甘如醴"，述醴泉之由来；"人玩其华，我取其实；还淳反本，代文以质；居高思坠，持满戒溢；念兹在兹，永保贞吉"，是魏徵对于唐太宗之劝诫。原石立于陕西省宝鸡市麟游县杜水之阳九成宫遗址碑亭，是国宝级文物。《九成宫醴泉铭》系欧阳询晚年经意之作，历代书家推崇至极，元赵孟頫云"清和秀健，古今一人"，明赵崡语"正书第一"，被后世奉为"欧体"楷模。

北宋拓《九成宫醴泉铭》册是国家一级甲等文物，《善本碑帖录》与《故宫博物院藏文物珍品全集·名碑十品》著录。2008年3月1日，国务院公布《第一批国家珍贵古籍名录》，北宋拓《九成宫醴泉铭》册名列其中，名录号00577。

北宋拓《九成宫醴泉铭》册藏于故宫博物院。

北宋拓《多宝佛塔感应碑》册 北宋时期文物。清宫旧藏。

北宋拓《多宝佛塔感应碑》册为纸本墨拓，剪条装裱，半开纵28.08厘米，横15.2厘米；凡23开半，半页5行，行10字。碑文第15行"凿井见泥"之"凿"字完好，第31行"归我帝力"之"力"字未损，文中凡"水"旁三点牵丝尚存。册内钤"乾隆御览之宝"朱文方印与"懋勤殿鉴定章"白文方印。

大唐西京千福寺多宝塔感应碑，简称"多宝塔感应碑"，镌刻于唐天宝十一年（752年），碑高263厘米，宽140厘米。徐浩隶书题额，岑勋撰文，颜真卿书丹；碑文楷书34行，

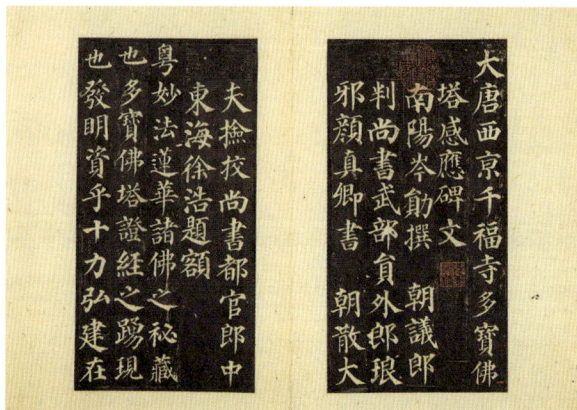

行66字，记述禅师楚金等人于长安千佛寺修建多宝塔的始末；碑阴刻唐吴通微书《楚金禅师碑》。原石初立于长安城安定坊千福寺，北宋初年移入文庙，后移至西安碑林。《大唐西京千福寺多宝塔感应碑》系颜真卿早年书法作品，楷法匀整，秀丽刚劲，尚未摆脱"二王"及初唐诸家书风影响，亦如清人王澍所云："鲁公书多以骨力古健为工，独此瘦不胜肉，健不胜骨，以浑劲吐风神，以姿媚含变化，正其年少鲜华时意到书也。"

北宋拓《多宝佛塔感应碑》册为存世所见宋拓中最早，弥足珍贵。故宫博物院又藏宋拓《多宝佛塔感应碑》册2本，且亦均为"凿"字未损本。《石渠宝笈续编》著录三部宋拓《唐多宝佛塔感应碑》，应即上述三本。

北宋拓《多宝佛塔感应碑》册藏于故宫博物院。

北宋拓《绛帖》册 北宋皇祐、嘉祐（1049～1063年）年间文物。原为明末涿州冯铨旧藏，清代初年入孙承泽处。道光年间，为吴荣光（1773～1843年）购得。民国时期，又归朱文钧。朱文钧（1882～1937年），字幼平，号翼盦，斋号六唐人斋、天玺双碑馆、宝峻斋、欧斋等，浙江萧山人，近代古籍、碑帖

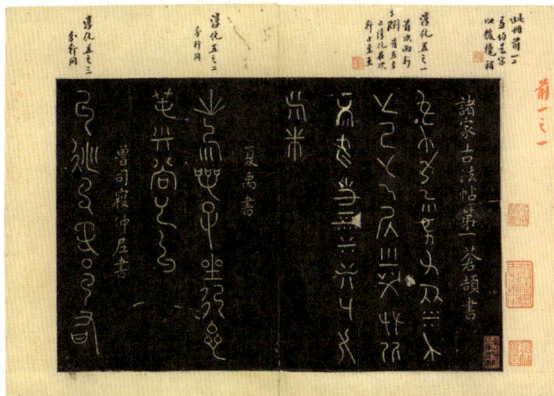

及书画鉴赏名家。故宫博物院成立之初，朱文钧被聘为专门委员，负责鉴定书画碑帖。朱氏精于鉴藏，所藏善本精拓尤多。时故宫博物院院长马衡曾拟请拨专款为故宫博物院收购朱氏所藏。民国26年（1937年），朱文钧逝世。1952年，朱文钧夫人张蕙祇女士携子朱家济、朱家濂、朱家源与朱家潜，将家藏善本碑帖700余种1000余件无偿捐赠中央文化部。中央文化部特颁嘉奖，以表彰朱氏保护文物、化私为公的高尚品德。1954年，此批捐赠经调拨入藏故宫博物院，北宋拓《绛帖》册即在其中。

北宋拓《绛帖》册为纸本墨拓，剪方装裱，凡20卷，2卷合为1册，共10册；凡198开（对开页面），各册开数分别为12.5、11、12、11、11、11、12、11、12、13、8、11、9、10、9、8、9、9、10、9；半开纵24.90厘米，横20.30厘米。其中，上3、4卷与下1、2、3、5、6、7、8、9、10卷，分别存有"光""天""太""平""何""报""愿""上""登""封"与"书"11字。册内钤宋"一轩"、元"大雅"、明"三城王图书"及清"北平孙氏砚山斋图书"等历代鉴藏印记470余方，附吴荣光、翁方纲、成亲王永瑆、林则徐、何绍基、潘仕成及罗天池等人题签、题跋及观款400余段。

《绛帖》是北宋皇祐、嘉祐（1049～1063年）年间由潘师旦摹勒汇刻之丛帖，因刻于绛州（山西新绛），故名《绛帖》，是北宋时期唯一私人所刻丛帖。《绛帖》以《淳化阁帖》为底本，稍作增减，并改变编次，卷首不刻帖名，卷末亦无年款；全帖20卷，分上10卷与下10卷。据宋赵希鹄《洞天清禄集》，潘氏离世

后，其"二子析之为二。长者负官钱，没入上十卷于绛州，绛守重摹下十卷足之。幼者复重摹上十卷，亦足成一部。于是绛州有公、私二本。靖康兵火，石并不存"。其中，公本又称东库本。宋曹士冕《法帖谱系》云，东库本"逐卷逐段各分字号"，以"日月光天德，山河壮帝居。太平何以报，愿上登封书"20字为卷次之记。除公、私二本外，《绛帖》翻刻本众多，有"亮"字不全本、武冈本、福清本、乌镇本、彭州本及资州本等。

北宋拓《绛帖》册内清吴荣光批注，上10卷中3～7卷，9卷前半与10卷，下10卷中1、3、7卷前半卷与8、9、10卷均为原石拓本，其余则为东库本。20世纪80年代，故宫博物院校勘《绛帖》，知上1、2卷系用泉州本《淳化阁帖》及费甲铸本《淳化阁帖》补配。

北宋拓《绛帖》册是唯一一册传世《绛帖》原石拓本，洵可珍贵。2008年3月1日，国务院公布《第一批国家珍贵古籍名录》，北宋拓《绛帖》册，名列其中，名录号00706。

北宋拓《绛帖》册藏于故宫博物院。

北宋拓《麓山寺碑》册　北宋时期文物。1956年，发现于江苏省苏州市何澄（1880～1946年）故居灌木楼。当时，在灌木楼一间暗室中发现10只箱子，箱内存有各类文物。苏州市人民政府随即通知何氏子女，何氏兄妹当即表示，将此发现文物全部捐献国家，北宋拓《麓山寺碑》册即在其中。同年，北宋拓《麓山寺碑》册入藏苏州博物馆。

北宋拓《麓山寺碑》册为织锦函套，何澄题端："北宋拓麓山寺碑。灌木楼藏。真山题。"钤"灌木楼主人"朱文方印；祥云团龙

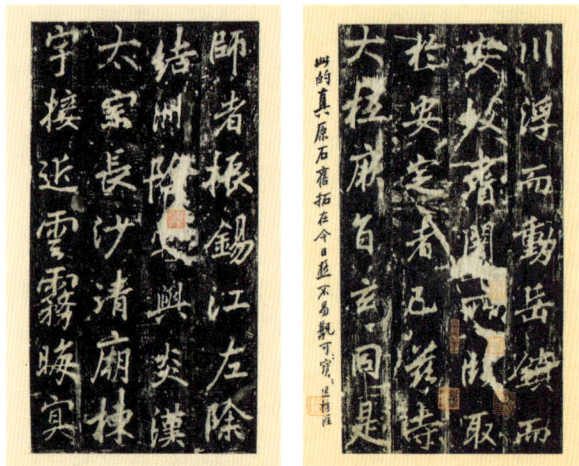

纹缂丝封面，内衬木板，纵40厘米，横23.5厘米，隶书题签"北宋拓麓山寺碑"，款"济宁王诚题签""任斋藏"。册内麻纸墨拓，凡48开，半开纵32厘米，横17.3厘米；半页4行，行7字。册内钤"亚农秘籍""湖帆鉴赏""铭心绝品""苏邻鉴藏""朴孙庚子以后所得"及"景长乐印"等多方鉴藏印记。册内裱边清同治年间苏州知府吴云题："此的真原石旧拓，在今日极不易觏，可宝，可宝！"又清赵烈文记："能静居士赵烈文审定宋元间拓本。丁亥（1887年）仲春题记。"册后附清光绪大臣端方、王瓘及清末长春太守何子彰等多人题跋3页，其中端方云："朴孙都护藏岳麓北宋本，天下第一。丁未（1907年）春日，端方持赠并题。"

麓山寺碑，唐开元十八年（730年）由李邕（678～747年）撰文并书，江夏黄仙鹤勒石。碑额阳文篆书"麓山寺碑"；碑文行书28行，行56字，凡1400余字，叙述自西晋泰始四年（268年）建寺至唐立碑之时，麓山寺的沿革及历代传教情况。此碑因文、书、刻俱美，故有"三绝碑"之称。又因李邕曾官北海太守，或称"北海三绝碑"。碑石原立古麓山寺

中，后置于湖南省长沙市岳麓山岳麓书院南面护碑亭内。后人对《麓山寺碑》赞誉极高，如宋苏轼、米芾等均沿袭其法。元赵孟頫曾言："每作大字，一意拟之。"可见，此碑对后世书家影响极大。

宋拓《麓山寺碑》存世极少，北宋拓《麓山寺碑》册是北宋"黄仙鹤本"，早于故宫博物院藏本与赵声伯旧藏本。碑文"大唐开元十八年岁次庚午九月壬子朔十一日壬戌建"下之"江夏黄仙鹤刻"6字未缺，又有"上计于京不偶兹会赞曰"等字完好，实为罕见，惜缺70余字。此拓墨色醇古，无涂墨、填补，再现原碑风貌，堪称绝品。

北宋拓《麓山寺碑》册藏于苏州博物馆。

北宋拓《十七帖》册　北宋时期文物。原为明晋王府旧藏，清顺治七年（1650年）冯铨（1595～1672年）得于宛陵刘雨若。民国7年（1918年），吴宝炜（宜常）收藏于开封。吴宝炜藏《十七帖》时，社会动荡，拓册受人觊觎，巨资待沽；吴氏坚决不与国外商贾、藏家有染，变卖家产筹资影印刊行，表现出崇高的民族气节。1983年6月，吴宝炜后人将北宋拓《十七帖》册捐献开封市博物馆。

北宋拓《十七帖》册为纸本墨拓，蝴蝶

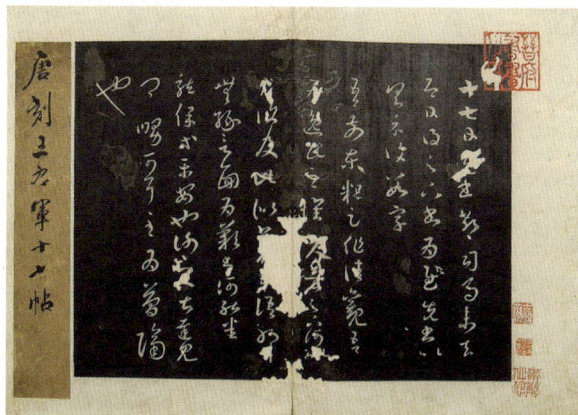

装，封面清乾隆五十六年（1791年）汪中（容甫）题签；册内墨纸凡7开，半开纵26厘米，横35.50厘米，重1793克；册后附冯铨、吴宝炜、马吉樟、翁廉及周震鳞等人跋文，其中冯铨跋文写于清顺治八年（1651年）。全帖凡134行，1160字，文末有"敕"及"付直弘文馆，臣解无畏勒充馆本，臣褚遂良校无失"诸字，且有"僧权"二字押署；册内钤"晋府书画之印""敬德堂图书印""子子孙孙永宝用""快雪堂图书印""十二砚斋"及"谟觞仙馆"等多方鉴藏印记。

《十七帖》是"书圣"王羲之的草书作品，唐张彦远《法书要录》中《右军书记》载："《十七帖》长一丈二尺，即贞观中内本也。一百七行，九百四十二字，是煊赫著名帖也。太宗皇帝购求'二王'书，'大王'草有三千纸，率以一丈二尺为卷，取其书迹及言语，以数相从，缀成卷。"作为一部汇帖，收入王羲之自永和三年（347年）至升平五年（361年）14年间书写的一系列尺牍，其中多数是写给益州刺史周抚（292～365年），凡29帖，134行，1160字，由卷首书"十七日"而得名，是研究王羲之生平及书法发展的重要参考。《十七帖》书风冲和典雅，不激不厉，而风规自远，绝无寻常之作。古往今来，始终是习书者追踪"书圣"草法的无上典范，唐蔡希综《法书论》云："晋世右军，特出不群，颖悟斯道，乃除繁就省，创立制度，谓之新草，今传《十七帖》是也。"南宋朱熹赞曰："玩其笔意，从容衍裕，而气象超然，不与法缚，不求法脱，其所谓一一从自己胸襟流出者。"凡此书评足见《十七帖》于草书中的至上地位。《十七帖》原墨迹早佚，传世仅为刻本及数件唐人临摹单帖墨迹。宋黄伯思云传世《十七帖》，一为"于卷尾有敕字，及褚遂良、解如意校定者"，即"唐摹馆本"；二为"盖南唐后主煜得唐贺知章临写本，勒石置澄堂者"，即所谓"贺监临本"。

北宋拓《十七帖》册流传有绪，纸墨黝古，字口清晰，风神超逸，宛如初刻，乃北宋所制"唐摹馆本"之佳拓，是国家一级文物。

北宋拓《十七帖》册藏于开封市博物馆。

北宋拓《大观帖》册（第六卷） 北宋大观三年（1109年）文物。明代藏于江南一带，至清乾隆年间为翁方纲所得。翁氏将其珍藏于晋观堂中，时时揣摩，不离左右。翁氏殁后，此拓册归入同治帝师、大学士祁寯藻（1793～1866年）。祁氏珍惜此拓册，遂名其斋"观斋"，请何绍基题匾。后其曾孙君月又请张謇于光绪二十四年（1898年）题签并作跋。光绪二十六年（1900年）庚子之役后，此拓册流入北京琉璃厂，先后为姚颂虞、杨寿枢（1863～1944年）递藏。民国19年（1930年）前后，金陵大学创始人、美国传教士福开森先购得何绍基所书"观斋"匾，后委托廉南湖（1868～1931年）劝说杨寿枢转让此拓册，期望与匾相配。杨氏以不流入异域为先决条件将此拓册出让，并将此事始末附记于册末。1933年，福开森将其在华期间所收集的包括北宋拓《大观帖》册（第六卷）、"观斋"匾、南唐王齐翰《勘书图》及北宋郭熙《山村图》等在内的900余件文物，捐赠予金陵大学。

北宋拓《大观帖》册（第六卷）为丝锦封面，清末张謇（1853～1926年）题端："宋

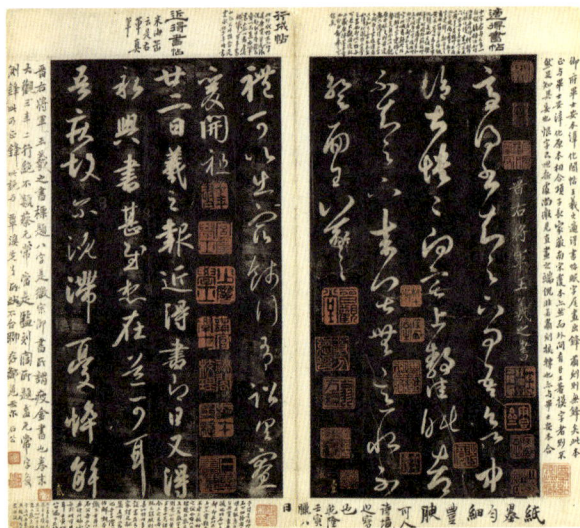

拓大观帖。寿阳祁氏家藏，张謇书签。"扉页清翁方纲（1733～1818年）题签："大观帖第六卷不足本。"册前附翁方纲于清乾隆四十七年（1782年）所作"大观帖第六卷榷场残本歌"；册内纸本墨拓，剪方装裱，凡11开，半开纵30.5厘米，横16厘米。存27帖，973字，均为王羲之墨迹，卷首标题"晋右将军王羲之书"，卷末署"大观三年正月一日奉旨摹勒上石"楷书款2行，是为宋拓"榷场"本，弥足珍贵。册内钤"晋观堂""翁方纲印""覃溪鉴藏""秘阁校理""少詹学士""苏孙审定""苏斋金石文""石墨书楼""引达鉴藏""讲官学士""文渊阁校理翁方纲藏"及"诗境"等近百方鉴藏印记。册后附明王穉登、王世贞、王萱及周天球等人题跋，董其昌刻印《大观帖》时的两通信札；清翁方纲于乾嘉年间的多篇跋文，同治年间寿阳祁寯藻关于此拓札记数则，郑际唐、张石公、林泰交、夏德音、程枝芳、夏敬颜、吴嘉谷、石树田、王莲孙、李宗昉、李恩庆、许乃普、朱益藩及张謇等人题跋、题名；民国19年庚午（1930年）杨寿枢题跋。册内每页天头地脚与左右隔书存

翁方纲大量考证、眉批。

《大观帖》是刊于北宋大观三年（1109年）的官刻丛帖。时宋徽宗诏令出内府所藏历代墨迹，命龙大渊、蔡京等更定编次，摹勒汇刻。卷中署"大观三年正月一日奉圣旨摹勒上石"楷书款2行，卷首标题与卷中各书家名衔，均为蔡京所书。因其刻于大观三年（1109年），世人遂称之《大观帖》，又因其刻成后置于太清楼下，或称《太清楼帖》《大观太清楼帖》。《大观帖》分为十卷，所收与《淳化阁帖》大致相同，订正了《淳化阁帖》中许多讹误，摹刻更为精细、准确，亦如明董其昌云"金石之工，较《淳化阁帖》更胜"。信为刻帖精品，为历代所推崇。《大观帖》刻成未及20年，靖康二年（1127年）发生"靖康之变"，汴京陷落。南宋绍兴十一年（1141年），"绍兴和议"，南北互置"榷场"，开边境贸易。此后，方有少量《大观帖》拓本经淮北"榷场"（江苏盱眙）流入南方。"榷场"拓本极为稀少，至明代几乎绝迹。

存世北宋拓《大观帖》，仅见南京大学博物馆藏第六卷、中国国家博物馆藏第七卷、故宫博物院藏聊城人杨氏本（第二、四、六、八、十卷）与临川李氏本（第二、四、五卷），均为世间珍品。2008年3月1日，国务院公布《第一批国家珍贵古籍名录》，北宋拓《大观帖》册（第六卷）名列其中，名录号00711。

北宋拓《大观帖》册（第六卷）藏于南京大学博物馆。

北宋拓《神策军碑》册 北宋时期文物。最初属南宋权臣贾似道，钤"秋壑图书"及末页"封"字印；元代藏于国史院，拓册首尾钤"翰林国史院官书"长方印；明代入藏内府，末开题"洪武六年闰十一月十八日收"1行泥金书小字；后又进入晋府，拓册首尾钤印"晋府图书"。入清之后，归孙承泽所有，《庚子消夏记》有载；后藏于梁清标，钤2方"梁氏藏印"；乾隆时期，又归藏安岐处；后又递藏辗转于清张蓉舫、陈介祺，民国蒋祖诒、陈仁涛、谭敬及陈清华等处。据清安岐《墨缘汇观》载，北宋拓《神策军碑》册，"墨拓本，宋装裱，正书，计五十六页，后文至'嘉其诚'止"，是知安氏藏此拓册时，拓本犹是完整，有56页。民国23年（1934年）陈介祺后人穆倩携至北京出售时，发现第42页之后缺失2页，仅余54页。北宋拓《神策军碑》册于20世纪中叶由陈清华携入香港。1965年，在周恩来总理指示下，以重金购回，入藏北京图书馆。

北宋拓《神策军碑》册为纸本墨拓，剪条装裱；墨心半开纵26厘米，横15厘米，外框半开纵34厘米，横23厘米；凡27开，半页3行，行5字；册前题签"柳公权神策军纪圣德碑"，册后附元代书法家鲜于枢及清孙承泽、姚元之等人题记。册内钤有自南宋降至清代96

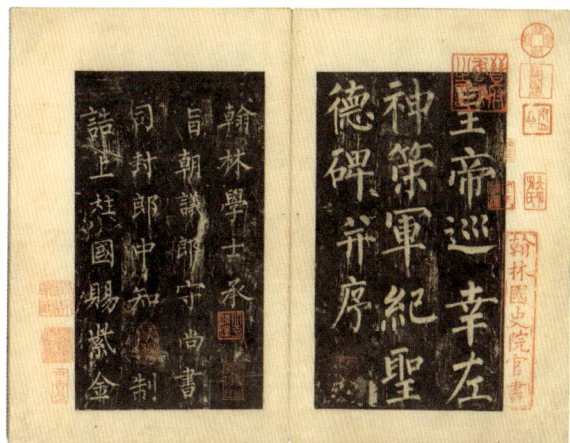

方鉴藏印记。

皇帝巡幸左神策军纪圣德碑，简称"神策军碑"，镌刻于唐会昌三年（843年），碑文由崔铉奉敕撰，柳公权奉敕楷书，记录了唐武宗即位后祭祀天地、告祭祖先宗庙及巡幸左神策军营等事。文中涉及回鹘汗国灭亡及安抚降于唐朝的回鹘首领嗢没斯等史实，具有重要的学术价值。柳公权（778～865年），字诚悬，京兆华原（陕西省铜川市耀州区）人，晚唐时期的书法大家，尤以楷书最为著名。《旧唐书》云其书法"体势劲媚，自成一家"，世称"柳体"。又与颜真卿齐名，有"颜筋柳骨"之誉。柳公权书《神策军碑》，时年66岁，碑文结体平稳匀整，左低右高，左紧右舒，运笔方圆并用，笔画横轻竖重，浑厚刚健。在柳公权传世作品中，《神策军碑》于严谨中见开阔，圆厚中见锋利，最能代表其楷书成就。碑石原立于宫廷禁内，北宋时期已不见存，故世传拓本绝少。

北宋赵明诚《金石录》载，"神策军碑"拓本分装为上、下两册；北宋拓《神策军碑》册系北宋库装，碑文止于"来朝上京嘉其诚"，是为上册。惜下册已佚。北宋拓《神策军碑》册经谭敬收藏时曾以珂罗版影印行世，艺苑珍赏社又做翻印，日本二玄社《书迹名品丛刊》亦翻印辑录。1974年，文物出版社以此原拓制版重新印行。

北宋拓《神策军碑》册是海内外所存《神策军碑》孤本，弥足珍贵。2008年3月1日，国务院公布《第一批国家珍贵古籍名录》，北宋拓《神策军碑》册名列其中，名录号00585。

北宋拓《神策军碑》册藏于中国国家图书馆。

北宋拓《怀仁集王书圣教序碑》册　北宋时期文物。原为明内府旧藏，明末归刘正宗。民国28年（1939年），由河南郑晴湖送北京，存北京文物商店。1963年，文化部文物局局长王冶秋从北京市文物商店购得此北宋拓《怀仁集王书圣教序碑》册，后转捐陕西省博物馆。

北宋拓《怀仁集王书圣教序碑》册为淡黄麻纸墨拓，剪条装裱；凡18开，半开纵35.5厘米，横23厘米；半页5行，行11～12字；册前附2开明董其昌题记，册后附半开清郭尚先题跋。碑文第十五行"圣慈"之"慈"字右上不损，末行"文林郎"之"文""林"间无裂隙痕迹。册前明董其昌题记页钤"杨宝若印""竹泉倪氏家藏书画章""宗伯学士"与"董氏玄宰"，册内首页钤"杨宝若印""刘氏珍藏""兰石鉴赏""晴川"及"方氏所玩"等13方鉴藏印记与"淡远"压角章，册中钤"刘正宗印""臣郭尚先""杨宝若印""吴乃琛印"及"眉生审定"等鉴藏印记36方，后附清郭尚先跋页钤"杨宝若印""滇黔粤东使者""臣尚先印"与"郭尚先印"4印。

怀仁集王书圣教序碑，镌刻于唐咸亨三年（672年），碑通高350厘米，宽108厘米，

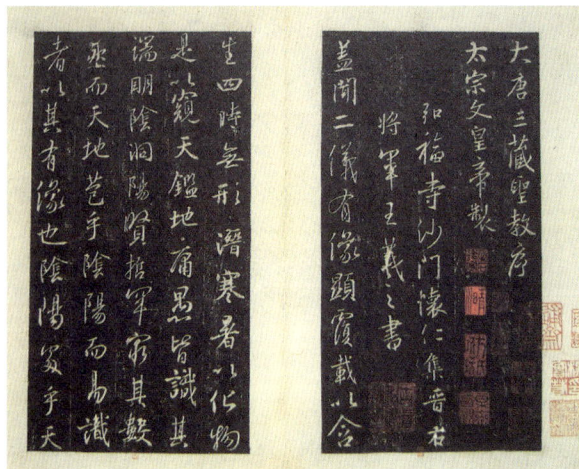

厚28厘米。碑题"大唐三藏圣教序"，螭首方座，碑首雕七佛像，故此碑又称"七佛圣教序"；碑文30行，行83～88字，系释怀仁集王羲之行书，诸葛神力勒石，朱静藏镌字，内容包括唐太宗为玄奘翻译佛经所撰序文、皇太子李治所写序记、与太宗答敕、皇太子笺答与玄奘所译《心经》五个部分，并有译经润色文字的大臣衔名附刻于后。碑石初立于长安修德坊弘福寺，天祐元年（904年），朱温胁迫唐昭宗东迁洛阳，毁坏长安宫室民居，怀仁集王书圣教序碑散落于长安郊野；北宋时期，移至京兆城中孔庙，后立于西安碑林博物馆。此碑意在弘扬佛法，碑文采取王羲之书法，与唐太宗极力推崇密不可分。怀仁集王书圣教序碑，是集王羲之书法碑刻中最为成功、最有影响之作，历来为世人所重。宋黄伯思《东观余论》云："今观碑中字，与右军遗帖所有者纤微克肖。"清王澍《竹云题跋》曰："自唐以来，士林慎重此碑，匪直《兴福寺》《隆阐法师》等碑为显效其体，即李北海、张司直、苏武功亦从此夺胎。"清蒋衡《拙存堂题跋》语："沙门怀仁乃右军裔孙，得其家法，故《集王圣教序》一气挥洒，字里行间神采奕奕，与《兰亭序》并驱为千古字学之祖。"怀仁集王书圣教序碑，堪称王羲之书法艺术成就的可靠载体。有关此碑拓本，文献中记有唐拓，但传世仅见宋拓，且寥寥10余册，接近原碑风貌，亦是珍贵异常。

北宋拓《怀仁集王书圣教序碑》册制作年代晚于中国国家博物馆、故宫博物院所藏北宋早期拓本，略优于天津博物馆所藏北宋晚期拓本。此册拓工精湛，浓淡相宜，字口锋利，肥瘦适中，神完气足，是北宋时期《怀仁集王书圣教序碑》拓本中之上乘。1989年，北宋拓《怀仁集王书圣教序碑》册由上海博物馆装裱锦面，保留明代库装原裱式样。2008年3月1日，国务院公布《第一批国家珍贵古籍名录》，北宋拓《怀仁集王书圣教序碑》册名列其中，名录号00580。

北宋拓《怀仁集王书圣教序碑》册藏于西安碑林博物馆。

南宋拓明邢侗藏《澄清堂帖》册 南宋时期文物。原为明邢侗旧藏残本。邢侗（1551～1612年），字子愿，号知吾，自号啖面生、方山道民，山东临邑人，明万历二年（1574年）进士，仕至陕西行太仆少卿。年36即移疾乞休，在古犁丘修建"来禽馆"。时邢侗与董其昌并称"北邢南董"，又与张瑞图、米万钟并称"邢张米董"。南宋拓《澄清堂帖》册，明末归高弘图；崇祯十七年（1644年），王铎为之作跋。清代初年，藏于张应甲；道光年间，又转入胶西王玕。据王氏跋文，邢氏所藏南宋拓《澄清堂帖》

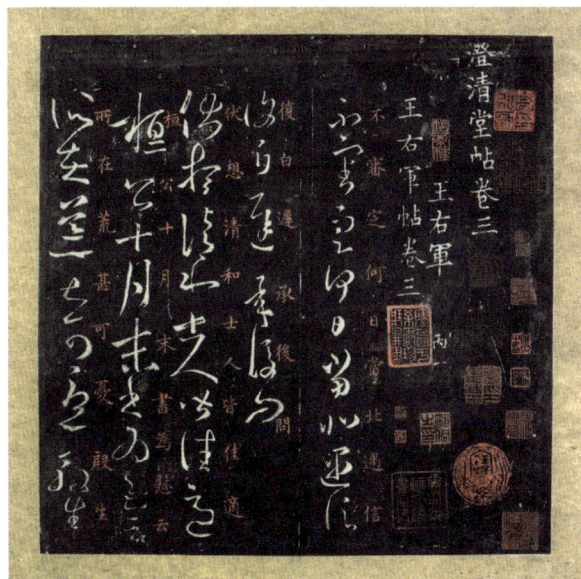

当时存5卷，即甲、乙、丙、丁4卷，并一续卷。后邢侗藏《澄清堂帖》被拆分，其中丙、丁2卷，归清人宫尔铎，民国年间藏于廉南湖（1868～1931年）"小万柳堂"；乙卷与续卷两册，民国时期辗转入萧应椿处；另有一册传民国初年在山东，内附王穉登跋，今不知具体何处。20世纪50年代，廉南泉与萧应椿所藏南宋拓明邢侗藏《澄清堂帖》册入藏故宫博物院。容庚、徐邦达均有稽考。

南宋拓明邢侗藏《澄清堂帖》册为纸本墨拓，凡三册：其一，硬木嵌锦封面，浅栗色纸挖镶裱，蝴蝶装，吴芝瑛（1867～1933年）题签："南唐真本澄清堂残帖。邢太仆旧藏，今归南湖小万柳堂。宣统辛亥七月重装。芝英题。"下钤朱文方印"字曰紫英"；册前附清宣统辛亥（1911年）七月吴芝瑛重装题记及吴观岱绘《南湖诗意图》；册内墨拓17开，半开纵25.9厘米，横13.7厘米，原刻3行小字正书标题2处："澄清堂帖卷三，王右军、丙一，王右军帖卷三；澄清堂帖卷四，王右军、丁一，王右军帖卷四。"册前、后附明王铎、周善培、沈曾植等人题跋、观款、信札及吴芝瑛书廉南泉跋语10余段。册内钤"董良史""邢侗之印""高弘图印""相国世家鉴藏书画印""胶西于松年珍藏图书""胶西张应甲藏书画印""廉吴审定""廉泉之印""南湖""金匮廉泉桐城吴芝瑛夫妇共欣赏之印"及"小万柳堂"等众多鉴藏印记。其二、其三，均黑白两色织锦封面，经折装，萧应椿（1856～1922年）题签："澄清堂帖。明邢子愿旧藏。"下钤白文方印"绍廷珍藏"；半开纵26.5，横13.1厘米；一册墨拓15.5开，

册内存原刻小字正书标题帖3行："澄清堂帖卷二，王右军、乙一，王右军帖卷二。"另一册墨拓16开，册内存原刻小字正书标题2行："澄清堂帖，王右军帖。"册后附明詹景凤、汤焕、杨焘，清王玕、姚鹏图及近人张伯英、张玮等人题跋、观款。册内钤"高弘图印""相国世家鉴藏书画印""碧云仙馆珍藏书画印""刘重庆印""邢侗之印""子愿氏""米万钟印""杨焘之印""胶西张应甲藏书画印""张熠文叔度氏真赏书画""胶西王玕字竹溪""萧应椿印""绍廷审定"及"绍廷氏"等众多鉴藏印记。

《澄清堂帖》是一部南宋时期收录历代书家精品，汇次入卷，摹勒上石的丛帖。以甲、乙字为卷号，未见全本传世，已发现第11卷。关于《澄清堂帖》的刊刻时间、地点、刻帖人及卷数，至今仍存在许多疑问。许多学者倾向，《澄清堂帖》系南宋施宿（？～1213年）于海陵（今江苏泰州）所刊。从存世帖本考察，《澄清堂帖》以收录王羲之书迹为主，并据宋代米芾、黄伯思等人考鉴，从《淳化阁帖》及《十七帖》等宋代名帖中，详予甄别，汰其赝迹。因其所用底本较佳，故而更好保留了王羲之书法面貌，远非明代流行的《淳化阁帖》所能比拟，对于研究、学习书法艺术均是上乘之选。《澄清堂帖》摹刻之初声名不显，直至明代后期，渐为学者所知。明邢侗初得残本，万历十三年（1585年）二月，王穉登（1535～1612年）跋《澄清堂帖》云："不知刻在何地，亦未详卷数。睹其雕镂精好，纸墨光丽，当与《甲秀》《戏鱼》等帖雁行，非《宝晋》及《星凤楼》所得比伦也。"董其昌

谓此帖"为《阁帖》之祖本""姿态横出，神气飞动，宛如临池用笔，《阁帖》遂无复位次"。清孙承泽亦云："书家草法宜入规应矩，力能扼腕，处处停笔为佳，所谓忙中不及作草也。此法惟右军独据其胜，而《澄清堂》悉传其神。"凡此皆赞誉高标。

存世南宋拓《澄清堂帖》，有南宋拓明邢侗藏《澄清堂帖》册（3册），清孙承泽旧藏3册，藏于故宫博物院；清初宋荦旧藏《澄清堂帖卷十一》1册，藏于中国国家博物馆。

2008年3月1日，国务院公布《第一批国家珍贵古籍名录》，南宋拓明邢侗藏《澄清堂帖》册名列其中，名录号00727。

南宋拓明邢侗藏《澄清堂帖》册藏于故宫博物院。

宋拓《西岳华山庙碑》册（华阴本） 宋末元初文物。明代先后为陕西华阴东肇商兄弟与郭宗昌收藏；清代初年，又为华阴王弘撰所得。后入藏故宫博物院藏。

宋拓《西岳华山庙碑》册（华阴本）为红木匣装，桦梨木封面；册内麻纸墨拓，明代剪条装裱，半开纵22.25厘米，横12.8厘米，凡19开，碑额1开半，碑义17开半，半页3行，行

6字。碑文首行至第17行残泐百余字。木匣四周与封木表面刻满众多著名金石学家题名，有刘墉、朱文翰题签。册内钤"郭氏胤伯""王山史啸月楼图书""苏斋""子贞"及"陶斋十宝之一"等鉴藏印记凡148方。附页存明清两代名人，如郭宗昌、王弘撰、王铎、梁章钜、阮元及罗振玉等题跋，钱泳、张岳崧、王瓘及徐世昌等观款，计230余条。

西岳华山庙碑，系东汉延熹八年（165年）四月立于陕西华阴华岳庙。碑额篆书"西岳华山庙碑"6字，两侧附唐人李商卿、张嗣庆、崔知白、李德裕、崔瑶及王式题名；碑文隶书22行，行38字，概述自唐虞至东汉孝武以来历代帝王巡省方岳、百余年来祭祀西岳及当朝弘农太守袁逢主持重修西岳华山庙的概况；碑右下方有宋人王子文题记；碑文末存"京兆尹敕监都水掾霸陵杜迁市石，遣书佐新丰郭香察书，刻者颍川邯郸公修苏张工郭君迁"等字。碑文结字严谨，用笔遒劲，极富装饰感与韵律感，是汉隶工整派的代表，备受后世书家推崇，清朱彝尊誉其"当为汉隶第一品"。北宋欧阳修《集古录》、赵明诚《金石录》、宋洪适《隶释》及清阮元《汉延熹西岳华山庙碑考》等均有著录。据元骆天骧《类编长安志》与明郭宗昌《金石史》所述，至宋末元初，原石已毁不存。

传世《西岳华山庙碑》宋拓善本有四：一为"华阴本"，又称"关中本"，明代先后为陕西华阴东肇商兄弟与郭宗昌收藏，存题跋最多，藏于故宫博物院；二为"四明本"，整幅全拓，明代为宁波丰熙"万卷楼"与范钦"天一阁"递藏，宁波古称"四明"，是以得名。

1975年，香港收藏家组织"敏求精舍"创会主席胡慧春捐献，藏于故宫博物院；三为"顺德本"，又称"小玲珑山馆本"，以先后藏于清马曰璐"小玲珑山馆"与清季顺德李文田"泰华楼"而得名，纸墨最古，藏于香港中文大学文物馆；四为"长垣本"，以明代河北长垣王文荪藏而得名，存字最为完整，藏于日本东京上野书道博物馆。"华阴本"制拓较"长垣本""顺德本"为晚，早于"四明本"，多20余字，第7行"者以"2字完好，时代约在宋末元初。

宋拓《西岳华山庙碑》册（华阴本）浓墨精拓，字口爽利，形神兼备。附页存明清两代众多名人跋文，其中王弘撰跋"其倡明汉隶当与昌黎文起八代同功"，汪喜孙语"在汉人八分最为险劲，已开魏碑之先河"，朱筠以六书理论考究碑文字形结构，以证篆、隶、楷之递变，朱筠之子朱锡庚详述《西岳华山庙碑》诸拓本之流传递藏，均具有较高的学术价值。2008年3月1日，国务院公布《第一批国家珍贵古籍名录》，宋拓《西岳华山庙碑》册（华阴本）名列其中，名录号为00572。2013年8月19日，宋拓《西岳华山庙碑》册（华阴本），被国家文物局列入"第三批禁止出境展览文物目录"。

宋拓《西岳华山庙碑》册（华阴本）藏于故宫博物院。

明拓《泰山刻石》册 明代文物。曾经魏肇文（1884～1955年）收藏。1978年，由北京市文物局落实组移交，入藏首都博物馆。

明拓《泰山刻石》册为纸本墨拓，樟木封面，魏铖（1860～1927年）题端："泰山刻石精拓本。"半开纵28厘米，横15厘米；册前一

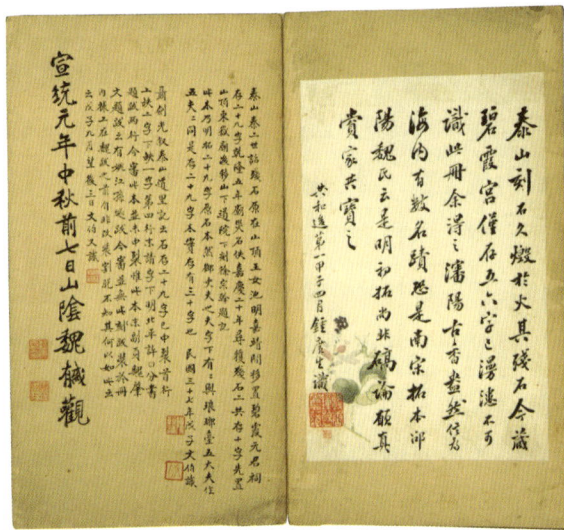

开，系魏铖、钟广生及陈文伯（翰藻）题记；册内墨纸凡3开，存29字："臣斯、臣去疾、御史夫臣□昧死言：'臣请具刻诏书金石刻，因明白矣。臣昧死请。'"册后一开，为魏肇文、钟广生、吴朴堂（1922～1966年）、程以道与郭宗熙（1878～1934年）跋文，并陈文伯所作刻石释文。

据《史记·秦本纪》，"二十八年（前219年），秦始皇东行郡县"，遂上泰山立石刻铭，颂秦功德，凡144字；秦二世元年（前209年）春，东行郡县，又"尽刻始皇所立刻石"，在此"泰山刻石"增刻78字，以彰显先帝成功盛德。两次刻铭凡22行，行12字，计222字，由丞相李斯所篆。泰山刻石，初立于泰山顶玉女池，因历年久远，风雨剥蚀，加之人为破坏，至北宋徽宗大观二年（1108年），刘跂登泰顶观摩，此刻石中可以识读者仅存146字，而其余76字早已残毁漫灭。后刻石遭毁。明嘉靖年间（1522～1566年），北京许某于泰顶搜得残石，上仅存二世诏书中4行29字，即"臣斯、臣去疾、御史夫臣□昧死言：'臣请具刻诏书金石刻，因明白矣。臣

昧死请'"。许氏将此残石移置碧霞元君祠，并在其左下刻跋云："岱史载秦篆仅存此廿九字，余至泰顶从榛莽中得之，恐毁淹没，因揭之壁门，以识往古遗迹云。北平许□□□。"至清嘉庆二十年（1815年），泰山刻石仅存2块残石，上仅存秦二世诏书中10字，即"斯臣去疾昧死臣请矣臣"。民国17年（1928年），仅存的2块泰山刻石迁于岱庙东御座内，保存至今。所存10字中，"臣去疾臣请矣臣"7字完整，而"斯昧死"3字已残泐。始皇二十七年至三十七年（前219～前210年），秦始皇东行郡县，先后于峄山、泰山、之罘、东观、琅邪、碣石与会稽7处刻石，仅泰山刻石与琅邪刻石存世；琅邪刻石残泐尤甚，几无完字，唯泰山石刻方能反映李斯小篆风貌。

明拓《泰山刻石》册及其他传世明拓《泰山石刻》，皆为明嘉靖年间北京许某于泰顶搜得残石所存二世诏书中4行29字本。所存《泰山刻石》最早拓本系明华中甫、锡山安国（1481～1534年）递藏北宋早期所拓165字本；又安国藏53字本，亦为宋拓，两本均流入日本。朝鲜金阮堂（1786～1856年）藏一本，清晰者45字，或为元拓。明拓《泰山刻石》册虽仅存29字，亦是珍贵难得。

世传明拓《泰山刻石》本中，以端方（1861～1911年）旧藏最精，后附五凤二年（前56年）刻石及明嘉靖年间陈沂等人题跋。同时世传明拓《泰山刻石》本又分附"北平许氏刻跋"与无"北平许氏刻跋"两种。首都博物馆藏明拓《泰山刻石》册，与中国国家博物馆藏谌延年旧藏明拓《泰山刻石》册，均无"北平许氏刻跋"。此册曾经魏肇文

（1884～1955年）收藏，魏氏于册后跋文云："此本有明正德间姚江孙燧跋，嘉靖在正德之后，则所拓当在许氏未见之先，故末行'请'字下尚无许跋，非后人裱时裁去也。"意为此本为明初所拓，比其他"泰山二十九字"明拓为早，故其上未有"北平许氏刻跋"。所存此拓册中并无魏氏跋中所云"明正德间姚江孙燧跋"，故陈文伯于民国37年（1948年）册前题记中疑云："惟此本末副页魏肇文题跋云有姚江孙燧跋，今审并无。此刻跋装于册内，裱工在魏跋之前，自非改装割脱，不知其何以如此云云？"此中疑惑有待继续研究。

明拓《泰山刻石》册藏于首都博物馆。

明拓《百石卒史碑》册 明代文物。明拓《百石卒史碑》册后周在浚跋云"今观奚公隶帖"，言此拓册为"奚公"旧藏；叶初庵亦谓"奚公以方外逸品"，"非奚公谁能识此"。奚公，翁同龢跋曰："释成榑，字奚林，诸城人，工诗及隶，见《山左诗钞》《池北偶谈》载荆庵赠奚林大师一诗，推许备至，盖国初名僧也。此鲁珍跋中奚下林字尚露其半，故拓出之。"册后盛昱（1850～1899年）

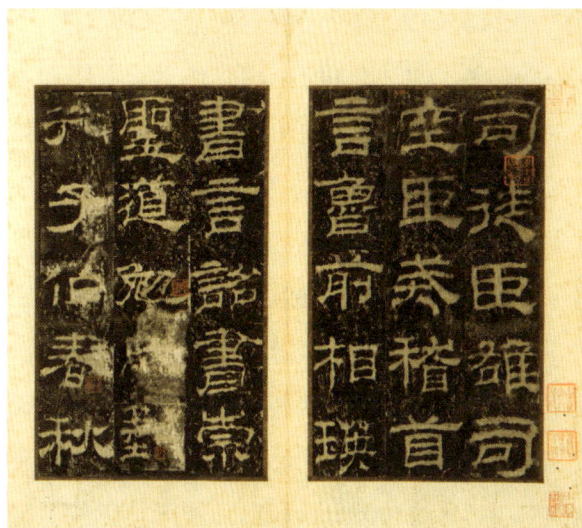

跋语："光绪丙申，估人王来得此于历下曲水亭，元末明初拓本也。携来京师，余先见之，索直十五金，余坚与十四金，次日为厂估攫去，转入竹影砚斋，则百金矣。"清光绪丙申（1896年）三月时，此拓册已归于徐郙。徐郙（1836～1907年），字寿蘅，号颂阁，江苏嘉定（上海嘉定）人，同治元年（1862年）状元，先后授翰林院修撰、南书房行走、安徽学政、江西学政、左都御史、兵部尚书及礼部尚书等职，拜协办大学士，世称"徐相国"。封面题端即徐氏于丙申（1896年）初购拓册，并重装所题。1978年，北京市文物局落实组将明拓《百石卒史碑》册移交入藏首都博物馆。

明拓《百石卒史碑》册，为纸本墨拓，木质封面，徐郙（1838～1907年）隶书题端："明拓百石卒史碑。嘉定□□□□□。丙申（1896年）三月装就。郙记。"下钤"颂阁审定"朱文方印。册内墨纸凡20开；册后王玙似清康熙甲子（1684年）冬月题一开，周在浚跋一开，叶初庵续周跋后半开，清光绪丙申（1896年）三月盛昱（1850～1899年）题半开，翁同龢（1830～1904年）跋一开，王懿荣（1845～1900年）跋半开。册内碑文第4开"辟"字，四边角略损，第7开"长"字捺笔完好，第10开"都"字右上角略损。册内钤"嘉定徐郙珍藏之印""颂阁平生珍赏""颂阁"及"郙"等鉴藏印记。

百石卒史碑，全称汉鲁相乙瑛请置孔庙百石卒史碑，简称"乙瑛碑"，镌刻于东汉桓帝永兴元年（153年）六月，旧置兖州仙源县，后立于山东曲阜孔庙大成殿东庑碑林陈列馆内。碑高约260厘米，宽128厘米，无额；碑

文隶书，凡18行，行40字，记司徒吴雄、司空赵戒以前鲁相乙瑛之言，上书请于孔庙置百石卒史一人，以执掌礼器庙祀之事；碑末刻"后汉钟太尉书，宋嘉（祐）七年张稚圭按图题记"楷书跋文。"百石卒史碑"，是中国著名汉碑之一，与礼器碑、史晨碑，并称"孔庙三碑"。碑文结字方整，骨肉均匀，严谨中兼有秀逸之气，是汉隶成熟时期的典型作品，为历代书家所重。清何绍基云此碑："朴翔捷出，开后来隽丽一门，然肃穆之气自在。"清翁方纲亦语："骨肉匀适，情文流畅。"宋赵明诚《金石录》、明郭宗昌《金石史》及清翁方纲《两汉金石记》等均著录。

明拓《百石卒史碑》册后王玙似清康熙甲子（1684年）冬月观跋云："隶书佳者数种，皆在汉桓帝时，《礼器碑》，其一也。"盛昱（1850～1899年）清光绪丙申（1896年）三月跋曰："王鲁珍、周雪客、叶初庵诸跋谓是礼器碑，或者疑其移换，不知国初人原指此为礼器后碑。"据此可知，清代初年曾将"乙瑛碑"视为"礼器后碑"。盛氏于跋中附记有关此碑的一则轶事，"金陵郑汝器所拓以遗竹垞者即此，覃溪乃属未谷访觅后碑不获，而谓数十年即湮晦不见。由不知当日有此通称耳"。是谓郑簠（1622～1693年）曾拓此碑赠朱彝尊（1629～1709年），翁方纲（1733～1818年）又请桂馥（1736～1805年）寻访此"礼器后碑"，但终未找到原石。对此，翁同龢跋云："礼器后碑吾未信，《曝书亭集》本分明。竹垞跋乙瑛与韩敕前后两碑并列，且详着前后碑之所纪，乌得有误？"翁氏言朱彝尊《曝书亭集》对"乙瑛碑"与"礼器前后二碑"分别为

跋，且对"礼器前后二碑"详录，以此质疑盛昱所云轶事。

明拓《百石卒史碑》册为明初所拓，是所存较早拓本。

明拓《百石卒史碑》册藏于首都博物馆。

明拓《张猛龙碑》册 明代文物。1930年藏于张伯英。张伯英（1871～1949年），字勺圃，一字少溥，谱名启让，别署云龙山民、榆庄老农，晚号东涯老人、老勺及勺叟。徐州铜山区人，清光绪朝举人，书法家，金石鉴赏家，室名远山楼、小来禽馆、清晏岁丰之室。民国35年丙戌（1946年），拓册已转藏郑友渔。1978年，北京市文物局落实组将明拓《张猛龙碑》册移交入藏首都博物馆。

明拓《张猛龙碑》册为纸本墨拓，丝锦封面，赵汝谦题端："明拓魏鲁郡太守张府君清颂之碑。友渔先生责题。丙戌（1946年）赵汝谦。"扉页张伯英（1871～1949年）题签："魏鲁郡太守张府君清颂碑。张勺圃审定善本，暂存小来禽馆。庚午（1930年）闰六月。"引首钤朱文长方印"清晏岁丰之室"；册前附徐墀所绘设色"柳过轩读碑图"，并赵

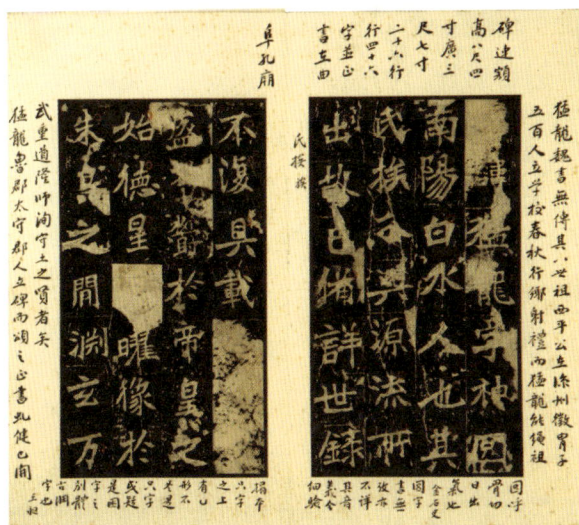

汝谦题记"友渔先生新得明拓猛龙清颂碑"；册内碑文墨拓凡21开，半开纵26.50厘米，横11.5厘米；册后4开为"民国卅六年（1947年）三月一日"郑友渔所作碑文释文，后1开为丁亥（1947年）三月桐城吴北江跋曰："友渔先生示以旧拓《张猛龙碑》，拓本精湛，洵可宝贵。"文中述及碑中异体字、词语及当时某些学者引史以疑此碑之误。

魏鲁郡太守张府君清颂之碑，简称"张猛龙碑"，镌刻于北魏正光三年（522年）正月；碑额正书"魏鲁郡太守张府君清颂之碑"3行12字；碑阳隶书24行，行46字，记述张猛龙兴办教育之事迹；碑阴刻立碑官吏名12列。古人品评此碑，多赞誉有加。如，清杨守敬云："书法潇洒古淡，奇正相生，六代所以高出唐人者以此。"沈曾植语："此碑风力危峭，奄有钟梁胜景，而终幅不染一分笔，与北碑他刻纵意抒写者不同。"甚至誉其为"魏碑第一。"对于此碑之于后世书法，或云其"正法虬已开欧虞之门户"。《金石录》《金石萃编》及《山左金石志》等均有著录。原石后立于山东曲阜孔庙。

明拓《张猛龙碑》册内碑文"周宣时"之"时"字仅存上端少许，"庶扬休烈"之"庶"字上端连石花。由此可知，此拓册并非如"时字三横本"之类所存最早明拓。碑文"冠盖魏晋"之"盖""魏"之间石花未连，"冬温夏清"4字清晰可见，仅稍有磨痕，凡此均与陆恢旧藏明末《张猛龙碑》拓本残损状况相仿，应为明末所拓。此册墨拓精湛，名家鉴赏、递藏有绪，洵可宝贵。

明拓《张猛龙碑》册藏于首都博物馆。

明初拓《曹全碑》册（"因"字未损本） 明代万历初年文物。清沈树镛（1832~1873年）于同治四年乙丑（1865年）所得，并予重装。后入藏过云楼。1951年，过云楼开创者顾文彬（1811~1889年）曾孙顾公雄（1897~1951年）临终决定将所藏捐赠国家。顾公雄逝后，其夫人沈同樾携子女于同年将部分所藏捐赠国家；1959年，又将余下所藏捐赠上海博物馆。两次捐赠共计393件书画、明刻善本与10多部罕见稿本，明初拓《曹全碑》册（"因"字未损本）即在其中。

明初拓《曹全碑》册（"因"字未损本）扉页清沈树镛（1832~1873年）隶书题端"汉曹全碑初拓本"，钤"沈树镛同治纪元后所得"白文方印；册内纸本墨拓，剪条装裱；碑文凡14开半，半开纵28厘米，横16厘米，半页4行，行7字；册后半开附沈树镛跋文。册内钤"郑斋金石文""树镛之印""松江沈氏所藏金石"及"沈树镛同治纪元后所得"等多方鉴藏印记。

汉郃阳令曹全碑，又称曹景完碑，简称"曹全碑"，镌刻于东汉灵帝中平二年（185年）十月。碑主曹全，字景完，汉初曹参之后，建宁二年（169年）举孝廉，除郎中，拜西域戊部司马，曾率兵征讨疏勒，后任郃阳令。碑阳隶书20行，行45字，记述曹全生平事迹；碑阴隶书刻捐资者名5列53行。曹全碑系明万历（1573~1620年）初年出土于郃阳（陕西合阳）莘里村，后移存郃阳孔庙，1956年又移入陕西西安碑林，保存至今。明赵崡《石墨镌华》、郭宗昌《金石史》及清王昶《金石萃编》等均有著录。书家品评此碑文，多誉以典

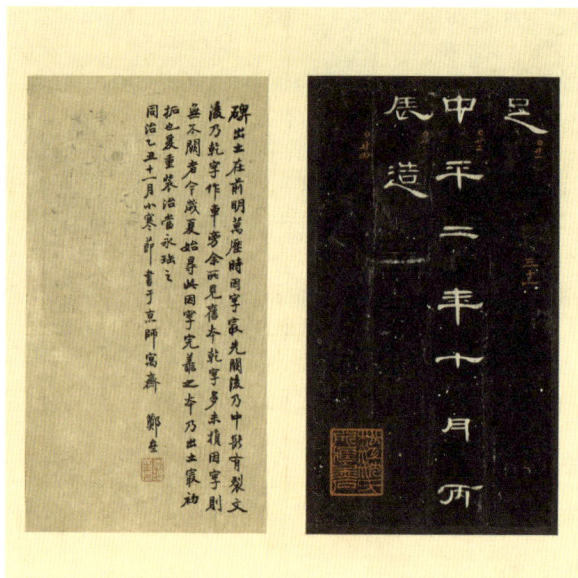

雅流美、风神遒逸之辞，与《张迁碑》之类拙朴书风形成鲜明对照，亦如清孙承泽《庚子消夏记》所云："字法遒秀，逸致翩翩，与《礼器碑》前后辉映，汉石中至宝也。"

相传明代末年，或于清康熙十一年（1672年）后，曹全碑石断裂，故通常所见拓本，裂纹自首行第38字"商"字上，左上斜穿末行第22字"吏"。世传《曹全碑》碑阳"因"字未损本，是为此碑刚出土时初拓本；"因"字已损而碑身未断者，则为明末拓本。

明初拓《曹全碑》册（"因"字未损本）纸墨俱佳，册后沈树镛跋云："碑出土在前明万历时，'因'字最先缺，后乃中断有裂文，后乃'乾'字作'车'旁。余所见旧本，'乾'字多未损，'因'字则无不缺者。今岁夏始寻此'因'字完善之本，乃出土最初拓也。爱重装治，当永宝之！同治乙丑十一月小寒节，书于京师寓斋。郑斋。"拓册信为《曹全碑》初拓"因"字未损本，世所罕见。另有一册《曹全碑》初拓"因"字未损本藏于日本大阪汉和堂。2013年8月19日，明初拓《曹全

碑》册（"因"字未损本），被国家文物局列入"第三批禁止出境展览文物目录"。

明初拓《曹全碑》册（"因"字未损本）藏于上海博物馆。

明拓《石门颂》册 明代文物。原为清周永年（1730～1791年）旧物，同治三年（1864年）仲春归于徐复仲。后藏于北京市文物工作队。1985年，明拓《石门颂》册，移交入藏北京市文物局图书资料中心。

明拓《石门颂》册，纵44厘米，横30厘米，工字纹锦封面，姚华（1876～1930年）隶书题端："石门颂。汉建和二年，怡庐藏，茫父书。"册内棉纸，淡墨轻拓，凡21开，半开3行，行5字；册后清徐复仲跋一开："予于同治三年仲春得两拓本，纸墨俱旧，字多完好，盖济南周氏籍书园之旧藏也。既整装其一，以观全势，复手剪粘此本置之案头，以时玩味焉。六月四日小暑节，魔镜庵主徐复仲记。"石文首行"惟"字右侧未连石花；第21行"高格下"之"高"字未见"口"，系明代所拓。册内首开钤"徐焯私印""照尘室藏"与"子孙保之"朱文方印；末开钤"北平徐焯金石图书记""怡庐考藏金石书画"朱文方印。

《汉司隶校尉犍为杨君颂》，又称《杨孟

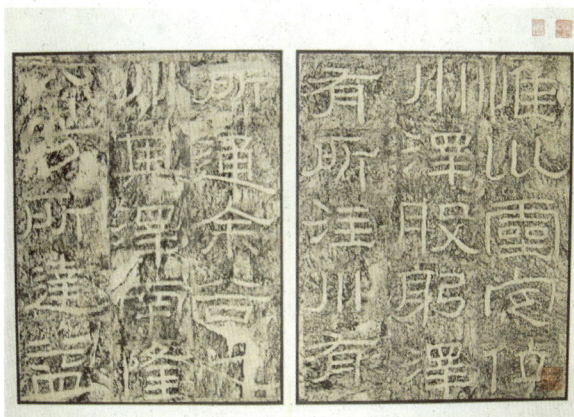

文颂》《石门颂》，系东汉建和二年（148年）十一月镌刻于今陕西省汉中市褒城县东北褒斜谷古石门隧道岩壁之上的颂文，纵261厘米，横205厘米，隶书，题额2行10字"故司隶校尉犍为杨君颂"，刻文22行，行30至31字不等，凡655字。颂文由时汉中太守王升撰，记述了东汉顺帝时司隶校尉杨孟文上疏请求修褒斜道及修通褒斜道的始末，并予称颂。1967年，因当地修建水库，遂将此石从崖壁上凿出；1970年，又迁至汉中市博物馆，保存至今。《石门颂》笔势挥洒自如，富于变化，结体纵放，文中"命""升"及"诵"等字末笔下垂极长，奇趣横生，被后人誉为草隶鼻祖，备受书家推崇。清张祖翼云："然三百年来习汉碑者不知凡几，竟无人学《石门颂》者，盖其雄厚奔放之气，胆怯者不敢学，力弱者不能学也。"又杨守敬《平碑记》亦曰："其行笔真如野鹤闲鸥，飘飘欲仙，六朝疏秀一派，皆从此出。"《石门颂》对后世书法艺术产生了极大影响，与《郙阁颂》《西狭颂》，并称"汉三颂"。

明拓《石门颂》册为明代拓制，实属宝贵。2013年3月8日，国务院公布《第四批国家珍贵古籍名录》，明拓《石门颂》册名列其中，名录号11004。

明拓《石门颂》册藏于北京市文物局图书资料中心。

清拓《快雪堂法书》册（涿拓本） 清代初年文物。清宫旧藏。

清拓《快雪堂法书》册（涿拓本）为纸本墨拓，经折装，凡6册，313页（156开半），半开纵27.4厘米，横13.2厘米，是淡墨"涿拓"；其中颜真卿《鹿脯帖》、苏轼《登临览

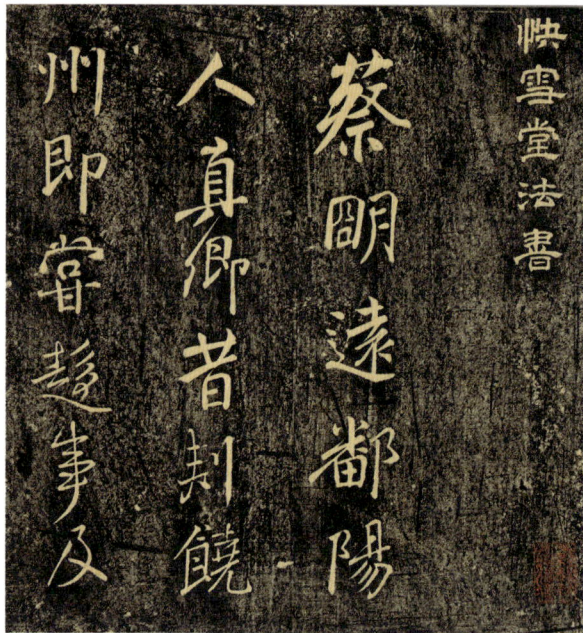

观帖》与米芾《珊瑚帖》为木刻版；每册册首钤印"乐善堂图书记"1方，册内仅《追寻帖》1～6行石面有损，其他均完好无缺。

《快雪堂法书》，是由明末冯铨所辑，刘光旸所刊的汇刻丛帖，凡5卷，内收晋王羲之、王献之，唐欧阳询、怀素、颜真卿、徐浩、柳公权，宋苏轼、黄庭坚、米芾、蔡襄、宋高宗赵构、张即之及元赵孟頫等21家80余件书迹。冯铨（1595～1672年），字伯衡，又字振鹭，顺天涿州（今河北涿州）人，明万历四十一年（1613年）进士；谄事魏忠贤，以礼部侍郎兼东阁大学士入内阁；崇祯初年，赎徙为民；顺治元年（1644年）降清。冯氏精于古法帖鉴别，因贮王羲之《快雪时晴帖》而署"快雪堂"，《快雪堂法书》也因此得名。刘光旸，字雨若，生卒不详，安徽旌德乔亭人，明末清初篆刻家、鉴赏家，于清康熙十六年（1677年）刻毕《翰香馆法书》丛帖。《快雪堂法书》无刻石时间，帖间存明崇祯十四年（1641年）冯铨跋语，故知摹刻时间当距此不远。

《快雪堂法书》世传拓本分为三种：冯铨刻石于涿州，凡冯氏当时所拓，称"涿拓"。后冯氏子孙将帖石质于州库，州牧福建人黄可润（？～1763年）赎出，携至福建所拓，即"建拓"。后帖石又为福建总督杨景素（1711～1780年）所购，并进奉内府，乾隆帝建"快雪堂"于北海北岸，嵌石于两廊；帖版中原有木版，入宫时已损，乾隆帝命以石重刻，并作《快雪堂记》，所拓即"内拓"。《快雪堂法书》所辑墨迹珍稀，摹勒精湛，故为世人所重。清拓《快雪堂法书》册（涿拓本）为初拓善本，至为珍贵。

清拓《快雪堂法书》册（涿拓本）藏于故宫博物院。

清拓《三希堂法帖》册　清乾隆十八年（1753年）文物。清宫旧藏。

清拓《三希堂法帖》册系丛帖刻成之初拓，凡32册；内廷原装，木箧，一函4册，以"金、石、丝、竹、匏、土、革、木"为序；木质封面，上刻标题卷次；经折装，前后附页均为明黄洒金笺；册内御制墨拓，墨色黑亮，即俗称"乌金拓"；凡1219页，半开纵28厘米，横17.8厘米；帖首刻乾隆十二年（1747年）上

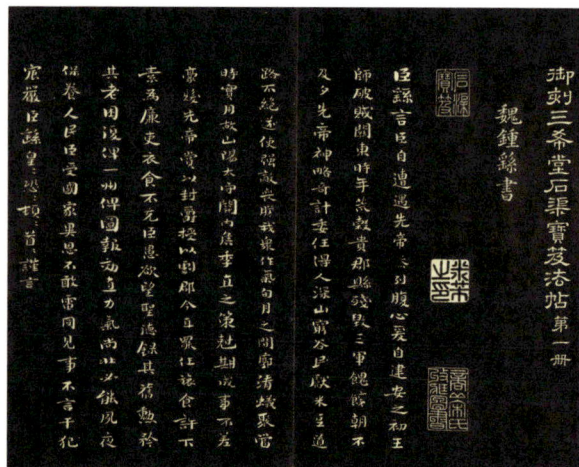

谕，末附乾隆十五年（1750年）梁诗正等人刻跋；各卷首开钤印"乾隆御览之宝"，后附页钤印"避暑山庄"。《三希堂法帖》，全称《御刻三希堂石渠宝笈法帖》，是清乾隆初年汇刻的一部大型丛帖。清乾隆十二年（1747年），特谕梁诗正、蒋溥、嵇璜及汪由敦等人据内府所藏书画精品目录《石渠宝笈》，"择其优者，编次枊勒"，汇编自三国至明末135位书家340余件精品法书与200余条题跋，分作32卷，由宋璋、扣住、二格与焦林等刻石500余块。因其中收有王羲之《快雪时晴帖》、王献之《中秋帖》与王珣《伯远帖》，而此三帖素为乾隆帝珍视，藏于故宫养心殿西暖阁，并名"三希堂"，《三希堂法帖》由此得名。乾隆十七年（1752年），复从宫中藏品精选历代名人法书5卷，摹勒上石。乾隆十八年（1753年），帖刻完工，曾传拓赏赐诸臣。清道光十九年（1839年），又对帖石逐一加刻花边。原帖石嵌于北京北海公园阅古楼墙间。

《三希堂法帖》之摹、刻与拓，俱用天下良工，卷帙浩繁，堪称丛帖巨制，为后世保存了中国古代极为珍贵的法书。清代末年，《三希堂法帖》流传渐广。故宫博物院藏《三希堂法帖》17套，均为清内廷原装。

清拓《三希堂法帖》册藏于故宫博物院。

清拓《汉故卫尉卿衡府君之碑》轴 清代文物。原为朱文钧（1882～1937年）旧藏。1952年，朱文钧夫人张蕙祗女士携子朱家济、朱家濂、朱家源与朱家潜，将家藏善本碑帖700余种1000余件无偿捐赠中央文化部。1954年，该批捐赠调拨入藏故宫博物院，清拓《汉故卫尉卿衡府君之碑》轴即在其中。

清拓《汉故卫尉卿衡府君之碑》轴是整纸全拓，纵223厘米，横107厘米。

汉故卫尉卿衡府君之碑，简称"衡方碑"，镌刻于东汉灵帝建宁元年（168年）九月，是衡方（106～168年）门生朱登等为其所立颂德碑。碑高240厘米，宽110厘米，厚25厘米；碑额阳文隶书"汉故卫尉卿衡府君之碑"2行10字；碑文隶书23行，行36字，文末两行小字"门生平原乐陵朱登字仲希书"。明代初年，碑阴可辨者尚存70余字，惜已全部泯灭。原石初立于山东汶上郭家楼，清雍正八年（1730年），汶水泛滥决口，该碑仆陷，庄人郭承锡等出资复立。1953年，衡方碑被移至山东泰安岱庙炳灵门内；1983年10月，迁至岱庙碑廊保存，系国家一级文物。历代书家对《衡方碑》评价极高，如清翁方纲《两汉金石记》云："此碑书体宽绰而润，密处不甚留隙地，似开后来颜真卿正书之渐，势在《景君铭》《郑固》之间。"又清姚华《弗堂类稿》语："《景君》高古，惟势甚严整，不若《衡方》之变化于平正，从严整中出险峻。"《衡方碑》传世拓本以明初所制最早，碑文第6行"将""南"字不损。

清拓《汉故卫尉卿衡府君之碑》轴碑文"将"字仅存少半，而"仪之"已连，是清代精拓，《欧斋石墨题跋》与《萧山朱氏旧藏目录》均有著录。

清拓《汉故卫尉卿衡府君之碑》轴藏于故宫博物院。

清拓《美人董氏墓志铭》 清道光二十年至咸丰三年（1840～1853年）文物。原为清刘世珩"聚学轩"旧藏。刘世珩（1874～1926），安徽贵池人，小字奎元，字聚卿，又字葱石，号檵庵、聚卿，别号楚园，别署灵田耕者、枕雷道士。清光绪二十年（1894年）举人，清末藏书家、刻书家及文学家。1978年，北京市文物局落实组将清拓《美人董氏墓志铭》移交入藏首都博物馆。

清拓《美人董氏墓志铭》为木制书匣，其上从右至左镌清道光二十年（1840年）庚

子三月十八日张廷济（1768～1848年）题记8行；整纸全拓，纵51厘米，横51.40厘米，上钤"世珩金石""汉后隋前有此人""留余""聚学轩藏"及"翟云升字文泉长寿印"等6方朱、白文鉴藏印记。

美人董氏墓志铭，或称董美人墓志，原石系清嘉庆（1796～1820年）年间出土于陕西兴平县。铭文楷书21行，行23字，凡441字，为隋蜀王杨秀追思董美人之辞。董美人，隋文帝四子蜀王杨秀之妾，汴州恤宜县人，于隋开皇十七年（597年）七月十四日病逝，年仅19岁。杨秀对其感情笃深，"怨此瑶华，忽焉凋悴"，"触感兴悲"，遂"开皇十七年岁次丁巳十月甲辰朔十二日乙卯上柱国益州总管蜀王制"，撰为此铭，以念故爱。隋人书法，上承北魏，下启唐人新风，《美人董氏墓志铭》即堪此大任。自清代中叶以来，书家对《美人董氏墓志铭》推崇备至，视其为临摹楷书典范之一。罗振玉云："楷法至隋唐乃大备，近世流传隋刻至《董美人》《尉氏女》《张贵男》三志石，尤称绝诣。"或谓此铭为隋志小楷第

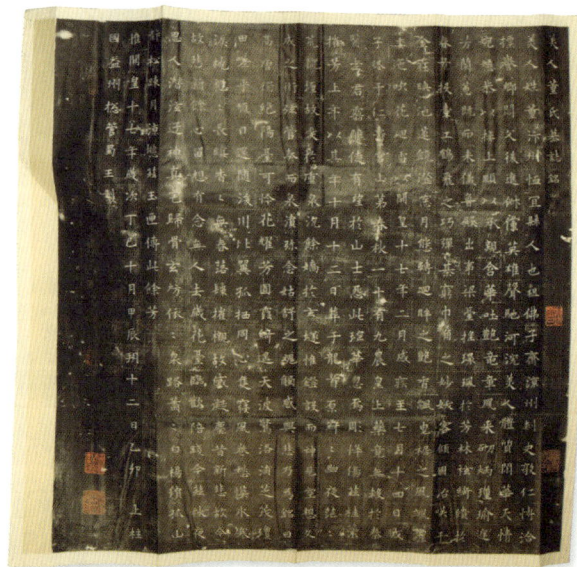

一。美人董氏墓志铭原石于清嘉庆年间出土于陕西省兴平县，为上海陆君庆仕宦陕西兴平县令时所得。后归上海徐渭仁（1788～1855），徐氏因此号其斋曰"隋轩"。清咸丰三年（1853年），上海小刀会起义期间，原石毁于兵燹。传世拓本大致分成三类：一类系出土之初制于关中，淡墨轻擦，所谓"蝉翼拓"，流传极少，最为珍贵，上海图书馆藏陈景陶（惹斋）题字本，即此类最佳；二类为徐渭仁于上海所拓，用墨浓重，浸染许多铭文，笔画较细，数量稍多；三类为原石遭毁之后重刊所拓。

清拓《美人董氏墓志铭》用墨浓重、笔画较细，即徐渭仁于上海所拓。类此尚有中国国家图书馆所藏福建林白水旧藏拓本。拓册木制书匣所契张廷济题记，原墨迹存于上海图书馆藏徐谓仁拓本中，乃徐谓仁治拓向张廷济所求之题。张廷济墨迹述及对董美人之考证、有关原石之来历，并赋诗8句。木制书匣所镌张廷济题记，字迹与原墨迹相同，唯少8句题诗。由此可以推断，木制书匣所契出于墨迹，所刻时间晚于墨迹。将清拓《美人董氏墓志铭》与中国国家图书馆藏林白水拓本、上海图书馆藏徐谓仁拓本相比较，铭文第7行"庄""映"二字，第9行"寿"字、"十"字与第20行"七"字处，徐渭仁本中不见石花，而前两本于此处均有形态相同的石花。由此可知，清拓《美人董氏墓志铭》与中国国家图书馆所藏林白水拓本，于制拓之时，原石已出现残损，时间晚于徐渭仁本。

清拓《美人董氏墓志铭》系原石之拓，且经名家鉴赏、珍藏，亦是精华墨宝。

清拓《美人董氏墓志铭》藏于首都博物馆。

第七节　文献

晋墨写本《三国志·吴书·吴主传》残卷　晋代文物。1965年1月10日出土于新疆维吾尔自治区吐鲁番英沙古城南一座佛塔之内。当时，一位农民在佛塔下层发现一陶瓮，内装《三国志》写本两卷，其一为晋墨写本《三国志·吴书·吴主传》残卷，其二为《三国志·魏书·臧洪传》残卷。瓮内还装有写本佛经残卷13种，桦树皮汉文文书、梵文贝叶2片，回鹘文木简25枚及其他文物。瓮外有铁镞木箭20余支。新疆维吾尔自治区博物馆闻讯后，将该批文物收回、入藏，并加以修复。

晋墨写本《三国志·吴书·吴主传》残卷是纸本，纵22厘米，横72厘米；卷四周均有残缺，卷中乌丝阑，存40行，行16～17字不等，计570余字，是《三国志·吴书·孙权传》建安二十五年（220年）后半与黄武元年（222年）前三分之二部分内容，首行仅存"巫"字左侧残笔，原文乃"是岁，刘备帅军来伐，至巫山、秭归"一句，末行止于"敕令诸军但深沟高垒"句之"高"字。

晋墨写本《三国志·吴书·吴主传》残卷为质地优良的白色麻纸，本色加工，上有粗横帘纹，纤维交织致密，薄细、平滑，表面施一层矿物性白粉。经化验分析，测定该残卷抄写年代为公元265～420年。残卷字体处于隶、楷之间，尤其是"捺"画，尚保留浓重隶势，书风与其他晋人写本相似。

传世《三国志》最早版本是北宋咸平六年（1003年）国子监刻本与南宋绍熙年间（1190年）刊本，其中文字脱、误较多。郭沫若将晋墨写本《三国志·吴书·吴主传》残卷与宋刊本对比，发现其中7处异文。

陈寿病逝于晋惠帝元康七年（297年），其所修《三国志》定稿在西晋之时。已知《三国志》晋人写本，除《三国志·吴书·吴主传》残卷外，另有1909年新疆鄯善出土北魏高

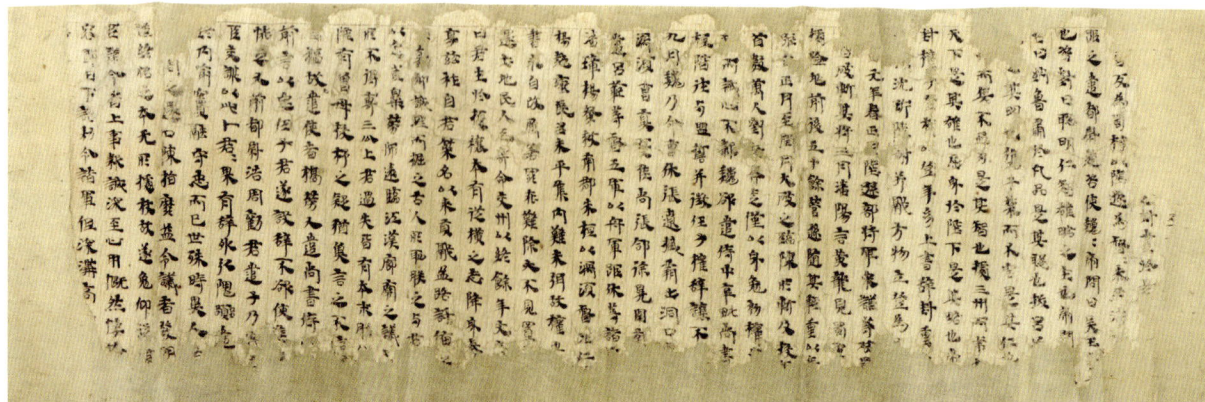

昌魏氏所抄《三国志·吴书·韦曜华覈传》残卷、1924年新疆鄯善出土晋人写本《三国志·吴书·虞、陆、张传》残卷、1965年新疆吐鲁番英沙古城南佛塔内所发现晋人写本《三国志·魏书·臧洪传》残卷与东晋墨写本《三国志·步骘传》残卷。西晋统治仅53年，《三国志》成书之后，迅速传入西域地区。

晋墨写本《三国志·吴书·吴主传》残卷及其他几卷晋人纸书，作为《三国志》的最早抄本，是研究《三国志》及《魏书》的珍贵史料。2008年3月1日，国务院公布《第一批国家珍贵古籍名录》，晋墨写本《三国志·吴书·吴主传》残卷名列其中，名录号179。

晋墨写本《三国志·吴书·吴主传》残卷藏于新疆维吾尔自治区博物馆。

东晋墨写本《三国志·步骘传》残卷 东晋时期文物。20世纪30年代出于甘肃敦煌藏经洞，初为张鉴铭所得，后传其子张作信。1955年，张作信将东晋墨写本《三国志·步骘传》

残卷捐赠，入藏敦煌文物研究所。

东晋墨写本《三国志·步骘传》残卷是一硬黄纸，纵24.4厘米，横41.8厘米，卷首、尾残缺，卷中乌丝阑，天头1厘米，地脚1.4厘米，阑宽1.6厘米；墨书凡25行，行19～20字不等，存440字，是《三国志·吴书》卷七部分内容，始于"解患难，书数十上"句，终于"未若顾豫章、诸葛使君、步丞相、严卫尉、张"句。其中前16行为《步骘传》，记述步骘于"赤乌九年代陆逊为丞相"之后的一段文字；后9行系周昭等"并述吴书"时对步骘、严畯、诸葛瑾、顾劭及张承的评述。卷文中"步瑠"，宋刊本作"步璇"，疑此避晋元帝司马璇之讳；所用纸张近似晋人经本，字体处于楷、隶书之间，尤其是"捺"画，尚保留浓重隶势；卷中所用大量异体字，如"刺""督""嗣""宽""儒""其"及"能"等，见于六朝间碑文及敦煌所出魏晋间写本。凡此均可表明东晋墨写本《三国志·步骘传》残卷的书写时代。残卷不见裴松

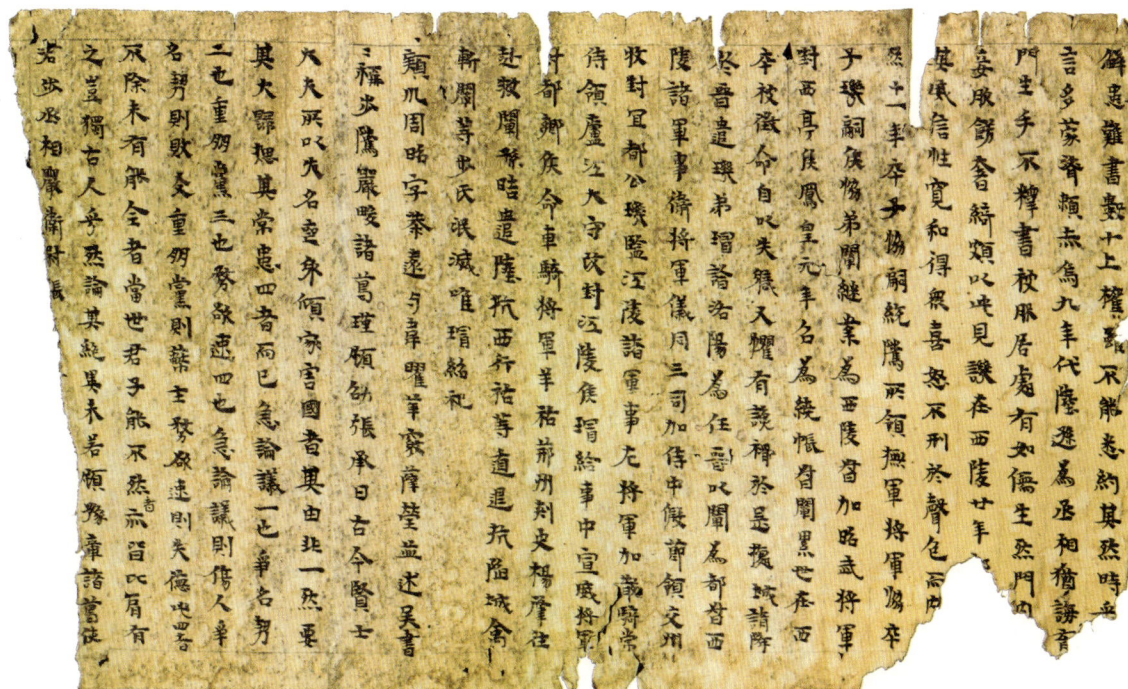

之注文，应是《三国志》未被裴松之加注之前写本，或较为接近陈寿原著《三国志》。

传世《三国志》最早版本是北宋咸平六年（1003年）国子监刻本与南宋绍熙年间（1190年）刊本，其中文字脱、误较多。东晋墨写本《三国志·步骘传》残卷与刊行中华书局标点本有41字不同，可资互校者存10余处；且残卷第17行、第18行比现行刊本多出21字。

陈寿病逝于晋惠帝元康七年（297年），其所修《三国志》定稿当在西晋之时。已知《三国志》晋人写本，除东晋墨写本《三国志·步骘传》残卷外，另有1909年新疆鄯善出土北魏高昌麹氏所抄《三国志·吴书·韦曜华核传》残卷，1924年新疆鄯善出土晋人写本《三国志·吴书·虞、陆、张传》残卷，1965年新疆吐鲁番英沙古城南佛塔内所发现晋人写本《三国志·魏书·臧洪传》残卷与《三国志·吴书·吴主权传》残卷。西晋统治仅53年，《三国志》成书之后，迅速传入西域地区。

东晋墨写本《三国志·步骘传》残卷及其他几卷晋人纸书，作为《三国志》的最早抄本，是研究《三国志》及《魏书》的珍贵史料。2008年3月1日，国务院公布《第一批国家珍贵古籍名录》，东晋墨写本《三国志·步骘传》残卷名列其中，名录号180。

东晋墨写本《三国志·步骘传》残卷藏于敦煌研究院

唐写本王仁煦《刊谬补缺切韵》卷 唐代中期文物。北宋宣和年间入藏内府，宋《宣和书谱》、绍兴内府《中兴馆阁储藏书画录》著录。后递归清内府，清《石渠宝笈·初编》著录，藏于御书房。清帝溥仪逊位后，将唐写本

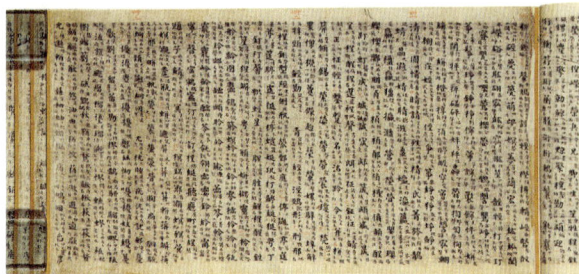

王仁煦《刊谬补缺切韵》卷赏赐其弟溥杰，携出宫外，后流落民间。民国36年（1947年），故宫博物院复购得此卷，唯卷中"宋徽宗泥金题签"已佚，宣和7玺仅存其4。

唐写本王仁煦《刊谬补缺切韵》卷是素笺厚纸本，凡24页，单页纵25.5厘米，横47.8厘米；首页单面书，余皆两面书，共47面；每面楷书35行，自第9页"耕"起为36行，行字不等。卷前隔水有"洪武三十一年四月初九日重装"及"裱褙匠曹观"题记；卷首、卷末钤北宋宣和及清乾隆时期众多鉴藏印记；卷末明宋濂跋云："右吴彩鸾所书刊谬补缺切韵，宋徽宗用泥金题签，而前后七印俱完，装潢之精亦出于宣和内匠，其为真迹无疑。余旧于东观见二本，纸墨与之正同，第所多者，柳公权之题识耳。诚希世之珍哉！翰林学士承旨金华宋濂记。"书卷原为散页，北宋宣和年间入藏内府，裱成手卷，后有所改异，明洪武年间重装时保留原裱样式：以首页全幅粘裱于命纸右端，次页接续首页尾，仅以右端纸边粘于命纸，后各页依次以右端纸边向左相错约1厘米粘裱，叠为一卷，鳞次栉比，故称龙鳞装，或鱼鳞裱；又因收卷时各页鳞次同一个方向旋转，宛若旋风，故又称旋风装。龙鳞装形似卷轴，

但尺幅长度缩短，既便于翻检，又保护书页，可视为由卷轴向书册过渡的一种装帧形式。传世古籍中，龙鳞装仅见该书卷一例。

隋仁寿元年（601年），颜之推、陆法言等撰成《切韵》，收入12100余字。唐王仁煦《刊谬补缺切韵》是对《切韵》进一步整理、增订而成。除对《切韵》加以刊正、补注义训外，又增收6000余字，对本字、俗体等加以辨析，并增立两韵，注明《切韵》与另外5家韵书分韵之异同。书卷原题"刊谬补缺切韵"，"朝议郎行衢州信安县尉王仁煦字德新撰定"。王仁煦事迹无考，据书中"三十五铣""显"字下注"今上讳"，王氏当为唐中宗李显（656～710年）时人。历代著录皆云唐写本王仁煦《刊谬补缺切韵》卷为当时善书者吴彩鸾所书，如元王恽《玉堂嘉话》卷二记"吴彩鸾龙鳞楷韵"，《石渠宝笈·初编》载"唐吴彩鸾书唐韵"。吴彩鸾，生卒年月无考，人称仙女。书卷中于"民""显"字缺笔，"一先""渊"字下注"武帝讳"，"世"字下注"文帝讳"，"治"字下注"大帝讳"，均未缺笔；综合书体判断，唐写本王仁煦《刊谬补缺切韵》卷当写于唐代中期。

已知《刊谬补缺切韵》别有两种传本：其一出自敦煌石室，20世纪初由法国人伯希和盗出，藏于法国巴黎国家图书馆，残损甚重；其二为故宫博物院藏明项元汴跋本，亦称"内府本"，系他人改作之书。唯唐写本王仁煦《刊谬补缺切韵》卷方显《切韵》原貌。对于该书卷之学术价值，著名古文字学家唐兰曾跋语："今欲考由六朝变为唐宋音之故，《切韵》其枢纽也。《切韵》原本既不可得见，惟长孙笺本、王韵、唐韵尚与相近。王静安先生所书切二切三，敦煌所出，今在英伦，盖即长孙笺本，其加字最少，凡各家所指陆氏原本，多可于此征信，自与陆书最为接近。王韵较晚出，加字颇多，然韵目旧注，独赖之保存，且仅增'广''严'两韵，此外未有更张。唐韵所出更晚，改韵颇多，惟加字较少耳。然则王韵之重要，较长孙笺本犹或过之。况韵书积字而成，反语毫厘必辨，凡有缺误不可臆定，故尤重在完帙。"又云："今见此全帙，庶几《切韵》全貌可考而知。其有益于音韵之学，自远驾于已见一切材料之上也。"

唐写本王仁煦《刊谬补缺切韵》卷贵为唐人墨迹，且保留宋代龙鳞装原貌，堪为稀世珍品。民国36年（1947年），故宫博物院将该书卷影印出版，签题《唐写本王仁煦刊谬补缺切韵》。2008年3月1日，国务院公布《第一批国家珍贵古籍名录》，唐写本王仁煦《刊谬补缺切韵》卷名列其中，名录号00188。2013年8月19日，唐写本王仁煦《刊谬补缺切韵》卷被国家文物局列入"第三批禁止出境展览文物目录"。

唐写本王仁煦《刊谬补缺切韵》卷藏于故宫博物院。

北宋司马光《资治通鉴》手稿卷 北宋英宗治平三年至神宗元丰七年（1066～1084年）文物。初为南宋宗室赵汝述旧藏，后经元初赵孟頫、元明之际危素、浦江戴良等人递藏。入明之后，又相继为袁忠彻、项元汴等人所宝。续为清梁清标所得，后入清宫，乾隆帝、嘉庆帝及宣统帝皆曾凭卷赏鉴。1960年，文化部文物局将北宋司马光《资治通鉴》手稿卷移交入藏北京图书馆。

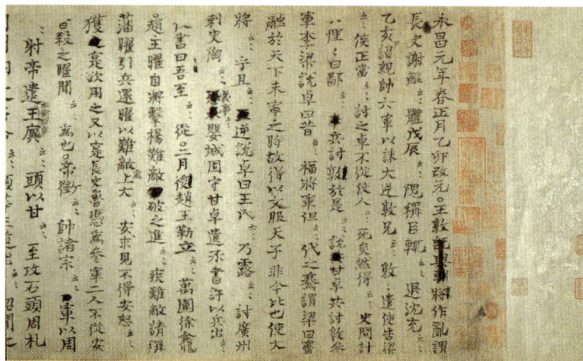

北宋司马光《资治通鉴》手稿卷是司马光编撰《资治通鉴》的手写原稿，纸本墨书，框纵33.2厘米，横106厘米，存29行465字。所记始于东晋元帝永昌元年（322年）正月王敦将作乱，止于同年十二月慕容廆遣子皝入令支而还，其间每段史事仅书写开端数字或十数字不等，之下便接"云云"二字。手稿所记为通行本第92卷内容，但两者存在较多不同之处。清乾隆帝题签，卷后附宋任希夷、赵汝述题跋及葛洪、程珌、赵崇龢三人合跋，又元柳贯、黄溍、宇文公谅、朱德润及郑元祐等人跋文。卷内钤"岐国汝述明可图籍""赵汝读印""赵子昂氏""危素私印""戴氏叔能""尚宝少卿袁氏忠彻印""袁忠彻印""忠彻""瞻衮堂""宝岘楼""明安国玩""项元汴印""项氏子京""项子京家珍藏""子京父印""子京所藏""子京""子京珍秘""项墨林父秘籍之印""墨林""墨林堂""墨林子""墨林山人""墨林主人""墨林外史""墨林项季子章""项叔子""项墨林鉴赏章""槜李项氏世家宝玩""蓬庐""煮茶亭长""赤松仙史""长病仙""退密""惠泉山樵""子孙世昌""神品""梁印清标""棠邨审定""河北棠村""蕉林玉立氏图书""蕉林秘玩""蕉林书屋""考古证今""冶溪渔

隐""苍岩子""观其大略""乾隆鉴赏""乾隆御览之宝""三希堂精鉴玺""石渠宝笈""御书房鉴藏宝""嘉庆御览之宝""宣统鉴赏""宣统御览之宝"及"无逸斋精鉴玺"等自宋至清鉴藏印记百余枚。

《资治通鉴》是北宋司马光（1019～1086年）编撰的一部极富史料价值的编年体史书，凡294卷，全书记述了上自周威烈王二十三年（前403年）、下至五代后周显德六年（959年）1362年间的主要史事。北宋英宗治平三年（1066年），司马光奉敕编撰，至神宗元丰七年（1084年），历时19年，《资治通鉴》全书完竣。

北宋司马光《资治通鉴》手稿卷文末，司马光使用范纯仁写给他与其长兄司马旦（字伯康）二人的书札起草。原书札文字虽经涂抹，但字迹仍可辨认："纯仁再拜，近人回曾上状，必计通呈，比来伏惟尊候万福，伯康必更痊平。纯仁勉强苟禄，自取疲耗……"此段文字夹在卷末几行文内。明汪砢玉《珊瑚网法书题跋》卷3著录范纯仁书札全文，在"自取疲耗"以下尚有"无足念者……纯仁顿首，上伯康、君实二兄坐前。九月十一日"等79字，惜在清初被割去。卷后又附司马光书谢人惠物状："右伏蒙尊慈特有颁赐，感佩之至。但积下情，谨奉状陈谢，伏惟照察谨状。月日具位状。"清卞永誉《式古堂书画汇考》著录。据明汪砢玉《珊瑚网》及清卞永誉《式古堂书画汇考》，原手稿卷后尚有元韩性、吴莱、甘立三人题跋。而在清乾隆年间编撰《石渠宝笈》时，韩性、吴莱、甘立三人题跋已佚。

司马光编撰《资治通鉴》时，据传手稿

盈满两室，而其传世者仅北宋司马光《资治通鉴》手稿卷一件。该卷后元柳贯跋云此手稿存"四百五十三字"，由此可知今手稿基本保持当时原貌，堪称无上珍宝，亦如宋赵汝述跋《资治通鉴稿》所赞："温公起《通鉴》，草于范忠宣公尺牍，其末又《谢人惠物状》草也，幅纸之间三绝具焉，诚可宝哉！"2008年3月1日，国务院公布《第一批国家珍贵古籍名录》，北宋司马光《资治通鉴》手稿卷名列其中，名录号00444。

北宋司马光《资治通鉴》手稿卷藏于中国国家图书馆。

北宋刻本《范文正公文集》 北宋元祐四年至宣和七年（1089～1125年）文物。原为清"范主奉"家藏。"范主奉"即范仲淹十九世孙范能浚，清康熙四十六年（1707年）时为文正书院主奉，与范仲淹二十一世孙范时崇共同翻刻岁寒堂本《范文正公忠宣公全集》。后又辗转递藏于清孔继泰、杨世泽、廖寿丰及廖世荫。民国之后，北宋刻本《范文正公文集》自廖氏散出，为陈立炎捆载北上。1919年，为傅增湘购得。原书缺序目与卷1，傅氏请爨汝僖参照南宋孝宗乾道年间所刻递修本，以此书行格、字数抄补配入。1956年5月，北京图书馆

（中国国家图书馆）收购北宋刻本《范文正公文集》于傅忠谟。

北宋刻本《范文正公文集》为纸本，凡20卷，框纵22.5厘米，横15.5厘米；半页9行，行18字，白口，左右双边，单鱼尾，书口标页。其中卷1赋，卷2、3古诗，卷4、卷5、卷6律诗，卷7义、论、议、易义，卷8赞、颂、述、序、记，卷9、卷10书，卷11书、祭文，卷12碑，卷13碑、墓志，卷14墓志，卷15墓志、墓表，卷16墓表、书碑阴、表，卷17、卷18表，卷19状，卷20状、札子。卷端题"范文正公文集卷第一"，书口镌"集卷一"；卷首苏轼《叙》及卷1均系抄配，卷2至卷20为宋刻原本，间有抄配；每卷均先列出该卷细目，后接连正文；书口下鱼尾处标页次，卷1起于页19，至卷4页83止；卷5至卷8，卷9至卷12，卷13至卷16，卷17至卷20，每4卷页序相连；卷前存清人于"丁酉夏"（清康熙五十六年，1717年）所作题记3行，云此文集出自"范氏主奉家"。卷中字体端庄凝重，宋讳勖、树、署、顼等字缺笔，而构、沟等字不避。卷内钤"鹤溪孔氏藏书""鹤瞻""继泰""鹿城杨世泽端生珍藏""杨堃""箓溪""小隐""谷士""古畷擸百城廆主人珍藏书画印记""杨鉴"及"少琢"等众多鉴藏印记。

范仲淹（989～1052年），字希文，吴县人（江苏苏州），北宋政治家、文学家；宋真宗大中祥符八年（1015年）举进士第，晏殊荐为秘阁校理，升任吏部员外郎；宋仁宗康定元年（1040年）以龙图阁直学士与夏竦经略陕西，守边数年；宋仁宗庆历三年（1043年）拜枢密副使，进参知政事，主持"庆历新政"。

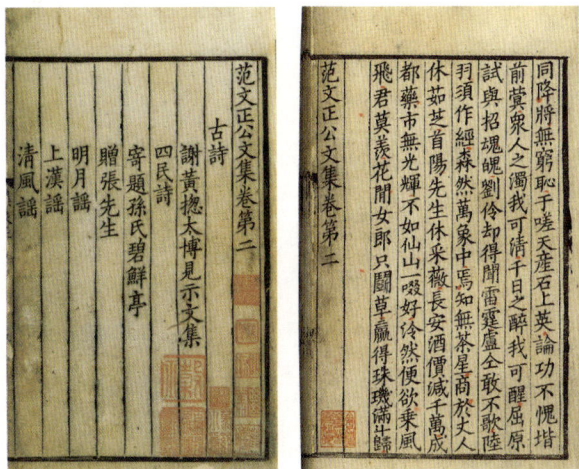

新政受挫后，被贬出京，历知邠州、邓州、杭州及青州等地。卒于宋仁宗皇祐四年（1052年），谥文正，仁宗为其亲书墓碑曰"褒贤之碑"。《宋史》有传。

范仲淹卒后，其诸子将其遗稿整理、编辑。宋仁宗皇祐五年（1053年），次子范纯仁编成《奏议》17卷、《政府论事》2卷，北宋韩琦《安阳集》卷22记其所作《文正范公奏议集序》；其余文稿诸子又集为20卷，共收入诗赋268首，文165篇，嘱托苏轼为之作序。宋哲宗元祐四年（1089年）四月二十一日，苏轼完成此文集书序。此20卷文集，时名《丹阳集》，宋赵希弁《郡斋读书志附志》卷5下所云"别有《丹阳集》二十卷，东坡先生序之"，即此本。又宋晁公武《郡斋读书志》袁本卷4载，"《范文正丹阳编》八卷"，"集有苏子瞻叙"。《宋史·艺文志》录《范仲淹集》20卷，又有《丹阳编》8卷。范氏诗赋文集，北宋时期即刻本刊行，传世主要有南宋孝宗乾道年间所刻递修本与元天历、至正年间范氏家塾岁寒堂刻本，各皆20卷。

北宋刻本《范文正公文集》是遗存时代最早的范仲淹诗文集版本，范家世代宝藏之物。1984年，中华书局影印北宋刻本《范文正公文集》，编入《古逸丛书三编》；2003年，《中华再造善本》又影印出版。2008年3月1日，国务院公布《第一批国家珍贵古籍名录》，北宋刻本《范文正公文集》名列其中，名录号01079。2013年8月19日，北宋刻本《范文正公文集》被国家文物局列入"第三批禁止出境展览文物目录"。

北宋刻本《范文正公文集》藏于中国国家图书馆。

北宋刻递修本《汉书》 北宋时期。先后曾经明苏州彭年、云间潘允端、太仓王世贞、常熟汲古阁毛氏父子，清季振宜、徐乾学、黄丕烈、汪士钟、常熟铁琴铜剑楼瞿氏及陈清华等人辗转递藏。中华人民共和国成立后，经文物鉴赏家徐森玉之子、香港鉴藏家徐伯郊购回。1955年7月，文化部文物局将北宋刻递修本《汉书》移交入藏北京图书馆。

北宋刻递修本《汉书》，前人称之为"北宋景祐监本"，为纸本，凡100卷，框纵22厘米，横15.5厘米；半页10行，行19字，注文小字双行，行25～28字不等，白口，左右双边，字体宽博厚重。卷内附元倪瓒及清黄丕烈、顾广圻跋语。卷内钤"陇西彭年""云间潘氏仲履父图书""贞""元""仲雅""毛晋秘笈""汲古阁""汲古阁世宝""在在处处有神物护持""宋本""臣表""毛表藏书""毛表之印""隐湖毛表图书""毛氏奏叔""毛奏叔收书记""奏叔""奏叔氏""季振宜印""季振宜读书""沧苇""御史振宜之印""御史之章"；"乾

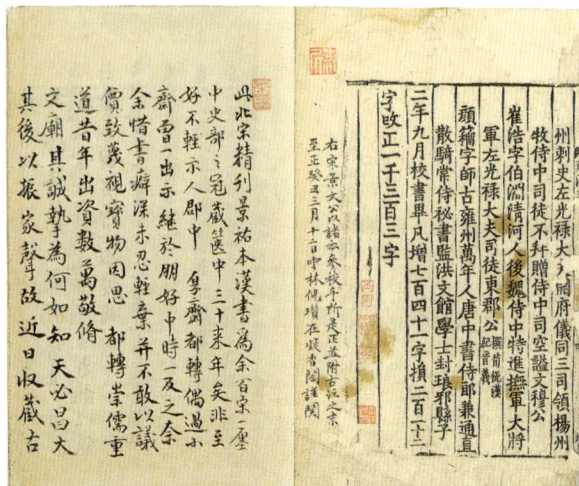

学""徐健庵""丕烈""复翁""老荛""荛圃卅年精力所聚""百宋一廛""士礼居""汪士钟印""阆源真赏""铁琴铜剑楼""菰里瞿镛""郇斋""祁阳陈澄中藏书记"及"伯郊过眼"等众多鉴藏印记。

北宋刻递修本《汉书》曾经宋祁校勘，源自北宋景祐本。其中，卷29配宋嘉定蔡琪刻本，卷30配宋庆元元年（1195年）建安刘元起刻本。清顾广圻在为黄丕烈藏书撰《百宋一廛赋》中所称"汉书特善，清秘留将，是曰景祐，夐乎弗亡"者，又清代学者钱大昕、王念孙所谓"北宋景祐本《汉书》"者，均言此书。

《汉书》是中国第一部纪传体断代史，与《史记》《后汉书》《三国志》并称"前四史"，由东汉班固（公元32～92年）编撰，全书记述了自汉高祖元年（前206年）至王莽地皇四年（公元23年）230年间的主要史事。《汉书》包括十二纪、八表、十志、七十传，凡一百篇，后人厘为一百二十卷。

北宋刻递修本《汉书》是遗存《汉书》最早版本，百衲本二十四史之影印底本，2003年入选《中华再造善本》。2008年3月1日，国务院公布《第一批国家珍贵古籍名录》，北宋刻递修本《汉书》名列其中，名录号00402。

北宋刻递修本《汉书》藏于中国国家图书馆。

南宋绍兴四年温州州学刻本《大唐六典》

南宋绍兴四年（1134年）文物。元代官书，明朝归于内府，《文渊阁书目》政书类录"唐六典一部十册"，疑即此书。入清之后，藏于内阁。清末民初，自内阁散出。1918年，傅增湘时任教育总长，查敬一亭所存内阁红本麻袋，发现南宋绍兴四年温州州学刻本《大唐六典》数卷，将其送至时北平历史博物馆存藏。傅增湘与李盛铎又各自收得该书流散者数卷。南宋绍兴四年温州州学刻本《大唐六典》遗存凡15卷，即卷1～3、7～15、28～30，合计65页，仅为全书之半。时北平历史博物馆所存卷7～11，寄存浙江兴业银行，又入藏中央博物院，后藏于南京博物院；李盛铎所藏卷1～3（卷3前半）、卷12～15，藏于北京大学图书馆；傅增湘所藏卷3后半、卷28～30，藏于北京图书馆。

南宋绍兴四年温州州学刻本《大唐六典》为纸本，蝴蝶装，半页纵30.5厘米，横22厘米；版框纵20厘米，横14.5厘米；半页10行，行20～22字，注文小字双行，行23～22字，白口，单鱼尾，左右双边。书中记有刻工陶中、王拱、林元、宋昌、贾溢、孟立、万兖、方正、方中、毛祖、林允、郭实及郭敦等人，补版刻工刘昭、陈良、张明、余政、吴佑、王恭、徐义、吴春、沈忠及范元等人。卷30后附南宋绍兴四年（1134年）知温州永嘉县主管劝农公事詹棫刻书题记，又"温州州学教授张希亮校正"1行。卷末附近人沈曾植、王秉恩跋语。卷内纸背钤元"国子监崇文阁官书"楷书朱文大印。

《大唐六典》成书于唐开元二十六年（738年），是一部关于唐代官制的行政法典，也是中国遗存的时代最早的一部行政法典。全书凡30卷，正文记唐朝中央、地方各级政府机构、编制、职责、人员、品位及待遇等，注文或兼记职官沿革，或作细则说明，或附录有关诏敕文书。该书原题唐玄宗撰、李林甫等注，而实为张说、张九龄等人所纂。

南宋绍兴四年温州州学刻本《大唐六典》系宋刻孤本，亦为遗存《大唐六典》最古刊本。元明以来，该书深藏秘阁。至明正德十年（1515年），始有席书、李承勋刻本《大唐六典》行世，后嘉靖年间又有浙江按察司刻本《大唐六典》。但两明刻本《大唐六典》中讹夺、疏漏甚多，唯藉南宋绍兴四年温州州学刻本《大唐六典》得以勘正。2008年3月1日，国务院公布《第一批国家珍贵古籍名录》，南宋绍兴四年温州州学刻本《大唐六典》名列其中，名录号分别为00545、00546、00547。

南宋绍兴四年温州州学刻本《大唐六典》分藏于中国国家图书馆、北京大学图书馆与南京博物院。

南宋绍兴二十二年临安府荣六郎家书籍铺刻本《抱朴子内篇》　南宋绍兴二十二年（1152年）文物。清初曾先后递藏于季振宜、徐乾学处。《季沧苇藏书目》所云"宋版《抱朴子》二十卷"，当即此本。后入藏清宫。20世纪20年代，逊位的溥仪以赏赐为名，通过其胞弟溥杰、堂弟溥佳，有计划地将南宋绍兴

二十二年（1152年）临安府荣六郎家书籍铺刻本《抱朴子内篇》并同清宫其他珍贵文物盗运出宫，后携至长春伪满洲国皇宫。民国34年（1945年），日本侵略者战败投降，伪满洲国覆灭，南宋绍兴二十二年（1152年）临安府荣六郎家书籍铺刻本《抱朴子内篇》散佚。几经辗转，入藏东北图书馆。

南宋绍兴二十二年临安府荣六郎家书籍铺刻本《抱朴子内篇》是纸本，以篇为卷，凡20卷，分别为《畅玄卷第一》《论仙卷第二》《对俗卷第三》《论金丹卷第四》《论至理卷第五》《微旨论卷第六》《塞难卷第七》《释滞卷第八》《道意卷第九》《明本卷第十》《仙药卷第十一》《辨问卷第十二》《极言卷第十三》《勤求卷第十四》《杂应卷第十五》《黄白卷第十六》《登涉卷第十七》《第真卷第十八》《遐览卷第十九》与《祛惑卷第二十》（卷11、12，卷17第8页，卷18第1页半页，卷19第2页补抄）。卷内框纵19.6厘米，横12.2厘米；半页15行，行28字，白口，左右双边。卷内钤"仲岳家藏""刘氏图记""炳文秘玩""江左""清风兰雪""守中""竹坞""御史振宜之印""季振宜藏书""乾学"及"徐健庵"等众多鉴藏印记。卷内宋讳玄、匡、徵、敬、恒等字缺笔；卷末附刻书牌记5行75字："旧日东京大相国寺东荣六郎家，见寄居临安府中瓦南街东，开印输经史书籍铺。今将京师旧本《抱朴子内篇》校正刊行，的无一字差讹，请四方收书好事君子幸赐藻鉴。绍兴壬申岁六月旦日。""绍兴壬申"，即南宋绍兴二十二年（1152年）。牌记叙述两宋之交，靖康之乱，荣氏由北宋东京汴

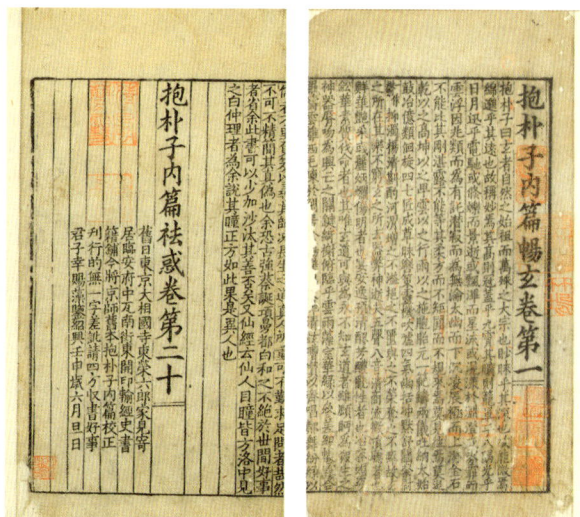

梁南迁至杭州，重开书铺，据北宋旧本校正刊印该书。考宋孟元老《东京梦华录》，相国寺东门大街均为幞头、腰带及书籍铺，荣六郎家书籍铺当即开设于此。

《抱朴子》，晋葛洪撰，《晋书·葛洪传》引《抱朴子内篇自序》云"大凡内外一百十六篇"，传世本《抱朴子内篇》20篇，《外篇》52篇，凡72篇，较葛氏所言缺少44篇。《抱朴子内篇》遗存时代最早为敦煌写本，惜为残卷，仅存《畅玄》《论仙》与《对俗》3篇。

南宋绍兴二十二年荣六郎家书籍铺刻本《抱朴子内篇》是存世最早足本，且该本所祖乃北宋京师旧本，可据以订正明清诸本之讹误，对于《抱朴子》的流传、校勘举足轻重。此前该书长期深锁内廷，世人鲜知，如清黄丕烈《荛圃藏书题识》所云，"余家子书多善本，惟《抱朴子》无之""即世行本亦未闻有宋刻"。2008年3月1日，国务院公布《第一批国家珍贵古籍名录》，南宋绍兴二十二年临安府荣六郎家书籍铺刻本《抱朴子内篇》名列其中，名录号01001。

南宋绍兴二十二年临安府荣六郎家书籍铺刻本《抱朴子内篇》藏于辽宁省图书馆。

南宋淳熙十三年内府写本《洪范政鉴》
南宋淳熙十三年（1186年）文物。宋、明两朝皆深藏内府，故得以收入《永乐大典》。入清之后，又藏于内阁。后自宫中流出，归宗室盛昱"郁华阁"，之后又藏于完颜景贤。完颜身后，傅增湘以巨款购得。民国17年（1928年），傅氏以南宋淳熙十三年内府写本《洪范政鉴》与其旧藏宋刻百衲本《资治通鉴》俪为"双鉴"，为其所藏群书之冠。民国38年

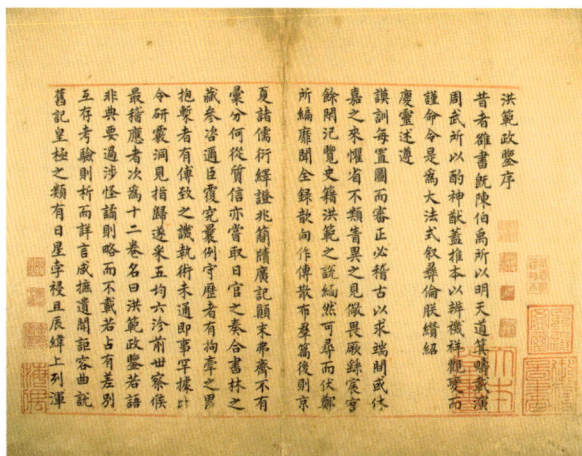

（1949年）初，傅增湘病逝，其子傅忠谟遵父遗命将南宋淳熙十三年内府写本《洪范政鉴》捐献国家，并由文物局移送入藏北京图书馆。

南宋淳熙十三年内府写本《洪范政鉴》为纸本，凡12卷，蝶装绢衣，宋内府旧装；全书首尾完整，每卷分上、下；卷内框纵24.7厘米，横18.4厘米，手绘朱丝阑，左右细线，无边栏，尚存卷子装遗式；大字工楷，半页9行，行17～18字，小字双行同；卷前附宋仁宗康定元年（1040年）七月制序。卷内钤"缉熙殿书籍印""内殿文玺""御府图书""大本堂书""完颜景贤精鉴""任斋铭心之品""小如庵秘籍""抱蜀庐""周暹""江安傅增湘沅叔珍藏""沅叔审定""双鉴楼珍藏印""藏园秘籍孤本""藏园老人""江安傅忠谟晋生珍藏""忠谟继鉴""晋生心赏""佩德斋"及"经腴眼福"等宋、明、清以来众多鉴藏印记。

《洪范》系《尚书·周书》一篇，《洪范政鉴》是宋仁宗赵祯（1010～1063年）于康定元年（1040年）十一月之前所撰，宋英宗治平三年（1066年），曾将其题于钦明殿屏风之上，以为时时警戒。

因《洪范政鉴》为御撰，又长期深藏内宫，故世间无传本，历代书目亦鲜有著录，仅《续通鉴长编》《玉海》及《宋会要》记述其事。清徐松《宋会要》辑稿中曾提及此书，云"建炎三年（1129年）三月二日行在太史局合要各书，下诏访求"，内有《洪范政鉴》十三册（按：三为二之误），见《永乐大典》卷19778；又"淳熙十三年二月八日令秘阁缮写《洪范政鉴》一本进纳"，见《永乐大典》卷11944。由此可知，建炎时下诏访求《洪范政鉴》，后求得遗本，故于淳熙十三年（1186年）二月八日令秘阁缮写进纳。南宋淳熙十三年内府写本《洪范政鉴》卷中避讳谨严，宋讳树、顼、桓、构、慎等字均缺笔，敦字不避，亦证此卷即淳熙十三年（1186年）秘阁缮进之本。

南宋淳熙十三年内府写本《洪范政鉴》相继为南宋、明、清内府递藏孤本，历经800余年，珍贵异常。2008年3月1日，国务院公布《第一批国家珍贵古籍名录》，南宋淳熙十三年内府写本《洪范政鉴》名列其中，名录号00694。

南宋淳熙十三年内府写本《洪范政鉴》藏于中国国家图书馆。

金刻本《南丰曾子固先生集》　金代中叶文物。原为明唐寅旧藏，入清之后，经朱之赤、揆叙递藏，后入藏清宫"天禄琳琅"。溥仪出宫，将该书携出，带至东北。抗日战争胜利后，金刻本《南丰曾子固先生集》流落散失。后被书商携至北京，为赵元方购得。中华人民共和国成立后，赵元方将金刻本《南丰曾子固先生集》捐赠，入藏北京图书馆。

金刻本《南丰曾子固先生集》是纸本，凡34卷，版框纵15.7厘米，横10.9厘米；半页15行，行26字，白口，左右双边。卷内分古诗、律诗、杂文、策问、表、书、启、序、行状、牧之、词疏及祭文等类，凡187篇。卷中存宋避讳字，知其当源于宋刻，与宋代福建刻书风格极为接近；究其纸墨、字体及刀法，与当时平水（又称平阳，山西临汾）坊刻其他书籍如《萧闲老人明秀集》《玉篇》及《集韵》等相类，应是金代中叶平水刻本。卷内钤"唐伯虎""吴郡唐寅藏书印""休宁朱之赤珍藏图书""正气堂""谦牧堂藏书记""兼牧堂书画记""乾隆御览之宝""天禄琳琅""天禄继鉴""五福五代堂宝""八徵耄念之宝""太上皇帝之宝""元方藏书"及"曾在赵元方家"等众多鉴藏印记。

曾巩（1019～1083年），字子固，北宋建昌军南丰（江西南丰）人。嘉祐二年（1057年）进士，"唐宋八大家"之一，人称"南丰先生"，有《元丰类稿》传世。《宋史》有传。

金刻本《南丰曾子固先生集》中54篇前所未见，或为《续元丰类稿》及《外集》之作品，是研究曾巩的重要史料。传世金刻本罕

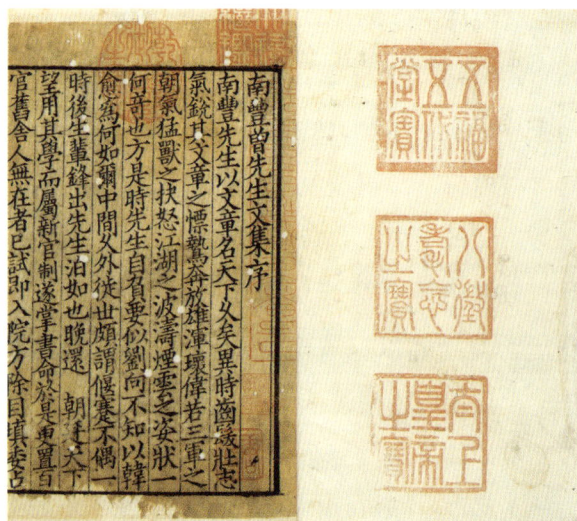

见，宋南渡之后，平水代替汴京成为黄河以北出版中心，也是金元时期刻书主要地区。金刻本《南丰曾子固先生集》字体刚劲古雅，纸坚墨乌，堪为平水刻本之上品，是研究中国古代雕版印刷源流的重要实物。自宋以降，公私书目对于金刻本《南丰曾子固先生集》鲜有著录，亦未见翻刻本及传抄本存世，是为仅存孤本，世无二帙，弥足珍贵。2004年，中华书局影印金刻本《南丰曾子固先生集》，收入《古逸丛书三编》。2008年3月1日，国务院公布《第一批国家珍贵古籍名录》，金刻本《南丰曾子固先生集》名列其中，名录号01086。

金刻本《南丰曾子固先生集》藏于中国国家图书馆。

蒙古乃马真后元年孔氏刻本《孔氏祖庭广记》 蒙古乃马真后元年（1242年）文物。原为山东曲阜孔氏旧藏，清乾嘉时期，孔氏将蒙古乃马真后元年孔氏刻本《孔氏祖庭广记》赠予其婿何元锡，何氏又转赠黄丕烈。后该书又相继经长洲汪士钟、常熟瞿氏及陈清华辗转递藏。1955年7月，蒙古乃马真后元年孔氏刻本《孔氏祖庭广记》由文化部文物局移交入藏北

京图书馆。

蒙古乃马真后元年孔氏刻本《孔氏祖庭广记》是纸本，凡12卷，蒙古乃马真后元年（1242年）刻本，为孔元措回曲阜稍事增益之后所重刊，亦为此书传世最早刻本；版框纵22.7厘米，横14.7厘米，半页11行，行20字，小字双行同，白口，左右双边。卷内附清钱大昕、瞿中溶、黄丕烈、邵渊耀、孙星衍及吴翌凤等人题跋、观款；钤"何元锡印""钱塘何氏梦华馆藏书印""丕烈""士礼居""荛夫""汪士钟印""阆源真赏""恬裕斋镜之氏珍藏""铁琴铜剑楼""绍基秘籍""瞿秉渊印""良士眼福""祁阳陈澄中藏书记"及"郇斋"等众多鉴藏印记。书中附图12幅，系太学生马天章所绘，浮光季大甾刊刻。

《孔氏祖庭广记》作者孔元措（1182～约1252年），字梦得。孔子五十一世孙，金明昌二年（1191年），袭其父孔摠"衍圣公"爵，补授文林郎；明昌三年（1192年），以衍圣公视四品秩，特旨超迁中议大夫；承安二年（1197年）初，诏兼署曲阜县令，仍世袭；贞祐三年（1215年），随朝任职事；天兴二年（1233年），累迁光禄大夫、太常卿。后被蒙古军由南京（河南开封）索取回曲阜，令袭衍圣公，付以林庙地，主祭祀。《金史》有传。宋神宗元丰八年（1085年），孔子四十六世孙孔宗翰纂修《家谱》，是为孔氏有谱之始；宋徽宗宣和六年（1124年），孔子四十七世孙孔传撰成《祖庭杂记》；递至四十九世孙孔璠，采择旧闻，重加编次，刊行《祖庭杂记》。孔元措综合《家谱》与《祖庭杂记》，参考典籍，正误补缺，全录庙林碑文，述金皇统、大

定、明昌以来崇奉孔子之事，并附以图像，将此前两书3卷18门543事，增益为12卷26门840事，撰成《孔氏祖庭广记》，曲阜文献，自此完备，是为研究孔子及曲阜史地的重要史料。

蒙古乃马真后元年孔氏刻本《孔氏祖庭广记》是孔元措回曲阜稍事增益之后所重刊，亦为此书传世最早刻本。蒙古刻本传世极为罕见，而蒙古乃马真后元年孔氏刻本《孔氏祖庭广记》纸墨古雅，字体坚劲，是蒙古时期雕版印刷的上乘之作。书中所附12幅图，构图严谨，刀法洗练，堪称早期版画插图之杰作。清黄丕烈誉之为"惊人秘籍"，钱大昕亦赞此书"予所见金元椠本，未有若是之完美者"。2008年3月1日，国务院公布《第一批国家珍贵古籍名录》，蒙古乃马真后元年孔氏刻本《孔氏祖庭广记》名列其中，名录号00528。

蒙古乃马真后元年孔氏刻本《孔氏祖庭广记》藏于中国国家图书馆。

元至正十八年孙道明抄本《闲居录》 元至正十八年（1358年）文物。原为明文徵明旧藏。入清之后，又相继为钱曾、季振宜、安岐及陈揆等人递藏，后归瞿氏"铁琴铜剑楼"。1954年，社会文化事业管理局将元至正十八年

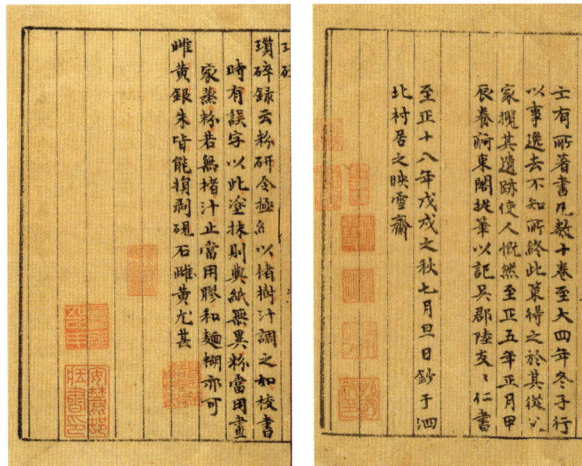

孙道明抄本《闲居录》移交入藏北京图书馆。

元至正十八年孙道明抄本《闲居录》是孙道明于至正十八年（1358年）手抄纸本，版框纵20.5厘米，横13.8厘米；半页9行，行18字，白口，左右双边，行款规整，工楷庄重。卷后陆友仁于元至正五年（1345年）跋云："此册得之于其从父家，览其遗迹，使人慨然！"卷末孙道明题："至正十八年戊戌之秋七月旦日钞于泗北村居之映雪斋。"卷内钤"鲁郡郜氏""孙明叔印""孙明""映雪""映雪书房""在家道人""辛夷馆印""虞山钱曾遵王藏书""钱氏幽吉堂收藏印记""季振宜印""沧苇""安麓邨藏书印""稽瑞楼"及"铁琴铜剑楼"等众多鉴藏印记。

《闲居录》作者吾衍（1272～1311年），或作"吾丘衍"，字子行，号贞白，世称"贞白先生"。祖籍太末（后浙江龙游），寓居杭州；平生嗜古好学，通晓经史百家，工篆隶，精音律；性情狂放，不求显达，租居陋巷，以教授为业；后因官司受辱，投水而死。据《竹素山房诗集》之《吾丘子行传》，吾衍著述甚丰，但流传后世较少。《闲居录》中录吾氏笔记百余条，内容为杂记奇人异事及有关古文字、古器物考辨之语。《闲居录》初为吾衍札记手稿，后为陆友仁所得，录之传世。元至正十八年（1358年），孙道明得到该书。孙道明（1296～？），字明叔，号停云子、清隐处士，松江华亭（后上海松江）人。据《松江府志》，孙氏"博学好古，藏书万卷，遇秘本辄手自抄录。筑映雪斋，延接四方名士，校阅藏书为乐"。元郑元佑《侨吴集》亦云道明"手

抄书数百卷，皆小楷齐截"。又明何良俊《四友斋丛说》载孙氏"日惟以抄书为乐，其手抄书几千卷，今尚有流传者，好事者以重价购之"。

元至正十八年孙道明抄本《闲居录》是《闲居录》传世时代最早传本，最大程度地保留了吾衍手稿原状，洵可珍贵。2008年3月1日，国务院公布《第一批国家珍贵古籍名录》，元至正十八年孙道明抄本《闲居录》名列其中，名录号00762。

元至正十八年孙道明抄本《闲居录》藏于中国国家图书馆。

元大德九年陈仁子东山书院刻本《古迂陈氏家藏梦溪笔谈》 元大德九年（1305年）。原为明内府藏书。入清之后，又相继经汪文琛、汪士钟、汪振勋及韩应陛、韩德等人递藏。民国时期，为陈清华（澄中）所得。20世纪中叶，陈清华移居香港，于1965年欲出售一批所藏善本，其中包括元大德九年陈仁子东山书院刻本《古迂陈氏家藏梦溪笔谈》。为避免该批珍贵文物流失，周恩来总理责成文化部指派专人前去洽办，斥巨资购回。1965年12月，文化部文物事业管理局将元大德九年陈仁子东

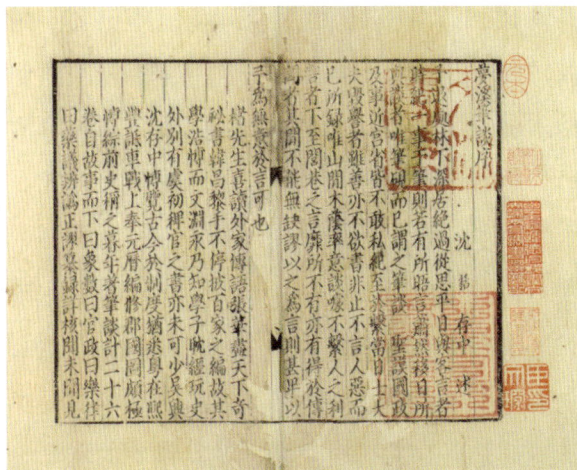

山书院刻本《古迂陈氏家藏梦溪笔谈》移交入藏北京图书馆。

元大德九年陈仁子东山书院刻本《古迂陈氏家藏梦溪笔谈》是纸本，凡26卷，蝴蝶装，大开本，小版心，每页纸幅纵41.50厘米，横56.2厘米，版框纵15.5厘米，横20.2厘米；半页10行，行17字，小字双行同，细黑口，左右双边。卷前附南宋孝宗乾道二年（1166年）扬州州学教授汤修年跋，目录后附"茶陵东山书院刊行"牌记，首附"大德乙巳茶陵古迂陈仁子刊于东山书院序"。卷内钤"东宫书府""文渊阁""万历三十三年查讫""杂部""臣文琛印""平阳汪氏藏书印""元本""汪士钟藏""汪士钟印""汪振勋印""平江汪振勋眉泉氏印记""梅泉""读有用书斋""甲子丙寅韩德均钱润文夫妇两度携书避难记"及"松江有用书斋金山守山阁两后人韩德均钱润文夫妇之印"等众多鉴藏印记；卷首所钤"杂部"朱文长方印与卷4、卷26后所钤"万历三十三年查讫"朱文长方印，应为明万历三十三年（1605年），孙能传、张萱整编《内阁藏书目录》勘查群书时所钤。

《梦溪笔谈》是北宋沈括（1031～1095年）晚年闲居润州梦溪园时所著，全书分为17门：故事、辨证、乐律、象数、人事、官政、权智、艺文、书画、技艺、器用、神奇、异事、谬误、讥谑、杂志与药议，凡26卷，总结了中国古代尤其是北宋时期的各项杰出发明，如毕昇活字印刷术、指南针、喻皓建筑技术及陕北鄜延境内石油等。《梦溪笔谈》在宋代旧有扬州刻本，南宋孝宗乾道二年（1166年）又重刻行世，凡此宋刻本今已不传。

元大德九年陈仁子东山书院刻本《古迂陈氏家藏梦溪笔谈》是元大德九年（1305年）据宋乾道本重刻，亦是传世《梦溪笔谈》年代最早版本。在传世宋元时期版书中，此书版式极为稀少。1976年，元大德九年陈仁子东山书院刻本《古迂陈氏家藏梦溪笔谈》经文物出版社影印出版。2008年3月1日，国务院公布《第一批国家珍贵古籍名录》，元大德九年陈仁子东山书院刻本《古迂陈氏家藏梦溪笔谈》名列其中，名录号00756。

元大德九年陈仁子东山书院刻本《古迂陈氏家藏梦溪笔谈》藏于中国国家图书馆。

明抄本《古今杂剧二百四十种》　明万历四十五年（1617年）前文物。原为明万历年间脉望馆赵琦美（1563~1624年）旧藏。后归清钱谦益绛云楼，后又入钱曾也是园。也是园书散，又相继递藏于季振宜、何义门、黄丕烈，黄丕烈定其名为《古今杂剧》。黄丕烈后，明抄本《古今杂剧二百四十种》又辗转于汪士钟艺芸精舍、赵宗健旧山楼及丁祖荫等处。明抄本《古今杂剧二百四十种》也在流传中不断散失，藏于钱曾时，除去重复，尚存340种72册；季振宜著录时存300种；黄丕烈时存266种

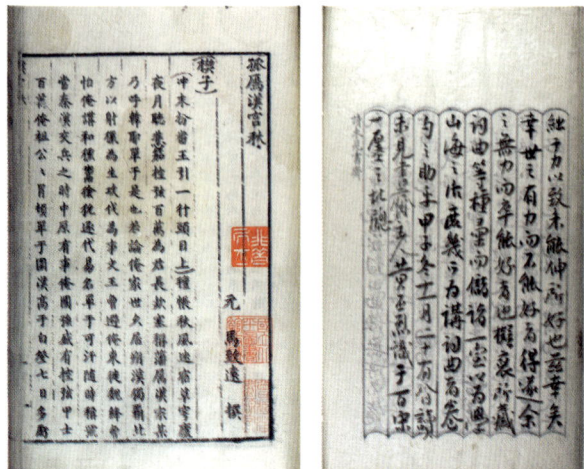

66册；黄氏手抄40页目录，今附书前；而至汪士钟时仅存242种66册。民国26年（1937年）抗日战争爆发后，上海沦为"孤岛"。郑振铎不忍目睹中国珍贵古籍不断流入美国、日本等国，节衣缩食，四处筹款，大量收购，明抄本《古今杂剧二百四十种》即在其中。待至入藏北京图书馆（中国国家图书馆）时，明抄本《古今杂剧二百四十种》仅余242种64册。

明抄本《古今杂剧二百四十种》是一部中国元、明时期的杂剧总集，因清钱曾（1629~1702年）《也是园藏书目》详载书中诸剧名目，故世称《也是园古今杂剧》。原书种、册数目已不可考，存凡242种，分装64册，其中有明刻本《息机子杂剧选》所载15种，明刻本《古名家杂剧》所记55种，其余172种均为明万历年间脉望馆赵琦美请人抄写。每册几乎均附赵琦美校跋，跋中注明该本抄校于明万历四十二年至四十五年（1614~1617年），所收剧本一为"从内本录校"，即源于明末宫廷剧本；二为于小谷剧本。首册附清黄丕烈所抄录自藏曲目、《待访古今杂剧存目》与题跋1则，册中存明董其昌于崇祯年间所作4则跋文与钱曾所抄补缺文3行，并有何煌于清雍正三年至七年间（1725~1729年）据数十种元刊本杂剧及其他抄本曲类以校补此书之勘文。册内钤"相府贤贤""杏华书屋""曾藏汪阆源家""非昔居士"及"常熟赵氏旧山楼经籍记"等众多鉴藏印记。

明抄本《古今杂剧二百四十种》是传世收录中国古代戏曲种类最多的珍本，书中存较多孤本，是研究元明时期杂剧及其作者的重要史

料。1958年，明抄本《古今杂剧二百四十种》影印入《古本戏曲丛刊》四集，题名《脉望馆钞校本古今杂剧》。2008年3月1日，国务院公布第一批国家珍贵古籍名录，明抄本《古今杂剧二百四十种》名列其中，名录号02276。

明抄本《古今杂剧二百四十种》藏于中国国家图书馆。

明铜活字印本《唐五十家诗集》　明正德、嘉靖年间（1506～1566年）文物。中国国家图书馆、浙江大学图书馆及上海图书馆等处均有收藏。中国国家图书馆藏明铜活字印本《唐五十家诗集》凡49家诗集，唯缺《顾况集》2卷，其中部分为1954年6月文化部社会文化事业管理局移交涵芬楼旧藏。

明铜活字印本《唐五十家诗集》是纸本，版框纵18.9厘米，横12.8厘米；半页9行，行17字，细黑口，左右双边，单鱼尾，鱼尾下题书名卷次及页码，版式疏朗，字体劲秀，刻印精良。诗集收入自初唐至中唐50家赋、诗作品有：《唐太宗皇帝集》2卷、《虞世南集》1卷、《许敬宗集》1卷、《王勃集》2卷、《杨

炯集》2卷、《卢照邻集》2卷、《骆宾王集》2卷、《李峤集》3卷、《杜审言集》2卷、《沈佺期集》4卷、《陈子昂集》2卷、《唐玄宗皇帝集》2卷、《张说之集》8卷、《苏廷硕集》2卷、《张九龄集》6卷、《孟浩然集》3卷、《李欣集》3卷、《孙逖集》1卷、《王昌龄集》2卷、《祖咏集》1卷、《王摩诘集》6卷、《高常侍集》8卷、《崔曙集》1卷、《崔颢集》1卷、《储光羲集》5卷、《常建集》2卷、《秦隐君集》1卷、《严维集》2卷、《李嘉佑集》2卷、《岑嘉州集》8卷、《包何集》1卷、《包结集》1卷、《皇甫冉集》3卷、《皇甫曾集》2卷、《顾况集》2卷、《严武集》1卷、《郎士元集》2卷、《戴叔伦集》2卷、《钱考功集》10卷、《刘随州集》10卷、《韩君平集》3卷、《耿㶀集》3卷、《韦苏州集》10卷、《司空曙集》2卷、《李端集》2卷、《李益集》2卷、《卢纶集》6卷、《羊士谔集》2卷、《武元衡集》2卷与《权德舆集》2卷。集内先赋文，后诗歌，诗歌以五古、七古、五律、五排、七律、五绝、六绝、七绝等诗体排列。

明铜活字本《唐五十家诗集》所收各家诗集之行款、版式全同，多以宋元旧本为底本，具有较高的学术价值。2008年3月1日，国务院公布"第三批国家珍贵古籍名录"，浙江大学图书馆藏明铜活字印本《唐五十家诗集》（存38家）名列其中，名录号09359。

明铜活字印本《唐五十家诗集》藏于中国国家图书馆、浙江大学图书馆及上海图书馆等处。

明嘉靖、隆庆年间内府抄本《永乐大典》　明嘉靖四十一年至隆庆元年（1562～

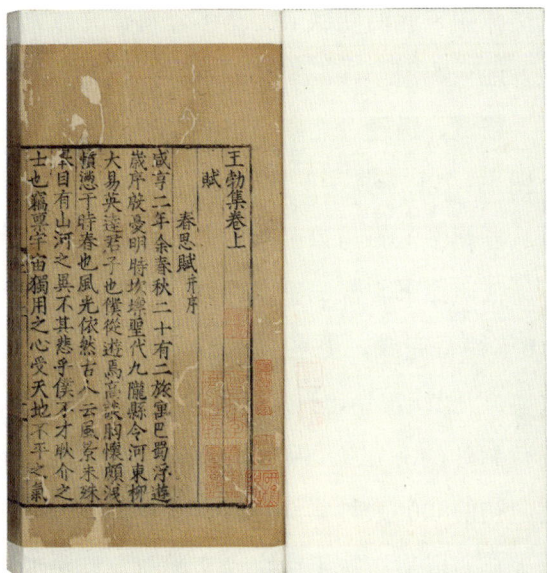

1567年）文物。《永乐大典》完成后存放于皇史宬，清雍正年间移至东交民巷翰林院庋藏。清乾隆年间纂修《四库全书》，曾从该部《永乐大典》中辑出佚书500余种，当时《永乐大典》仅存9881册，凡20473卷，已散佚1214册、2404卷。第二次鸦片战争，《永乐大典》惨遭劫掠。清光绪元年（1875年），《永乐大典》仅存5000余册；光绪十九年（1893年），更是减少至600余册。光绪二十六年（1900年），八国联军侵入北京，存于翰林院的《永乐大典》大部分被焚，剩余又多为侵略者掳掠。清宣统元年（1909年），筹建京师图书馆时，翰林院仅存《永乐大典》64册。1912年，时教育部咨请国务院获准，翰林院所藏《永乐大典》60册，移交京师图书馆。后京师图书馆又入藏4册。民国17~38年（1928~1949年），北平图书馆通过大力搜求，散佚《永乐大典》新入32册，共藏106册。中华人民共和国成立后，北京图书馆对散佚《永乐大典》进行多方搜集工作。1951年，在张元济倡议下，商务印书馆、北京大学、广东文管会及周叔弢、赵元方等公私藏家，将所藏《永乐大典》捐献国家；同时又从民间收购入藏。在中国外

交政策影响下，国际社会也给予很大支持：苏联先后3次归还《永乐大典》64册；1955年德国将原收藏在莱比锡的3册《永乐大典》送还。自1950年至2013年，共108册散佚《永乐大典》入藏中国国家图书馆。散存世界各地的《永乐大典》有400余册，中国国家图书馆藏有其中222册，居各收藏单位之冠，其中60册因历史原因，暂存于台北故宫博物院。

明嘉靖、隆庆年间内府抄本《永乐大典》是包背装，封面以杏黄色粗绢硬裱，开本宽大，纵50厘米，横30厘米，左上方贴长条黄绢镶蓝边题签"永乐大典×××"，右上方帖黄绢边签，题韵目及本册次第；每册约30~50页不等，册内使用加厚白棉纸，框纵35.7米，横23.3厘米；半页8行，大字单行14或15字，书写韵目、题名，小字双行，行28字，工楷精书，四周双边，红口，朱丝阑，红鱼尾，边栏行格与书中插图均为手绘。

《永乐大典》初名《文献大成》，是明永乐元年至永乐六年（1403~1408年）明成祖朱棣敕命解缙等人编纂的一部大型类书。该书以文渊阁宋元两朝藏书为基本资料，并派人分赴各地采购图书，汇集8000余种经、史、子、集、释藏、道经、北剧、南戏及平话等各类古今图书；以《洪武正韵》韵目，分列单字，再从群籍中汇辑与该字有关的各项记载，一字不易依照原书整部、整篇、整段编入；全书历时6年编写完成，更名《永乐大典》。《永乐大典》凡22877卷，目录60卷，分装11095册，字数总计约3.7亿，保存了中国上自先秦，下迄明初的8000余种典籍材料，堪称伟业。《永乐大典》成后，藏于南京"文渊阁"。明永乐

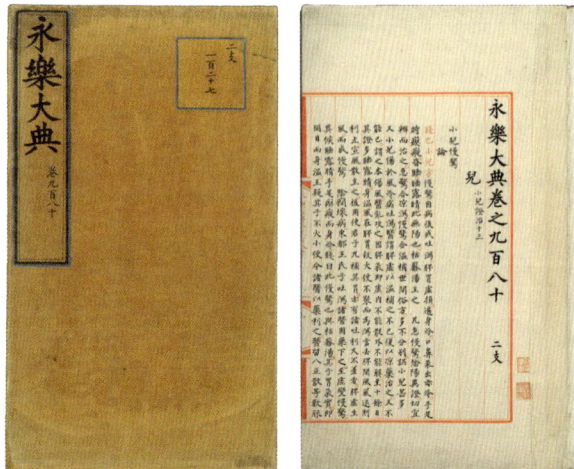

十九年（1421年），朱棣迁都北京，《永乐大典》运至北京，藏于宫城内"文楼"。明嘉靖三十六年（1557年）四月十三日，奉天门并三殿、午门火灾，危及文楼，明世宗急命挪救，移贮史馆。明嘉靖四十一年（1562年）秋，明世宗命徐阶、高拱及张居正等人校理缮写《永乐大典》副本，以备不虞；至隆庆元年（1567年），录副完成。原永乐年间所成《永乐大典》正本不知毁于何时，流传《永乐大典》即此副本。1960年，中华书局集中北京图书馆所藏明嘉靖、隆庆年间内府抄本《永乐大典》及摄复印件、仿抄本、缩微胶卷等，影印出版，凡730卷。1962年，台湾世界书局亦影印发行。2002年9月，中国国家图书馆正式开始《永乐大典》修复工作。

明嘉靖、隆庆年间内府抄本《永乐大典》

的命运，无疑也是中国近代社会动荡变迁的缩影。2008年3月1日，国务院公布《第一批国家珍贵古籍名录》，明嘉靖、隆庆年间内府抄本《永乐大典》名列其中，名录号01928。

明嘉靖、隆庆年间内府抄本《永乐大典》藏于中国国家图书馆。

清雍正四年铜活字版《钦定古今图书集成》 清雍正四年（1726年）文物。民国29年（1940年）前后，伪"苏北行政专员公署"在铜山县公共图书馆原址上，用部分为日本侵略者收购小麦盈余款设立淮海省立图书馆，并购置一批古籍，清雍正四年铜活字版《钦定古今图书集成》即在其中。民国34年（1945年）抗日战争胜利后，淮海省立图书馆并入江苏省徐州民众教育馆图书股。民国37年（1948年）12月1日，徐州解放；12月9日，徐州特别市军

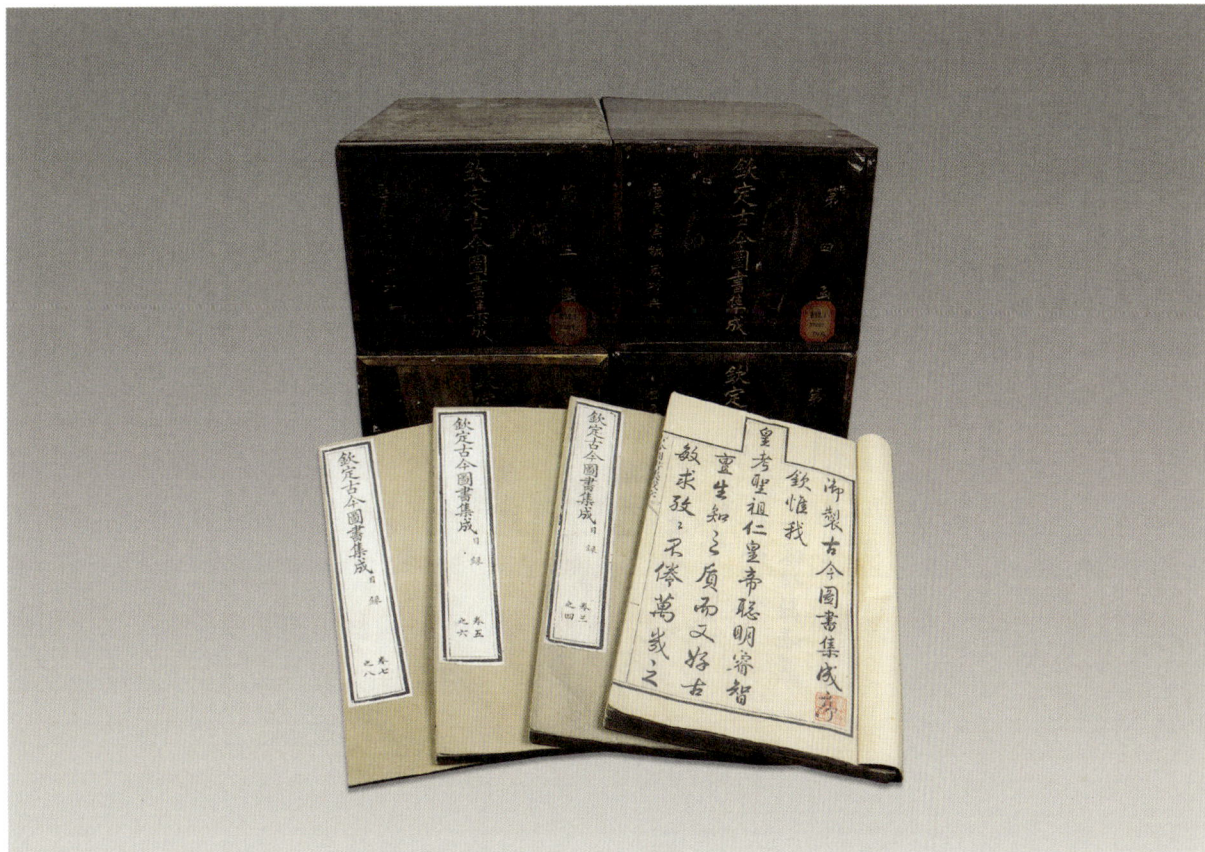

管会接管江苏省徐州民众教育馆。民国38年（1949年）2月5日，江苏省徐州民众教育馆更名徐州市人民教育馆，图书股仍为其下属机构；11月29日，徐州市人民教育馆图书股经市政府批准，独立为徐州市人民图书馆；1953年1月1日，更名为江苏省徐州图书馆。

清雍正四年铜活字版《钦定古今图书集成》是纸本，正书10000卷，目录40卷，分订正书5000册，目录20册；册内框纵21.4厘米，横14.8厘米；半页9行，行20字，白口，白单鱼尾，四周双边。册内钤"冀县王富晋印"等鉴藏印鉴。全书分装8个樟木书柜，内嵌508个木质函盒。

《古今图书集成》是由清康熙年间陈梦雷（1650～1741年）主持编纂，中国传世规模最大、体例最为完善的一部类书。该书将群书拆散，分门别类重新加以辑录、编纂，汇集了自上古至于明末清初有关天文、地理、经书史册、人伦世事、典章制度及禽虫草木、琴棋书画、医论药方、百工技艺等古代文献资料，包罗万象，囊括尽至，凡1亿6千万字，被誉为"康熙百科全书"。书中涉及社会科学、自然科学数百种学科门类，至今仍在为各领域研究提供便利。《古今图书集成》在分类时，尽量将内容、性质相同的资料，以时间顺序排列，凸显其历史沿革，从而形成发展史式的资料汇编，在分类学上是为典范。清康熙四十年（1701年）十月，陈梦雷受诚亲王胤祉命主编《汇编》；康熙四十五年（1706年），初稿完成，誊目录凡例一册呈请诚亲王审阅。之后继续整理，于康熙五十五年（1716年）进呈钦定，赐名《古今图书集成》；并于同年设

馆继续增订，参加纂修者80人，全书约于康熙五十八年（1719年）终成。康熙六十一年（1722年），雍正即位，诚亲王胤祉被贬。陈梦雷亦受牵连，被流放黑龙江，后客死戍所。雍正续派户部尚书蒋廷锡领衔据此《古今图书集成》重新编校，保留基本框架，"增删数十万言"，并删去胤祉、陈梦雷等人名号。清雍正元年至四年（1723～1726年），以铜活字刊印《古今图书集成》，凡66部。据传，印行该书所用铜活字乃陈梦雷在诚亲王府时备齐，且亲自参与制造。

清雍正四年铜活字版《钦定古今图书集成》全书所用铜活字数目不少于25万之多，加之图、字兼具，铸造工程甚为巨大。所刊66部铜活字版《古今图书集成》，据裴芹《古今图书集成研究》考证，包括残缺者，存世约24部。

清雍正四年铜活字版《钦定古今图书集成》保存完整，纸墨精良，堪称中国印刷史上铜活字印本的代表之作。2008年3月1日，国务院公布《第一批国家珍贵古籍名录》，清雍正四年铜活字版《钦定古今图书集成》名列其中，名录号01948。

清雍正四年铜活字版《钦定古今图书集成》藏于徐州市图书馆。

清乾隆内府抄本文津阁《四库全书》 清乾隆四十六年至五十年（1781～1785年）文物。清乾隆四十六年至五十年（1781～1785年）缮写初成，送至承德避暑山庄文津阁庋藏。1914年，由承德避暑山庄文津阁运至北京，暂存故宫文华殿内。后经当时教育部函请，于1915年9月正式拨交京师图书馆。

清乾隆内府抄本文津阁《四库全书》凡

36304册，分装6144个书函，陈设于128个书架；每册封面依经、史、子、集4部，分别以绿、红、蓝、灰4色绢，以包背装式样裱成；册内以开化榜纸印刷，框纵22.3厘米，横15.1厘米；直行红格，半页8行，行21字，小字双行同，工楷缮写，白口，四周双边。

《四库全书》是清乾隆年间编纂的一部大型丛书，自乾隆三十八年（1773年）开四库全书馆，至乾隆五十二年（1787年），历时14年，完成编纂、缮写及校订工作。全书分为经、史、子、集4部，4部之下又别为44类，共收录中国历代典籍3460余种、79300余卷，荟萃了中国古代典籍精华。编纂《四库全书》，当时许多名儒学者参与其中，如四库馆总裁于敏中，副总裁彭元瑞、朱珪，总纂官纪昀、陆锡熊，编纂戴震、邵晋涵、周永年、翁方纲及姚鼐等人，皆学有所长。编纂过程中，对当时所传历代典籍做了一次彻底整理，查禁了大批明代尤其南明史书及反清排满著述。对各省所征进之书，无论采用编入《四库全书》与未采用，均分别编写一篇提要，论述各书主要内容、著作源流、作者生平、版本流别及辨订篇帙分合等。后又将这些提要分类编排，汇成《四库全书总目提要》。《四库全书总目提要》叙述详明，评论中允，分类体系也较此前同类书籍严密完善，体现了编纂者的卓越学识，在中国目录学史上达到了一个新高度。

《四库全书》纂修之初，乾隆命缮写4部，并依范氏"天一阁"制式，建阁庋藏：紫禁城文渊阁、盛京（沈阳）故宫文溯阁、圆明园文源阁、承德避暑山庄文津阁。4阁均在宫禁之中，故称内廷四阁。清乾隆四十六年至五十年（1781～1785年），所缮写4部《四库全书》陆续完成，分送内廷四阁入藏。后乾

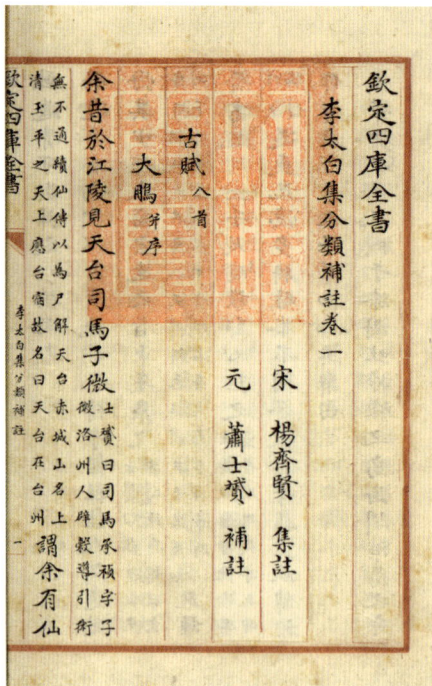

隆又命续缮全书3部，分藏江南三阁，即镇江金山文宗阁、扬州文汇阁与杭州文澜阁。同时，敕令"该省士子有愿读中秘书者，许其呈明到阁抄阅"。7阁所藏《四库全书》，已存毁参半。文渊阁所藏原藏故宫博物院，民国22年（1933年）随故宫文物南迁，藏于台北故宫博物院。文溯阁所藏于民国20年（1931年）九一八事变后，由伪满"国立图书馆"接管。中华人民共和国成立后，收藏于辽宁省图书馆。1966年，移交甘肃省图书馆代管。文源阁所藏于清咸丰十年（1860年）英法联军焚掠圆明园时，化为灰烬。镇江文宗阁于清道光二十二年（1842年）曾遭英军破坏；清咸丰三年（1853年）太平军攻占镇江，战火中文宗阁与其所藏《四库全书》同毁。扬州文汇阁所藏《四库全书》在清咸丰四年（1854年）太平军攻入扬州时，亦与文汇阁同毁。杭州文澜阁所藏《四库全书》在清咸丰十一年（1861年）太平军二次攻克杭州时散失大半；后丁申、丁丙兄弟搜集散失之书，并发起抄补缺佚部分，经先后补抄，得以恢复，藏于浙江省图书馆。

清乾隆内府抄本文津阁《四库全书》保存完整，是存世《四库全书》中原架、原函、原书一体存放保管的唯一一部。2008年3月1日，国务院公布《第一批国家珍贵古籍名录》，清乾隆内府抄本文津阁《四库全书》名列其中，名录号01998。

清乾隆内府抄本文津阁《四库全书》藏于中国国家图书馆。

第八节 舆图、历书

放马滩秦木板地图　战国中期文物。1986年6月至9月出土于甘肃省天水市北道区党川乡放马滩1号秦墓。时值甘肃省文物考古研究所对放马滩一处战国晚期至西汉初年的古墓群进行发掘，在1号秦墓椁内头箱发现放马滩秦木板地图。2012年，放马滩秦木板地图由甘肃省文物考古研究所移交，入藏甘肃省简牍博物馆。

放马滩秦木板地图由大小基本相同的4块松木板组成，表面以墨线绘地图7幅：

第一块松木板（M1∶7、8、11），长26.7厘米，宽18.1厘米，厚1.1厘米，表面剖削平整，两面绘制。A面：绘有山脉、水系、沟溪，注有封丘、邴、□里、槐里、漕、邸、右田、中田、广堂与南田地名10处，并外括方框。其中，"封丘"方框最大，其余较小，应是分别表示"县"与"里"的不同行政级别。B面：绘有山脉、水系、沟溪，注有中田、广堂、光成、乍格、闭、□溪、□西山、故束谷地名7处，其中"中田""广堂"外括方框，使用醒目图例标出"闭"——关隘与1座亭形

建筑。图下方中央处书"北方"2字，标示该图的正读方向，即上南下北。

第二块松木板（M1：9），长26.6厘米，宽15厘米，厚1.1厘米，单面绘制。图中绘有山脉、水系、沟溪、关隘，注有大松刊、析谷、燔夬谷、燔夬闭、上临、苦谷、大松、大楻、□□□地名10处，以双圆点、束腰状图例标出"燔夬闭"等大小5处关隘；有"松刊廿里""松刊十五里""十三里□□""□□刊八里""闭口□□丗里"与"宄到□廿五里"6处标注里程，以示图中有关地点彼此间距及植被覆盖状况。

第三块松木板（M1：12），长26.5厘米，宽18.1厘米，厚1.1厘米，两面绘制。A面：绘有山脉、水系、沟溪、关隘、道路，注有苦谷、九员、上辟磨、下辟磨、虎谷、上临、下临、上杨谷、下杨谷、与溪，大杋刊、櫹刊、北谷下道宄地名13处，以双圆点图例标出1处关隘；有"阳有刿木""北有灌夏百铭""阳尽桐木"与"阳尽桐木"4处标注木材种类与"去谷口可八里""去谷口可五里"2处标注里程。B面是一幅尚未完成的地图，仅绘出闭合曲线、三角形及尖钉状图例。

第四块松木板（M1：21），长26.8厘米，宽16.9厘米，厚1厘米，两面绘制。A面：绘有山脉、水系、沟溪、关隘，注有东庐、韭园、与豁、下杨、上杨、下临、上临、虎溪、郁溪、井溪、西庐、有蓟木上芴罔、有蓟木下芴罔、下辟磨、上辟磨、九员、苦谷与仓溪地名18处。B面：绘有山脉、沟溪，注有广堂夬、盂溪、束比、苦夬、束比端溪、泰析端溪、泰梃、中析与小析地名9处。

放马滩秦木板地图分而阅之，是不同区域；而将其拼接连缀，则是一幅以放马滩为中心的大区域地图，主要包括甘肃天水放马滩南北的三条水系，即东柯河、永川河及永宁河上游的花庙河。所绘内容涉及战国中期秦国于此地的行政建置、管辖区域、关隘、道路，以及山脉、河流、沟溪、植被覆盖等社会与自然地理状况，具有极其重要的学术价值。放马滩秦木板地图是遗存中国古代时代最早的地图之一，也是世界上最早具有严格意义上的实物地图之一。全图以突出的水系构建框架，为后世制图所继承；图M1：12B中以闭合曲线描写山脉的技法，也为马王堆汉墓《地形图》所运用。作为中国古代早期地图测绘的实物，放马滩秦木板地图在中国科技史、地图学史上占据重要地位。2008年3月1日，国务院公布《第一批国家珍贵古籍名录》，放马滩秦木板地图名列其中，名录号31。

放马滩秦木板地图藏于甘肃省简牍博物馆。

战国中山王䰷错金银《兆域图》青铜板 战国时期（公元前310左右）文物。1977年出土于河北省平山县三汲公社中七汲村战国中山王䰷墓。

战国中山王䰷错金银《兆域图》青铜板是青铜铸造，长方板形，长96厘米，宽48厘米，厚0.8厘米，重32.1千克；正面以宽0.2～0.5毫米金、银条片镶嵌作线，构成中山王䰷陵园建筑平面规划设计图，并以模铸阳文450字注明陵园内各建筑名称、规制、间距、有关棺椁制度与中山王䰷诏命；背面中部两侧各置一铺首衔环。《兆域图》方位为上南下北，左东右西，比例为1：500；最外一周是以宽银线嵌成横式长方形，长87.4厘米，宽40.6厘米，线上顺置注文"中宫垣"，即陵园围墙，上方正中置一门阙，宽1.4厘米，内注文"闵"；中宫垣内第二周图线，呈横式长方形，线上顺置注文"内宫垣"，即陵园内围墙，与其外中宫垣四边平行，上方正中置一与中宫垣相同之门阙，内注文"闵"；在中宫垣与内宫垣之间，于上方左右、下方左右及左右两侧中间6处，注文标明间距，各处文字均3行，行3字，如"从内宫至中宫卅六步"之类；下方沿内宫垣外等距离分布4处方形宫室图形，以银片镶嵌作线，规格相同，并于内宫垣上置门阙，方形图内注文字标明宫名、面积，文字均2行，行3字，由左至右，依次为"痀宗宫方百毛（尺）""正奎宫方百毛（尺）""执且（帛）宫方百毛（尺）"与"大牺（将）宫方

百毛（尺）"，四宫应是陵园内职司不同事务之所。内宫垣内第三周图线以细银线嵌成，平面呈"凸"字形，线上8处注文"丘跣"，是为墓上封土底边线；上方突出横线与内宫垣间2处注文"从丘跣以至内宫六步"，上方左右低肩处与内宫垣间各1处注文"从丘跣至内宫廿四步"，左右两侧各1处注文"从丘跣以至内宫六步"，下部左右各1处注文"从丘跣以至内宫六步"，凡此为丘跣与内宫垣四方各处之间距。丘跣图线之内，以宽金线嵌成5处正方图形，横向排列，中间3方较大，两侧2方较小，左右对称；每个方形之内注文标明名称、面积、各方形之间距；正中方形内注文"王堂方二百毛（尺）"，即中山王𰯼墓上享堂位置、平面形状及面积；其左、右方图注文标明分别是伲（宁）后与王后墓上之享堂位置、平

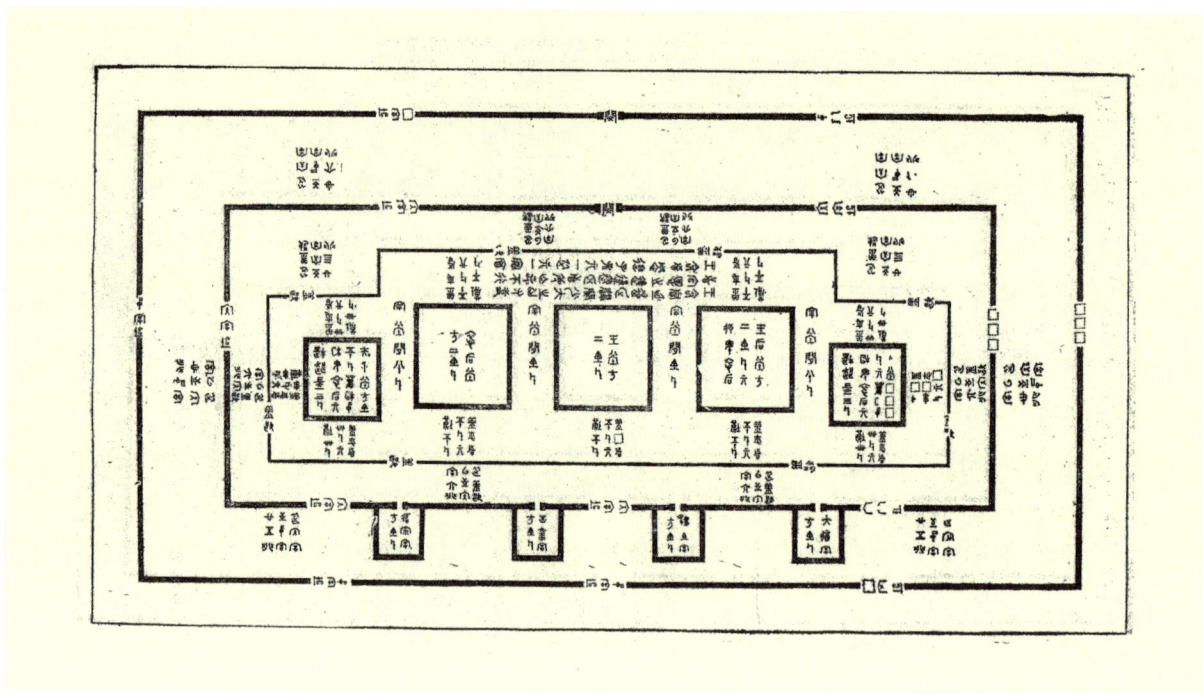

面形状及面积；怘（宁）后享堂左侧方形位置略向后错，图内文字注明夫人享堂位置、平面形状、面积及棺椁制度；王后享堂右侧方形位置亦略向后错，注文内容与左侧夫人享堂内文字基本相同。两后享堂与王享堂间1行注文"两堂间百毛（尺）"、夫人享堂与两后享堂间各1行注文"两堂间八十毛（尺）"，系注明各享堂之间距。各享堂与丘跂图线之间均有3行注文，如"丘平者卌毛（尺），其坡卌毛（尺）"之类，用以注明各享堂下封土之规制。丘跂上方凸出横线之下，王堂及两后堂图线之上，附中山王𫾣令"贾"建造陵园之诏命，3行，行14字，凡42字。

通过考古发掘，发现中山王𫾣墓封土第一台阶内侧有散水，第二台阶上残留回廊建筑遗迹，当是墓上之享堂。王𫾣墓左侧并列一墓，参照《兆域图》，应是宁后墓。《兆域图》中其他建筑则不见遗迹，所规划陵园因中山亡国最终未及建成。河南辉县固围村战国陵墓群平

面布局与《兆域图》基本相同，应是当时墓葬及享堂程式化、制度化的体现。

战国中山王𫾣错金银《兆域图》是已知世界最早建筑平面规划设计图，在考古学、古文字学、古建筑图学及古地图等领域，具有极其重要的学术价值。

战国中山王𫾣错金银《兆域图》青铜板存于河北省文物研究所。

马王堆汉墓《地形图》 西汉初年文物。1973年12月出土于湖南省长沙市古汉路89号湖南省马王堆疗养院内马王堆三号汉墓，与《驻军图》《城邑图》共同夹在其他帛书中，叠放于一长方形漆奁格子内。

马王堆汉墓《地形图》，又称《西汉初期长沙国南部地图》《西汉初期长沙国南部深平防区图》，以拼接的双幅帛绘制，长96厘米，宽96厘米。全图河流使用青色，其余皆用墨色，上南下北，所绘范围地跨湖南、广东两省与广西壮族自治区一部分地区，相当于广西

全州、灌阳一线以东,湖南新田、广东连县一线以西,北至新田、全州以南,南至广东珠江口外南海。主区包括当时长沙国南部,即湘江上游第一大支流潇水流域、南岭、九嶷山及其附近地区,内容较为详细;邻区系西汉南越王赵佗辖地,标示粗略。该图比例大致为1:180000,相当于1寸折10里。

马王堆汉墓《地形图》以突出的水系构成全图框架,使用粗细不等的线条表示水流不同变化,主流与支流关系明确,弯曲自然。图中共有大小河流30余条,其中营水、春水、罗水等至少9条标出名称,深水、泠水还标明水源。图中有些河流,如泠水、深水、春陵水等名称仍在沿用。图中标注山脉、山峰、山头及山谷之类,使用闭合曲线表示山脉坐落、山体轮廓范围及其延伸方向。全图共标注80余处居民地,其中8处县级居民地外廓方框;参考有关文献,能够确定其中营浦、南平、泠道、春陵、桃阳、观阳与桂阳7处所处大体方位;其余深平、秋里、石里及侯里等74处乡里级居民地则外廓圆圈,两者区分明显。图中20余条道路,大多以实线表示,个别使用虚线。

马王堆汉墓《地形图》所绘线条流畅,技艺娴熟。与现代地形图对照,其山脉走向、河流骨架、河系平面图形、河流流向及主要弯曲均与现代地形大体相合。据此可知,该图系经实地勘测。图中使用闭合曲线表示山体范围、谷地、山脉延伸方向,并辅以俯视、测视相结

合的技法描绘九嶷山区耸立的群峰,与现代地形图利用等高线配合山峰符号的做法相似。而且如图中内容分类分级、化简取舍,符号设计,主区详而邻区略等凡例,有些仍在使用。战国中期放马滩秦木板地图,1986年6～9月出土于甘肃省天水市北道区党川乡放马滩1号秦墓,是已知中国古代时代最早的地图之一,也是世界上最早具有严格意义上的实物地图之一;该图以突出的水系构成全图框架,所绘内容涉及战国中期秦国于甘肃天水放马滩地区的行政建置、管辖区域、山脉、河流、沟溪、关隘、道路及植被覆盖等社会与自然地理状况;图中居民地外廓方框,以闭合曲线描写山脉。凡此均为马王堆汉墓《地形图》所继承。

马王堆三号汉墓墓主下葬于汉文帝十二年(前168年),是马王堆汉墓《地形图》绘制的时间下限。《地形图》出土时已断裂,且相互粘连,经故宫博物院修复人员的精心揭粘,剥离成功,共32幅残片,均有不同程度的破裂、残缺及错位。故宫博物院有关人员对该图做以初步拼接,后由复旦大学历史地理研究室人员将其大体拼接复原,测绘研究所、地图出版社与湖南省博物馆有关人员又进行局部调整。1978年6月,由故宫博物院完成修复装裱,入藏湖南省博物馆。

马王堆汉墓《地形图》表明西汉初年已经形成并固定若干制图规范,地图制作及测绘技术均已达到较高水准,在中国古代制图发展史上处于承上启下的重要地位。2008年3月1日,国务院公布《第一批国家珍贵古籍名录》,马王堆汉墓《地形图》名列其中,名录号102。

马王堆汉墓《地形图》藏于湖南省博物馆。

西汉放马滩纸本地图 西汉文景时期文物。1986年6月出土于甘肃省天水市北道区党川乡放马滩5号汉墓。西汉放马滩纸本地图置于墓主胸部近肩处。出土后保存于甘肃省文物考古研究所,2012年入藏甘肃省简牍博物馆。

西汉放马滩纸本地图出土时已碎裂成数块,呈浅黄色,后褪变为浅灰间黄色,表面有污点及细纤维渣;尺寸最大残片长5.6厘米,宽2.6厘米,厚0.1厘米,重2克。纸面光滑平整,纸质薄软富有韧性,结构紧密,纤维排列杂乱,碎片边缘起毛,且不规整。经中国科学院自然科学史研究所化验鉴定,西汉放马滩纸本地图质地为麻类植物纤维,在生产过程中,经过切割、捣春、制浆、沉淀过滤及挤压整平等工序。

西汉放马滩纸本地图以墨线绘制山脉、河流、断崖与道路,技法类似湖南长沙马王堆汉墓出土《驻军图》《区域图》。从图中线条的曲直、粗细及用笔痕迹观察,山脉、河流与断崖系以软笔绘制,而道路则使用硬笔描写。

西汉放马滩纸本地图是已知世界上最早用于图写的纸张实物,也是最早的纸绘地图。证明西汉初年即出现纸张,工艺成熟,且已用于

绘图、书写，对于中国古代造纸起源、造纸用料及造纸技术的研究均具有重要的学术价值。

西汉放马滩纸本地图藏于甘肃省简牍博物馆。

汉地节元年《太初历》木简册 汉宣帝地节元年（前69年）文物。1990年出土于甘肃省敦煌市清水沟汉代烽燧遗址。时值甘肃省敦煌市博物馆在清水沟汉代烽燧遗址调查，获得简册90余枚；其中考订出13年历谱，年代上限为西汉宣帝本始四年（前70年），下限为东汉桓帝永兴元年（153年），其间经历了《太初历》（公元前104年～公元85年）与《四分历》（85～220年）两种历法的施行，汉地节元年《太初历》木简册即该批历谱简册之一。

汉地节元年《太初历》木简册简长36.1～37.1厘米，宽0.6～1.3厘米，存27枚。简条以上、中、下三道细麻绳编连成册，下编绳已失，中编绳存一半；简文墨书隶体，系编联成册后书写，字迹清晰，不留天头空白，顶端竖书日期，从右至左，为四日至三十日；其下纵列13阑，横书正月至十二月及闰月干支，干支下书六节、时辰、建、伏腊历注，其间隔10道阴刻短线，且日期、六节等事项字迹大于

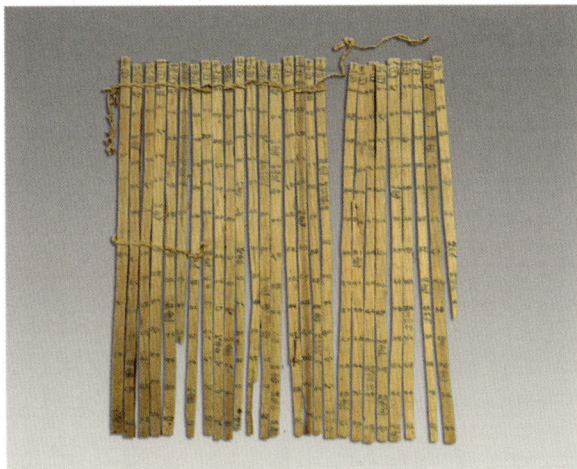

干支。此类横读式历谱，一年制为一册，由30枚简组成，一日一简。汉地节元年《太初历》木简册缺失3枚，即一、二、三日。据该历谱，知地节元年（公元前69年）闰正月。简文存立春、立夏、秋分、立秋、立冬与冬至六节气，春分、夏至两节气应在散失三简中。

西汉初年，沿用秦颛顼历，以夏正十月为岁首；但这种历法并不利于人们的日常生活及农业生产。随着人们历法知识的进步，发觉颛顼历与自然现象乖离甚多。太初元年（前104年），汉武帝诏令大中大夫公孙卿、壶遂、太史令司马迁、侍郎尊、大典星射姓等议造汉历，并改元封七年为太初元年；是岁历成，此即太初历。太初历将此前颛顼历以十月为岁首改为以正月为岁首，并开始使用有利于农时的二十四节气；同时，以没有中气的月份为闰月，调整太阳周天与阴历纪月的不合。太初历是中国最早依据一定规制而颁行的较为完整的历法，也是当时世界最先进的历法之一，具有划时代的意义。汉章帝元和二年（公元85年），太初历废止，复位四分历颁行。

汉地节元年《太初历》木简册是迄今发现时代最早、保存最为完整的《太初历》简册，对中国古代历法研究具有极高的学术价值。2008年3月1日，国务院公布《第一批国家珍贵古籍名录》，汉地节元年《太初历》木简册名列其中，名录号80。

汉地节元年《太初历》木简册藏于敦煌市博物馆。

明《江汉揽胜图》轴 明代中后期文物。原藏于武汉国画院。1987年，由武汉市人民政府调拨入藏武汉博物馆。

明《江汉揽胜图》轴是绢本，青绿，纵107厘米，横171厘米。该图系描绘明代中后期长江、汉水交汇处的水陆景象，记录了当时武昌、汉阳、汉口三镇风貌。图方位上南下北，左东右西，以平远取景，且以俯视构图。图中长江自右上角至左下斜贯而流，与汉江于画面中下部交汇，形成宽阔的"丫"字形水域；左上系武昌，右上是汉阳，右下则为汉口。武昌城沿江长墙蜿蜒九曲，墙内高楼林立，墙外临江屋舍簇簇；黄鹤楼傲然高耸，最为突兀；楼前胜像宝塔，又名白塔，建于元至正三年（1343年）；回望画面左上角，洪山宝塔掩映于山峦深远之中。画面中右青绿石山楼阁，即汉阳龟山及南岸嘴一带：晴川阁雄踞于江岸禹功矶上，北临汉水、东濒长江，与黄鹤楼隔水对峙，共成锁江之势；其旁禹王庙，有一石阶往龟山山顶。画面右下是为汉口，但见沿岸房屋栉比，景象繁荣。俯视水中，高帆林立，或举棹争流，或静泊水边。南望长江，极目处远山横亘；有一沙洲，林木青青；丛阴之下，屋舍掩映，此即古之鹦鹉洲。

明《江汉揽胜图》右下角题款"仇英实父制"，钤朱文印2方。1988年，徐邦达鉴定此图系明人绘画，但非仇英之作，题款应为后人所添。汉水于明成化（1465～1487年）初年改道，由龟山北麓汇入长江，汉口与汉阳分立，如图中所绘；晴川阁最初系明嘉靖年间由汉阳知府范之箴在修葺禹稷行宫（原为禹王庙）时所增建。由此可知，明《江汉揽胜图》创作不早于明嘉靖年间。明末何瑾于《古今游名山记》中曾描述当时他所见到的黄鹤楼："省城黄鹄山楼。制方而补四隅为圆，二顶三层，高五六丈。每隅合九角，每方四溜为柱，中外三起，外二起四面各二十柱，中一起四……"对比明《江汉揽胜图》中黄鹤楼，其状正如何瑾所言。胡凤丹《鹦鹉洲小志》记，鹦鹉洲"天启崇祯渐沦于江"，又清雍正三年（1725年）《行水金鉴》载，"鹦鹉洲在汉阳府城西南二里大江中，尾直黄鹄矶，明季荡灭"；明《江汉揽胜图》中鹦鹉洲面积较大，上有绿木屋舍，绝非残洲。综合判断，明《江汉揽胜图》创作早于清初，处于晴川阁建成至鹦鹉洲沉没之前这一时期。

明《江汉揽胜图》取景得当，构图精妙，大气磅礴，繁而不乱。界画精整而不呆板，设色瑰丽而脱俗。画风古雅清秀，具有较高的艺术水准。再现了明代中晚期武汉三镇的真实景象，保存了这一地区历史变迁的重要信息。2005年，经湖北省文物鉴定小组鉴定，明《江汉揽胜图》轴被定为国家一级文物。

明《江汉揽胜图》轴藏于武汉博物馆。

汉"五日"历谱竹简 西汉成帝阳朔四年（前21年）文物。1997年11月11日出土于甘肃省酒泉市瓜州县河东乡九墩湾烽燧遗址附近。时值瓜州县博物馆工作人员李宏伟、谢延明、李春元等一行4人在九墩湾烽燧遗址附近检查汉长城文物安全状况，无意间发现汉"五日"历谱竹简。该简大部分掩埋在沙土中，仅有小部分露出地表。李宏伟等人从沙土中将简拿出后，发现简条完整无损，简上

墨迹清晰可辨。他们又在附近仔细寻找，没有任何发现。随后，他们将汉"五日"历谱竹简带回瓜州县博物馆入藏。

汉"五日"历谱竹简长23.2厘米，宽1.1厘米，厚0.3厘米，重17克；简条左侧边缘刻有上、中、下3个三角形小契口，用以编联成册；简文墨书隶体，凡30字，不留天头空白，顶端竖书"五日"，其下纵列13阑，横书"乙丑"，下竖书"立春"，下横书"乙未""甲子""甲午""癸亥""癸巳""壬戌""壬辰""辛酉""辛卯""辛酉""庚寅""庚申"等12组干支，其间隔10道阴刻短线，且"五日""立春"字迹大于干支。此类横读式历谱，一年制为一册，由30枚简组成，一日一简。汉地节元年《太初历》木简册缺失3枚，即一、二、三日。汉"五日"历谱竹简形式、书写内容及程式，与汉地节元年《太初历》木简册全同，应是当时此类横读式历谱简册之"五日"简条。据此"五日"简所载干支推算，该简应是西汉成帝阳朔四年（前21年）历谱之遗简，与《二十四史朔闰表》合，亦为太初历历谱。

《汉书·武帝纪》载，元狩二年（前121年）秋，"匈奴昆邪王杀休屠王，并将其众合四万余人来降，置五属国以处之。以其地为武威、酒泉郡"。又元鼎六年（前111年），"乃分武威、酒泉地置张掖、敦煌郡，徙民以实之"。汉武帝在河西地区"列四郡、据两关"，修筑长城，移民实边；并将中原地区先进的生产技术带入河西，极大促进了这一地区社会经济的发展。

汉"五日"历谱竹简发现于九墩弯烽燧遗

址，应与汉武帝推行的实边政策有关。2002年6月，甘肃省文物局专家组来瓜州县博物馆检查指导工作时看到汉"五日"历谱竹简，认为极为珍贵，定为国家一级文物。

汉"五日"历谱竹简藏于瓜州博物馆。

明《大明万历二十九年大统历》册　明万历二十九年（1601年）文物。2008年1月，由首都博物馆信息中心移交，入藏首都博物馆文物库。

明《大明万历二十九年大统历》册是纸本，经折装，纵32.5厘米，横7.8厘米，重约80克；面裱黄绫，上印"大明万历二十九年大统历"黑字签，并钤朱文方印，惜印文漫漶不清，或为钦天监印；内页纵22.3厘米，横13.5厘米，单框黑口双鱼尾，半页16栏，

每栏满行小字55字，主要内容为年神太岁方位图、节气变化时间、各月、日的宜作与不宜，兼记往年干支及男女属相、命宫之类。首页钤2枚朱文圆印，印文均为"十三陵水库展览1958.7.1"，尾页印有钦天监负责造历官员的职务、姓名。

《大统历》产生于明初，由钦天监制作。洪武时期，颁发《大统历》，先于每年九月朔日，后改在

十一月朔日，届时分赐百官，颁行天下。万历年间，颁历改在每年十月朔日，且凡士民拜于廷者俱可得赐。《大统历》除在京畿印制外，其他地方各省也有印行，明《大明万历二十九年大统历》册即明万历二十九年（1601年）由地方翻刻。明万历朝共历47年，所存万历《大统历》仅见28个年份。在见于著录的《大统历》中，有中国台湾所藏明永乐十四年（1416年）所刊《大明永乐十五年岁次丁酉大统历》，陕西省图书馆所藏明天顺三年（1459年）所刻《大明天顺四年岁次庚辰大统历》。

明《大明万历二十九年大统历》册于1994年7月经北京市文物局鉴定委员会专家鉴定，定为国家一级文物。

明《大明万历二十九年大统历》册藏于首都博物馆。

明《坤舆万国全图》　明万历三十六年（1608年）文物。清宫旧藏。1912年2月12日溥仪逊位后，自内廷流出。民国12年（1923年），北平历史博物馆筹备处以重金购得。据传，民国11年（1922年），北京琉璃厂悦古斋从小市地摊购得明《坤舆万国全图》。一外籍人见后，欲购买，双方达成协议。商务印书馆经理孙壮（伯恒）获悉此事，立即告知北平历史博物馆筹备处。馆长裘子元（善元）马上派人与悦古斋磋商，终以重金购回。九一八事变后，日本侵略者向华北进逼，时南京政府决定将故宫文物南迁，备预不虞。明《坤舆万国全图》亦由此交付中央博物院筹备处收藏。

明《坤舆万国全图》是纸本，设色，纵192厘米，横380.20厘米，是明万历三十六年

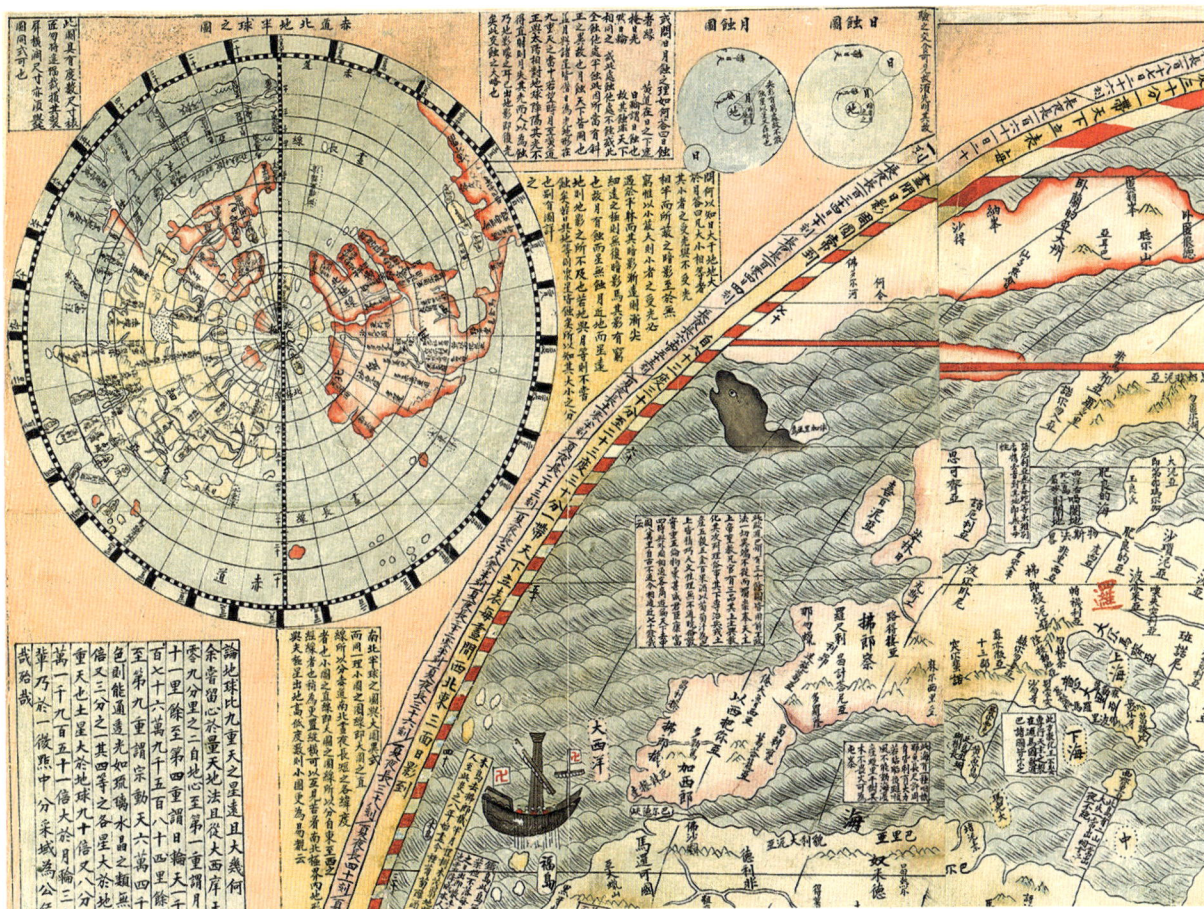

（1608年）摹绘意大利人利玛窦在中国所制的世界地图。原图为6条屏，后装裱为一整图。

利玛窦（1552～1610年），意大利马契拉塔人，耶稣会传教士，于明万历十年壬午七月（1582年）抵达澳门，次年入居广东肇庆，在中国传教长达28年，于明万历三十八年（1610年）四月病逝。期间，利玛窦曾绘制世界地图，并经多次刊行，如明万历十二年（1584年）广东肇庆王泮"粤人"刻本，万历二十八年（1600年）吴仲明刻本《山海舆地全图》，万历三十年（1602年）李之藻刻本《坤舆万国全图》，万历三十一年（1603年）李应试刻本《两仪玄览图》。万历二十九年（1601年），利玛窦京师献图，深得明神宗赏识。万历三十六年（1608年），明神宗下诏摹绘《坤舆万国全图》12本，所知仅存世1本，即南京博物院藏明《坤舆万国全图》。

明《坤舆万国全图》图右上角题"坤舆万国全图"6字，主图为椭圆形的世界地图，四周附一些小幅天文图、地理图，以补充阐释原理：右上角九重天图，右下角天地仪图，左上角赤道北地半球之图与日、月食图，左下角赤道南地半球之图与中气图；又有量天尺图置于主图内左下方。全图以三色渲染五大洲，南北美洲、南极洲以淡粉红色，亚洲以淡土黄色，欧洲、非洲近于白色；少数几个岛屿边缘晕以朱红色。山脉以蓝绿色勾勒，海洋则以深绿色绘出水波。南极洲绘犀牛、象、狮子及鸵鸟等8种陆上动物，各大洋中绘9艘16世纪不同类型的帆船及鲸、鲨、海狮等海洋动物15种。图中对于中国的地理信息，如山川、河流、省份及重要城市等，尤为详尽。图中文字除地名及有关该地附注说明外，主要还有两类：一类是对世界地图及四周诸小图说明，其中存利玛窦署名2篇，即全图说明与"论地球比九重天之星远且大几何"；二类是序文题跋，即利玛窦自序，李之藻、陈民志、杨景淳、祁光宗为刻梓《坤舆万国全图》所作跋文。图中五大洲文字以朱红色书写，其他均为墨书。此外，图中存临摹印记3枚，2枚椭圆，1枚方形，均为耶稣会会徽。

明《坤舆万国全图》是以当时西方世界地图为蓝本，同时参照《大明一统志》中附图、罗洪先《广舆图》、喻时《古今形胜之图》和徐善继、徐善述《地理人子须知》所附《中国三大干龙总览之图》及《杨子器跋舆地图》等舆图，并吸取其中长处，综合了17世纪之前东、西方天文学与地理学成果。利玛窦为迎合当时中国人"天朝上邦"心理，改变以往将欧洲居于地图中央的格局，将中国置于地图中心，开创了中国绘制世界地图的先例。虽然该图中所制大陆、岛屿形状，尤其是南半球，与实际出入较大；但在当时亦是东亚地

区最为详备的世界地图。该图将东、西方两个世界绘制于同一幅图上，并首次引进五大洲、赤道、回归线、极圈、南极、北极等地理概念，揭示地球纬度与气候的密切关系；凡此种种新的认识，极大地震撼了当时中国的知识分子，使他们开始突破旧有的狭隘世界观。明万历年间利玛窦所绘制的世界地图，原图已佚。目前中国国内所存明刻原版仅存2部：其一为万历三十一年（1603年）李应试刻本《两仪玄览图》，藏于辽宁省博物馆；其二即南京博物院藏万历三十六年（1608年）摹绘万历三十年（1602年）李之藻刻本《坤舆万国全图》，也是中国现存时代最早的世界地图。

明《坤舆万国全图》藏于南京博物院。

清康熙《澎台海图》卷　清康熙年间（1662～1722年）文物。1964年6月15日，购于大连文物店，入藏旅顺博物馆。

清康熙《澎台海图》卷是纸本，纵59.2厘米，横152.2厘米，全图方位大致为上东下西，左北右南，所绘地区北起花矸屿（花瓶屿）、鸡笼城（基隆），中为台湾府（台南），南迄西沙码矶头；图中凡山川、港湾、河流、岛屿、县城、营盘、汛区及炮台等均详

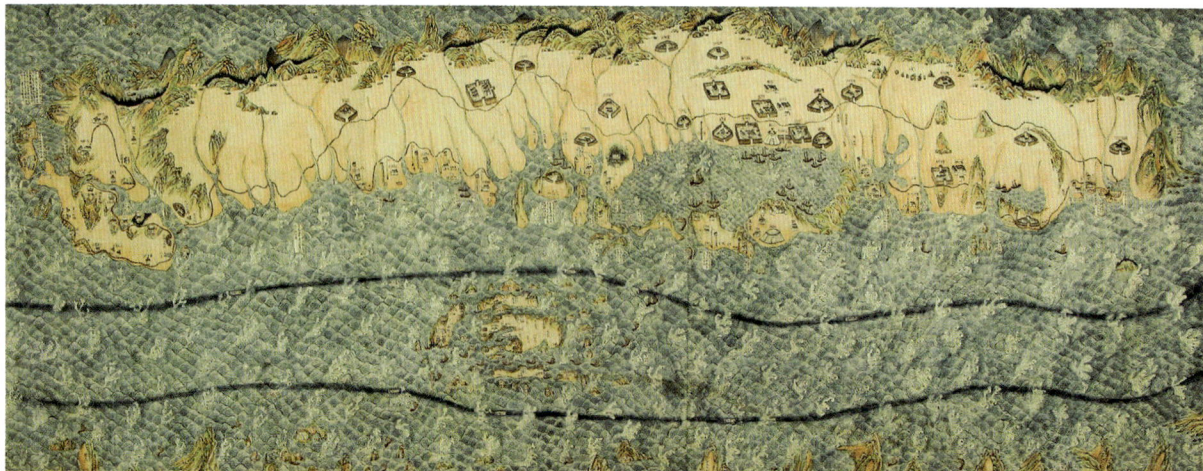

细标示，并对航道、港湾及泊船进出等情况加以文字说明。图中对于澎湖列岛标注尤为详细，隔海相望的金门诸岛及福建各大港口亦有所表现。卷中未见制图人题识，引首题"澎台海图"，款"嘉庆乙丑夏六月木石山人鉴藏"；托尾跋文两千余字，款"雍正庚戌春正古吴七十二峰南仲建烈书于粤之羊城旅舍"。

清康熙《澎台海图》卷绘制精细，以不同色彩表现海水、河流、土地、山脉及植被等地形、地貌，对比明显，画面清晰，将清代初年中国神圣领土——台湾的地理及海域港湾等情况形象再现。清代初年的手绘台湾地图存世极少，迄今仅见3件，即清康熙《澎台海图》卷、中国国家图书馆藏《清初绘制台湾地图》与厦门大学藏《清初手绘台湾地图》，弥足珍贵。

清康熙《澎台海图》卷藏于旅顺博物馆。

清道光二十二年《皇朝一统舆地全图》屏　清道光二十二年（1842年）文物。为河北易县麻屋庄张民生于中华人民共和国成立之前购买。1986年，张氏将清道光二十二年《皇朝一统舆地全图》屏捐予易县文物保管所，受到政府奖励。

清道光二十二年《皇朝一统舆地全图》屏是纸本，雕版印刷，凡8屏，单屏纵180厘米，

横29厘米。右上篆题"皇朝一统舆地全图"，左上"道光十二年太岁元黓执徐孟陬之月阳湖李兆洛识"，系1832年李兆洛题记；后附"道光壬寅仲夏江右陈延恩跋"，乃1842年时任常州知府陈延恩跋文，下钤白文方印"臣延恩印"。全图分为8屏，以求"舒之为屏幅，卷之为册页"，方便使用。图中以北京子午线作为本初子午线，标志一度经纬网，并以清康熙所定"地球一度之长以二百里计"为准，进行画方，比例尺为1：2000000；图中纬线与画方横线重合混用，每度二方，每方百里。全图以清道光二年（1822年）作为时间节点，以标识行政区划建制为主，除重要河流、湖泊、山岭及境界外，着重反映各级行政中心及军事驻守处所；其中包括"省十九，府一百八十五，直隶厅十九，散厅七十五，直隶州六十九，散州一百七十一，县一千三百零四，将军等驻城三十一，防守等所驻城四十八，卡伦一百七十六"，其疆域"东尽费雅喀，西极葱岭，北界俄罗斯，南至于海"，对研究清代历史地理具有重要价值。

清道光二十二年《皇朝一统舆地全图》原图作者李兆洛（1769～1841年），字申耆，晚号养一老人，阳湖（江苏常州市）人；清代地理学家、藏书家、文学家；清嘉庆十年（1805年）进士，选庶吉士，充武英殿协修，改凤台知县。李氏早年宦游京都，留意地图资料搜集，后得见武进（江苏常州）人董佑诚所编分省地图41幅，遂以董图为蓝本，历经数年，终于清道光十二年（1832年）在江阴暨阳书院完成《皇朝一统舆地全图》，雕版印刷。因李氏锓版年代历久，漫漶不清，清道光二十二年

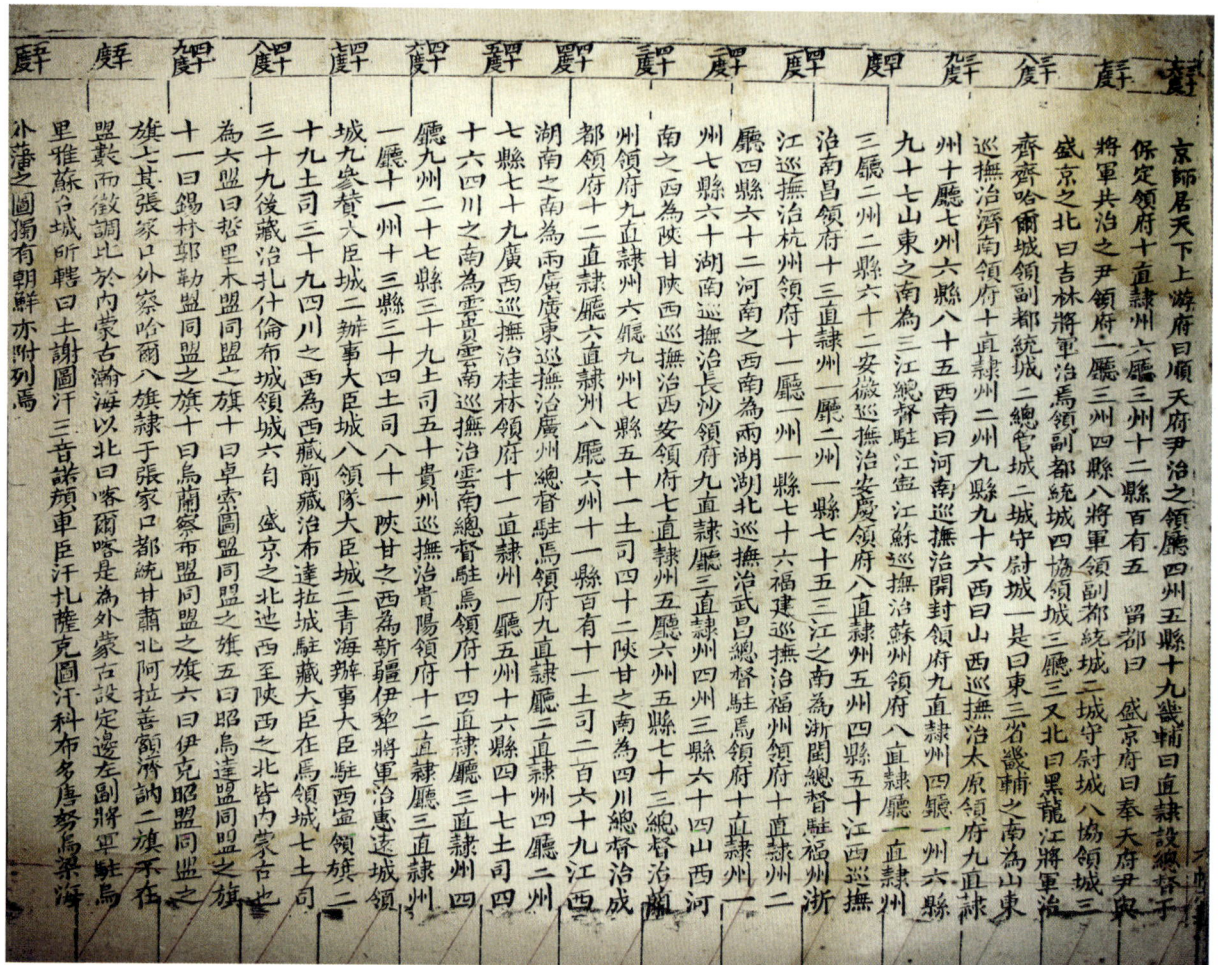

（1842年），李氏弟子六严依李氏原刻缩摹重刊，清道光二十二年《皇朝一统舆地全图》屏即此版。此后数十年间，六严所刊之版相继被上海、南京等地书局数次翻刻印行。

清道光二十二年《皇朝一统舆地全图》中李兆洛首创经纬网与方里网既各自独立，又相互关联的实用制图风格。虽精度不高，科学理论依据也不甚严密，但符合中国传统制图习惯，适应当时实测需要，故为其后许多制图所仿效。

清道光二十二年《皇朝一统舆地全图》屏存于易县文物保管所。

第九节 买地券等

东汉建初六年武孟子男靡婴买地券 东汉建初六年（81年）文物。清光绪十八年壬辰（1892年）出土于山西忻州，后辗转为端方所得。《陶斋藏石记》录此玉券云："玉版高二寸三分强，宽一寸四分半，厚二分强；玉青色有玄理，纵四横二，纵者长短各二，横者长短略同，理微侧，正面侧向右，背面侧面左；正背面各五行，行八字至十一字不等，字径二分弱至三分强不等，分书。"罗振玉《蒿里遗珍》刊此玉券拓本及释文，并订正杨守敬释文舛误。后，东汉建初六年武孟子男靡婴买地券入藏上海博物馆。

东汉建初六年武孟子男靡婴买地券是以碧玉制作，长方体，长7.1厘米，宽4.5厘米，厚0.7～0.8厘米。正、背面均从右至左，纵向阴刻隶书5行："建初六年十一月十六日乙酉，武孟子男靡婴买马熙宜、朱大弟少卿冢田：南广九十四步，西长六十八步，北广六十五，东长七十九步，为田廿三亩奇百六十四步，直钱十万二千。东陈田比介，北、西、南朱少比介。时知券约赵满、何非，沽酒各二斗。"

买地券，又称"墓莂""冥券"及"地券"等，是中国古代置于墓中的一种明器，以铅版、玉版及砖、石、铁、陶、纸、木等为载体，上契刻或书写虚拟地契，作为墓主向冥间购买阴宅，以求安居的凭证。自东汉至明清，历代皆有，因时代不同，买地券的用材、形制也随之变化。东汉时期，大多以仿简册状长条形铅板，少数用砖，东汉建初六年武孟子男靡婴买地券以玉板为材料，仅此一例。

东汉建初六年武孟子男靡婴买地券券文凡94字，制如地契：日期"建初六年十一月十六日乙酉"，买方"武孟子男靡婴"，卖方"马熙宜、朱大弟少卿"，所买冢地面积、四至"南广九十四步，西长六十八步，北广六十五，东长七十九步，为田廿三亩奇百六十四步"，地价"直钱十万二千"，证人"赵满、何非"，酬劳"沽酒各二斗"。

在西汉末年至东汉初年居延汉简中，有一枚残简上书文："□置长乐里乐奴田卅五亩，贾钱九百，钱毕已。丈田即不足，计亩数环（还）钱。旁人淳于次儒、王充、郑少卿，古（沽）酒旁二斗，皆饮之。"

简文系当时地契，残存卖方姓名、土地面积、地价、证人及酬劳。东汉建初六年武孟子男靡婴买地券书写内容、程序与之类似。存世东汉时期买地券，已知凡13件，以东汉建初六年武孟子男靡婴买地券时代最早。由此可知，买地券流行之初，作为一种明器，虽为虚拟地契，但确系模仿当时现实生活中的地契。此后买地券文中开始增加荒诞内容，如东汉中平五年（188年）房桃枝买地券文云"田中有伏尸，男为奴，女为婢"，竟然将田中亡魂强为奴婢，以供阴间驱使，愈加突显买地券之虚拟。同时期的"解除文"也逐渐渗入买地券文，如东汉延熹四年（161年）钟仲游妻买地券不仅记所买冢田阴宅，而且文中云"自今以后，不得干□生人，有天地教如律令"，用以分别生死，为死者解除谪罚，并施以压镇，令其不得返回阳间作祟生者，与早期买地券相比，文字内容发生较大变化。买地券是东汉时期土地买卖现实状况与丧葬习俗相结合的产物。洛阳是买地券的最早发生地区，后向山西、河北及江苏地区扩散。买地券广泛使用铅版，券文中掺杂巫术，应与当时洛阳地区早期道教的发展紧密关联。

东汉建初六年武孟子男靡婴买地券藏于上海博物馆。

东汉"平陵敬事里张伯升之柩"　东汉前期文物。1959年秋季出土于甘肃省武威市磨嘴子23号汉墓棺盖上。

东汉"平陵敬事里张伯升之柩"是一微红近于淡褐色丝织物，周缘附赭色镶边，纵115厘米，横38厘米，上端以一树枝为担杆。柩上从右至左，纵向墨书篆文2行："平陵敬事里张/伯升之柩，过所毋留。"

东汉"平陵敬事里张伯升之柩"柩2行墨书篆文上方各置一直径约15厘米圆形，左为日，内绘金乌；右为月，内画蟾蜍。在先秦时期丧礼中有一种丧具，《周礼》《仪礼》及《礼记》有关篇中称作"铭"，形制见于《仪礼·士丧礼》所述"为铭各以其物，亡则以缁，长半幅，赪末长终幅，广三寸，书铭于末曰'某氏某之柩'。竹杠长三尺，置于宇西阶上。"

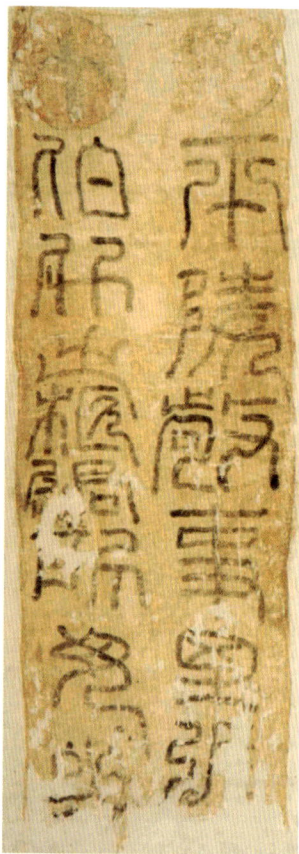

《礼记·檀弓下》阐释用"铭"之义："铭，明旌也。以死者为不可别已，故以其旗识之。爱之，斯录之矣；敬之，斯尽其道焉耳。"可知丧礼中需为亡者置"铭"，即天子、诸侯、卿、大夫与士，依各自等秩所建之旗帜，于其上书"某氏某之柩"，如不命之士，无所建之旗，则在一定规格、颜色的织物上，书写"某氏某之柩"，将其悬于竿上，用以表柩。《周礼·春官·小祝》东汉郑玄注引郑司农云："铭，书死者名于旌，今谓之柩。"《汉书·薛宣传》记薛宣移书池阳语："县所举廉吏狱掾王立，家私受赇，而立不知，杀身以自明。立诚廉士，甚可闵惜！其以府决曹掾书立之柩，以显其魂。"《太平御览》卷550《礼仪部》引《记统》曰："柩之言久也，具书其谥，置棺旁，万世久藏也。"《周礼》《仪礼》及《礼记》所言先秦时"铭"，汉时改称为"柩"。东汉"平陵敬事里张伯升之柩"即汉时丧具之"柩"。

"平陵"，汉时县名。《汉书·地理志》载，"右扶风"所辖21县，"平陵，昭帝置，莽曰广利"。《一统志》云："故城在今咸阳城西北十五里。""张伯升"，即出土该柩磨嘴子23号汉墓墓主的姓与字。"过所毋留"，与之类似，如"毋苛留""出毋留"等语，见于居延汉简通行凭证，意即通行无碍，书于柩上即令沿途鬼神不得留难亡人。磨嘴子22号汉墓出土的"姑臧渠门里张□□之区"，4号汉墓出土的"姑臧西乡阉导里壶子梁之〔柩〕☑"，54号汉墓出土的"姑臧东乡利居里壶〔□□之柩〕☑"，3柩的出土位置、形制、文字书写内容及程序，与23号汉墓出土的"平陵敬事里张伯升之柩"大致相同。54号汉墓出土的"姑臧东乡利居里壶〔□□之柩〕☑"文字上端右侧绘日及其所载三足乌、七尾狐，左侧画月及其所载蟾蜍、玉兔；4号汉墓出土的"姑臧西乡阉导里壶子梁之〔柩〕☑"上端两角绘有圆形，内画动物，下绘虎，次下画云纹。磨嘴子4、22、23与54号汉墓柩上所绘题材，与1972～1973年马王堆一号汉墓、马王堆三号汉墓出土的2幅汉文帝时期帛画及1976年5月山东临沂金雀山九号汉墓出土的汉武帝时期帛画相近。而且这些西汉时期的帛画也发现于棺盖之上，其与武威磨嘴子汉墓所出土柩的丧葬含义应当相同。考古发现，这些西汉时期的帛画前身可以追溯至1949年湖南长沙陈家大山楚墓出土的战国时期人物龙凤图帛画与1973年湖南长沙子弹库出土的战国时期人物御龙图帛画。四川地区发现一具东汉时期石棺，上刻铭"蜀广都苞乡器造里公乘孙仲妻君就，以石棺葬，书此柩兮"，应是磨嘴子汉墓所出土柩之变，抑或汉世之后柩铭刻于砖石之滥觞。作为丧具之"柩"，《后汉书·礼仪志·大丧》称"天子之柩"为"旐"。南北朝时期，汉时之"柩"或称"铭旌"，或称"旐"，或称"丹旐"，或称"旒旐"，礼制纷杂，且其形制、书写内容亦有变化。

东汉"平陵敬事里张伯升之柩"及其他甘肃武威磨嘴子汉墓出土之"柩"，是中国古代"铭旌"演变中承上启下的关键。2013年3月，甘肃武威磨嘴子墓群被国务院列为第七批全国重点文物保护单位。

东汉"平陵敬事里张伯升之柩"藏于甘肃省博物馆。

东汉"姑臧北乡西夜里女子□宁"朱书镇墓文帛 东汉前期文物。1959年秋季出土于甘肃省武威市磨嘴子15号汉墓棺盖上。

东汉"姑臧北乡西夜里女子□宁"朱书镇墓文帛是一深褐色丝织物，纵63厘米，横47厘米。从右至左，纵向朱书隶体4行："姑臧北乡西夜里女／子□宁死，下世当归冢次／□□□□□水社毋□河留／□□〔有天〕帝教

如律令。"

"姑臧"是汉代武威郡治所在，《后汉书·窦融传》注引《西河旧事》曰："凉州城，昔匈奴故盖臧城。"后人音讹，故名"姑臧"，其地即今日武威。"姑臧北乡西夜里"，即出土此帛15号汉墓墓主"女子□宁"之籍贯。帛上所书文字中有残缺、漫漶，大意是令亡者速归冥界冢居，不得停留。1959年秋季，在磨嘴子4号汉墓、22号汉墓、54号汉墓及23号汉墓棺盖上，分别出土一丝织物，上墨书"姑臧西乡阉导里壶子梁之［柩］☒""姑臧渠门里张□□之区""姑臧东乡利居里壶［□□之柩］☒"及"平陆敬事里张伯升之柩，过所毋留"。柩，作为一种丧具，在先秦时期称作"铭"，即丧礼中的天子、诸侯、卿、大夫与士，据各自等秩所建之旗帜，于其上书写"某氏某之柩"；如不命之士，无所建之旗，则在一定规格、颜色织物上，书写"某氏某之柩"，且将其悬于竿上，用以表柩。汉时，"铭"改称"柩"。出土于磨嘴子4号汉墓、22号汉墓、54号汉墓及23号汉墓棺盖上之丝织物，即汉时丧具之"柩"。东汉"姑臧北乡西夜里女子□宁"朱书镇墓文帛出土于15号汉墓棺盖上，同于上述四"柩"；但两者所书文字内容及程式有别，四"柩"用以表柩，而东汉"姑臧北乡西夜里女子□宁"朱书镇墓文帛则是令亡者安居冥界。东汉早期，与当时民间巫术及早期道教的发展密切相关，墓葬中开始流行镇墓文，或称解除文、解注文，绝大多数以陶瓶为载体，上朱书文字，主要用于分别生死，即为墓主镇压冥界鬼神，解除谪罚，使其得以安居，并令墓主不得返回阳间作祟，从而

为生者免除灾殃，以求富乐安康。"姑臧北乡西夜里女子□宁死，下世当归冢次□□□□水社毋□河留□□（有天）帝教如律令"，内容及文辞均类似同时期镇墓文，文末"有天帝教如律令"，是当时镇墓文之习语，如东汉刘伯平镇墓文："……月乙亥朔廿二日丙申朔，天帝下令移前雒东乡东郡里刘伯平，薄命蚤（死）……死生异处，不得相防（妨）；须河水清，大山……□六丁，有天帝教如律令！"镇墓文中，方士假托"天帝"，令亡者安居冥界，不得作祟生者，"有天帝教如律令"，意即依照天帝之律令。"姑臧北乡西夜里女子□宁死，下世当归冢次□□□□水社毋□河留□□（有天）帝教如律令"，即方士假托天帝，令亡者速归冥界冢居，不得停留；其上文字朱书，也与镇墓文相同。

东汉时期，镇墓文主要流行于洛阳与关中地区，其他地区发现较少，且绝大多数以陶瓶为载体。东汉"姑臧北乡西夜里女子□宁"朱书镇墓文帛出土于甘肃武威，以丝织品为载体，有助于学术界更加全面考察东汉时期镇墓文的发生与传播。

东汉"姑臧北乡西夜里女子□宁"朱书镇墓文帛藏于甘肃省博物馆。

东汉延熹九年朱书镇墓文陶瓶　东汉延熹九年（166年）文物。1993年2月出土于山西省临猗县东张乡街西村北。

东汉延熹九年朱书镇墓文陶瓶是泥质灰陶，质地较硬，器口沿平折，短束颈，广折肩，下腹部收敛，平底；通高17.7厘米，口径9厘米，肩宽13厘米，底径9.6厘米，重1.144千克；瓶内置一石膏质羊角状器，长9.3厘

米，宽1.5厘米，底径3.5厘米。器腹部从右至左纵向朱书16行："延熹九年十月丁巳朔五日辛酉直开，移五部中都二千石、丘丞、墓伯、冢侯、司马：地下祇羊令韩袱兴冢中前死安，千秋万岁，物复相求动伯（迫）。生人自有宅舍，死人自有棺椁；生死异处，无与生人相索。填冢雄黄，四时五行可除咎去央（殃），富贵毋（无）极。如律令！"

镇墓文或称解除文、解注文，产生于东汉早期，与当时民间巫术及早期道教的发展密切相关；绝大多数以陶瓶为载体，上朱书文字，主要用于分别生死，即为墓主镇压冥界鬼神，解除谪罚，使其得以安居，并令其不得返回阳间作祟，从而为生者免除灾殃，以求富乐安康。

东汉延熹九年朱书镇墓文陶瓶朱书凡96字，文中"延熹九年十月丁巳朔五日辛酉直开"，即墓主韩袱兴下葬日期；"移五部中都二千石、丘丞、墓伯、冢侯、司马"，为虚拟的冥界有司；"地下祇羊令韩袱兴冢中前死安，千秋万岁，物复相求动伯（迫）。生人自有宅舍，死人自有棺椁；生死异处，无与生人相索。填冢雄黄，四时五行可除咎去央（殃），富贵毋（无）极。如律令"句，是书写镇墓文的方士向虚拟的冥界有司所施之令，意在分别生死，令墓主安居冥界，不得作祟阳间生者。

东汉时期，镇墓文主要流行于洛阳与关中地区，其他地区较少发现。洛阳与关中两地所载镇墓文的陶瓶器形不同，呈现出明显的区域特色。东汉延熹九年朱书镇墓文书写程式及文辞与同时期其他镇墓文类同，陶瓶器形近似当时关中地区流行的镇墓文陶瓶，凡此有助于学术界全面考察东汉时期镇墓文的流行、传播及区域特征。东汉延熹九年朱书镇墓文陶瓶是国家一级文物。

东汉延熹九年朱书镇墓文陶瓶藏于运城博物馆。

东汉光和三年朱书镇墓文陶瓶 东汉光和三年（180年）文物。1985年11月出土于甘肃省广河县阿力麻土乡贾家村遗址。时值广河县文化馆发掘贾家村遗址。1988年12月，东汉光和三年朱书镇墓文陶瓶入藏临夏回族自治州博物馆。

东汉光和三年朱书镇墓文陶瓶是泥质灰陶，质地较硬；器小口平折沿，短束颈，广圆肩，下腹部收敛，平底；高15.6厘米，口径10.4

厘米，腹径17.7厘米，底径12.5厘米，重1.36千克；腹部饰刻划竖线。腹部从右至左纵向朱书数行："光和三年十……乙卯，天帝……地下二千石……生人……行……堂死人入郭……生人得……生人属……使天帝使有律。"

东汉早期，与当时民间巫术及早期道教的发展密切相关，墓葬中开始流行"镇墓文"，或称解除文、解注文。绝大多数以陶瓶为载体，上朱书文字，主要用于分别生死，即为墓主镇压冥界鬼神，解除谪罚，使其得以安居，并令其不得返回阳间作祟，从而为生者免除灾殃，以求富乐安康。东汉时期，镇墓文主要流行于洛阳与关中地区；两地所载镇墓文的陶瓶器形不同，呈现出明显的区域特色。

东汉光和三年陶瓶朱书是镇墓文，其书写内容、程序及文辞，与东汉时期其他镇墓文相似。对比其他镇墓文，大体可推知东汉光和三年陶瓶朱书文意：首句"光和三年十……乙卯"，是墓主下葬日期；"天帝……地下二千石"，乃书写镇墓文的方士假托"天帝使者""天帝神师"之类，告令虚拟的冥界有司"地下二千石"；"生人……行……堂死人入郭……生人得……生人属……使天帝使有律"，应如阳嘉二年、延光元年、阳嘉四年、熹平六年等镇墓文中"生人得九，死人得五""死入土，生上堂""死人行阴，生行阳"及"生人属西长安，死人属于东大山"之类告慰文辞。

"光和"，东汉灵帝刘宏所用年号，"光和三年"，即公元180年。东汉光和三年朱书镇墓文陶瓶是甘肃临夏地区所见具有明确历史纪年、时代最早的文物；该式镇墓文陶瓶，绝大多数出土于洛阳地区，关中地区仅有少量发现。凡此对于探讨东汉时期镇墓文的流行、传播及区域特征具有重要学术价值。2002年6月3日，经甘肃省文物局文物鉴定委员会郎树德、肖学智及张宝玺等鉴定，东汉光和三年朱书镇墓文陶瓶为国家一级文物。

东汉光和三年朱书镇墓文陶瓶藏于临夏回族自治州博物馆。

东汉中平五年房桃枝买地券　东汉中平五年（188年）文物。原为罗振玉旧藏。上海图书馆收藏东汉中平五年房桃枝买地券拓本，为罗氏亲制，上有罗氏1915年跋文："此券近出洛阳下，宣统甲寅（1914）冬，妇弟连平范津君游北京为予以重值得之厂肆。自黄县丁氏得《建宁四年孙成铅地券》后，赝作日出。此券距彼券出土后十余年，书迹尤纵逸，吾斋中至宝也。乙卯四月二十六日雨窗仇亭老民罗振玉手拓题记并释文。"民国34年（1945年）旅顺

解放初期，东汉中平五年房桃枝买地券散佚至旅顺铁山镇鸦户嘴农民周士显处。1956年2月22日，旅顺博物馆购藏此券。

东汉中平五年房桃枝买地券是铅质，长条形，长37厘米，宽4厘米，厚0.5厘米。正面从右至左，纵向阴刻隶书3行："中平五年三月壬午朔七日戊午，雒阳大女房桃枝从同县大女赵敬买广德亭部罗西造步兵道东冢下余地一亩，直钱三千，钱

即毕。田中有伏尸，男为奴，女为婢。田东、西、南比旧冢，北比樊汉昌。时旁人樊汉昌、王阿顺皆知券约，沽各半。钱千无五十。"

券文凡96字，制如地契：日期"中平五年三月壬午朔七日戊午"，买方"雒阳大女房桃枝"，卖方"同县大女赵敬"，所买冢地面积、四至"广德亭部罗西比造步兵道东冢下余地一亩；田东、西、南比旧冢，北比樊汉昌"，地价"直钱三千"，所买田中附属"田中有伏尸，男为奴，女为婢"，证人"樊汉昌、王阿顺"，酬劳"沽各半"。文中"戊午"，是"戊子"之误。"田中有伏尸，男为奴，女为婢"，是当时买地券文中习用语，如东汉建宁四年（171年）孙成买地券亦云："根生土著毛物，皆归孙成；田中若有尸死，男即当为奴，女即当为婢，皆当为孙成趋走给使。"类此将田中亡魂强为奴婢，以供阴间驱使，愈加彰显买地券之虚拟。

东汉中平五年房桃枝买地券文中，"为""钱""亩"及"直"，均为当时所流行异体字，有助于学术界全面了解这一时期的用字状况。1993年8月28日，经国家文物鉴定委员会杨伯达、云希正、刘东瑞及许勇翔鉴定，东汉中平五年房桃枝买地券为国家一级文物甲品。

东汉中平五年房桃枝买地券藏于旅顺博物馆。

三国吴赤乌八年买地券 三国时期吴赤乌八年（245年）文物。2003年出土于湖北省鄂州市武钢球团矿厂3号墓。

三国吴赤乌八年买地券是铅质，长条形，长30.5厘米，宽4.7厘米，厚0.51厘米。正面

纵向阴刻4阑，从右至左2阑内契刻隶书2行，首行40字，次行33字："赤乌八年八月己酉朔五日癸丑忌吉，下邳女子公孙新从魏郡崔小买土丧葬三顷五十亩，贾钱三百五十万，即日毕。县师史盖等三人证小卖地，证知新买之。谨立任以自分明。他如律令！"

买地券，又称墓莂、冥券及地券等，是中国古代置于墓中的一种明器，以铅板、玉板及砖、石、铁、陶、纸、木等为载体，其上契刻或书写虚拟地契，作为墓主向冥间购买阴宅，以求安居的凭证。自东汉至明清，历代皆有，时代不同，买地券的用材、形制也随之变化。三国吴时期，铅板与砖石并为买地券的主要材质。

三国吴赤乌八年买地券券文制如地契：日期"赤乌八年八月己酉朔五日癸丑"，买方"下邳女子公孙新"，卖方"魏郡崔小"，所买冢地面积"三顷五十亩"，地价"三百五十万"，证人"县师史盖等三人"。

买地券是东汉时期土地买卖现实状况与丧葬习俗相结合的产物，最初发生在洛阳地区，后向山西、河北及江苏地区扩散。东汉末年，战乱频起，民生凋敝，直至三国时期，洛阳及北方地区不再发现买地券，迄今所见三国时期买地券，均出土于吴地。清道光庚子（1840年），出土于南昌城外墓中的三国吴黄武四

年（225年）九江男子浩宗买地券文云："时任知卷者，雒阳金僮子鹬与鱼，鹬飞上□，鱼下入渊。"当时来自洛阳地区的方士在吴地买地券风行中扮演重要角色。

三国吴买地券主要发现于当时吴国都城建业及附近地区，在阳羡（今武昌）、豫章（今南昌）一带也有分布。与东汉时期买地券相比，三国吴买地券，大致可分两类：一类如三国吴赤乌八年（245年）买地券，行文比较简短，内容单纯为虚拟地契；另一类如三国吴永安五年（262年）买地券，券文渗入"解除文"，部分附有道符。两类买地券的区别，应是源于制作买地券方士的不同师承。三国吴地买地券中，不再出现如东汉光和五年（182年）刘公则买地券方士假托"天帝神师"之类；如三国吴五凤元年（254年）黄甫买地券文"从天买地，从地买宅，雇钱三百。东之至甲庚，西至乙辛，北至壬癸，南至丙丁。若有争地，当诣天帝；若有争宅，当诣土伯。如天帝律令"之类，是这一时期新出现的习语。

三国吴赤乌八年买地券藏于湖北省鄂州市博物馆。

三国吴永安五年买地券　三国时期吴永安五年（262年）文物。1956年12月出土于湖北省武汉市武昌区莲溪寺475号墓。墓中还出土一尊鎏金佛像及具白毫相的青釉人俑。

三国吴永安五年买地券是铅质，长条形，长27.4厘米，宽7.5厘米，厚0.25厘米。正面从右至左纵向阴刻隶书5行："永安五年七月辛丑朔十二日壬子，丹杨石城都乡□□校尉彭卢，年五十九，寄居沙羡县界，以……物故。今岁吉良，宿得天食，可以建□，造作无妨

（妨）。谨请东陵、西陵墓伯、丘丞，南栢、北栢地下二千石、□□□土公神□：今造百世□冢，□□丘父土主买地……纵广三千步，东西南北□界示。得价钱万五千……日毕。诸神不得抵道，如□□地，当得□豆□，当桃卷□尧………神示……□卷得。知者东王公、西王母。如律令！"

券文字体笔画纤细，部分字迹漫漶不清。"谨请东陵、西陵墓伯、丘丞，南栢、北栢地下二千石、□□□土公神□：今造百世□冢，□□丘父土主买地……纵广三千步，东西南北□界示。得价钱万五千……日毕"，是为墓主（丹杨石城都乡□□校尉彭卢）向多位虚拟的冥界有司购买阴宅。此类冥界有司亦见于如东汉延熹四年（161年）钟仲游妻买地券文"黄帝告丘丞、墓伯、地下两千石、墓左、墓右、主墓狱吏、墓门亭长"。券文"诸神不得抵道，如□□地，当得□豆□，当桃卷□尧………神示……□卷得。知者东王公、西王母。如律令"，即解除文，其所示文意当如东汉光和二年（179年）王当买地券"无责生人父母、兄弟、妻子、家室，生人无殃，各令死者无谪负。即欲有所为，待焦大豆生，铅卷华荣，鸡子之鸣，乃与诸神相听。何以为真？铅卷尺六为真。千秋万岁，后无死者。如律令"，用以分别生死，为死者解除谪罚，并施

以压镇，令其不得返回阳间作祟生者。据该券文，墓主彭卢系丹杨石城都乡人，职司□□校尉，寄居沙羡县。三国吴时，沙羡属武昌郡，其地即今武汉。石城，汉旧县，属丹阳郡。汉末东吴时期，丹阳都尉治石城，程普、黄盖及周鲂等名将均曾镇守石城。

买地券是东汉时期土地买卖现实状况与丧葬习俗相结合的产物，最早出现在洛阳地区，后向山西、河北及江苏地区扩散。东汉末年，战乱频起，民生凋敝，直至三国时期，洛阳及北方地区不再发现买地券。所见三国时期买地券，均出土于吴地。与东汉时期买地券相比，三国吴买地券大致分为两类：一类如三国吴赤乌八年（245年）买地券，行文比较简短，内容单纯为虚拟地契；另一类如三国吴永安五年（262年）买地券，券文渗入"解除文"，部分附有道符。两类买地券的区别，应是源于制作买地券方士的不同师承。三国吴地买地券中不再出现如东汉光和五年（182年）刘公则买地券方士假托"天帝神师"之类；如三国吴五凤元年（254年）黄甫买地券文"从天买地，从地买宅，雇钱三百。东之至甲庚，西至乙辛，北至壬癸，南至丙丁。若有争地，当诣天帝；若有争宅，当诣土伯。如天帝律令"之类，则是这一时期新出现的习语。

三国吴永安五年买地券藏于湖北省博物馆。

三国吴建衡二年买地券 三国时期吴建衡二年（270年）文物。1974年10月至1975年1月出土于江苏省南京市太平门外栖霞山甘家巷29号墓。

三国吴建衡二年买地券是铅质，长25.1厘米，宽3.4厘米，厚0.1厘米。正面从右至左纵向

阴刻文2行："建衡二年十二月十四日，处士徐州广陵堂邑□□，买丹杨江乘□□□地三顷，直钱三百万。任知都监许祀。他如律令！"

三国吴建衡二年买地券，券文制如地契：日期"建衡二年十二月十四日"，买方"处士徐州广陵堂邑□□"，所买冢地位置"丹杨江乘"，所买冢地面积"地三顷"，地价"直钱三百万"，证人"都监许祀"。

堂邑，汉旧县，《汉书·地理志》属临淮郡，《后汉书·郡国志》属广陵郡，其地在今江苏六合北境内。《资治通鉴》卷75魏绍厉公嘉平二年（吴赤乌十三年，250年）十一月"吴主遣军十万作堂邑涂塘以淹北道"，堂邑，胡三省注："魏吴在两界之间，为弃地。"堂邑处于魏吴争夺之地。墓主或即因此南徙江南者。

三国吴建衡二年买地券藏于南京博物院。

西晋元康六年朱书镇墓文斗瓶 西晋元康六年（296年）文物。1985年出土于甘肃省敦煌市祁家湾墓群210号墓。2015年，甘肃省文物考古研究所将西晋元康六年朱书镇墓文斗瓶移交入藏敦煌市博物馆。

西晋元康六年朱书镇墓文斗瓶是灰陶质地，器侈口高领，束颈，鼓腹下收，平底；高6.8厘米，口径4.9厘米，底径3.6厘米，重0.089千克。颈部附一硕大朱点，腹部从右至左纵向朱书镇墓文13行63字："元康六年正月

丙辰朔六日甲子直开，窦秉之身死。今下斗瓶、五谷、铅人，用当复地上生人。青乌子、北辰诏令：死者自受其央（殃），罚不加两，移央（殃）传咎，远与他乡。如律令！"

东汉早期，与当时民间巫术及早期道教的发展密切相关，墓葬中开始流行"镇墓文"，或称解除文、解注文；绝大多数以陶瓶为载体，上朱书文字，旨在分别生死，即为墓主镇压冥界鬼神，解除谪罚，使其得以安居，并令其不得返回阳间作祟，从而为生者免除灾殃，以求富乐安康。

西晋元康六年朱书斗瓶朱书镇墓文旨在为亡者"窦秉"免除冥界谪罚，并保佑生者不受亡者作祟殃及。

东汉时期，镇墓文主要流行于洛阳与关中地区，其他地区较少发现。东汉末年，战乱频起，民生凋敝，直至西晋时期，中原地区极少发现镇墓文。东汉至三国时期，镇墓文在河西走廊始有零星发现。西晋时期，河西走廊，尤其是敦煌地区，成为镇墓文的主要流行区域。

西晋元康六年朱书镇墓文是西晋时期镇墓文的典型。与东汉时期镇墓文对比，这一时期的镇墓文文辞简短，且行文上方附一硕大朱

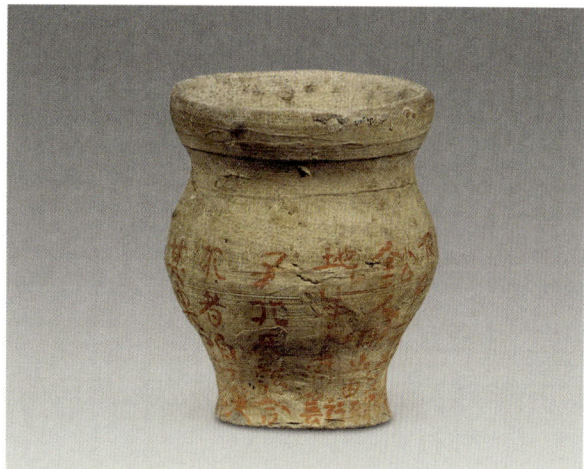

点；书写镇墓文的方士极少如东汉时期假托"天帝神师""天帝使者"之类下令，而如西晋元康六年朱书镇墓文所示，习用"青乌子、北辰诏令"。《风俗通义·佚文·姓氏》记："汉有青乌子，善数术。""青乌子"于汉晋之世，广为信奉，东汉时期镇墓文中即已出现，如"建宁三年九月□□日，黄帝青乌□□曾孙赵□□□造新冢"。而至西晋时期，"青乌子、北辰诏令"是为"镇墓文"中习语，足见当时对"青乌子"之尊崇愈加。东汉时期，镇墓文或云"今故上复除之药，欲令后世无有死者。上党人参九枚，欲持代生人，铅人持代死人，黄豆瓜子，死人持给地下赋""天帝使者谨为杨氏之家镇，安稳冢墓。谨以铅人、金、玉为死者解谪"，方士习以"铅人""人参""五石""神药"及"雄黄"等解谪。西晋时期，如西晋元康六年朱书镇墓文所云"今下斗瓶、五谷、铅人，用当复地上生人"，方士所用除殃之物，相对固定替代以"斗瓶""五谷"与"铅人"。东汉时期，镇墓文风行"生人得九，死人得五；生死异路，相去万里"及"生人属西长安，死人属于东大山"之类辞句。西晋时期，镇墓文则出现"苦莫相见，乐莫相思"及"千秋万岁，乃复得会"之类新的语辞。东汉时期镇墓文陶瓶自名"瓶"；西晋时期镇墓文陶瓶如西晋元康六年朱书镇墓文斗瓶，自名"斗瓶"。"斗瓶"与东汉时期洛阳、关中地区各自流行的镇墓文陶瓶，均不同型。西晋时期，河西走廊地区的镇墓文，呈现出鲜明的时代与地方特色。

西晋元康六年朱书镇墓文斗瓶藏于敦煌市博物馆。